JN253369

歯科放射線学

第7版

Oral and Maxillofacial Radiology

編集

岡野友宏
小林　馨
有地榮一郎
勝又明敏
林　孝文

執筆(五十音順)

日本大学歯学部教授
新井嘉則

昭和大学特任教授
荒木和之

愛知学院大学教授
有地榮一郎

大阪歯科大学教授
有地淑子

東北大学教授
飯久保正弘

朝日大学教授
飯田幸弘

鶴見大学教授
五十嵐千浪

神奈川歯科大学附属病院教授
泉　雅浩

明海大学講師
大髙　祐聖

昭和大学名誉教授
岡野友宏

日本歯科大学新潟生命歯学部教授
小椋一朗

九州歯科大学准教授
小田昌史

福岡歯科大学教授
香川豊宏

広島大学大学院教授
柿本直也

朝日大学教授
勝又明敏

新潟大学医歯学総合病院講師
勝良剛詞

日本大学松戸歯学部教授
金田　隆

北海道大学大学院助教
亀田浩之

日本歯科大学生命歯学部教授
河合泰輔

明海大学教授
鬼頭慎司

東北大学准教授
小嶋郁穂

東京歯科大学教授
後藤多津子

鶴見大学名誉教授
小林　馨

明海大学講師
酒井(井澤)真希

神奈川歯科大学教授
櫻井　孝

東京科学大学名誉教授
佐々木武仁

環境科学技術研究所理事長
島田義也

長崎大学教授
角　忠輝

長崎大学大学院教授
角　美佐

長崎大学大学院准教授
高木幸則

松本歯科大学教授
田口　明

鹿児島大学大学院教授
田中達朗

岩手医科大学教授
田中良一

九州大学大学院教授
筑井　徹

愛知学院大学准教授
内藤 宗孝

東京科学大学大学院助教
中村　伸

北海道医療大学特任教授
中山英二

新潟大学大学院准教授
西山秀昌

東京歯科大学名誉教授
橋本正次

新潟大学大学院教授
林　孝文

奥羽大学教授
原田卓哉

岡山大学病院講師
久富美紀

昭和大学教授
松田幸子

日本大学歯学部准教授
松本邦史

東京科学大学大学院教授
三浦雅彦

北海道大学大学院教授
箕輪和行

大阪大学大学院教授
村上秀明

九州歯科大学教授
森本泰宏

九州大学名誉教授
吉浦一紀

東京科学大学大学院准教授
渡邊　裕

医歯薬出版株式会社

第 7 版の序

本書は 1981 年にその初版が刊行された．その頃，わが国では歯科放射線学を系統的に扱った教科書は少なく，外国語の関連図書を参考にしながら，各大学で独自に資料を準備して講義や実習を行っていた．一方で，放射線医学の進歩や「歯科医学教授要綱」の度重なる改訂を経験する中で，歯科における放射線医学の標準的な教科書の必要性が高まってきた．最近では「歯科医師国家試験出題基準」が医療の進歩と高齢化社会などの時代を反映して定期的に見直されており，さらに，患者を対象とした臨床実習を始める前に，歯学生の能力を保証するための共用試験の公的化が始まろうとしており，その前提となる「歯学教育モデル・コア・カリキュラム」の立案とその適切な運用には多大な労力が費やされてきた．

こうした時代を反映して，本書も度重なる改訂を行って，2018 年に第 6 版を刊行した．さらに昨今の医療技術の進歩はめざましく，医療情報のデジタル化，X 線検出器の進歩，CT/MRI の高度化と応用範囲の拡大，超音波診断や核医学の発展，人工知能（AI）の医療への適用，がんの放射線治療機器の高精密化に伴う適応の拡大などがあり，これらは歯科・口腔領域における画像診断と放射線治療にも大いに影響を及ぼしている．今般の改訂ではこうした新たに得られた知識を積極的に取り入れるようにした．

さて，わが国の歯科医療の大部分は個人経営の小規模な歯科医院が担っている．X 線撮影の準備から画像の取得，そして読影までを一人の歯科医師が行うことが多い．この一連の作業の基本を，卒業前までに修得する必要があり，ここで口内法撮影の手技を詳細に解説する理由でもある．同時に，X 線が身近で多用されるのも歯科医院の特徴であり，放射線の人体への影響から始まって，歯科医院における適切な X 線の活用に至る広い見識が歯科医師には求められる．本書はこれらをその基本から理解できるように編集されている．

卒業前の学生を対象として編んだ教科書ではあるが，卒後臨床研修と歯科放射線認定医・専門医レベルに対応できるように編集されている．したがって，使用にあたっては先達に相談しながら，適宜，取捨選択して学習されることが望まれる．本書が歯科医師を目指す学生諸君とすでに歯科医療を専門とする方にとっても，座右の書として活用されることを切に望む次第である．

2024（令和 6）年 2 月

編集委員一同

第６版の序

本書は，わが国の歯学部学生に幅広く利用される標準的な教科書として編集されている．いずれの章も，その領域の先端の先生方に執筆を　依頼し，その原稿を本書の編集担当者の合意で，必要に応じて加筆や修正をお願いすることにより，偏りや誤りのないように配慮されている．

前回の改訂はおよそ５年前で，この間の放射線医学の進歩は目覚ましいものがあった．ことにデジタル系の普及，MRI の撮像技術の進歩とそれに伴う医学利用範囲の拡張，PET の普及と高精度化による顎口腔領域での臨床活用の拡大，がんの放射線治療技術の進化と適応の拡大，低線量放射線被曝の生体影響に関する基礎研究の進歩などに加え，歯科に特異的な分野として，歯科用コーンビーム CT の普及と装置の高度化，これに伴いその活用法に変遷がみられたことである．今回の改訂では，特にこのような領域について，大幅な変更や追加がなされた．

さて近年，歯科を含む医療分野では診療ガイドラインの概念が一般化した．ガイドラインは医師と患者がそれぞれの状況下で適切な意思決定が行えるよう支援するのがその役割である．したがって，ガイドラインは科学的な根拠に基づいていなければならず，Evidence-based Medicine（EBM）ともよばれる．放射線診療においても，画像診断と放射線治療に関わる数多くのガイドラインが提示されている．わが国の診療ガイドラインセンターともいうべき Minds は，医学系学会の編集したガイドラインを評価・選定してその Web サイトに公開している．歯科診療ガイドラインは歯科放射線のそれも含めて，少数ではあるが掲載されている．これとは別に，欧米には歯科放射線に関わるガイドラインが数多く提示されており，歯科における画像診断を進めるときの参考になる．本書ではその点にも留意した．

本書の読者の対象はこれまでもそうであったように，歯学部の学生諸君であるが，歯科臨床研修医や日本歯科放射線学会認定医・専門医を目指す諸君にも活用できるよう編集している．したがって，学生諸君にはやや高度な内容を含むことになるが，いずれは歯科医師として，あるいは医療を専門とする社会人として活躍することを考えれば，この程度の内容はいまの時点で把握しておいたほうがよいと考える．本書が将来を背負う諸君の座右の書として活用されることを切に願う次第である．

2018（平成 30）年１月

編集委員一同

第５版の序

本書が世に出てから，すでに30有余年が過ぎた．その間，疾病構造の変化や医療技術の進歩は医療サービスのあり方も含めて，医療・歯科医療に大きな変化をもたらした．一方で，わが国は未曽有の災害を体験し，包括的な医学・医療の重要性を再認識した．

本書が5，6年ごとに改訂を重ねる理由でもあるが，「歯科放射線学」は医学・歯科医学の一分野として，社会の変化と無関係ではありえない．齲蝕や歯周疾患，歯の欠損や喪失といった歯科疾患においては，高齢者の増加や治療技術の向上とともに，診断法にも30年前とは異なった視点が求められ，同時により高い信頼度が求められている．一方，デジタル時代の到来以来，CTやMRI，核医学といった画像診断においても革新的な技術が開発されて医療に直接的に貢献し，今後もとめどなく進歩することが予想されている．このような技術革新は，人びとの健康増進と疾病予防・治療の改善に貢献してはじめて評価されるものであるが，そのためには数多くの質の高い臨床研究が同時に求められる．

こうしてみると，医学・医療は若い学生諸君にとって，その身を投ずるに値するきわめて魅力的な分野だといえる．「歯科放射線学」はそのなかのほんの小さな一分野にすぎないが，そこには医学・医療を理解するために必要なさまざまな要素がちりばめられていることに気づくであろう．本書を編集するにあたって，執筆者の先生方には，それぞれの領域における最新の研究・診療成果を正確に反映するようにお願いした．それは本書をステップとして，学生諸君がいっそうの高みを目指してほしいからである．道しるべが曖昧では，無用な遠回りをしたり，場合によっては道を失うからである．

いまの時代，さまざまな情報源があり，インターネットで適切なキーワードを検索すれば，数多くの情報を得ることができる．しかし，単純化しすぎたためにその本質を見失いかねない表現や，全く誤った内容が示されることもあり，時には意図的に一定の結論となるような偏った記述さえ見受けられる．そこで，学生諸君に望むことは，まずは情報を受け止めて，その後，これをじっくり吟味する余裕をもってほしいということである．こうした機会を重ねることで，人としての知性が育まれる．知性は医療人に求められる最も大切な素養の一つである．

本書はわが国の歯学部学生を対象として書かれたものであるが，学生諸君のいっそうの学習を促す内容も含まれている．また，臨床研修医の参考書としても活用でき，歯科放射線認定医・専門医を目指すときの入門書としても利用できる．若い諸君の輝かしい未来に，本書が多少とも役立つことができれば，編者として大きな喜びである．

2013（平成25）年9月

編集委員一同

第 4 版の序

本書は 1982 年初版の歴史ある書である．1995 年，2000 年と版を重ね，このたびの改訂で第 4 版となるが，その間，時代の第一人者の先生方が執筆されてきた．改訂のたびに時代の進歩を反映した新しい内容を加えるとともに，その質の充実を図ってきた．このたびの改訂の主眼も学生諸君にとって読みやすく，検索しやすいことと同時に，何よりも最新の情報を正確に記載することにあった．現在のカリキュラムでは，専門学問分野である「歯科放射線学」や「口腔放射線医学」として系統的な授業が行われているが，一方では，たとえば疾患別に各専門領域が参加する統合科目のなかで，画像診断や放射線治療が授業されることもある．また，学生の学習意欲を向上させるために，将来，歯科医師として出会うであろう事例をもとにした授業が行われるが，そのような授業では，放射線医療が断片的に提示されることとなる．したがって，歯科放射線医療・医学を系統的に学ぶ場合であっても，関連事項としてその一部を調べる場合であっても，その学習が効果的に行えるような工夫がこの種の教科書には求められる．また，学生の最大の関心ごとである共用試験の CBT や OSCE，歯科医師国家試験などの受験準備の学習にも役立つことも必要である．本書は以上のことも考慮して編集された．

したがって，本書は歯科医師になるために必要な放射線医療・医学を学ぶための入門書であるが，初期臨床研修に必要な事項も含まれている．しかし，学生・臨床研修医としてさらに深くこの領域を学習する場合や歯科放射線診療の専門医を目指す場合には，専門分野の先生方の指導を仰いで，適切な書物を参照してほしい．本書の読者が生涯を通じて学習し続けることのできる思慮深い歯科医師になることを願う次第である．

2006（平成 18）年 5 月

編集者一同

第 3 版の序

歯科医学教育は，現在,「曲がり角」にきているといわれている．これはわが国だけではなく先進諸国に共通している．その背景には，(1) 歯科の疾病構造が変化したこと，(2) 口腔衛生に対する人々の意識が変化したこと，(3) 歯科医学研究が進歩したこと，(4) 歯科医師の数が過剰なこと，などがある．こうした状況の変化に対して教育そのものが，従来どおりの型でいいはずがない．そこで新しい歯科医学教育についての提言が様々な書籍や論文で数多くなされ，歯科医学を含む医学教育そのものについて，より状況に即した効率的な手法が提起されている．

しかし，一方では大学には教育理念があり，それは大学の間でも異なっているため，新しい教育の目標やそこに到達する過程もまた異なったものとなるであろう．

こういう状況での教科書とはどういうものになるのであろうか．教科書はいつの時代であっても，その時代における標準を示すものでなくてはならない．そこでは現時点で確立された概念を明確に示すことが重要である．同時に，近い将来において重要となるであろう事項についても言及すべきであろう．したがって「曲がり角」にきた歯科医学教育ではあるが，教科書としての役割には大きな変化はないということになるであろう．

さて，歯学部の学生が理解しておくべき内容と範囲については，歯科医学教授要綱（歯科大学学長・歯学部長会議編集）が参考となる．しかし，要綱は基本概念とともに教授項目が示されているに過ぎない．したがって教える先生方は要綱を意識しながら，その先生の教育・臨床・研究の経験を背景にして，必要と判断した内容を教授することになる．そこには先生方の個性が反映されることになる．

教科書を編集するときには，それぞれの領域で活躍されている数多くの先生方に執筆していただく．考え方がそれぞれの先生で異なるので，その編集では，どこかで調整をしなければならない．この教科書では初めての試みとして，各章の執筆をお二人の先生の共著となるように依頼した．また私ども編集者は著者の方に多くのご無理をお願いし，記述ができるだけ平易になるように書き足していただいたり，せっかく書いたものを削除させていただいたりした．このようにして，できる限りバランスのとれた教科書となるように努力したつもりである．その結果，(1) こうした変革の時代にふさわしく，(2) 従来からの重要で基本的なことを重視しながら，(3) 新しい項目を積極的に取り入れた「歯科放射線学」の教科書となった．

学生諸君，臨床研修医諸君，一般臨床医の方々は，本書を座右におくことにより，歯科放射線学をより深く，確実に理解できるものと確信している．

なお，本書の執筆にあたり，先人が残された数多くの資料や図表を積極的に利用させていただいた．本書への転載を了解していただいた内外の著者や出版社の方々に心より感謝の意を表したい．読者の皆さんには，それらの図表が誰のものかがその場でわかるようにするため，出典を明らかにしておいた．

本書が多くの方々に利用されることを願って，序とさせていただく．

2000（平成 12）年 7 月 1 日

レントゲンによる X 線の発見から 105 年経った年に

編集者一同

第 2 版の序

進歩してやまない歯科医学のなかにあって，歯科放射線学のアンダーグラジュエートの成書として 1982 年に出版された本書も，十数年を経て改訂の必要が生じた．

その準備が，従来の執筆者と新しくお願いした専門の方々とともに数年前から進んでいたが，最新の装置の進歩，放射線防護関連法規の改正など，時代の変遷に対応しているうちに月日が過ぎてしまった．また，その間に教育，研修面でも，厚生省関係の「歯科医師国家試験出題基準」が平成 5 年 6 月に改訂され，さらに平成 6 年 4 月には文部省関係の歯科大学学長会議「歯科医学教授要綱」が改訂されるなどの大きな改革があった．

したがって，本書ではこれらの新しい基準に沿って内容を充実させ，編集を進めた．

改訂では，とくにつぎの点に重点をおいた．

(1) 放射線物理的項目はできるだけ臨床に必要な知識とした．

(2) 新しい画像診断装置の項を増やした．

(3) 歯の画像診断の範囲を広げ，また顎骨病変では鑑別診断にも注意した．

(4) 放射線障害防止法は，平成元年 4 月から施行された医療法のほか，ICRP（国際放射線防護委員会）1990 年勧告も一部取り入れた．

(5) 臨床実地的な画像診断と，最新の理学療法も参考として付した．

いずれにしても，歯科放射線学は各科の診療に必要な検査資料を提供するための学問としてみられることが多い．しかし，医科の放射線学と同様，CT，MRI，超音波などの新しい装置，RI や造影手技のほか，これらを利用して得られた画像に対する診査，さらに放射線治療，レーザー治療など，歯科放射線学の担当する範囲は広くて奥深い．

このため，歯科放射線学会でも専門医の必要性が注目されている．この意味も含めて本書が学生諸君の教科書にとどまらず，ポストグラジュエート研修のための参考書としてもみていただければ幸いである．

平成 7 年 4 月

古本啓一
菊地　厚

序

最近，歯科放射線学に関する成書が比較的多く出版されるようになった．これは放射線が臨床各科の診療体系の中で広く利用され，これに伴って診断的な面はもちろん，基礎的な面も網羅した歯科放射線の解説書が必要とされるようになったためといえる．

また，X 線を含めて画像診断の進歩は電離放射線，RI（放射性同位元素）のみならず，ME（医用電子）の領域まで拡大されており，放射線機器その他の最新の診療機器に対する広い知識が今日的に必要となり，さらに，放射線障害防止の問題が社会的にも注目され，当然のことながら放射線の管理措置なしでは，放射線の利用ができなくなった現状も注意しなければならないことである．

一方，これらの諸点は大学の歯科放射線学のカリキュラムの面を通して歯科医師国家試験にも反映されているため，本書はとくにアンダーグラジュエートの知識を習得する意味で，教科書的な構想のもとで企画された．

もっとも，大学では教科書がすべてではなく，むしろ各教授のオートノミイが尊重されることが大切であり，このため，各執筆者には比較的専門とされる分野を担当していただくこととなったが，執筆の進んだ段階で各章が個性に富んだものとなった．このことは，本書の一つの特徴ともいえる．いずれにしても，現時点における大学の教授要綱にのっとったすべてが展開されているはずである．

その他の特徴として……，

1）基礎的な章は，歯科放射線学の根幹となるものであり，このためポストグラジュエート的な事項を含めて，詳記した．

2）良い X 線撮影フィルムを得るため，X 線撮影法，現像操作の理論的な面のみならず具体的な面も含めた．

3）放射線治療，核医学などの放射線医学のうち関係事項を包含した．

4）歯学は全身の一環であるため，隣接医学の一端にもふれた．

なお，用語については“スタフネ口腔 X 線診断学”，“口腔 X 線診断図譜”の中で用いられている専門語を参照した．

本書は編集責任者のほか，東与光，黒柳錦也，前多一雄，尾澤光久，山本昭（ABC 順）の各教授の分担によるものであるが，その他多くの人たちの協力でまとめられたものであり，諸先生方の御尽力に心から厚く感謝申し上げます．また，企画，製作にあたって終始お世話をいただいた医歯薬出版株式会社に深く感謝します．

なお，記述にあたっては多くの諸先輩の著者に負うところが大きく，巻末にそれらの一部を記載し，あらためて感謝の意を表した．

学問は日進月歩であり，一日として止まるところを知らないとさえいえる．本書も今後改訂を重ね歯科放射線学の進歩と歩を合わせながら発展して行きたいと思っている．アンダーグラジュエートの座右書として，学生諸君あるいは一般歯科医の方々のために本書が役立てば誠に幸いである．

昭和 56 年 11 月 8 日

古本啓一
菊地　厚

目 次

第1章 放射線と歯科医療

第2章 放射線とその性質

第3章 X 線投影画像の形成

第4章 X 線撮影法と画像検査

第5章 画像診断

第6章　がんの放射線治療

第7章 法歯学と歯科X線画像 橋本正次／483

第1章 放射線と歯科医療

1 放射線と医療

1）はじめに

X線は光の仲間で，電磁波の1つである．電磁波とは電場と磁場の時間変化が波動として空間を伝わることをいい，その波長により性質が異なり，その性質に応じて用途もさまざまである（図1-1-1）．電波の波長は長く，放送では周波数が500 kHzから700 MHzの範囲でラジオの中波からテレビの地上デジタル放送までがカバーされる．可視光線はプリズムでわかるように，波長が短くなると赤から紫に変化する．さらに波長が短いのが紫外線（ultraviolet；UV）で，これは眼でみえない．さらにX線は波長が短くなる．紫外線やX線は可視光線に比べてエネルギーが高く，物質を透過する性質をもち，ヒトの細胞を傷つける．紫外線は殺菌に利用される一方で，ヒトに日焼けという損傷を与える．X線は空港の手荷物検査で利用され，X線撮影には100 keV前後のエネルギーが必要である．画像は患者に有用であるが，一方でCTなどが多用されるとその集団のがんのリスクが上昇するとされる．診断に用いるX線の10倍あまりのエネルギー，1 MeVを超えるとがんの治療に用いられる．γ（ガンマ）線は放射性同位体から放出される電磁波で，放射性同位体の種類によってエネルギーは異なるが，その多くはX線よ

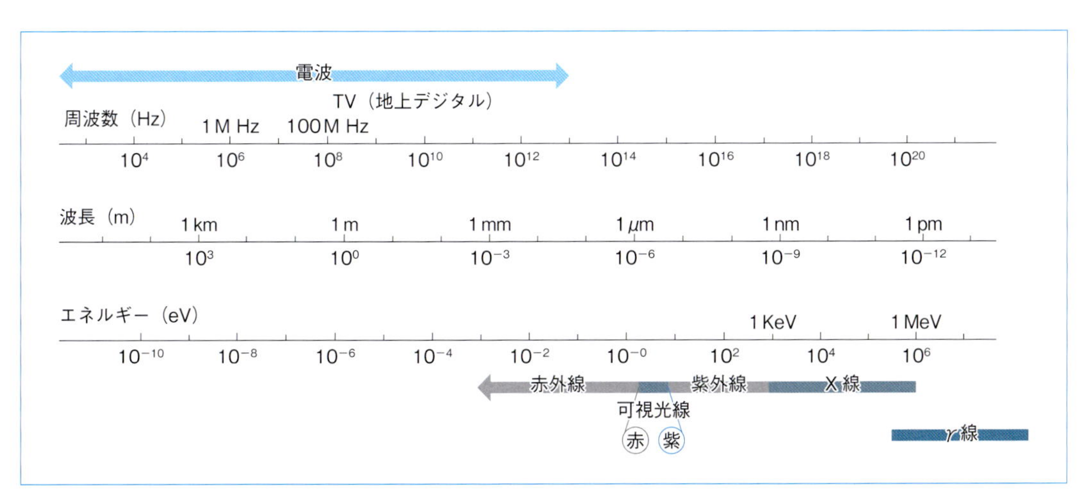

図1-1-1 電磁波の周波数，波長，エネルギーの関係
電磁波のエネルギー（eV），波長（m），周波数（Hz）との関係を示す．関係は $E=hc/\lambda$ で，プランクの定数（h）＝ 6.63×10^{-34} J・s，光速（c）＝ 3×10^{8} m/s，J ＝ 6.24×10^{18} eV とすると，E（eV）＝ 1.24×10^{-18} eV・m/λ(m) となる．たとえば，波長 10^{-11} m のX線のエネルギーは 1.24×10^{5} eV で124 keVとなる．周波数（f）と波長（λ）の関係は $f=c/\lambda$ である．なお，水素の原子核（プロトン）の共鳴周波数は1.5 Teslaの磁場中で64 MHzで，無線の周波数帯である．（「物理」東京書籍2022年版を参考に作成）

りもさらに波長は短く，がんの治療やシンチグラフィに用いられ，医療以外では種の品種改良にも利用される．

X線なくして医療は成り立たない．胸部X線撮影では胸郭全体を前方の板に密着させて息を十分吸って止めたところで，後方のX線発生装置（X線管）からほんの1秒の1/50～100程度の短時間，X線が照射されて撮影が終わる．X線は背中に入射し，その多くは体内で吸収され，一部は通過して前方のフィルムを感光させて，X線画像を形成する．最近では，フィルムに代わって受像系としてデジタル検出器が使用されるが，X線写真と類似した画像がモニタ上に表示される．一般の写真がデジタル画像に代わってモニタ上で観察するのと同様である．画像の観察ではさまざまな病態とX線画像を比較した先人の研究成果をもとに，肺の微細な変化を読み取ってその病理を推測し診断する．歯科で用いられる口内法X線撮影においても画像形成の原理は同様で，検査の対象となる歯の背後にデジタル検出器を固定し，口の外からX線を照射する．その画像から歯と歯槽骨の病変を診断する．

図 1-1-2　レントゲン博士がX線を発見したときの想像図

レントゲン博士は陰極管を黒いカートンに閉じて放電させたところ，数m離れた蛍光物質から蛍光が発することを発見した．

（FUNDAMENTALS OF RADIOLOGY：REVISED EDITION OF FUNDAMENTALS OF ROENTGENOLOGY by Lucy Frank Squire, Cambridge, Mass.：Harvard University Press, Copyright © 1964 by the Commonwealth Fund, Copyright © 1975 by the President and Fellows of Harvard College. Used by permission. All rights reserved.[1]）

2）X線の発見とX線撮影の進歩

医学における生体観察の手段として，古くギリシャ時代には問診，視診，触診が行われた．19世紀になり打診や聴診が広く普及したが，こうして得られた臨床所見と，当時すでに細胞レベルにまで進んだ病理学とを対応させるには，あまりにも大きなギャップがあったといえる．レントゲン博士（図 1-1-2，Wilhelm Conrad Roentgen, 1845～1923）によるX線の発見は瞬く間に世界中に広がり，医療関係で特に強い関心をよんだ．この発見は陰極線に関するそれまでの長い研究実績のうえになされたものであった．真空管内で真空近くまで希薄にした気体中で高電圧をかけて放電すると，陰極から発したイオン流（陰極線）が直進し，真空管壁にぶつかって蛍光を発することが知られていた．レントゲン博士は，真空管を黒いカートンに閉じて放電させても，数m離れた蛍光物質から蛍光が発することに気づいた．これはいままで知られていない透過力の強い光線と考えられたので，X線と名づけた．また,「放電装置と蛍光板の間に手を置くと，薄く手の陰が見える中に手の骨の影が黒く見える」ことは，医師たちの強い関心をよんだ．

レントゲン博士が用いたX線管は，ガスを封入したガス管球，またはヒットルフ・クルックス管（略して**クルックス管**：Hittorf-Crookes tube）で，陰極線がガラス管壁に衝突し，そこでX線を発生させるという形式であった．しかし，出力不足，かつガス圧の変化によって出力が不安定という欠点があった．ガス管球はその後改良され，1913年にクーリッジが，はるかに

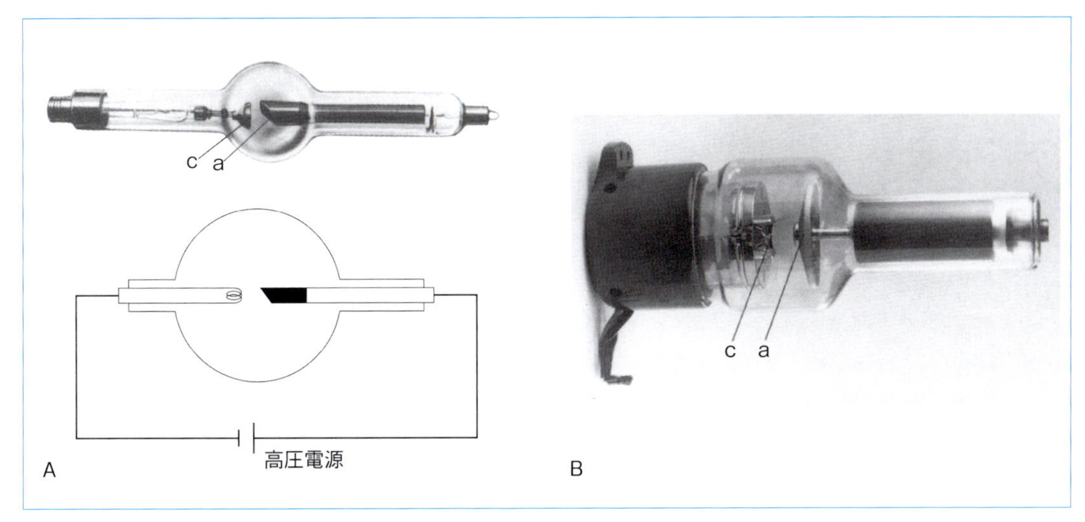

図 1-1-3　クーリッジ管（Coolidge tube）
Coolidge（1873〜1975 年）の考案による X 線管で，フィラメントを陰極として陽極自身を対陰極とする．白熱したフィラメント（主としてタングステン）からの熱電子を用いる（**A**）．現在の X 線管は，基本的にはクーリッジ管が改良されたものである（**B**）．a：陽極，c：陰極．

安定した X 線管（**クーリッジ管**：Coolidge tube）を考案した（図 1-1-3）．クーリッジ管はクルックス管と異なり，真空度がきわめて高く，陰極にタングステンフィラメントを用いる．タングステンフィラメントを高温にして熱電子を発生させ，次にこの熱電子を印加した電圧で加速して，陽極のタングステンターゲットに衝突させ，X 線を発生させるものであった．現在，医療で用いられている X 線管は，このクーリッジ管が発展したものである．

X 線が広く利用されるようになると，X 線の量を測定することの意義が認識され，1900 年代初頭には，X 線の電離作用を利用した量の測定が行われたが，1928 年の第 2 回国際放射線医学会議において，標準状態の空気 1 mL あたり 1 静電単位の電気を電離させる単位として「r（レントゲン）」が定義された．その後は専門の委員会である**国際放射線単位測定委員会**（ICRU と略す）により，線量測定の技術の進歩とともに線量の単位も改編が進んだ．たとえば，吸収線量の単位として「Gy（グレイ）」が使用される．一方，放射線防護に関わる線量である Sv（シーベルト）は**国際放射線防護委員会**（ICRP と略す）によって定義された．

X 線は，その発見を契機に，医療でさかんに利用されるようになった．骨を対象としたものから始まり，骨折の診断や戦場における外傷，異物の診断，石灰化病変に及び，肺野も対象になった．一方で当初から，X 線を多量に照射すると皮膚障害，皮膚がんが発生することが報告され，放射線の生体に対する影響についての研究も進んだ．たとえば，ごく初期の業績としては**ベルゴニー・トリボンドー（Bergonié & Tribondeau）の法則**（1906 年）があり，雄の生殖細胞を用いた実験から，細胞の放射線感受性は，①細胞分裂頻度が高いほど，②長期にわたって細胞分裂を続けるほど，③形態的・機能的に未分化なほど高い，という結果が示された．これは増殖細胞の放射線に対する反応をみたものであり，一般論としての細胞の放射線感受性を示したものではないが，放射線にはリスクがあることを示した点で評価される．

医療における X 線の役割が明らかになるとともに，その利用が拡大したため，X 線装置の安定した出力とその周辺機器の改良，フィルムと蛍光増感紙の組合せ系の高感度化，撮影手技の改善とその標準化が求められた．患者の線量低減をはかるために受像系の高感度化とともに，X 線の低エネルギー部を選択的に除去する濾過板（フィルタ）を付加し，X 線管の焦点から患者までの距離を長くし，撮影対象以外の部分に X 線が照射されないように X 線束を絞るようになった．さらに画像と病理所見の対比から，重要な画像所見の系統化と読影の標準化へと進んだ．近年では「画像診断ガイドライン」により，科学的根拠に基づいた検査法の選択基準が示された．これは最終的には画像と診断の質的向上とともに患者の被曝線量の低減へとつながるものである．こうした作業は現在に至るまで綿々と継続しており，これからも継続されるであろう．

3）X 線単純撮影法とその展開

X 線撮影ではからだのさまざまな部位が検査対象になるが，X 線を投影してその部位の二次元画像を得る方法を単純撮影とよび，projection radiography（投影撮影）ともいう．頭部，胸部，腹部，四肢などのいずれの撮影においても，汎用型の X 線撮影装置を使用する（図 1-1-4）．歯科の口内法撮影や乳房撮影は対象部位や検査目的の特殊性から専用の X 線撮影装置を利用する．

単純撮影における X 線の投影はどの施設でも同様な画像が得られるように標準化されている．撮影に際してさまざまな専門用語が用いられるので，これに親しんでおく必要がある．患者の前後方向の外観は正面像ともいえるもので，X 線を患者の後方から投影する後前位と，前方から投影する前後位の二通りになるが，検査の対象部位を受像系に近づけることを原則とする．患者の側方からの外観は側面像といえるもので，X 線を左側から投影する場合は右側が受像系に接するので右側面とよび，右側から投影する場合は左側面とよぶ．また，患者が横になった状態で撮影する場合，これを臥位とよぶが，これには仰臥位，伏臥位，側臥位がある．患者が立って撮影する場合は立位である．たとえば，胸部 X 線撮影は原則として立位で，正面像は後前位である．副鼻腔を含む顔面部の正面像は立位で，後前位である．下顎骨を特に撮影する場合は下顎頭までを観察するために開口位が勧められることがある．このように受像系に対する患者の位置付けや X 線の投影方向，さらに入射点などについて，さまざまな約束事があるので，医師・歯科医師は X 線撮影を専門職とする診療放射線技師との対話において，共通す

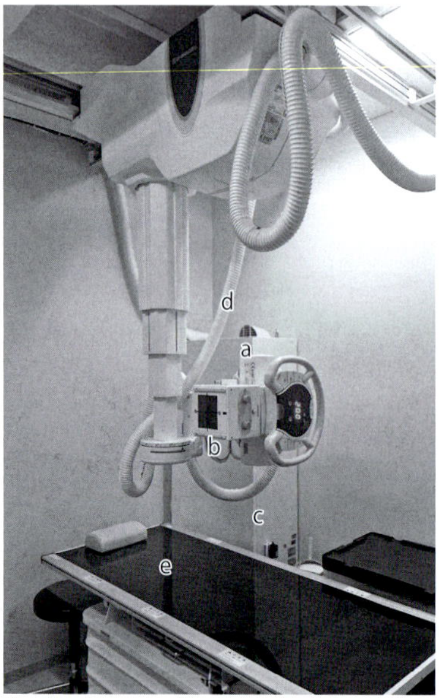

図 1-1-4　X 線撮影室に配置された汎用型の X 線撮影装置
X 線発生装置は X 線源装置（a）と照射野限定器（多重絞り，b）が一体化している．高電圧発生装置（c）は撮影室の端に置かれる大きな装置で，これと X 線源装置を結ぶ高電圧ケーブル（d）からなる．この図では患者を臥位で撮影するための寝台（e）があり，その天板の下方に X 線検出器が配置される．これとは別に撮影室には立位での撮影台があり検出器が配置されるがここでは省く．X 線撮影条件などを制御する部分は撮影室の外にある．この装置では X 線源装置を天井から吊ることにより，装置の移動が自由になり，患者のさまざまな体位での撮影が可能になる．（東京歯科大学水道橋病院）

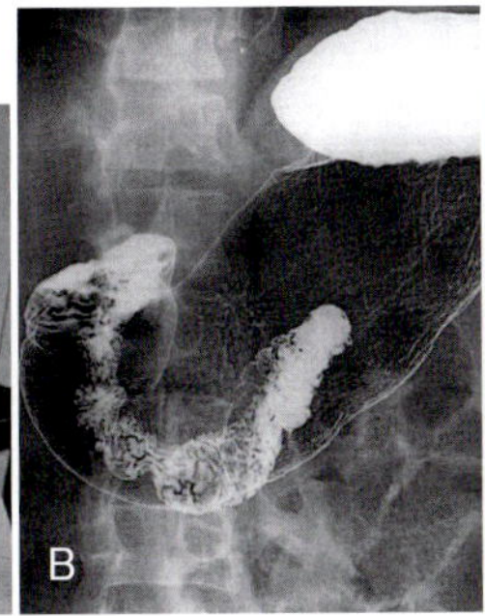

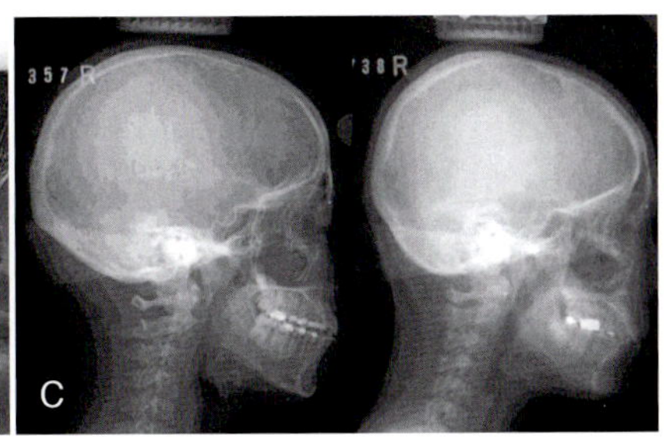

図 1-1-5　わが国で開発されたデジタル X 線検出器 "Computed Radiography"
A：イメージングプレート．従来の増感紙フィルム組合せ系に用いたカセッテと類似した取り枠に入れて使用する．B：開発したグループは日本で頻繁に行われていた胃の二重造影にこれを応用すると低線量でしかも初期の胃がんを検出できるとした（山田達哉・他，1984[2]）．C：頭部 X 線規格撮影では若年者を対象とすることが多いが，1/5 程度に線量の軽減ができることが示された．左が従来と同一の線量，右がその 1/5 で撮影したものである．

る用語と知識を身につけておく必要がある．

X 線撮影の受像系・記録系としてフィルム・蛍光増感紙の組合せ系が用いられた（p.89，図 3-3-4 参照）．蛍光増感紙にて X 線を光に代えて，この光でフィルムを感光させ，撮影後にフィルムを現像・定着といった写真処理にて X 線写真とする．これをシャウカステンにかざして観察する．増感紙の蛍光物質としては，当初はタングステン酸カルシウム $CaWO_4$ が使用されていたが，1970 年代からは発光効率の高い希土類を用いた増感紙が一般化し，フィルムも増感紙の発光スペクトラムに適合したものに変更され，患者の被曝量を 1/2 程度に減少した．こうしたシステムの高感度化は，一方で画質の低下を招くことがあるので，画質を定量的に評価して数値化し，これと診断の正確さを比較する研究が進み，システムの最適化がはかられた．

一方，X 線の検出から画像形成・表示をデジタル化する研究開発が進み，まずは 1980 年代初頭に computed radiography（CR と略す）が登場した（図 1-1-5）．ここではフィルムに代わってイメージングプレート（imaging plate, IP と略す）が使用される．IP には輝尽性蛍光体（photo-stimulable phosphor）が塗布されている．これが X 線を検出し，撮影後にレーザーで IP をスキャンして，X 線量に対応する発光量を読み取ってデジタル画像としてディスプレイに表示する．IP は処理後にデータを消去して再利用される．このシステムは広く普及したが，現在では大面積の半導体検出器を用いた平面検出器（flat panel detector）に取って代わっている（p.78 参照）．ここでは患者を透過した X 線をシンチレータで光にして，半導体などを用いて検出するというもので，いくつかの形式がある．デジタル化した X 線画像は医用画像の管理システムである PACS（picture archiving and communication system, パックスとよぶ）にて画像の管理と検索などができるので，過去画像の参照も含めて，画像診断における利便性が向上した．

さて，X 線検査では軟部組織に生じた病変を描出し，これを診断することは困難である．たとえば，唾液腺は近年では MRI によってその詳細が描出され，質的な診断が可能になった（p.355 参照）．しかし，MRI や CT 以前にあっては，唾液腺は開口部から造影剤を唾液の排泄方向とは逆行して注入することで，導管を末梢部まで描出し，唾液腺に生じた病態を把握していた（p.161 参照）．この手法は唾液腺造影とよばれ，X 線に対して不透過性を呈するヨード系の造影剤を導管に注入することで，唾液腺とその病態を間接的に把握する．血管造影では心臓の冠動脈や脳の動脈を造影して，これを観察し梗塞や奇形を検出する．また，上部消化管造影では経口的にバリウムを嚥下し，空気で膨隆させて食道から胃，十二指腸の消化管の内側面を観察して粘膜表層から生じた腫瘍などを検出する．これらの検査はMRIや内視鏡検査に置き換わりつつあるが，一方で造影検査は，その手技を利用してinterventional radiologyとよばれる領域にあっては，血管や内臓の疾患の治療に利用されている（p.213参照）．

4）二次元から三次元画像，そして機能診断

(1) 断層撮影

X線撮影では人体という三次元的な構造を二次元の平面で表現するので，X線の通過した部位が重積して画像化される．これに対して，人体のある特定の目的部位を断面で表示する撮影法，**断層撮影法**（**tomography**）が開発され，1930年代に確立した（p.157参照）．ここではX線の投影方向に直交する面が一定の厚さをもった断面像として表現される．X線管とフィルムが対応してともに直線，円，らせんなどの複雑な動きをすることで，目的とした断面上のすべての点はX線管の動きにつれて常に焦点に合ってフィルム面上に投影されるが，この面からずれた点はボケてしまい，フィルム上に像として結ばない．断層撮影装置はX線CTが登場するまでの40年あまりにわたり活用された．歯科領域では上顎洞と歯の関係，顎関節の骨構成体の変化などを診断するために利用された．また，歯科領域に特化した断層撮影装置が開発され（図1-1-6），特にインプラントの術前・術後の評価に利用された．顎関節，歯と歯周組織など，適用範囲が広がった．この装置の開発は後述の歯科用コーンビームCTへとつながった．断層撮影装置それ自体は，CTの出現とともに消滅するが，複数方向からの投影画像を重ね合わせて断層像を作成するトモシンセシスという技術が開発され（p.159参照），これは現在，乳房撮影に活用されている．

(2) CTの発明とその発展

CTの発明は放射線診療のみならず医療全体を大きく変えた．CTでは体軸に直交する方向に扇状のX線束を多方向から投影して，透過し

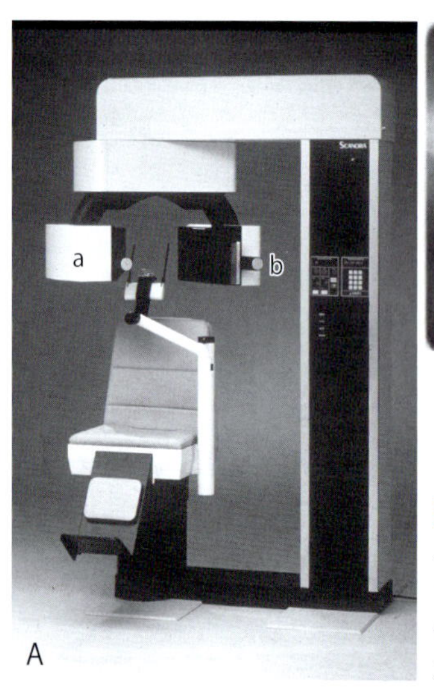

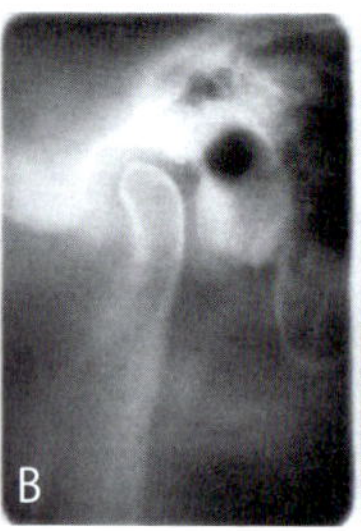

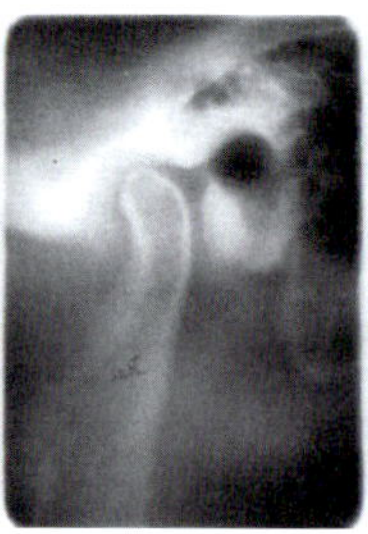
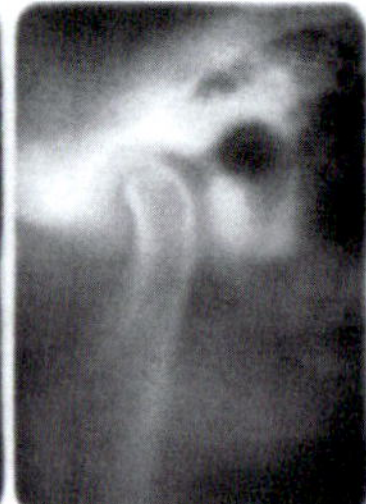
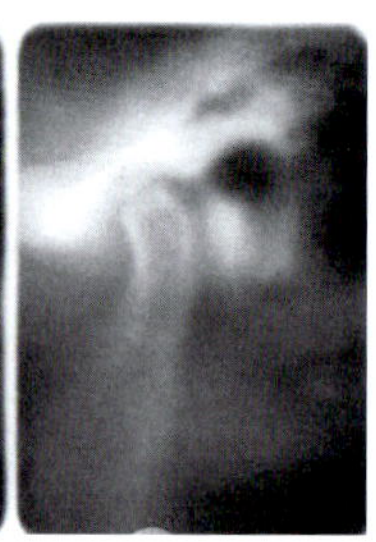

図1-1-6　歯科に特化した断層撮影装置を搭載したScanora®
ユニットの外観（A）とその代表的な画像（B）を示す．aがX線源，bがフィルムで，両者はCアームを介して対向し，らせん状の運動などをして断層像を作成する．症例は顎関節を対象として矢状方向に連続した断層厚2mmの画像を示す．（BはHallikainen D et al，1992[3)]）

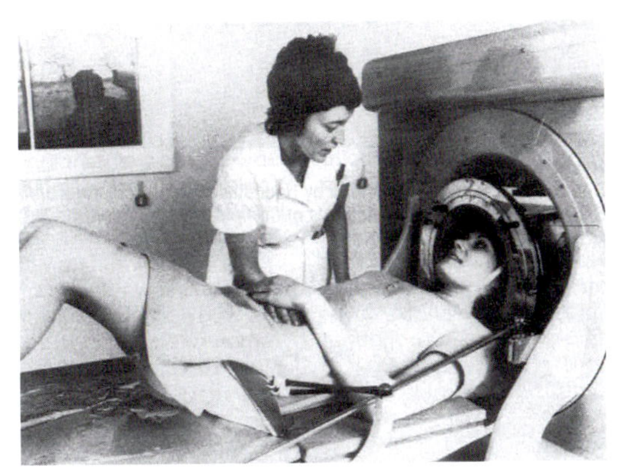

図 1-1-7 CTの初めての臨床応用を紹介したThe London Times（1972年4月21日）に掲載された写真（Hendee WR, 1989[4]）

た部分ごとのX線吸収の程度を数値化し，軸位断面のあらゆる部分のX線吸収係数を計算して，これを軸位断像として表現する．CTはコンピュータの発達により装置の制御と画像処理ができることで可能となった（図 1-1-7）．1973年に発明され，その理論と装置に対してGodfrey HounsfieldとAllan Cormackは1979年にノーベル生理学・医学賞を授与された．近年ではX線検出器を体軸方向に多数配列する多検出器列CT（multidetector-row CT；MDCT）の普及により，短時間で広い範囲を撮影することが可能となり，心臓のように動く臓器であっても，これを栄養する血管を含めて三次元的に精緻な観察ができるようになった．頭部から体幹まで，詳細かつ任意の断面像を提供するため，診断のみならず適切な治療法の選択・開発にも寄与する．最近では，異なるエネルギーのX線を同時に使用することで病変の質的診断を可能にするdual energy CTや，X線の検出器を変更することで詳細の観察や線量の低減をはかるフォトンカウンティング（photon counting）CTが開発され，CTの臨床利用の範囲を拡大している．

(3) 核磁気共鳴を利用したMRIの進化

患者を高磁場に導入し，人体に多く存在する水，その水素の原子核（プロトン）を対象として共鳴現象を起こし，そこから生じる電波を受信コイルで取得し，その信号データをもとにして三次元画像を作成するという技術が開発された．これを**MRI**（magnetic resonance imaging）とよぶ．原子核には小さな磁石の性質があり，これに磁場をかけ，次に外部から別の磁場を与えると共鳴現象が起こる．これは核磁気共鳴（nuclear magnetic resonance）という物理現象で，BlochとPurcellによって1946年に発見され，両者は1952年にノーベル物理学賞を受賞した．当初は組織の緩和時間が測定されたが，腫瘍のそれが正常組織と異なることから，緩和時間による腫瘍診断の可能性が検討された．この画像化は1970年代，LauterburとMansfieldによって勾配磁場を利用してなされたが，臨床利用には画像再構成法の開発を含めて時間を要した．なお，両者はその業績により，2003年にノーベル生理学・医学賞を授与された．

商用の全身用MRI装置は1980年，Fonar社のDamadianによってなされたが，撮像時間が長く，画像の質に限界があった．当時は永久磁石の常伝導装置で，磁場強度も0.1 Tesla（T）程度であった．まもなく超伝導磁石が導入され，1980年初頭には0.35 Tの画像にて，頭部，体部は空間分解能2 mm，撮影時間8分半で高画質が得られた（Crooks et al, 1982[5]）．その後，GE（General Electric）社の研究者たちは一気に磁場強度を1.5 Tとして，信号雑音比（SN比）の高い画像を示した（Bottomley et al, 1984[6]）．その当時発行された頭頸部の画像診断書の画像の質は現在のそれとは劣るものの，筋などの軟部組織の鑑別が可能となったといえる（Mancuso and Hanafee, 1985[7]）．

MRIはその後，さまざまな撮像条件を変化させることによって，診断に適した体情報を引き出す技術が進化し，CTとその役割を補完し合って，画像診断の主流となった．CTはもともと脳を診るために開発されたが，MRIも同様

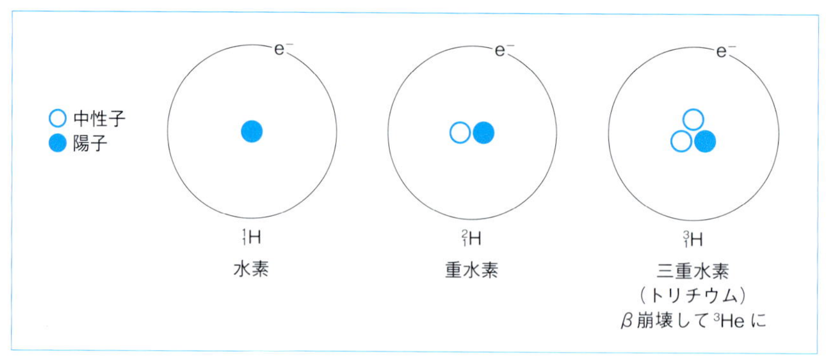

図 1-1-8 放射性同位体（水素の例）
同じ元素であっても質量数（中性子の数）の異なる元素があり，これを同位体（同位元素）という．そのうち放射線を出して他の種類の原子核に壊変する元素を放射性同位体（放射性同位元素）という．

で，頭蓋骨に囲まれた脳はCTではアーチファクトがあるために，いまでは脳のあらゆる病変でMRIが取って代わっている．MRIは形態の描出にも優れているが，さらに組織・臓器の性状を評価できるので，形態に変化の少ない病変にも適応できる．また特定の領域を設定して，撮像条件の変化に伴う変化を客観的に評価することも可能であり，対象領域が広がることが期待できる．またMRIは血管の撮影にも利用され，これまでは血管造影でしかみえなかった血管の障害を侵襲なく，発症前から評価できるという利点がある．近年，MRIは機能の変化に対しても定量的に評価できるようになり，急速に発展している脳科学に大きな貢献をするものと期待されている．

(4) 放射性同位体と核医学の発展

X線の発見がきっかけとなり，1896年，蛍光体の研究を行っていたBecquerel（ベクレル，1852〜1908）は，ウラニウム塩からも物質を透過し，写真乾板を感光させるX線に類似した光線が発せられることを発見した．翌年，Marie Curie（1867〜1934）は夫のPierre（1859〜1906）とともにこの現象を確認し，**放射能**（radioactivity）と名づけた．さらにCurie夫妻は，ウラニウム鉱山から出る鉱石（ピッチブレンド）に，ウラニウムよりはるかに高い放射能を有する物質が含まれていることをみつけ，化学的に分離することに成功した．その物質を**ラジウム**と名づけ，単離された後に原子量も測定された．これらの業績により1903年，Curie夫妻はBecquerelとともにノーベル物理学賞を受賞し，さらにMarieは1906年，ノーベル化学賞を受賞した．ラジウムからの放射線によって皮膚に障害が発生することもこの頃に判明し，これが皮膚疾患の治療に試みられた．その後，ラジウムは悪性腫瘍の治療に小線源として大いに活用されるようになった．

さて，原子は原子核と軌道電子からなり，原子核は陽子と中性子からなる．たとえば水素には3つの同位体があり，^{3}H（トリチウム）は放射性同位体で，ベータ線を放出してヘリウム（^{3}He）となる（図 1-1-8）．Curie夫妻の発見したラジウムは原子番号が88の元素であるが，その放射性同位体の ^{226}Ra はアルファ崩壊して ^{222}Rn となり，この際，4.87 MeVのガンマ線を放出する．

核医学検査では放射性同位体から放出されるガンマ線をシンチグラフィとして活用する．すなわち，シンチグラフィとはごく微量の放射性同位体を標識した医薬品を体内に投与し，その放射性医薬品から出てくるガンマ線を専用のカメラで画像化する技術である．たとえば，^{99m}Tc（テクネチウム）という放射性同位体をリン酸化合物に標識し，これを経静脈的に投与してその後の動態を観察することで，がんの骨転移を検出する．これを骨シンチグラフィとよぶ．今日では，ポジトロン（陽電子）を放出する核種を用いて癌の診断，脳や心筋の代謝検査などを行う PET（positron emission tomography，陽電子放出断層撮影法）が普及した．CT 装置と一体化することで形態情報と融合することができ，それにより高精度な診断が可能になった（PET/CT とよぶ）．このように，核医学領域の発展は著しく，今後も継続していくであろう．

5）放射線によるがんの治療

がんの治療に放射線が有効であることは 20 世紀の初頭からわかっていたが，標準的な治療法が確立されるまでには非常に長い時間を要した．その課題は深部に生じたがんに集中的に放射線を照射する一方で，周囲の正常組織は必要最小限の損傷にとどめることにあった．腫瘍細胞の放射線感受性とこれに影響する種々な因子を研究する放射線腫瘍学に支えられ，また治療装置の発展があって，腫瘍の動態に適した照射法や装置，照射量と照射間隔などを考慮した手法が進化した．

直線加速器（linear accelerator）では，深部に到達する高いエネルギーの X 線を得るために電子を特に加速する必要があり，1,000 kV（1 MV）から 10 MV の X 線を得て，これを利用する．治療計画では，放射線腫瘍医は CT シミュレータを用いて，最適な照射範囲や方向，線量を決定する．最近では数 mm 以内の精度で高線量を集中する定位放射線治療も可能になった．これとは別に深部で最大の線量が得られるような陽子線などの粒子線治療も行われるようになった．こうして放射線を用いたがんの治療は，現在ではがん治療のスタンダードとなっているが，同時に薬物療法を併用することで，さらに治療効果を高めることも可能である．いずれにしても放射線治療の要諦は正常組織への障害を最小限にしながら，がん組織に集中的に X 線や粒子線を照射することである．

6）歯科における放射線医学の発展

X 線の発見後まもなく，ドイツの歯科医師 Walkhoff（1860～1934 年）は，ガラス乾板で 25 分かけて歯の X 線像を得ることに成功した（図 1-1-9）．また，同じく König も 1896 年 2 月，9 分かけて X 線像を得ている．米国の医師 Morton（1845～1920）は，1896 年 4 月に乾燥骨の歯の X 線像を提示して，その診断上における意義について述べ，同じく歯科医師 Kells（1865～1926）は同年，フィルムホルダーを用いてフィルムを口腔内に安定させて，被写体に密着させ，これを歯と平行に置くようにとしている．1899 年に

図 1-1-9　Walkhoff（1860～1934 年）
ドイツ・ミュンヘン大学の歯科医師 Walkhoff は，ガラス乾板で 25 分かけて，初めて歯の X 線像を得たという．（花澤　鼎，1912[8]）

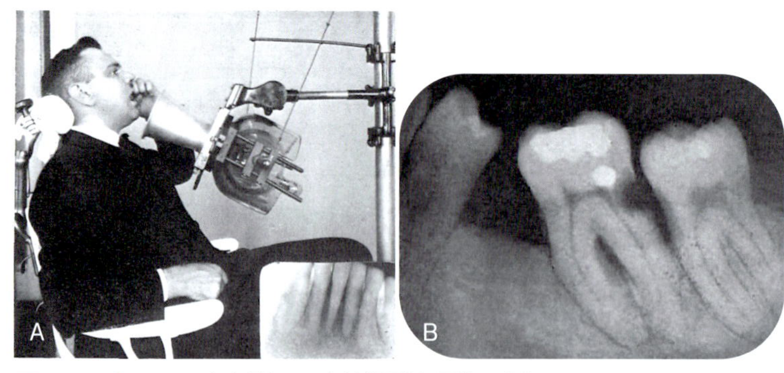

図 1-1-10　1920 年初頭の口内法撮影と画像の例

A：口内法撮影の様子を示す．下顎切歯を撮影するときは下顎をできるだけ持ち上げると，装置との間に十分なスペースをとれると説明されている．B：下顎左側の痛みがある例の X 線写真で，大臼歯の歯頸部に透過像がみられ，歯髄に近接している，とある．

（Thoma KH et al，1922[9]）

は歯内療法に X 線を利用し，根管内に鉛線を入れて根尖の位置を確認している．米国の歯科医師で医師でもあった Rollins（1852〜1929）は歯科への応用として透視装置を作り，また 1898 年以降は X 線管球や周辺装置の開発に関わり，同時にさまざまな動物実験から X 線のリスクを認識し，X 線防護の重要性を説いた．1900 年に Price（1870〜1948）は根管治療の専門医として，根管充塡の適不適の判断に X 線検査が有用であると述べ，二等分法についても述べている．同年，歯科矯正治療における歯の移動，歯周疾患における骨吸収の観察に X 線検査が有効であることが，複数の歯科医師によって指摘された．X 線の発見後の 10 数年のうちに，多くの歯科医師によって X 線検査の意義が認識されたが，X 線撮影装置の操作が容易ではなかったことから，その利用はきわめて限られたものであった．

1910〜1920 年代には，歯科における X 線検査の価値がさらに広く認識された（図 1-1-10）．米国の Raper は，早くから歯科医療における X 線の意義を認識していたため，学生教育に積極的に取り入れ，1913 年に初めての歯科放射線学の教科書を著した．この頃に歯科用の X 線撮影装置が現在の GE 社によって，また，商業用の歯科用 X 線フィルムが Kodak 社（Eastman Kodak）によって発売された．1931 年には，Ennis によって本格的な歯科放射線学の教科書が著され，米国の大学のカリキュラムに，歯科放射線学が取り入れられはじめた．

1950 年以降，X 線の照射がもたらす人体への悪影響に関する研究が進み，歯科 X 線撮影も含めた診断用 X 線によっても，被検者集団において発がんや遺伝的障害の発生がありうると考えられるようになった．これと同時に，さまざまな線量軽減のための方法がとられた．歯科 X 線撮影においては，フィルムの高感度化がはかられ，また X 線の遮蔽や線束の絞りが改善され，適切なフィルタが付加されるようになった．このような努力によって，現在では 1920 年頃に比較して，口内法 1 回撮影あたりの患者の被曝は数百分の 1 まで減少したといわれている．現在では，X 線検査そのものの正当化や最適化が議論され，X 線検査の品質管理の徹底，高感度システムの開発などもはかられ，将来はさらに線量の低減が可能と思われる．

さて，歯の X 線像を得るためには，歯に接してその舌側にフィルムを置き，頬側から X 線を投影することがまず思い浮かぶであろうし，最初の X 線像もそうして得られた．これを**口内法**

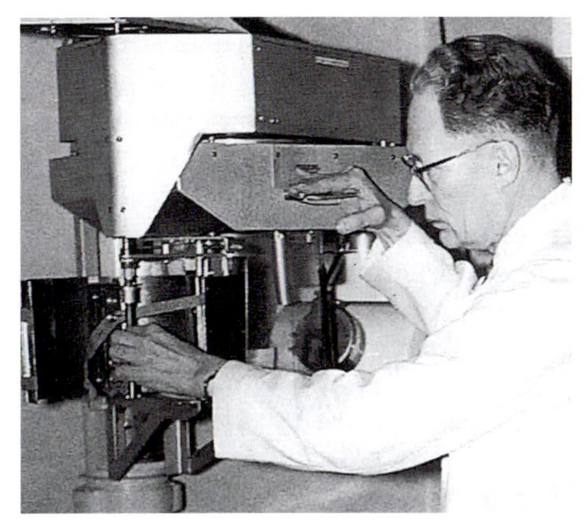

図 1-1-11　Paatero 教授と初めて臨床利用されたオルソパントモグラフィ装置
（Tammisalo E，1995[10]）

X 線撮影とよび，現在でも広く活用されている．口内法 X 線撮影では，1〜3 本の歯とその周囲骨が描出され，この方法で得られた X 線像にて，ほとんどの歯科疾患において十分な診断情報を得ることができる．歯科領域で頻繁に用いるもう 1 つの撮影法は，**パノラマ X 線撮影**である．1 枚のフィルム上に歯列のみならず，下顎骨，上顎も含めて総覧的に描出する．患者の頭部の周囲を X 線管とフィルムが対向して回転しながら撮影される．この撮影法は，フィンランドの Paatero（図 1-1-11，1901〜1963）や米国の Hudson，Kumpula によって，1940 年代の末から 1950 年代に開発され，現在では歯科における標準的な撮影法の 1 つとなっている．

21 世紀になって歯とその周辺を三次元的に描出する手法が考え出された．いわゆる**歯科用コーンビーム CT** で，基本的な画像形成原理は CT と同様であるが，ここでは対象領域を錐形の X 線束で半回転から 1 回転で，領域全体の情報を取得して，任意の断面を再構成する．当初は専用機が使用されたが，歯科診療所での便利さのために，パノラマ X 線撮影装置にその機能を付加したものが普及している．歯周・根尖病変，埋伏歯，インプラントの診断に従来の撮影法を補完するものとして利用されている．なお，歯科矯正治療で活用される**頭部 X 線規格撮影**の概念は，1931 年に Hofrath と Broadbent によって考案された．現在では，セファログラフィとして必須のものとなっている．

以上に述べた撮影法が，現在，歯科で一般に用いられている方法である．現在もそうであるように，今後も医科領域で用いられている方法が歯科にも導入されるものと思われるが，歯科特有の問題に対処するためには，独自の開発が重要であることを忘れてはならない．

7）放射線診療の専門化

病院で放射線診療を担う診療科を放射線科という．大学病院のような大きな施設の放射線科は，一般撮影や CT，MRI を中心とした画像診断を行う部門，がんの放射線治療を行う部門，放射性同位体を用いた検査をする核医学部門，といった 3 つの分野からなる．これを支える学問が放射線医学であり，放射線治療では放射線腫瘍学とよぶ．これらは教育・研究部門として 1 つにまとめた組織のこともあるし，互いに独立した組織のこともある．

一方，放射線科で撮影業務を担当する者を**診療放射線技師**という．診療放射線技師法によれば「厚生労働大臣の免許を受けて，医師又は歯科医師の指示の下に，放射線を人体に対して照射することを業とする者」とされる．また，本法では「人体に放射線を照射する業務は医師，歯科医師又は診療放射線技師でなければこれを業としてはならない」とも規定している．病院では，医師あるいは歯科医師が画像検査を放射線科に依頼し，診療放射線技師が撮影を行う．放射線治療では治療のプログラミングにも関わる．一般の診療所においてはその規模から，診療放射線技師が採用されないことがあり，その場合には，医師あるいは歯科医師が撮影することになる．特に歯科医療では X 線検査を行う機会が多く，したがって歯科医師は，放射線全般の知識に加えて，撮影手技についても体得する必要がある．なお，診療放射線技師法の定めるところにより，看護師や歯科衛生士がＸ線照射することは認められていないことに注意する必要がある．

さて，歯科領域のＸ線検査は歯と周囲組織，これに加えて下顎と上顎を対象とする．いずれも歯や骨のような硬組織を対象とするのが特徴であり，Ｘ線検査の有効な適応といえるし，これに特化したＸ線撮影装置や撮影技術は医科とは独立して進歩した．一方，顎骨の疾患に関連して，これに隣接した顎下部や舌下部，顎下腺，その他の周囲軟部組織が検査対象となる場合にはCTやMRIが適応になることが多く，躊躇なくこれらを活用することで，早期に病気を診断できる．したがって，歯科領域の画像診断では歯科特有の画像診断機器を活用することが多いものの，CTやMRIへのアクセスを確保しておくことも重要である．このような視点から，歯科における放射線医学領域を**歯科放射線学**とよび，放射線医学の一分野として捉えておくことが臨床上も学問上も合理的といえる．

専門医とは，医科の各診療科にて科学的根拠に基づいた観点で，現在利用できる最良の診断・治療のできる医師のことであり，したがって最も効果の高い医療を提供できる医師であるとされる．5年ごとに更新があり，その間の医療の進歩を学ぶとともに診療実績を積むことが専門医の更新認定基準として義務づけられている．従来，専門医制度は各学会が担ってきたが，2014年第三者機関として日本専門医機構が発足し，その後は各領域間で統一された新制度となった．医師は2年間の臨床研修を終えた後，その多くは専門医の取得を目指す診療科（基本領域）の専門研修プログラムに所属して指導医のもとで決められた年限（3〜5年間），さまざまな地域，医療機関で診療に従事して専門研修を行う．放射線科は基本領域の1つであり，**放射線科専門医**を取得する．基本領域の専門医を取得した後には，さらに専門性の高い診療科（サブスペシャルティ領域）の専門医を取得することができる．放射線科専門医の場合，放射線診断専門医と放射線治療専門医という2つのサブスペシャルティ領域の専門医のどちらかを取得することができる．

一方，歯科では卒業し臨床研修が修了すれば，一般歯科にて歯科医院を開設することが多いことから，専門医の必要度は高いものではなかった．これまで，厚生労働省が広告可能とした歯科専門医は少なく，口腔外科専門医（日本口腔外科学会），歯周病専門医（日本歯周病学会），歯科麻酔専門医（日本歯科麻酔学会），小児歯科専門医（日本小児歯科学会），歯科放射線専門医（日本歯科放射線学会）の5つであり，いずれも学会が認定するものであった．しかし，歯科においても専門医制度の必要性が高まり，2018年，日本歯科専門医機構が発足した．ここでは中立的な第三者機関として専門医の認定と養成プログラムの評価・認定を統一的に行うことを決定し，2020年，口腔外科，歯周病，小児歯科，歯科麻酔，歯科放射線の5つの専門領域が認証された．歯科保存，歯科補綴，矯正歯科，インプラント歯科，総合歯科（名称はいずれも仮称）の5つの専門領域についても日本歯科専門医機構による認証の協議が行われている．

なお，歯科放射線専門医は，2011年に厚生労働省「医療に関する広告の可能となった医師等の専門性に関する資格名」として認定されたが，当時，想定された歯科放射線専門医の役割は，①高度な画像技術を用いて口腔・顎顔面部疾患の画像診断を提供する専門家であること，②一般歯科医師の紹介・希望に応える画像診断の専門家であること，③地域の歯科医師や医療行政組織に対して，放射線診療に関するさまざまな事項について適切な助言のできる専門家であることであるとされた．現時点では大学病院などにおける活動に限られているが，専門医の趣旨からしても，社会に貢献できる歯科放射線専門医を目指して，今後は地域社会での活動が期待される．なお，諸外国でも歯科放射線の専門医が認定されているが，たとえば米国では，9つの歯科専門医のうちの1つとして2001年にADA（米国歯科医師会）により認定され，歯科画像診断の専門家として，大学病院などにとどまらず専門医として開業する者も多くいる．

歯科放射線学に関わる学術団体は，1951年に発足した歯科放射線集談会が発展的解消し，1960年に日本歯科放射線学会が発足した．日本歯科医学会の一分科会であり，現在は，毎年1回の年次総会・学術大会，年4号の学術雑誌『歯科放射線』と年2号の『Oral Radiology』の刊行などの学術活動を行っている．最近では専門医制度の下で，歯科における放射線の有効利用を目的とした活動を行っている．また，2004年には特定非営利活動法人（NPO法人）としての法人格を取得し，広く社会に貢献できる組織を目指している．

国際的にはInternational Association of Dentomaxillofacial Radiology（IADMFR）が組織され，国際的な学術活動が展開している．専門雑誌「Dentomaxillofacial Radiology（DMFR）」は2023年で52巻となり，また学術大会はInternational Congress of Dentomaxillofacial Radiologyとして世界各地で開催される．

なお，歯科放射線学に関わる学生を対象とした教科書は，世界的に広く利用されているのは“Oral Radiology”である．初版は1982年で，現在は第8版である．長らく編者であったStuart White教授とMichael Pharoah教授の名を冠しているが，これまで通り，“Oral Radiology：Principles and Interpretation”として2018年に発行された．英国系の書籍では“Essentials of Dental Radiography and Radiology”があり，これは2023年現在で第6版，主著者はEric Whaites教授で，読みやすい本である．日本語の本では，本書はOral Radiologyと同じく初版は1982年で，古本啓一教授と菊地厚教授の編集によるものであった．時代とともに内容は更新され，編集者も変遷し，本書は第7版である．放射線の生体影響，CT/MRIを活用した画像診断，がんの放射線治療に関わる部分は他国の書籍に比較して本書は分量的に多い．これはこれまでの日本の歯科における放射線医学に関わる研究と実践を反映しているためである．欧州，米国，アジア，日本とそれぞれ社会的な背景が異なり，医療体制も異なるので，学習目標も異なってくるが，基本的な事項は共通である．

2 歯科放射線学の教育ガイドライン

わが国の歯学教育ガイドラインは「歯科医学教育要綱」として提示されていたが，平成 13 年にモデル・コア・カリキュラムが策定された．臨床実習を開始する前に修得すべき知識および技能を具有しているかどうかを評価するために大学が共用する試験（以下「共用試験」という）の出題基準は，基本的内容を精選して各大学共通の学修目標を掲載したモデル・コア・カリキュラムを参照して策定されているという実態があり，令和 6 年から共用試験が公的化されることからも，これを教育ガイドラインとみなすことができる．

歯学教育モデル・コア・カリキュラムは平成 28 年度改訂版から 6 年の経過の中で次なる改訂を受け令和 4 年度改訂版（表 1-2-1）が決定され令和 6 年度入学者から適用となる．令和 4 年度改訂版において歯科放射線学に関わる部分の 1 つは，「臨床歯学」の「基本的診察・診断」の中に「画像検査を用いた診断」として記載されている．「画像検査を用いた診断」では，「放射

表 1-2-1　歯学教育モデル・コア・カリキュラム令和 4 年度改訂版（抜粋）

D　臨床歯学	
D-2　基本的診察，診断	
D-2-5 画像検査を用いた診断	放射線等を用いた診断の特徴と適応並びに画像の解釈を理解するとともに，放射線の人体に対する影響と放射線防護の方法を理解する．
学修目標：	
D-2-5-1	放射線の種類，性質，測定法と単位を理解している．
D-2-5-2	放射線の人体（胎児を含む）への影響の特徴（急性影響と晩発影響等）を理解している．
D-2-5-3	放射線防護の基準と方法を理解している（医療放射線安全管理責任者の内容を含む）．
D-2-5-4	エックス線画像の形成原理（画像不良の原因を含む）を理解している．
D-2-5-5	エックス線撮影装置とその周辺機器の原理と管理技術を理解している．
D-2-5-6	口内法エックス線検査の種類と適応及びパノラマエックス線検査の適応を理解している．
D-2-5-7	口内法エックス線画像とパノラマエックス線画像における正常像を理解している．
D-2-5-8	顎顔面頭蓋部エックス線検査の種類と適応を理解している．
D-2-5-9	造影検査法，超音波検査法，コンピューター断層撮影法（CT），歯科用コーンビーム CT（CBCT），磁気共鳴撮像法（MRI）及び核医学検査法の原理と基本的特徴を理解している．

E　診察・診断と治療技能	
E-1　診療の基本	
E-1-1 患者安全対策，感染予防策	歯科診療を実施するために必要な患者安全・感染対策についての知識，技能及び態度を身に付ける．
学修目標：	
E-1-1-1	患者安全対策（標準予防策（SP），感染予防，医療機器の操作，放射線の誤曝等を含む）を実施できる．（Ⅰa）
E-1-1-2	手洗いと滅菌手袋の装着ができる．（Ⅰa）
E-1-1-3	適切な個人用防護具（PPE）を選択して着用できる．（Ⅰa）
E-1-1-4	清潔に配慮した操作ができる．（Ⅰa）
E-1-1-5	医療廃棄物を適切に分別し廃棄できる．（Ⅰa）
E-1-1-6	針刺し切創対策を実施できる．
E-1-1-7	インシデント報告書（放射線の誤曝を含む）を作成できる．（Ⅰb）
E-1-1-8	薬剤耐性（AMR）に配慮した適切な抗菌薬の選択ができる．（Ⅱ）

表 1-2-2　診療参加型臨床実習の内容と分類

	Ⅰ．指導者のもと実践する課題		Ⅱ．経験が望まれる重要な課題
	Ⅰa. 患者への診療として自験する課題	Ⅰb. 患者への診療として自験が期待されるが，困難な場合はシミュレーション等で補完できる課題	介助，見学を通した経験が推奨される専門性，先進性を有する課題
E-2-5　画像検査を用いた診断	口内法エックス線画像の撮影と読影 パノラマエックス線画像の撮影と読影	口外法エックス線画像の読影	口外法エックス線画像及び歯科用 CBCT の撮影と読影 CT 及び MRI の撮影と読影 超音波検査の実践と読影 造影検査の読影

線等を用いた診断の特徴と適応並びに画像の解釈を理解するとともに，放射線の人体に対する影響と放射線防護の方法を理解する」ことを一般目標として以下の学修目標をあげている．

1. 放射線の種類，性質，測定法と単位を理解している．
2. 放射線の人体（胎児を含む）への影響の特徴（急性影響と晩発影響等）を理解している．
3. 放射線防護の基準と方法を理解している（医療放射線安全管理責任者の内容を含む）．
4. エックス線画像の形成原理（画像不良の原因を含む）を理解している．
5. エックス線撮影装置とその周辺機器の原理と管理技術を理解している．
6. 口内法エックス線検査の種類と適応及びパノラマエックス線検査の適応を理解している．
7. 口内法エックス線画像とパノラマエックス線画像における正常像を理解している．
8. 顎顔面頭蓋部エックス線検査の種類と適応を理解している．
9. 造影検査法，超音波検査法，コンピューター断層撮影法（CT），歯科用コーンビーム CT（CBCT），磁気共鳴撮像法（MRI）及び核医学検査法の原理と基本的特徴を理解している．

上記目標は平成 28 年度改訂版と大きな違いはないが，令和 4 年度改訂版では診療参加型臨床実習の拡充が求められる中，「患者安全対策」や「画像検査を用いた診断」についてはより具体的な記載があり，より臨床に即したコンピテンスをあげている．すなわち「診察・診断と治療技能」の項で，患者安全対策においては放射線の誤曝への対策に加えインシデント報告の作成が求められている．また，基本的診断技能としての「画像検査を用いた診断」においては「放射線検査の必要性と人体に対する影響を患者に説明した上で検査を実施し，画像を読影する能力を身に付ける」ことを一般目標とし，診断ならびに治療に必要な画像検査を選択し，その検査の必要性を患者に説明したうえで撮影の実施または指示ができるとある．さらに口内法エックス線検査またはパノラマエックス線検査においては，その検査で得られた画像を読影できるとされている．求められる自験の課題については表 1-2-2 に示す．

ここで「歯学教育モデル・コア・カリキュラム（令和 4 年度改訂版）」では「歯科医師として求められる基本的な資質・能力」として 10 のコンピテンシーをあげているが，中でも「情報・科学技術を活かす能力（Information Technology）」が新しく追加され，Information and Communication Technology（ICT）の急速な発達に伴い遠隔医療や Artificial Intelligence（AI）を用いた診断医療の応用等が進み，医療従事者

表 1-2-3　診療参加型臨床実習に必要とされる技能と態度についての学修・評価項目（抜粋）

6）口内法エックス線撮影	7）パノラマエックス線撮影（分類Ⅱ）
□ 患者に撮影部位，撮影方法を説明する．	□ 患者に撮影時の注意点を説明する．
□ 感染防止のバリアフィルムを貼付する．	□ 撮影の妨げになる可撤物を除去する．
□ 撮影の妨げになる可撤物を除去する．	□ 装置の高さを適正な位置に合わせる．
□ 必要に応じて防護服を着用させる．	□ 背筋が伸びていることを確認する．
□ 撮影部位に応じた頭部の固定を行う．	□ フランクフルト平面を床と平行に合わせる．
□ 検出器の表裏を間違えずに適切な位置と方向に挿入する．	□ 正中矢状面をレーザー光に合わせる．
□ 撮影部位に応じた指あるいは補助具で検出器の固定を指示する．	□ 前歯断層域を適正な位置に合わせる．
□ 主線の水平的な方向を正しく設定する．	□ 患者の様子に注意しながら照射する．
□ 主線の垂直的な方向を正しく設定する．	□ 患者を安全に固定から離す．
□ 撮影部位に応じた線量を設定する．	□ 画像の評価を行う．
□ 患者を確認しながら照射スイッチを押す．	
□ 感染に留意し，検出器を読取り装置に挿入する．	
□ モニター上で正しくマウントし，コントラストの調整を行う．	
□ 画像の評価を行う．	
□ 使用後の検出器を保護袋に正しく収納できる．	

としての情報リテラシーや個人情報保護の考え方，時代とともに変化する医療倫理についての学修の必要性等が謳われている．歯科放射線はDigital Dentistryをはじめ他分野との協働を推し進める1つの鍵ともいえる．

また，2023年度には「歯学教育モデル・コア・カリキュラム（平成28年度改訂版）」をもとに**臨床実習**やそれに続く臨床研修に必要とされる臨床能力を身に付けることを目標として「診療参加型臨床実習に参加する学生に必要とされる技能と態度に関する学修・評価項目」が発出されたので撮影業務の手順を確認しておく必要がある（表 1-2-3）．

一方，わが国では歯科医師の資格認定のために**歯科医師国家試験**があるが，歯科医師国家試験出題基準 令和5年版において特に歯科放射線学に関連した事項は以下のとおりである．必修の基本的事項では「社会と歯科医療」で被曝による医療事故の防止や画像記録などの診療に関わる記録の管理・保存が，また，「主要な疾患と障害の病因・病態」では放射線の影響が含まれている．「検査・臨床判断の基本」で画像検査があり，ここにはX線画像検査全般が含まれるが，一般的に普及した歯科用コーンビームCTが含まれたのが注目される．歯科医学総論では「環境保健」で放射線と健康の関係が含まれ，「頭頸部の構造」として画像解剖も項目として上がった．「病因・病態」で放射線の影響が含まれ，「画像検査」の項では放射線の全般的な項目が羅列され，放射線の種類や線量の単位，医用画像システム，放射線の防護・管理，口内法撮影・パノラマ撮影・顎顔面の一般撮影，CT／MRI／核医学／超音波検査などが含まれる．加えて各画像検査の安全管理や鑑別診断に至るまで多岐にわたって含まれている．詳細は表 1-2-4（p.18）のとおりである．

国際的な歯科放射線学ガイドラインについては，口腔顎顔面放射線学の学部教育ガイドラインを作成することを目的として1985年にThe first International Association of Dentomaxillofacial Radiology（IADMFR）Ad Hoc Committee on Education Standardsが発足し，歯科学士課程教育の標準化に寄与している．このCommitteeの2007年報告によれば，歯科放射線学の教育を（1）臨床領域，(2）コミュニケーション領域，(3）プロフェッショナリズム領域，(4)マネジメント領域の4つの枠組みに分類し，各領域は主要コンピテンシー（能力)，それを達成するためのサポートコンピテンシー，さらにサポートコンピテンシーを具体化する知識，技能，態度を含む基礎能力として階層的に示されている．

1. 臨床領域
  1. 1. 患者評価
  1. 2. 患者のX線検査
  1. 3. 患者の診断
  1. 4. 治療計画と患者管理
2. コミュニケーション領域
  2. 1. 患者とのコミュニケーション
  2. 2. 歯科医療チームとのコミュニケーション
  2. 3. 他の専門家とのコミュニケーション
3. プロフェッショナリズム領域
  3. 1. 倫理
  3. 2. プロフェッショナリズム
4. マネジメント領域
  4. 1. 個人と診療組織

米国ではADA（American Dental Association）のCODA（Commission on Dental Accreditation）が「Standards for Predoctoral Dental Education」として，また英国ではGDC（General Dental Council）が「The First Five Years—A framework for Dental Undergraduate Education」として示している．いずれも単に歯科放射線の知識，技能のみを規定するものではなく患者への対応など態度の修得についても触れている．海外とのカリキュラムの違いは歯科医師となる過程の違いだけでなく，医療制度や歯科医療体制など多くの要因が関わっており，わが国の教育の国際化を考えるうえで参考になる．

表 1-2-4　歯科医師国家試験出題基準 令和 5 年版（抜粋）

■必修の基本的事項

2　社会と歯科医療
- カ　医療事故の防止
  - c　患者の安全管理（誤飲，誤嚥，誤薬，出血，外傷，感染，被曝，目の保護）
  - d　医療者の安全管理
  - f　医療安全対策

6　主要な疾患と障害の病因・病態
- ア　疾病の概念
  - j　薬物・放射線の影響
- イ　口腔・顎顔面領域の疾患と障害の概念
  - q　薬物・放射線による有害事象

9　検査・臨床判断の基本
- カ　画像検査
  - a　放射線の性質と作用
  - b　エックス線撮影装置，検出器，撮影補助器材
  - c　放射線の防護・管理
  - d　エックス線撮影（口内法エックス線撮影，パノラマエックス線撮影）
  - e　CT（単純，造影），歯科用コーンビーム CT

■歯科医学総論

○総論Ⅰ　保健・医療と健康増進

9　環境保健
- ア　環境保健対策
  - e　生活環境と健康　（備考）放射線

○総論Ⅱ　正常構造と機能，発生，成長，発達，加齢変化

4　頭頸部の構造
- キ　頭頸部の局所解剖
  - a　画像解剖

○総論Ⅲ　病因，病態

1　病因，病態
- シ　中毒，放射線障害
  - b　放射線の影響

○総論Ⅵ　検査

2　画像検査
- ア　エックス線画像の原理
  - a　電離放射線（備考）電磁放射線，粒子放射線，放射能，放射性同位元素
  - b　放射線の単位・測定
- イ　画像検査における医療情報
  - a　医療画像システム＜PACS＞（備考）DICOM，デジタル画像処理
- ウ　医療放射線被曝の防護と管理
  - a　正当化，最適化，線量限度（備考）※被曝低減三原則，診断参考レベル
  - b　患者と医療従事者の放射線防護（備考）医療被曝・職業被曝・公衆被曝
- エ　エックス線単純撮影
  - a　コントラストと分解能
  - b　口内法エックス線撮影
  - c　パノラマエックス線撮影
  - d　顎顔面頭蓋部エックス線撮影
- オ　CT
  - a　原理，特徴，適応　（備考）※造影 CT，歯科用コーンビーム CT
- カ　MRI
  - a　原理，特徴，適応　（備考）※ T1 強調像，T2 強調像，プロトン密度強調像，脂肪抑制像，造影 MRI
- キ　核医学検査
  - a　原理，特徴，適応　（備考）シンチグラフィ，シングルフォトンエミッション CT＜SPECT＞，ポジトロンエミッション断層撮影＜PET＞
- ク　超音波検査
  - a　原理，特徴，適応　（備考）※ドプラ法
- ケ　各画像検査の安全管理
  - a　磁場，電磁波，超音波の作用
  - b　造影剤と副作用
- コ　画像の鑑別診断
  - a　正常画像と主要疾患画像
  - b　全身疾患の画像所見　（備考）胸部エックス線画像

○総論Ⅶ　治療

7　放射線療法
- ア　放射線療法の生物学的・物理学的基礎
  - a　放射線感受性，生物学的効果，放射線療法の治療効果
- イ　口腔領域の放射線療法
  - a　治療の意義と目的
  - b　種類，適応，特徴
- ウ　放射線療法の有害事象と口腔管理
  - a　有害事象の種類と特徴
  - b　有害事象に対する口腔管理

9　その他の治療法
- キ　画像診断的介入治療〈インターベンショナルラジオロジー〉

補足的な事項は語頭に※を付記している．

第2章 放射線とその性質

1 放射線の物理

1）原子の構造

物質は質量をもち空間を占めるが，その構成単位として原子が同定された．原子は，原子核と軌道電子から構成される．ここでは，原子の構造を理解するために，**ボーアの原子モデル**を用いて説明を行う（図 2-1-1）．今日では，量子力学的モデルにより，原子の構造と電子の挙動に関して多くの知見が得られているが，本書では割愛する．

(1) ボーアの原子モデル

A. 原子核の構成

原子核は，基本的に**陽子**と**中性子**から構成される．陽子および中性子は核子とよばれる．水素は，例外的に陽子 1 個で構成される．陽子は，正の**電荷**＋e（$+1.6\times10^{-19}$ C）をもち，中性子は電荷をもたない．陽子の数は，原子番号として表され，元素の化学的性質は陽子の数で決定される．元素は，これまで 118 種類が同定されている．原子核における陽子と中性子の総和を質量数とよぶ．陽子と中性子の構成バランスは原子核の安定性を決定づけ，場合により放射性壊変を引き起こす．

B. 軌道電子

軌道電子は，原子核外に存在し，負の電荷－e をもつ．電子の数は，通常の状態では陽子の数と同一で，原子全体では電気的に中性である．ボーアは，電子は離散的な軌道に存在するとして，核に近い軌道から K 殻，L 殻，M 殻，N 殻，

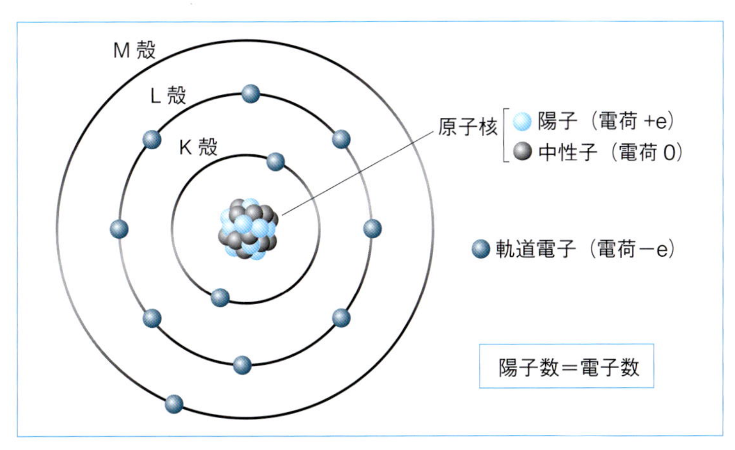

図 2-1-1　**原子模型の概念図**
原子の中心には原子核があり，その周囲を量子化学的に規定される軌道を電子が周回している．原子核は，陽子と中性子からなる．電子は－e の電荷を，陽子は＋e の電荷をもち，中性子には電荷がないため，通常は，電子数と陽子数は等しく，電気的に中性である．

O殻，P殻と名づけた．K殻をn＝1，L殻をn＝2，M殻をn＝3，…とすると，nは量子数となり，それぞれの殻には，$2n^2$個の電子を収容できる．電子は，原子核とのクーロン力で束縛されており，そのエネルギーを電子の**結合エネルギー**とよぶ．原子核に最も近いK殻の電子の結合エネルギーが最も大きく，外殻電子は小さくなる．結合エネルギーの値は，殻ごとに定まり，離散的な値となる．また，結合エネルギーの大きさは，陽子数が多い元素ほど高くなる．これらの知識は，X線による物質の電離様式の理解に必要である．

(2) 原子の表し方

原子の基本的な化学的な性質は，陽子の数で決まり，これは電子の数に等しい．すなわち，陽子数は原子番号と同一である．また，陽子の質量は1.673×10^{-27} kg，中性子の質量は1.675×10^{-27} kg，電子の質量は9.110×10^{-31} kgであり，電子の質量は陽子の$\frac{1}{1,836}$倍の重さでほぼ無視できることから，原子全体の質量は陽子と中性子の和で求まり，これを質量数とよぶ．中性子の数は，質量数と原子番号の差として得られる．

原子番号が等しいが，質量数が異なる原子を**同位体**（isotope）とよぶ．たとえば，原子番号1の原子には，質量数1，2，3の同位体が存在する．これらは質量数が異なるため，異なる原子であるが，原子番号が等しいことから基本的な性質は同じである．原子番号で分類された原子の種類の名前を元素名，元素を表す記号を元素記号という．原子番号1の原子の元素名は"水素"，元素記号は"H"である．原子の種類は，元素記号（X），質量数（A），原子番号（Z）を用いて$^{A}_{Z}X$のように表す．水素については，$^{1}_{1}H$，$^{2}_{1}H$，$^{3}_{1}H$である（p.8，図1-1-8参照）．

(3) 原子の大きさ

原子の直径は約10^{-10} m（1 Å）であり，原子核の直径は10^{-15}～10^{-14} mである．原子番号が増すとともに電子と原子核との間に働くクーロン力は大きくなり，電子軌道が引き寄せられ，内側の電子軌道は小さく，最外周の電子軌道は変わらないため，原子番号が異なる原子についても大きさはほぼ同じである．原子核の大きさを1 mmと仮定すると，原子の大きさは100 mとなり，原子のほとんどは空間が占めることになる．

光（電磁波）を利用し物体を観察する場合には，観察可能な大きさは光の波長程度までとされる．可視光線の波長は，3,800～7,800 Å（10^{-10} m）であるため，原子を観察することはできない．管電圧60 kVのX線の最短波長は0.2 Åであるから，これを用いることにより原子の隙間を通過することが可能で，これがX線の透過性につながる．

2）放射線

放射線は，広義には放射状に飛ぶ，あるいは伝搬する線を意味し，**粒子放射線**と**電磁放射線**の総称である．放射線のうち，物質に対して電離能力を有する程度に高いエネルギーをもつものを電離放射線とよぶ．電離放射線は，狭義の放射線として扱われる（図2-1-2）．

(1) 励起と電離

原子内の軌道電子が外部からのエネルギーを吸収し，外殻の電子軌道に移る（遷移する）現象を**励起**という．励起に必要なエネルギーは，遷移前と遷移後の電子軌道殻のエネルギー準位の差に等しい．軌道電子が励起されると原子は励起状態となり不安定になる．そのため，まもなく軌道電子は吸収したエネルギーに準じたエネルギーを電磁波として放出し，元の基底状態に戻る．一方で，外部からのエネルギーが十分に高く，軌道電子が原子核との結合を断ち切って原子外に飛び出る場合があり，これを**電離**とよぶ．電離が生じると，原子は陽イオンになる．

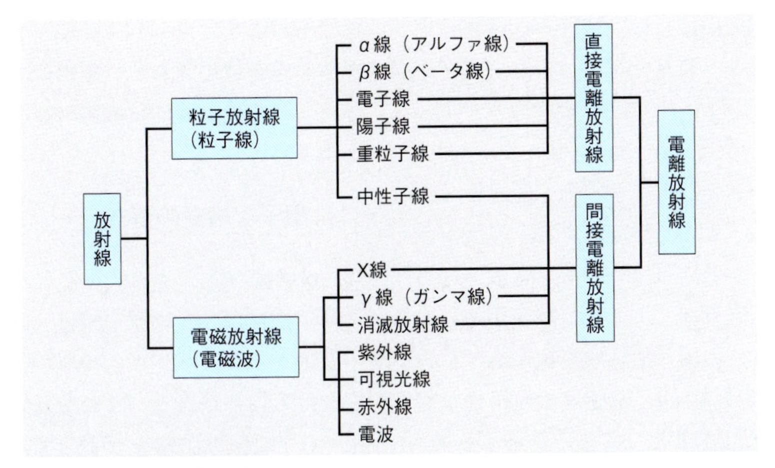

図 2-1-2　放射線の種類
放射線は，その形態や性質によってさまざまに分類される．医療放射線では，まず電離放射線であることがあげられる．これを狭義の放射線とよぶ．その電離様式により，直接電離放射線と間接電離放射線に分けることができる．

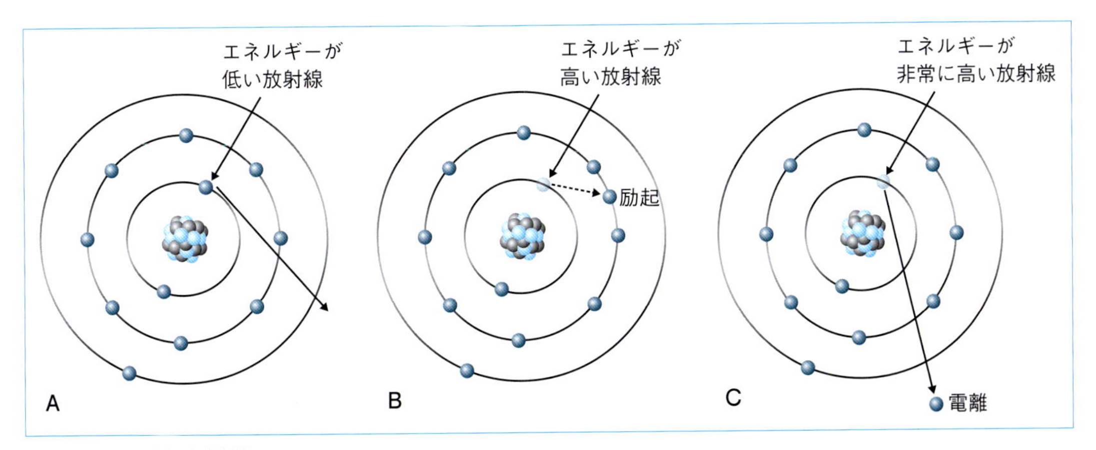

図 2-1-3　励起と電離
放射線が原子の軌道電子に衝突すると，そのエネルギーにより生じる現象は以下のいずれかとなる．
A：放射線のエネルギーが低いと，放射線に散乱が起こり，軌道電子はその軌道にとどまる．
B：放射線のエネルギーが高いと，軌道電子は外殻の軌道に遷移する．これを励起とよぶ．
C：放射線のエネルギーがさらに高くなると，軌道電子は原子の外に飛び出る．これを電離とよび，原子は陽イオンとなる．

放射線が軌道電子に衝突した場合に生じる現象は，放射線のエネルギーによって異なる（図 2-1-3）．放射線のエネルギーが低い場合は，放射線が散乱するだけで軌道電子の状態には変わりがない．放射線のエネルギーが高い場合には，軌道電子は励起するが，さらに高くなると軌道電子は電離する．原子を電離させる能力のある放射線を電離放射線とよぶ．

(2) 放射線の主な種類と分類

A. 粒子放射線と電磁放射線

粒子線は高い運動エネルギーをもつ粒子の流れで，原子核壊変によって放出される α 線，β 線（β^+線と β^-線），加速器で得られる電子線，陽子線，重粒子線，中性子線などがある．中性子は，核分裂反応により原子炉内でも多く発生している．

電磁放射線（電磁波）は，空間を伝播する電磁場の振動であり，質量や電荷はなく，真空中を光速c：3.0×10^8 m/sで進む．そのエネルギー（E）は，プランク定数をh（$=6.63 \times 10^{-34}$ J･s）として$E = h\nu = h(c/\lambda)$で表され，振動数（ν）に比例し，波長（λ）に反比例する．波長が長い（エネルギーが低い）ほうから，電波，赤外線，可視光線，紫外線とよばれ，波長が短いものとして，X線，γ線，消滅放射線があげられる（p.1，図1-1-1参照）．電磁波の粒子性に着目する場合には，光子として扱うことがある．電波～紫外線については電離能力がないため非電離放射線，X線，γ線，消滅放射線は電離能力を保つため電離放射線とよばれる．

B．直接電離放射線と間接電離放射線

電荷をもつ電離放射線（荷電粒子線）は，電子に衝突することがなくとも，電子の近傍を通過してクーロン力による電離を引き起こす．これに対して，電荷をもたない電離放射線（非荷電粒子線と電磁波）は，電子に直接衝突したときに限り電離を引き起こす．一方，電離放射線によって電離した電子（電離電子，二次電子）の多くは，大きな運動エネルギーを伴うことで電離能力を有しており，荷電粒子線としてふるまう．その結果，電荷をもたない電離放射線は，それ自身よりも電離電子のほうが高い電離能力をもつ．電荷を有しみずから電離を引き起こす電離放射線を**直接電離放射線**とよび，これには中性了を除く粒子線が該当する．中性子線や高エネルギー電磁波のように，電荷をもたず，それ自身よりも電離電子のほうが多くの電離を引き起こす電離放射線を，**間接電離放射線**とよぶ．

3）放射性壊変

原子番号が大きくなると，原子核における陽子に対する中性子の比率が大きくなり，不安定性が大きくなる．なかには，放射性壊変を引き起こして，安定性を獲得しようとする．放射性壊変を起こすと，α線，β線，γ線といった電離放射線が放出される．放射線を放出する同位体のことを放射性同位元素（radioisotope：RI）とよぶ．

（1）原子核壊変の様式

A．α壊変（図2-1-4）

原子番号が大きい原子核は，陽子2個と中性子2個からなるヘリウムの原子核を放出して安定を得る場合がある．これを**α壊変**とよび，放出される$^4_2$He原子核をα線とよぶ．α壊変により，原子番号は2つ減少，質量数は4つ減少し，壊変式は，$^A_ZX \rightarrow ^{A-4}_{Z-2}Y + \alpha$となる．$^4_2$Heの原子核は，核子の結合エネルギーが大きいため安定性が高く，α粒子として分裂しやすいことが，この壊変方式の背景にある．

B．β壊変

β壊変には，β^-（ベータマイナス）壊変と，β^+（ベータプラス）壊変，電子捕獲の3種類がある．

a．β^-壊変（図2-1-4）

陽子に比べて中性子が過剰な原子核では，時として中性子が壊変して陽子となり，電子を反電子ニュートリノ$\bar{\nu}$として放出することがある．これをβ^-壊変とよぶ．結果として，原子核は安定となり，放出される電子をβ^-線とよび，反電子ニュートリノは反中性微子とよばれる．β^-壊変により，質量数は変わらないが，原子番号が1つ増える．壊変式は，$^A_ZX \rightarrow {}_{Z+1}^{\ \ A}Y + \beta^- + \bar{\nu}$となる．

b．β^+壊変（図2-1-4）

原子核における陽子と中性子のバランスによっては，陽子が中性子に変わったほうがエネルギー的に安定になる場合がある．この場合には，原子核内の陽子が壊変して中性子となり，陽電子e^+とニュートリノνが放出される．これをβ^+壊変とよぶ．結果として，原子核は安定となり，放出される陽電子をβ^+線とよび，ニュートリノは中性微子とよばれる．β^+壊変により，

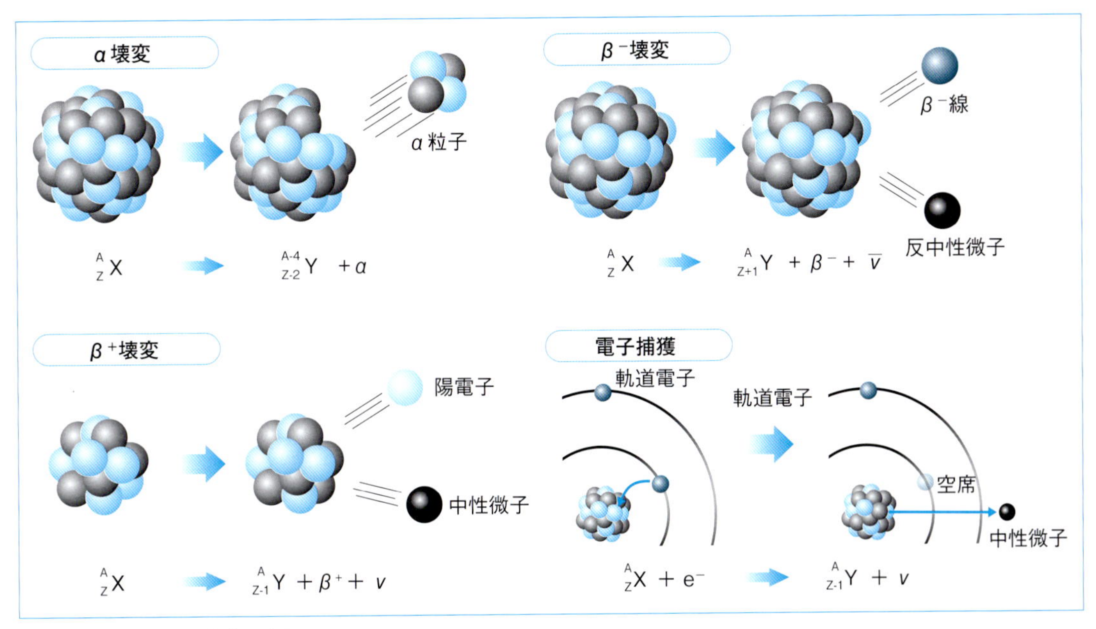

図 2-1-4　原子核壊変の例

質量数は変わらないが，原子番号は1つ減少する．壊変式は，$^{A}_{Z}X \rightarrow {}_{Z-1}^{A}Y + \beta^{+} + \nu$ となる．

陽電子は，電子の反粒子であり，質量は電子と同じで，電荷の大きさは電子と同じで反対の符号をもつ．陽電子の寿命は短く，静止しかけると周囲に存在する電子と結合して消滅し，**消滅放射線**を放出する．消滅放射線のエネルギーは，陽電子と電子の静止エネルギー（$E = mc^2$ より，m に電子の質量 9.110×10^{-29} kg×2 を，c に光速を代入すると）1.022 MeV に相当する．消滅放射線は，互いに 180° 反対方向に，0.511 MeV の光子が放出される．この放射線は，陽電子放射断層撮影（positron emission tomography：PET）検査で利用されている．

c. 電子捕獲（図 2-1-4）

中性子に比べて陽子が過剰な原子核では，陽子が軌道電子を取り込み中性子になる場合がある．これを電子捕獲（electron capture：EC）とよぶ．電子捕獲では，中性微子が放出される．これにより，質量数は変わらないが，原子番号は1つ減少する．壊変式は，$^{A}_{Z}X + e^{-} \rightarrow {}_{Z-1}^{A}Y + \nu$ となる．電子捕獲が起こると，内殻の電子に空席が生じ，外側の電子殻から電子遷移が起こるため，特性 X 線の発生もしくはオージェ電子の放出が起こる．

C. γ線放出

原子に α 壊変や β 壊変が生じると，原子核はエネルギー的に不安定な励起状態となり，高エネルギーの電磁波として γ 線を放出する．励起状態の持続時間は，通常 10^{-10} 秒以内であり，γ 線の放出は放射性壊変とほぼ同時に起こる．

しかしながら，この励起状態の性質によっては，励起状態が計測可能なものもあり，その状態を**核異性体**とよび，質量数の後ろに m（metastable：準安定の意）を付けて表す．また，このような核異性体からの γ 線放出を**核異性体転移**（isometric transition：IT）とよぶ．たとえば，$^{99}_{42}Mo$（モリブデン）の β^- 壊変で生成される **$^{99m}_{43}Tc$（テクネシウム）**は，核異性体であり γ 線を持続的に放出する．核異性体は，シンチグラフィや SPECT（single photon emission computed tomography）といった検査で利用されている．

原子核の励起状態が基底状態に至る際に，通常はγ線を放出するが，場合により軌道電子を放出する場合がある．これを内部転換とよび，この際に放出される電子を内部転換電子とよぶ．内部転換が起こると，電子軌道に空席が生じるため，特性X線もしくはオージェ電子の放出が起こる．

D. 核反応

原子核に外から核子や他の原子核が衝突すると核種が変化したり，放射線が発生する現象が起こる．これを**核反応**とよぶ．たとえば，^{18}Oに加速器により陽子を衝突させると，中性子を放出して^{18}Fが得られる．このとき，衝突される原子核^{18}Oを標的核，入射する陽子を入射粒子とよび，結果として得られる原子核^{18}Fを生成核とよぶ．これを式で表すと，$^{18}O\,(p,\ n)\ ^{18}F$となる．^{18}Fは，PET検査で用いられる．

同様に，金を原子炉内に静置すると，熱中性子による核反応$^{197}Au\,(n,\ \gamma)\ ^{198}Au$が起こり，イリジウムを原子炉内に置くと$^{191}Ir\,(n, \gamma)\ ^{192}Ir$が起こる．これらは，小線源治療用の線源として利用されている．

(2) 放射能

放射性壊変は，不安定な原子核に生じるが，その発生頻度は確率的である．単位時間あたりに放射性壊変を生じる原子核数$\dfrac{dN}{dt}$は，その時点で存在する原子核数Nに比例する．

$$\frac{dN}{dt} = -\lambda N$$

が成立する．λは**壊変定数**とよばれ，単位時間あたりに1個の原子核が壊変する確率を意味している．壊変定数の単位はs^{-1}であり，壊変核種に固有の値となる．時刻$t=0$での原子核数をN_0として，上記微分方程式を解くと，

$$N = N_0 \cdot e^{-\lambda t}$$

となる．原子核の数は，時間経過により指数関数的に減少する．

放射性壊変が起こると，電離放射線が放出する．単位時間に放射性壊変が生じる原子核数はλNであるが，これは放射線を放出する能力を表すことになる．この能力のことを**放射能**（A；activity）とよぶ．すなわち，$A=\lambda N$.

放射能の単位は，s^{-1}であり，**Bq**（ベクレル）とよばれる．

原子核数が初期値N_0の半分になる時間を**半減期**（$T_{1/2}$）とよぶ．

$$\frac{N_0}{2} = N_0 \cdot e^{-\lambda (T_{1/2})}$$

であるから，

$$T_{1/2} = \frac{\log_e 2}{\lambda} = \frac{0.693}{\lambda}$$

の関係が得られる．$e^{-\log_e 2} = \dfrac{1}{2}$であるから，

$$N = N_0 \cdot e^{-\lambda t} = N_0 \cdot e^{-\log_e 2 \cdot \frac{t}{T_{1/2}}} = N_0 \cdot \left(\frac{1}{2}\right)^{\frac{t}{T_{1/2}}}$$

となり，半減期が過ぎるたびに，原子核数は$\dfrac{1}{2}$，$\dfrac{1}{4}$，$\dfrac{1}{8}$…と減少する（図 2-1-5）．

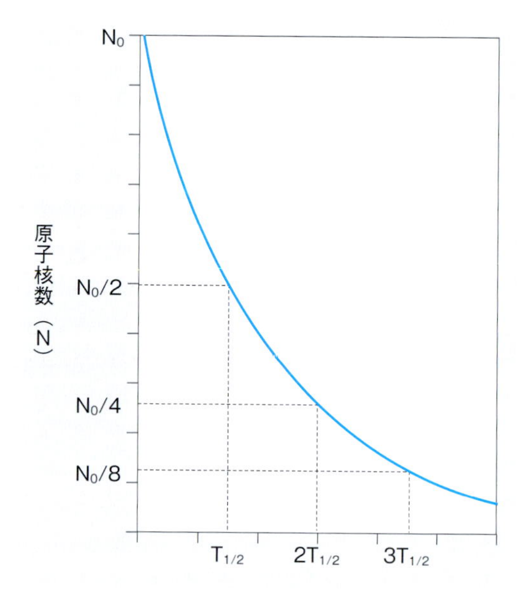

図 2-1-5　原子核壊変の法則

壊変は確率的事象であり，その発生する数は母集団の数に比例する．全体として考えると，ある時点における原子核の数が半分になるのに必要な時間は一定であり，これを半減期（$T_{1/2}$）とよぶ．半減期は，放射性核種ごとに一定の値となる．1半減期で1/2，2半減期で1/4，3半減期で1/8と減少していく．

表 2-1-1　医療で用いられる代表的な放射性同位体と，その壊変様式，半減期，放出される主な放射線とそのエネルギー

核種	壊変形式	半減期	放射線とそのエネルギー［MeV］
^{18}F	β^+	110 分	β^+線：0.634
	EC		
^{60}Co	β^-	5.27 年	β^-線：0.318 γ 線：1.173, 1.332
^{67}Ga	EC	3.3 日	γ 線：0.093, 0.185, 0.300, 他
^{99m}Tc	IT	6.01 時間	γ 線：0.141, 他
^{125}I	EC	59.4 日	γ 線：0.036, 他
^{137}Cs	β^-	30.1 年	β^-線：0.514, 1.18
^{192}Ir	β^-	73.8 日	β^-線：0.539, 0.675, 他 γ 線：0.296, 0.308, 0.317, 0.468, 他
	EC		
^{198}Au	β^-	2.70 日	β^-線：0.961, 他 γ 線：0.412, 他
^{201}Tl	EC	3.04 日	γ 線：0.135, 0.167, 他
^{222}Rn	α	3.82 日	α 線：5.49 γ 線：0.510
^{226}Ra	α	1.60×10^3 年	α 線：4.60, 4.78 γ 線：0.186

（日本アイソトープ協会，2020[1] より抜粋）

放射能についても初期値を A_0 とすると同様に，

$$A = A_0 \cdot e^{-\lambda t} = A_0 \cdot \left(\frac{1}{2}\right)^{\frac{t}{T_{1/2}}}$$

となり，経時的に放射能が減衰する．

表 2-1-1 に，代表的な放射性同位元素とその壊変様式，半減期，放出される主な電離放射線とそのエネルギーを示す．

4）X 線とその発生

X 線はエネルギーが高い電磁波で，高い物質透過性を有する電離放射線である．放射線診断領域では電子をタングステン製のターゲットに衝突させて制動 X 線として利用することが多い．なお，この際には特性 X 線も同時に発生している．

(1) 制動 X 線

A. 制動 X 線の発生（図 2-1-6）

制動 X 線の発生過程は次のとおりである．

①高速電子がターゲット物質の原子核の近傍を通過する

②原子核からのクーロン力により，電子が進行方向を変更し，運動エネルギーを失う．

③失われたエネルギーが X 線として放出される．

ただし，この過程で X 線として放出される確率（発生効率）は 1％未満であり，99％以上は熱となる．

B. 制動 X 線のエネルギー分布

電子が原子核から離れた領域を通過すると，クーロン力による制動は弱くなり，発生する X 線のエネルギーも小さくなる．実際には，電子は原子核に対してさまざまな位置を通過するため，発生するX線のエネルギーもさまざまな値となる．また，X線発生装置においては，電子は熱電子（自由電子）をX線管電圧（管電圧）で加速して生成するため，管電圧が低い場合には電子のエネルギーも低く，発生するX線のエネルギーも低くなる．管電圧自体も，交流電源をもとにしているためにやや変動があり，このことも発生するX線エネルギーの強弱につながる．結果として，制動X線のエネルギーは**連続スペクトル**をもつこととなり，これを白色X線とよぶ．

白色X線のうちでも，最大のX線エネルギーを求めることは容易である．なぜなら，管電圧で加速された電子が，そのすべてのエネルギーをX線に変換された場合であるためで，具体的には，電子1個の荷電eが管電圧Vで加速されたときのエネルギーは，1eVで，$1\,\mathrm{eV}=1.6\times10^{-19}\,\mathrm{J}$であるから，これがすべてX線に変換されたとすると，そのエネルギーは1eVとなる．このときの波長は，$E=h(c/\lambda)$から，

$$\lambda \mathrm{min}\,\text{Å}=\frac{12.4}{V(\mathrm{kV})}$$

で表され，これを**デュエン・ハント**（Duane-Hunt）**の法則**とよぶ．たとえば，管電圧60kVの制動X線の最短波長は0.2Å，管電圧120kVでは0.1Åとなる．しかしながら，そのような事象はほとんど起こり得ないので，全体的な白色X線のスペクトルは図2-1-7のようになる．最高エネルギーのX線の光子数はほぼ0であり，それ以下のエネルギーにおける分布は連続的で，低エネルギーになるほど多くなる傾向があるが，あまりに低いエネルギーのX線は物質透過性の低さのため，ターゲットにおける自己吸収や固有濾過（フィルター）で吸収され，X線管の装置外までは出てこない．さらにX線撮影に使用するには，撮影に寄与しない低いエネルギーのX線をあらかじめ除去したほうが放射線防護上望ましいため，付加濾過（フィルター）を追加している．

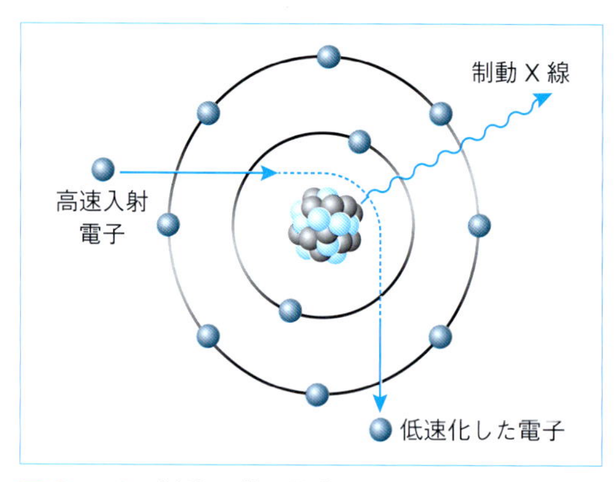

図2-1-6　制動X線の発生
高速電子が原子核の近傍を通過するとき，両者間に生じるクーロン力により電子が運動エネルギーを失う．この差分のエネルギーが制動X線として放出される．

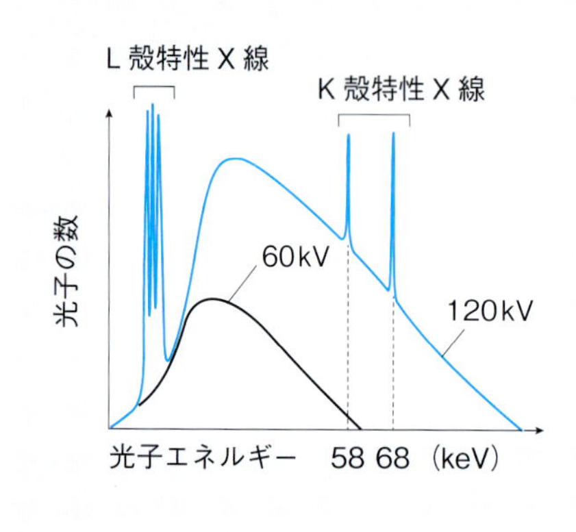

図2-1-7　X線のエネルギースペクトル
管電圧120kV（青線）と60kV（黒線），タングステンターゲット，付加フィルタを使用しない条件でのX線のスペクトル図．制動X線のスペクトルの最大値は，管電圧によって定まるが，そのようなエネルギーをもつX線の光子数は0に近い．より低いエネルギーが多く発生するが，非常に低いエネルギーをもつX線は物質透過性も低いため，ターゲットやX線管球のガラス壁など装置固有の物質による自己吸収が起こり除去される．特性X線のエネルギーは，電子遷移が生じた際の2つの電子軌道におけるエネルギー準位の差に等しくなるため，原子固有な線スペクトルを示す．タングステンのK殻のエネルギー準位は約−70keVであり，管電圧が60kVの場合にはK殻特性X線は発生しないが，L殻のエネルギー準位は低いためL殻特性X線は発生する．しかし，そのエネルギーは低いため，X線装置の付加フィルターで除去される．

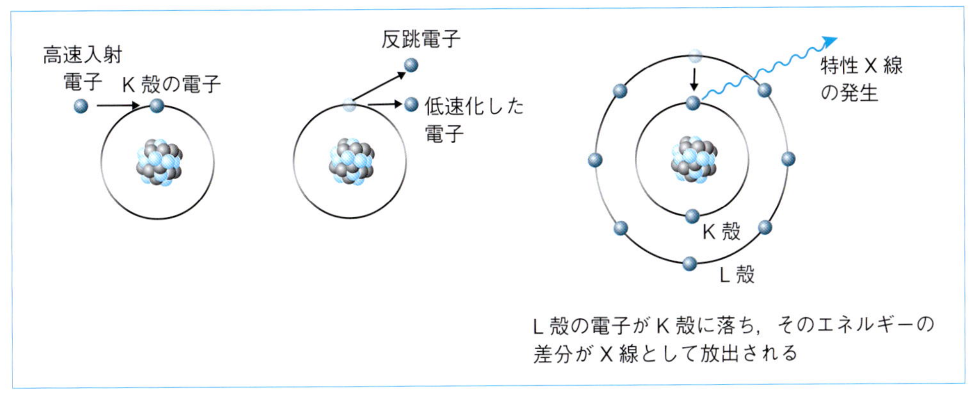

図 2-1-8　特性 X 線の発生
高速電子が軌道電子に衝突し，軌道電子が原子の外に叩き出されると，生じた空席に外側の殻から電子が遷移してくる．このときエネルギー準位の差分に等しいエネルギーの X 線が放出される．

(2) 特性 X 線（図 2-1-8）

A. 特性 X 線の発生の仕方

特性 X 線の発生様式は以下のとおりである．

①運動エネルギーをもった電子がターゲット物質の軌道電子に衝突する．

②衝突された軌道電子が，原子の外に飛び出す．結果として，原子が電離する．

③軌道電子の空席に，外殻の電子が移動（遷移）してくる．

④電子軌道のエネルギー準位の差分に等しいエネルギーが X 線として放出される．

特性 X 線のエネルギーは，元素に固有な値をとり，物質の特性値となるため特性 X 線とよばれている．特性 X 線を調べることで，元素の同定を可能にする．

特性 X 線は，内殻軌道電子が電離されることで発生する．このため，光電効果，コンプトン散乱，三対子生成，電子捕獲，内部転換，電離放射線による電離のように，内殻の軌道電子が空席となる現象で，特性 X 線が発生する．

B. 特性 X 線のエネルギー分布

軌道電子のエネルギー準位（結合エネルギー）は，元素および各軌道電子に固有である．このため，特性 X 線は線スペクトルとなる．たとえば，ターゲットとして使われるタングステンの場合，エネルギー準位 −69.5 keV の K 殻軌道電子が電離され，その空席に −12.1 keV の L 殻軌道電子が遷移すると，$(-12.1)-(-69.5)=57.4$ keV の特性 X 線が発生する．K 殻の軌道電子が電離されて，外殻からの遷移により発生する特性 X 線を K 殻特性 X 線，L 殻電子軌道が電離されて発生する特性 X 線を L 殻特性 X 線とよぶ．L 殻特性 X 線のエネルギーは，K 殻特性 X 線と比較すると非常に低い．

C. オージェ効果

軌道電子が遷移することにより特性 X 線が発生するが，この過程で特性 X 線を発生することなしに，外殻の電子を放出する過程があり，これをオージェ効果といい，この際に放出される電子をオージェ電子とよぶ．オージェ電子も，特性 X 線と同様に線スペクトルを示す．オージェ効果が起こると，その電子軌道には空席が生じるため，さらなる特性 X 線の発生もしくはオージェ電子の放出が起こる．

オージェ効果は，特性 X 線の発生と競合する．このため，光電効果，コンプトン散乱，三対子生成，電子捕獲，内部転換，電離放射線による電離のように，内殻の軌道電子が空席となる現象で，オージェ効果が起こる可能性がある．

2 放射線の量・単位とその測定

1）線量とその単位

電離放射線に関する線量と単位は，放射線医学，放射線生物学，および放射線防護，放射線管理，などを理解するために基本となるものである．これらは，**国際放射線単位測定委員会**（International Commission on Radiation Units and Measurements：ICRU）によって定義されている．また，放射線防護に関する線量は，**国際放射線防護委員会**（International Commission on Radiological Protection：**ICRP**）によって定義されている．ここでは，主要な線量と単位について示す．

(1) カーマ（Jkg^{-1}，Gy）

カーマ（kinetic energy released per unit mass：kerma）は，X線，γ線，中性子線といった非荷電放射線（間接電離放射線）が，物質と相互作用した結果，単位質量あたりの物質において二次電子に与えられたすべての運動エネルギーで表される．質量1 kgあたりの物質に1 Jの運動エネルギーが与えられた場合が1 Gy（グレイ）である．電子や陽子など荷電粒子放射線（直接電離放射線）には適用されない．カーマはすべての物質に適用されるが，物質が空気の場合には，特に空気カーマという．

(2) 照射線量（Ckg^{-1}，R）

照射線量（exposure）は，電磁放射線であるX線とγ線が，単位質量あたりの空気中において，電離によって生成された電荷量で求められる．すなわち，電磁放射線が空気を電離する能力を表したものである．空気1 kgあたりに1 Cの電荷が生じた場合は1 Ckg^{-1}となる．

以前は，X線（R）という単位が使用されており，$1\,R = 2.58 \times 10^{-4}\ Ckg^{-1}$である．1 Rは，空気0.001293 g（0℃，1気圧の純粋空気1 cm^3の質量）あたりに1静電単位である．

(3) 吸収線量（Jkg^{-1}，Gy）

吸収線量（absorbed dose）は，物質の単位質量あたりに吸収されたエネルギー量で表され，すべての電離放射線およびすべての物質に適用できる線量である．質量1 kgあたりの物質に1 Jのエネルギーが吸収された場合が1 Gyである．物質が空気の場合は，空気吸収線量という．

診断領域における照射線量X（R）と，空気カーマK_{air}（Jkg^{-1}），空気吸収線量D_{air}（Jkg^{-1}）との関係は，

$$K_{air} = D_{air} = 0.00869X$$

である．

2）線量の測定

放射線は直接的にヒトの五感で感じとれないので，電離現象，励起・発光現象，化学反応などを利用して，物質に対する相互作用の結果として検出を行う．線量を正確に把握することはその影響を評価するうえで重要である．放射線量の測定は，場所の測定と人の測定とがある．測定には，放射線の種類を考慮し，測定器における物理的，化学的な性質について考慮する必要がある．

(1) 気体の電離現象を利用した測定器

放射線が気体を通過すると，気体の電離が起こり，イオン対が生成される．ここで，平行平板電極を設置し300 V程度の電圧をかけると，生成したイオンと電子を電流として検出でき，電荷量を計測することができる．この仕組みを利用したものを**電離箱**（ion chamber）とよぶ（図2-2-1）．電離箱は，空気中における電離現

象を計測する基本的な計測方法といえる．これにより，X 線や γ 線における空気カーマ，照射線量あるいは空気吸収線量を測定できる．環境モニタリングによく用いられる**電離箱式サーベイメータ**もこの仕組みを利用している（図 2-2-2）．また，個人モニタリングに用いられる**ポケット線量計**の一部も電離箱式のものがある．

ガイガー・ミュラー計数管（Geiger-Müller counter：GM counter）は，プローブ内にガスを充填し高い電圧（1,000～3,000 V）をかけて，放射線と充填ガスとの相互作用により発生する二次電子による電子なだれにより，感度高く放射線の計数測定を行うことができる．γ 線や β^- 線の測定に用いられるが，エネルギーの測定はできない．また，プローブの窓に厚みがあることから ^{3}H 由来の低エネルギー β^- 線の測定は不可能であり，^{32}P や ^{60}Co などの β^- 線エネルギーが高いものが対象となる．

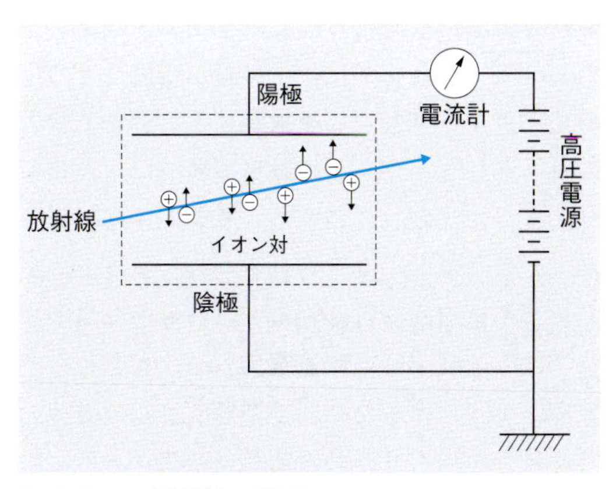

図 2-2-1　**電離箱の原理**
放射線により，プローブ内の空気が電離される．平板型の電極に電圧をかけておくと，電離により生じたイオン対は電極に引かれて電流が生じる．

(2) 半導体検出器（semiconductor detector）

シリコン（Si）やゲルマニウム（Ge）などの半導体物質は，電子が優勢な n 型半導体と正孔が優勢な p 型半導体を構成しうる．n 型半導体と p 型半導体を接合し電圧をかけると，両者の接合面には空乏層が形成される．空乏層に放射線が入射すると，電子が生じ，放射線量に比例した電流が生じる．

半導体検出器は，放射線によって生じるキャリアの様子が，電離箱におけるイオン対と類似していることから，固体の電離箱あるいは固体検出器（semiconductor detector）ともよばれる．さらに，半導体検出器は，ピークスペクトルのエネルギー分解能がよく，放射性核種の同定が可能である．

(3) シンチレーション計数器（scintillation counter）

シンチレーション計数器は，放射線の蛍光作用を利用し，蛍光体（phosphor）またはシンチ

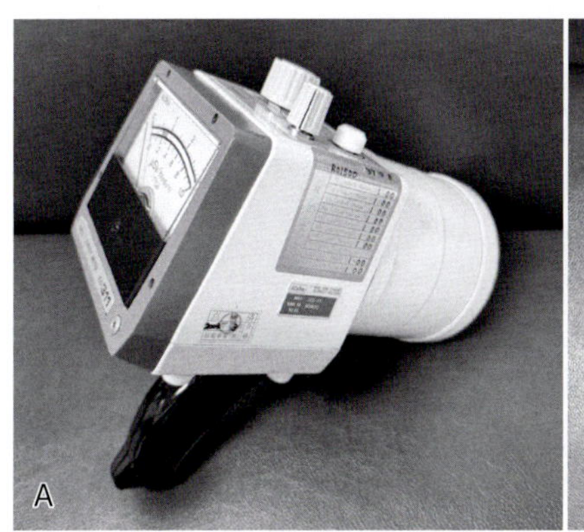

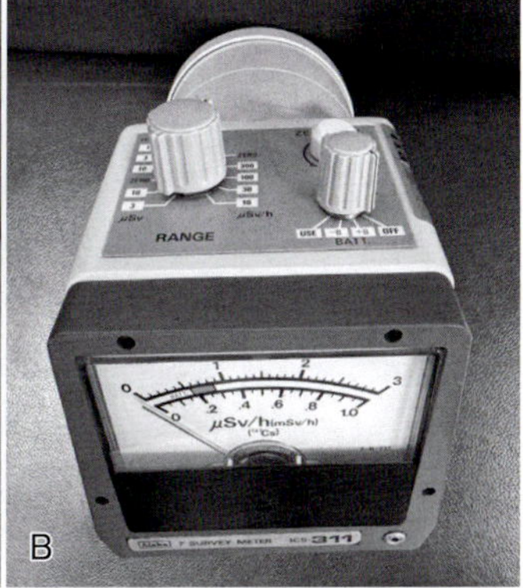

図 2-2-2　**環境モニタリング用線量計（電離箱式サーベイメータ）**
X 線と γ 線の線量率の測定に用いる．エネルギー依存性は小さく，正確な線量率を測ることができる．検出器全面はフィルターとなっており，取り外すことで β 線を計測できる．
A：装置全体の外観．装置下にガンタイプの持ち手があり，先端の円筒形をした電離箱に入射する光子を計測する．B：装置前面．線量率は，装置上左側にあるレンジ調節つまみ（3 μSv/h～10 mSv/h の範囲）を変えながら測定を行う．

レータ（scintillator）からの光子を，光電子倍増管を介して電気信号に変換する．無機結晶シンチレータ，有機シンチレータ，ガスシンチレータがあり，NaI（Tl）シンチレータが代表的である．NaIシンチレータは，Iの原子番号が高いことからX線やγ線に対して高い計数効率をもって測定が可能である．その反面，NaI（Tl）は潮解性があるためにアルミケースなどに封入されているため，アルミにより遮蔽されるβ線やα線の測定はできない．

(4) 蛍光ガラス線量計（radiophotoluminescence glass dosimeter）

蛍光ガラス（銀活性化リン酸塩ガラス）は，放射線照射により内部に含まれる銀イオン（Ag^{+}）が，電子によりAgに，正孔によりAg^{2+}となり，長期間安定に保持される．これに紫外線レーザーを照射すると蛍光を発する．読み取り操作のために紫外線を照射しても，蛍光中心の消滅はないため，繰り返しの読み取りが可能で，また再使用も可能である．感度が安定しており，エネルギーの依存性も小さく，素子間のばらつきも小さいが，方向依存性は高い．個人モニタリング用のガラスバッジとして利用されている．

(5) 光刺激ルミネセンス線量計（optically stimulated luminescence dosimeter：OSLD）

酸化アルミニウム結晶（α-Al_2O_3：C）に放射線を照射すると，結晶中に電子・正孔対が安定した状態で保存される．これにレーザー光を照射すると結晶が受けた放射線量に比例した量の蛍光光子が放出される．放射線の検出感度が高く，測定範囲も広く，繰り返し測定もできるため，ルミネスバッジとして個人モニタリングで利用されている．

(6) 写真フィルム（photographic film）

写真乳剤に対して，放射線を入射させ，これを現像することで素粒子などの軌跡を解析する原子核乾板や，放射線による黒化度を測定して放射線量を求める**フィルムバッジ**などがある．フィルムバッジは，個人モニタリング用として広く使われていたが，医療分野では既出の蛍光ガラス線量計やOSLDに取って代わられている．

3）モニタリング用の測定器

放射線を取り扱う際には，放射線防護の観点から，放射線の測定を適宜行い，測定結果に基づき必要な措置を行う．これをモニタリングとよぶ．モニタリングには，施設・環境などの場のモニタリングと，放射線業務従事者など個人のモニタリングがある．**職業被曝**では，作業環境が良好に保たれていれば，放射線診療従事者個人の被曝は低く抑えられるため，環境モニタリングが重点的に行われる．これらのモニタリングは，それぞれの**線量限度**（p.54参照）を超えないようにするために，定期的または継続的に線量計を用いて行われる．

(1) 環境モニタリング

環境管理では，放射線測定が重要である．外部被曝に備えて，施設内および事業所境界の線量を測定する．この設備はモニタリングポストとよばれており，その測定値は常に公開されている．内部被曝のおそれがある場合に備えて，取扱施設内の空気，表面汚染および排気・排水のRI濃度を測定する．

サーベイメータは，放射線使用施設の作業環境における放射線の線量を測定するためのポータブルタイプの放射線測定器であり，よく用いられる．サーベイメータには，電離箱式サーベイメータ，シンチレーションサーベイメータ，

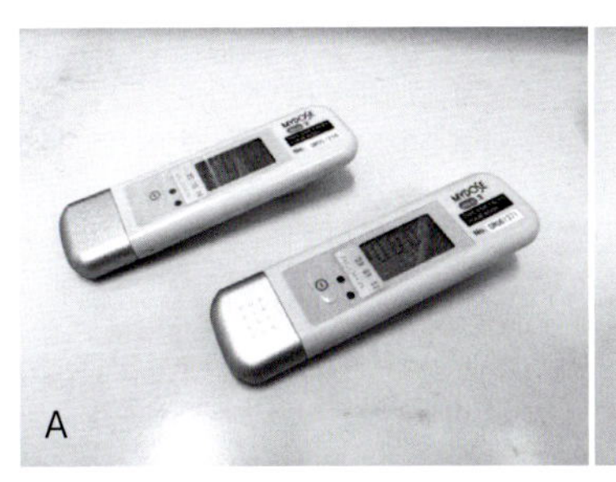

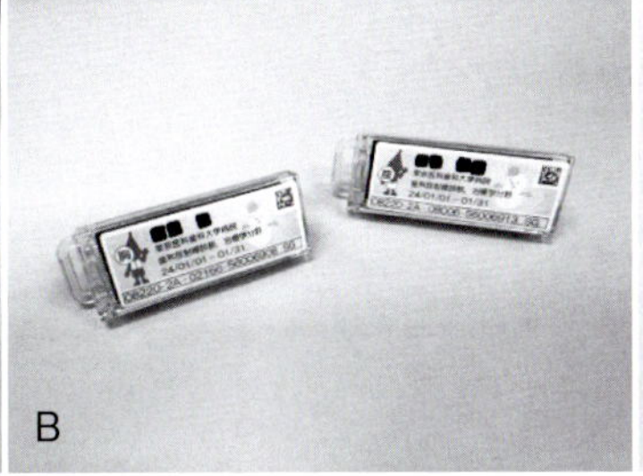

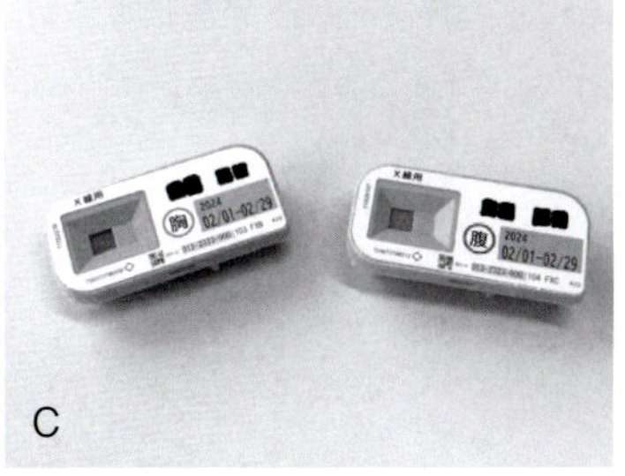

図 2-2-3　個人モニタリング用線量計
A：半導体式ポケット線量計．B：ルミネスバッジ．C：ガラスバッジ．

GM 管式サーベイメータがある．

(2) 個人モニタリング

放射線診療従事者の個人モニタリングでは，**半導体式ポケット線量計**，**ルミネスバッジ**，**ガラスバッジ**（図 2-2-3）などが用いられる．これらの測定器は，法規により，男性は胸部，女性（妊娠する可能性がないと診断された者，妊娠する意思がない旨を病院長または診療所の管理者に書面で申し出た者を除く）は腹部と定められている．その他，防護衣を着用して作業するときに装着部位が隠れる場合は，被曝が一番大きい部位（頸部や手指など）にもう 1 つ測定器を装着する．

4）放射線防護に関する量

ICRP は，放射線がヒトに及ぼす影響を評価する目的で，**等価線量**（equivalent dose）および**実効線量**（effective dose）を定義している．

(1) 等価線量（J kg^{-1}，Sv）

ある組織・臓器 T における等価線量 H_T は，次式によって与えられる．

$$H_T = \sum_R w_R D_{T,R}$$

ここで $D_{T,R}$ は，ある放射線 R による組織・臓器 T における平均吸収線量，w_R は，放射線 R の**放射線加重計数**である．単位は**シーベルト**（Sv）である（1 Sv = J kg^{-1}）．等価線量では，ある点における吸収線量ではなく，ある組織・臓器における放射線の種類（R）とエネルギーに依存する線量を考慮した平均吸収線量を扱う．この目的のために，放射線の種類に応じて放射線加重係数（w_R）を定義する（表 2-2-1）．

表 2-2-1　放射線加重係数（ICRP，2007 年）

放射線の種類およびエネルギー	放射線加重係数（w_R）
光子	1
電子，μ 中間子	1
中性子	およそ 2.5 から 20 の範囲
陽子，荷電 π 中間子	2
α 粒子，核分裂片，重い原子核	20

X 線や γ 線は光子であり，これを 1 としている．たとえば，X 線による吸収線量は等価線量 1 Sv であり，α 線による吸収線量 1 Gy は等価線量 20 Sv である．

(2) 実効線量（J kg^{-1}，Sv）

ある組織・臓器 T における実効線量 E は，次式によって与えられる．

$$E = \sum_T w_T H_T$$

ここで H_T は，組織・臓器 T における等価線量，w_T は，ある組織・臓器 T の**組織加重係数**である（1 Sv = J kg^{-1}）．

被曝したヒトの集団から得られた各組織・臓器の**確率的影響**（発がんおよび遺伝的影響）の単位線量（Sv）あたりの致死確率は**リスク係数**

表 2-2-2　組織加重係数（ICRP, 2007 年）

組織	係数
赤色骨髄	0.12
結腸	0.12
肺	0.12
胃	0.12
乳房	0.12
生殖腺	0.08
膀胱	0.04
食道	0.04
肝臓	0.04
甲状腺	0.04
骨表面	0.01
脳	0.01
唾液腺	0.01
皮膚	0.01
残りの組織	0.12

組織加重係数は，1977 年の ICRP 勧告で初めて導入され，1990 年と 2007 年に変更されている．2007 年の勧告では，生殖腺の係数を 0.08 に変更し，脳，唾液腺と口腔粘膜が含まれたため，歯科 X 線検査の実効線量は，1990 年勧告による値より，2～3 倍増加している．「残りの臓器」においては，14 臓器の平均線量にその加重係数 0.12 を割り当てている．14 臓器は，副腎，胸郭外部位，胆囊，心臓，腎臓，リンパ節，筋肉，口腔粘膜，膵臓，前立腺（男性），小腸，脾臓，胸腺，および子宮/子宮頸部（女性）である．

とよばれ，組織加重係数（w_T）は，全組織・臓器のリスク係数の合計との比で求められる（表 2-2-2）．

なお，実効線量は医療における X 線撮影ごとに実測などにより算出される（p.53，表 2-5-3 参照）．しかし，医療における放射線のリスクは，個々の組織に対する適切なリスク値（被曝線量とリスク係数）と，その検査法を受けた集団の年齢・性別分布を考慮して評価すべきである．加えて X 線撮影では，被曝線量分布が不均一である．このような場合，実効線量をもって個々の患者ごとにリスクを推定することには注意が必要である．したがって，実効線量は，対象とする患者集団の年齢・性別分布が類似している場合に限り，異なった検査法による比較，国における同一の検査法による比較，同じ検査法に関する異なった技術間での比較など，被曝線量の相互比較には有用といえる．

3 放射線の生物学的影響

1）放射線影響発現過程

(1) 物理学的過程

人体にイオン化（電離）放射線が照射されると，そのまま透過するか，その量子エネルギーが人体構成物質に吸収されるか，そのいずれかである．前者では放射線は人体に全く影響を生じないが，後者では人体を構成する原子または分子の正負のイオン対の形成（**イオン化**または**電離**）と**励起**を生じる．すべての生物学的影響は，このイオン化と励起に基づき，この過程は 10^{-14} 秒というきわめて短時間で終わる．この過程が物理学的過程である．

イオン化は，原子，分子の種類を問わず無差別に起こり，X線，γ 線や β 線では，高速電子がその飛跡に沿って比較的まばらにイオン対を生成する．これに対して，α 粒子や重イオン粒子のような大きい質量と電荷をもつ粒子は，その飛跡に沿って密にイオン対を生成する．放射線の吸収線量（J/kg）は，巨視的に単位質量あたりの吸収エネルギー量を平均化したもので，それがきわめて小さい線量でも原子レベルの微視的な離散的な量子エネルギー吸収でみた場合には，まばらに分布する当該原子に化学反応レベルとは桁違いの大きなエネルギーが与えられるのが放射線の特徴である．線量が小さいときには，単位質量あたりに生じるイオン対の数が少ないだけで，微視的な吸収エネルギーは変わらない．荷電粒子の飛跡の単位長さあたりのエネルギー付与を**線エネルギー付与**（linear energy transfer；**LET**）という．LETの単位は keV/μm で，これによってイオン対の空間的分布を数値的に表現する．X線，γ 線や β 線などを**低LET放射線**，α 線や炭素イオン線のような重粒子線などを**高LET放射線**という．低LET放射線の例として1個の電子，高LET放射線の例として1個の α 粒子が水中を通過するときに生成するイオン対と励起分子の空間的分布を図2-3-1に示す．

(2) 化学的過程

放射線エネルギーの吸収により生じたイオンはきわめて不安定であるため，化学反応によって，より安定な状態に移行する．この過程を化学的過程という．放射線エネルギー吸収は無差別に起こるので，生体重量の約70%を占める水分子に最も多くのエネルギー吸収が起こる．水分子の正負のイオンは，結果的に外殻に不対電子をもった**フリーラジカル**（自由遊離基）の水素ラジカル（H・），ヒドロキシルラジカル（HO・）および水和電子（e-aq）などになり，これらはさらにラジカル間の反応で過酸化水素（H_2O_2）などを生成する．

放射線影響の標的と考えられるDNAなどの分子は，これらのヒドロキシルラジカルなどと反応しやすく，間接的に損傷を受けることになる．このように，標的分子が間接的に損傷を受けることを**間接作用**という．これに対して，標的分子そのものにエネルギー吸収が起こり，その結果，標的分子の損傷が起こるような放射線の作用を**直接作用**という．

水分子から生じたラジカルは，周囲に酸素分子が存在すると，ヒドロペルオキシルラジカル（HOO・）を生成する．これはヒドロキシルラジカルよりも酸化力が強く，DNAなどの分子に損傷を起こしやすい．このように酸素の存在によって，放射線の効果が強まる現象を**酸素効果**という（p.37参照）．

間接作用には，普通の酸素分子（O_2）より反応性の強い活性化された状態の酸素分子，およびその関連物質である**活性酸素**（reactive oxy-

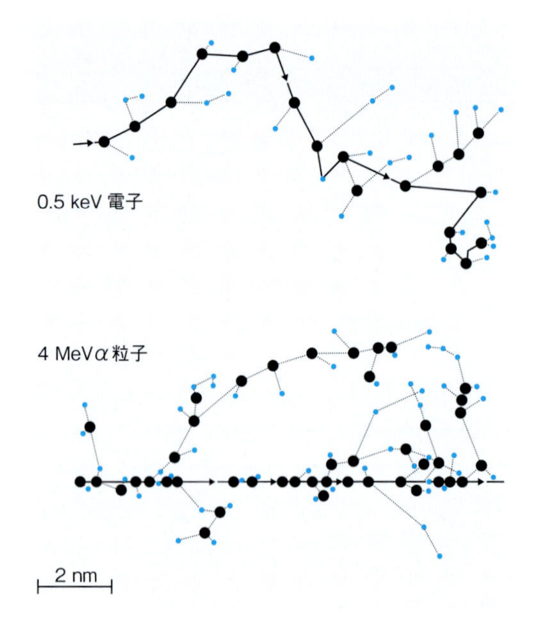

図 2-3-1　**電子および α 粒子の水中での左から右方向への飛跡**
上段は 0.5 keV 電子，下段は 4 MeV α 粒子．黒丸はイオン化，青丸は励起分子を示す（Goodhead DT, 1994[1]）．

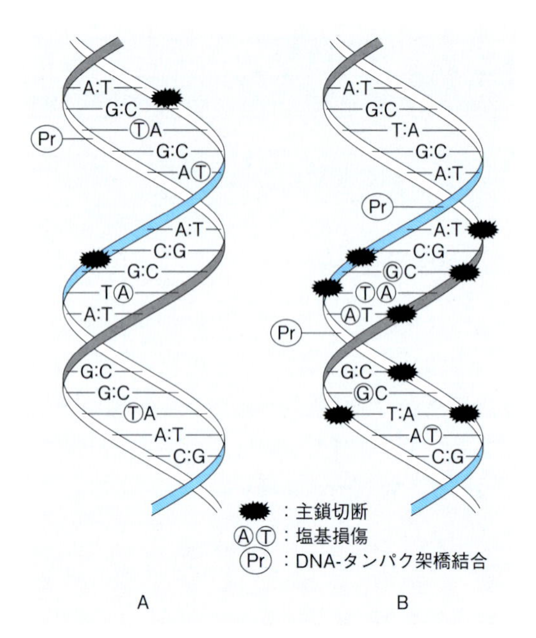

図 2-3-2　**放射線による DNA 損傷の概念図**
低 LET 放射線（X 線光子）によって放出された高速電子（A）と，高 LET 放射線 α 粒子（B）それぞれ 1 個が DNA 分子を通過したときの損傷概念図．DNA 二重らせん構造の直径は 2 nm．図 2-3-1 と重ねるとわかりやすい．

gen species；**ROS**）が主要な役割を果たす．代表的な ROS 分子種としては，ヒドロキシルラジカル，ヒドロペルオキシルラジカルおよびスーパーオキシド（$\cdot O_2^-$）などのラジカル，さらにラジカル以外の過酸化水素なども含まれる．

(3) 生物学的過程

放射線によって生じた分子損傷は，生体内の複雑な機構によってさまざまな修飾を受け，結果的に細胞膜，染色体，ミトコンドリア，細胞死などの変化として現れる．この過程を生物学的過程という．細胞の遺伝情報の伝達に中心的役割を果たす DNA 分子の損傷は，細胞の致死効果や突然変異誘発にとって重要である．DNA 分子の損傷は多様で，塩基損傷，塩基の遊離，主鎖切断（単鎖切断および二本鎖切断），架橋形成（DNA 鎖内，DNA 鎖間，DNA-タンパク間）に分けられる．低 LET 放射線の X 線と，高 LET 放射線の α 線による DNA 分子におけるこれらの損傷の様子を図 2-3-2 に模式的に示す．図は電子と α 粒子それぞれ 1 個が DNA 二重らせん構造を通過したときの損傷の分布を示したもので，X 線によって放出された電子の場合には，損傷の分布がまばらである．一方，α 粒子の場合には，それが密に生じている．**DNA 損傷**の大部分は，細胞に備わっている修復機構で修復されるが，二重鎖切断のあるものは修復されなかったり，誤って修復されたりする．このような修復されない DNA 二重鎖切断や誤り修復が，細胞致死効果や突然変異の誘発にとって重要と考えられている．細胞損傷が組織レベルで現れると，組織臓器の機能低下を引き起こし，ひいては個体の死をもたらす．臓器レベルの放射線影響は，骨髄の放射線障害のように，数日で現れるものから数年以後に現れる悪性腫瘍の誘発まで多様である．

2）細胞に対する影響

(1) 細胞死の発現

細胞死の機構は，アポトーシスとネクローシスの二元論で論じられるものではなく，かなり複雑であることがわかってきた．Nomenclature Committee on Cell Death（NCCD）の中で多くの細胞死様式が議論され，度重なる変遷を経て定義されつつある．放射線照射後の細胞死は，細胞死が起こる時期によって**間期死**と**分裂死**に分けられる．間期死は細胞分裂を経ない細胞死で，比較的早く数時間で現れる．一般に大線量の場合に多いが，放射線感受性の高い細胞，たとえばリンパ球などでは，それほど大線量でなくてもみられる．その多くは遺伝学的にプログラムされた細胞死で，DNA ヌクレオソーム単位の切断や，カスパーゼの活性化を特徴とする**アポトーシス**（apoptosis）による死と考えられ，核の断片化，クロマチンの凝集，細胞膜の融解などの特徴を示す**壊死**（**ネクローシス**；necrosis）と区別されている．また，プログラムされた細胞死には，細胞質成分の**自食作用**（**オートファジー**；autophagy）を伴う細胞死（オートファジー依存性細胞死），さらに RIP キナーゼの活性化により細胞の膨潤，膜の破裂を引き起こす壊死（ネクロトーシス；necroptosis）などがある．大隅良典らはオートファジーに関与する遺伝子（*ATG*；*AuTophaGy*）の発見とそのしくみの解明の功績により 2016 年にノーベル生理学・医学賞を受賞した[2]．またネクロトーシスは，プログラムされた壊死として知られ，免疫の賦活化につながると考えられている．増殖死という放射線生物学特有の概念があり，細胞がクローン形成能を維持できなくなる死と定義される．増殖死は，間期死と細胞分裂異常による細胞死の有糸分裂カタストロフィー（mitotic catastrophe）からなる．後者には，NCCD2018 分類によると，代謝は行われているが，細胞増殖を不可逆的に停止して死に至る老化様細胞死（senescence-like cell death）と分裂死が含まれる．近年，老化様細胞死を引き起こした細胞は，細胞老化随伴分泌現象（senescence-associated secretory phenotype）を引き起こし，生存したがん細胞の再増殖に寄与することが知られている．しばしば，分裂死と増殖死が同義に扱われることがあるが，前者は後者の一形態であり，注意を要する．

(2) 細胞生存率曲線

照射された細胞は，その後細胞分裂によって数が増えるが，前述のように，あるものは細胞死によって死滅するがあるものは生き残り，生き残った細胞はさらに増殖して，結局はもとの細胞由来のコロニーを形成する．このようなコロニー形成能力をもつ細胞を生存細胞（または生残細胞）と定義する．生存細胞とは生きている細胞ではなく，最終的にその細胞由来のコロニーを形成し，遺伝学的に生き残る細胞のこと

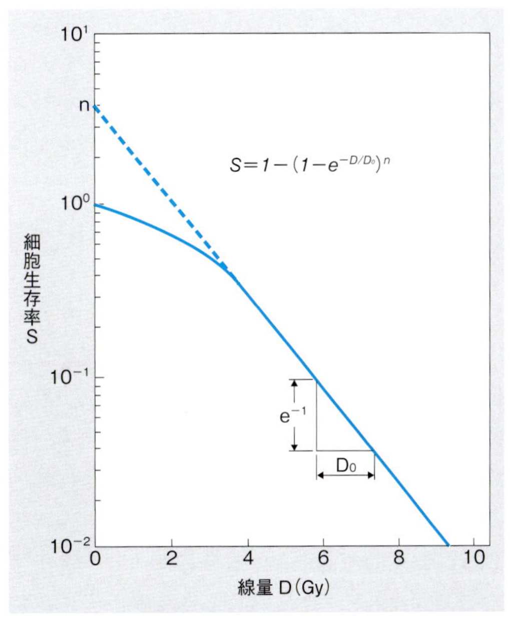

図 2-3-3　多標的 1 ヒットモデルによる細胞生存率曲線解析

平均標的失活線量 D_0 = 1.4 Gy，外挿値 n = 4 の場合を示す．

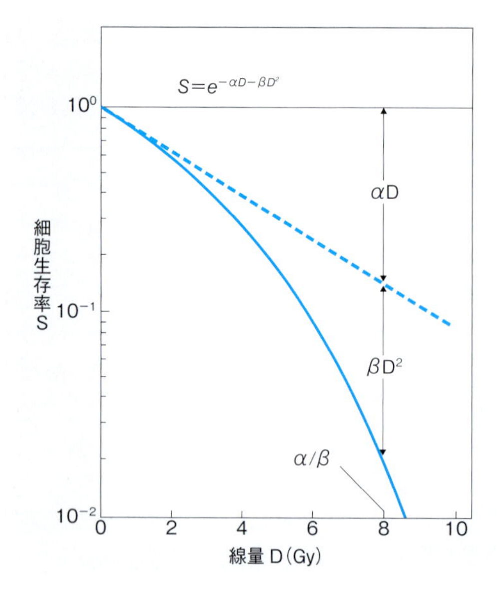

図 2-3-4　直線2次モデルによる細胞生存率曲線解析
$\alpha=0.248$, $\beta=0.031$, $\alpha/\beta=8$ Gy の場合を示す.

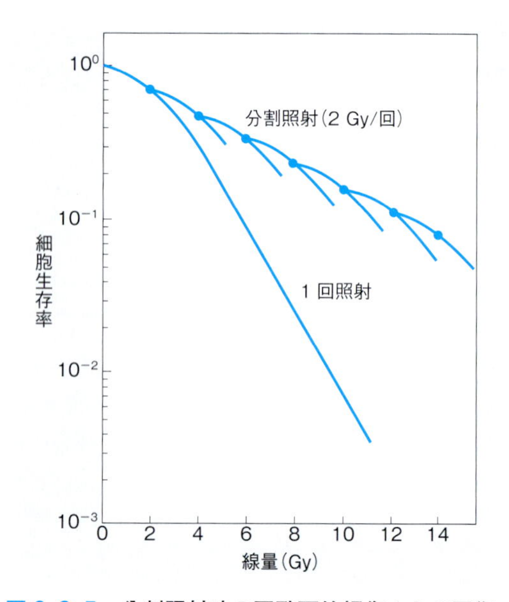

図 2-3-5　分割照射時の亜致死的損傷からの回復
1回 2 Gy 照射による細胞生存率が 0.7 で, 7回の照射で亜致死的損傷が完全な場合, 合計 14 Gy での細胞生存率は $0.7^7=0.082$ で, 1回 14 Gy 照射時の値の 10^{-3} 以下とはおおいに異なる.

である.

細胞生存率（S）を縦軸に対数目盛で, 放射線の線量（D, 単位：Gy）を横軸に普通目盛りでプロットしたときの関係を**細胞生存率曲線**という（図 2-3-3, 4）. 放射線治療では, がんの治癒率は再発能力のあるがん細胞の生存率によって, 正常組織損傷の重篤度は主に組織を再構築する能力のある組織幹細胞の生存率によって決まるので, 細胞生存率曲線は, 実用的に重要な意味をもつ. 一般に細胞致死効果が現れるには, 複数個以上の分子損傷蓄積を必要とするので, 線量の小さい領域では, 生存率は緩やかに低下する. しかし, 線量が増加するに従い急勾配となり, やがて指数関数的に減少する（図 2-3-3 の直線的減少）. 細胞にはいくつかの標的があり, そのすべてに1個以上のヒットがあるときに致死的であるとする**多標的1ヒットモデル**では, 標的に平均1個のヒットを与える平均標的失活線量を D_0, 標的の数を n で表すと, 生存率 S と線量 D との関係は次のように表される.

$$S=1-(1-exp(-D/D_0))^n$$

グラフ上で n は, 直線部分を線量0へ外挿したときの縦軸への外挿値に相当し, 細胞の損傷蓄積容量を示す（図 2-3-3）.

また, 致死損傷は, 1ヒットで起こる場合（αD）と2ヒットで起こる場合（βD^2）があるとする**直線2次モデル**では, この関係は次のように表される（図 2-3-4）.

$$S=exp(-\alpha D-\beta D^2)$$

線量がおよそ 0.5 Gy 以下でのみ, これらのモデルにあてはまらない**低線量超高感受性**を示す細胞のあることが知られ, 細胞生存率曲線で外挿値が大きい場合にみられることが多い（第6章「がんの放射線治療」参照）.

(3) 細胞損傷からの回復

放射線による細胞損傷が量的に不十分で, 致死には至らない**亜致死的損傷**（sublethal damage）の場合には, そのまま数時間放置すると無傷の状態にまで回復する. これを亜致死的損傷からの回復（recovery）という. 放射線照射

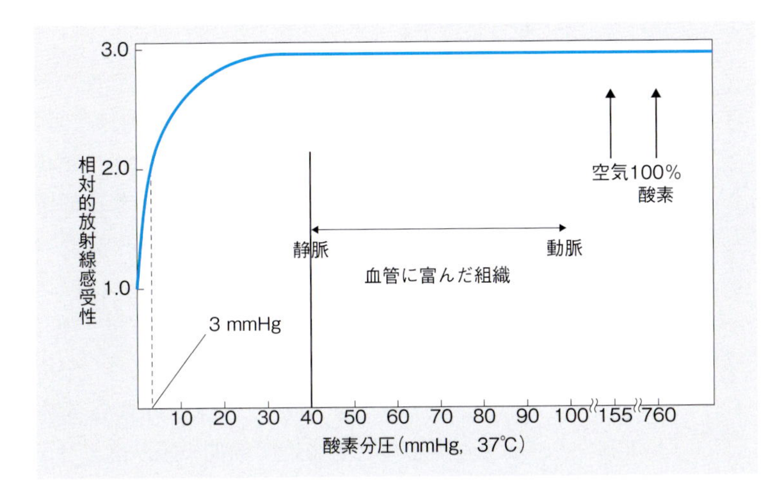

図 2-3-6 酸素分圧と相対的放射線感受性（酸素増感比）との関係
酸素増感比は酸素分圧約 20 mmHg 以上で飽和に達し，飽和値は約 3 である．正常組織の大部分では酸素分圧約 40 mmHg 以上で，酸素増感比は飽和に達している（Gray LH, 1957[3] より改変）．

を数時間以上の間隔で多数回に分けて行う多分割照射では，照射の回数ごとに亜致死的損傷からの回復が起こるので，1 回の照射に比べて，細胞致死効果は著しく低下する（図 2-3-5）．

一方，損傷が量的に十分で，本来致死的と考えられる場合でも，照射後に細胞増殖が抑制された状況に数時間以上放置されると生存できるようになる，**潜在的致死損傷**（potentially lethal damage）からの回復がみられる．

(4) 細胞致死効果の修飾因子

A. 放射線側の因子

放射線の生物学的効果は，線量が同じでも放射線の種類やエネルギーによって LET が異なるため，それに応じて異なる．基準になる X 線（LET3～4 keV/μm）によってある生物学的効果を生じるのに必要な線量を，対象となる放射線によって同じ生物学的効果を生じるのに必要な線量で割った値を**生物学的効果比**（relative biological effectiveness；RBE）という．一般に，LET の値が約数 keV/μm 以上になると RBE は 1 より大きくなり，約 100 keV/μm 付近で最高値に達する．高 LET 放射線の炭素イオン線や鉄イオン線などの重粒子線による細胞生存率曲線は肩がない直線を示し，低 LET 放射線の X 線や γ 線では肩のある曲線を示すので，RBE は一般に細胞生存率の高いレベルで比較するときに大きい値を示す．

B. 腫瘍微小環境因子

放射線の細胞致死効果は，腫瘍微小環境因子によって修飾される．放射線の効果を増強する化学物質を増感物質，低減する物質を防護物質という．増感物質として知られるのは酸素分子で，放射線の効果が細胞周囲の酸素分子によって増強されることを**酸素効果**という．酸素効果の大きさは，無酸素状態で，ある生物学的効果を起こすのに必要な線量を，その酸素濃度下で同じ効果を起こすのに必要な線量で割った値，すなわち**酸素増感比**（oxygen enhancement ratio；OER）で表す（図 2-3-6）．悪性腫瘍では再発能力のある腫瘍細胞が低酸素状態で生存しているので，その放射線抵抗性は，放射線治療効果を減ずる重要な要因となる．防護物質としては，グルタチオン，システイン，システアミンなどの SH 化合物が知られている．腫瘍組織には，免疫細胞が浸潤しており，腫瘍の免疫回避機構によって免疫機能が負に制御されていることが多い．照射によって正負両方に機能する因子が誘導されるが，免疫チェックポイント阻害剤の開発によって放射線効果の増強が期待されている（p.459 参照）．

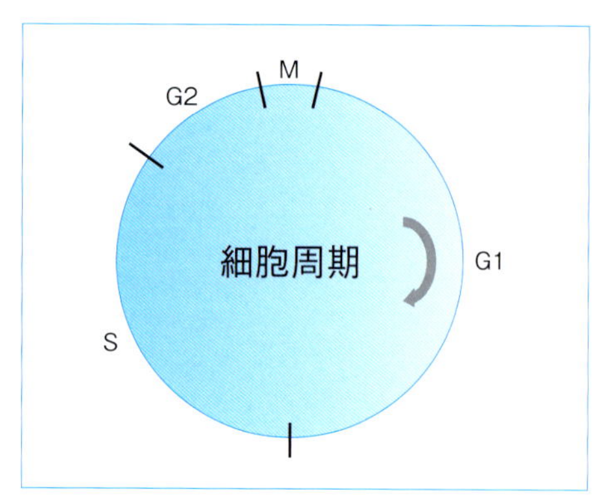

図 2-3-7　細胞周期の概念図

C. 細胞側の因子

増殖している細胞は，**細胞分裂周期**の位相を分裂（M）期→ G_1 期→ DNA 合成（S）期→ G_2 期→ M 期へと順次進行するが（図 2-3-7），細胞の放射線感受性はこれらの位相によって異なることが知られている．一般に，S 期，特にその後半において放射線抵抗性を示し，G_1 期の長い細胞では，その中期にも放射線抵抗性を示す．それに対して G_1 期の後期，G_2 期と M 期では放射線感受性が高い．G_1 期が短い細胞では G_1 期での抵抗性はみられない．

(5) 細胞死および突然変異の機構

A. DNA 損傷の修復機構

電離放射線による DNA 塩基損傷および塩基遊離損傷は，**塩基除去修復**（base excision repair）で修復される．これらの修復では，損傷ヌクレオチド単位で損傷部位の切り取りが行われ，その部位の相補的な DNA を鋳型にして切りとった部位に，DNA ポリメラーゼおよび DNA リガーゼによる修復 DNA 合成が行われ，誤りなく修復が完了する．DNA 単鎖切断も，DNA リガーゼによる再結合やヌクレオチド除去修復によって，誤りない修復が短時間内に行われる．これに対して，放射線による DNA 主鎖の切断が向かい合った相補的鎖間で数個の塩基対以内の近位置で生じる **DNA 二重鎖切断**（double strand break；DSB）では，修復が困難な場合があり，誤修復も生じやすい．

B. DNA 二重鎖切断の修復

DSB は，相同組み換え（homologous recombination；HR）と非相同末端結合（Non-homologous end joining；NHEJ）の 2 つの修復機構によって修復される．HR では，DSB 部位に MNR（MRE11/NBS1/RAD50）複合体タンパクが結合して一方の DNA 鎖を分解除去し，残った一方の DNA 鎖に数種類の修復タンパクが結合して相同の塩基配列をもつ姉妹染色分体 DNA 鎖を切り取り，DNA 鎖間の組み換えが行われる．その後にその相同 DNA 鎖を鋳型として，DNA 合成が行われる忠実性の高い修復機構である．組み換えには相同の姉妹染色分体が必須なので，細胞分裂周期の S 後期と G_2 期でのみ特異的に起こる．

NHEJ では，DNA 依存性プロテインキナーゼ（DNA-PK）複合体を形成する KU70，KU80 および DNA 依存性プロテインキナーゼ触媒ユニット（DNA-PKcs）の3種のタンパクと，XRCC4，LIG Ⅳ，Artemis などが関与する．NHEJ は細胞周期のすべての位相で起こり，切断部位に欠失がある状況でも再結合が起こるため，修復の忠実性が低いことが明らかにされている．

近位置で生じる複数個の DSB や単鎖切断（single strand break；SSB），または DSB と塩基損傷などが複数個生じる損傷を総称してクラスター損傷という．クラスター損傷は，荷電粒子トラックの直接作用と高反応性ラジカルによる間接作用との組み合わせによって生じる．クラスター損傷は一般に修復が困難で，修復されても誤った修復を起こしやすいため，細胞致死効果や突然変異の誘発にとって特に重要である．正常の生理的状況で産生する活性酸素による DNA 損傷は，放射線による損傷と同じ点も多いが，塩基損傷と SSB が多く，DSB の頻度はきわめて少ない．これに対して電離放射線，特に高 LET 放射線では，DSB クラスター損傷の発生頻度が高い．

C. 放射線に対する細胞応答

放射線によってDNA損傷が生じると，細胞は巧妙な仕組みでそれに対して応答する．細胞応答は3つの段階に分けることができる．第一はセンサーによる損傷の認識で，第二はメディエーターによる損傷信号の伝達と増幅，第三はエフェクターである応答タンパクの活性化と機能発現である．第一段階のセンサーとしては，DNA損傷が生じるとまずNBS1タンパクがMRE11およびRAD50と結合してM/R/N複合体を形成し，この複合体がATMタンパクとの相互作用を介して損傷を認識する．ATMは，損傷認識の司令塔としての役割を果たすリン酸化酵素のATMキナーゼで，p53タンパクをはじめとする多くの標的タンパクへの信号伝達機構が明らかにされている．第二段階のメディエーターとして，信号伝達経路開始に必須の役割を果たすのがp53タンパクで，これを介して細胞周期進行停止のチェックポイント機能，アポトーシスによる細胞死，DNA損傷修復機構の開始が誘導される．これらの信号伝達を介して，第三段階の広範なエフェクター分子の活性化が起こり，細胞の生物学的機能が発現する．

細胞損傷には，荷電粒子が直接通過しない近傍の細胞にも損傷が生じるバイスタンダー効果，あらかじめ特定の低線量（約20〜100 mSv程度）の被曝を受けると，一定時間内の次の比較的大線量被曝に対して一過性の放射線抵抗性を示す適応応答など，きわめて複雑な機構が働くことが明らかにされている．これらの機構が発がんなどの最終的な影響にどのように関係しているかは，まだ十分解明されていない．

*p53*ノックアウトマウスおよび*p53*遺伝子に突然変異をもつLi-Fraumeni症候群患者は，いずれも高発がん性を示すことが明らかにされている．電離放射線に対して高い感受性を示すヒト遺伝性疾患として知られるのは，血管拡張性運動失調症（ataxia telangiectasia；AT）である．この疾患は，小脳性運動失調，免疫不全，皮膚や眼球結膜の末梢血管拡張などの症状を呈する常染色体性潜性（劣性）遺伝病で，患者の細胞は，X線に対して高感受性を示す．ATの同型接合体の個体はリンパ腫，リンパ系白血病などの悪性腫瘍の頻度が正常個体と比べてきわめて高い．その原因遺伝子である*ATM*遺伝子はATMキナーゼをコードし，細胞内シグナル伝達を介して細胞周期チェックポイント制御やDNA損傷の修復に重要な役割を果たしている．

ATと同様に小頭症，成長遅延，小脳性欠陥，運動失調が重複して発現する常染色体性潜性（劣性）遺伝性疾患にナイミーヘン染色体不安定症候群（Nijmegen breakage syndrome；NBS，原因遺伝子は*NBS1*）と毛細血管拡張性失調症様疾患（Ataxia telangiectasia-like disorder；ATLD，原因遺伝子は*MRE11*）がある．ATとNBSに共通するのは，臨床的には発がん性が高いことと免疫不全で，細胞学的にも高い放射線感受性，染色体不安定性，細胞周期のS期チェックポイント異常，おそらく相同組み換え修復（HR）能力低下である．

3）組織および臓器に対する放射線影響

組織における放射線損傷の現れ方は，組織を構成する細胞の放射線感受性ばかりではなく，細胞増殖・分化・成熟・死といった細胞動態によって影響されるために複雑な様相を呈する．組織は細胞動態の観点から，活発に増殖している**細胞再生系**と増殖していない**条件付き細胞再生系**とに分けて考えることができる．前者では，組織を再構築する能力のある幹細胞が増殖し，増えた分だけの細胞が通常では分化・成熟・剥離という過程を経て脱落し，増殖した幹細胞の一部はそのまま幹細胞として残り，組織全体としては動的平衡状態を保っている．骨髄，皮膚の表皮，粘膜上皮組織などはこの系の代表的な例である．後者では，大部分の細胞は分化した機能細胞で一部は幹細胞として存在し，潜在的に増殖能力をもつが休止状態にあり，組織の欠損などが生じると増殖を開始し，組織を再生する系である．結合組織の再生や肝切除後の再生などが代表的な例である．このような組織が同程度の細胞致死損傷を被ると，増殖している細胞再生系ではアポトーシスや細胞分裂を経由する細胞死が比較的早く現れ，組織全体としての放射線反応も早期にみられる．一方，細胞増殖をしていない脊髄，結合組織や肺では，この間に大きな変化はみられないが，遅くなってから放射線反応が現れる．

(1) 組織幹細胞の放射線感受性

放射線によって組織が損傷を受け，機能細胞数の減少に伴って組織機能が低下した場合でも，組織再構築能力のある幹細胞が十分生存する場合には，それら幹細胞が増殖・分化し，やがて組織は再構築され，修復される．このように組織の修復には，幹細胞の生存率が重要な要因となる．生体内の組織幹細胞の細胞生存率曲線は，骨髄幹細胞について最初に推定されて以来，マウスやラットにおいて多くの正常組織について推定されている．骨髄幹細胞の生存率曲線では外挿値が1に近く，亜致死的損傷の蓄積容量はほとんどない．また，多くの腫瘍細胞よりも明らかに放射線感受性が高い．皮膚表皮や小腸粘膜の幹細胞は，低線量領域で比較的抵抗性である．甲状腺上皮や乳腺上皮の幹細胞は，中間的感受性を示す．

(2) 早期組織反応

活発な細胞増殖を示す細胞再生系の組織では，増殖細胞の細胞死は早く発現するが，分化成熟した機能細胞は分裂しないので細胞死は発現しない．一方，組織の減形成（hypoplasia）は，機能細胞数の減少によって起こる．そのため減形成は，分化機能細胞が剝離して自然に脱落するまで顕著にはならない．したがって，減形成が顕著になる時期は放射線の損傷の程度ではなく，分化機能細胞の移行回転の早さによって決まる．骨髄，皮膚，粘膜上皮などは照射後，数週間以内に減形成などの反応を現す．この反応を早期組織反応という．これらの組織では，生存幹細胞数が十分あれば再増殖して分化するので，減形成は一過性で，組織はやがて再構成される．生存幹細胞数が不十分で，その増殖が分化機能細胞の脱落に追いつかず，組織の再生ができない場合には，臨床的に重篤な組織反応が現れる．皮膚や粘膜の早期放射線潰瘍はその例である．

(3) 晩期組織反応

条件付き細胞再生系の組織では，放射線照射によって幹細胞の生存率が低下しても細胞死の発現は早期には起こらないので，組織機能の低下もみられない．しかし，数カ月以上経つと細胞数は徐々に減少し，生存幹細胞が十分ある場合を除いて再増殖は起こりにくい．この場合，同時に支持組織である血管系も損傷を受けているので，重篤な回復不能な晩期組織反応となる．放射線治療における脊髄，肺，腎，唾液腺，下顎骨などの晩期放射線障害は，このような反応の代表的なものである．

(4) 放射線治療における正常組織反応

分割照射による放射線治療では，通常分割照射法より分割回数を減らして1回線量を増やすと，同じ効果を生じるのに必要な合計線量は減少する．この場合，合計線量を同じにすると，重篤な正常組織反応が生じるので注意が必要である．逆に1回線量を減らすと，同じ効果を起こすのに必要な合計線量は増える．この現象は組織の回復によると考えられている．一般に皮膚や粘膜の紅斑，骨髄の造血機能抑制などの早期組織反応に比べて，同じ皮膚や粘膜でも，その晩期反応である瘢痕収縮や末梢血管拡張，脊髄や腎臓，肺などの晩期組織反応のほうが，1回線量依存性が高いことが明らかにされた．このことは後者の反応組織を構成している細胞の細胞生存率曲線の肩の幅が広いため，回復が大きいと解釈される．このことを細胞生存率曲線で考えると，早期組織反応で曲線の初期勾配が晩期組織反応より大きいが曲線の曲がり方は少なく，晩期反応では曲線の初期勾配は小さいが曲がり方が大きいので，結局両者の曲線はお互いに交叉することになる（図 2-3-8）．この曲線を**直線 2 次モデル**で解析すると，パラメータ α/β 比（Gy）によって曲線の曲がり方の程度を表現できる．この値は，種々の早期組織反応で 10 Gy 以上で，晩期組織反応ではこれが 2〜5 Gy の範囲にあることが明らかにされた．その後の臨床研究によって，これらの α/β 比の値はヒトの多くの組織反応にもあてはまることが明らかにされている．

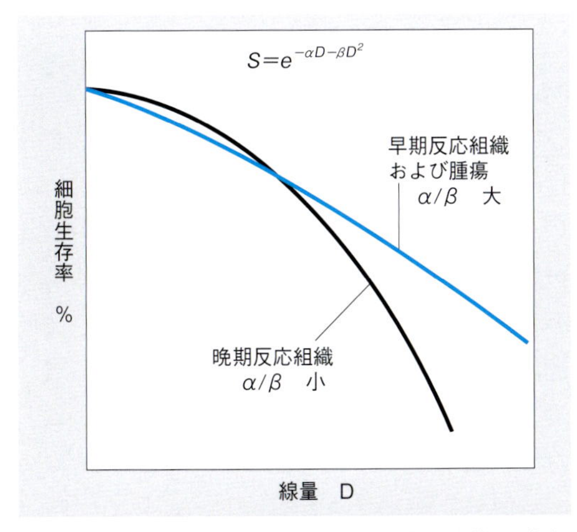

図 2-3-8　早期反応組織および腫瘍，晩期反応組織における細胞生存率曲線の直線 2 次モデルによる解析の概念図

α/β 値は早期反応組織で大きく，晩期反応組織では小さい．縦軸は対数目盛，横軸は普通目盛．

(5) 急性放射線症候群

大量の放射線を全身または身体の大部分に一度に被曝すると，数週間以内に**急性放射線症候群**を呈し，重篤な場合には死亡する．線量が 15 Gy 以上では**中枢神経系症候群**（central nervous system syndrome）で数日以内に，5〜15 Gy では**胃・腸管症候群**（gastro-intestinal syndrome）で 20 日以内に，3〜5 Gy では**骨髄症候群**（bone marrow syndrome）による造血障害で 60 日以内に死亡する．骨髄や大部分の臓器の被曝を免れ，しかも肺や腎臓に被曝した場合には，肺や腎臓損傷で死亡することがある．ICRP は，低 LET 放射線のヒト全身均等被曝時の急性放射線症候群（死因となる臓器損傷）による死亡を生じる吸収線量と死亡時間を表 2-3-1 のようにまとめている．骨髄症候群による被曝後 60 日までの致死線量（Lethal Dose 50%；LD50）は約 4 Gy である．

急性放射線症候群の例として，1999 年に起きた核燃料加工施設での臨海事故があげられる．高速増殖実験炉「常陽」に用いるための濃縮ウラン加工作業中に臨界に達し，核分裂による中性子線とガンマ線が放出され，2 名が腹部を中心に被曝した．17 および 10 Sv 程度の被曝と推定されている．その後，当時最先端の救急医療（輸液，輸血，皮膚移植，造血機能回復治療等）を受けたが，激しい脱水等が続き，両者とも延命できたものの死亡に至っている．

表 2-3-1　低 LET 放射線のヒト全身均等被曝時の急性放射線症候群と死亡を生じる吸収線量と死亡時間（ICRP Publication 103, 2008[4]）

全身被曝吸収線量[a]（Gy）	主な死因	被曝後の死亡時間（日）
3〜5（LD50/60）[b]	骨髄損傷	30〜60
5〜15	消化管損傷	7〜20
5〜15	肺および腎臓損傷	60〜150
15 以上	中枢神経系損傷	5 以内（線量依存性）

a）局所被曝の線量を含む　b）被曝後 60 日での 50%致死線量

4 人体に対する放射線影響

1）放射線影響の分類

放射線の人体に対する影響は，水やDNAなどの生体分子の電離によって，直接的あるいは間接的にDNA損傷や細胞膜損傷などが引き起こされ，さらに種々の生化学的反応を経て，細胞・組織・個体レベルで発現する．外力や熱などの物理的影響に比べ，放射線による影響ははるかに少ないエネルギーで重篤な影響を与えうる．

人体に対する放射線の影響は，主に3つのポイントに基づいて分類できる（図2-4-1）．まず，影響が発生する個体による分類で，被曝した本人に現れるものを**身体的影響**，子孫に現れるものを**遺伝的（遺伝性）影響**という．身体的影響は，体細胞の細胞死や突然変異，そして炎症などによって生じうるものであるが，遺伝的影響は，生殖腺の生殖細胞に生じた突然変異が子孫に引き継がれる影響である．2つめは，影響の発現時期による分類で，被曝後数週間以内に現れるものを**早期影響（急性影響）**，数カ月から十年以上後に現れるものを**晩発影響（遅発性影響）**という．3つめは，**線量－反応関係**によるもので，影響の発生確率が被曝線量とともにしきい線量なしに増加する影響を**確率的影響**といい，放射線誘発がんと遺伝的影響がある．一方，しきい線量が存在し，線量－反応関係がS字状曲線を示す影響を**確定的影響**とよぶ．しかし，確定的影響は細胞死だけでは説明できず，特に晩発影響は，被曝後の細胞老化や炎症が関与し，2007年のICRP勧告より「**組織反応**」という用語が採択されている．線量と影響の重篤度との関係において，重篤度は組織反応（確定的影響）では線量依存的であるが，確率的影響においては線量非依存的である（図2-4-2）．

2）組織反応（確定的影響）と確率的影響

放射線による傷害は，細胞死または突然変異に起因する障害に分けることができる．一定数以上の細胞の死によって組織または臓器の機能が維持できず臨床的に有害な症状が現れる場合を組織反応（確定的影響）という．一方，被曝後に単一の細胞に生じた突然変異によって現れる影響を確率的影響という．被曝後，数年以上の潜伏期を経て起こる発がんと，生殖細胞の突

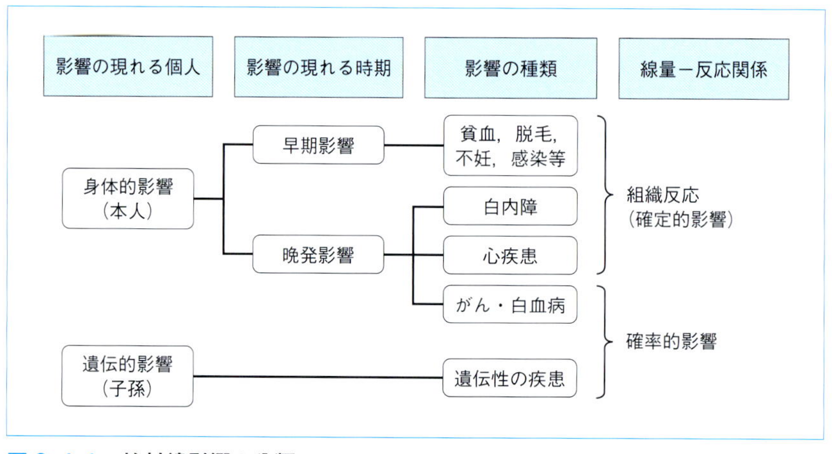

図2-4-1 放射線影響の分類

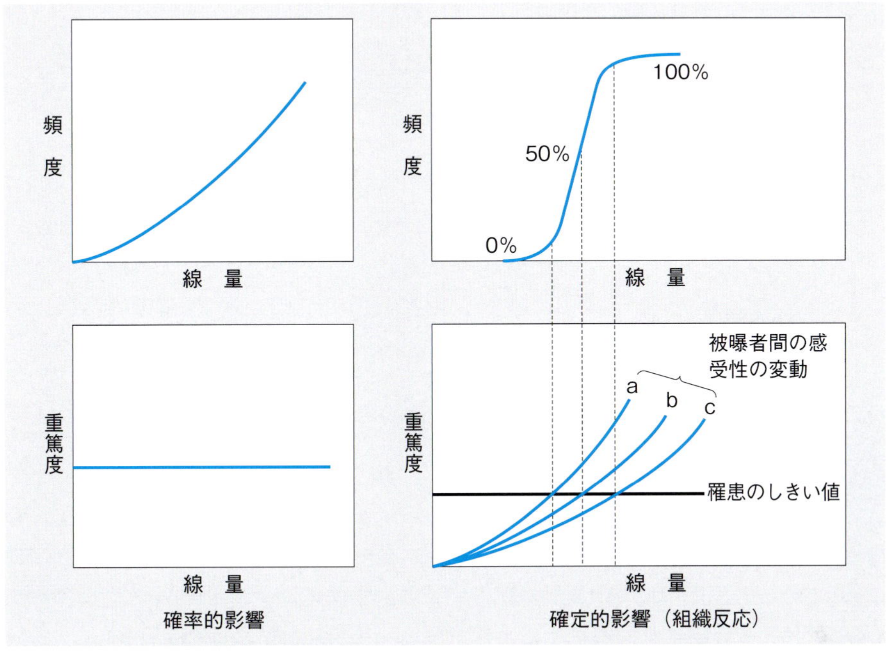

図 2-4-2　確率的影響と確定的影響（組織反応）における線量－反応関係（上段）と線量－効果関係（下段）

（ICRP, 1984[1]，ICRP, 2007[2]，ICRP, 2011[3] より作成）

然変異による被曝した個人の子孫に生じる遺伝的影響が含まれ，影響の頻度は線量に比例して現れる．

(1) 組織反応（確定的影響）

組織反応（確定的影響）は，造血系や生殖系，消化器系のように，幹細胞が臓器のすべての細胞を構築する細胞再生系の臓器の機能不全にみられる早期反応（数日～数週間）と，細胞の再生が遅い水晶体や肺などの臓器にみられる遅発性反応（数カ月～数年）がある．造血幹細胞が致死になると一時的に赤血球や血小板がつくられず貧血や出血，リンパ球の減少による感染症のリスクが高まる．腸上皮の幹細胞が致死になると，機能的な上皮組織は薄くなり，水分調節ができず下痢になり，腸内細菌が体内に侵入し感染症を起こす．生殖腺の被曝は不妊になる．一方，水晶体の被曝による白内障の発症は被曝後数年かかり，間質性肺炎なども数カ月後に発症する．

ICRP 勧告 118（2011）では，放射線防護の実用目的で被曝集団のおよそ 1％の人に症状が現れる線量を**しきい値**として定義している（表 2-4-1）．一般に，急性の 1 回被曝より慢性的な低線量率被曝や多分割被曝のほうが，線量あたりの影響は小さくなり，これを線量率効果という．100 mGy よりも低い低線量率の被曝は，成人または小児においても重篤な反応は起こらない．これは，細胞の DNA 損傷修復経路の活性化に加えて，抗酸化経路の活性化や免疫系の刺激が関係している．一方，しきい値は，抗生物質やサイトカイン，プロスタグランジンなどによって 10～20％大きくすることができる．被曝によって 60 日以内に半数のヒトが死亡する線量（LD50/60）は全身被曝で 4 Gy であるが，抗生物質や顆粒球マクロファージコロニー刺激因子などの成長因子を投与することにより，その線量を 5～6 Gy まで高めることも可能である．

表 2-4-1　全身被曝の組織障害のしきい線量の推定値（ICRP 118[3] をもとに作成）

	影響	臓器/組織	影響発現時間	閾値（Gy）
罹患	一時的不妊	精巣	3〜9 週間	約 0.1
	永久不妊	精巣	3 週間	約 6
		卵巣	1 週間以内	約 3
	造血系の機能低下	骨髄	3〜7 日	約 0.5
	皮膚発赤	皮膚（広い部位）	1〜4 週間	3〜6
	皮膚の火傷	皮膚（広い部位）	2〜3 週間	5〜10
	一時的脱毛	皮膚	2〜3 週間	約 4
	白内障（視力障害）	眼	20 年以上	約 0.5
	心疾患・脳血管疾患	心臓，脳	10 年以上	約 0.5

白内障は遅延（晩発）性の組織反応として古くから知られている．ICRP は，2011 年の勧告で，白内障の名目しきい線量を，線量率によらず 0.5 Gy とした．この値は，急性（1 回）被曝については原爆被爆，分割・遷延被ばくについてはチョルノービリ（チェルノブイリ）原発事故処理作業員の疫学的知見に基づいている．

(2) 確率的影響

確率的影響とは，1 つの細胞の突然変異に起因する疾患で，①白血病やがんと②遺伝的影響を指す．線量に比例して影響が大きくなり，しきい値がないと仮定されている．

A. 白血病・がん

タバコや紫外線，放射線などの発がん要因の曝露や加齢により突然変異が誘発されると，規則正しく配置されている正常組織の中に，造腫瘍性をもつ異型細胞が現れる．これを発がんのイニシエーションという．イニシエーションが生じた細胞は，その後，増殖因子やホルモンなどの増殖刺激により，過形成病変になる．これをプロモーションとよぶ．その一部の細胞が単クローン性の自律増殖をはじめ，細胞の配列の乱れが顕著な構造異型を伴い，腺腫（良性腫瘍）となり，さらに，リンパ球やマクロファージなどの炎症細胞が集積して血管が発達し，周囲の組織へ浸潤，そして転移と段階的に悪性度を増す（プログレッション）．イニシエーション，プロモーション，プログレッションの過程で細胞は複数のがん関連遺伝子の突然変異を蓄積し，多段階的に悪性化していく．

放射線は，染色体異常や突然変異を誘発するのでイニシエーションを促進する因子（イニシエーター）である．特に，二本鎖 DNA の切断が間違って修復されると，転座や逆位が生じ，キメラがん遺伝子が生成される．また，ゲノムの欠失によるがん抑制遺伝子の消失も生じる．DNA の二本鎖切断は線量に比例して増えるので，放射線のイニシエーション作用も線量に直線的に比例して大きくなると考えられる．近年，照射された細胞がその後何回か分裂した時点で子孫細胞に新たに突然変異や染色体異常が生じる遺伝的不安定性が注目されている．照射後細胞をラジカル捕捉剤で処理すると遺伝的不安定性は軽減する．

これまで放射線は発がんイニシエーターと考えられてきたが，近年，微小環境に働きかけ，増殖を促すプロモーターとしての働きが注目されている[4,5]．

発がん物質に曝露されなくても，ヒトの正常組織には胎児時にすでに発がん性の突然変異をもつ細胞が自然に生じていることが明らかになっている．正常細胞において，代謝による活性酸素や細胞の複製時のエラー（コピーミス）によって日々かなりの自然突然変異が生じている（表 2-4-2）．そのような組織が放射線を被曝して組織再生や炎症が誘起されればがんが促進されることが想像できる．

a．がん遺伝子とがん抑制遺伝子

発がんに関わる遺伝子には，**がん遺伝子とがん抑制遺伝子**がある．最初のがん遺伝子は1911年にラウスによって発見された鶏の肉腫ウイルスから単離された *v-src* である．驚くべきことに，がんウイルスの *v-src* と似たような配列（*c-src*）が正常細胞にも見出されており（原がん遺伝子），原がん遺伝子は正常組織の細胞増殖や分化に関わることが明らかとなっている．原がん遺伝子は，①点突然変異，②遺伝子増幅，③染色体転座などによってがん遺伝子へ変化する．がん遺伝子の働きは顕性（優性）である．

一方，正常細胞には発がんにブレーキをかけるがん抑制遺伝子がある．がん細胞と正常細胞を融合すると，融合細胞は正常細胞の振る舞いをする．がん形質は「潜性（劣性）」である．融合細胞を長期培養すると，がん形質を獲得した細胞が現れる．その細胞は染色体の一部が欠失しており，欠失した染色体部分を再度導入することでがん形質が軽減したことからがんを抑制する遺伝子の存在が示唆された．ヒトのがん抑制遺伝子は遺伝性（家族性）のがんの連鎖解析や腫瘍のヘテロ接合性の消失解析から同定された．がん抑制遺伝子の機能は細胞周期の停止やアポトーシスの促進，DNA 修復などである．（表 2-4-3）

b．放射線の傷跡（radiation signature）

がんのゲノムの変異パターンから発がん要因を推測する研究が進んでいる[6]．たとえば，タバコによる肺がんではC（シトシン）がA（アデニン）に変わる変異が増え，紫外線が原因となる悪性黒色腫ではCがT（チミン）に変わる変異が多く観察される．放射線被曝後に発生す

表 2-4-2　自然発生と放射線（1 Gy）による DNA 損傷

損傷	自然発生（/細胞/日）	放射線誘発（/細胞/1 Gy）
塩基損傷	15,000～36,000	950
一本鎖切断	55,000～120,000	1,000
二本鎖切断	25	20～50

細胞は代謝や複製によって種々の DNA 損傷が生成している．放射線の二本鎖切断はクラスター損傷が多く，修復されにくい．

表 2-4-3　代表的な癌遺伝子とがん抑制遺伝子

がん遺伝子		がん抑制遺伝子	
EGFR	肺がん，髄芽細胞腫	*RB*	網膜芽細胞腫
HER-2	乳がん	*APC*	大腸がん
RET	多発性内分泌腫瘍，甲状腺がん（*RET-PTC* 融合遺伝子）	*TP53*	白血病，肉腫，大腸がん，その他多数（全がんの 50%で変異）
K-RAS	膵臓がん，大腸がん，肺がん	*WT*	ウィルムス腫瘍
C-MYC	バーキットリンパ腫，肺がん	*PTCH1*	髄芽腫，基底細胞がん
		PTEN	グリオーマ
AML1	急性白血病（*TEL-AML1* 融合遺伝子）	*BRCA1, 2*	乳がん，卵巣がん
ABL	慢性骨髄性白血病（*BCR-ABL* 融合遺伝子）	*MLH1, MSH2*	大腸がん，胃がん
BCL-2	悪性リンパ腫	*BAX*	大腸がん，胃がん
SRC	大腸がん	*ATM*	リンパ性白血病

るがんでは，ゲノムの欠失，ゲノム均衡型逆位が増加することが特徴である[7〜9]．

B．遺伝的影響

確率的影響に分類される影響として生殖細胞の突然変異に起因する遺伝的影響がある．放射線の遺伝的影響が注目されたのは，1927年にマラーがショウジョウバエを用いてX線によって生殖細胞（精子）に突然変異が起こる発見に遡る．1952年，ICRPは，ショウジョウバエの実験結果は人にもあてはまるとし，突然変異の発生率は，①子どもをつくるまでに生殖腺が受けた総線量に比例し（**LNT仮説**，後に**LNTモデル**，p.49参照），②線量率には影響されないと仮定し，放射線防護の体系を提唱した．LNT仮説は，線量の管理に単純な足し算が使え，総量規制が簡単になるというメリットがあり，放射線防護の手法として有用である．

その後，マウスで突然変異を定量的に測定する特定座位法を用いた研究が開始された．精原細胞や卵母細胞では線量率が下がると突然変異率も下がること，また，精原細胞は成熟精子より放射線の影響が小さいことが明らかとなり，"線量率に影響されず，総線量に比例する"という仮説は否定された[10]．

ヒトにおいても遺伝影響をみつける試みは行われた．原爆被爆2世の調査では，死亡や奇形，染色体異常，生化学検査などにおいて有意な増加は認められなかった．また，放射線治療を受けた患者や，放射線科医や技師の子ども達においても遺伝的影響は認められなかった．このような情報の蓄積によって，遺伝的影響の重みは放射線防護の目的として小さくなり，生殖腺の組織加重係数は0.2から0.08へと小さくなった（表2-4-4）．

ではなぜ，ヒトでは遺伝的影響がみつかっていないのだろうか．その理由として，線量が低く，また統計学的有意な増加を観察できるほど集団サイズが大きくなかった可能性がある．そこで，「広島・長崎での原爆被曝による遺伝的影響を科学的に評価するためにはヒトゲノム全体の解析が必要である」とし，世界を巻き込んだヒトゲノム計画が1990年にスタートした[11]．ゲノム計画により，次世代に遺伝する生殖細胞の自然突然変異（塩基置換型）の数，放射線によるDNA損傷の特徴などが明らかとなった．また，チョルノービリ原発事故の事故処理時に被曝した作業者では，次世代において塩基置換や小さな欠失・挿入レベルは増えていないことも重要な知見である[12]．ヒトゲノムプロジェクトは30年経ってようやく初期の目的解明に近づいてきた．

表2-4-4　低線量放射線によるがんとの遺伝性疾患の名目リスク係数（10^{-2}/Sv）

ICRP勧告（年）	1990	2007
がんの名目リスク係数（10^{-2}/Sv）*	6.0	5.5
遺伝性疾患の名目リスク係数（10^{-2}/Sv）	1.3	0.2

*2007年のICRPで報告された全集団の低線量率被爆後の名目リスク係数（10^{-2}/Sv）は，がんに比べ遺伝性疾患で減少が大きい．

3）低線量放射線被曝の疫学調査

がんの原因は，タバコ，感染，肥満や食事（特に欧米），飲酒等で，原因の50%以上は生活習慣に関連する．通常の生活では，放射線が発がんに寄与する割合は低いが，線量が大きくなると，放射線ががんを誘発することは事実である．レントゲンがX線を発見した1895年以降，X線管球の制作者の皮膚癌（1902年），また，放射線科医の白血病（1911年），ラジウムを含む夜光塗料を内部被曝したダイヤルペインターの骨肉腫（1931年）など，被曝と発がんの関係が次々と報告された．

(1) 原爆被爆

原爆被爆調査は，外部被曝による総合的ながんリスクに関する最も信頼性が高いコホート調査である．1950年の人口調査で認定された約12

万人からなり，調査によっていくつかのサブコホートを設定している．個人の被曝線量が推定され，胎児を含む幅広い年齢，性別，生活習慣なども調査され，被曝線量 5 mSv 未満の群を対照群として解析されてきた．各臓器の平均線量は，230 mGy 前後（皮膚のみ 330 mGy）と意外と少なく，100 mGy 以下の低線量放射線のリスクにアプローチできる貴重な集団である．リスクは過剰症例数の増加を示す**過剰絶対リスク**（excess absolute risk；**EAR**）と，被爆によるリスクの相対的な増加分を示す**過剰相対リスク**（excess relative risk；**ERR**）で表現される．

A. 造血系腫瘍

白血病は原爆被爆後 2～3 年後から発症し，6～8 年にピークに達する．急性リンパ芽球性白血病（ALL），急性骨髄性白血病（AML），慢性骨髄性白血病（CML）が被爆との関係が深く，慢性リンパ性白血病（CLL）は被爆の影響を受けない．小児白血病のほとんどは ALL で，CML は成人期に発症割合が高い．被爆時年齢が若いほど ALL の ERR が高いが，AML は逆である．CML は年齢依存性があまりみられない．ALL と CML の EAR は被爆後 10 年以降小さくなるが，AML は 30 歳以上の被爆者で被爆の経過年数とともに EAR は増加する[13]．

線量－反応関係は全白血病では直線 2 次モデルが適合し，200 mGy 以上で対照群に比べ有意に大きくなる．腫瘍型別には，ALL と CML は直線モデルが適合し，AML は直線 2 次モデルが適合する．1987 年までの追跡調査（被爆後 42 年後）での ERR/Gy は，ALL が 9.1，AML は 3.3 そして CML が 6.2 で，全固形がんの値の 0.5 より大きい．

AML に進行する可能性のある前がん病変として骨髄性異形成症候群（myelodysplastic syndromes；MDS）がある．MDS は血液細胞の形態異常や染色体異常をもつ．リスクは若年被爆で高く，60 年以上持続している．被爆時に造血幹細胞に生じた遺伝的不安定性が原因と考えられている．近年，MDS の前病変としてクローン造血が注目されている．血液疾患のないヒトの血液細胞にもがんのドライバー遺伝子の点突然変異をもつ細胞クローンが検出される．クローン造血は，白血病のみならず，脳梗塞や粥状硬化性心血管疾患のリスクとの関係が示されており，注目されている．

B. 固形がん

固形癌とは，白血病などの造血系腫瘍以外の，臓器や組織で固まりを作るがんの総称である．上皮組織（胃，肺，乳，大腸など）から発生する上皮細胞がんと非上皮系組織（骨や筋肉など）から発生する非上皮性がん（肉腫）に分けられる．がんのリスクは，性，臓器や被爆時年齢などで異なる[14]．

a. 性

固形癌の ERR/Gy は男性が 0.35，女性が 0.58 で，EAR/Gy（症例/1 万人年）は，それぞれ 43 と 60 で男性より女性が高い．乳腺や子宮に加え，甲状腺，肺，胃のがんリスクは女性が高く，結腸と肝臓のリスクは男性が高い．

b. 臓器依存性

症例数の増加を示す EAR/Gy（1998 年までの調査）は，胃，結腸，肺，乳腺が大きい．放射線誘発の感受性を示す ERR/Gy は乳腺，甲状腺，皮膚で大きいが，これらのがんは小児や青年期被爆でリスクが著しく高くなる特徴がある（図 2-4-3）．

c. 被爆時年齢

放射線のリスクの大きさは，被爆時年齢，被爆からの年数，到達年齢により著しく変動する（図 2-4-4）．多くの部位の EAR は若年齢被爆でリスクが大きく，結腸，肝，乳腺，皮膚，甲状腺で顕著である．一方，肺がんの EAR は被爆時年齢には影響を受けない．

ERR は被爆時年齢が高いほど，また被爆から年数が経過するほど減少する．ERR/Gy は，10 歳以下の被爆では 0.72 で，20～39 歳では 0.41 に減少する．乳がんと子宮体癌は，初潮の始まる

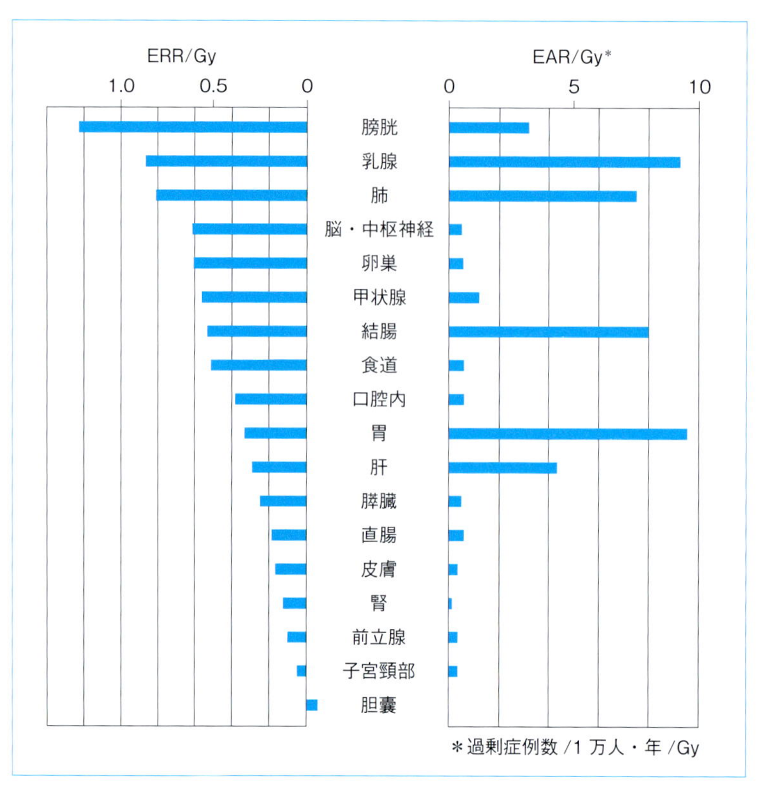

図 2-4-3　各臓器の 1 Gy あたりの過剰相対リスク（ERR）と過剰絶対リスク（EAR）（原爆被爆者）

（Preston DL et al, 2007[14] より作成）

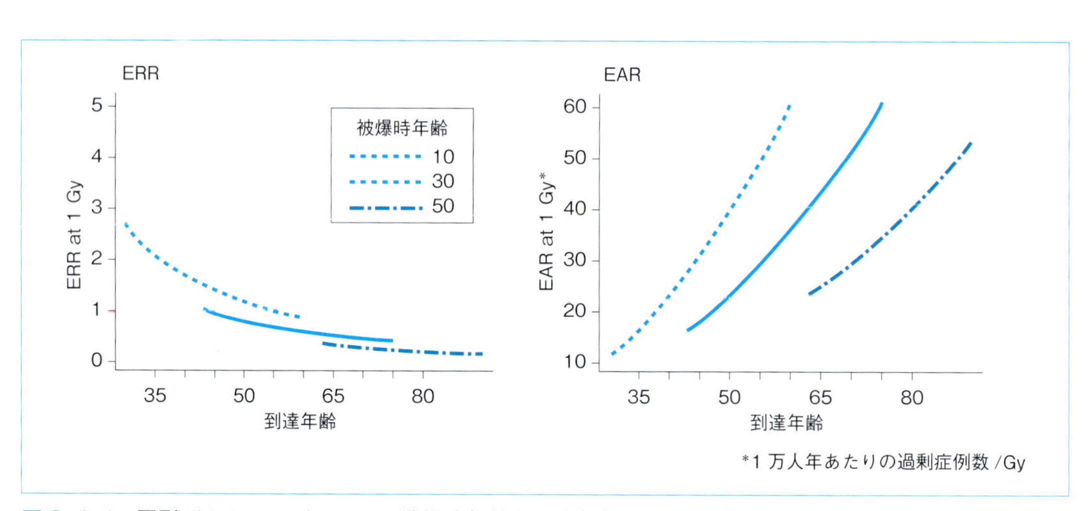

図 2-4-4　固形がんの ERR と EAR の被爆時年齢と到達年齢との関係（原爆被爆者）

（Preston DL et al, 2007[14] より作成）

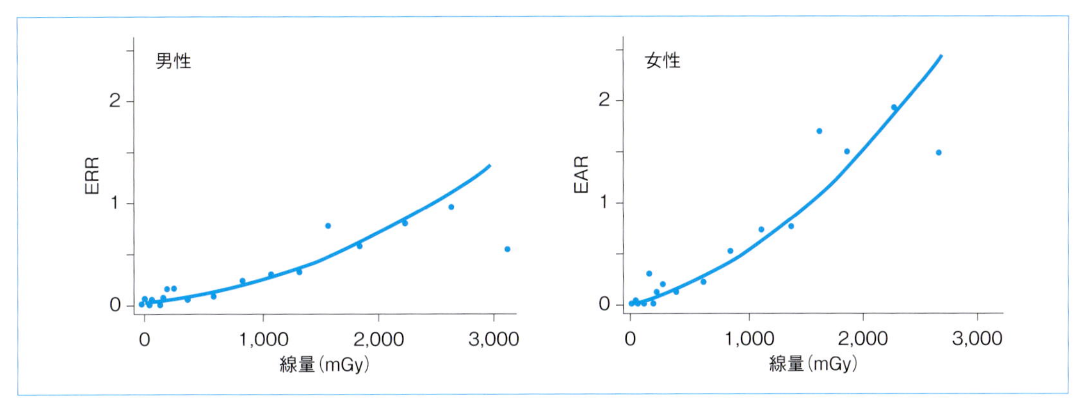

図 2-4-5　原爆被爆者のがん死亡（ERR）の線量－反応関係（Brenner AV et al, 2022[16]）

思春期前後にERR/Gyが最大となる.

d. 線量－反応関係

線量－反応関係の解析は，男女，すべての臓器，全年齢をすべて込みにして行われてきたが，調査の期間とともに変遷している．1998年までの調査では罹患リスク[14]や2003年までの死亡リスク[15]は**直線しきい値なしモデル**（linear non-threshold model：**LNTモデル**）を支持するデータが示されてきた．0～200 mGyの間で，しきい値のない直線モデルが適合し，死亡率のERR/Gyは0.56である．しかし，2009年まで調査を延長すると，男性，女性ともに，死亡率では**直線2次モデル**（linear quadratic model：**LQモデル**）が適合するようになってきた．0～250 mGyでの単位線量あたりのERR/Gyが，男性で0.06，女性で0.25と以前の報告より小さくなっている[16]（図 2-4-5）.

(2) チョルノービリ（チェルノブイリ）原発事故

1986年に現ウクライナに位置するチョルノービル原子力発電所で起こった事故は，原子力産業で起きた中で最も大きな事故である．2008年に，汚染された牛の乳に含まれる放射性ヨウ素の内部被曝による小児甲状腺がんについて検討されている．事故4年後から甲状腺がんが増加し，1991年から1994年のがん罹患率がそれ以前の5年間に比べ5～10倍に増え，10年後にピークになり，その後も持続している．特に4歳以下の子どものリスクが高い[17].

(3) 小児CT（分割被曝）

小児のCT検査は近年急速に普及し，潜在的ながんのリスクが指摘されている．1985年から2002年までにCT検査を受けた17万人以上を追跡した英国の研究では，0～60 mGyの累積線量で，白血病と脳腫瘍の罹患リスクが3倍になっている結果が報告された[18].

最近，欧州12カ国でCT検査を受けた小児の脳腫瘍と白血病のリスクを調べた大規模調査（European EPI-CT study）の結果が報告された．CT検査を1回以上受け，がんや良性脳腫瘍の診断歴がなく，初回CT検査後5年以上がんの発症がない約66万人を対象とした．全悪性脳腫瘍のERR/Gyは12.7で，直線モデルが適合する線量－反応関係が認められた[19]．また，造血系腫瘍についても，欧州9カ国において約95万人のCT検査を受けた22歳以下の患者について調査され[20]，CLLを除いたリスクが16.6であった．ただ，原爆被爆者とはリスクの値や，被曝時年齢の傾向が異なるなどの課題が残る.

いずれにしても，小児CT検査における放射線の線量を診断の質を低下させない程度まで低減する医療被曝の原則である最適化と，可能な場合は代替の検査方法（超音波やMRI）を用いるべきであることが重要である．

(4) 胎児検査による被曝

妊娠女性が放射線検査を受けることで，発達中の胎児が被曝する．線量が大きければ被曝の時期によって流産（死産），奇形，精神遅滞の組織反応のリスクを増加させる．ヒトの受精後の発生時期は，着床前期（受精から10日），器官形成期（3～7週），胎児期（8週以降）に分けられる．着床前後の胚は放射線による致死感受性が高い．しかし，生存した胚は正常に発生し，被曝の影響が残らない．一方，器官形成期の被ばくでは，奇形（小頭症）などの形態的な先天異常の発生頻度が増加する．8週以降は機能的な脳神経ネットワークを形成する時期で被曝によって重度精神遅滞や知能指数の低下が観察される．16週以降は精神遅滞が誘発される頻度は小さくなる．流産，先天異常，精神遅滞の発生にはしきい値が存在し，それぞれ100 mGy，100 mGy，300 mGyである．

胎児の被曝後の発がんリスクについては，1953～1981年のイギリスのオックスフォード小児がん調査が有名である．妊娠女性がX線検査（線量は10～20 mGy程度）を受けたことで小児白血病と小児の固形腫瘍が対照群の約1.4倍になった．線量（10～30 mGy）とリスクに直線比例関係がある．しかし，リスクの値ががんの種類に関わらず同じで，思い出しバイアス（たとえば，小児がんの子どもをもつ母親はもたない母親に比べ，過去の放射線検査を受けたことを思い出しやすいなどの偏りが生じること）などの可能性を否定できない．1990年以降の各国の医療被曝の調査では，先天奇形や染色体異常，小児がんのリスクの増加は認められていない[21,22]．原爆被爆者の報告では，小児白血病の増加はなく，小児がんは2例のみである．胎児期の被爆では血液細胞の染色体異常の増加はほとんど観察されていないことから，胎児では損傷細胞が組織から積極的に排除される機構があると説明されている[23]．一方，胎児期被爆後の成人がんの死亡リスクの増加は男性ではまったく認められない（ERR/Gy＝－0.18）が，女性では2.24で有意な増加がみられ，今後の調査が待たれる．

奇形（3％）や遺伝性疾患（8～10％），小児がん（0.3％）の自然発生率を考慮すると，100 mGy未満の胎児線量は妊娠中絶の理由と考えるべきではないとICRPは提言している．

4）歯科放射線のリスク

歯科放射線診断では口腔内と咽頭（喉と周辺臓器が被曝する．主に，唾液腺，甲状腺，脳，眼，皮膚である．線量は1 mGyを超える撮影はほとんどなく，最も線量が高いコーンビームCTでも唾液腺の2.3 mGyである．

過去の比較的大きな被曝を受けていた時代の米国の症例・対照研究では，脳髄膜腫のリスクが歯科放射線被曝によって1.5倍に増加することが報告された[24]．原爆被爆者では，髄膜腫のERR/Gyは1.82[25]であるから，歯科放射線の被曝線量ではリスクは検出できないレベルである．髄膜腫は，一般の集団でも無症状で偶然みつかるため，過剰診断や症例・対照研究でのバイアスの可能性があると思われる．

米国の調査は1950～1960年代に行われており，現在行われているX線撮影よりきわめて大きな線量を被曝している可能性もある．不注意なX線撮影，特にコーンビームCTが頻回行われると，統計学的にも検出できる確率的影響が生じうることを示唆する報告として受け止め，線量管理には十分な配慮が必要である．

5　医療における放射線防護

1）放射線の線源別にみた被曝線量

放射線被曝を引き起こす放射線源は**自然放射線**と**人工放射線**とに分類される．自然放射線による被曝は宇宙線，地殻からの放射線，室内でのラドン等の吸入，食物摂取による*．人工放射線による被曝は，医療で患者が被曝する医療被曝が大部分で，そのほかに核実験による残留放射能や，原子力発電所とその事故によるものがあるが，これはきわめてわずかである（図 2-5-1）．

2）医療における被曝

医療における被曝とは①患者として診断・治療のための被曝，②健康人としての検診での被曝，③医学研究のためのボランティアとしての被曝の３つである．**医療被曝**は**診断用放射線**，**核医学**，および**放射線治療**の３領域からなる．診断用放射線に含まれるものには，胸部撮影のような一般的な単純撮影，特殊な装置を用いる乳房撮影や歯科撮影，バリウムなどを用いる透視検査，CT，これらに加えて画像ガイド下で腫瘍や血管病変に対して経皮的手技を行う IVR（Interventional Radiology，第 4 章 12「interventional radiology と内視鏡」参照）がある．こうした医療技術は医療事情によって国ごとに異なる普及をしていることに注意する必要がある．国連科学委員会の報告によれば，人口あたりの医師数で 4 段階の Health-care level を設定している．人口 1,000 人に 1 人以上の医師がいる場合が Level I で，日本をはじめ多くの先進国はここに入る．日本とほかの Level I の国で資料の揃った国について，人口あたりの X 線装置数，検査件数，医師・歯科医師数を表 2-5-1 に示す．わが国は医師・歯科医師数は標準的であるのに対して，装置数・検査数ともに際だって高いのがわかる．最新の OECD の報告（2018 年）資料によれば，100 万人あたりの CT 装置

宇宙線：宇宙線は宇宙からやってくる高いエネルギーをもった粒子や電磁波のことで，その起源は星の大爆発により放出された多量の素粒子とされる．この宇宙線（一次宇宙線）は地球にやってくると，宇宙空間から大気圏に突入する際，上空で大気中の分子と衝突し，陽子，中性子，パイ中間子，ミュー粒子など多数の二次粒子（二次宇宙線）を発生させ，さらに大気の窒素や酸素の原子核と次々と衝突し，多数の粒子を発生させる．こうして宇宙線はシャワーのように地上に降り注ぎ，人体には毎秒 100 個程度の宇宙線が貫通するといわれる．宇宙線は 1,500 m ごとに約 2 倍多くなるといわれ，ラパス市（3,900 m）で年間 2.02 mSv，メキシコ市（2,240 m）で 0.82 mSv，デンバー市（1,610 m）で 0.57 mSv，海面に近い東京は 0.26 mSv 程度である．極地は赤道よりも 30％程度高いとされる．上空を飛ぶ航空機では 1 時間あたり，12,000 m では 0.005 mSv とされる．東京から米国東海岸を往復すると 0.09 mSv 程度の被曝をする．ちなみに最近の米国の宇宙飛行士は 1 回の飛行あたり，0.5〜5 mSv の被曝をするといわれる．

大地からの放射線：地中の放射性同位体，たとえばカリウム 40，ウラニウム 238 やトリウム 232 の崩壊生成物からの，主としてガンマ線による外部被曝である．世界的には非常に高い地域があり，インド・ケララ州のある地域では年間 13 mSv に達する．わが国では多い地方で 0.7 mSv，少ない地方で 0.2 mSv 程度で，粘土化の進んだ火山灰を黒土で覆った関東地方は低く，関西地方の花崗岩地帯は高い．

ラドンなどの吸引：ラドン（^{222}Rn）はウラン系列の崩壊生成物の一つで，半減期が 3.8 日と短い気体で，石造りの家や地下室で増加する．その崩壊生成物は固体で，それが室内の塵に付着して吸引されると呼吸器官に蓄積される．これによる被曝は，世界平均では自然放射線によるそれの半分を占める．なお，ラドンは健康に寄与する効能が信じられている一方，喫煙に次ぐ肺がんのリスク要因とされている．

食品からの被曝：飲料水，牛乳などの乳製品，野菜類，穀類，肉・卵・魚・その他の食品中に含まれる放射性物質を体内に取り込むことによる被曝である．放射性物質は放射性ヨウ素（^{131}I），放射性セシウム（^{134}Cs, ^{137}Cs），その他（^{90}Sr, ^{239}Pu）などで，もともと，自然に存在していたもののほかに，原子力発電所の事故により排出されたものも含まれる．食品ごとに放射性物質について基準値（Bq/kg）が示されており，わが国では食品衛生法で規制値が示されている．なお，食品の国際規格を作成する国連コーデックス（CODEX）委員会（国連食糧農業機関と世界保健機関の合同委員会）の指標は年間 1 mSv を超えないように設定している．

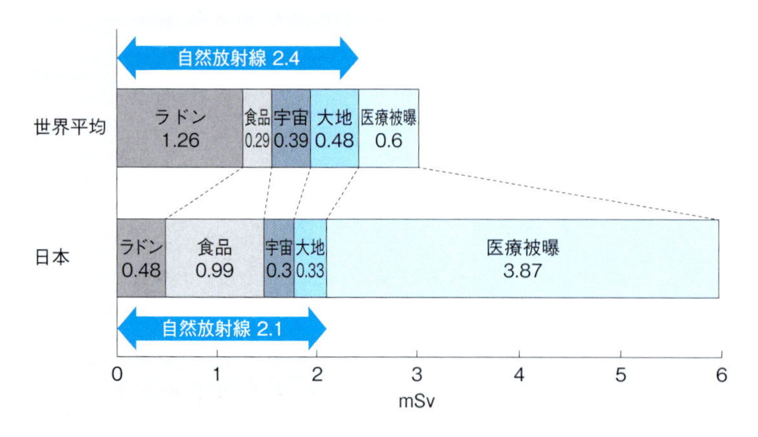

図 2-5-1 **年間あたり個人が受ける放射線量(mSv)の世界の平均と日本**
(日本学術会議臨床医学委員会放射線・臨床検査分科会, 2017[7] より作成)

表 2-5-1 **欧州各国と日本における人口あたりのX線撮影装置数, 検査件数, 医師・歯科医師数の比較**

	医科一般撮影装置	CT	歯科X線撮影装置	医科検査件数	歯科検査件数	医師数	歯科医師数
	100万人あたり	100万人あたり	100万人あたり	1,000人あたり	1,000人あたり	100万人あたり	100万人あたり
英国		6		487	210	1,681	353
ドイツ	278	23	880	1,055	580	3,714	788
フィンランド	205	15	990	682	372	2,793	1,164
スウェーデン	135	14	1,354	566		3,610	1,241
日本	690	92	1,030	1,862	576	2,061	729

(国際連合原子放射線の影響に関する科学委員会, 2008[8] より作成)

数は日本111台, 米国44台, ドイツ35台, OECD平均27台, 英国8台である. さらにわが国のCT検査件数は増加傾向にあり, 現在は年間約3,000万件と推定され, これは人口1,000人あたり240件程度で米国とともに世界最多である. 米国ではCTによる被曝は年間あたり, 個人の平均放射線量の半分で1.5 mSvであるのに対して, 日本ではCTによる被曝が高く2.4 mSvを超えるとされる.

患者の被曝線量は各組織・臓器の受けた吸収線量(Gy)で表す. 検査対象となった臓器や隣接臓器の線量は高くなる. 一次線に照射されなくとも近接した臓器にあっては散乱線によって被曝するがその線量は低い. 歯科撮影では生殖腺は一次線に被曝することもなく, 撮影対象が離れていることもあり, その線量は低く, 口内法撮影で0.009〜2.66 μGy, パノラマ撮影で0.11〜7.97 μGy, CBCT撮影で0.05〜6.93 μGyとされる. 一方, 唾液腺は一次線に照射されるため, 線量が非常に高くなるので注意を要する. 甲状腺は一次線に含まれないが近接するために線量が比較的高いことがある. 表2-5-2に歯科で利用される代表的な撮影法における各臓器の吸収線量を示す.

一方, 医療被曝を含むさまざまな被曝を評価するために**実効線量(Sv)**が利用される(p.31参照). これは各臓器の吸収線量を臓器ごとの発癌致死リスクを考慮した係数を乗じ, 臓器ごとに加え合わせた量である. 骨髄のように全身に分布する臓器では, 局所を撮影する検査での線量に, 全身の骨髄量に対するその局所の骨髄量の割合を乗じた値を骨髄の線量とする. 実効線量は, 異なった検査法による線量の比較や, 異なった病院・国における同一の検査法による比較，同じ検査法に関する異なった技術間での比較などに有用である．たとえば，口内法X線撮影の実効線量は0.005 mSvであるのに対し，パノラマX線撮影は0.02 mSv，歯科用コーンビームCTで0.05～0.5 mSv，医科用多列CTでは1～10 mSvという具合である．表2-5-3に医療における実効線量を示す．吸収線量にも大きなバラツキがあるように実効線量も大きな変動があるので，この表に示すものは代表的な場合としてみる必要がある．

3）放射線防護の考え方

放射線が医療分野で利用されるようになると

表2-5-2　歯科で利用される代表的な撮影法における各臓器の吸収線量（単位：mGy）

撮影法	口内法X線撮影	パノラマX線撮影	歯科用コーンビームCT（小照射野）	CT
撮影部位	下顎臼歯部	全体	埋伏第三大臼歯	上下顎インプラント
脳	0.01	0.01	0.07	5
水晶体	0.004	0.01	0.1	3
唾液腺	0.05	0.9	2	20
甲状腺	0.02	0.04	0.5	4
下顎骨骨髄	0.15	0.5	3	20
乳房	0.01	0.001	0.01	0.2

※これまでの多くの研究報告をもとにして著者が推定した数値である．この線量は撮影条件や撮影部位により大きく変動することに注意する．なお，医療被曝における各臓器ごとの吸収線量は人体等価のファントムを用いた実験ないしコンピュータシミュレーションによって得られた値であり，特定の個人が同一の撮影を行ったときの線量を示しているわけではなく，一つの代表値であることにも注意する．

表2-5-3　歯科で利用される代表的な撮影法における実効線量（一般医療における実効線量との比較）

（Lurie AG, 2019[13]；NCRP Report No.177, 2019[14]；国際連合原子放射線の影響に関する科学委員会，2008[8] より作成）

歯科における撮影法		実効線量（μSv）
口内法撮影[13]	臼歯部咬翼法（F感度ないしPSP*使用）	
	通常の円形絞り	6～10
	矩形絞り	3～5
	全顎撮影（F感度ないしPSP*使用）	
	通常の円形絞り	85～171
	矩形絞り	17～35
パノラマ撮影	デジタル系	9～34
セファロ撮影	デジタル系	2～6
歯科用コーンビームCT	小照射野FOV	19～652（60[14]）
	中照射野FOV	45～860（107[14]）
	大照射野FOV	68～1,073（151[14]）
CT	頭部（通常の条件）	860～1,500
	頭部（低線量設定）	180～534
	頭部[14]	1,088
	顎骨[14]	697

医科における撮影法[8]	実効線量（mSv）
頭部	0.027
胸部	0.017～0.05
腹部	0.28～1.05
骨盤	0.168～0.75
乳房	0.23～0.4
骨塩量測定	0.0002～0.01
上部消化管バリウム検査	2.6
注腸バリウム検査	7.2～8
CT　頭部	0.9～7.9
CT　胸部	2.2～10.9
CT　腹部	3.1～14.9
CT　小児腹部	3.6～14.1
心臓血管系の塞栓術	19.5～29.6
骨シンチグラフィ	2.9～9
PET	5.6～10.8

※歯科撮影での線量をμSv，医科における撮影をmSvで示してあるが，出典通りに記載した．
＊：輝尽性蛍光体（PSP）を用いた検出器（イメージングプレート）を指す．

ともに放射線障害が多く発生した．放射線の過剰被曝から人を防護するためには組織的活動が必要であることから，放射線防護に関する国際組織が1928年に設立された．その組織はその後，「**国際放射線防護委員会**」（International Commission on Radiological Protection，**ICRP**と略す）として発展した．ICRPは放射線防護の基本原則，具体的方策，および防護体系の基本となる数値基準などを検討し，その結果は**ICRP勧告**として公表している．わが国においてもICRP勧告を法令に取り入れている．最近の放射線防護の考え方をまとめたものがICRP勧告60（1990年）とICRP勧告103（2007年）である．

一方，国際連合の「**原子放射線の影響に関する科学委員会**」（United Nations Scientific Committee on Effects of Atomic Radiations，**UNSCEAR**）は1955年に設置され，地球上に存在する放射線源と放射線影響に関する科学的情報を系統的に検討，評価し，その結果を国連総会に報告するとともに，UNSCEAR報告書として刊行している．UNSCEAR報告の内容は放射線防護の基準設定の際に科学的情報として利用される．最近では2008年に「電離放射線の線源と影響」として刊行された．

放射線防護の目標はICRPによれば，人類の安全確保および環境保全であり，次の3項目を実践することである．すなわち，

①便益をもたらす放射線被曝を伴う行為を不当に制限することなく，人の安全を確保すること，

②個人の確定的影響（組織反応）の発生を防止すること，

③確率的影響の発生を減少させること，

である．

この目標を達成するためには，放射線防護の体系（後述）を遵守しなければならない．

放射線防護を効率的に運用するために，被曝は対象となる集団の特徴によって職業被曝，医療被曝，および公衆被曝の3つのカテゴリーに分類される．**職業被曝**は職業上，人工放射線および自然放射線によって被曝する作業者が対象となる．人工放射線ではX線診断，核医学検査，放射線治療などを行う医師，歯科医師，診療放射線技師，および原子炉作業者などである．自然放射線では温泉，ウラン鉱山，その他の地下作業者のラドンによる被曝や，航空機乗務員の宇宙線による被曝などである．

医療被曝は次の3つに大別される．①診療過程において，患者または被験者として受ける被曝，②放射線診療を受ける患者を保持，介助する者（職業人を除く）が承知のうえで自発的に受ける被曝，および③医学生物学の研究の際のボランティアとしての被曝である．患者としての被曝がその主たるものである．妊娠中の女性患者の医療被曝に伴う胎児の被曝も医療被曝に含まれる．**公衆被曝**は職業被曝，医療被曝以外の被曝で人工放射線による被曝である．

放射線防護の目標を達成するためには，①行為の正当化，②防護の最適化，および③個人の線量限度によって構成され，個人の線量限度は線量限度および線量拘束値に分類される．**正当化**とは「被曝を伴う行為は十分な便益がある場合でなければ導入してはならない」ということ，**最適化**とは「正当化された行為に関連した特定の線源からの個人の被曝線量，被曝する人数，および被曝する機会を，経済的および社会的要因を考慮して合理的に達成できる程度に低く保つこと，"as low as reasonably achievable"で，被曝低減の基本的考え方を表すものであり，「**ALARAの原則**」とよばれている．

放射線防護の最適化を行う際，個人は複数の線源・行為から被曝する可能性があり，すべての線源からの被曝による線量がある一定のレベルを超えないように管理しなければならない．このための上限値を**線量限度**という．線量限度は**職業被曝**と**公衆被曝**に対して設定されており表2-5-4に示す．職業被曝に対する年間の線量限度は，ICRP勧告60では20 mSv/年である．

この値は従来から安全産業の基準とされている職業上での年間平均死亡率 10^{-4} を超えることがないという了解のうえから出された値である．さらに毎年ほぼ一様に被曝する場合は生涯線量が約 1 Sv を超えないようにし，5 年平均で 20 mSv であり，その間の 1 年間に 50 mSv を超えてはならないとしている．なお，女性の職業被曝は男性と区別されていないが，妊娠後は胎児を公衆とみなして，出産の期間中に腹部の表面で 2 mSv が勧告されている．公衆に対する線量限度は，①公衆には妊婦や子供などが含まれる，②公衆は被曝に対して選択の自由がない，③被曝によって利益を受けない，④個人管理を受けない，⑤被曝以外に自分自身の職業の危険に曝されている，⑥被曝期間が職業被曝に比べて長い，などの理由から，職業被曝のそれより低く設定される．

医療被曝に対しては線量限度が適用されない．その理由は，正当化と最適化のもとでは，患者の利益は被曝に伴う損失に比べて大きいことが明らかであり，上限値を設けることによって患者に必要な医療行為を制限することになるからである．医療被曝に対しては数値的な制限または限度はないが，放射線医療に関わる医師，歯科医師，診療放射線技師のみが医療被曝における放射線防護を実行することができることから，正当化と最適化において重要な役割を担っていることを意識する必要がある．

表 2-5-4　作業者および一般公衆の線量限度（ICRP，1991 年[15]）

	作業者	一般公衆
実効線量	20 mSv/年 （5 年平均）	1 mSv/年
水晶体等価線量	150 mSv/年	15 mSv/年
皮膚等価線量	500 mSv/年	50 mSv/年
手・足の等価線量	500 mSv/年	—

ICRP は 2011 年，作業者の眼の水晶体の等価線量限度について，最近の疫学データをもとに見直し，これまでより低い線量，5 年平均で 1 年あたり 20 mSv，年最大 50 mSv を示した[16]．

4）医療被曝の管理と防護

医療における被曝は法的に制限されることはなく，医療上の必要性は医師および歯科医師の臨床判断に委ねられている．したがって，無駄な医療被曝を避けるために，次に示す事項を評価したうえで放射線検査を実施するかどうかの適用の判断，つまり検査の正当化を行わねばならない．すなわち，①放射線検査の必要性の程度，②放射線以外の検査方法の有無，③検査から得られる医療情報の質と量，および④検査結果が患者のその後の治療や予後に及ぼす影響，について検討し，**検査の正当化**を行う．これにより，医療情報を質および量ともに減らすこと

表 2-5-5　X 線検査の適用についてのガイドライン（European Communities, 2004[2]）

齲蝕	咬翼法は診察を補助するものとして必須であり，その適用は齲蝕のリスク評価に基づいて，小児・成人を考慮して決めるべきものとし，X 線検査の間隔を提案する
歯周病	X 線検査がその治療や予後を変える付加的な情報を与えるのであれば選択されるが，一般的には X 線検査を強く勧める根拠はない
歯内療法	その術前・術中・術後に X 線検査が必要であり，予後の評価は 1 年後が適切である
矯正治療	パノラマ X 線撮影にて歯列の成長と歯の有無を確認するが，治療計画の立案にはスタディモデルなどで十分なことが多く，頭部 X 線規格撮影の必要性は一部の症例に限定される
インプラント	術前・術後の評価に X 線検査は必須であり，多数歯欠損の場合には断層撮影や CT が適用される
抜歯	抜歯だからといって必ず X 線検査が必要という根拠はないが，X 線検査の必要な事例がいくつかある
成人一般患者	事例ごとに X 線検査を選択すべきこと，症状のない無歯顎患者の X 線検査は正当化されない

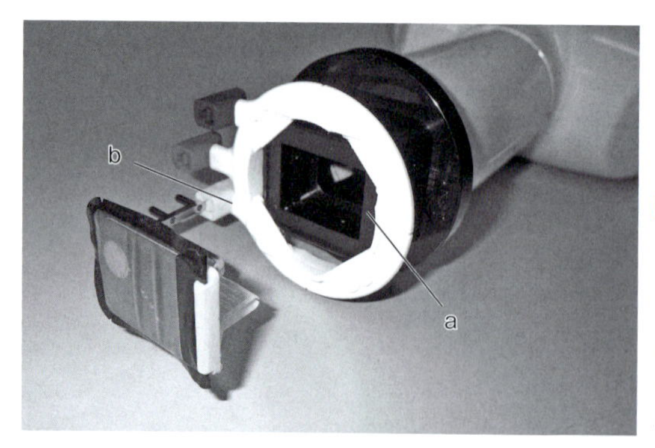

図 2-5-2　口内法 X 線撮影における照射野の限定の例
コーンの先端に照射野を角型に限定する装置を装着し（a．矩形絞りとよばれる），これに検出器を保定する保持具（b）を被せるように付ける．この保持具は上顎右側大臼歯ないし下顎左側大臼歯を撮影するためのものである．

なく不必要な患者の被曝を避けることができる．正当化の道筋として，歯科診療における X 線検査のガイドラインが欧州委員会から提示された．「European Guidelines on Radiation Protection in Dental Radiology」（European Commission, 2004）の目的は「一般歯科医療に従事している歯科医師と歯科医療従事者に，放射線防護についての実際的な指針を示す」ことであり，90 年代に入って発表された多数の研究業績を検索して，根拠に基づいたガイドラインとなっている．疾患別に X 線検査の適用が解説されているが，その概要を表 2-5-5 に示す．米国においても改版を重ね，「Dental radiographic examinations：Recommendations for patient selection and limiting radiation exposure」（ADA and FDA, 2012）として刊行されている．

一方，正当化された検査については，できるだけ少ない線量で撮影する必要があり，これが最適化に相当する．基本的には，①検査対象のみを撮影しそれ以外の部分に照射しない，②検査目的に適した撮影条件（照射条件や投影）とする，③高感度ないし効率のいい X 線検出器とする，④装置と撮影者を管理し撮影の失敗をなくす，などである．

歯科撮影では最適化のために必要な配慮は次のようになる．①絞りにより検査対象部位のみを照射する：口内法 X 線撮影装置のコーン先端部の直径は 6 cm 程度であるが，一般的なフィルムやセンサーの大きさ（3×4 cm）より大きいので，矩形絞りを使用して照射野を絞って撮影する（図 2-5-2）．パノラマ X 線撮影装置にあっては，小児や歯列部分だけが検査対象となる場合には照射野を目的部位に制限する．②高感度系を用いる：フィルムを用いる場合には E/F 感度とする．センサーの場合にはフィルムに比較して低線量での撮影が可能である．パノラマ X 線撮影ではすでにデジタルセンサーになっている場合が多い．一般にデジタル系では誤って多くの線量が照射されても調節して観察に適した画像とされるために，誤りに気づかない場合があるので注意する．③適正な管電圧・管電流・撮影時間を組み合わせる：口内法 X 線撮影装置では管電圧・管電流が固定されていることが多いが，撮影対象が成人・小児・無歯顎者，撮影部位が上顎・下顎，前歯・小臼歯・大臼歯などの違いにより，適切な照射時間を設定する．パノラマ X 線撮影では撮影対象を選択することにより自動的に撮影条件が選択される．④防

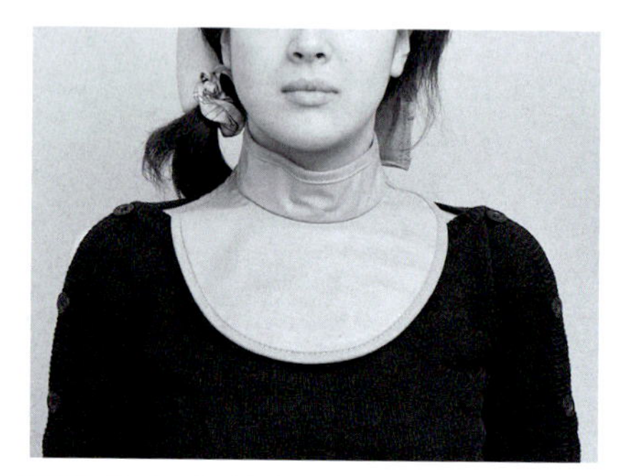

図 2-5-3　甲状腺カラーの例

護衣で甲状腺と腹部を遮蔽する：歯科撮影でこれらの臓器が直接,照射されることはないので,撮影が現状で最適な場合には不要とされている．ただし，小児では一次線錘中に甲状腺が含まれる可能性があるので，専用の「カラー」を使用するが（図 2-5-3），ここでも矩形（角形）絞りが使用されれば不要とされる．⑤撮影の失敗をなくす：口内法 X 線撮影では投影方向を誤ること，パノラマ X 線撮影では患者の位置付けで誤ることがあるので注意する．

妊娠中の X 線撮影では，胎児が被曝することによって生じる奇形が問題となる．子宮内被曝による確定的影響（組織反応）のしきい線量は，2 週以内（胚死）で 0.1 Gy，7 週以内（奇形）で 0.1 Gy，8〜15 週（精神発達の遅れ）で 0.1〜0.2 Gy とされる（ICRP 勧告 1990 年）．一方，X 線撮影による胎児の被曝線量は，歯科撮影は全く無視できる量，腹部を含む一般撮影や造影撮影で数 mGy から 10 mGy 程度，最も多いと思われる骨盤を対象とした CT で最大 100 mGy 程度とされる．いずれもしきい線量以下であるので，胎児被曝が奇形を生じるとは考えにくい．従来，ICRP は「生殖可能な年齢の女性の下腹部や骨盤を含む放射線検査は，月経開始後 10 日間に限って行う（十日則）」（1962 年）ことを提唱したが，その後，月経開始後 4 週間以内の胎児のリスクは特別な制限を必要としないほど小さいことがわかり，この規則はゆるめられた．実際，胎児の成長段階で奇形になるのは主要器官形成期（9 から 60 日）であり，その前の着床前期（0 から 8 日），その後の胎児期（60 から 270 日）ではない．

診断参考レベル（diagnostic reference level, **DRL**）は一般の撮影がそれぞれの地域で適切に施行されているかどうかをみるための量で，1996 年，ICRP によって提示された（図 2-5-4）．当初，IAEA（国際原子力機関）は「放射線防護と放射線源の安全に関する国際基本安全基準（BSS）」を作成しガイダンスレベルの考えのも

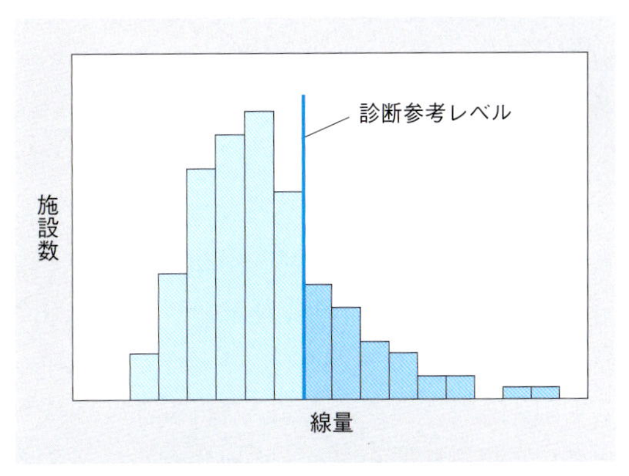

図 2-5-4　診断参考レベルの設定方法
ある地域の医療機関における線量の分布を調査した結果，図のような分布となった場合，全施設数の 75％になる線量を診断参考レベルとして設定する．この線量を超える施設においてはその原因を調査して低減をはかることが勧められる（日本学術会議臨床医学委員会　放射線・臨床検査分科会，2017[7] より作成）．

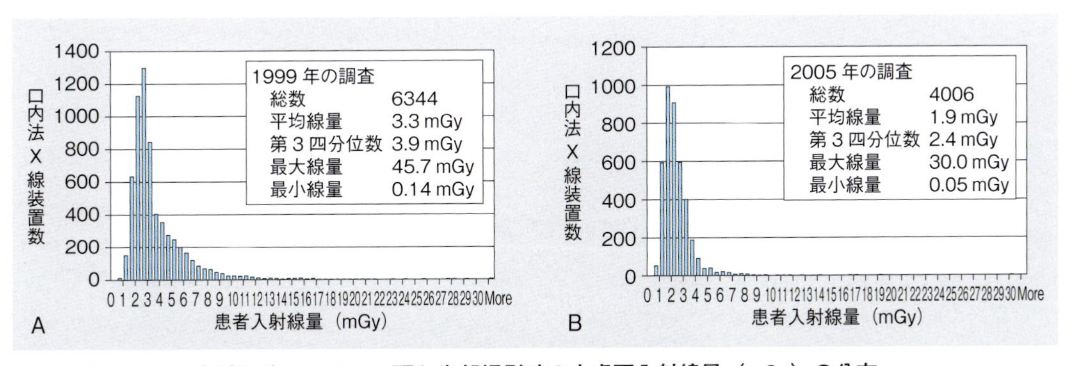

図 2-5-5　英国の歯科医院における下顎臼歯部撮影時の皮膚面入射線量（mGy）の分布
（Gluson AD et al, 2007[17] より改変）

と，撮影ごとの皮膚面入射線量として，胸部正面で 0.4 mGy，頭部正面で 5 mGy，口内法 X 線撮影で 7 mGy を示した．DRL は国や地域の多くの施設での測定値の第 3 四分位数をもとに決める．簡単に測定できる量であって，最適からかけ離れていることを同定しやすいことが必要で，単純撮影では患者入射線量が用いられることが多い．英国では下顎臼歯部の撮影時の皮膚面入射線量は 1999 年の調査によって平均 3.3 mGy，範囲 0.14～45.7 mGy，第 3 四分位数 3.9 mGy であったので，DRL を 4 mGy とし，古くなった装置の更新，高感度フィルムの使用などを推奨した．その結果，6 年後の調査では平均 1.9 mGy，範囲 0.05～30 mGy，第 3 四分位数 2.4 mGy と著しく改善した実例がある（図 2-5-5）．

最近わが国でも診断参考レベルを設定する動きがあり，たとえば，医療被曝に関連する学協会のもとに「医療被ばく研究情報ネットワーク（J-RIME）」が発足し，全国調査などを経て 2017 年に DRLs 2015 が提案され，さらにその改訂版の DRLs 2020 が示された．口内法 X 線撮影については各撮影部位，成人・小児について提案されたが，たとえば，成人の下顎大臼歯について，全 29 施設（大学附属病院）における PED（患者入射線量）は最小 0.53 mGy，最大 2.34 mGy，平均 1.25 mGy，第 3 四分位数 1.50 mGy であったことから，DRL は 1.5 mGy とされた．近年，デジタルセンサーの普及により線量の低減がはかられているが，一方で古い装置や低感度フィルムを使用している施設では高い値を示しており，その改善が促される．

5）患者被曝低減への最近の活動

患者被曝の低減は放射線関連の医療人だけではなく，検査を依頼する医療人，患者，そして広く社会全体が関わる課題であり，そのために最新の情報や考え方を共有することが重要である．たとえば，“Image Wisely®” は米国の放射線関連学会が主導した，成人を対象とした X 線検査の線量低減と不要な検査を避けるためのキャンペーンである．放射線関連専門職のみならず一般医師や患者のために教育用資材を開発し，web などを活用して広くこれらを周知している．たとえば，患者用では www.radiology-info.org を立ち上げて，検査の種類とその適応，被曝線量などの詳細が専門家によって適切に解説されている．さらに，これに参加する個人は，X 線検査を適切に行い，その施設においてこれを徹底し，また紹介医師と連携しあい，適切な画像検査を最少の線量で行っていることを日常的に検証しているという「誓い」を行い，これを実践する施設を認証して国家レベルの線量登録にまで拡大している．このキャンペーンには装置製造企業も参加して，その web サイトでは線量低減の技術を紹介する．一方，“Image Gently®” は小児 X 線検査の線量を低減するようにその都度，これに配慮する診療をできるように，小児医療に関わるすべての医療人に情報や教育資材を提供することである．小児放射線の学会から始まった活動であるが，いまでは米国内のみならず世界中の関連学会が連携した連合体を形成している．小児は成人よりも放射線感受性が高く，より余命が長いため，成人の照射条件で小児の CT 検査を行うとなると，放射線誘発癌のリスクを増加させると考えられる（p.49 参照）．米国では歯科放射線学会をはじめ，矯正・小児歯科・口腔外科・歯周病・口腔衛生などの学会が連携する大きなキャンペーンとなっている．米国歯科医師会は 2014 年に小児の X 線検査では次の 6 つに配慮するように歯科医師に勧めている．①真に必要なときにだけ X 線を使い，いわゆるルーチン撮影をしない，②最大感度のフィルムやデジタルセンサーを使用する，③口内法 X 線撮影では矩形の絞りを用いる，パノラマ X 線撮影や歯科用コーンビーム CT では必要な部位だけを撮影する，④甲状腺カラーを必ず装着する（矩形絞りが使用されれ

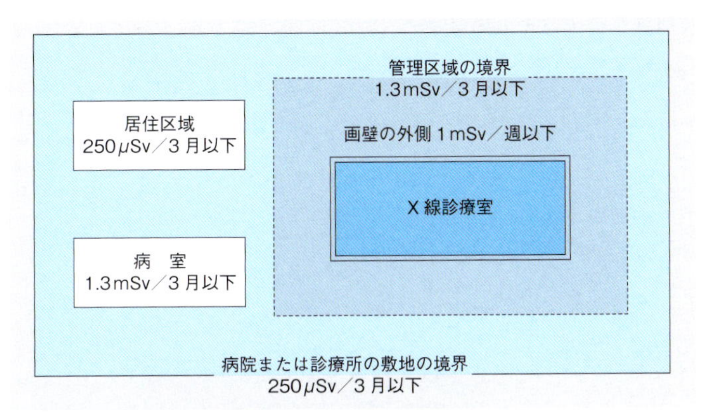

図 2-5-6　X 線装置を使用する施設の管理区分
管理区域とは，$H_{1\,cm}$ が 1.3 mSv/3 月を超えるおそれのある場所をいう．管理区域には放射線診療従事者以外の人がみだりに立ち入らないために，管理区域の境界には柵などを設け，管理区域であることを示す標識を付さなければならない（医施則 30-14）．通常の X 線診療室内は管理区域となるが，X 線診療室の画壁の外側の $H_{1\,cm}$ が 1.3 mSv/3 月を超えないならば，X 線診療室外は管理区域ではなくなる．

図 2-5-7　管理区域を示す標識の例

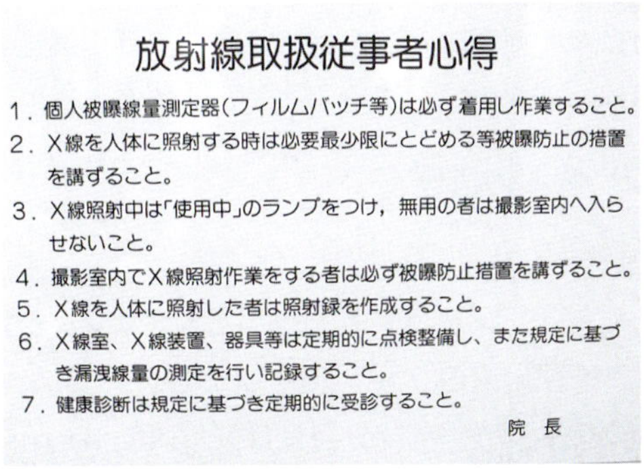

放射線取扱従事者心得

1．個人被曝線量測定器（フィルムバッチ等）は必ず着用し作業すること。
2．X線を人体に照射する時は必要最少限にとどめる等被曝防止の措置を講ずること。
3．X線照射中は「使用中」のランプをつけ，無用の者は撮影室内へ入らせないこと。
4．撮影室内でX線照射作業をする者は必ず被曝防止措置を講ずること。
5．X線を人体に照射した者は照射録を作成すること。
6．X線室、X線装置、器具等は定期的に点検整備し、また規定に基づき漏洩線量の測定を行い記録すること。
7．健康診断は規定に基づき定期的に受診すること。

院　長

図 2-5-8　放射線取扱従事者に対する掲示の例
X 線診療室内に掲示する．

ば不要である），⑤照射時間を小児用に調整する，⑥歯科用コーンビーム CT は真に必要なときだけに用いる，である．

このような活動や考え方には国際放射線防護委員会（ICRP）だけではなく，**国際原子力機関**（**IAEA**）や**世界保健機関**（**WHO**）においても共通した認識があり，IAEA は 2012 年，シンポジウムの総括を “Bonn Call-for-Action” として，その先 10 年間における医療放射線からの防護強化策を提示した．正当化の強化，最適化の実施の強化，放射線機器メーカーの役割の強化，医療従事者の教育の強化，防護のための研究課題の具体化とその推進，最新情報の共有化，インシデントや事故の予防策の改善，放射線安全文化の強化，放射線のリスクと便益に関する実りある対話の促進，国際的な基本安全基準の徹底などで，いずれもこれまでに提起されていたものではあるが，改めて医療放射線防護を向上させる行動目標が示されたことの意義は大きい．

6）医療従事者の防護

職業的に放射線を取り扱う人びとは生涯に被曝する機会が多く，被曝線量も一般公衆よりも多くなるため，現在の知識と経験に照らして環境と個人の両面からの管理が必要である．医療で放射線を取り扱う場合も放射線診療従事者として，同様な管理の対象となる．**放射線診療従事者**とは，「X 線装置などの取扱い，管理またはこれに付随する業務に従事する者であって管理区域に立ち入る者」と定義されており，医師，歯科医師，診療放射線技師，看護師および歯科衛生士がこれに該当する．ここでは X 線を扱う歯科診療室における管理を中心に扱う．

表 2-5-6　外部被曝による放射線診療従事者の線量限度（医施則 30-27）

管理対象	規制値	期間
実効線量	① 100 mSv *1	4 月 1 日から 5 年間
	② 50 mSv	4 月 1 日から 1 年間
	③ 5 mSv	女子*2については上記①および②に規定するほか 4 月 1 日，7 月 1 日，10 月 1 日を始期とする 3 月間
等価線量		
眼の水晶体	① 100 mSv	4 月 1 日から 5 年間
	② 50 mSv	4 月 1 日から 1 年間
皮膚	500 mSv	4 月 1 日から 1 年間
妊娠中の女子の腹部*2	2 mSv	本人の申出などにより病院または診療所の管理者が妊娠の事実を知ったときから出産までの間

*1 5 年平均では 20 mSv/年となる

*2 女子については妊娠する可能性がないと診断された者，妊娠する意思がない旨を病院または診療所の管理者に書面で申し出た者を除く

(1) 環境の管理

歯科診療所には歯科の診療を行う診療室とともに**X 線診療室**が別に設けられる．一般に作業所などで放射線や放射性物質を計画的に扱う場合に，その業務に従事する者の安全を確保するため**放射線管理区域**を設定する（図 2-5-6〜8）．一定の線量値を超える場所を管理区域とし，標識等によって明示し，従事者等の出入りの管理や被曝線量の管理を行う．加えて，放射線業務に従事する者以外の人が立ち入ることを制限し，関係者以外の人が不必要な被曝をしないように配慮する．診療所においても同様で，X 線診療室は管理区域に含まれる．管理区域は実効線量が 1.3 mSv/3 カ月を超える恐れのある場所をいう．この線量は 0.6 μSv/h に相当する．なお，X 線診療室の画壁の外側において 1 mSv/週以下と規制されている．もし，これが 1.3 mSv/3 カ月であるならば，X 線診療室を管理区域とすることができ，実際，多くの歯科診療所ではそのようにしている．

線量の測定には**環境モニタリング用線量計**（**サーベイメータ**とよぶことが多い）を用いる．線量計には電離箱式，シンチレーション式，GM 管式の 3 種類があるが，撮影室には電離箱型が適している．測定は装置の設置時と，その後は固定して使用する X 線装置の場合は，6 カ月を超えない期間ごとに 1 回測定する．その測定記録は 5 年間の保存義務がある．

(2) 個人の管理

放射線診療従事者は被曝線量の測定と健康診断を行う．線量の測定は個人モニタリング用線量計を使用する（p.31，図 2-2-3 参照）．放射線診療従事者の実効線量限度は 5 年間で 100 mSv（5 年平均で 20 mSv）であるが，1 年間で 50 mSv を超えてはならないとされている（表 2-5-6）．女子については，これらの限度に，さらに，3 カ月間で 5 mSv を超えてはならないという項目が追加される．一方，眼の水晶体，皮膚，および妊娠中の女子の腹部については**等価線量限度**が設けられている．なお，水晶体は放射線被曝により水晶体の一部ににごりが生じ，いわゆる放射線白内障となる．

放射線診療従事者の健康診断は初めて管理区域に立ち入る前，および管理区域に立ち入った後は 1 年を超えない期間ごとに行う．健康診断の方法は，問診および検査または検診とする．問診では被曝歴の有無，検診では末梢血液中の血色素量またはヘマトクリット値，赤血球数，

白血球数および白血球百分率，皮膚，眼である．健康診断の結果については必要な項目を記載し，その記録を5年，保存する．

7）病棟や在宅診療におけるX線撮影

一般医科領域では，重症患者や手術中の患者でX線診療室に移動することが困難な場合に限り，移動型のX線撮影装置を用いた病室などにおけるX線撮影が可能である．たとえば病棟での胸部撮影を想定した場合，X線管および患者から2m以上離れれば，散乱線による被曝線量は**距離の逆二乗則**により，0.1～0.3 μSvと低くなる．口内法X線撮影について，諸外国ではX線診療室の設定が必要でない場合があるが，そのような場合であってもヘッドや患者から2m以上離れて操作することが推奨されている．口内法X線撮影は，撮影部位によって投影方向がさまざまであるが，最も線量の少ない方向は，投影方向の90～135°方向であるため，撮影者は2m離れたこの位置でX線照射の操作をする（図2-5-9）．

一方，在宅患者に対するX線検査については「在宅医療におけるX線撮影装置の安全な使用について」（平成10年6月30日医薬安全69号）があるので，その概要を示す．

対象患者はX線撮影が必要であると医師・歯科医師が認めた者であることが前提であり，X線撮影を行う際には，患者，家族および介助者に対し，臨床上の判断から居宅におけるX線撮影が必要であること，放射線防護と安全に十分に配慮がなされていること，安全確保のため医師または診療放射線技師の指示に従うべきことをわかりやすく説明する．従事者は放射線診療従事者として登録し，個人被曝線量計を着用，操作者は0.25 mm鉛当量以上の防護衣を着用，X線撮影に必要な者以外は，X線管および患者から2m以上離れてX線撮影が終了するまで待機，2m以上離れることができない場合や患者を支える場合は0.25 mm鉛当量以上の防護衣・防護手袋を着用する．口内法X線撮影における防護は，特に検出器の保持が困難な場合も想定されるので，以下の点に留意する．①照射方向の設定に十分に留意・確認すること，②照射筒を皮膚面から離さないようにして照射野の直径は6cmを超えないこと，③原則として検出器保持と照射方向を指示する補助具（インジケータ）を使用することである．ここで用いる装置は「携帯型口内法用X線撮影装置」であるが，手持ちで撮影する場合には前述のような防護エプロン・手袋を必要とする．これは携帯型が手持ちで使用することを想定していない設計のためである．そこで，手持ちでの撮影を可能にするために新たな基準が設定された．それによれば，装置の外表面での放射口を除くあらゆる場所での漏洩線量を0.05 mGy/h以下とすること，後方散乱線を低減するために0.25 mm鉛当量以上の取り外しのできない防護板を備えること，装置を手で保持しなくてもX線源装置から2m以上離れた位置で操作できるようにすること，手持型は持ち運びができるので，権限のないものによる使用を防止するためのカギやパスワードを設定すること，などである．現時点でこれに

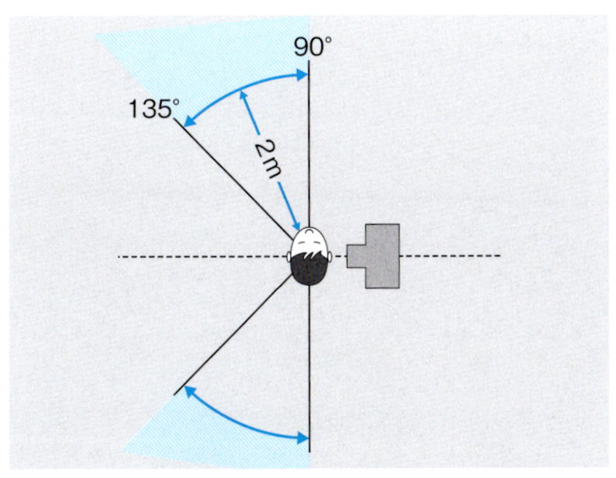

図2-5-9　X線診療室以外の場所でX線撮影を行う場合
患者が座位という前提では2m以上離れ，照射方向の90～135°の位置で操作することが望ましいとされる（White SC, Pharoah MJ, 2004[18]より改変）．

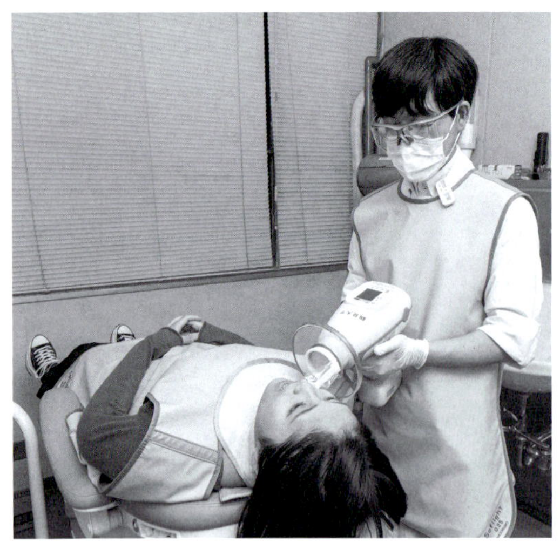

図 2-5-10　手持ちを前提とした携帯型口内法用 X 線撮影装置の一例

この写真は一般診療室であるが，本装置は在宅や介護施設等で，撮影室への移動が困難な患者を対象とする．検出器は保持具にて口腔内に安定して置かれる．照射筒の先端の円形部分が 0.25 mm 鉛当量の防護板で，後方散乱線から撮影者を保護する．X 線源部分の遮蔽に優れ，手で保持している部分での漏洩線は基準値以下である．なお，撮影者の防護エプロンは患者の体位によっては後方散乱線に被曝する恐れがあるので念のために装着している．

適合した装置は限られている（図 2-5-10）．なお，欧州の放射線防護に関わる団体（HERCA）によれば，手持形装置は使用されるべきではなく，特殊な状況，たとえば介護施設の障害者で必要とされた場合，法医学的な必要性，歯科施設のない海外での軍隊での使用などに限られるべきだとしている[19]．

3章 X線投影画像の形成

1　X線撮影装置とX線像の形成

1）X線撮影装置

X線撮影装置はその撮影対象によって，一般撮影用，乳房撮影用，歯科口内法撮影用などとさまざまであるが，基本的にはX線管を含む管容器，管球に高電圧を付加する**高電圧発生装置**，この両者を結ぶ**高電圧ケーブル**，照射野を限定する装置，それに全体を制御する制御盤からなる（p.4，図1-1-4参照）．X線管容器はX線管とその冷却を目的とした絶縁油からなり，管容器の周囲はX線の外部への漏洩を防止するために鉛で覆われている（図3-1-1）．歯科用の口内法X線撮影装置では制御盤を除き，X線管，高電圧発生装置，**照射野限定器**は一体化している．

X線管では陰極側に設置されたフィラメントから**熱電子**（自由電子）を供給し，これを陰極と陽極間に高電圧（管電圧）を印加して加速する．加速された高速電子は陽極側にあるターゲットとよばれる構造物に阻止されて，X線を発生させる（p.25，「X線とその発生」参照）．ターゲットはタングステン（W）からなり，高速電子はターゲット中央部の小面積に集束されて衝突する．高速電子の衝突する領域すなわちX線の発生領域を**焦点**とよぶ（図3-1-1）．焦点では大量の熱が発生する．ここで，ターゲットには入射する高速電子に対して傾斜をつけ，高速電子が衝突する面積（実焦点の面積）を大きくする．ただし，画像形成上，焦点は小さいほど望ましいので，撮影に利用するX線は高速電子

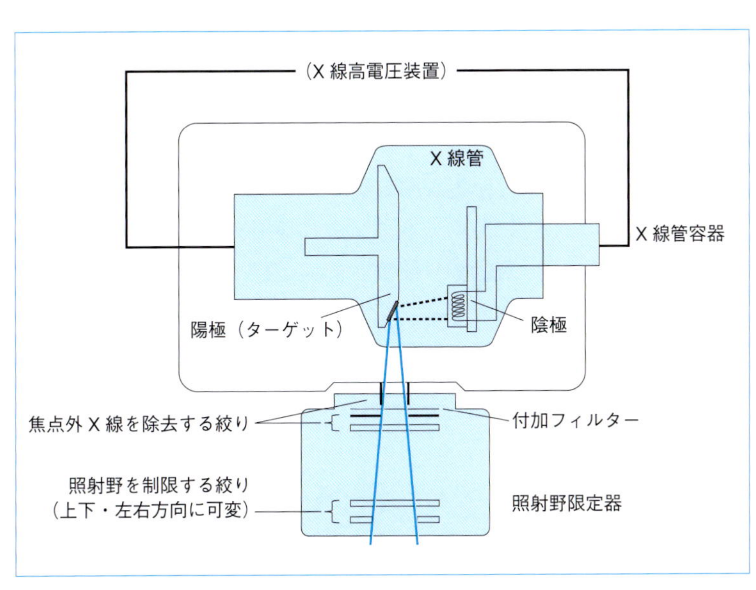

図3-1-1　X線管容器と照射野限定器
管容器はX線管とその周囲には絶縁と冷却を目的とした油で満たされている．一般のX線管では陽極を回転させ，円周全体をターゲットにする．電子流に直交する方向のX線のみを取り出して，照射野限定器内の可動絞りにて必要最小限の矩形のX線束として患者に投影する．

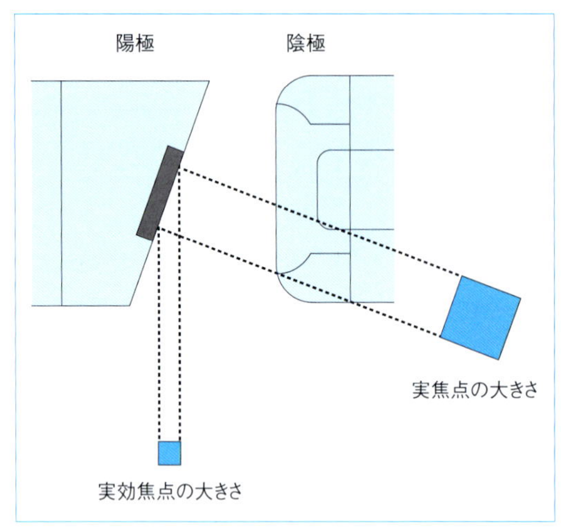

図 3-1-2　実焦点と実効焦点
X 線管の焦点．電子流の衝突する面（実焦点）はある面積をもつが，X 線を取り出す方向から見ると，その焦点は小さく見える（実効焦点）．

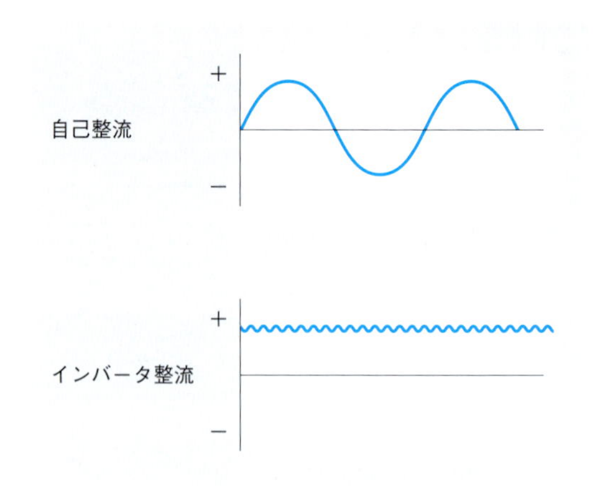

図 3-1-3　整流方式と管電圧波形
自己整流方式では交流の管電圧が X 線管にそのまま印加され，陽極に正（プラス）の電圧が印加されたときのみ X 線が発生する．インバータ整流方式では管電圧はほぼ一定になる．

の運動方向（X 線管軸方向）と直交する方向に発生したものとし，画像形成に影響する焦点の面積（**実効焦点**の面積）は小さくする（図 3-1-2）．なお，X 線管は直流とする必要があるので，交流を整流する必要があり，現在はインバータ整流方式が広く用いられており，X 線管に供給される管電圧はほぼ一定で安定している（図 3-1-3）．

X 線管から放出される制動 X 線（連続 X 線）には，低エネルギーの X 線が多く含まれている．この低エネルギーの X 線は透過力が弱く，皮膚などで吸収されて検出器に到達しないため，X 線像の形成には寄与しないばかりか，患者の被曝線量を増大させる．このような低エネルギーの X 線を取り除くために，アルミニウムの濾過板を用い，これを付加フィルタ（**付加濾過**）とよぶ．一方，X 線管焦点で発生した X 線は，濾過板に到達する前に X 線管ガラス，冷却・絶縁用の絶縁油，さらに照射窓の物質などを通過する．低エネルギーで透過力の弱い X 線はここでも吸収されるため，濾過の役割を果たすことになる．これは固有フィルタ（**固有濾過**）とよばれ，アルミニウムの等価厚さにして 1 mm 弱程度とされる．濾過の程度は固有濾過と付加濾過の和である**総濾過**で示され，たとえば管電圧 70 kV を超える場合では 2.5 mmAl 当量以上の総濾過が必要とされている（医療法施行規則）．X 線のエネルギー分布は横軸に光子エネルギー（keV），縦軸に X 線光子数をとったエネルギースペクトルとして表現されるが（p.26，図 2-1-7 参照），濾過の程度によって変化する（図 3-1-4）．X 線の線質は便宜的に**半価層**（half value layer；**HVL**，透過 X 線量を入射 X 線量の 1/2 にするために必要な吸収板の厚さ [mmAl]）で示されるが，管電圧と濾過が増加すれば，半価層は大きくなる．

照射野限定器は，X 線を対象とした部分のみに照射できるように照射野を限定する装置で，**可動絞り装置**とよぶ（図 3-1-1）．入射した皮膚面で X 線に照射される部分を**照射野**とよび，これを必要最小限にする．照射野を限定すれば散乱線の発生量が減少し，画質向上につながる．

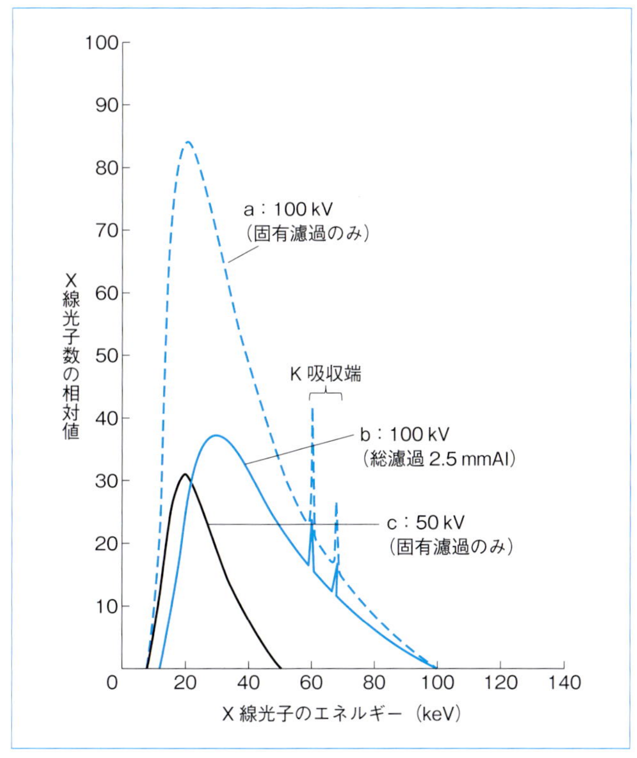

図 3-1-4　ろ過と管電圧の変化に伴うエネルギースペクトルの変化（模式図）

a：管電圧 100 kV で，固有濾過 0.5 mmAl を想定.
b：管電圧 100 kV で，総濾過 2.5 mmAl を想定.
c：管電圧 50 kV で，固有濾過 0.5 mmAl を想定.
（Lamel DA et al, 1981[1] より改変）

2）X 線と生体との相互作用：被写体コントラストの形成

X 線が検査対象の被写体に入射すると X 線と被写体との相互作用によって，その被写体の構造についての情報が得られる．患者に入射した X 線光子の入射面における二次元的分布は，その数とエネルギーにおいて一様と考える．しかし，患者を通過するうちに，ほとんどの光子は生体を構成する物質との相互作用によって失われ，あるいは散逸し，残りのわずか数%ほどの光子が患者を透過する．これらの透過した光子が，後の X 線像の形成に関わる．患者を透過した X 線光子の二次元的分布は，患者の内部構造に依存して一様ではない．たとえば，肺のように主に空気からなる構造をした部分では多く，反対に骨や歯のような物質の部分では少ない．このように光子の二次元的分布は，その数において部分ごとに異なる．これを**被写体コントラスト**とよぶ（図 3-1-5）．

被写体コントラストは，次の 3 つの因子によって，その大きさが左右される．

①被写体それ自体の構造・構成．具体的には厚さ，密度，原子番号．
② X 線の線質，すなわち管電圧と濾過．
③体内で発生した散乱線の量．

最終的に得られる X 線像においても，これらの因子が大きな影響を与える．

(1) X 線と物質との相互作用

光子と物質との相互作用は，干渉性散乱（レイリー散乱またはトムソン散乱），非干渉性散乱（コンプトン効果），光電効果，電子対生成などがある．このうち，診断に用いるエネルギーの範囲（20～130 kV）では，主として光電効果およびコンプトン効果が起こる．

A．光電効果

入射光子が原子内殻の軌道電子と衝突し，そのエネルギーを軌道電子に与えた後に消滅し，軌道電子を原子の束縛から切り離して**光電子**として放出する（図 3-1-6）．残りのエネルギーは光電子の運動エネルギーになる．光電子の放出に伴って，空位になった軌道に外側の軌道電子が遷移し，特性 X 線が発生する．あるいは特性 X 線の代わりに，外側の軌道電子がオージェ電子として放出される．放出された光電子，オージェ電子，および特性 X 線は，近傍で吸収される．光電効果が起こる確率は，原子番号の 3～4 乗に比例する．診断用 X 線などの遮蔽に鉛などの原子番号の大きな物質を用いるのは，この性質を利用したものである．

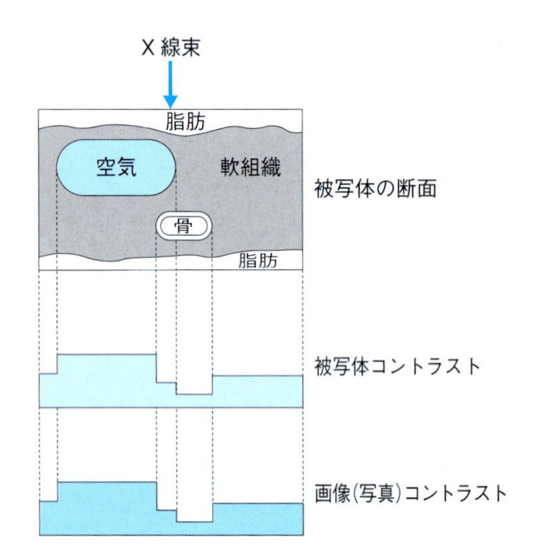

図 3-1-5　コントラストの形成
患者の体内は軟組織，脂肪，空気，骨などからなり，X 線はそれぞれの組織ごとにその透過性が異なる．したがって，患者を透過した X 線の分布は部分ごとに異なったものとなる．これが最終的な X 線画像におけるコントラストとして表現される（Lamel DA et al[1] より改変）．

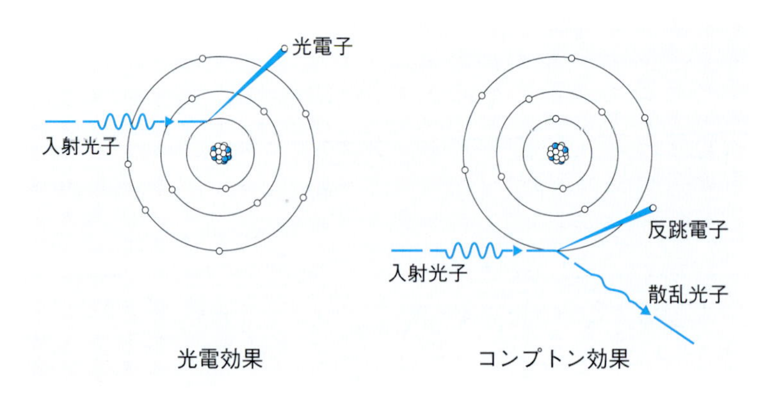

図 3-1-6　光電効果とコンプトン効果
光電効果では，入射光子が原子内殻の軌道電子と衝突し，そのエネルギーを軌道電子に与えた後消滅し，軌道電子を原子の束縛から切り離して光電子として放出する．コンプトン効果では，入射光子が軌道電子と衝突すると軌道電子は反跳電子として放出され，入射光子は散乱される（Lamel DA et al[1] より改変）．

B. コンプトン効果

物質に入射する光子のエネルギーが大きくなり，軌道電子に完全に吸収される光電効果が起こりにくくなると，コンプトン効果が起こる．

コンプトン効果では，入射光子が軌道電子と衝突すると，軌道電子は反跳電子として放出され，入射光子は散乱される（図 3-1-6）．散乱された入射光子を特に**散乱線**という．入射光子のエネルギーは，反跳電子の運動と散乱光子に与えられる．コンプトン効果が起こる確率は，光子エネルギーと物質の密度に比例する．

(2) 被写体コントラストの形成

被写体コントラストは，基本的には物質の厚さ・密度・原子番号によって決まる．同じ厚さの骨と軟組織（水等価）があると仮定する．光電効果が実効原子番号の 3 乗に比例し，コンプトン効果が密度に比例して起き，また，骨と軟組織の実効原子番号をそれぞれ 13.8，7.4 とし，密度をそれぞれ 1.85, 1.0 と仮定する．入射した X 線の吸収が光電効果だけとすると，透過した線量の比は骨：軟組織でおよそ 1：7 になる．また，コンプトン効果だけとすると，およそ 1：2 である．このように，光電効果だけの場合のほうが，透過する X 線光子数の比が大きくなり，結果的に被写体コントラストは大きくなる．

実際には，光電効果もコンプトン効果も起こる．光子が光電効果を起こすかコンプトン効果を起こすかは確率的であり，その光子のもつエネルギーに依存する．前述のとおり，非常に低いエネルギーの光子であれば，光電効果のみを起こす．エネルギーが上昇するにつれて，コンプトン効果を起こす確率が増加する．したがって，一般的に管電圧を高くすれば，あるいは濾過を多くすれば，高エネルギーの光子数が相対的に増えるため，コンプトン効果の起こる確率が高くなる．これにより，被写体コントラストの相対的な低下を招く．参考のために主要な物質の実効原子番号と密度を示す（表 3-1-1）．

表 3-1-1 主要な生体物質の実効原子番号と密度

物質	実効原子番号	密度（g/cm^3）
脂肪	5.92	0.91
水・筋肉	7.42	1.0
空気	7.64	0.00129
骨	13.8	1.85
エナメル質	15.5	2.9
象牙質	13.5	2.4
アルミニウム	13	2.7
チタン	22	4.50
鉛	82	11.34

複数の元素からなる物質に対しては，それぞれ元素の構成百分率から実効原子番号を算出する（Lamel DA et al, 1981[1]；久保亮五・他編, 1987[2] より作成）．

3）散乱線とその除去

検出器の面に到達した X 線には，患者を透過して直進した一次 X 線と，コンプトン効果によって生じた散乱線が含まれる（図 3-1-7）．散乱線の量は照射される領域の大きさに依存し，大きいほど多くなる（図 3-1-8）．また，散乱線はコンプトン効果により発生するため，用いた管電圧が高いほどより多くの散乱線が発生する．

本来，被写体コントラストは，一次 X 線のみ

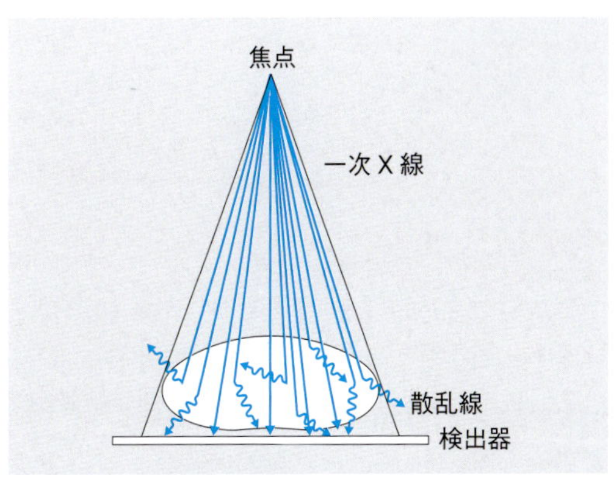

図 3-1-7 散乱線の発生
被写体に入射した X 線は散乱し，その一部が検出器に入射する（Lamel DA et al, 1981[1] より改変）．

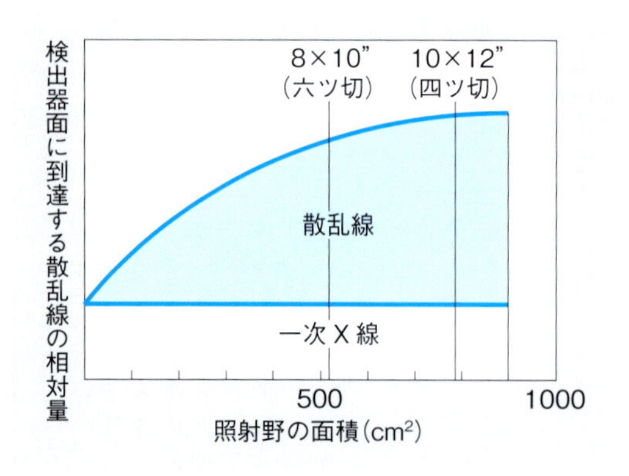

図 3-1-8　散乱線の相対量
管電圧 100 kV，被写体の厚さを 30 cm としたとき，照射野を大きくすると検出器に入射する散乱線の相対量が増加することがわかる．たとえば 10×12 インチ（いわゆる四ツ切の大きさ）の場合，一次 X 線より散乱線のほうが数倍多いといえる（Lamel DA et al, 1981[1] より改変）．

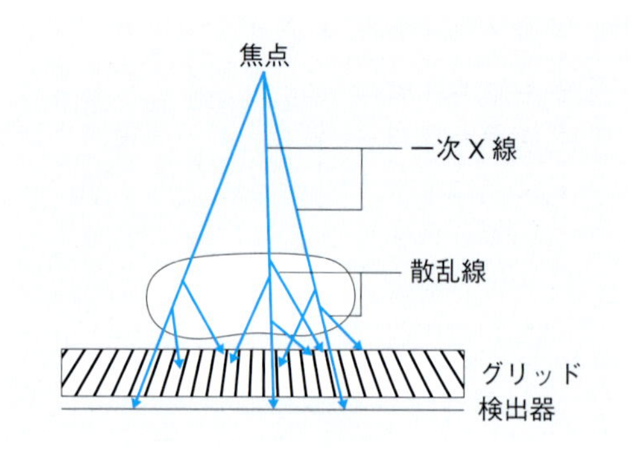

図 3-1-10　グリッドの仕組み
グリッドは散乱線の多くをその壁で吸収することによって減少させる（Lamel DA et al, 1981[1] より改変）．

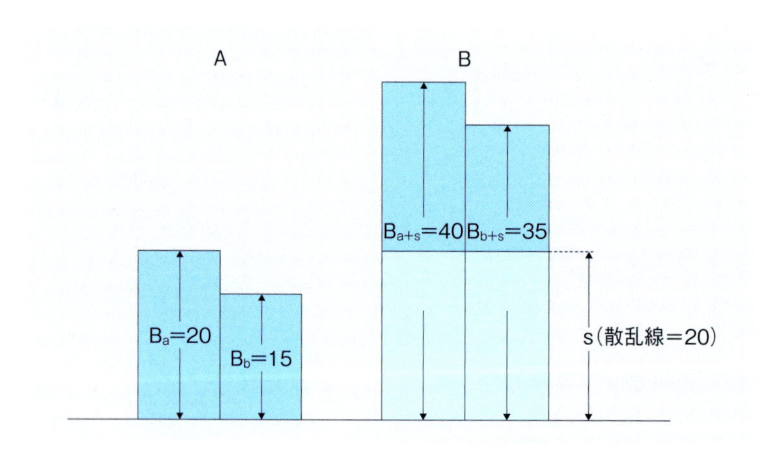

図 3-1-9　散乱線が被写体コントラストに及ぼす影響
散乱線は被写体コントラストを低下させる．コントラストを 2 つの部分（a, b）の線量の差の比〔$\frac{B_a - B_b}{B_a} \times 100(\%)$〕とすると，散乱線がない場合（A）のコントラストは 25% であるのに対して，散乱線がある場合（B）のコントラストは 12.5% となる（Ter-Pogossian MM（宮川　正監訳），1970[3] より改変）．

で形成されるべきものであるが，散乱線が含まれるために，被写体コントラストが低下する（図 3-1-9）．この散乱線の量は，検出器面上で一様と考えられ，結果として画像（写真）コントラストの低下を招く．特に画像上で明るい部分における画像（写真）濃度の上昇は，暗い部分のそれに比べて大きい影響を与える．散乱線は，入射した X 線に含まれるすべての物質から発生する．散乱線を完全に除去することは不可能であるが，これを減少させるためには，まずは照射野を絞りによって必要最小限とすることで，照射される容積が小さくなり，散乱線の量は減る．そのうえで，**グリッド**を使用して散乱線をできるだけ少なくする．グリッドには鉛箔が並んでおり，一次 X 線は鉛の壁にほとんどぶつからずに通過できるが，一次 X 線と異なる方向の散乱線はこの壁で吸収され，検出器面に到達できないため散乱線を除去できる（図 3-1-10）．一方，一次 X 線の一部がグリッドによって吸収されたり，鉛の壁の介在物質によって吸収されたりするため，照射線量を大きくする必要がある．鉛の壁の高さと間隔との比を**グリッド比**とよぶ．グリッド比の高いグリッドは，散乱線をよく除去する反面，照射線量が多くなり，患者被曝を増加させる．通常の 90 kV 以下の撮影であれば 8：1，それ以上の高圧撮影であれば 10：1 などのグリッド比が用いられる．

4）X 線の投影と画像への影響

X 線検査の対象である生体組織や病巣は三次元的な構造であるが，X 線像として投影されるのは 2 次元の平面像であるために，さまざまな条件により，投影画像に変化が生じる．

(1) 像の拡大

X 線撮影では，焦点から被写体に対して，中心線（主線）を中心として円錐状に広がりながら直進するので，画像は常に拡大して投影される（図 3-1-11）．その拡大率は，被写体と検出器が平行であれば，焦点被写体間距離に対する焦点・検出器間距離の比となる．したがって，X 線像を被写体の実長に近づけるためには，被写体と検出器を可能なかぎり密着させるか，焦点を被写体から可能なかぎり離す．

(2) ひずみ

被写体と検出器（フィルム）が平行ではない

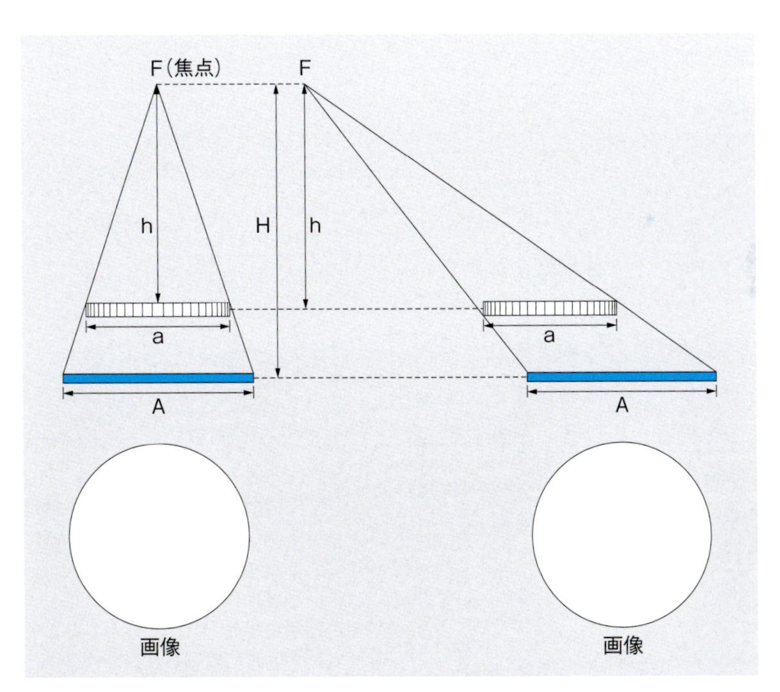

図 3-1-11　画像の拡大

硬貨を被写体とし，焦点と検出器（フィルム）との間に検出器に対して平行に置く．硬貨の中心を通って検出器に直角に X 線を入射した場合（左），X 線を斜めに入射した場合（右），いずれの場合も拡大されて投影される．焦点被写体間距離を h，焦点・検出器間距離を H とすると，硬貨の長さ a は，検出器上での長さ A となり，これは a×H/h として投影される．H/h が拡大率である．

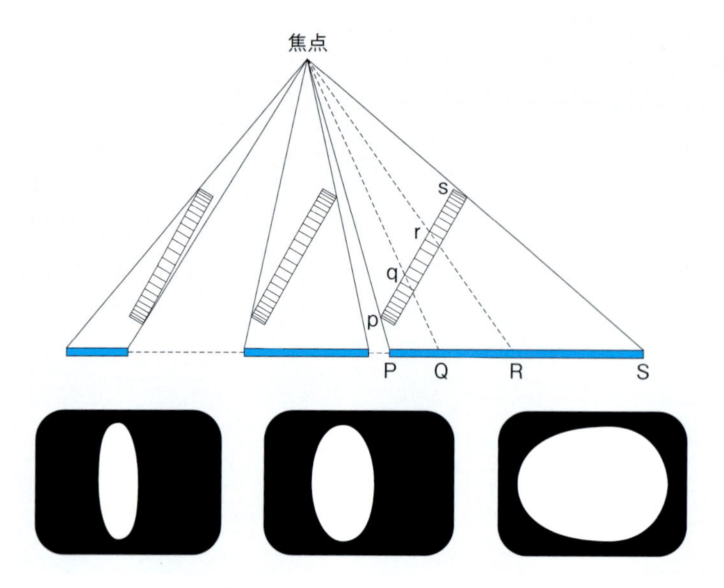

図 3-1-12　**画像のひずみ**
検出器（フィルム）に対して硬貨を傾斜させる．X 線の投影角度が異なると，縮小ないし拡大されて投影され，しかも像はひずむ．たとえば，p-q，q-r，r-s の長さは等しいが，P-Q，Q-R，R-S の長さは異なる．

とき，被写体各部の拡大率がそれぞれ異なるため，像はひずむ（図 3-1-12）．ひずみの程度は，検出器に対する被写体の傾斜角によって，また，傾斜角が同じでも，X 線束内の被写体の位置によって検出器までの距離が異なるため，部位ごとに拡大率の違いが生じ，立体構造全体が歪んで投影される．同一被写体内においても同様なことが生じる（図 3-1-13）．このように，解剖構造や病巣の形態ならびに位置のひずみを少なくし，正確な画像を得るためには，診断目的部位を可能なかぎり検出器と平行に置き，その部位に直角に中心線を入射することが大切である．

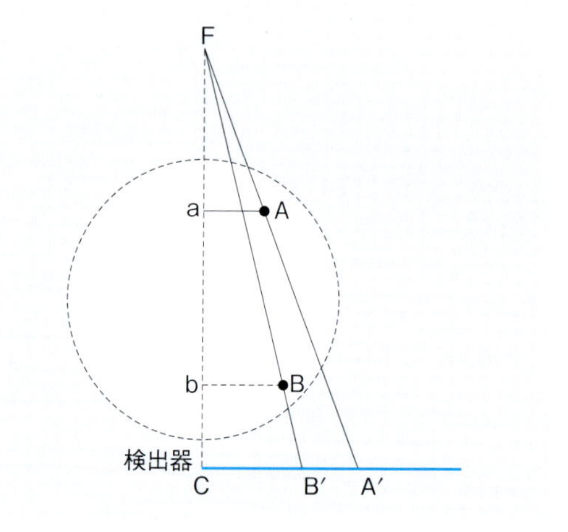

図 3-1-13　**位置のひずみ**
A は B よりも実際には内方に存在する．しかし，A は A′に，B は B′に投影されるので，A は B よりも外方に写る．それは検出器（フィルム）上で A から中心軸までの距離（A-a）が B から中心軸までの距離（B-b）よりも拡大されて投影されたためである．これを位置のひずみという．

(3) 半　影

これまでは焦点を点であるとして述べてきたが，実際には，焦点には必ずある面積が存在する．したがって，画像の辺縁には，半影が生じる．半影は画像の輪郭を不鮮鋭にする．この画像の辺縁の暈（かさ）のことを，**幾何学的不鮮鋭度**という．X 線画像では，半影は小さいほうがよい．そのためには，①被写体をできるだけ検出器に近接させる，②焦点・検出器間距離を長くする，

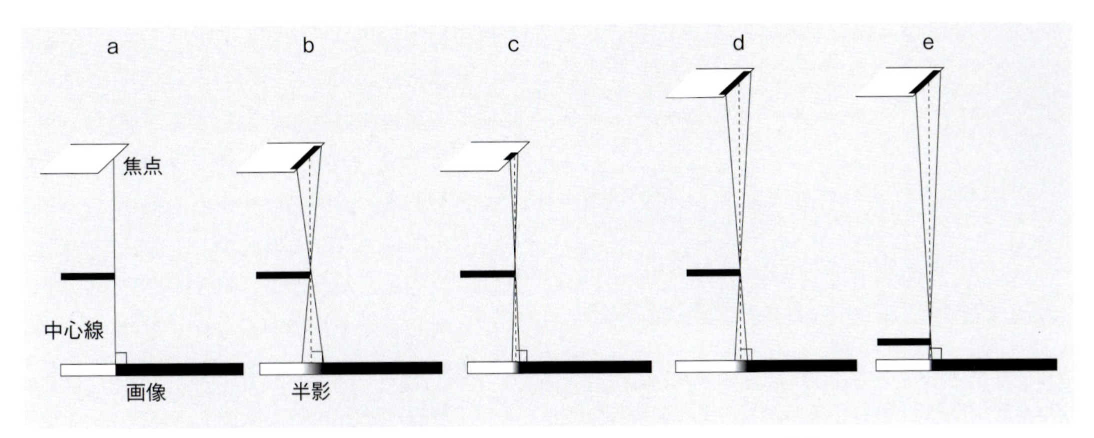

図 3-1-14　**焦点の大きさ，被写体・検出器（フィルム）間距離と半影との関係**
a：焦点が点であれば半影は生じない．
b：焦点が大きいと半影が大きい．
c：焦点を小さくすれば半影は小さくなる．
d：焦点・検出器間距離を長くすれば，半影は小さくなる．
e：被写体と検出器を近づければ，半影は小さくなる．

などの工夫をする（図 3-1-14）．なお，拡大撮影が必要なときは，被写体・検出器間距離が大きくなり半影が大きくなるので，焦点の小さいX 線管を用いて半影を少なくする．

(4) 接線効果

被写体の隣り合う構造同士に，その境界面を挟んであるレベル以上の X 線透過性の差が存在する場合，その境界面に接点をもつように X 線束が入射されると，その構造の輪郭が明瞭に描出される．このような現象を接線効果といい，隣接面のエナメル質や歯根膜腔がよくみえるのはこのためである（図 3-1-15）．

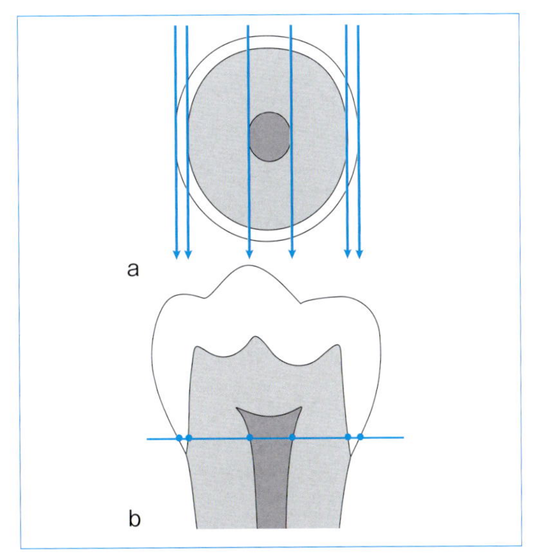

図 3-1-15　**接線効果**
X 線に接線となった部分（a）が画像上では線として描出される（b）．実際の画像では，エナメル質，象牙質，歯髄腔などの輪郭は接線となった部分が描出されたものである．

(5) 重　積

X 線束に対し，2 つ以上の構造が前後的に存在する場合，それらの構造の X 線透過性の相違によって，X 線画像として描出が可能なときと不可能なときが生じる．これを重積という．たとえば，口腔軟組織に生じた石灰化像が顎骨と重積して投影されたために，X 線画像として描出されないことがある（図 3-1-16）．このような場合は，投影方向を変える必要がある．

一方，重積は二次元画像において生じるが，近年，歯科領域に導入された歯科用コーンビーム CT（CBCT）を用いるとこれを解決することができる．たとえば，上顎切歯部分によくみられる過剰埋伏歯は切歯と重積して投影される．

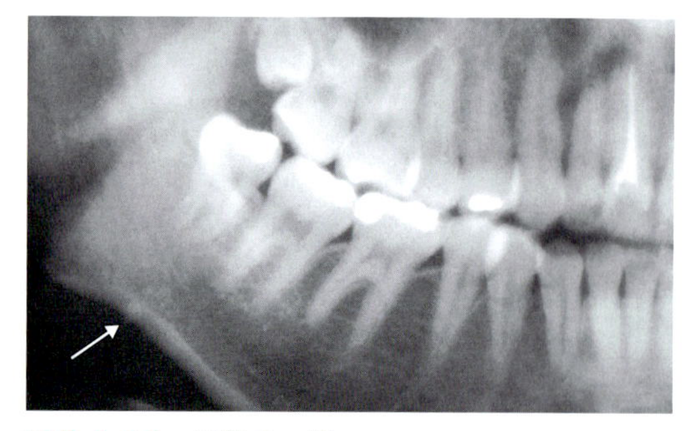

図 3-1-16　**重積の一例**
顎下腺導管内に生じた唾石（矢印）が下顎骨下縁の皮質骨と重なって投影されたため，皮質骨の不透過像に隠されて認めにくい．しかし，投影角度がわずかに異なって皮質骨の下方に投影されれば，透過性の背景に不透過性の構造物として認められる．

埋伏歯は歯科用コーンビーム CT 画像にて切歯の口蓋側に位置することがわかる（図 3-1-17）．同様に下顎智歯は近傍を走行する下顎管に近接している．パノラマ X 線画像では両者が重積することがある．歯列に直交する歯科用コーンビーム CT 画像では智歯の歯根と下顎管が実際は離れていることがわかる（図 3-1-18）．このように二次元画像で重積がみられ，その三次元的な位置関係を把握する必要がある場合には，CT などの断層画像でこれを解決する．

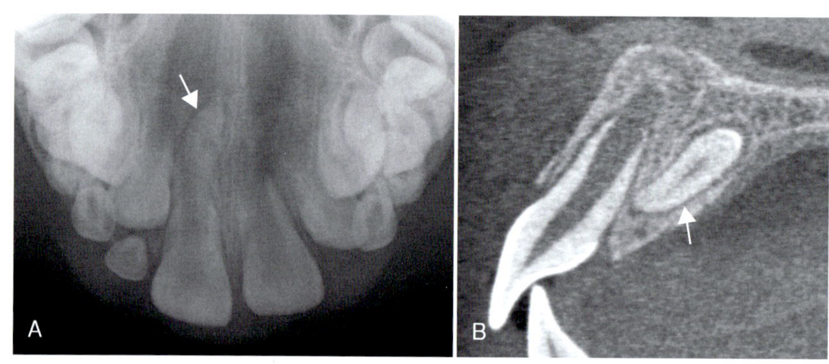

図 3-1-17　**重積の歯科用コーンビーム CT による解決①**
上顎右側中切歯に重積して過剰埋伏歯がみられる（A，矢印）．歯科用コーンビーム CT の矢状断像（B）では過剰埋伏歯は中切歯の口蓋側に位置することがわかる．

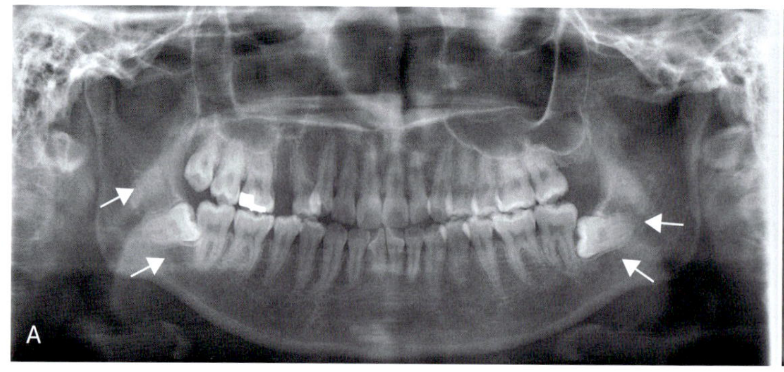

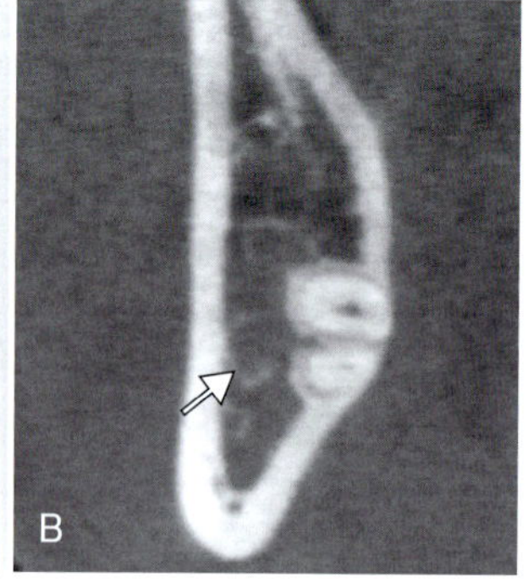

図 3-1-18　**重積の歯科用コーンビーム CT による解決②**
下顎両側に埋伏智歯がみられ，その歯根に下顎管が重積している（A，矢印）．歯科用コーンビーム CT 画像では右側で歯根から離れて外側に位置している（B，矢印）．

2 デジタル撮影

1）デジタル画像の形成

現代は，文字，数字，音，画像などの情報すべてをコンピュータで取り扱うデジタルトランスフォーメーション（Digital Transformation；DX）の時代である．画像は，コンピュータで二進数の数値データとして取り扱われるため，数字の桁を表すディジット（digit）に由来して**デジタル画像**とよばれる．被写体を透過したX線を捉えてコンピュータでデジタル画像として可視化するのがデジタルX線画像である．

デジタル画像には，画像を色の付いた**画素**とよばれる点の集まりとして表現する**ビットマップ（ラスター）画像**と，画像の線や色を方程式で表現する**ベクター（ベクトル）画像**がある．X線画像は，ビットマップ形式のデジタル画像である（図3-2-1）．

(1) 画　素

ビットマップ形式のデジタル画像の基本（最小）単位が画素である．画素は「画像の細胞」を意味する造語である**ピクセル**（pixel）とよばれる．画素は原則的に正方形で，大きさは一辺の長さを用いて0.1 mm（0.1×0.1 mm）のように表現される．画像の大きさは画像の解像度を決定する要素の1つである．デジタル画像には画像に色が付いたカラー画像のほかに，白から黒までの灰色の濃淡をもった画素でできた**グレイスケール**（白黒）**画像**がある．医療に用いられるX線画像は，すべて基本的にグレイスケール画像である．二次元画像の画素は正方形であるが，CTなどの三次元画像の基本単位は**ボクセル**（voxel）とよび，CTやMRIでは直方体ないし立方体で，コーンビームCTでは立方体

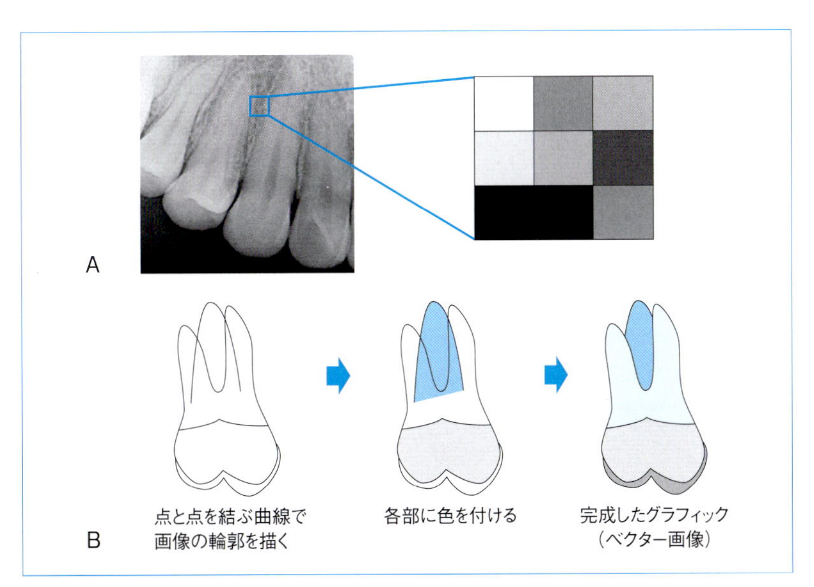

図3-2-1　ビットマップ画像とベクター画像
A：ビットマップ画像．X線画像など，色のついた小さな正方形である画素（ピクセル）で構成された画像．
B：ベクター（ベクトル）画像による歯のイラスト（グラフィック）作成過程を示す．ベクター画像は，点とそれを結ぶ線や面の方程式，および塗りつぶしの色などの情報によって構成される．

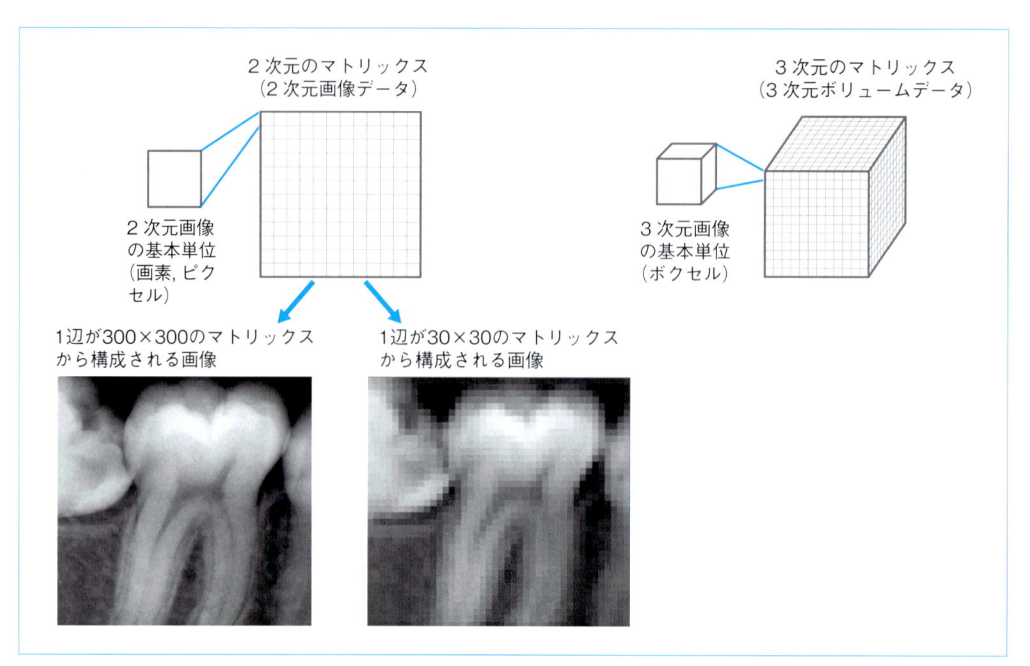

図 3-2-2　画像の基本単位とマトリックス

となる．画素（ピクセル），ボクセルとマトリックスの概念を図 3-2-2 に示す．

画像が縦横いくつの画素からできているか，すなわち画素の配列を表す概念がマトリックスである．たとえば，1 枚の断面 CT 画像は 512×512 画素のマトリックスが多く，パノラマ X 線画像は 3,000×1,500 画素のマトリックスであることが多い．

(2) 標本化と量子化

デジタル画像の品質は画素の細かさと色の細かさに影響される．デジタル画像をつくるときに画素の細かさを決める作業を**標本化**という．これに対して，画素に付ける色の細かさ（階調数）を設定する作業を**量子化**という．

標本化の単位（スケール）はさまざまで，画像上の 1 インチにいくつの画素があるかを表す dpi（dot per inch，ドット毎インチ）や，1 つの画素の一辺の大きさ（ピクセルサイズ，mm 単位）で表される．

量子化で設定する色の細かさは，特に X 線画像などのグレイスケール画像では，画像濃度とよばれることが多い．濃度階調を表す単位としてよく用いられるのが**ビット**（bit）数である．コンピュータは計算を二進数で処理することから，ビット数は二進数の桁数であると考えるとわかりやすい．最も単純な 1 ビットの画像は白と黒の二色しか色をもたないが，2 ビットでは 2 の自乗で 4 段階の色をもつことができる．ビット数を増やしていくと 8 ビットでは 256 段階，10 ビットでは 1,024 段階の色が表現できることになる．ビット数の概念を図 3-2-3 に示す．コンピュータで表示される標準的なグレイスケール画像は 8 ビット（256 段階）であるが，より幅広い濃度階調が要求される医用画像では，12 ビット（4,096 段階）または 16 ビット（65,536 段階）が用いられる．

(3) 解像度と空間分解能

解像度（resolution）は，画像上でどこまで細かいものが識別できるかを示す指標である．**空間分解能**（spatial resolution）もほぼ同じ意味

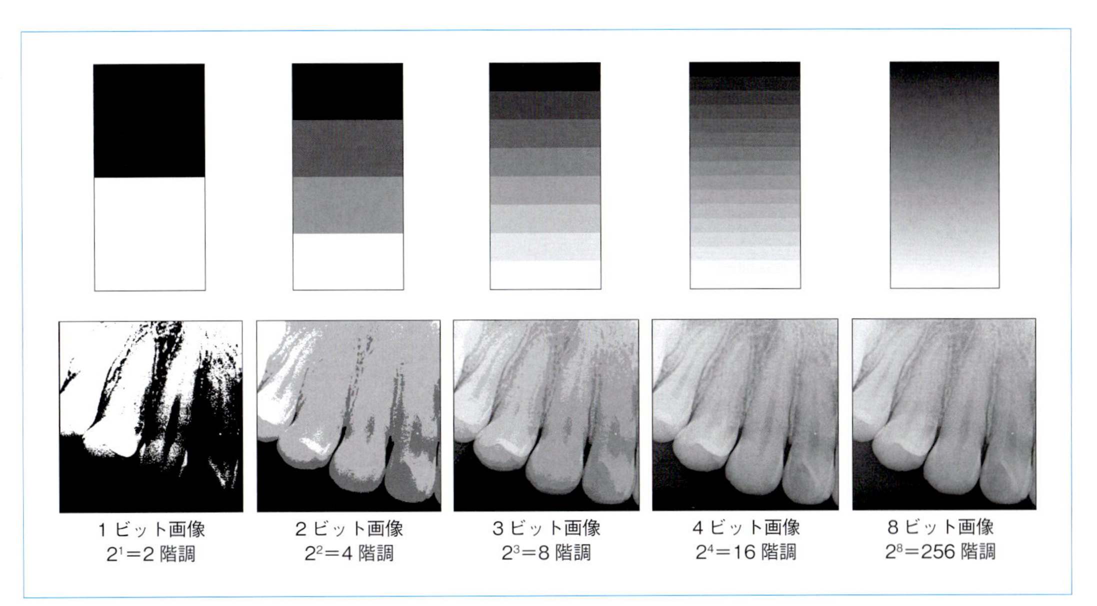

図 3-2-3　ビット数と濃度階調

をもつ用語である．解像度を決める因子は，X線検出器の基本単位となる素子の大きさとデジタル画像の「画素の大きさ」〔口内法 X 線画像ではおよそ 0.05 mm（50 μm），パノラマ X 線画像ではおよそ 0.1 mm（100 μm）〕である．

X 線画像の解像度を評価するには，画像上で等しい幅をもつ明暗の線対（ラインペア）が 1 mm にいくつ識別できるかを測定し，**LP/mm**（ラインペア／ミリメートル）で表す．歯科 X 線画像のラインペア解像度は，パノラマ X 線撮影でおおよそ 2〜3 LP/mm，口内法 X 線撮影で 4〜6 LP/mm 程度である．

実際の検査では，被写体の大きさや，被写体・検出器・X 線焦点の位置関係や半影の大きさ，撮影装置や画像表示ソフトウエアにより施された画像処理の有無と程度によって解像度は変動する．

(4) コントラスト分解能（濃度分解能）

被写体（生体）を透過した X 線量の差が X 線コントラスト（**被写体コントラスト**）である．これを画像として描出する能力が**コントラスト分解能**（濃度分解能）である．コントラスト分解能は画像の種類，あるいは画像を得る方法（モダリティ）により異なり，コントラスト分解能を評価する方法もモダリティにより異なる．X 線画像の場合，厚みや密度を段階的に変化させた模擬被写体（ファントム）を撮影して画像濃度を計測する方法が用いられる（p.82,「デジタル画像の画質とその評価」参照）．

(5) デジタル画像のデータ量

コンピュータのデータ量の単位は**バイト**（byte）である．1 バイトは二進数 8 桁（256 通り）に相当し，8 ビットの濃度階調をもつ画素 1 個が 1 バイトのデータ量となる．9 ビット〜16 ビットの濃度階調をもつ画素 1 個のデータ量は，その倍の 2 バイトである．

ビットマップ形式の画像のデータ量は以下のように計算される．

①8 ビット画像の場合：【画像マトリックス内の総画素数（縦×横）×1（1 画素 1 バイト相当）】

②9〜16 ビット画像の場合：【画像マトリックス内の総画素数（縦×横）×2（1 画素 2 バイト相当）】

③データ量の単位をバイトからキロバイト，

表 3-2-1　歯科 X 線画像のデータ量

撮影法	標準的な画像マトリックスの大きさ	8 ビット（256 階調）画像のデータ量	9〜19 ビット（512〜65,536 階調）画像のデータ量
口内法標準型（デンタル）（4×3 cm）	800×600	800×600×1÷1,024＝469 キロバイト	800×600×2÷1,024＝938 キロバイト
パノラマ（30×15 cm）	3,000×1,500	3,000×1,500×1÷1,024÷1,024＝4.3 メガバイト	3,000×1,500×2÷1,024÷1,024＝8.6 メガバイト
CT・CBCT（1 断面）	512×512	512×512×1÷1,024＝256 キロバイト	512×512×2÷1,024＝512 キロバイト
CT・CBCT（ボリュームデータ 300 枚）	512×512	512×512×1×300÷1,024÷1,024＝75 メガバイト	512×512×2×300÷1,024÷1,024＝150 メガバイト

キロバイトからメガバイトに変換するときには，それぞれ 1,024 で割る．

④CT のように，1 回の検査で数十〜数百枚の画像が作られる撮影では，1 枚のデータ量に画像の枚数を掛けて計算される．

表 3-2-1 に，歯科の臨床でよく用いられる X 線撮影法の標準的な画像におけるデータ量を示す．

(6) 画像データの種類

デジタル画像のデータは書類（ファイル）としてコンピュータの記憶媒体に保存される．デジタル画像データの表示，保存，転送，利用に関係する画像ファイルにはさまざまな種類（形式）がある．たとえば，**JPEG 形式**はホームページなどで汎用されるカラー静止画像を圧縮して保存する国際規格である．医用の画像データを取り扱う **DICOM**（Digital Imaging and Communications in Medicine，**ダイコム**）は，16 ビット画像を取り扱い，CT・MRI などの医用画像装置，プリンタ，電子カルテ，情報システムなどの間で画像データを通信したり，保存したりする標準形式となっている（第 4 章 14「医療情報とデジタル画像の統合」参照）．

DICOM 画像ファイルは Patient（患者），Study（スタディ），Series（シリーズ）および Image（イメージ）からなる階層をもっている．個々の患者に対する 1 回の画像検査をスタディとよぶ．臨床では，しばしば 1 人の患者に複数回の画像検査が行われる．たとえば，9 月 10 日に X 線撮影が行われ，11 月 20 日に CT 検査が行われたとすると，それぞれの検査が 1 つのスタディとして扱われる．スタディの下の階層がシリーズである．CT 検査（スタディ）を行い，Axial（軸位）断面と Sagittal（矢状）断面が，それぞれ 50 枚撮影されたとすると，各断面の画像が 50 枚のシリーズとなる．シリーズに含まれる画像の 1 枚ずつがイメージである．1 枚しか画像ができない X 線撮影は，イメージが 1 枚だけのシリーズ，そしてシリーズが 1 つだけのスタディである．例外的なものを除いて，1 枚のイメージが 1 つの DICOM ファイルとなる．こ

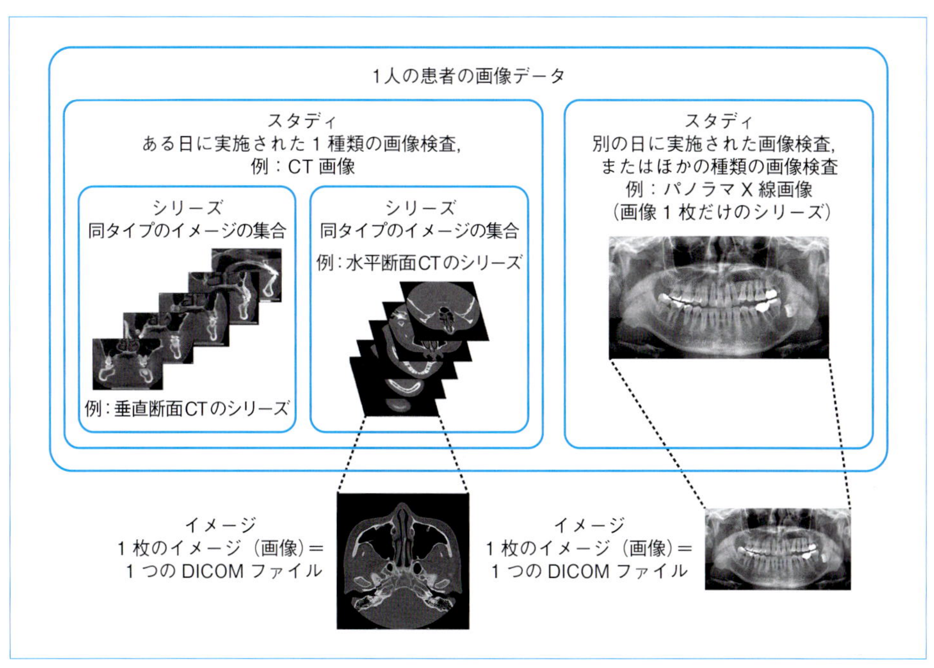

図 3-2-4　DICOM ファイルの階層構造（スタディ，シリーズ，イメージの概念）

の概念に基づいて**画像データベース**を構築すると，ある患者を選択してデータを呼び出すことにより，患者の画像をまとめて観察することができる（図 3-2-4）．医療現場で使われている**DICOM 画像データベースが PACS**（Picture Archiving and Communication Systems，**パックス**）とよばれる画像保存通信システムである．

2）歯科用デジタルX線画像診断システム

歯科 X 線撮影に用いるのは，内部に X 線管を備えて生体に X 線を照射する X 線発生装置，生体を透過した X 線をとらえる X 線検出器，および画像を目に見える形にする画像処理装置である．X 線検出器として（固体）半導体 X 線検出器や蛍光体イメージングプレート（IP）を用いるのがデジタル X 線画像，フィルムを用いるのがアナログ X 線写真である．アナログ X 線写真では，フィルム現像機が画像処理装置にあたる．デジタル X 線画像の場合，コンピュータを用いてモニタで画像を観察するので，コンピュータおよびソフトウエアが画像処理装置となる．また，イメージングプレート（IP）検出器のデジタル X 線撮影システムでは画像の取得にプレート読み取り装置が必要である．さらに，デジタル画像でも，必要に応じて画像を紙や透明シートにプリント（印刷）することがある．

(1) デジタル X 線システムの構成

デジタル X 線システムでは，X 線検出器として半導体を用いるかイメージングプレートを用いるかによって X 線発生装置，X 線検出器，画像処理装置の構成が変化する．X 線発生装置は，システムによる制限がなく従来のアナログ（フィルム）撮影と同じ X 線発生装置が使用できるものと，X 線検出器と連動する専用の X 線発生装置を必要とするものがある．

(2) 歯科用デジタル X 線画像診断システムの特徴

口内法 X 線撮影に使用する X 線発生装置は，従来のフィルムを用いる場合と同じ装置を用いる．デジタル検出器は従来のフィルムより感度が高いので，撮影時間の短縮が可能な場合が多い．デジタルX線検出器には**半導体X線検出器**を用いるものと，**輝尽性蛍光体**を塗布した板（photostimulable phosphor plate；**PSPプレート**）を用いるものがある．PSPプレートは，わが国では**イメージングプレート**（imaging plate；**IP**）とよばれることが多い．また，プレート読み取りシステムはコンピューテッド・ラジオグラフィ（computed radiography；CR）装置ともよばれる．

パノラマ撮影装置は，X線発生器とX線検出器の部分から構成される．X線検出器として半導体検出器を使用する装置では，検出器が装置本体の中に固定され，パノラマ画像形成のための画像処理機能を搭載した専用のデジタル撮影装置となる．フィルムを用いるパノラマ撮影装置では，増感紙・フィルムの組合せに換えて輝尽性蛍光体イメージングプレート（PSPあるいはIP）を用いることによりデジタル撮影システムとなる．

セファログラフィに使用する装置は，専用のセファログラフィ撮影装置を用いる場合とデジタルパノラマX線撮影装置に付加した場合がある．後者の場合はデジタルセンサーとしてパノラマ撮影用装置の半導体検出器を流用する場合が多い（図3-2-5）．

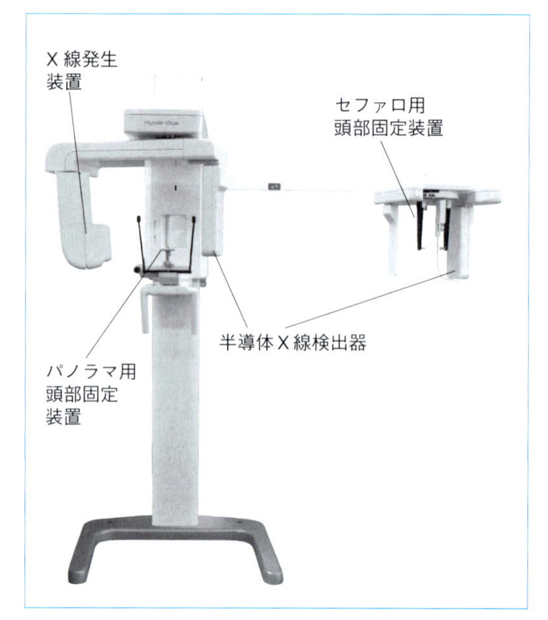

図3-2-5　パノラマ，セファロ兼用のデジタル撮影システム
同じX線発生装置（X線管）で両方の画像を撮影する．X線検出器は，パノラマ撮影用の検出器を2台備えた機種と，1台の検出器を撮影にあわせて付け替える機種がある．

3）半導体X線検出器

半導体X線検出器には，撮影システムによりさまざまな形態と大きさをもつものがある．口内法X線撮影，全身のX線撮影および歯科用コーンビームCT（CBCT）に用いるものは，**平面検出器**，二次元検出器あるいは**フラットパネル検出器**（FPD）とよばれる．パノラマX線撮影のように細く絞ったX線束を用いるスキャノグラム撮影では細い棒状の検出器を用いる．半導体X線検出器の形態と大きさのバリエーションを図3-2-6に示す．パノラマと歯科用コーンビームCT兼用の撮影装置には，歯科用コーンビームCTの平面検出器を部分的に利用してパノラマ撮影するものがある．

X線検出器の基本単位となる素子の大きさは0.01 mm（10 μm）クラスから0.2 mm（200 μm）クラスまであるが，素子の大きさがそのまま画像上の画素の大きさにならないことに注意が必要である．素子を並べた半導体のチップはX線検出に必要な面積が1枚のチップになっているものと，1×1 cm程度の大きさのチップを複数並べたモジュールとしてX線検出面を形成するものがある．

(1) 半導体X線検出の原理

半導体X線検出器は入射したX線を電子回路で検出できるように電気や光に変換する部分と素子単位の細かい回路が作り込まれた回路基

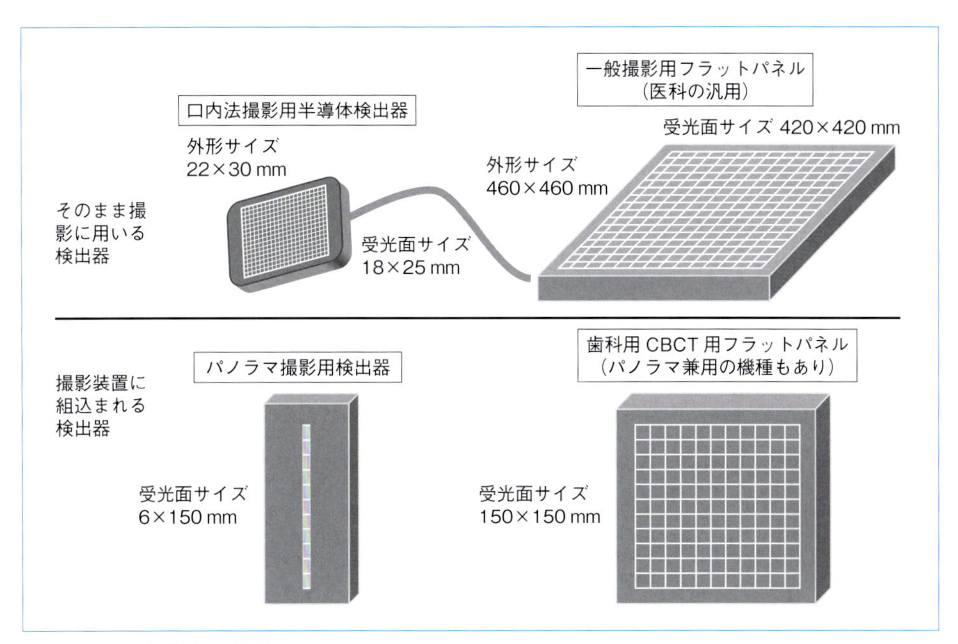

図 3-2-6　半導体 X 線検出器のバリエーション

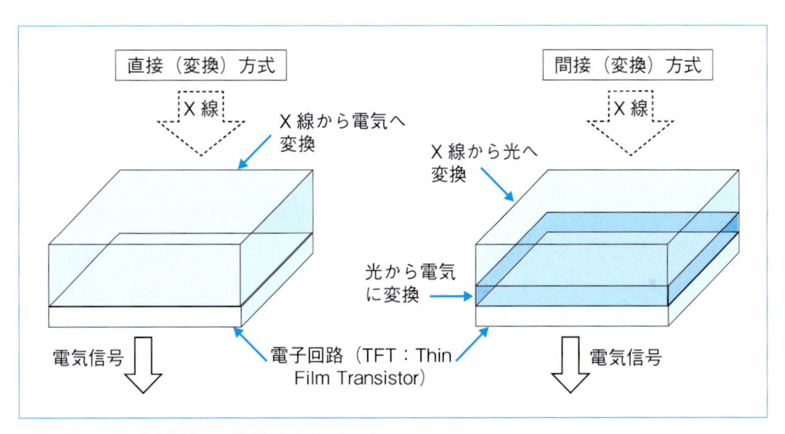

図 3-2-7　半導体 X 線検出器の概略

板，あるいは薄膜トランジスタ（TFT）層により構成される．

X 線をアモルファスセレンあるいは結晶カドミウムテルル（CdTe）の層で直接電気に変換し，回路素子により直接電荷として取得する方法（直接方式）と，硫酸ガドリニウムやヨウ化セシウムなどの蛍光体（シンチレータ）により入射した X 線を光に変換し，その光をデジタルカメラなどで使用されているフォトダイオード（光電変換素子）で電荷として回路に取得する方法（間接方式）がある．

直接方式は間接方式のように光の散乱が画像に影響しないことや高い感度が得られることなどの利点をもつが，製造コストが高くなるなどの問題点もある．回路で検出されたアナログ電気信号は AD コンバータでデジタル信号に変換されてからコンピュータへ転送されて画像を形成する．直接方式と間接方式の半導体 X 線検出器の概略を図 3-2-7 に示す．

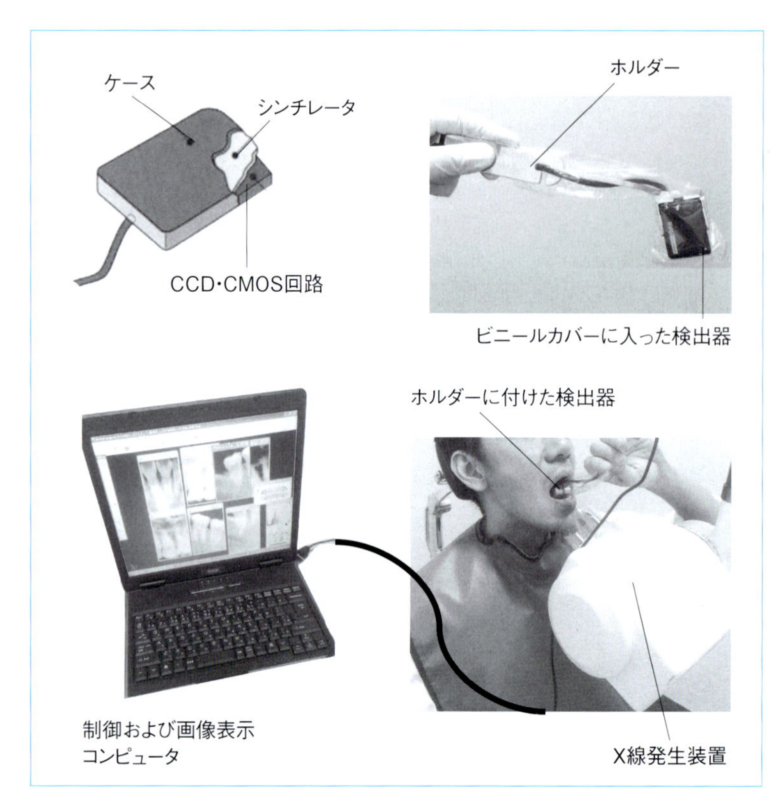

図 3-2-8　半導体検出器による口内法撮影
検出器はコードで，コンピュータにつながれる．スタンバイ状態の検出器は，X 線が照射されると自動的に画像を取得する．

(2) 歯科口内法撮影用半導体検出器

口内法撮影用の半導体検出器は，口腔内で使用するためにケースに密閉されている．検出器は，コードで画像表示ソフトウエアの入ったコンピュータに接続される．ケース内部には蛍光体（シンチレータ）と光電変換素子（CCD もしくは CMOS 回路）が入っている．精密機械である検出器はオートクレーブなどで滅菌できないため，ビニールでカバーして口腔内に挿入する．フィルムや輝尽性蛍光体イメージングプレートと比較して，半導体検出器は厚くて硬いため，保持具を用いて口腔内に固定することが多い．半導体検出器による口内法撮影の概要を図 3-2-8 に示す．

(3) フォトンカウンティング検出器

フォトンカウンティングとは，光の最小単位（粒子）である光子（フォトン）の数を計測して微弱な光を検出する技術の総称である．もともとは微弱な宇宙線や化学物質が発する微弱な蛍光の検出に用いる概念であったが，物質を透過した連続スペクトルの X 線をエネルギー帯域に分けて検出する技術もフォトンカウンティング検出とよばれる．X 線光子を複数のエネルギー帯域に分けて計測すると，被写体を透過して同一ピクセルに到達した X 線がどのようなエネルギー分布であるかがわかる．この透過 X 線のエネルギー情報は，被写体の物質同定や密度計測に応用できる．X 線エネルギーと透過 X 線量の関係（X 線減弱曲線の傾斜）が物質により決まっているためである．

4) イメージングプレート X 線検出器

イメージングプレートは輝尽発光現象を示す特殊な蛍光体を塗布したプラスチック板である．**輝尽発光**（Photon-Stimulated Lumines-

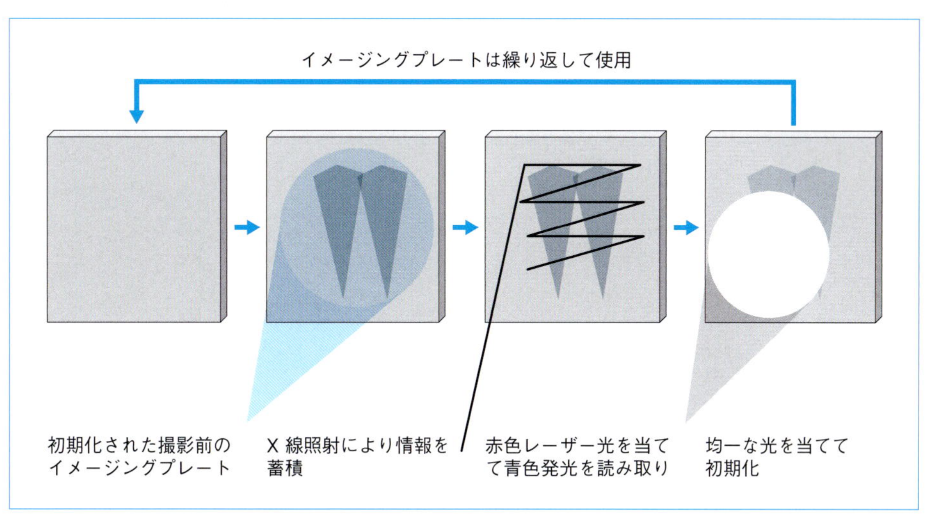

図 3-2-9　イメージングプレートの使用サイクル

cence）現象とは，特殊な蛍光体が波長の短い放射線などを照射された後に，より波長の長い第二の光を照射すると，最初の照射の強さに応じた蛍光（輝尽発光）を起こすことである．

デジタルX線システムの検出器として，X線のエネルギーを蓄積する蛍光物質が塗布された**イメージングプレート**（IP）を使用する．イメージングプレートに蓄積されたX線のエネルギーを画像情報として取得するには，専用の読み取り装置が必要となる．イメージングプレートはアナログのX線フィルムと同じように取り扱えるので，フィルム用撮影装置の構造を変えずにデジタル化したい場合に便利である．パノラマやセファログラムの撮影では，増感紙のない専用のカセッテに入れたイメージングプレートを用いる．

(1) イメージングプレートの原理

プレート表面の蛍光体はX線を照射されると励起され，画像情報が蓄積された状態になる．このイメージングプレートを専用の読み取り装置に入れて赤色レーザーを照射すると，最初に照射されたX線の量に比例した青い蛍光を発するので，これを読み取ってデジタルX線画像としてコンピュータで処理する．読み取り後のイメージングプレートは，白色の均一な光を当てると残像が消去されて記録可能な状態に戻り（初期化され），繰り返して使用される（図 3-2-9）．

(2) 歯科用イメージングプレートシステム

歯科用イメージングプレートシステムには，口内法X線撮影専用のもの，および口内法に加えてパノラマやセファログラムを撮影したイメージングプレートを処理可能なものがある．口内法X線撮影用のイメージングプレートはフィルムと同じ大きさ（No.2サイズで約30×40 mm）のものが供給されている．撮影時は唾液による汚染防止と遮光を兼ねた使い捨ての保護袋に入れて使用し，撮影後は保護袋から取り出して読み取り装置に入れる．撮影後のイメージングプレートに室内照明の白色光が当たると蓄積されたX線情報が減衰するので，保護袋から取り出したイメージングプレートはすばやく処理することが必要である．また，歯科用システムでは手指でイメージングプレートを触ることが多いので，汚れや傷がつきやすくなる．

これに対して，汎用（全身撮影用）システム

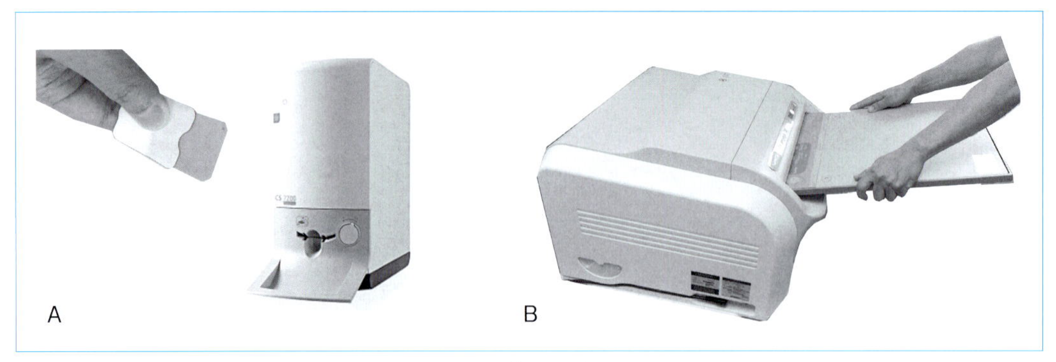

図 3-2-10　口内法および全身 X 線撮影用イメージングプレートシステム
A：口内法 X 線撮影用システム．イメージングプレートを保護袋から取り出しながら読み取り装置に挿入する．
B：全身 X 線撮影用システム．カセッテに入ったイメージングプレートが自動的に読み取り装置に挿入される．

は，イメージングプレートが専用のカセットに入っており，読み取り装置は自動的にカセット内のイメージングプレートを取り出して処理を行う．このため，全身撮影用システムでは撮影後のイメージングプレートが室内照明に当たったり手指で触られたりすることがない．図 3-2-10 に口内法および全身 X 線撮影用イメージングプレートシステムの概略を示す．

5）デジタル画像の観察

デジタル画像は，フィルムレス環境下では通常**液晶モニタ**を用いて観察される．医用画像を液晶モニタに表示する場合，モニタの機種が異なると画像のコントラストも異なってしまう場合がある．医用画像の観察にはデジタル画像の観察に適したモニタを選び，画像表示ソフトウエアを用いて，診断に最適な濃度・コントラストなどに調整したうえで画像診断を行う．

モニタ特性だけでなく，たとえば，モニタ周囲の照度，モニタから眼までの距離，画像の拡大（縮小）率など，画像の観察環境も診断に影響を及ぼす．観察環境はできるだけ一定とし，診断対象に応じた最適な処理を加えて診断を行うことが望ましい．画像処理の基本となるのはグレイスケールを変化させる**階調処理**と，周波数特性を変化させる**周波数処理**であるが，システムによっては画像表示前にそれらの処理が自動的に組み込まれているものもある．

図 3-2-11 は乾燥頭蓋骨の歯および歯槽骨周囲の X 線画像であるが，上段は階調処理のみの画像，下段はそれに周波数処理を加えた画像である．これらは，画像表示前に自動で画像処理が加えられるシステムを用いて得られた画像であるが，診断目的に合わせた画像処理の名前が付けられている．DEJ 処理では，エナメル象牙境の細かな階調変化が把握でき，齲蝕診断には有用なものの やや全体的なコントラストは不足し，逆に Perio＋S ではコントラストが強調されている．一方，解像度は DEJ＋S が最も高く，細かな骨梁の観察に適している．

6）デジタル画像の画質とその評価

画像診断は，画像に含まれる診断情報を抽出し，それを分析・解釈し，最終的には臨床判断へとつなげていく過程である．診察や検査により得られる診療情報を除けば，ほぼすべての情報を画像から得る必要があるため，画像から得られる情報が不十分であれば，適切な診断を行うことができない．画像診断においては，対象に含まれる診断情報は最大限画像に反映されね

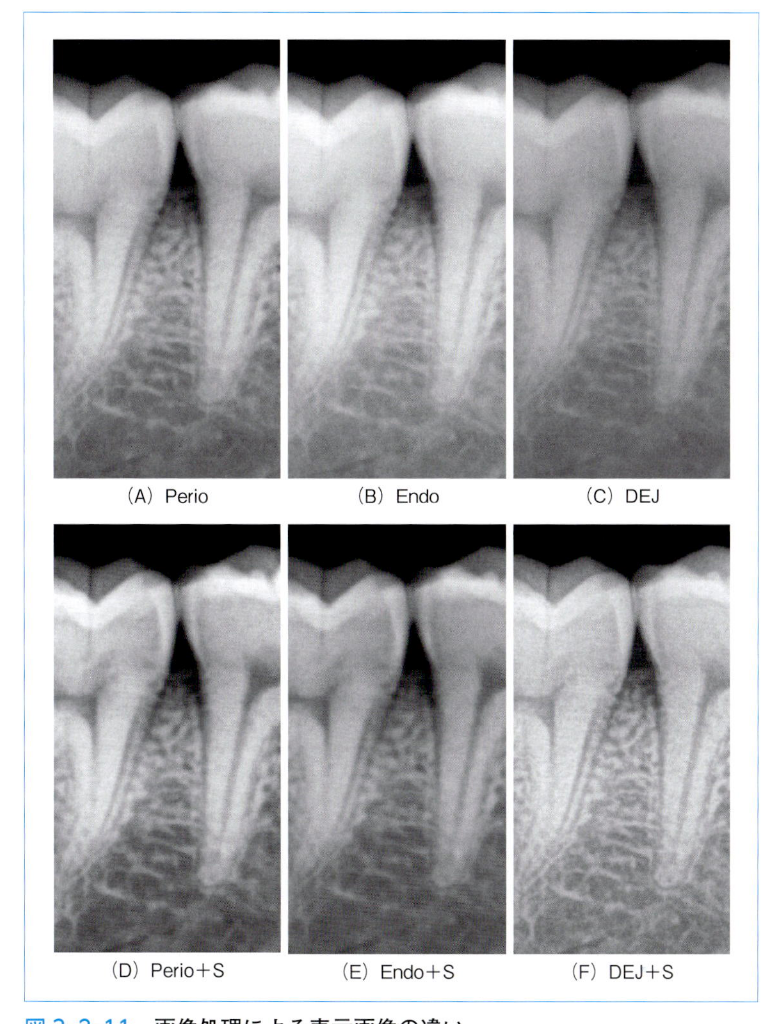

図 3-2-11　画像処理による表示画像の違い
上段（A，B，C）は，それぞれ Perio：歯肉・歯槽部の炎症検出，Endo：根管観察および全体像，DEJ：齲蝕検出に特化した階調処理を加えた画像．**下段（D，E，F）**は，それぞれの画像の高周波成分を強調した画像．画像処理によって歯や歯周組織の見え方が大きく異なることがわかる．

ばならないが，受像系や画像表示装置の影響を受け，種々の情報損失が生じる．したがって，画像化する際の情報損失をなんらかの形で評価する必要がある．

診断画像に含まれる情報量を表す概念が「**画質**」であり，画質がよいということは，画像に含まれる情報量が多い，すなわち，情報損失が少ないことを意味する．後述するように，X 線診断においては，線量を増加させることにより画質を向上させることができるが，これは患者被曝線量の増加にも直結する．そのため，すべての診断画像が最低限誤診なく診断を行うことが可能な画質となるように，画像の評価を行ったうえで画質と線量のバランスがはかられる．

画質は，ビデオやカメラから得られる映像の質を表す用語として日常的にも用いられているが，この場合の画質は，客観的，定量的に評価できる物理的画質や主観的に評価される「見た

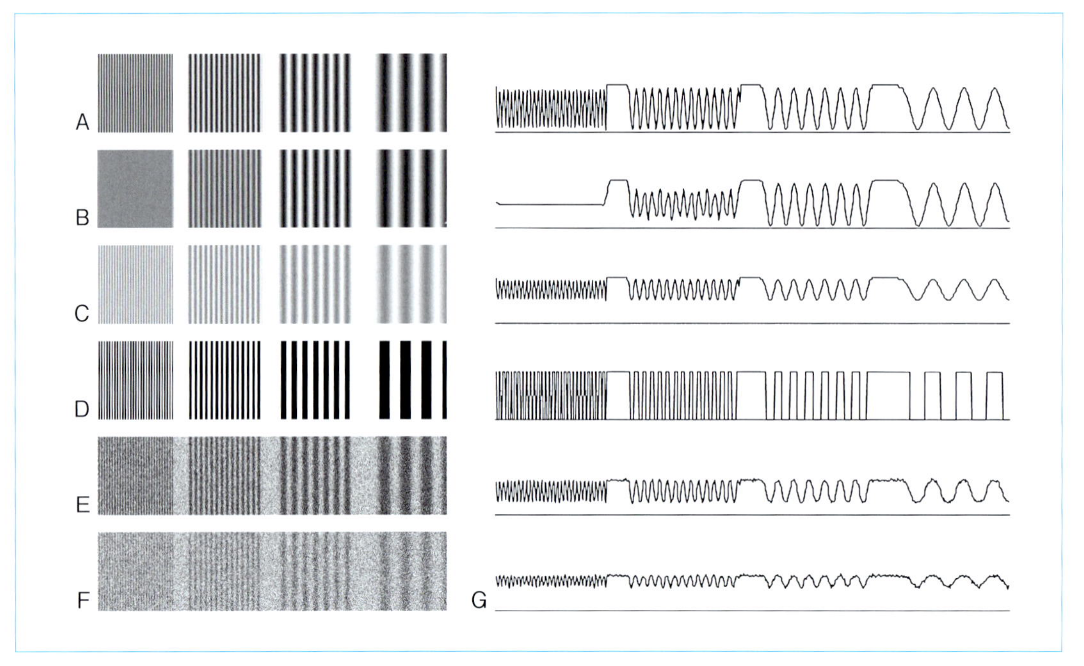

図 3-2-12　周期的に X 線強度が変化する 4 種類の信号を画像化したもの
A：解像度の高いシステムにて画像化したもの．情報損失なく画像化されている．B：解像度の低いシステムにて画像化したもの．左端の高周波数の信号に情報損失がみられる．C：コントラストの低いシステムにて画像化したもの．解像度に変化はないが，濃淡差が減少している．D：コントラストは高いが濃度分解能が低いシステムにて画像化したもの．濃淡差は明瞭であるが，中間濃度が消失している．E：ノイズの多いシステムにて画像化したもの．解像度に変化はないが，高周波の信号が検出しにくくなっている．F：コントラストが低く，ノイズの多いシステムにて画像化したもの．解像度に変化はないが，高周波の信号の検出はさらに困難となっている．G：上から A〜F の画像の濃度プロファイル（横軸方向の画素値の変化）．山と谷の分離度が解像度を示し，山と谷の差がコントラストを示す．波の平滑さの乱れはノイズを示す．解像度，コントラスト，ノイズは，それぞれ独立したものでありながら，お互いに影響を与えていることがわかる．

目の印象」などを総合したものである．診断画像においては，最終的な診断に影響する要素までを含んだ用語として用いられることが多い．ここでは画質を「**物理的画質**」と「**診断学的画質**」に分けて，その評価法とともに説明する[3]．

(1) 物理的画質

物理的画質は，撮影対象の被写体の構造がどの程度忠実に画像に反映されるかを示す指標であり，フィルムあるいはシステムのもつ固有の特性を表している．「**解像度**」「**コントラスト**」「**ノイズ**」の三要素から構成され，解像度およびコントラストが高く，ノイズが少ないほど物理的画質はよくなる[4]．図 3-2-12 は，周期的に X 線強度が変化する信号をあるシステムを用いて画像化した場合に，画像化する際の解像度・コントラスト・ノイズを変化させると，得られる濃度値（画素値）がどのように変化するかを示している．この図をみれば，これらの三要素は独立したものでありながら，互いに影響しあって，最終的な物理的画質に反映されていることがわかる．

A. 解像度

解像度は，撮影に用いた画像システムの空間分解能によって決まり，画像のきめ細かさやなめらかさを表す．デジタル画像では画素の大きさに関連し，画素が小さくなるほど解像度は高くなる．解像度は，1 mm 中に白黒のラインの

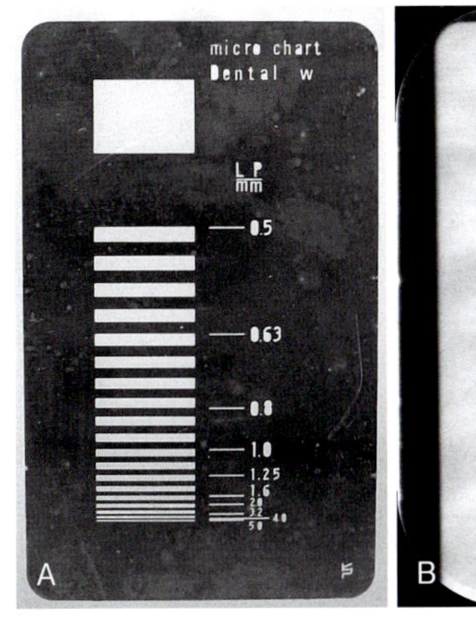

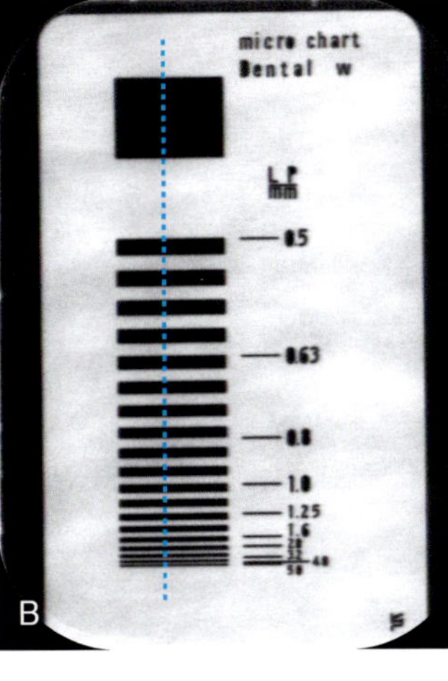

図 3-2-13　**解像度の評価法**
A：評価に用いられる矩形波チャート.
B：チャートの口内法 X 線画像.
（吉浦一紀，2016[3]）

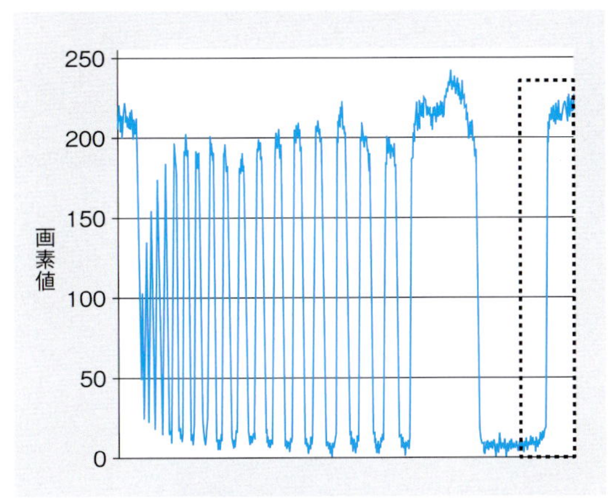

図 3-2-14　**X 線画像の濃度プロファイル（縦方向の画素値の変化）**
解像度の高い部分（グラフの左側）では，画素値の差が小さくなっており，解像度は保たれているものの，コントラストが低下していることがわかる.
（吉浦一紀，2016[3]）

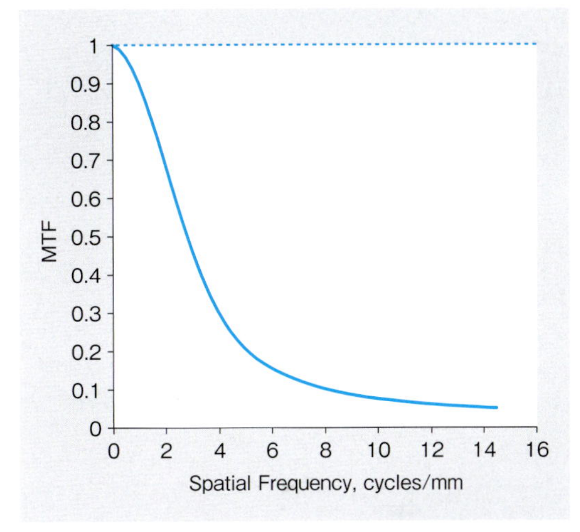

図 3-2-15　**MTF**
図 3-2-14 の黒点線で囲まれた部分の濃度プロファイルから求めた MTF．点線は情報損失のない理想的な MTF.
（吉浦一紀，2016[3]）

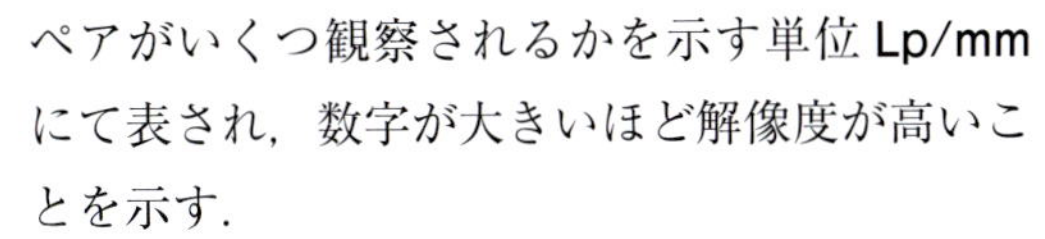

ペアがいくつ観察されるかを示す単位 Lp/mm にて表され，数字が大きいほど解像度が高いことを示す.

図 3-2-13A に示すようなテストチャートを用いれば，視覚的にも解像度を判定することができるが，物理的指標としての解像特性を評価する場合，通常 Modulation Transfer Function（MTF：変調伝達関数）が用いられる．図 3-2-13B の点線に沿った画素値の変化を測定し，濃度プロファイル（図 3-2-14）を作成した後，黒い点線に囲まれた部分を微分し，フーリエ変換すると図 3-2-15 の MTF のグラフが得られる．図 3-2-15 中の点線は理想的な受像系で，情報の損失のない，解像度が無限大の場合である．MTF のグラフの横軸は空間周波数（spatial frequency：cycles/mm）を，縦軸は各空間周波数における MTF 値を 0〜1.0 の数値で表す．MTF 値が 1.0 に近いほど解像特性がよいことを表している．通常，高周波になるほど，すなわち，構造物が微細になるほど MTF 値は低下し

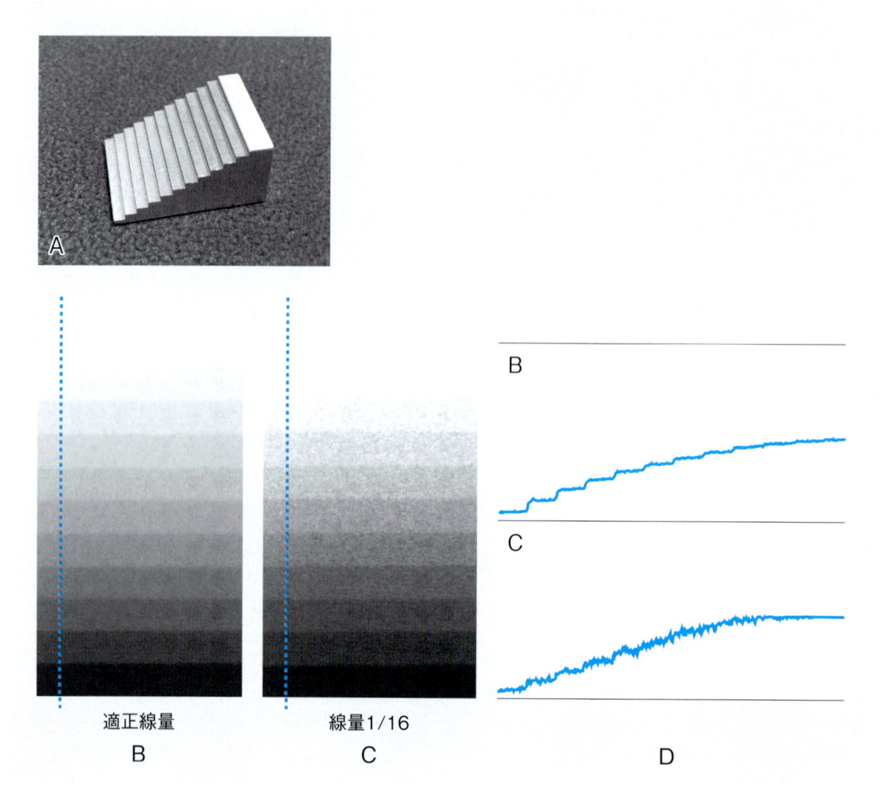

図 3-2-16　ノイズの比較
A：アルミニウムで作製したステップ（段階）ファントム．
B：歯科用デジタル診断システムを用いて 12 段のアルミステップファントムを適正照射線量にて撮影した画像．
C：同様に 1/16 の線量で撮影した画像．コントラストはほぼ同じであるが，画像に含まれるノイズが多くなっている．
D：X 線画像の濃度プロファイル（縦方向の画素値の変化）．上段が B，下段が C．コントラストはほぼ同じであるが，下段ではノイズにより画素値のバラツキが大きくなっている．
（吉浦一紀，2016[3]）

ていくので，その限界値を比較することで，解像度の良し悪しを判定することができる．

B. コントラスト

コントラストとは，画像における明るい部分と暗い部分との輝度差を表す．輝度差が大きいほど，コントラストは高いと表現される．受像系の濃度分解能によって決まり，階調数が大きいほど，細かな濃度差を画像上で表現できる．デジタル画像ではモニタ上の画素の輝度分布により生じる．コントラストは，線量に対する画素値の応答関数より得られるガンマによって表されるが，デジタル画像では，画像表示ソフトウエアの機能を用いて画像表示後に濃度分解能の範囲内でコントラストを自由に変更することができる．

C. ノイズ

解像度やコントラストが画像診断に必要な信号を形成するのに対し，ノイズは信号の検出を妨害する雑音を形成する．基本的に照射線量や受像系の光子検出効率により決定され，線量が多く検出効率がよいほど，すなわち，画像形成に用いられる光子量が多いほど，画像に含まれるノイズは減少する（図 3-2-16）．画像に含まれるノイズの多くは，X 線光子の統計的ゆらぎによるものであり，その分布はポアソン分布に従う．簡易的には，一様に X 線を照射した場合の画素値の標準偏差で表すことができる．同じ線量にて二回撮影を行うと，平均画素値とその標準偏差は同じになるが，分布は同一とはならない．その他に，デジタルシステムであれば電気回路の安定性，画像処理方法の違いもノイズの量に影響を与える．

D．信号雑音比（SN 比）

上記の画像形成に用いられる信号と雑音の比を光子量の比として表した，総合的な物理的画質評価指標である．信号雑音比が高いほど，物理的画質はよいといえる．

(2) 診断学的画質

(1) で述べた物理的画質の向上が，正しく診断できる確率（正診率あるいは診断能）の向上に直結するのであれば，画質の評価は物理的画質の評価のみで十分であるが，実際の画像診断においては，診断する対象によって用いられる画像情報の質が異なるので，物理的画質の向上が必ずしも診断学的画質の向上につながらないことがある．たとえば，口内法フィルムと歯科用デジタル画像診断システムの物理的画質を比較した場合，デジタルシステムがフィルムよりも優れているのはコントラストのみであるが，齲蝕，歯槽骨欠損などの診断においては，デジタルシステムとフィルムには差がないという報告がほとんどである[5,6]．

さらに，上記の物理的画質は被写体コントラストを画像コントラストへ変換するシステムの性能評価であり，管電圧，焦点・被写体・検出器の幾何学的関係，患者の動き，画像の観察環境など，画像形成前後で最終的な画質に影響を与える可能性のある他の因子は含まれていない．たとえば，同じ受像系を用いて同じ被写体を撮影する場合でも，X 線撮影装置の管電圧を高くすれば被写体コントラスト自体が低下し，また，実効焦点の大きさが大きくなれば解像度は低下する．そこで，診断学的画質の評価のためには，最終的には観察者による診断画像の評価が必須となる．通常，観察者動作曲線（ROC 曲線）により得られる曲線下の面積（診断能）を用いて診断学的画質の良し悪しを評価する（p.236，図 5-1-3 参照）．

物理的画質が診断学的画質と直結しないのは上記に示したとおりであるが，齲蝕や歯周疾患など，歯科疾患の診断は多少例外的である．これらの疾患の診断においては，むしろ最初に診断名が決定されており，病変の有無の判定や，病変が存在する場合にはその進行程度の判定が重要視される[7]．したがって，物理的画質は，最終的な診断学的画質にかなり影響する．デジタル画像を用いて隣接面齲蝕の診断に与える画像処理の効果を調べた報告では，適切な画像処理を行うことにより，その診断能が有意に向上することが示されている[8]．

3 フィルムによる撮影

医療における X 線撮影は，ほぼすべてでデジタル化されており，従来からのフィルムを用いる撮影はデジタル系の導入が困難な環境下でのみ用いられている．歯科では口内法撮影でフィルムが好まれる状況で使用されており，パノラマ X 線撮影ではデジタル化以前の装置を使用する施設において増感紙フィルム組合せ系が利用されている．

1）X 線フィルム

医療に用いる**X 線フィルム**は後述する**蛍光増感紙**との組み合わせで用いられてきた．X 線フィルムはポリエステルの支持体（フィルムベースという）の両面に乳剤が塗布されている．乳剤層は**ハロゲン化銀**（主として**臭化銀**の結晶）をゼラチン溶液と混濁させたもので，保護膜が塗布されている．口内法撮影に用いる X 線フィルムは臭化銀の結晶が大きく，乳剤層を厚くすることで，直接 X 線に対する感光効率を高めている．こうしたフィルムは特に**ノンスクリーンフィルム**とよばれる．一方，蛍光増感紙と組み合わせて使用する X 線フィルムは臭化銀の結晶は小さくなり，乳剤層は薄い．

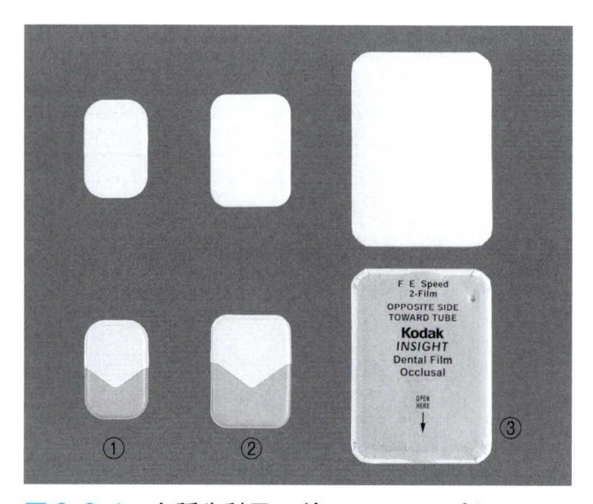

図 3-3-1　各種歯科用 X 線フィルムのパケット
①小児用（No.0）サイズ，②標準型（No.2）サイズ，③咬合型（No.4）サイズ．上段が表側で X 線が入射する側である．

口内法撮影に用いる X 線フィルムは個別にパケットに包装されて供給される．一般に用いるフィルムは標準型で（30.5 mm×40.5 mm），これとは別に小児に使いやすい小さいフィルム（22 mm×35 mm）と，咬合法撮影に用いる大きいフィルム（57 mm×76 mm）がある（図 3-3-1）．パケットは口腔に違和感のない素材でできており，その中に，フィルムを紙で挟んで，裏側に金属箔がある（図 3-3-2）．フィルムそのものには表・裏はないが，このように包装されて

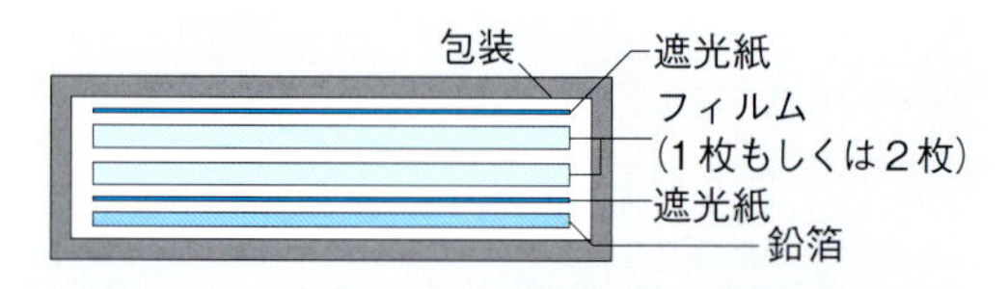

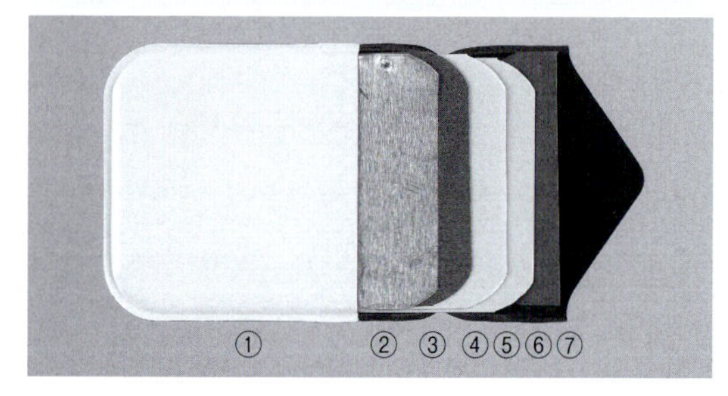

図 3-3-2　歯科用 X 線フィルム（ケアストリームヘルス社）の構造
①パケット（“本体” 部分），②鉛箔，③フィルムをくるむ遮光紙，④，⑤フィルム（2 枚包装の場合），⑥遮光紙，⑦パケット（開封用の “舌” 部分）．②の金属箔はフィルム後方の臓器の被曝を軽減し，後方散乱線を吸収する．

表 3-3-1　口内法 X 線フィルムの感度（ISO3665：2011）

ISO 感度グループ	ISO 感度の範囲 $(Gy \times 10^2)^{-1}$
D	14.0～ 27.9
E	28.0～ 55.9
F	56.0～111.9

いるために金属箔のあるほうが裏になる．フィルムの感度は患者への被曝量を軽減するという立場から最も高感度のFグループが利用されるが，これより感度の低いフィルムも供給されている（表 3-3-1）．写真処理の終わったX線フィルムでは，その表裏が不明になるために，これを認識するためのマークが事前に付与されている（図 3-3-3）．

2）蛍光増感紙

蛍光増感紙はポリエステルなどの支持体に蛍光物質が塗布されたもので，入射したX線はここで光に変換される．蛍光物質には古くは**タングステン酸カルシウム**（$CaWO_4$）が利用され，その後は発光効率が2倍の**希土類元素**（たとえばGd；ガドリニウム）が用いられた．

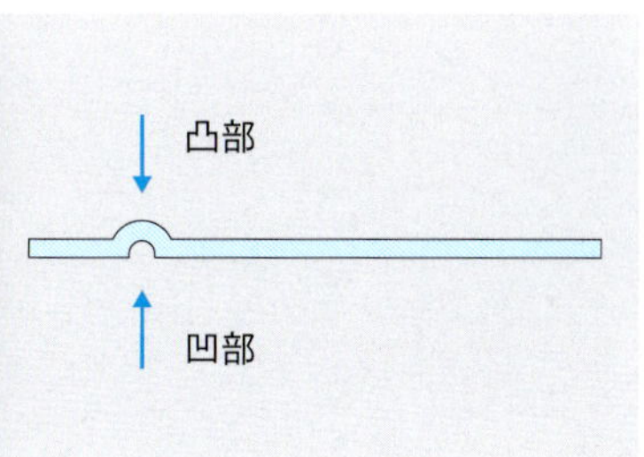

図 3-3-3　フィルムマーク

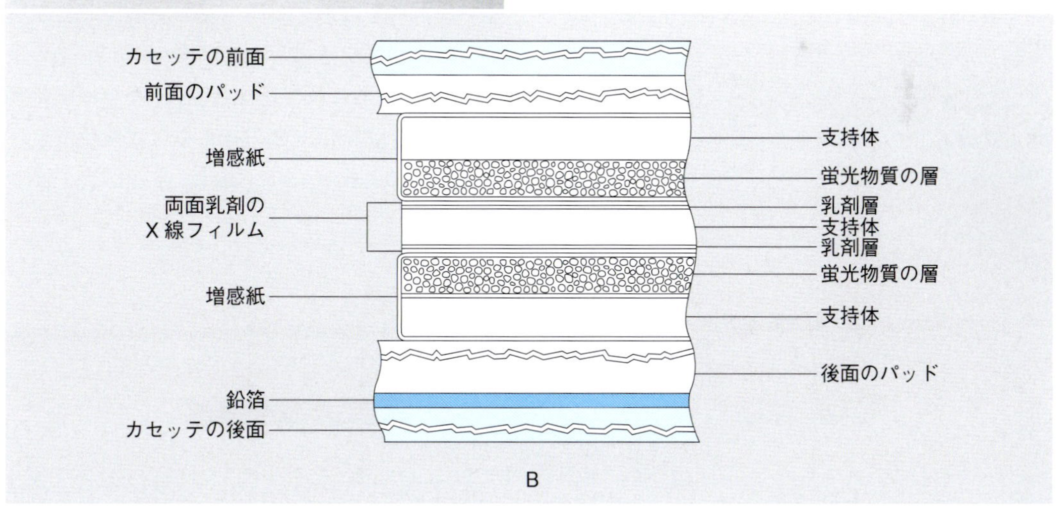

図 3-3-4　増感紙フィルム組合せ系とカセッテ

A：増感紙とフィルムを収納するものとして固いカセッテを用いる．カセッテの内側の両面に増感紙を貼り，カセッテを閉じたときに増感紙とフィルムが密着するようにする．

B：カセッテに増感紙とフィルムを入れたときの断面図を示す（Eastman Kodak, 1980[2] より改変）．両面に乳剤を塗布したX線フィルムを前後の増感紙がはさむ．カセッテで両者の密着を高める．後方からの散乱線がカセッテに入るのを防ぐため，カセッテの後面に鉛箔が貼ってある場合がある．

実際の撮影では，蛍光増感紙をカセッテ（取枠）の前面と後面に貼りつけて，この2つの増感紙の間にX線フィルムを挿入する．これを**増感紙フィルム組合せ系**とよぶ（図3-3-4）．患者を透過したX線は増感紙に吸収されて発光し，その蛍光によってフィルムが感光する．この系では入射したX線光子の20～40%がフィルムの黒化に寄与することになり，X線の照射線量をフィルムのみの場合に比較して数分の1以下にすることができる．

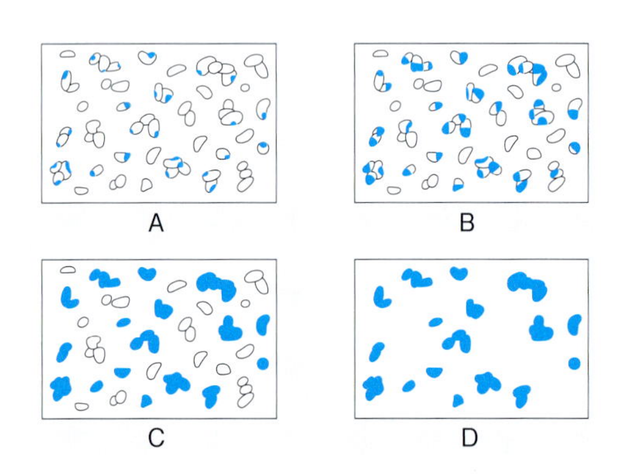

図3-3-5　X線フィルムの写真処理の概念
A：X線照射後のフィルムでは，ハロゲン化銀の結晶に潜像が形成されている（斑点）．
B：潜像では銀イオンが一部，金属銀に変換している．
C：現像が終了すると結晶の全体が金属銀になる．
D：定着が終了すると未感光のハロゲン化銀が取り除かれる．　（DHHS Publ, 1981[1]より改変）

3）X線写真処理

感光されたX線フィルムは写真処理をすることによって，観察に適したX線写真となる（図3-3-5）．**現像**は感光によってハロゲン化銀に潜像が形成されるので，これを可視像にする過程である．現像液は乳剤層に浸透してゼラチン中の感光したハロゲン化銀を選択的に還元し金属銀にする．**定着**は感光しなかったハロゲン化銀粒子を溶解し，乳剤層から取り除く過程である．その後，水洗，乾燥して，X線写真として観察に供する．

4）写真濃度と照射線量の関係

X線写真は**シャウカステン**からの光を介して観察され，光の透過度の相違を黒さの違いとして認識する．X線写真の黒さの程度は**黒化度**といい，次式のように定義されている．

$$\text{黒化度(D)} = -\log_{10}\frac{I}{I_0}$$

ここで，I_0はフィルム面に入射した光の量，Iはフィルムを透過した光の量である．したがって，X線写真を透過した光の量Iが入射光の量I_0の100%であれば黒化度0，10%ならば黒化度1，1%ならば黒化度2，0.1%ならば黒化度3となる（図3-3-6）．ヒトの眼は，X線写真の濃度

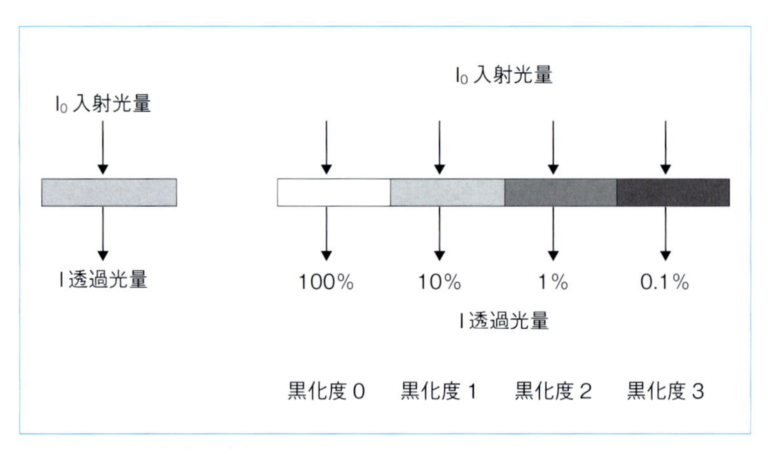

図3-3-6　黒化度の定義

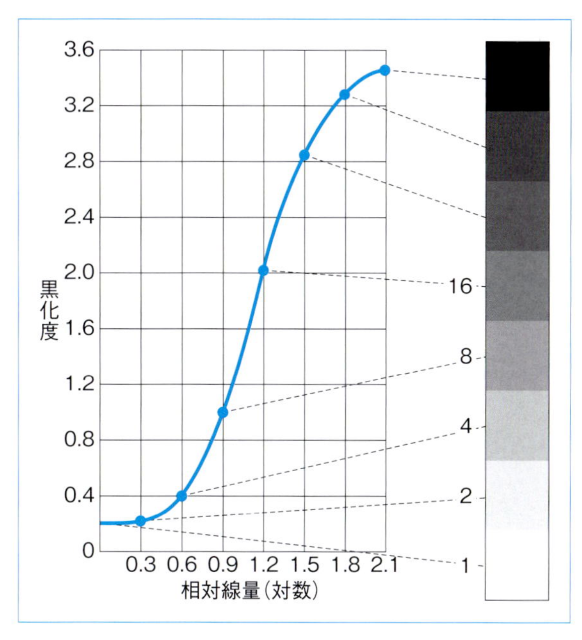

図 3-3-7　**典型的な増感紙フィルム組合せ系の特性曲線**
右の柱，黒さのステップは線量を 2 倍ずつ増やして照射したもので，下から 5 番目は最少の部分を 1 とすると 16 の線量である．16 は常用対数では 1.2 である．このときの濃度は 2.03 になっている．特性曲線は，はじめてこの曲線を示した Hurter and Driffield にちなんで，H & D curve とよばれることもある（Eastman Kodak，1980[2]）より改変）．

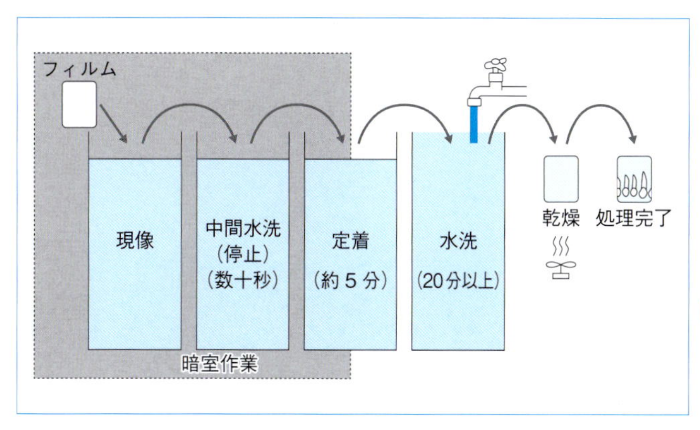

図 3-3-8　**写真処理の基本的手順**
（一般社団法人全国歯科衛生士教育協議会監，2024[3]）
灰色の部分は暗室内で行う．

の範囲が黒化度 0.25〜2.0 の間ならば 0.02 の濃度差を見分けることができるといわれる．

X 線フィルムに入射した線量と黒化度の関係は，黒化度を縦軸にとり，X 線量を横軸（対数値）にとった曲線で表現し，これは増感紙フィルム組合せ系の特徴を示すことから**特性曲線**とよび，S 字状の曲線になる（図 3-3-7）．特性曲線は**相対感度**，**コントラスト特性**と**寛容度**を示すことで，検査目的に応じた増感紙フィルム組合せの選択に有用であった．

5）X 線写真処理の実際

恒温槽ないし自動現像装置で写真処理を行う．現像の段階では遮光するので，**暗室**を必要としたが，現在ではフィルムの利用が限定的なので，歯科診療室では簡易的な暗箱などが利用されることが多い．

(1) 処理の手順（図 3-3-8）

暗室での作業では X 線フィルムに対する感度が低い赤色あるいは橙赤色のフィルターの付いた安全灯を用いる．暗箱の場合にも同様なフィルターを利用する．水槽は現像槽，停止槽，

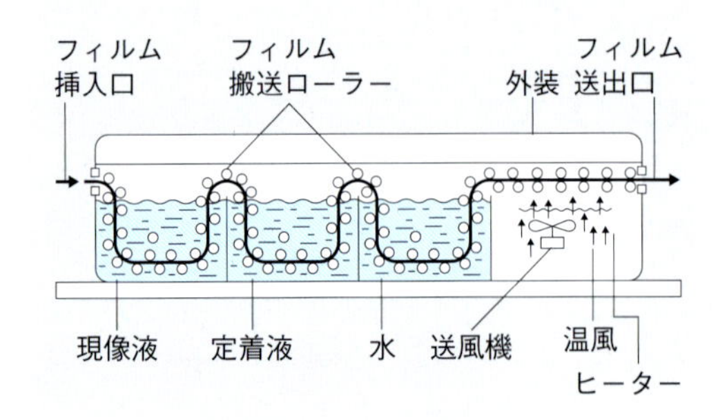

図 3-3-9　自動現像装置の内部の構造

定着槽に区別し，現像槽は20℃とする．口内法用フィルムでは安全灯の下，フィルム面にできるだけ触れないようにして取り出し，これをハンガーに留めて現像槽中に漬けて5分を目安に取り出し，水洗する．その後，定着槽に移して，しばらくしたら明室にしてよい．定着時間は5分を目安にして，その後，水洗すれば，X線写真として観察できる．引き続き，これを乾燥させて，X線写真として保管する．暗箱を利用する場合も基本的な操作は同様である．現像液と定着液は通常，濃縮液として供給される．暗室を用いてチェアサイドで急速処理をする場合には別の現像処理液があるので，使用目的に合った処理液を準備しておく．

(2) 自動現像処理

現像から乾燥までを機械によって自動的に処理する方法である（図 3-3-9）．挿入されたフィルムはローラーによって現像槽，定着槽，水洗槽，乾燥槽を自動的に移動して処理される．歯科用の**自動現像装置**では，フィルム挿入口に暗箱を付属させると暗室は不要である．自動現像装置は，日常的な管理が重要で，始業前には現像液，定着液の補充，液温のチェック，ローラーの洗浄，定期的な現像液，定着液の交換を行う．

6）X線写真の観察

口内法X線写真はフィルムマウントに入れて整理・保管し，観察に供する（図 3-3-10）．マウントには患者氏名，性別，年齢，撮影年月日を記載する．X線写真の観察には**シャウカステン**を用いる（図 3-3-11）．箱の中に蛍光灯・LEDが設置されており，その上に乳白色のオペークガラス，あるいはアクリル板があり，その表面で光量が一様になるようにしてある．

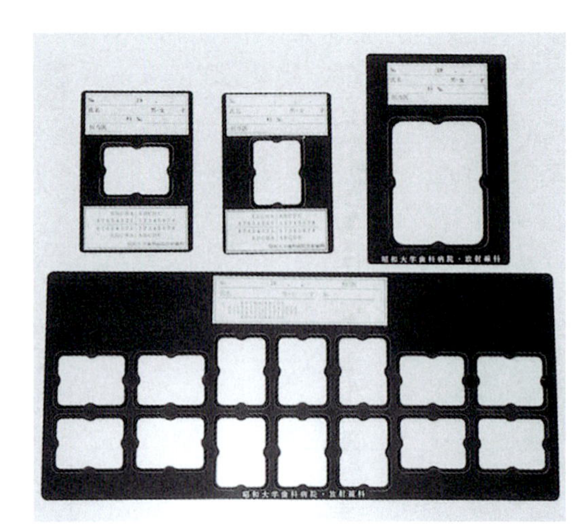

図 3-3-10　口内法X線撮影によるX線写真のマウントの例
左上2つは口内法（1枚用），右上は咬合法，下は全顎撮影（14枚法）によるX線写真用のマウント．

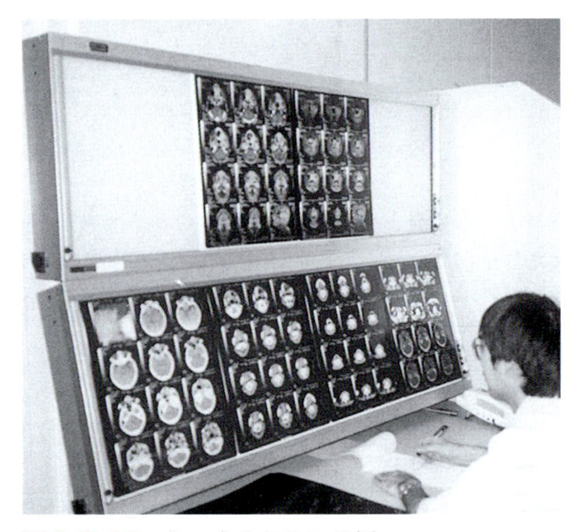

図 3-3-11　シャウカステンの例
これは大きなサイズのX線写真に適したもので口内法写真のような小さな画像を観察するためにはこのシャウカステンは使用せず，専用のものを使うか，シャウカステンの表面を写真大に黒紙で囲うなどの対応を要する．

4章 X線撮影法と画像検査

1 口内法X線撮影

1）歯科用口内法用X線装置

歯と周囲組織の疾患に対する診断，治療後の評価あるいは術後の経過観察にはX線検査が重要である．このX線撮影には専用のX線撮影装置を使用しなければならない．

歯科用口内法用X線装置（**口内法X線撮影装置**）には，診療施設のX線診療室（X線撮影室）（p.60参照）に設置される据置型（図4-1-1，2）があり，一般診療はこの装置を用いる．別に，在宅診療等での使用を目的とした携帯型（p.62，図2-5-10参照）がある．

(1) ヘッド

ヘッドには**X線管**（p.63，図3-1-1参照），**加熱トランス**，高圧トランスなどが収められている（図4-1-3）．

高圧トランスは，フィラメントから発生した電子を加速するために陽陰極に高電圧を印加する．高圧トランスは100～200Vの電源から，60kV～70kVの高圧を得ている．現在は，定電圧（直流）の装置で60kVが推奨されている．

X線管でのX線の発生では，高速電子の運動エネルギーの1%未満がX線に変換され，99%以上が熱に変換されるため熱の放散が必要である．ターゲットで発生した熱は陰極（材質：銅）を伝わってX線管周囲に満たされた絶縁と冷却のための**絶縁油**に放出される．

X線照射孔には，**フィルタ**（**濾過板**）（材質：アルミニウム），**絞り**（**コリメータ**）（材質：鉛），**指示用コーン**が取り付けられている．

歯科口内法用X線装置の総濾過は管電圧70kV以下では1.5mmAl当量以上が必要とされている（p.64参照）．

X線をヘッドの外に照射する照射孔には金属製（鉛が多い）の絞りが取り付けられている．絞りは円形，円錐状，矩形（角形），方錐状の開口部があり照射野の形と大きさを決定する．わが国では医療法施行規則で照射筒（指示用コーン）先端において直径6cm以下にすることと定められている．照射孔以外の部分からはX線が外部に漏洩しないように容器は鉛などで覆われている．

照射孔の前方には円筒形または角柱形（図4-1-2③，図4-1-4）の指示用コーンが取り付けられている．指示用コーンの目的は，①X線の投影方向と照射野を可視化し撮影の指標とすること，②焦点皮膚間距離を一定に保つことである．指示用コーンは**開放端型コーン**（open-end cone）（図4-1-1，2，4）でなければならない．

コーンの長さは医療法施行規則において管電圧70kV以下では15cm以上，70kVを超える装置では20cm以上とされている．市販品の多くは20cm程度である．焦点コーン先端間距離（**焦点皮膚間距離**）が30～40cmのものをロングコーンといい，画像の拡大と歪みの低減，被曝線量低減効果があるがわが国で入手できる製品は少ない．

円形照射野と比較して**矩形**（**角形**）**照射野**で

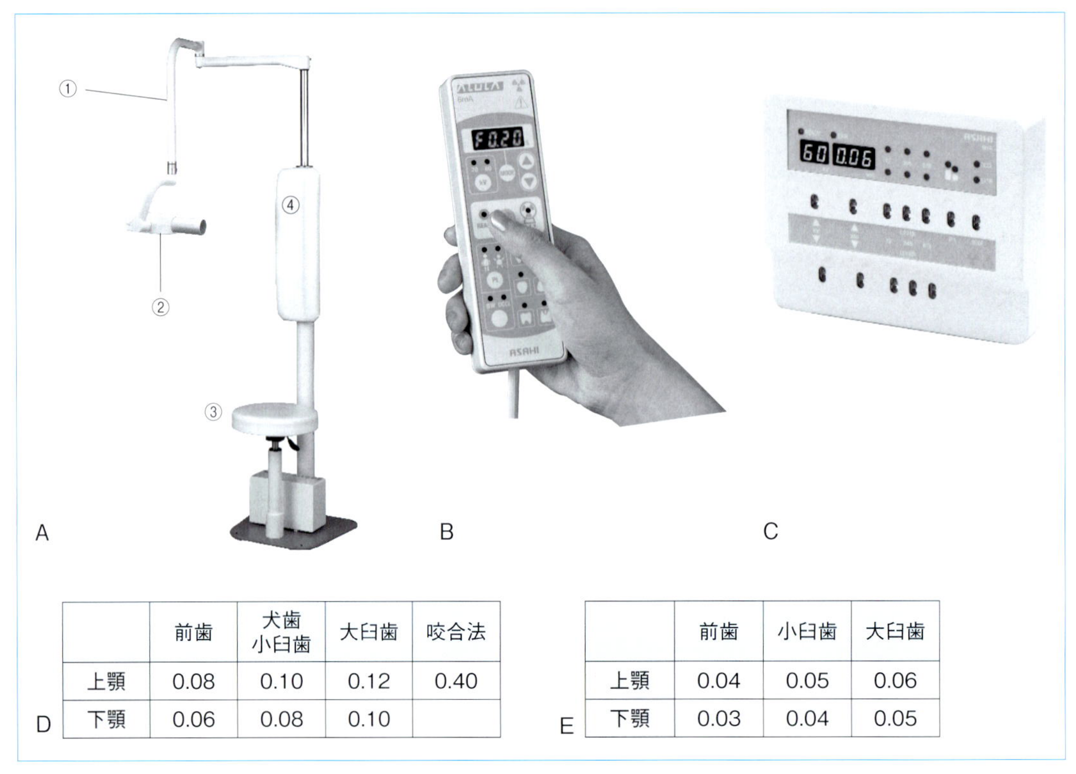

D

	前歯	犬歯 小臼歯	大臼歯	咬合法
上顎	0.08	0.10	0.12	0.40
下顎	0.06	0.08	0.10	

E

	前歯	小臼歯	大臼歯
上顎	0.04	0.05	0.06
下顎	0.03	0.04	0.05

図 4-1-1 歯科口内法用 X 線撮影装置の外観と操作パネル

A：歯科診療室に設置された X 線診療室に据置する．①アーム，②ヘッド，③椅子，④頭部固定部．B，C：X 線診療室の外壁に設置する操作パネル．B：接触型．手指で X 線照射スイッチを押す．C：非接触型は感染予防のため接触することなく撮影条件が設定でき，フットスイッチで X 線照射する．B，C いずれも口内法の撮影部位と患者の体格，成人か小児か，検出器の感度などによって撮影条件を決定する．口内法の撮影条件は照射時間のみを変えて行うことが多い．照射時間は操作パネルのそばに掲示しておく．成人の照射時間（D）と小児の照射時間（E）の例（単位：秒）．

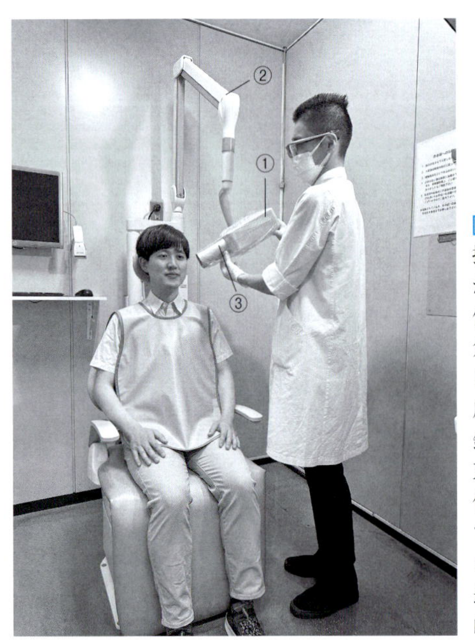

図 4-1-2 歯科口内法用 X 線撮影の実際

撮影部位にヘッド（①）を位置づける．適切な方向から X 線投影ができるようにアーム（②）は上下方向と水平方向に動き，任意の位置で停止できる．停止時，ヘッドが動揺してはならない．水平的角度はアームを移動して決定し，垂直的角度は図のようにヘッドを垂直方向に回転することで決定する．指示用コーン（③）先端は皮膚面にできるだけ近づける．

鉛エプロンの使用は十分に絞られた照射野〔矩形（角形）など〕で X 線フィルム感度 E 以上の感度の高い検出器を使用する場合には任意とされている．妊娠している患者の X 線撮影に関しても同様である．つまり，防護エプロンの装着は，患者の被曝線量を低減するためというより，患者の心理面への配慮のためと考えたほうが適切である[3]．小児に対しては使用しなくてよいとする十分な科学的根拠がないため，用いたほうが安全と考えられる．

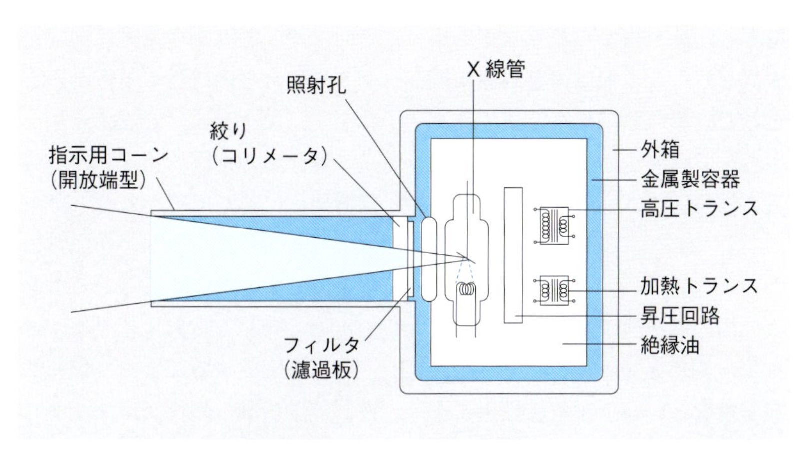

図 4-1-3　口内法 X 線撮影装置のヘッドの内部構造

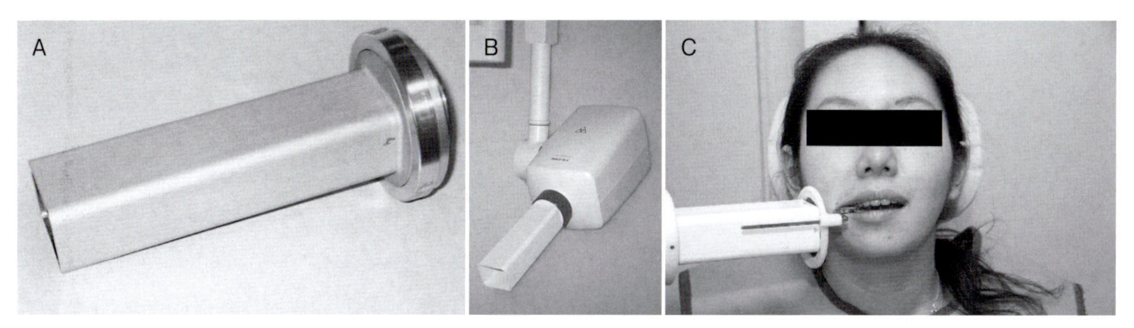

図 4-1-4　矩形（角形）絞り
A，B：矩形（角形）絞りとコーン，C：矩形（角形）絞りによる撮影．

は，検出器の大きさと形態に合致した矩形（角形）照射野（図 4-1-4）は照射面積の減少により被曝線量を低減できる．しかし，わが国で入手できる製品は少ない．

(2) 操作パネル

歯科口内法用 X 線撮影装置による X 線照射にあたっては，患者の体格の大小，成人か小児か，検出器の感度などと撮影部位によって**照射時間**を決定する．歯科口内法用 X 線撮影装置は管電圧 60～70 kV，管電流 7～10 mA で固定されている装置が多いので照射時間（図 4-1-1D，E）のみで適正な照射線量を決定する．

このためタイマーは重要で，タイマー方式は，誤差が少なく短時間照射が可能である必要がある．また，X 線照射中に患者が動く，検出器の脱落などが生じた場合に照射を中止できるよう，**デッドマン式スイッチ**でなければならないことが JIS 規格で定められている．

(3) 支柱，アーム

ヘッドを支えるアームは，軽快に上下，左右に動くよう十分な可動範囲が必要で，しかもヘッドを任意の場所で停止し動揺しないことが求められる．これによって撮影者は，正確でスムーズに X 線投影方向水平的角度と垂直的角度を決定することができる．

2）投影の原則

口内法 X 線撮影は歯と周囲組織の病変を目的とした二等分法，平行法，咬翼法と，顎骨内病変などを目的とした咬合法からなり，それぞれで投影方法が異なる．ここでは歯と周囲組織の病変を目的とした投影の原則から記述する．

二等分法，平行法，咬翼法の投影は①水平的角度づけ，②垂直的角度づけ　の2つの要素からなっている．

①水平的角度づけ

水平的角度は，歯の隣接面が隣接歯と重複しない方向から投影することである（図 4-1-5）．この投影を**正放線投影**といい，正放線投影になる水平的角度づけは，すべての口内法撮影において同じである．

②垂直的角度づけ

適正な垂直的角度は二等分法，平行法，咬翼法によって異なる．垂直的角度の表示は，咬合平面に対し上方から下方に向けた場合を＋（プラス），咬合平面に対し下方から上方に向けた場合を－（マイナス）と表す．

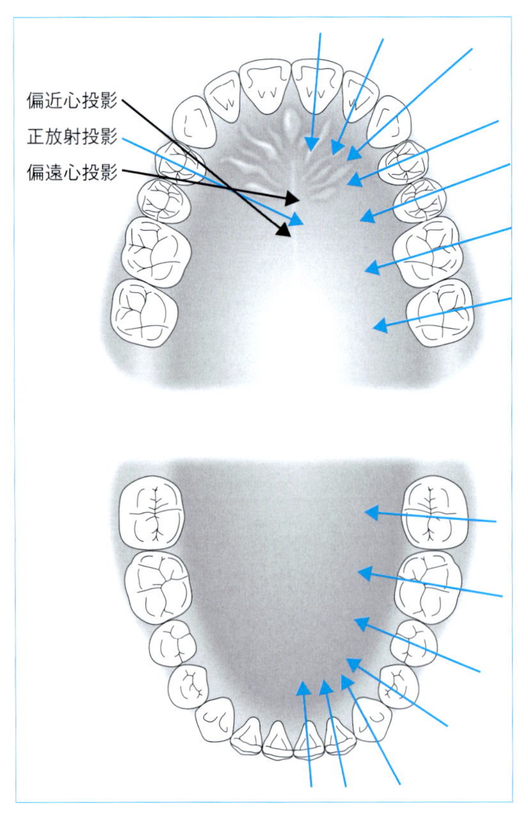

図 4-1-5　**正放線投影**
矢印の方向から投影すれば隣接面の重複しないX線像が得られる．これを正放線投影という．正放線投影の方向はすべての歯のX線撮影で同じである．

二等分法の垂直的角度づけは歯と検出器との位置関係に対して行われる（図 4-1-6A）．被写体である歯と検出器とのなす角の二等分線に対し垂直に中心線を位置させることで，歯の全長を実物と等しく投影することができる．二等辺三角形を形成することで，理論的に歯を実長に投影できる唯一の投影方法であり**等長法**（**等長法則**）とよばれる．この投影法は歯の長さを実長に投影することができるが，切縁から根尖までの被写体検出器間距離がそれぞれ異なる．このために歯の部位によって拡大率が変わることになり，切端部では拡大率が小さく，根尖部では拡大率が大きくなる．この結果，投影されたX線像は実物の縦横比のプロポーションとは異なる形になり，画像に歪みが生じてしまう．

平行法（図 4-1-6B）は，歯軸と検出器は平行に位置づけ，歯軸と検出器に垂直にX線投影する．歯と検出器までの距離が一定になるため，歯のプロポーションを正しく投影できる．しかし，歯軸と検出器は離れるため歯は実長ではなく拡大する．拡大率を小さくするためにロングコーンを用いる．平行法の利点は歯の形態を正しく投影する．また，X線の経路が歯の最短距離になるので，小さな隣接面齲蝕による脱灰の被写体コントラストが二等分法よりも大きくなり検出能が向上する（表 4-1-1）．

咬翼法は，咬んだ咬翼で検出器を保持し，咬合平面の上方から垂直的角度づけ＋8～10°で投影する．上下顎の歯の隣接面齲蝕，歯槽頂が1枚の検出器に描出できるので，検査回数が少なく，被曝線量も少ない．撮影時間は同部の上下顎の平均値にする．齲蝕の検査に推奨されている（p.237，238 参照）．

二等分法，平行法，咬翼法の適応をまとめた（表 4-1-1）．垂直的角度が大きくなると，口内法X線検査の代表的な対象である初期の齲蝕，

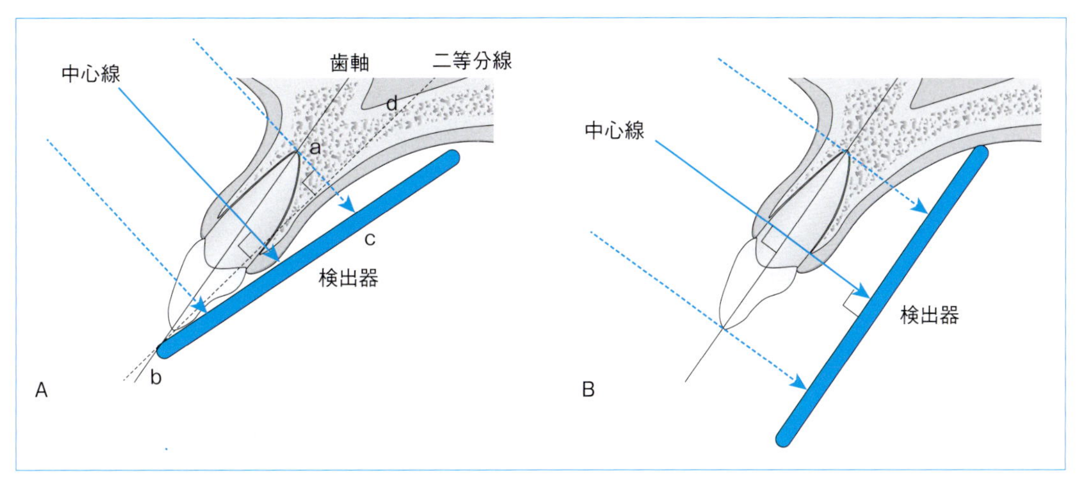

図 4-1-6　口内法撮影：歯と周囲組織撮影の垂直的角度づけ

A：二等分法．歯軸 a-b と検出器 b-c のなす角の二等分線 b-d に垂直に X 線投影する．歯軸と検出器上の投影像が二等辺三角形の二辺になり，長さが等しくなる．しかし，切縁（a，b の b）から根尖（a，b の a）の検出器までの距離がそれぞれ異なるため拡大率が異なる．これによって歯のプロポーションが歪む．二等分法の利点は実長の像が得られる唯一の投影法であること．欠点はプロポーションが歪むことと，頰舌の歯槽頂を斜めに投影することである．

B：平行法．歯軸と検出器は平行に位置づけ，歯軸と検出器に垂直に X 線投影する．切縁から根尖までの検出器との距離が一定になるため，歯のプロポーションのとおりに投影できる．しかし，歯軸と検出器は離れるため歯は実長ではなくやや拡大する．拡大率を小さくするためにはロングコーンを用いる．平行法の利点は歯の形態を正しく投影することである．また，歯槽頂への投影角度が小さく骨吸収の描出に優れる．欠点は実長には投影できないことと，口蓋や口底の浅い患者には実行できないことである．

表 4-1-1　口内法 X 線撮影法の適応：二等分法を基準にしたときの投影法による診断能の比較

撮影法	隣接面齲蝕	慢性根尖性歯周炎	慢性歯周炎
二等分法	基準	基準	基準
平行法	優れる	同等	優れる
咬翼法	優れる	対象外	優れる（初期）

平行法が実行できる場合には歯と歯周組織に最も適した投影法だが，解剖学的形態に制限され実行できない場合がある．咬翼法は初期の慢性歯周炎の骨吸収の検出には優れているが，歯根長 1/3 を超える骨吸収では検出器の範囲を超えて写らないことがある．隣接面齲蝕の X 線検査には咬翼法が推奨されている（p.237，238 参照）．

慢性歯周炎の検出能が低下するので注意が必要である．

3）撮影の実際

口内法 X 線検査の手順を以下に示す．

①患者と X 線検査内容（検査部位，検査目的，投影方法）の確定
②感染防止のバリアフィルムを設置する．
③患者の確認（氏名，性別，年齢など）
④メインスイッチを入れる．
⑤ X 線診療室（検査室，撮影室）に患者を誘導
⑥必要により防護衣の着用
⑦撮影装置の椅子の背板に背をつけて深く座らせる．
⑧頭部の固定
⑨撮影条件設定（管電圧，管電流の確認と照射時間の選択）
⑩おおよその水平的角度，垂直的角度を設定（プリセット）
⑪手洗いとゴム手袋の着用

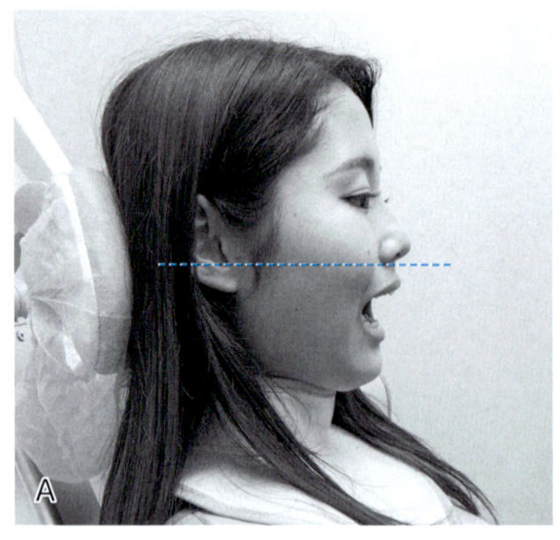

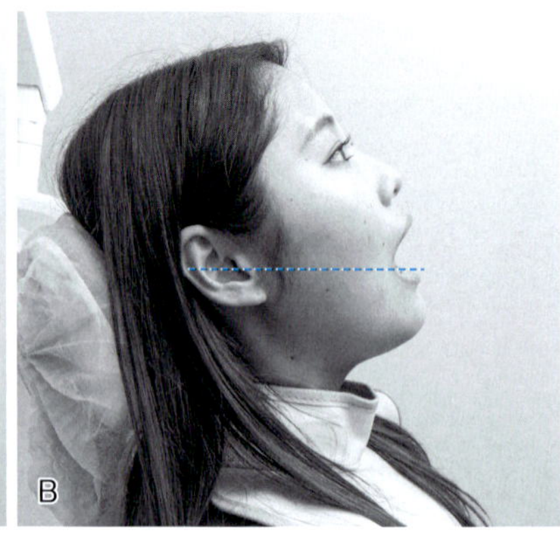

図 4-1-7　頭部の固定
A：上顎撮影の位置づけ．B：下顎撮影の位置づけ．上顎の口内法撮影では患者の鼻翼と耳珠を結んだ線（破線）が床と水平．下顎の口内法撮影では口角と耳珠を結ぶ線（破線）をやや上向きに頭部を位置づける．開口位で咬合平面を床と水平にするための目安である．

⑫検出器の口腔内への挿入と位置づけ（必要に応じて検出器保持具，咬翼を用いる）
⑬指示用コーンの位置，水平的角度，垂直的角度の決定
⑭患者を視認しながらタイマースイッチを押しX線照射
⑮指示用コーンとヘッドを患者から離す．
⑯検出器の取り出し
⑰患者の防護衣を外し，退室を誘導
⑱メインスイッチを切る．
⑲感染防止のバリアフィルムを除去する．

複数部位の検査がある場合は⑧〜⑯の必要な項目を繰り返す．⑧頭部の固定は検査部位が上顎か下顎の一方の場合は繰り返さない．⑪手洗いとゴム手袋の着用は口腔内に接触した汚染以外の汚染がなければ繰り返して行わなくてもよい．

(1) 頭部の固定

検査部位である上顎または下顎の咬合平面が開口位で床と水平になるように頭部を固定する（図 4-1-7）．これにより，水平的角度づけをするためのアームの動きが床と水平になり，垂直的角度づけはヘッドの垂直方向の回転で行うことができるため，操作が容易になる．

上下顎ともに最大開口位の維持は患者の負担になるので，軽く開口させる程度がよい．特に下顎の検査では最大開口位では口底の筋が緊張し検出器の挿入が困難になるので，軽く開口させたほうがよい．

(2) 検出器の位置づけ

口腔内に検出器を位置づける際の原則を図 4-1-8〜15 に示した．

歯に対する検出器の位置を把握しておくと実際の撮影が適切に行える．特に，臼歯部の検査では検出器の遠心側は直視しにくいので，検出器の近心側を基準に位置づけする．検出器は口腔内で彎曲させずに可能なかぎり歯に近づける．検出器の位置づけにあたっては，粘膜面上をできるかぎり滑らせずに目的位置に直接あてがうと嘔吐反射などの異物反応を生じにくい．

検出器の保持を手指で行う場合には，上顎切歯は拇指または示指，その他は示指で保持し，肘は張らない．下顎の場合は，示指で保持し肘を張る（図 4-1-8〜15）．

検出器保持具には二等分法用と平行法用があり（図 4-1-16，17），投影方向が明示されるので撮影の失敗が少なくなる．平行法では必須である．

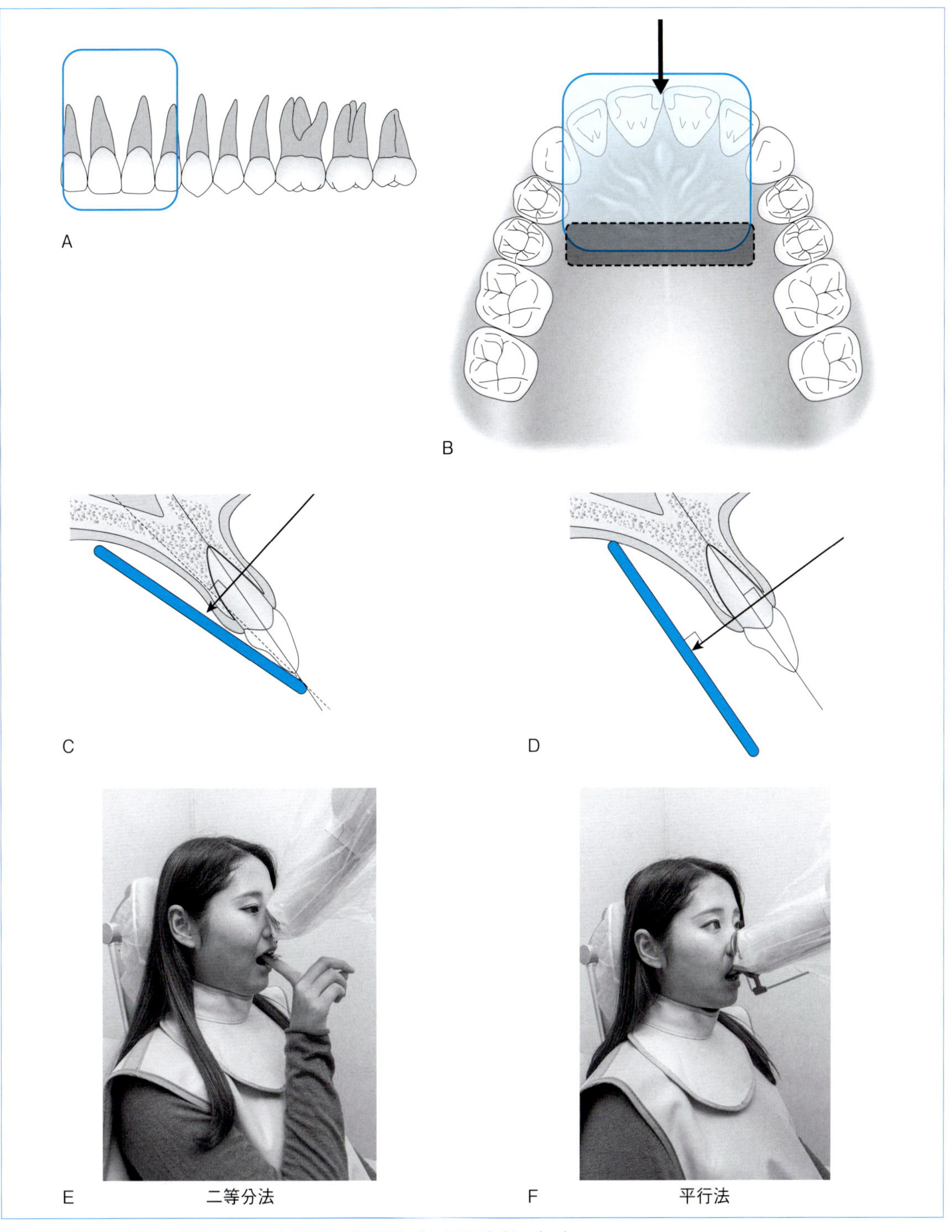

図 4-1-8　口内法 X 線撮影：歯と周囲組織撮影（上顎切歯部 2┼2）
A：撮影範囲（検出器は縦位置で中央を正中と合わせる．検出器の端は切端から約 3〜5 mm 下方に位置）．B：正放線投影（水平的角度：矢印）と口腔内の検出器の位置（実線：二等分法，破線：平行法）．C，D：歯軸・検出器の位置関係と垂直的角度．C：二等分法，D：平行法．E，F：撮影の実際．E：二等分法，上顎の撮影では脇を閉めて検出器を保持する．F：平行法．いずれの方法でもコーン先端はできるだけ被写体に近接させる．使用した口内法 X 線装置はヘッドの後方部に X 線管焦点がある Richards 方式で，焦点・コーン先端間距離 30 cm のロングコーンを用いている．（図 4-1-8〜図 4-1-15 は同じ X 線撮影装置）

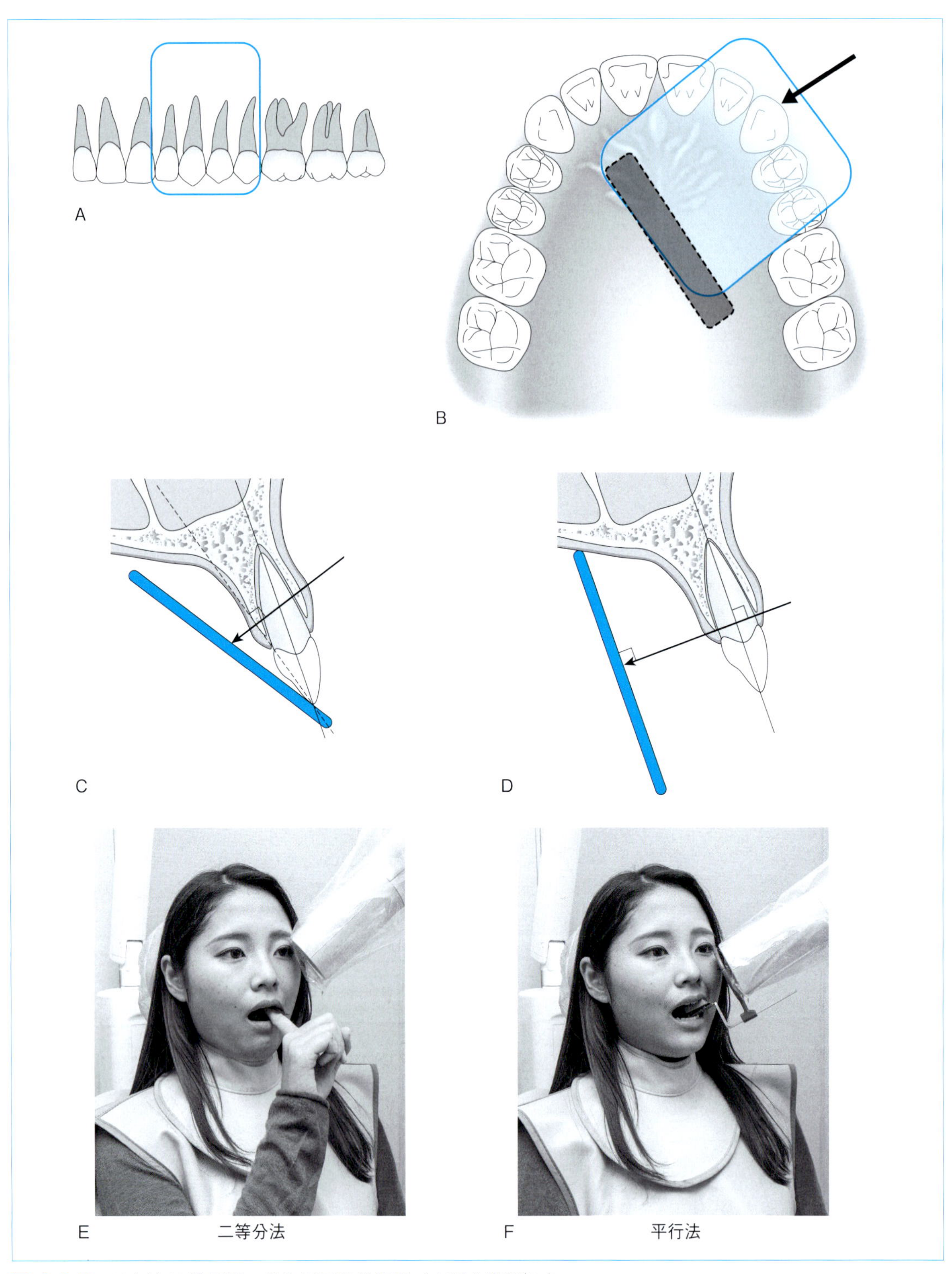

図 4-1-9　口内法 X 線撮影：歯と周囲組織撮影（上顎犬歯部 3⏌）

A：撮影範囲（検出器は縦位置で，検出器の近心端を側切歯近心付近に位置づけ，犬歯ができるだけ中央付近になるようにする．検出器の端は尖頭から約 3～5 mm 下方に位置）．B：正放線投影（水平的角度：矢印）と口腔内の検出器の位置（実線：二等分法，破線：平行法）．C，D：歯軸・検出器の位置関係と垂直的角度．C：二等分法，D：平行法．E，F：撮影の実際．E：二等分法，F：平行法．検出器保持具を用いる平行法ではこの部位で正放線投影を行うのが困難な症例が多い．

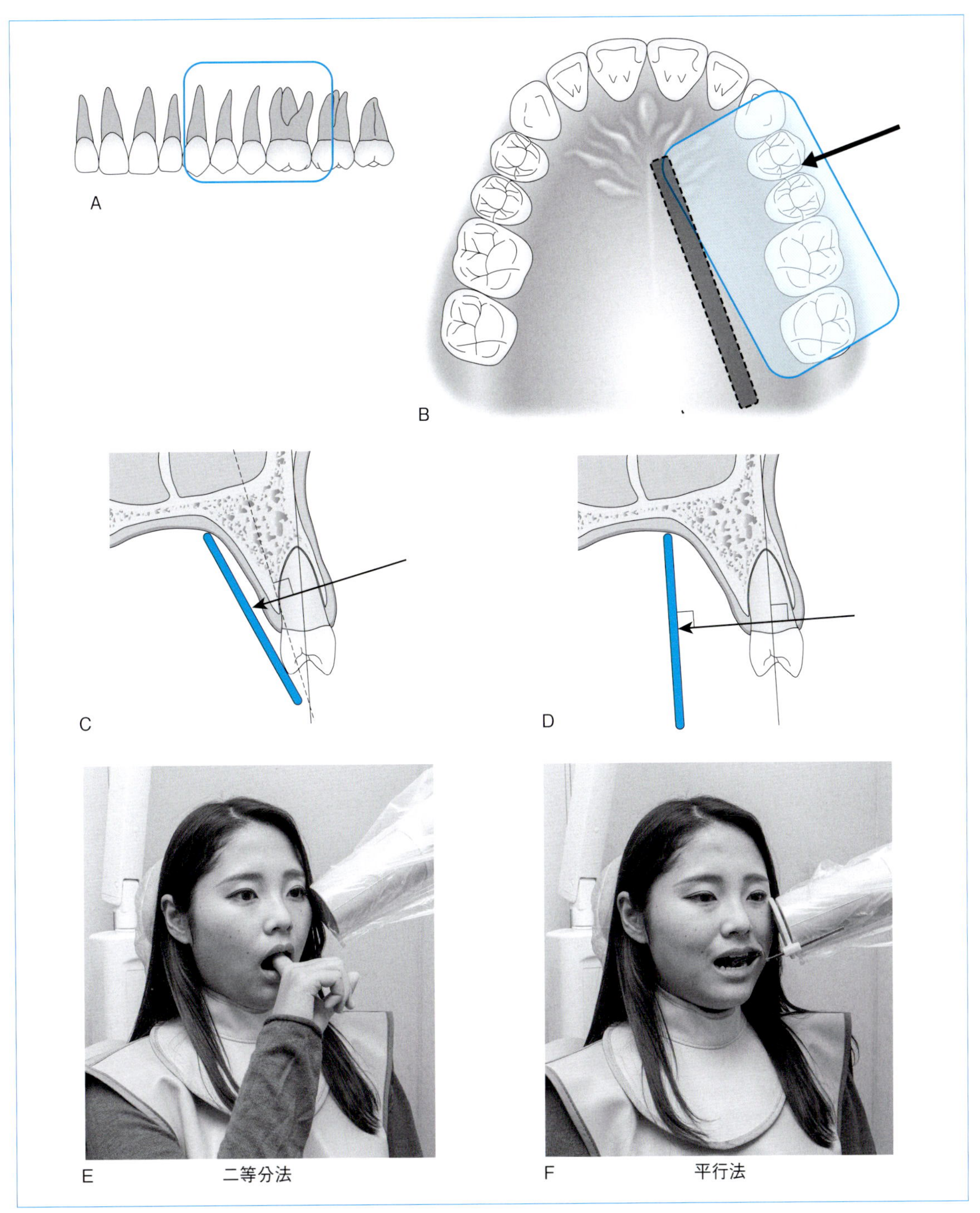

図 4-1-10　口内法 X 線撮影：歯と周囲組織撮影（上顎小臼歯部|45）

A：撮影範囲（検出器は横位置で，検出器の近心端を犬歯近心から歯軸の間に位置づけ，小臼歯は検出器のやや近心寄りに投影される．検出器の端は咬頭頂から約 3～5 mm 下方に位置）．B：正放線投影（水平的角度：矢印）と口腔内の検出器の位置（実線：二等分法，破線：平行法）．二等分法では歯列に対し検出器は平行に位置づけできないことが多い．C, D：歯軸・検出器の位置関係と垂直的角度．C：二等分法，D：平行法．E, F：撮影の実際．E：二等分法，F：平行法．

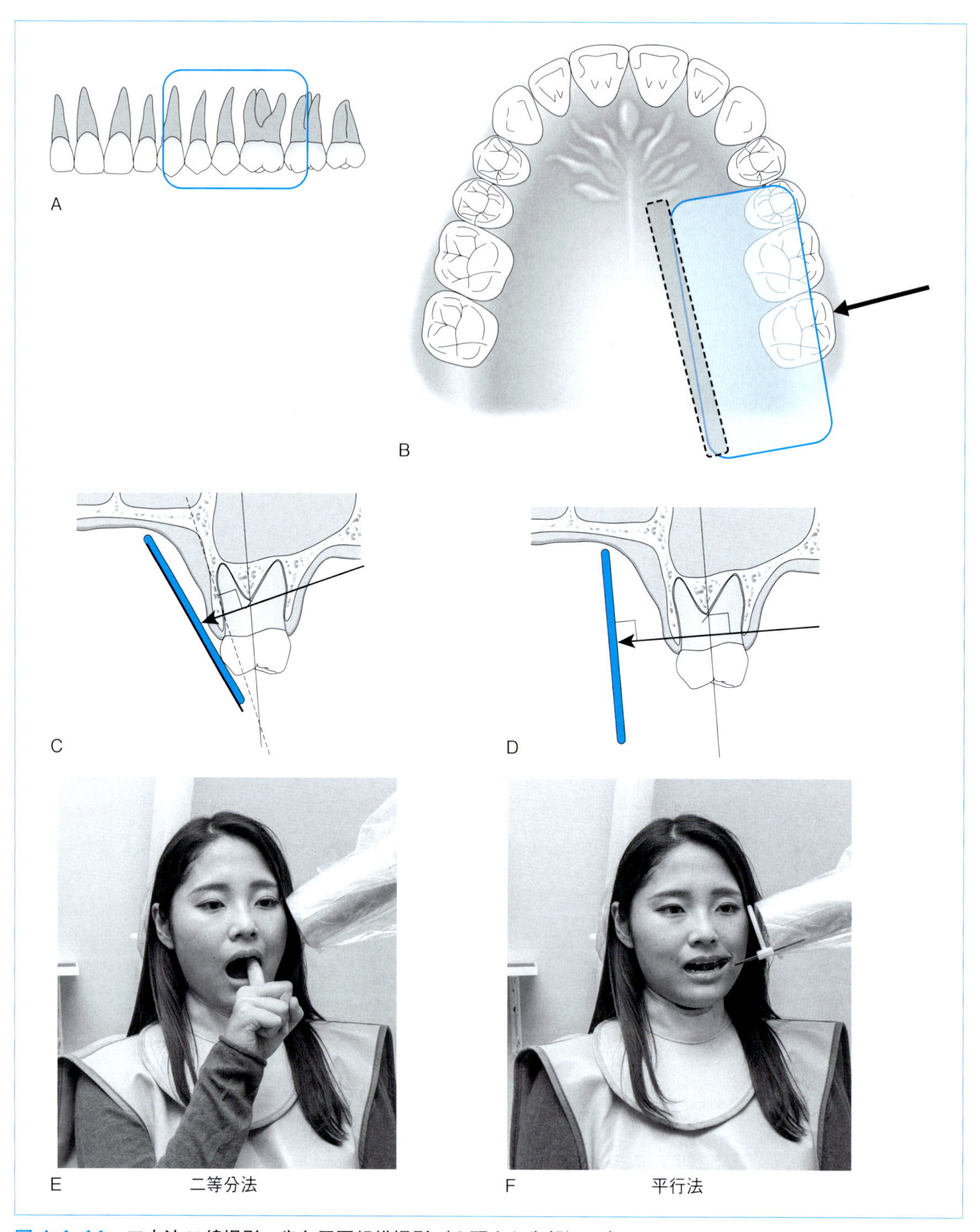

図 4-1-11　口内法 X 線撮影：歯と周囲組織撮影（上顎大臼歯部|678）

A：撮影範囲（検出器は横位置で，検出器の近心端を第二小臼歯の歯軸付近に位置づける．検出器の端は咬頭頂から約 3～5 mm 下方に位置）．B：正放線投影（水平的角度：矢印）と口腔内の検出器の位置（実線：二等分法，破線：平行法）．C, D：歯軸・検出器の位置関係と垂直的角度．C：二等分法，D：平行法．E, F：撮影の実際．E：二等分法，F：平行法．わが国では，口蓋の浅さにより検出器保持具を用いる平行法は困難な症例がほとんどである[4]．しかし，厳密な平行法ができなくても，検出器保持具を用いたほうが手指を用いた二等分法よりも頬側根と口蓋根のバランスのよい像が得られる．

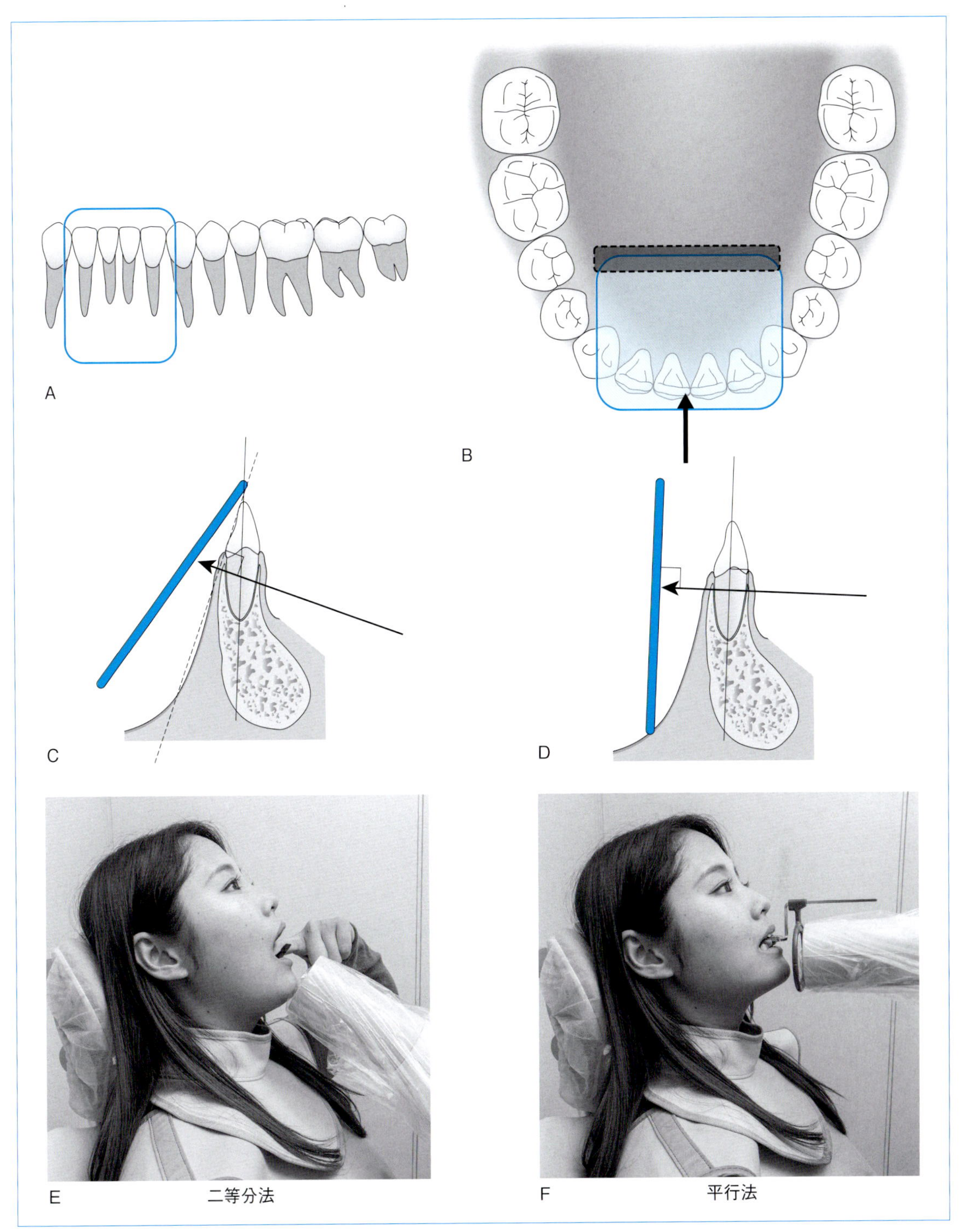

図 4-1-12　口内法 X 線撮影：歯と周囲組織撮影（下顎切歯部 $\overline{2|2}$）

A：撮影範囲（検出器は縦位置で中央を正中と合わせる．検出器の端は切端から約 3〜5 mm 上方に位置）．B：正放線投影（水平的角度：矢印）と口腔内の検出器の位置（実線：二等分法，破線：平行法）．C，D：歯軸・検出器の位置関係と垂直的角度．C：二等分法．下顎の撮影では肘を張って検出器を保持する．D：平行法．E, F：撮影の実際．E：二等分法，F：平行法．

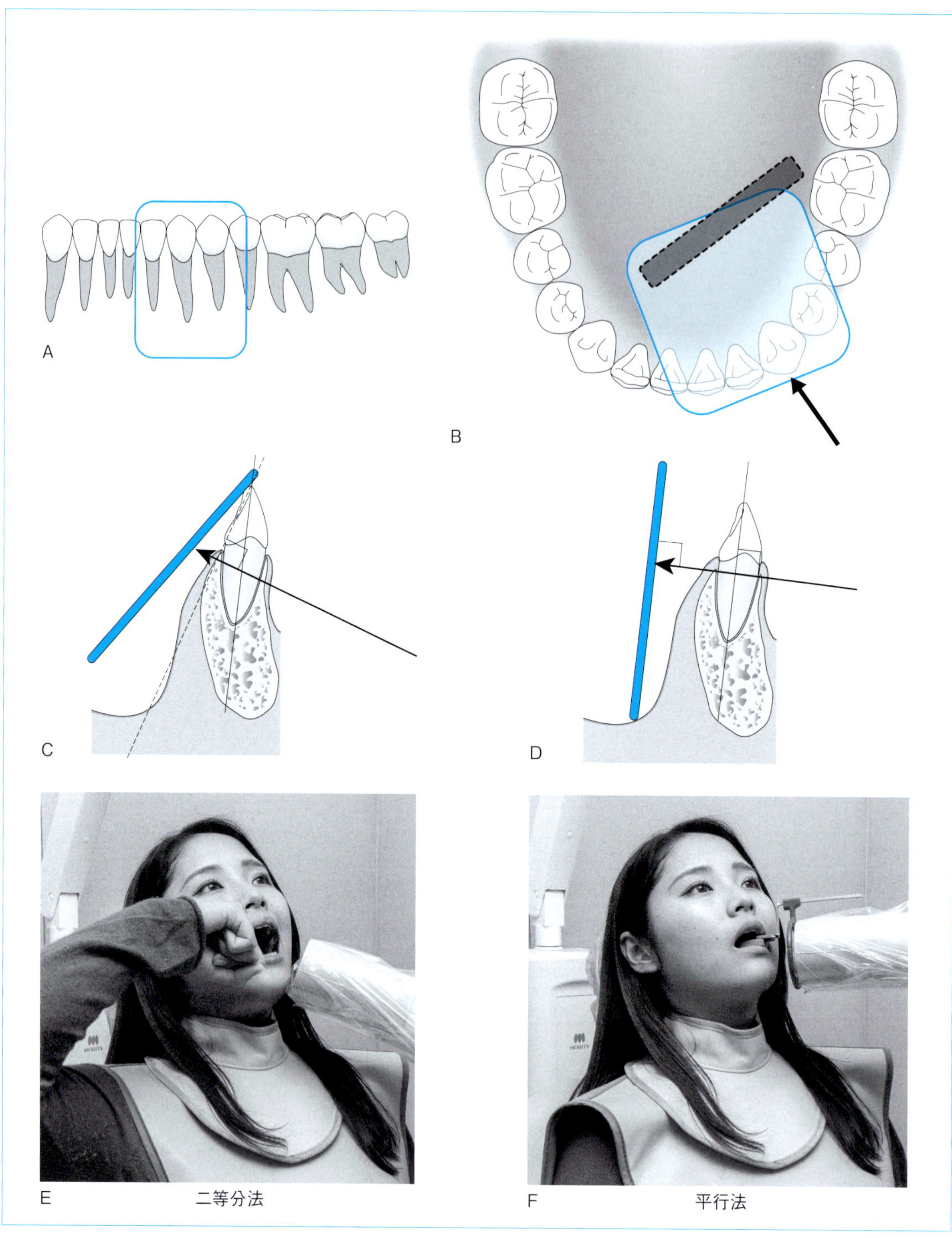

図 4-1-13　口内法 X 線撮影：歯と周囲組織撮影（下顎犬歯部 3┐）

A：撮影範囲（検出器は縦位置で，犬歯が中央付近になるように位置づける．検出器の端は尖頭から約 3〜5 mm 上方に位置）．B：正放線投影（水平的角度：矢印）と口腔内の検出器の位置（実線：二等分法，破線：平行法）．C，D：歯軸・検出器の位置関係と垂直的角度．C：二等分法，D：平行法．E，F：撮影の実際．E：二等分法，F：平行法．検出器保持具を用いる平行法ではこの部位で正放線投影を行うのが困難な症例がある．

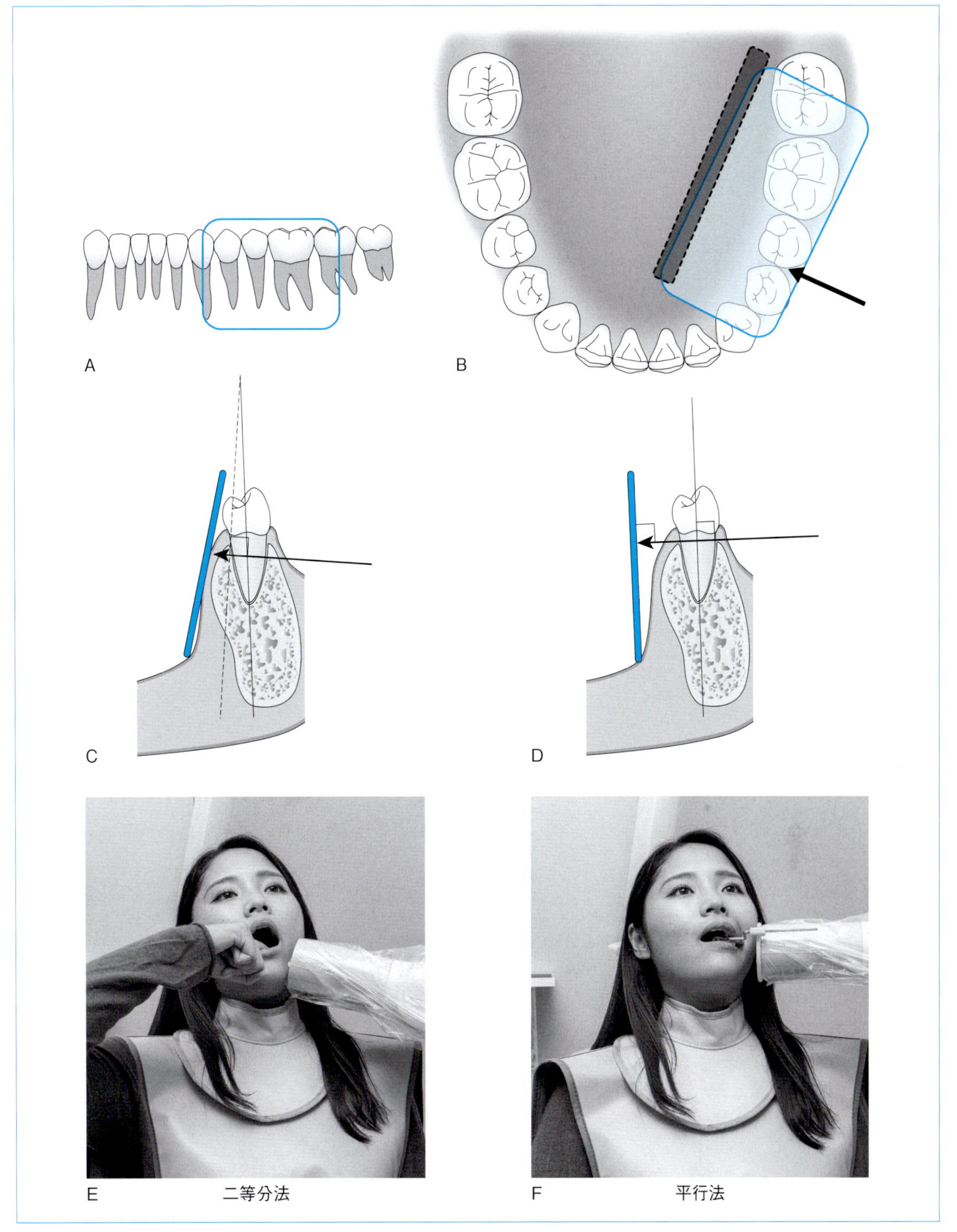

図 4-1-14　**口内法 X 線撮影：歯と周囲組織撮影（下顎小臼歯部 45 ）**

A：撮影範囲（検出器は横位置で，犬歯歯軸に検出器近心端が近づくように位置づける．検出器の端は咬頭頂から約 3～5 mm 上方に位置）．B：正放線投影（水平的角度：矢印）と口腔内の検出器の位置（実線：二等分法，破線：平行法）．二等分法では歯列に対し検出器は平行に位置づけることが難しい．C，D：歯軸・検出器の位置関係と垂直的角度．C：二等分法，D：平行法．E，F：撮影の実際．E：二等分法，F：平行法．

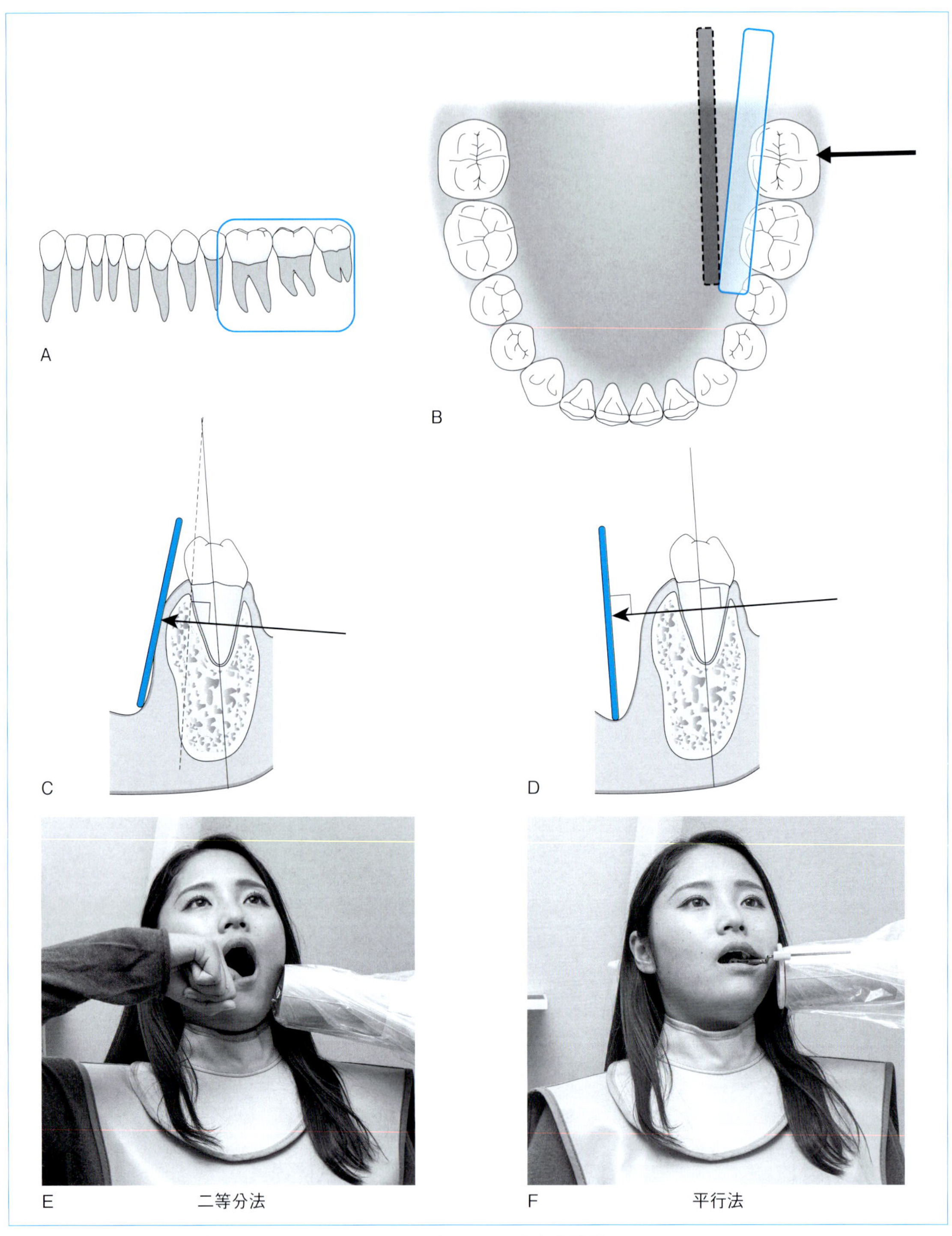

図 4-1-15　口内法 X 線撮影：歯と周囲組織撮影（下顎大臼歯部 678 ）

A：撮影範囲（検出器は横位置で，第二小臼歯歯軸に検出器近心端を位置づける．検出器の端は咬頭頂から約 3～5 mm 上方に位置）．B：正放線投影（水平的角度：矢印）と口腔内の検出器の位置（実線：二等分法，破線：平行法）．C，D：歯軸・検出器の位置関係と垂直的角度．C：二等分法，D：平行法．二等分法では口底に検出器を位置づけられれば垂直的角度が±0 度に近く，平行法の垂直的角度の差が最も少ない部位．画像の違いも少ない．E，F：撮影の実際．E：二等分法，F：平行法．

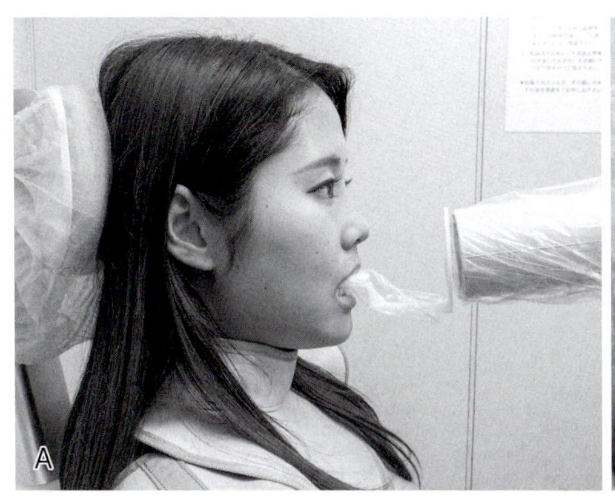

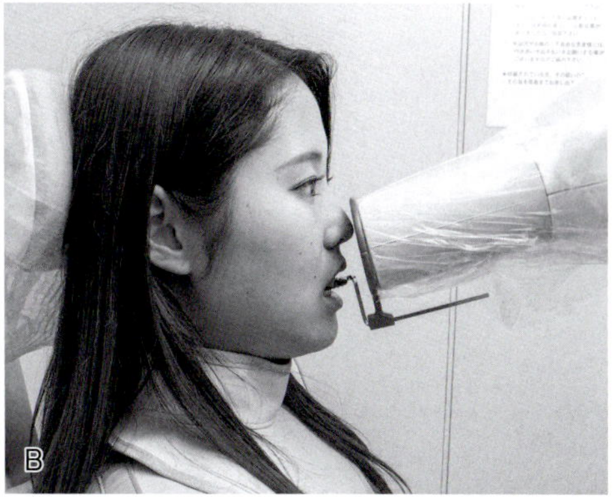

図 4-1-16　検出器保持具の使用例
A：二等分法用検出器保持具．B：平行法用検出器保持具．二等分法用ではコーン先端が皮膚面から離れるため，照射野が大きくなってしまい被曝線量が増加する可能性があることに注意が必要である．平行法用ではコーン先端を決定するリングの位置が調整できる．コーン先端を皮膚面に近接することが原則である．

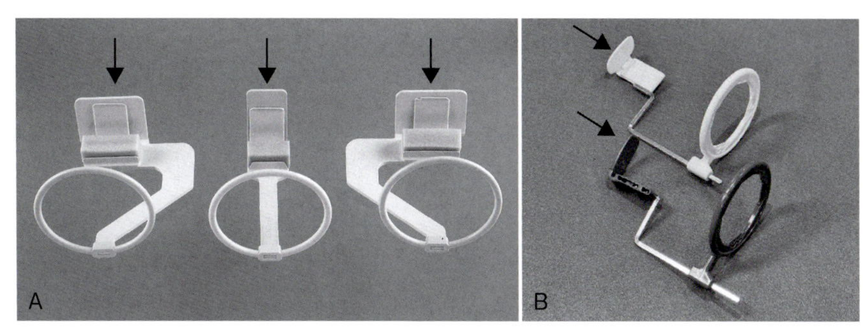

図 4-1-17　検出器保持具
A：二等分法用の検出器保持具（図 4-1-16 に使用例）．中央が前歯部用，両脇が臼歯部用．
B：平行法用の検出器保持具（図 4-1-8〜16 に使用例）．上が臼歯部用，下が前歯部用．
いずれもこのセットで全顎の検査ができる．保持部（矢印）に検出器を位置づけ，リング状の部分に指示用コーン先端を合わせる．A は検出器保持部とリングの位置が固定式なので，皮膚面から指示用コーンが離れる（図 4-1-16）．B はリングの位置が可変なため，指示用コーン先端と皮膚面を近接できる（図 4-1-16）．

(3) 投影角度の決定

歯列をよく観察し，水平的角度づけ（図 4-1-5）を行う．

適切に水平的角度づけが行えれば両隣接面が重複しない画像が得られる．隣接面の重複がある場合には，偏近心投影か偏遠心投影かを判断し（図 4-1-18），投影方向の改善と読影に役立てる．

次に垂直的角度づけ（図 4-1-6）を行う．二等分法では垂直的角度づけの大小が歯の全長の縮小と伸長につながるので（図 4-1-19）正確を期す．

平行法では検出器保持具を歯軸に合わせることが重要で，その成否で投影の成否が決定する．平行法は垂直的角度が小さいため周囲の解剖構造との重複を軽減することができる（図 4-1-20）．いずれの撮影でも照射野と検出器の位置の不一致によりコーンカットを生じる（図 4-1-21）．

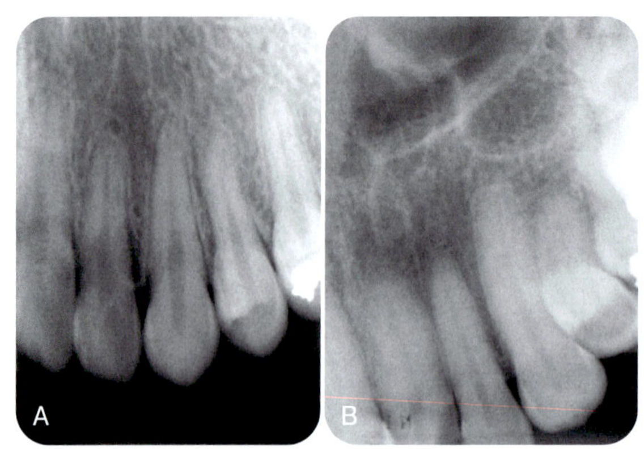

図 4-1-18　⌊3 の正放線投影（A）と偏近心投影（B）
A では⌊3 の両隣接面ともに重複なく写し出されている．B では⌊3 の遠心隣接面が⌊4 の近心隣接面と重複している．このため，⌊3 の遠心歯槽頂や歯根膜腔が観察できない．この像では⌊2 と⌊3 の隣接面は重複していないのでこの部分に正放線投影されていることになる．このため，⌊2 と⌊3 の隣接面よりも遠心に位置する歯は近心側から X 線投影されるので偏近心投影になる．

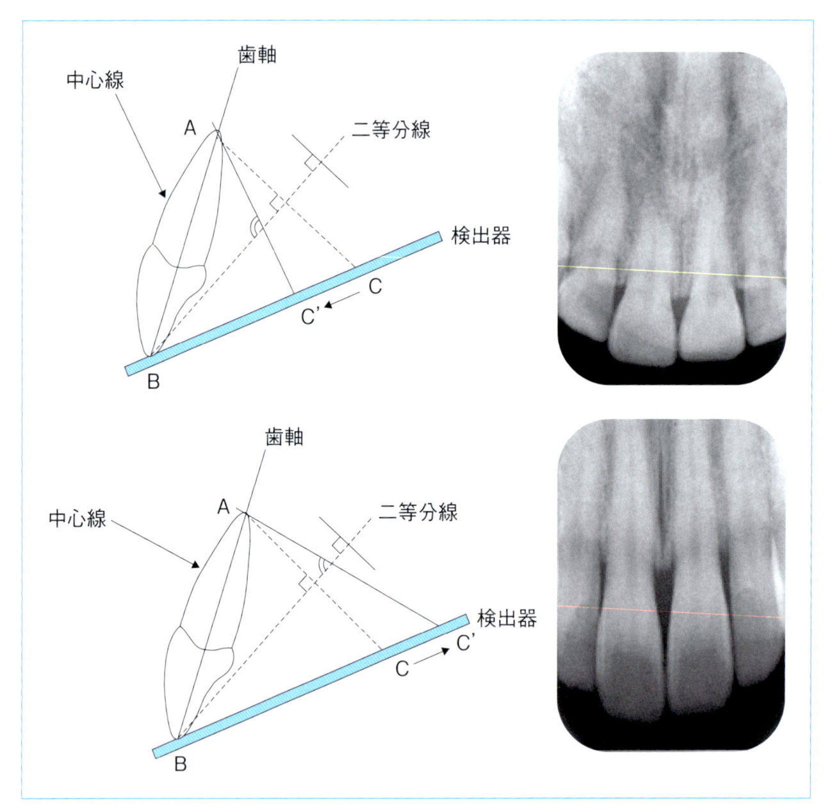

図 4-1-19　中心線と二等分線との角度的関係
中心線の方向が二等分線とのなす角度 90° より大きいと，根尖部は C → C' の位置になり，歯の実長より短くなる．また，中心線の方向が二等分線とのなす角度 90° より小さいと，根尖部は C → C' の位置になり，歯の実長より長くなる．

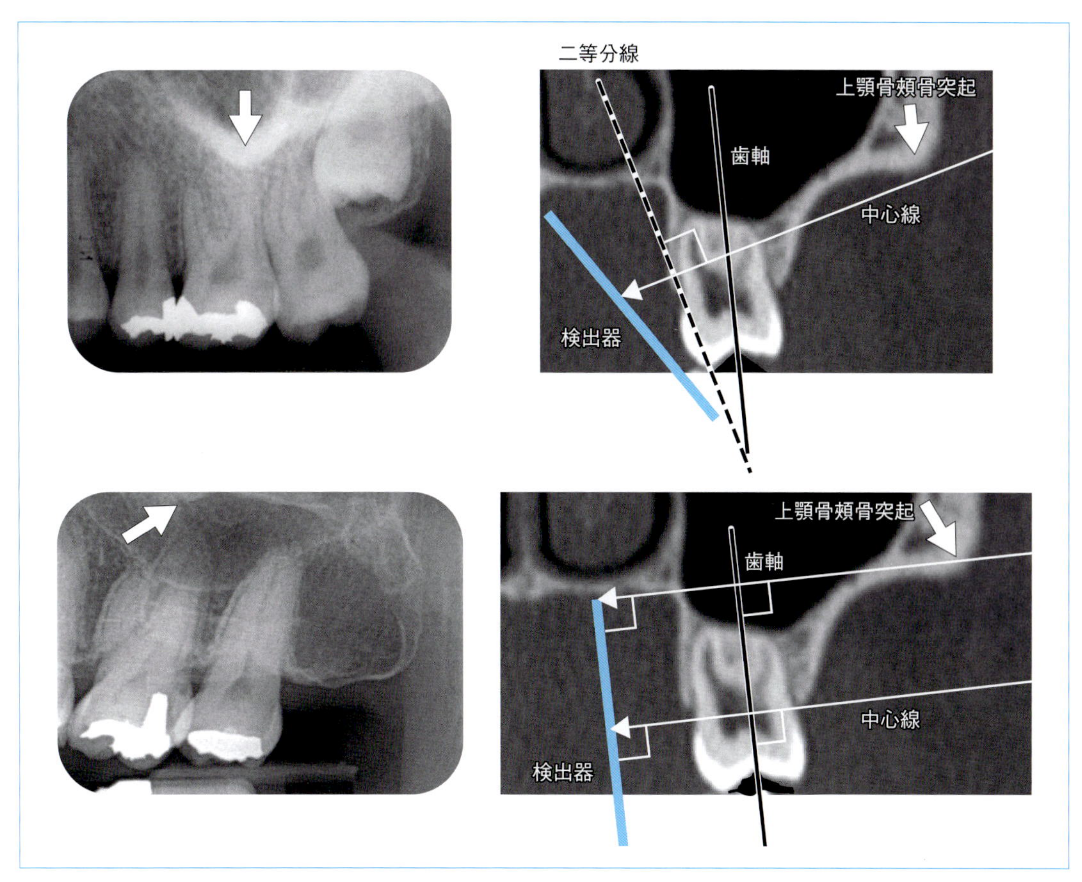

図 4-1-20　二等分法と平行法による像の相違
二等分法（上図右）で撮影すると上顎大臼歯頬側根は実長より短くなり，口蓋根は実長よりも長くなり，ひずみが生じる（上図左）．また，上顎骨頬骨突起（白太矢印）が歯根と重複することがある．
平行法（下図右）で撮影すると頬側根と口蓋根のバランスは実体に近くなり，セメント-エナメル境と歯槽頂の位置関係も観察しやすい．また，上顎骨頬骨突起（白太矢印）と歯根の重複が避けられる．しかし，図 4-1-11 で示すように，口蓋が浅いために検出器の保持が困難なことがある．

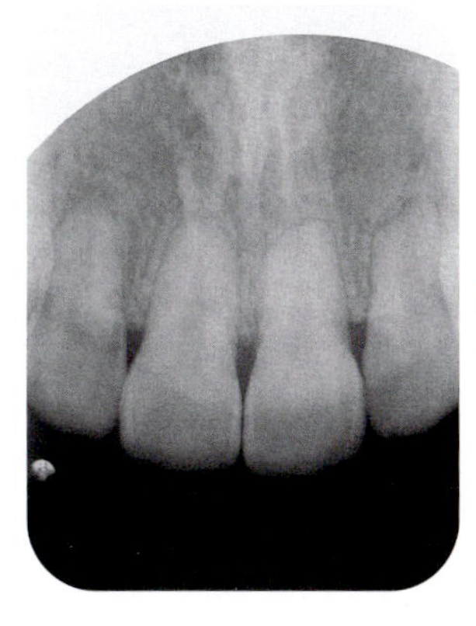

図 4-1-21　コーンカットの例
上顎左側切歯を撮影したが，中心線の射入点がやや尾側であったため，フィルムの上方部に X 線に照射されない部分が生じた．ただし，対象歯の歯冠および歯頸・根尖部の歯槽骨は描出されているので，再撮影は不要である．

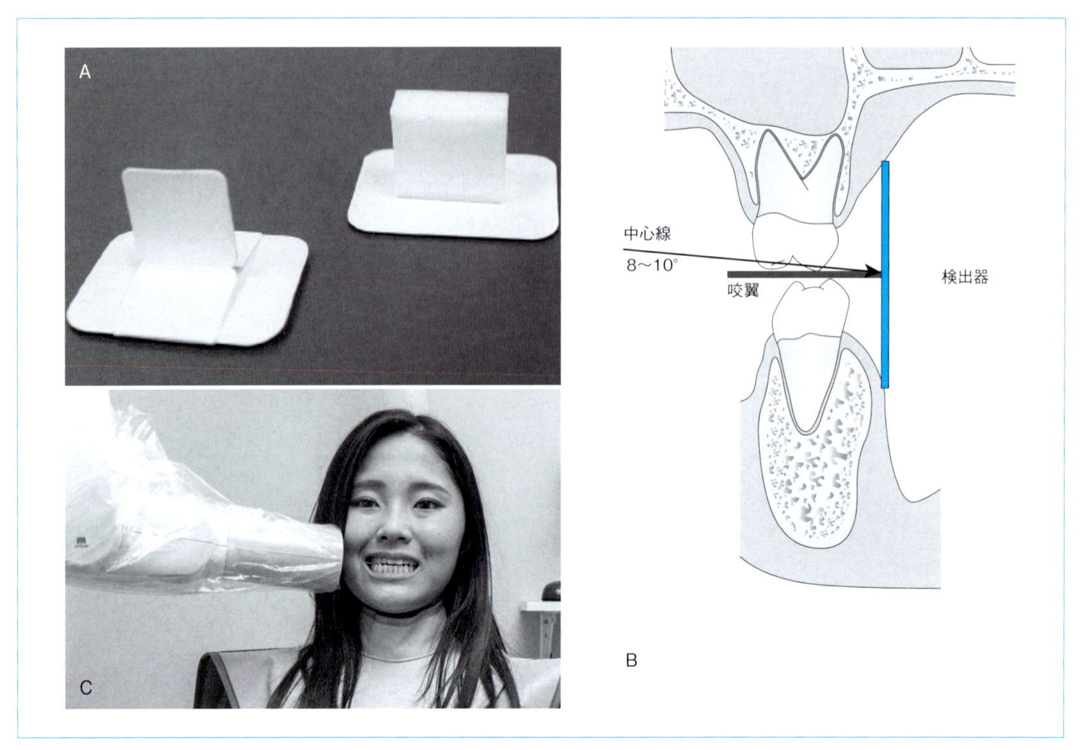

図 4-1-22　**咬翼法撮影**
咬翼法では検出器にタブ（A）を用いる．咬翼（bite-wing，タブ）を咬んで（B）上下顎大臼歯歯冠を検出器中央に位置づける．水平的角度づけは正放線投影とし，垂直的角度は上方＋8～10°から投影する（B, C）．垂直的角度が小さく上下顎歯冠部と歯槽頂の観察に優れている．隣接面齲蝕と初期の慢性歯周炎の検出に優れている．根尖は写らない．

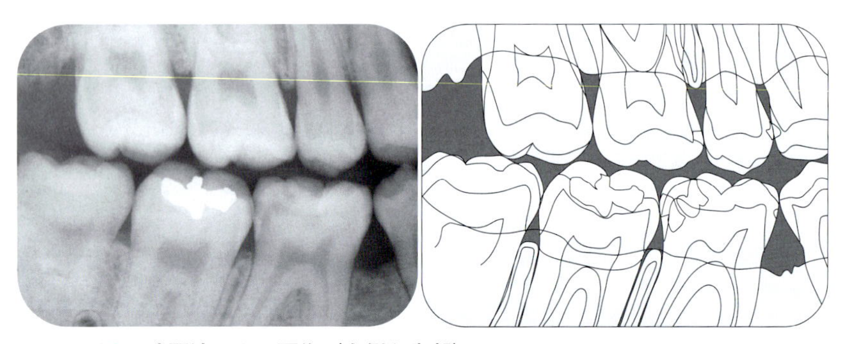

図 4-1-23　**咬翼法による画像（右側臼歯部）**
上顎第一小臼歯遠心隣接面・第二小臼歯近心隣接面・第一大臼歯近心隣接面，下顎第一大臼歯近遠心隣接面に齲蝕を認める．下顎第二小臼歯・第一大臼歯間の歯槽頂および上顎第二大臼歯遠心の歯槽頂の骨吸収が認められる．

4）咬翼法

検出器につまみ（tab）（図 4-1-22A）を付けて翼状とし，これを上下顎で咬んで検出器を保持する．検出器はできるだけ歯列と平行に位置づける．水平的角度づけは正放線投影とし，垂直的角度は中心線を咬合平面の上方＋8～10°から投影する（図 4-1-22B, C, 23）．

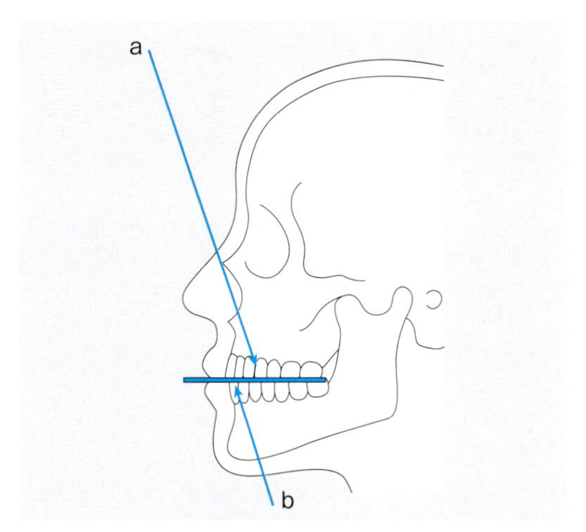

図 4-1-24　**上下顎前歯部を対象とした咬合法の投影角度**

a：上顎前歯部，二等分方向投影咬合法．b：下顎前歯部，歯軸方向投影咬合法．

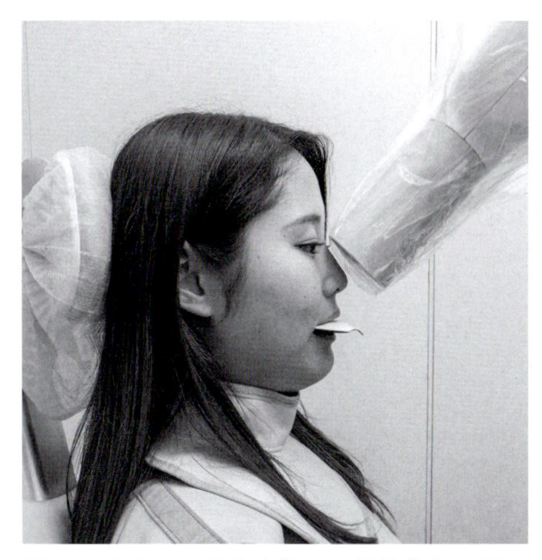

図 4-1-25　**上顎前歯部・口蓋前方部を対象とした二等分方向投影咬合法**

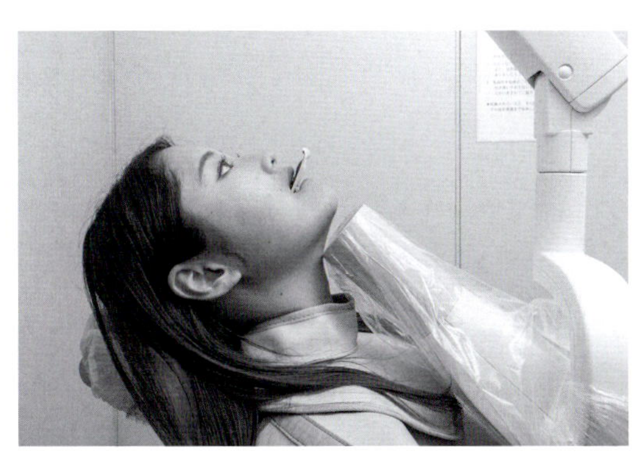

図 4-1-26　**下顎前歯部を対象とした歯軸方向投影咬合法**

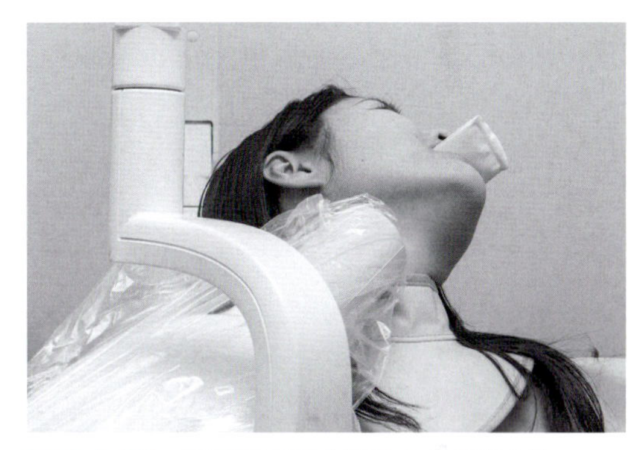

図 4-1-27　**顎下腺唾石を疑うときの咬合法**

5）咬合法

(1) 撮影法

咬合法は通常咬合型 X 線フィルム（JIS 寸法番号 4）あるいは同等サイズのイメージングプレート（IP）を用い，フィルム（あるいは IP）の表が撮影したい顎側になるようにフィルムを軽く咬んだ状態で撮影する．二等分法や平行法と比べるとより広範囲を描出したいときや下顎骨の頬舌的な膨隆を検査するときに用いられる．

わが国における咬合法撮影の基本的な投影方向は，二等分方向投影，歯軸方向投影および唾石検査の場合の特殊な方向に分けることができる．上顎の咬合法と下顎の二等分方向投影咬合法では咬合平面を床と平行に，下顎の歯軸方向投影咬合法では頸部をできるだけ後屈し咬合平面を床と垂直にするのが望ましい（図 4-1-24～27）．

A. 上顎前歯部・口蓋前方部を対象とした二等分方向投影咬合法

標準型 X 線フィルム（あるいは IP）ではとらえきれない広範な病変を撮影する場合に用い

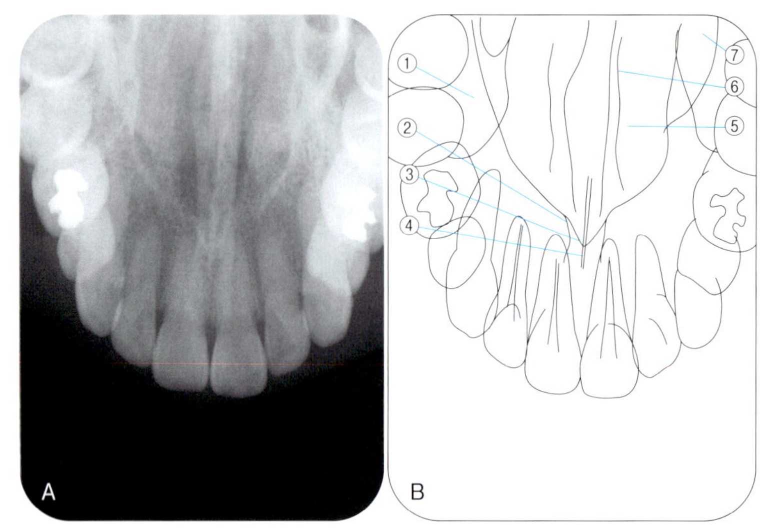

図 4-1-28　上顎前歯部二等分方向咬合法 X 線画像の正常像（A）とそのトレース像（B）
①上顎洞，②鼻口蓋管（側壁），③前鼻棘，④正中縫合，⑤鼻腔，⑥鼻中隔，⑦鼻涙管

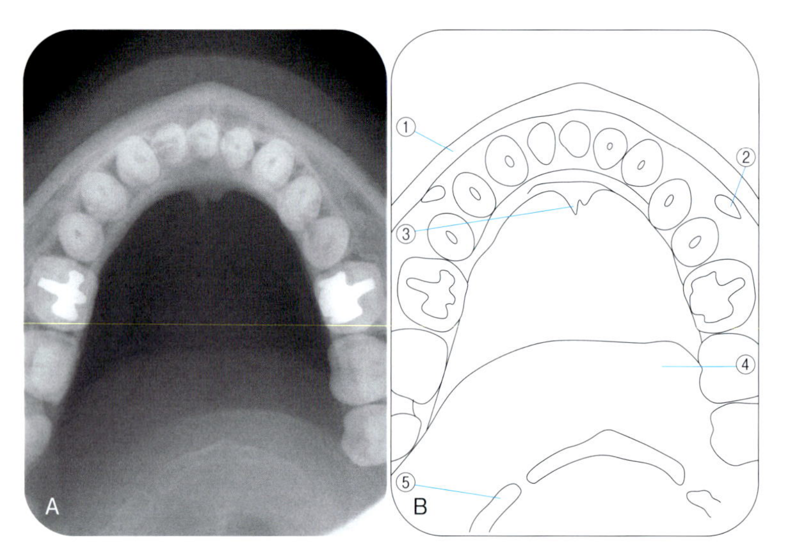

図 4-1-29　下顎歯軸方向咬合法 X 線画像の正常像（A）とそのトレース像（B）
①顎骨皮質骨，②オトガイ孔，③オトガイ棘，④舌，⑤舌骨

る．わが国ではフィルムを長辺を正中矢状面と平行にすることが多い．投影角度は原則二等分法に従い，歯軸とフィルムの二等分面に垂直にするため，中心線と咬合平面とのなす角は 60〜80° 程度になる．近遠心方向では矢状面と中心線が平行になり，コーンは鼻根部付近に位置する（図 4-1-24a，図 4-1-25）．

B．下顎前歯部歯軸方向投影咬合法

下顎骨体部の病変の頬舌的位置や頬舌方向の膨隆を確認するために用いる．主線の方向を前歯部歯軸と平行になるように設定する（図 4-1-24b，図 4-1-26）．下顎前歯部，臼歯部，口底など対象となる部位に合わせて中心線の方向をずらして撮影する．

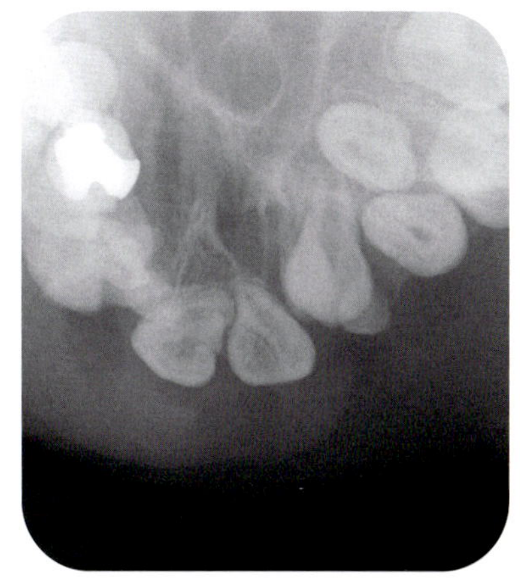

図 4-1-30　**両側唇顎口蓋裂症例**
左側の顎裂に合わせてX線の入射角度を調整して撮影.

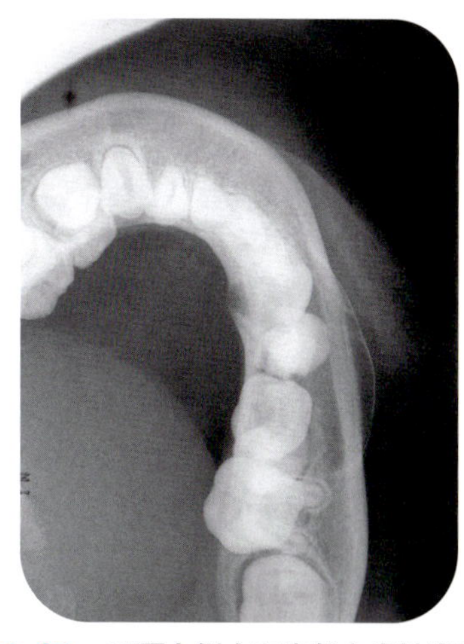

図 4-1-31　**下顎左側小臼歯部含歯性嚢胞の例**
下顎骨の頬側への膨隆が観察できる.

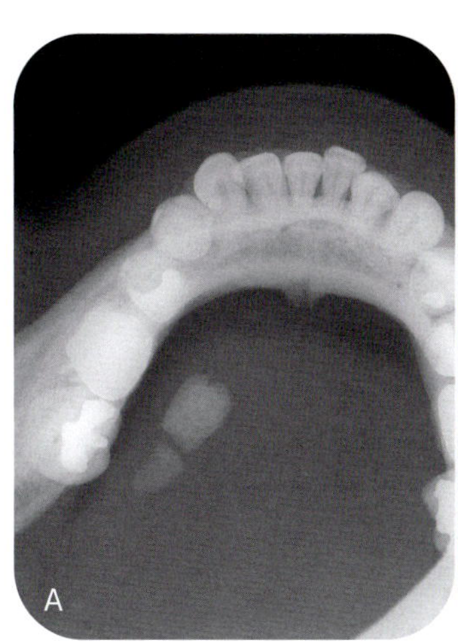

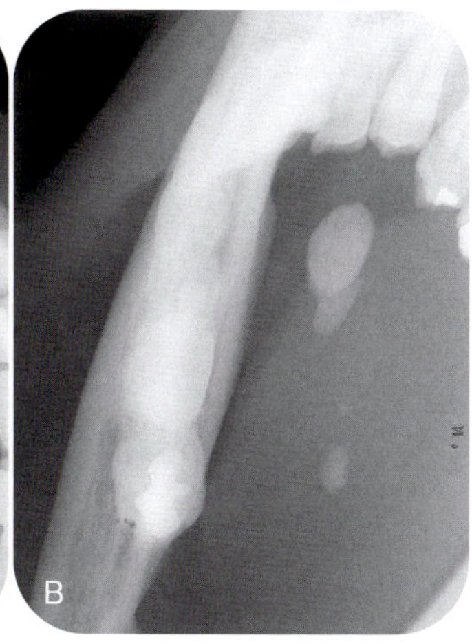

図 4-1-32　**顎下腺唾石症の例**
A：口底（ワルトン管）を対象として撮影したもの. B：顎下腺体を狙って撮影したもの. 口底から顎下腺体にかけて, 4個の唾石様不透過物を認める.

C. 顎下腺体を対象とした咬合法およびその他

顎下腺体の唾石を確認する際の特殊な投影角度を用いる咬合法を示す（図 4-1-27）. 患側の顎下腺体の斜め後方から咬合したX線フィルムに向けて投影する.

前記A～Cは対象とする部位にあわせてフィルムを設置する位置や主線の投影角度を調整することで各部位に応じた二等分方向投影咬合法や歯軸方向投影咬合法が撮影できる.

(2) X線画像

咬合法X線画像の正常像とそのトレース像を図 4-1-28, 29 に, 上下顎咬合法の例を図 4-1-30～32 に示す.

図 4-1-30 は唇顎口蓋裂症例で, 左側の顎裂に合わせてフィルムの位置およびX線の入射角度を調整して撮影してある. 裂部の骨欠損が明瞭に観察できる. 図 4-1-31 は下顎左側小臼歯部の含歯性嚢胞の症例で, 下顎骨の頬側への膨隆が観察できる. 図 4-1-32 は顎下腺唾石症の症例で, Aは口底（ワルトン管）を対象として撮影したもの, Bは顎下腺体を狙って撮影したものである. 口底から顎下腺体にかけて4個の唾石様不透過物を認める.

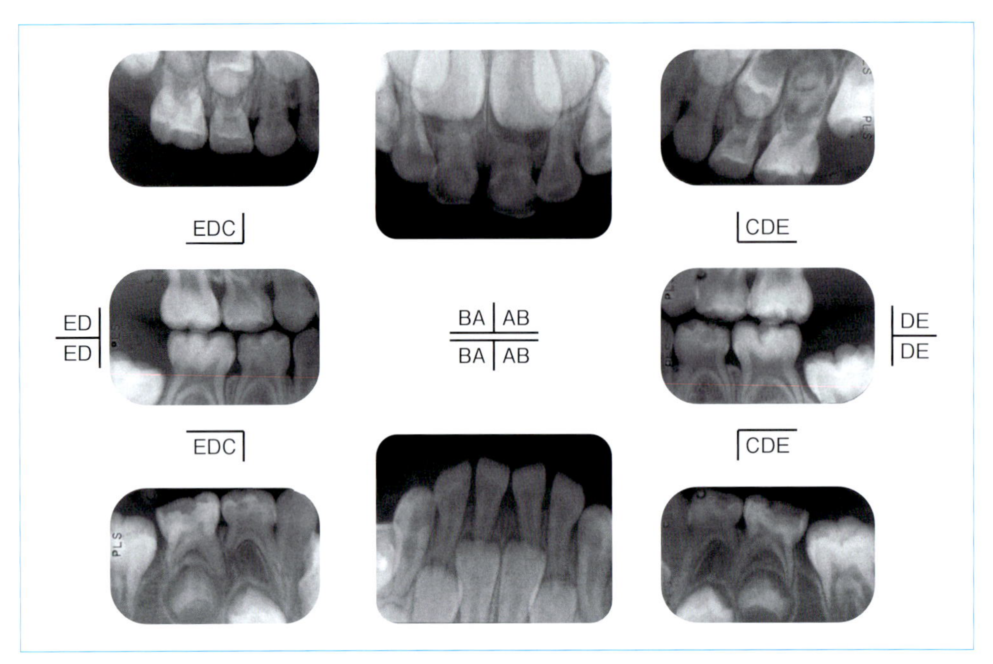

図 4-1-33　乳歯列の全顎 X 線撮影
乳切歯は標準型検出器を横位置に位置づけ，咬合法のような投影になる．乳犬歯・乳臼歯は成人の二等分法と同様に小児用検出器を横位置にして行うが，口蓋と口底が浅いため，垂直的角度が大きくなる傾向がある．乳臼歯の咬翼法を隣接面齲蝕の検査のために小児用検出器で行う．

6）小児の口内法 X 線撮影

小児の口腔は狭小で口蓋，口底ともに浅い．そのため，成人のような検出器の位置づけが困難であり，成人とは異なる撮影が必要になる．検出器保持具の使用は困難である．また，主な検査目的が齲蝕の検出になるため，これに適した投影方法で構成した全顎撮影が基本になる．

乳歯列の全顎撮影（図 4-1-33）は，上下顎乳切歯部は標準型（30.5×40.5 mm）の検出器を横位置にして咬合面に位置づける．成人の咬合法前歯部二等分法に類似した投影方向になる．乳犬歯・乳臼歯部は小児用（22×35 mm）の検出器を横位置で歯列に検出器を沿わせ二等分法で投影する．乳臼歯の咬翼法を小児用検出器で行う．乳前歯単独撮影は，小児用検出器を縦位置で二等分法を行う．

乳歯列の X 線検査には患児が自分で検出器を保持するのが困難なことがあり，介助の必要なこともある．この場合には，介助者の位置，防護衣，検出器保持などの放射線防護を適切に行う．検査の必要性，説明，実施には小児歯科の知識と技能が必須である．

7）口内法 X 線画像：歯と周囲組織 X 線像の正常解剖

(1) 歯と歯周組織（図 4-1-34）

A. エナメル質

エナメル質は，歯冠表面を被覆する人体中で最も硬い組織である．約 97％が無機質で構成され，最も石灰化の程度が高いため X 線の吸収が高く，X 線不透過性の高い像として描出される．咬頭の尖端部または切縁で最も厚く，歯頸部に向かうに従ってしだいに薄くなっており，すべての歯を通じて頬側面のほうが舌側面よりも厚い．

隣接面のエナメル質は，X 線束がエナメル質

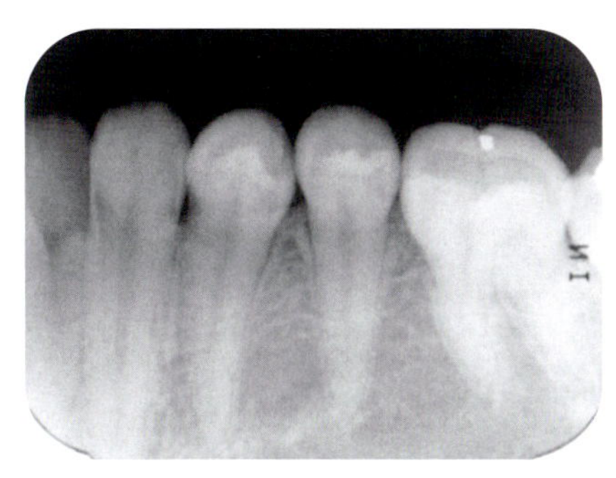
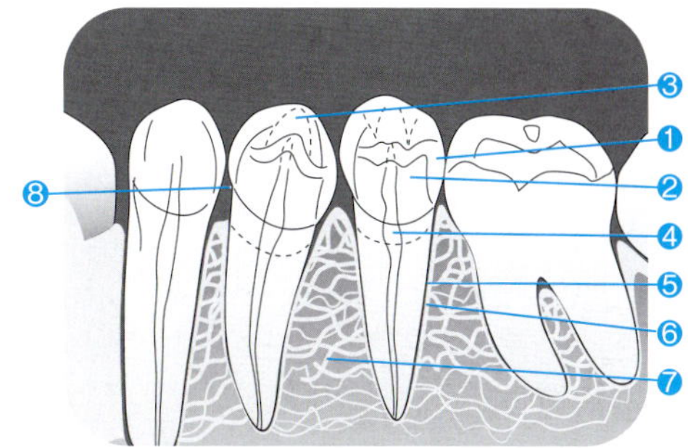

① エナメル質 ② 象牙質 ③ 咬頭 ④ 歯髄腔
⑤ 歯根膜腔 ⑥ 歯槽硬線（白線） ⑦ 骨梁
⑧ セメント-エナメル境

図 4-1-34 **歯と歯周組織**

のみを通過してくることと接線効果（p.71，図3-1-15 参照）によって，明瞭に描出される．また，口内法 X 線画像は，断面像ではなく投影像なので，組織が重複していることを常に念頭において読影することが重要である．咬合面の隆線や裂溝なども，黒化度の差として描出される．切縁や咬頭のエナメル質は，咬耗によって消失することもある．

B. 象牙質

象牙質は，歯の大部分を構成しており，エナメル質に次いで硬い組織である．骨とほぼ類似の組成を示し，60～70%が無機質で，エナメル質より X 線の吸収は低いが，X 線不透過像として認められる．

口内法 X 線画像で象牙質とよばれる部分は，歯冠部では頬舌側のエナメル質および象牙質が重複した像であり，歯根部では頬舌側の歯槽骨および象牙質が重複した像であるが，慣習的に象牙質とよぶ．セメント-エナメル境と歯槽頂の間の象牙質は，頬側か舌側に硬組織（エナメル質か骨）がないため，歯頸部露出オーバー現象（バーン・アウト）とよばれる黒化度の高い像になり，これにより歯根象牙質と重複した頬舌側の歯槽骨の高さをある程度推測することができる．

C. セメント質

セメント質は，歯根表面を被覆する組織で，その厚さは 0.1～0.5 mm である．象牙質とほぼ同程度の X 線不透過性を示すため，両者の識別は不可能である．

D. 歯髄腔

歯髄腔は，歯の中央部から連続的に根尖部に続いてみられる空洞であり，中には歯髄を含んでいる．歯髄腔は明らかな X 線透過像として認められる．形態は時として単純ではなく，側枝が存在したり，歯髄内の変性（多くは石灰化）によって微小な X 線不透過像が観察され，歯髄腔が閉鎖したような X 線所見を示すこともある．

E. 歯根膜腔

歯根膜腔は，歯根の全周にわたってみられる間隙であり，中には歯根膜が存在する．歯根膜腔は一定の幅（約 0.2～0.4 mm）をもつ線状の X 線透過像として描出される．歯根膜腔の幅の拡大は，歯周病や根尖病変の診断に重要な所見である．

F. 歯槽硬線（白線）

歯槽硬線（白線；lamina dura）は，歯根膜腔の外側（歯槽窩の外壁）に 0.3 mm 前後の 1 層の線として現れる X 線不透過像である．歯槽骨

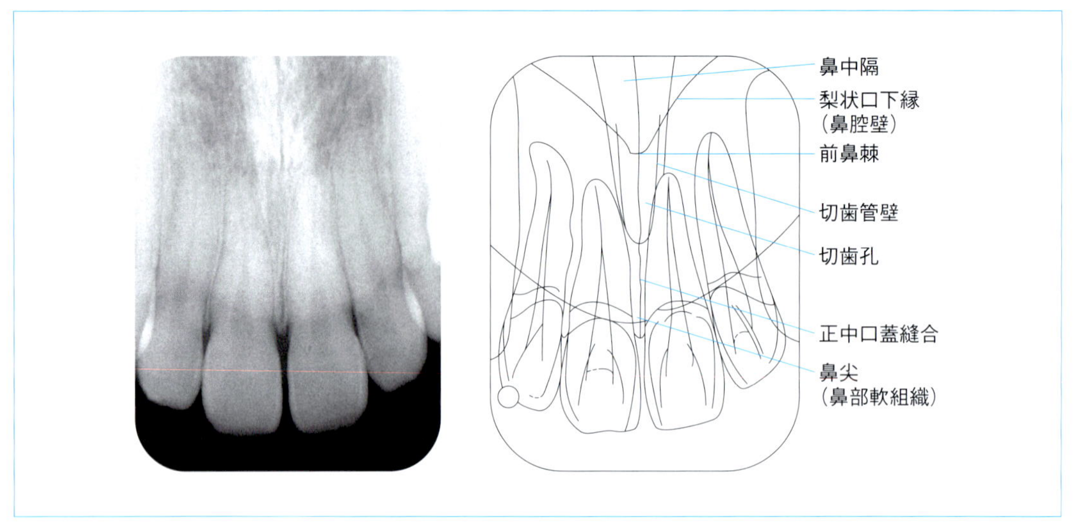

図 4-1-35　上顎切歯部

表面の緻密骨が，接線効果によって描出される．歯槽硬線の有無は，根尖病巣など根尖周囲の疾患の診断に重要なX線所見である．しかし，年齢や部位，X線の入射方向などによって，常に観察されるとは限らない．

G. 骨　梁

骨梁は，海綿骨を構成する骨実質であり，緻密骨の内面から起こり，骨髄腔を越えて反対側の緻密骨に達している．2次元的な骨紋理を呈し，X線不透過像として描出される．一般に，上顎骨では網目状か顆粒状のX線不透過像を呈し，下顎骨では水平状または斜線状を呈することが多い．

H. 栄養管

栄養管は，解剖学的には神経脈管束が通る管と考えられる．帯状のX線透過像として描出される．下顎前歯部において多く認められる．下歯槽動脈の歯槽枝が通る管であり，下顎前歯部歯槽骨の槽間中隔と根間中隔に，帯状で垂直方向に走るX線透過像として描出される（図 4-1-39 参照）．

栄養管は，上顎洞底部において認められることもある．上顎洞底部の栄養管は，後上歯槽動脈が通る溝であり，洞底部に帯状または索状のX線透過像として描出され，特に栄養溝とよばれる．また，下顎臼歯部では，根尖に続く栄養管壁がX線不透過像として観察される．

(2) 口内法X線画像に描出される周囲の構造物

A. 上　顎（図 4-1-35～38）

a. 前鼻棘

前鼻棘は，解剖学的に鼻中隔の最先端部で，正中線上では梨状口の下縁から鋭い棘状の突起を出し，反対側の同じ棘状の突起とともに形成される骨突起である．上顎中切歯根尖上方部に，V字形のX線不透過像として描出される．

b. 切歯管（切歯孔）

切歯管は，口蓋骨の前方部を前下方に貫く管腔であり，中には鼻口蓋神経と動・静脈が通っている．片側の鼻腔前庭の底面の鼻中隔の基部から1本の管が出て前下方かつ内側に走り，反対側の管と合流し単管になっていて，切歯孔として口蓋骨の正中部に開口する．

切歯管は，正中口蓋縫合の両側に帯状のX線透過像として描出される．切歯孔は，上顎中切歯根尖間に円形または楕円形のX線透過像として描出される．

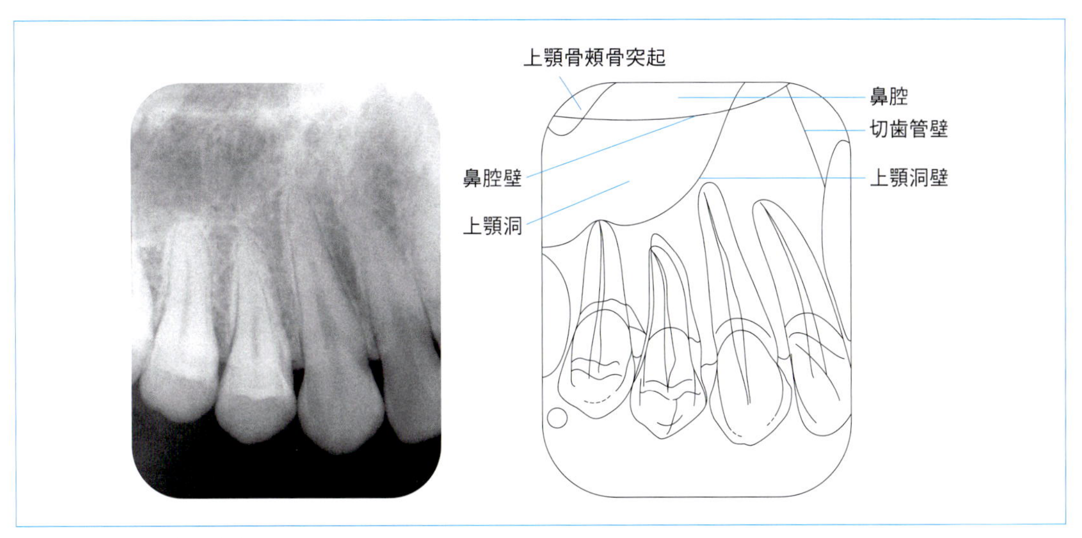

図 4-1-36　**上顎犬歯部**

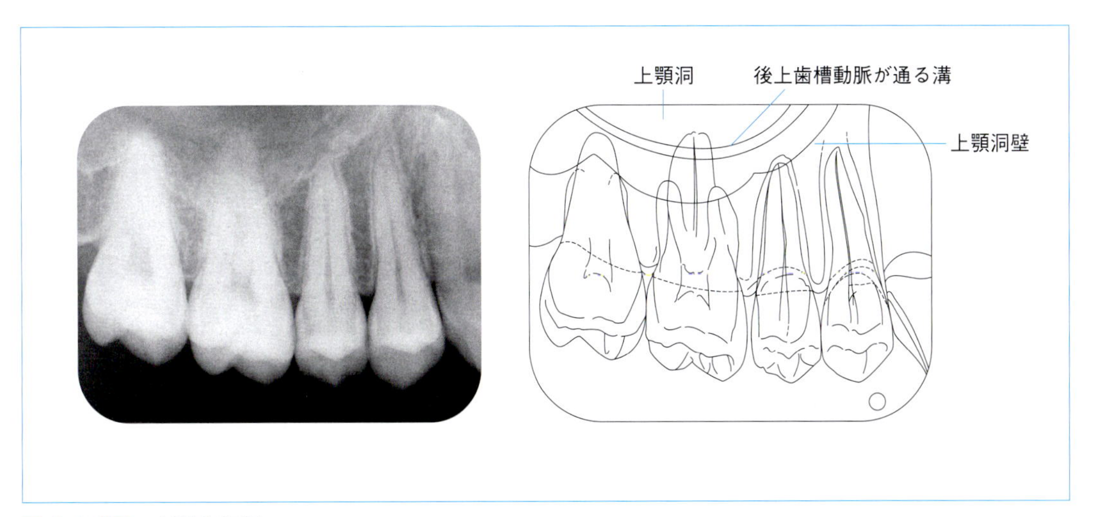

図 4-1-37　**上顎小臼歯**

c. 正中口蓋縫合

正中口蓋縫合は，硬口蓋の正中にある縫合である．正中部歯槽頂から前鼻棘の方向に伸びた線状のX線透過像として描出される．

d. 鼻　腔

鼻腔は，上方は頭蓋底や篩骨洞に，下方は口腔に，また左右は眼窩と上顎洞に挟まれている．梨状口によって外界と交通し，鼻中隔によって左右に分けられている．上顎前歯根尖の上方部で，鼻中隔の両側にX線透過像として描出される．

e. 鼻腔底

上顎小臼歯部において認められる鼻腔壁の像が鼻腔底であり，犬歯の根尖上方から遠心方向に向けて歯槽頂部に平行（咬合平面に平行）に走行する．やや鮮鋭度に欠ける太めのX線不透過像として認められる．

f. 上顎洞

上顎洞は，上顎小臼歯根尖部の上方にX線透過像として描出される．上顎洞壁は，鼻腔壁に比べて境界明瞭な細めのX線不透過像を示し，

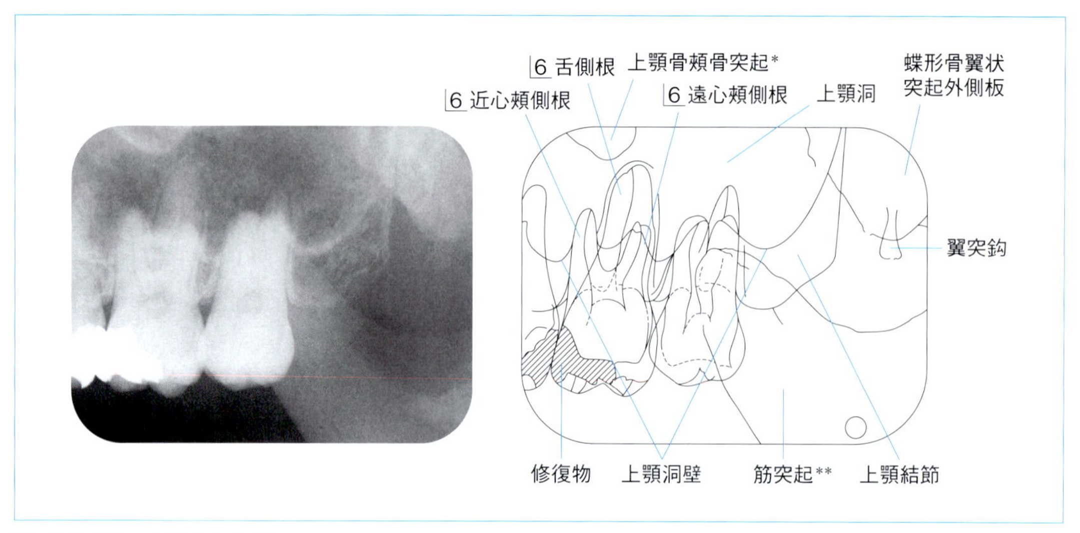

図 4-1-38　**上顎大臼歯部**

*平行法撮影では投影されない.

**大きく開口して撮影するときに投影される.

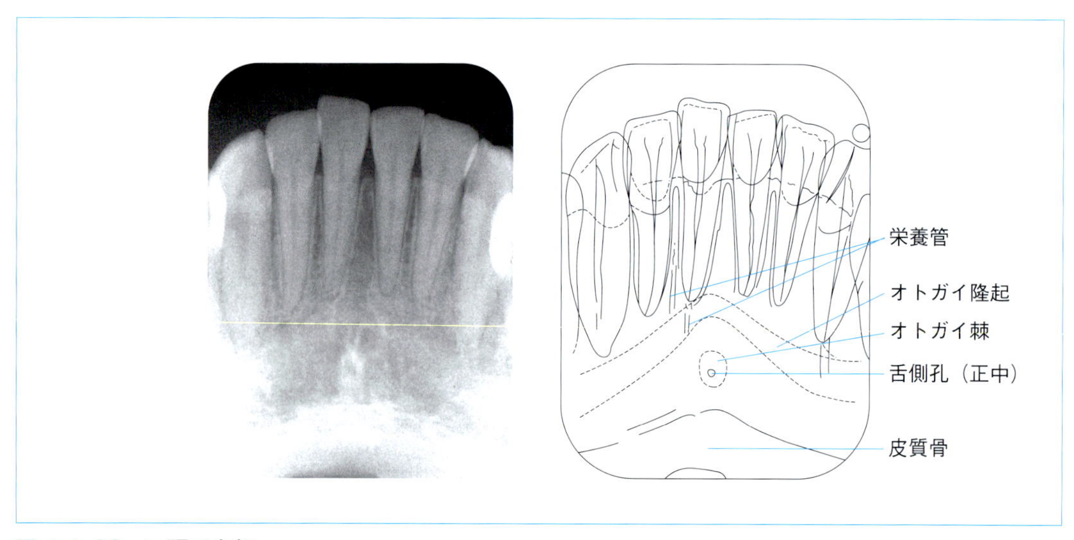

図 4-1-39　**下顎切歯部**

概ね犬歯の根尖上方あるいは第一小臼歯の根尖上方付近で鼻腔底の像とほぼ直交し，その部から大きな円弧を描きながら下方に走行する．上顎第一大臼歯舌側根 1/2 付近を最下点とすることが多く，その後方では上方に走行する．

g. 上顎骨頬骨突起

上顎骨頬骨突起は，第一大臼歯あるいは第二大臼歯の根尖上方部に，V 字型あるいは U 字型の幅広の X 線不透過像として描出される．X 線の入射角度の違いによって形態や部位が異なったり，また，その下縁が根尖部と重なることがあるため，読影を困難にすることがある．

h. 蝶形骨翼状突起外側板

蝶形骨翼状突起外側板は，上顎結節後方部に，骨梁構造を伴わないやや鮮鋭度に欠ける X 線不透過性の像として描出される．必ずしも認め

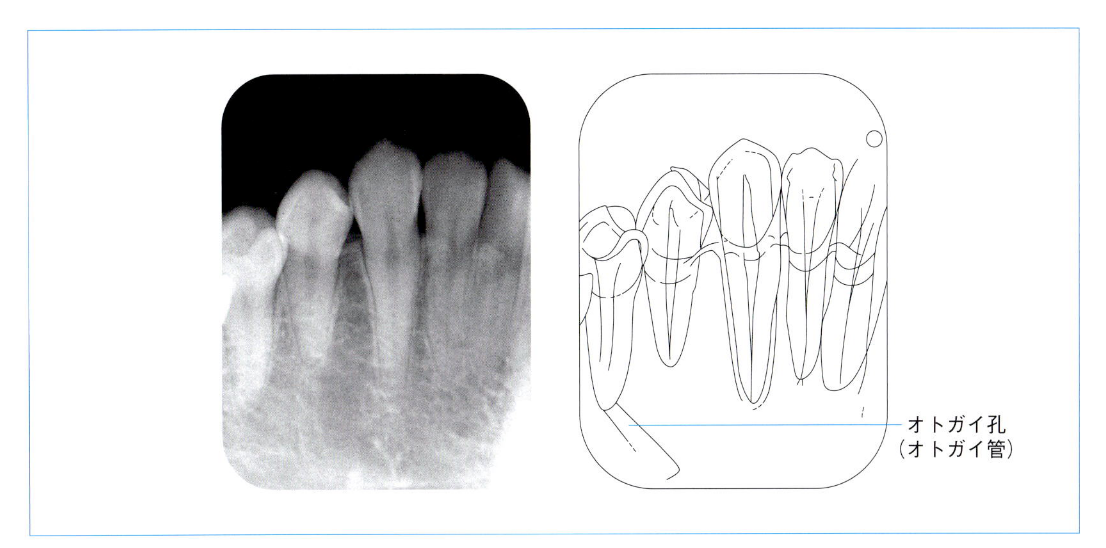

図 4-1-40　下顎犬歯部

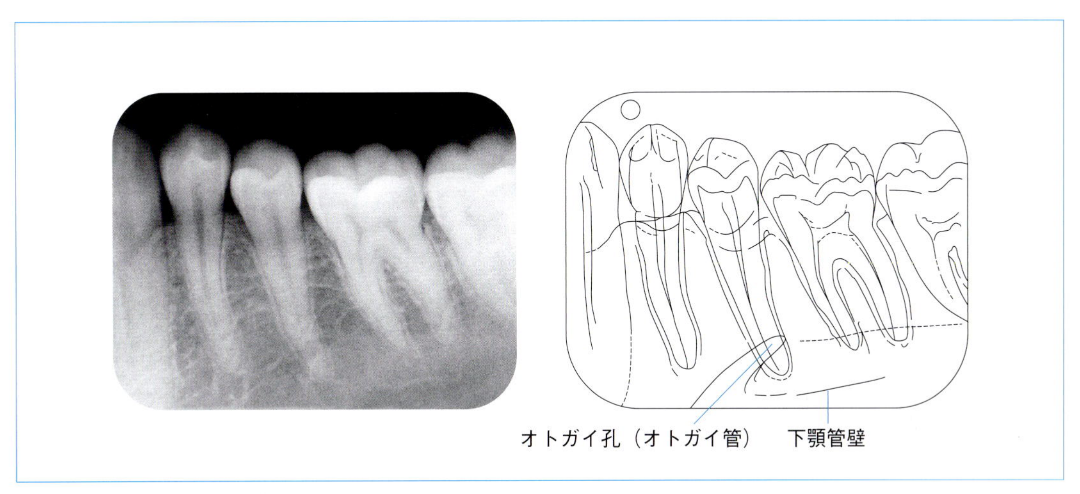

図 4-1-41　下顎小臼歯部

られるとは限らず，フィルムが後方に入りすぎた場合などに現れる．

i．翼突鈎

翼突鈎は，蝶形骨翼状突起内側板から伸びた突起で，上顎結節の後方部に三味線のバチ状のX線不透過性の低い像として描出される．口内法X線画像で描出されることはまれである．

B．下　顎（図 4-1-39～42）

a．オトガイ棘

オトガイ棘は，下顎中切歯根尖の下方に小さな塊状（円形）のX線不透過像として描出される．

b．舌側孔

舌側孔は，下顎管の分枝が前歯舌側部に開口したもので，オトガイ棘の中央に点状のX線透過像として描出される．

c．オトガイ隆起

オトガイ隆起は，解剖学的には下顎体の唇側面の正中線上およびその付近に存在する三角形状の隆起で，この三角形の底辺は下顎体の下縁で，その左右両端からは小さなオトガイ結節が出ている．オトガイ棘の上部を覆うように，三角形の屋根状X線不透過像の帯として描出さ

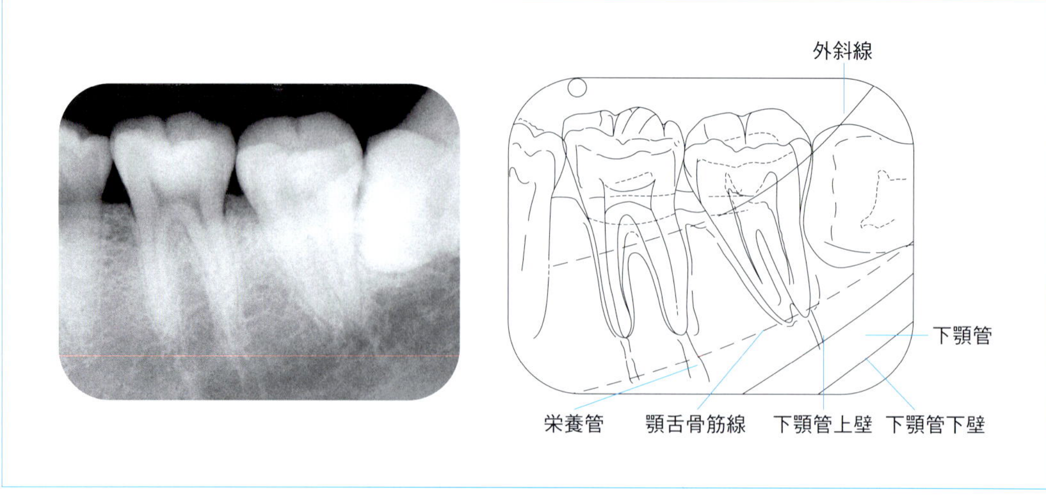

図 4-1-42　下顎大臼歯部

れることがある．オトガイ隆起による帯状のX線不透過像は，X線の入射角度の違いにより異なった像として描出される．入射角度が浅い場合には，オトガイ隆起はやや丸みを帯びた境界不明瞭なX線不透過像として描出されることが多い．オトガイ棘，舌側孔，オトガイ隆起が明瞭に描出されているのは，垂直的角度の大きな撮影を行った場合である．

d. オトガイ孔

オトガイ孔は，解剖学的にはオトガイ神経および動・静脈が通る孔で，下顎体の外面の第一小臼歯および第二小臼歯の歯根間（時には第二小臼歯の下方）に存在する．下顎体のほぼ中央部に存在するが，特に若年者では下顎下縁近くに存在することもある．開口部は後上方を向き，その結果，その前下縁のみが鋭く，後上縁は下顎体の外面から斜めに落ち込んでいる．第二小臼歯根尖部に楕円形のX線透過像として描出され，X線の入射角度の違いにより異なった位置に描出される．特にオトガイ孔が根尖部に接して描出された場合には，病変像と誤認されることもあるので注意すべきである．一般には下顎管の経路（オトガイ管）としてみられ，真のオトガイ孔部を確定することは困難である．

e. 下顎管

下顎管は，解剖学的には下顎孔からオトガイ孔に至る管で，中には下歯槽動脈および下歯槽神経が通っている．大臼歯根尖付近を通過するやや幅の広い帯状のX線透過像として描出される．下顎管壁は基本的にはX線不透過像を呈するが，一般的には，下顎管の上壁は不明瞭で下壁は比較的明瞭である．下顎骨体部の骨梁構造が粗である場合は，下顎管壁は明瞭に描出されない．

f. 外斜線

外斜線は，下顎枝の前縁と連続した歯槽突起外側面の骨隆起で，下顎体外面を前下方に走り，ほぼオトガイ孔付近で消失する．下顎枝前縁から前下方に走行するやや上方に対して凹彎した不明瞭なX線不透過像として描出される．

g. 顎舌骨筋線

顎舌骨筋線は，下顎骨体の内面の第三大臼歯部から前下方に斜走する隆線（稜）である．下顎第三大臼歯根尖部から小臼歯根尖の下方部に向けて，前下方に斜走する線状のX線不透過像として描出される．また，内斜線と表現されることがある．**内斜線**は，顎舌骨筋線の延長という考えや，別個の存在といった考えなど，定義に若干のずれがある．

2 パノラマX線撮影

1）撮影の原理とX線装置

パノラマX線画像は顎顔面の展開像（総覧像）を示す（図4-2-1）．現代の歯科臨床で広く用いられるパノラマX線撮影技術は，歯列弓のような曲面を連続したX線画像とするための創意工夫が積み重ねられたものである（p.9,「歯科における放射線医学の発展」参照）．画像形成に用いられる主要なX線撮影技術（原理）は，細隙撮影（スキャノグラム，Scanogram）と断層撮影（トモグラフィ，Tomography）である．これに加えて，X線管とX線検出器を搭載したアームが回転しながら中心軸をずらす「連続軌道方式」の運動をすることにより，U字型の曲面を示す歯列顎骨に沿った断層域が撮影される．

パノラマX線装置の各部の名称を図に示す（図4-2-2）．

(1) 細隙撮影（スキャノグラム）

スキャノグラフィは，金属製の細い隙間（スリット）で幅1～2mmの板状に絞られたX線を用い，X線管が被写体の上を移動（走査）しながら画像を作成する技術である（図4-2-3）．管球からのX線を細く絞ることは，患者の被曝X線量を減らすためにも効果がある．

(2) 断層撮影（トモグラフィ）

直線上で正対したX線管とX線検出器が被写体を中心として直線あるいは回転運動すると，被写体の内部の一定の厚みの領域が明瞭に写し出され，それに重なりあう領域の構造を運動によるボケ像として処理する技術である（4章5「X線断層撮影法」参照）．明瞭に映し出さ

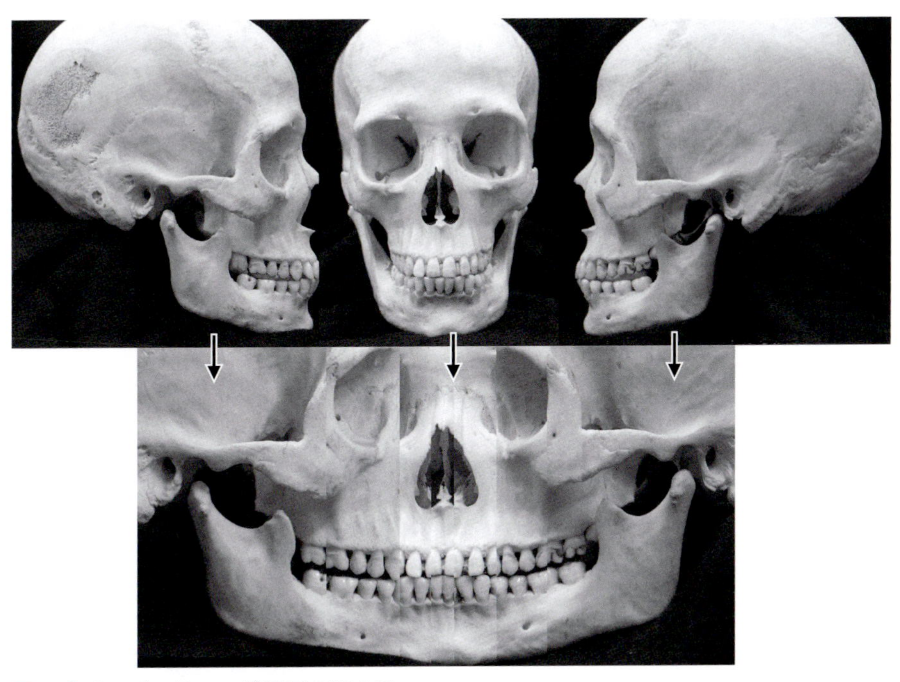

図4-2-1 パノラマX線撮影の概念図
歯顎顔面領域を展開した画像．

れる領域を，断層面あるいは断層域という．断層撮影では，被写体から見たX線管と検出器が運動する運動角度（断層振り角）が大きいほど薄い断面（厚さ数mm）が撮影される．パノラマX線撮影では細隙撮影と併用のため断層振り角が小さくなり，厚さ10～20mmの断層域が撮影される．

(3) 回転運動

歯列顎骨に沿った断層域を得るため，約10秒の撮影時間で，X線管と検出器をつないだアームの回転中心がY字型の経路をたどってゆっくりと移動する（図4-2-4）．このX線管と検出器の移動経路は「断層撮影の軌道」とよばれる．標準的な成人を撮影する軌道に加えて，標準より大きな（あるいは小さな）歯列顎骨を撮影する軌道や小児を撮影する軌道など，複数の撮影軌道を備えた撮影装置が多い．

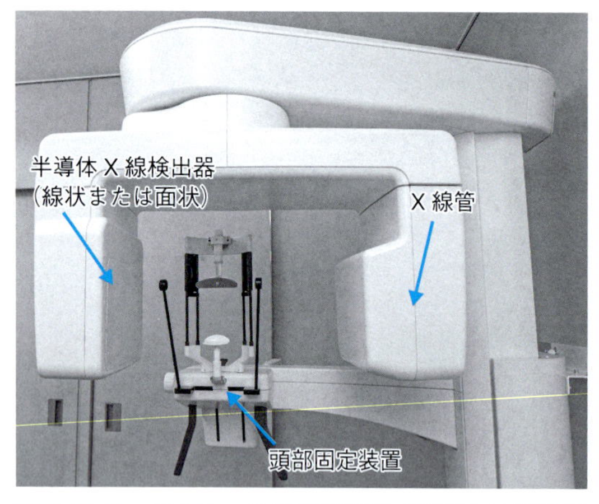

図4-2-2　パノラマX線撮影装置（半導体X線検出器の装置）の各部の名称

(4) 断層域

断層撮影により画像が明瞭に観察できる範囲を断層域といい，断層域から外れた（断層域の外にある）解剖構造はボケにより不明瞭になる．パノラマX線画像の断層域は左右顎関節部から上下顎の顎骨と歯を含む太いU字型を呈する（図4-2-5）．断層域の幅（厚さ）は部位により異なり顎関節～大臼歯部では20mm程度であるが，前歯部では10mm程度に薄くなる．

パノラマX線撮影装置のX線管は，電圧70～80kV，電流4～10mAの固定陽極タイプが多い．歯科用CTと兼用のパノラマX線撮影装置では，出力の大きなX線管を備える場合もある．後述する障害陰影の影響を軽減するため，水平面に対して斜め下方約5度からX線を照射する．フィルムを用いるパノラマX線撮影装置では，管球側のスリット（一次スリット）に対向するフィルム側にも幅5～10mmの金属製スリット（二次スリット）が設けられる．

一次スリットを通過した細隙X線は，検出器までの間に画像形成に必要な幅よりも大きく広

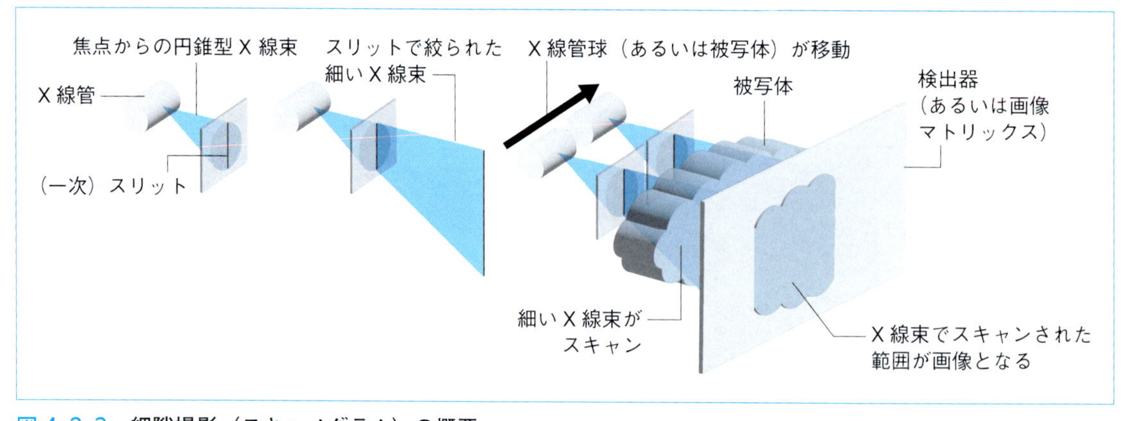

図4-2-3　細隙撮影（スキャノグラム）の概要

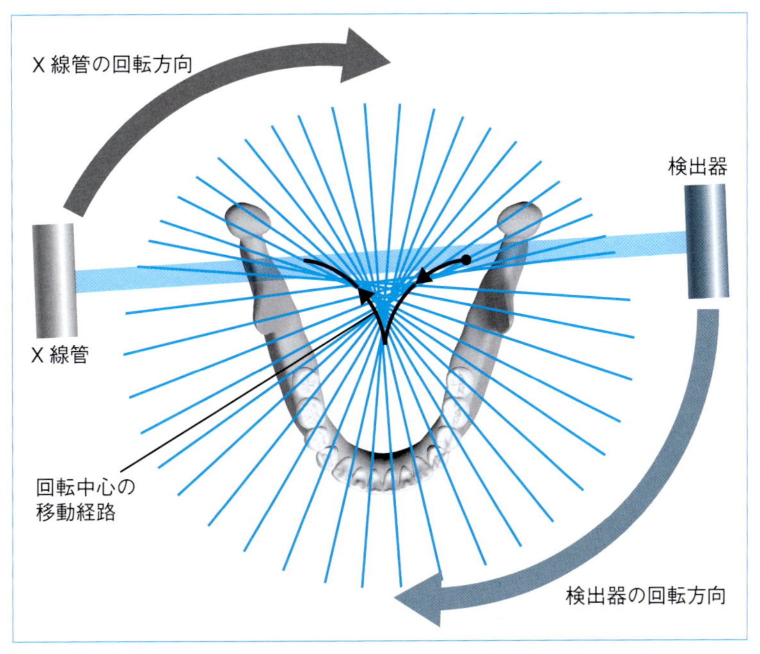

図 4-2-4　**パノラマ X 線撮影装置の動き**
パノラマ撮影では，回転軸を移動させながら，X 線管と検出器が運動する．

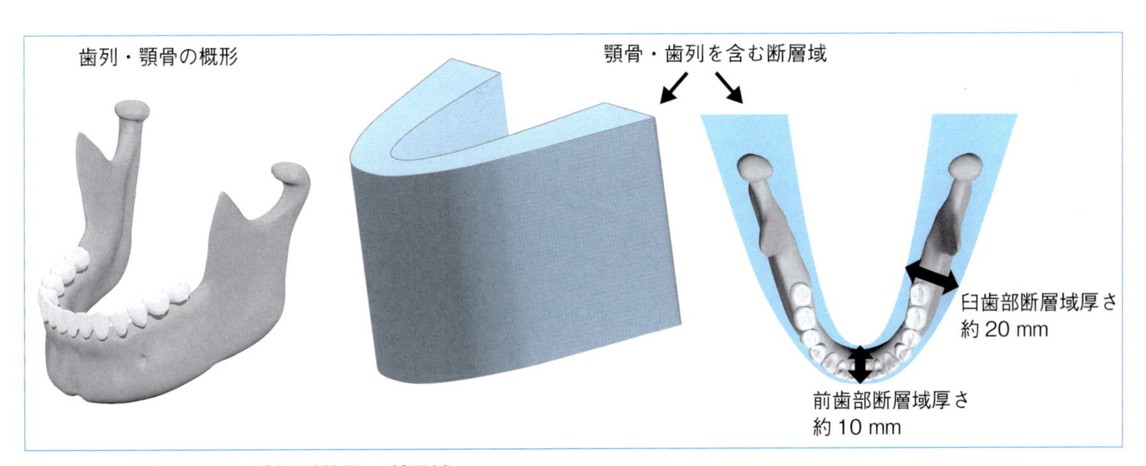

図 4-2-5　**パノラマ X 線撮影装置の断層域**

がる．また，被写体を透過する間に発生した散乱線も細隙X線に加わる．これらの余分なX線が検出器に到達すると断層域の厚さや画像のコントラストに影響を与えるため，これらをカットするのが二次スリットの役割である．半導体検出器の場合，半導体の有効領域の幅が二次スリットの役割を果たすため，金属製の二次スリットは設けられない．

パノラマX線画像のサイズ（大きさ）に公的な規格はない．ただし，パノラマ撮影様に供給されていたフィルムのサイズが横 300 mm 縦 150 mm であったことから，半導体撮影の画像マトリックスも同じサイズになっている．

一般的な単純 X 線撮影では，被写体実物より均等に拡大された画像が撮影される．パノラマ X 線画像の拡大率は，その複雑な撮影原理のた

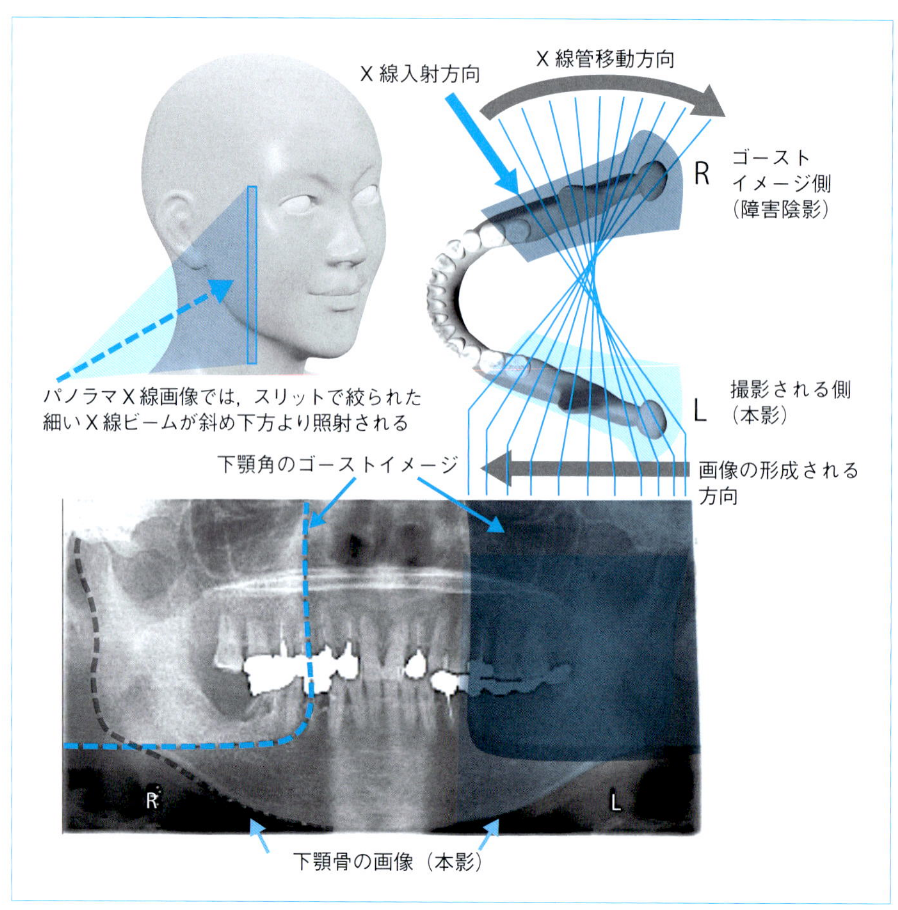

図 4-2-6　反対側下顎角のゴーストイメージ

め部位により不均等となる．そのため，パノラマ X 線画像で計測された被写体の大きさや角度は精度が低くなる．パノラマ X 線画像のおおよその拡大率（垂直方向）は，前歯部が 1.1〜1.2 倍，大臼歯部が 1.2〜1.4 倍とされている．

2）障害陰影

パノラマ X 線画像では，撮影原理に関係した診断の妨げとなる陰影（虚像）を生じることが避けられない．これらは総称して障害陰影とよばれるが，断層域から外れた位置にある解剖構造によるものがゴーストイメージ，口腔内の金属や顔周りの装飾品などの人工物によるものがアーチファクトである．

(1) ゴーストイメージ

撮影される側（目的側）の臼歯部の画像（本影）と重複して，反対側の下顎角部がボケ像として映るのがゴーストイメージの代表である（図 4-2-6）．ゴーストイメージの下顎角が本影よりも上方にみえるのは，撮影装置の X 線がやや下方より入射しているためである．まれに，ゴーストイメージ上に反対側の後方臼歯の金属補綴装置がみえることがある．パノラマで前歯部を撮影するときの X 線は頸の後から入射される．このため，前歯部には頸椎のゴーストイメージが重複する（図 4-2-7）．

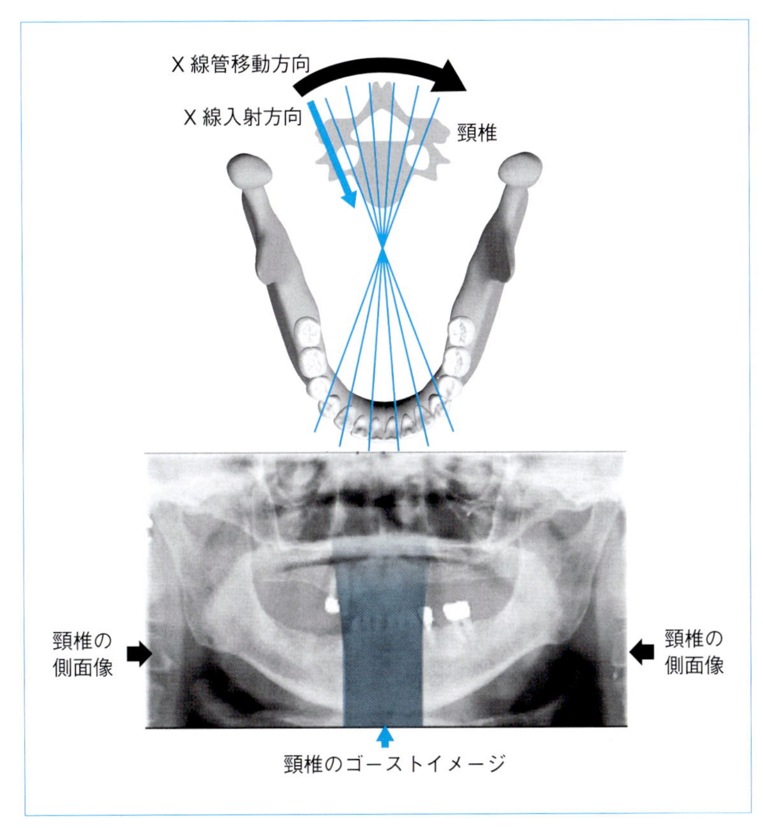

図 4-2-7　頸椎のゴーストイメージ

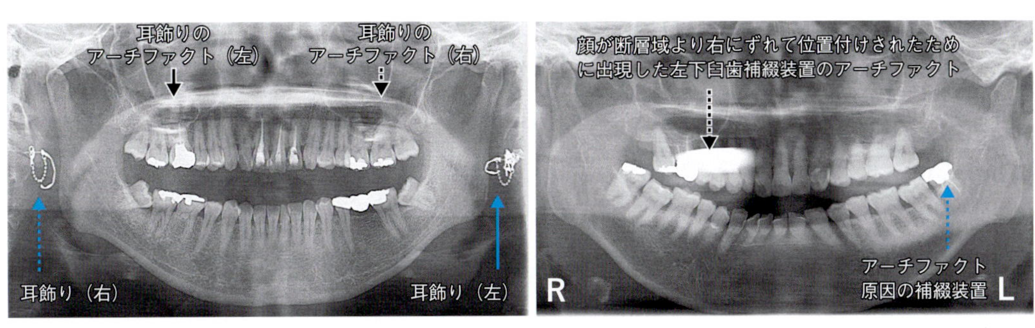

図 4-2-8　金属（装飾品，歯科補綴装置）による障害陰影（アーチファクト）

(2) アーチファクト

アーチファクトには装飾品の金属によるものが多い．耳の装飾品（イヤリングやピアス）が反対側の上顎臼歯付近にアーチファクトをつくり，読影の障害となることがある（図 4-2-8）．眼鏡もアーチファクトをつくる．首飾り（ネックレス）は，前歯部の下顎骨と重複するアーチファクトとなる．その他，金属部品を使った髪飾りやヘアピンも，本影上にアーチファクトを形成する可能性がある．

口腔内においては，義歯の金属床やリンガル（パラタル）バーによるアーチファクトが歯と重複して診断を妨げることがある．また，パノラマ撮影時の患者頭部の位置づけによっては下顎臼歯の補綴装置のアーチファクトが反対側の上顎臼歯部に出現することもある（図 4-2-8）.

(3) 前歯の不鮮明な画像

パノラマX線撮影の欠点の1つが前歯の不鮮明な画像である．撮影原理における原因は主に2つで，前歯部の断層域が他の部位の半分程度に狭いこと，および頸椎のゴーストイメージが前歯の本影に重複することである．

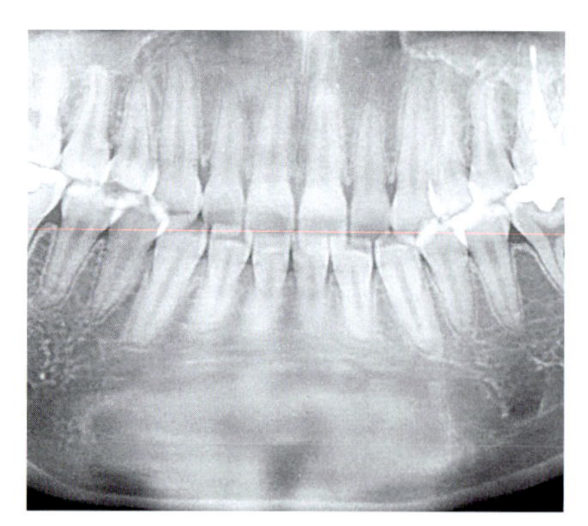

図 4-2-9　下顎前歯部の不明瞭なパノラマX線画像

これに加えて，患者頭部および歯列の位置付け，および前歯咬合状態の設定が，前歯の描出に影響する術者（撮影者）側の要因としてあげられる．また，前歯の唇舌（口蓋）的な歯軸傾斜および，前歯オーバージェット・オーバーバイトの大きさが前歯の描出に影響する患者（被写体）側の要因である（図 4-2-9）.

(4) 適切なパノラマX線画像と位置づけ不良の画像

適切なパノラマX線画像では，左右の顎関節が下顎窩まで描出され，正中の解剖構造（中切

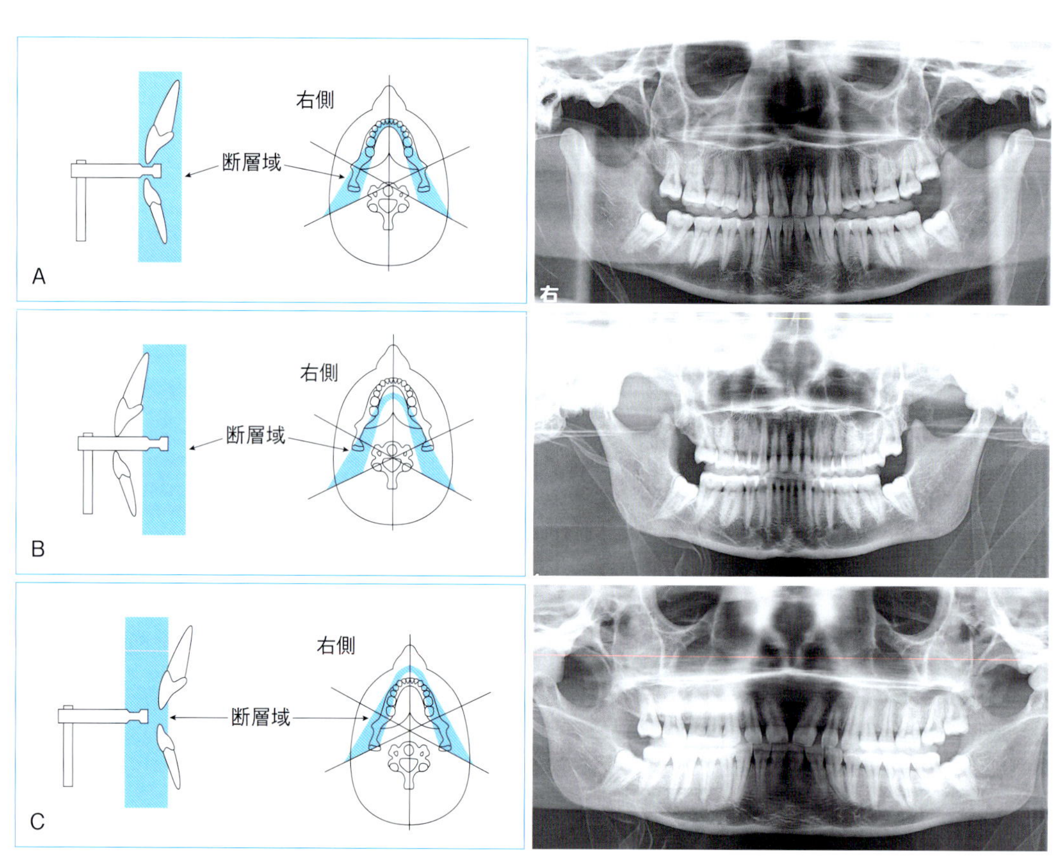

図 4-2-10　適切なパノラマX線画像と位置づけ不良の画像
A：正しく位置づけられた頭部の状態．B：患者が前方に位置づけられた状態．C：患者が後方に位置づけられた状態．

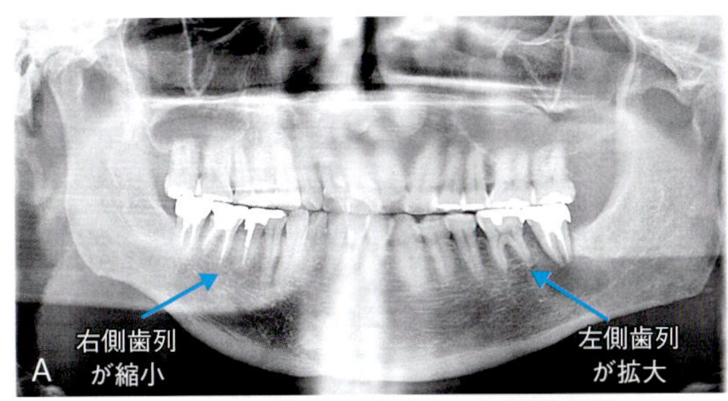

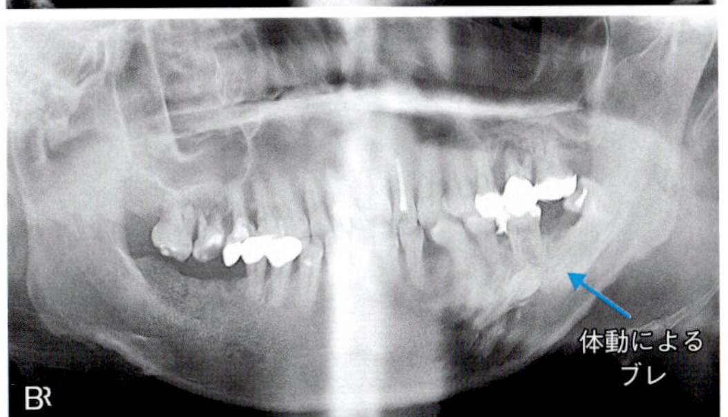

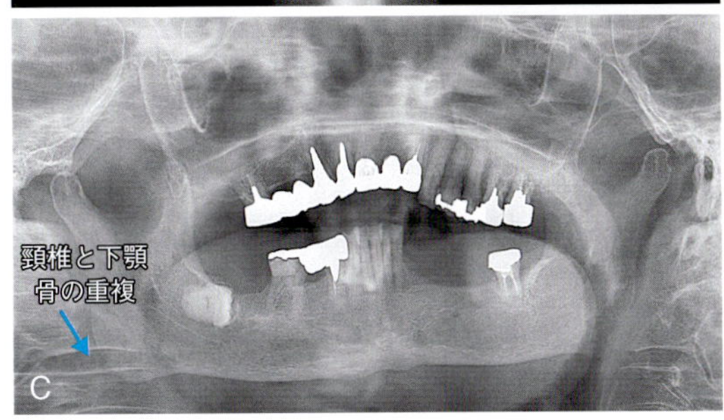

図 4-2-11　不良箇所のあるパノラマ X 線画像
A：正中ライトビームよりも顔が右側に寄った状態．B：撮影（X 線照射）中に患者が顔を動かした（体動）画像．C：背中と首の曲がりによる頸椎と下顎枝の重複．

歯や鼻中隔）が画像の中央に位置し，歯列の咬合面が下に凸のなだらかな弓状のカーブを描き，前歯部の下顎骨体が下縁まで描出されているものである．

患者頭部の位置づけ不良により，画像にはさまざまな影響が現れる．患者が断層域に対して前方にずれて位置づけられると，パノラマ X 線画像の顎骨（特に前歯部）が左右で縮んで描出される．反対に，患者が断層域に対して後方に位置づけられると，パノラマ X 線画像の顎骨（特に前歯部）が左右で伸びて描出される（図 4-2-10）．

その他，撮影装置の正中線ライトビームに対して顔が左右どちらかにずれると，片側の歯列が縮み反対側が伸びた画像となる．撮影中に患者の頭部が小さく動くと画像の一部に「ブレ」ができ，患者の背中が丸く曲がった姿勢の画像では頸椎が下顎枝と重複して写ることがある（図 4-2-11）．

3）パノラマ X 線撮影の実際

パノラマ X 線撮影は立位を原則とするが，必要に応じて座位でも行う．良好な画像を得るために最も大切なのは，患者（被験者）の歯列顎骨と撮影装置の断層域が合致するように，頭部を適切に位置づけることである．撮影装置の準備の手順は，フィルムで撮影する場合とデジタル撮影システムを用いる場合で異なってくる．撮影（X 線照射）は歯科医師が行う．

(1) 撮影準備

アーチファクト（後述）を減らすため，撮影前に患者の義歯，眼鏡，カツラ，ネックレスや頸から上の装飾品などを取り外す．

(2) 患者位置づけ

撮影装置の昇降（高さを調節）機能を使用してチンレストを患者のオトガイ位置に合わせる．患者には撮影装置のグリップ（握り棒）を掴んで，背筋がなるべくまっすぐになるような姿勢をとってもらう．

撮影装置に付属のバイトブロックを用いて撮影する場合は，感染防止のビニールカバーを付け，下顎をやや前方に出した切端咬合気味の位置でバイトブロックを咬んでもらう．バイトブロックを用いずに咬頭嵌合位で撮影する場合は，奥歯で楽に咬むように患者に指示したうえで，術者が目視で咬合状態を確認する（図 4-2-12）．

水平ライトビームを用いて，フランクフルト平面が水平になるように患者の頭部の傾きを調

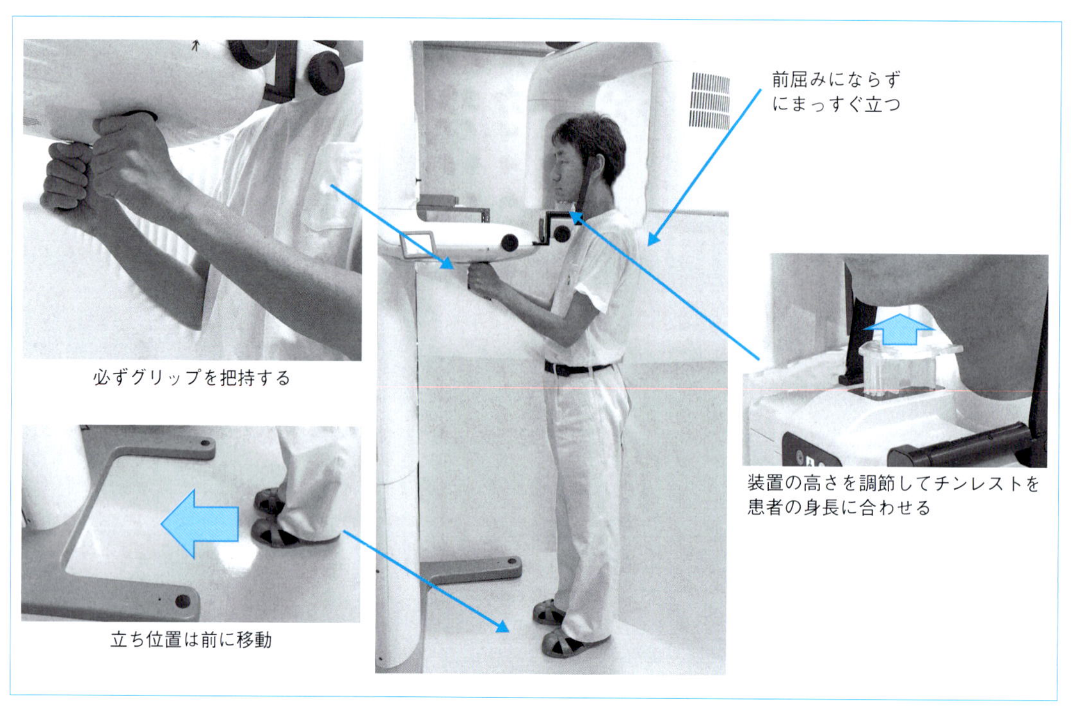

図 4-2-12　**患者位置づけ**（武藤晋也監，2019[9]）

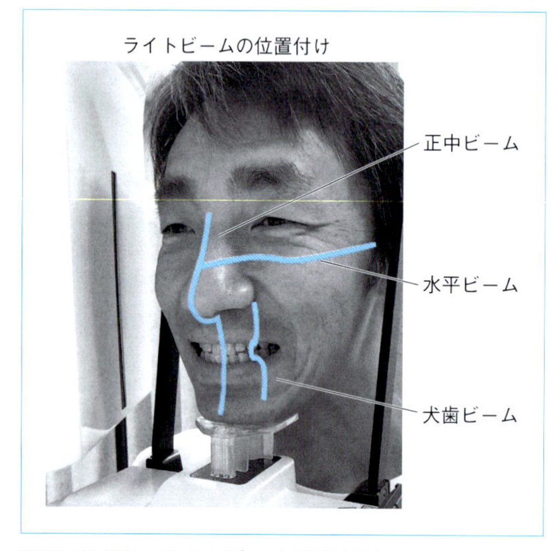

図 4-2-13　**ライトビーム位置付け**
（武藤晋也監，2019[9]）

節する．正中および犬歯部の位置を示すライトビームを調節する．患者の額，左右の耳，あるいは頬部を押さえ板（棒）で固定する（図 4-2-13）．パノラマ X 線撮影では防護エプロンは不要である．

(3) 撮影（X 線照射）

撮影装置により違いがあるが，パノラマ X 線撮影の X 線照射時間はおよそ 5～10 秒で，照射中であることを知らせるブザー音や音楽が出る．また，撮影時には回転するアームの一部が（為害性のない程度に）患者に触れることもある．このような刺激により患者の頭部が動くと画像不良の原因となる．これを防ぐためには，術者による患者への説明や声かけが大切である（例：これから撮影します．10 秒くらい，音が鳴って機械が顔の周りを回転します．機械の一部が軽く身体に触れることもありますが，危険ではないのでやり過ごしてください）．患者の身体が大きく動くなどの異常があった場合は，照射ボタンから指を離すと装置が停止する．

4）パノラマ X 線画像の正常解剖

パノラマ X 線画像には，歯列と上下顎骨に加えて，周囲の硬組織および軟組織解剖構造が描出される．下顎骨の側にみられる硬組織構造は，舌骨および茎状突起である．軟組織の解剖構造である気道の X 線透過像も，下顎枝と重複して観察される．

上顎では，鼻中隔，鼻甲介，硬口蓋，軟口蓋，翼状突起，眼窩，上顎洞などがパノラマ X 線画像に含まれる．特に上顎洞は，上顎の疾患により影響を受ける解剖構造として重要である．上顎洞の後壁と翼状突起の隙間に相当する翼口蓋窩は，鼻腔，口腔，眼窩および頭蓋窩を結ぶ交叉路として重要である．上顎骨頬骨突起の一部を表す線状の X 線不透過像は，別名「パノラマ無名線」ともよばれる．眼窩下縁も上顎洞に重複する X 線不透過像を示し，これを横切って眼窩下神経の通る眼窩下管がみられる（図 4-2-14）．

5）パノラマ X 線撮影装置を用いたその他の撮影

パノラマ X 線撮影にはいくつかのバリエーション（あるいは派生技術）がある．顎関節パノラマ四分割撮影および歯列直交撮影は，パノラマ X 線撮影における X 線管と検出器の運動（軌道）を改良することで可能となった技術で，フィルムを用いた撮影の時代から使われていた．

パノラマトモシンセシス法は，固体半導体 X 線検出器のパノラマ X 線撮影で可能となったデジタル特有の画像再構成技術である．部分パノラマも同様に，デジタルパノラマ装置に適した撮影である．

(1) 顎関節パノラマ四分割撮影

通常のパノラマ X 線撮影軌道で顎関節が撮影されるとき，X 線は関節（下顎頭）に対して内側前方寄りから入射する．この撮影軌道を改良し，関節に対して真横に近い角度から X 線入射するのが顎関節パノラマ撮影である．左右側の顎関節それぞれで開閉口位を撮影し，合計 4 種類の画像を通常のパノラマ X 線撮影と同じ大きさの画像（フィルム）に並べて表示するため，顎関節パノラマ四分割撮影とよばれる（図 4-2-15）．

A. 目的

単純 X 線撮影による顎関節規格撮影（p.153,「顎関節の撮影」参照）と同様に，顎関節疾患（特に顎関節症）の診査診断に用いる．変形性顎関節症などによる顎関節の硬組織（下顎頭，下顎窩など）形態異常の有無を観察し，開口時の下顎頭運動量を評価する．

B. 撮影手順

開口位の画像を撮影するため，パノラマ X 線撮影装置からチンレストやバイトブロックを除去する．撮影装置によっては，顎関節専用の撮影位置づけ器具があるのでセットする．はじめに，患者に咬頭嵌合位をとらせて左右関節の閉口位画像を撮影する．ここで装置の撮影プロセスがいったん停止するので患者に開口位をとらせ，撮影終了まで同じ開口量を保持する．次に照射ボタンを押して撮影を再開し，左右関節の開口位画像を撮影する．

(2) 歯列直交撮影

通常のパノラマ X 線撮影軌道で撮影すると臼歯の隣接面が互いに重なりあって齲蝕や歯槽頂が見えにくくなることが多い．これを改善するために歯列に直交する方向から X 線を入射して臼歯隣接面の重なりが少なくなる軌道で撮影するのを歯列直交撮影という．歯列直交軌道により臼歯隣接面の描出は改善されるが，顎関節が撮影範囲からはみ出たり前歯の画像が歪んだりすることがある（図 4-2-16）．

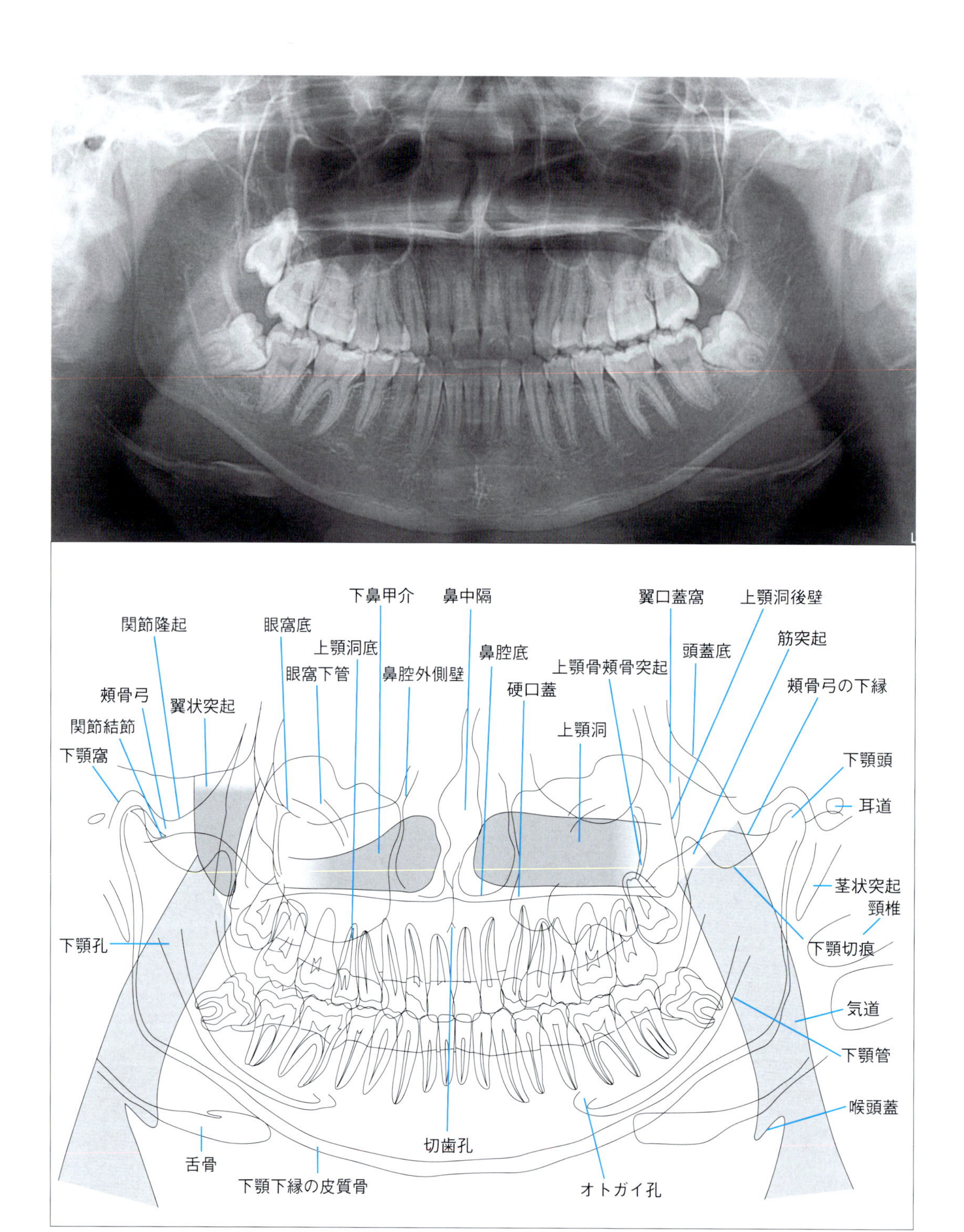

図 4-2-14　パノラマ X 線画像の正常解剖

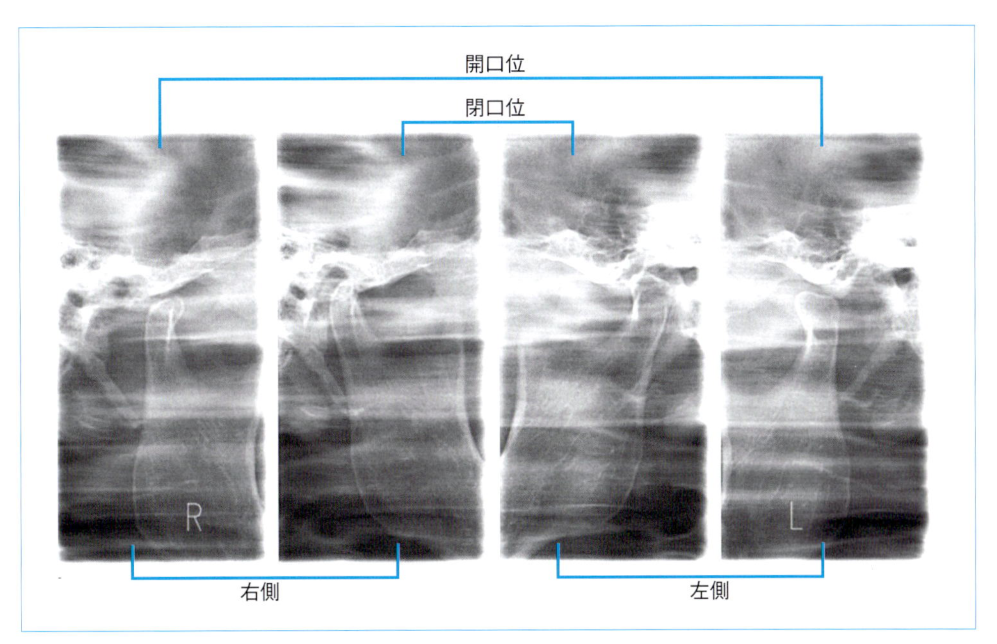

図 4-2-15　パノラマ 4 分割撮影の画像

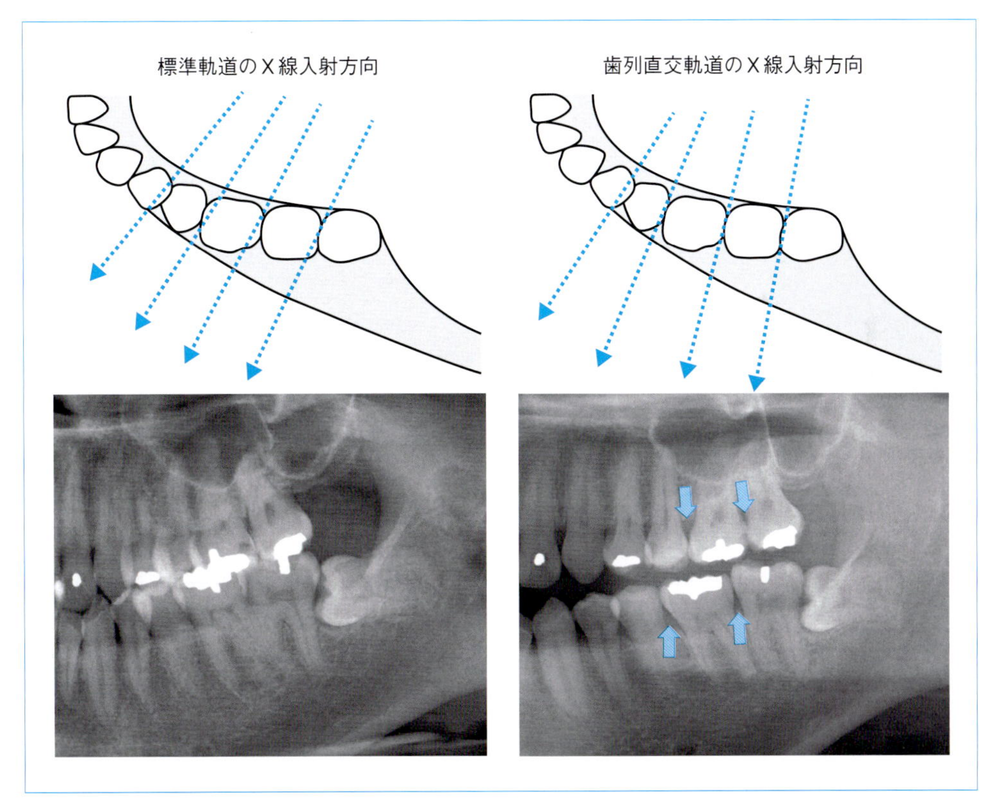

図 4-2-16　**歯列直交撮影（軌道）**
歯列直交軌道のパノラマ撮影で隣接面の重複が改善される（矢印）.

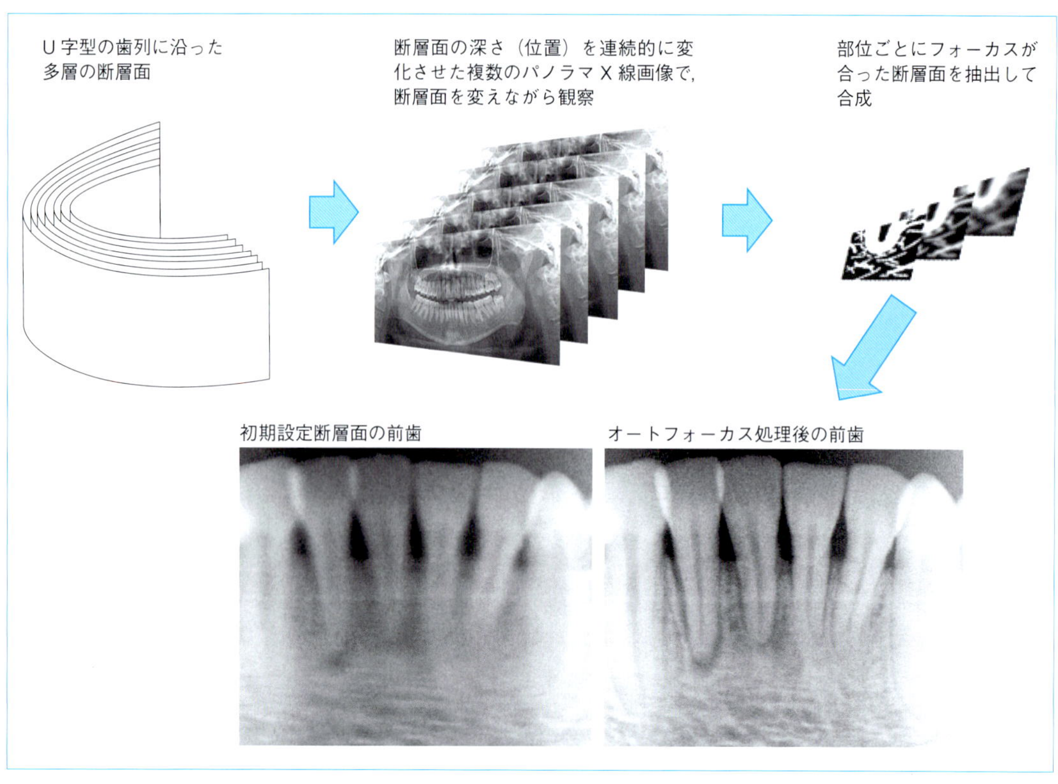

図 4-2-17　パノラマトモシンセシスとオートフォーカスの概念

(3) パノラマトモシンセシス法

トモシンセシスとは，Tomography（断層）と Synthesis（統合，合成）からの造語で，パノラマ X 線画像の「断層域」を撮影後に変えることができる技術である．

固体半導体方式のデジタルパノラマ画像は，数百～数千の短冊形のフレーム画像データを重ね合わせながら並べて画像を構成する．このとき，フレーム画像データをずらす間隔（シフト量）を少しずつ変化させることで，任意の深さ（フォーカス深度）の断層像が再構成できる．

パノラマ X 線撮影では，短冊形のフレーム画像データをサブピクセルレベルの精度でシフト量を変えながら再構成することにより，バームクーヘン状に多くの断層面が得られることになる．被写体となる解剖構造からみると，最もフォーカスの合った一枚の断層像と，順次フォーカスがぼけていく多数の断層像が得られることになり，画像処理によって最もフォーカスの合った断面を自動的に抽出することが可能となる．これにより，従来のパノラマ X 線画像ではきれいに描出されないことが多かった前歯でもボケのないパノラマ像を観察することが可能となった（図 4-2-17）．

(4) 部分パノラマ撮影

パノラマ X 線撮影装置には，顎骨歯列を複数の領域に分けて部分的なパノラマ X 線撮影を行う機構をもつものがある（図 4-2-18）．欧米ではフィルムを用いたパノラマ X 線撮影の時代から採用されていた技術であるが，今日ではデジタル画像処理やトモシンセシス法の発達により，口内法 X 線撮影と遜色ない画像が得られるようになった．

患者に局所の腫脹や疼痛の症状があり，強い

5 分割撮影

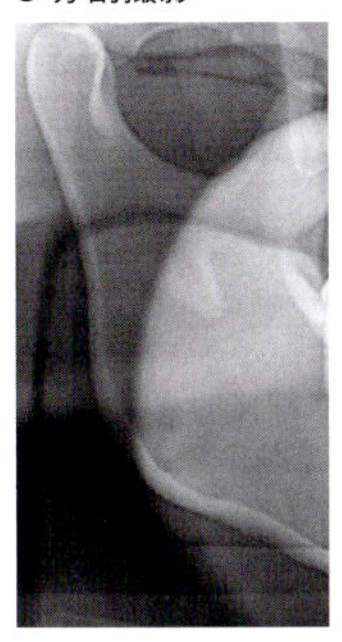
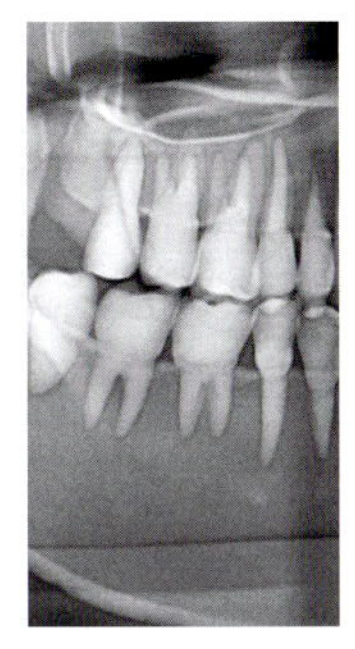
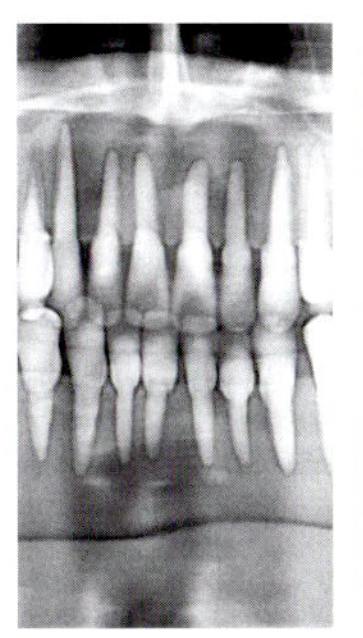
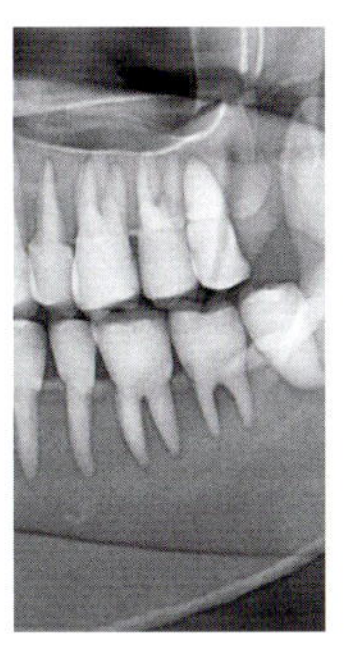
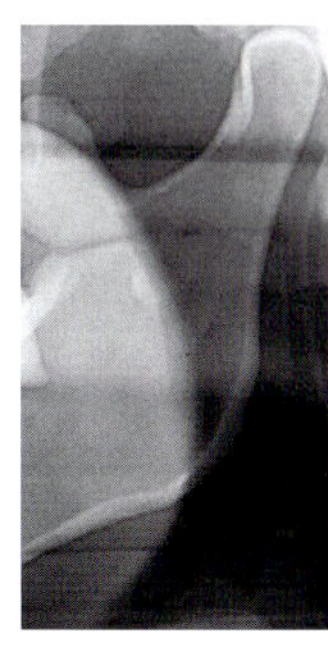

3 分割撮影

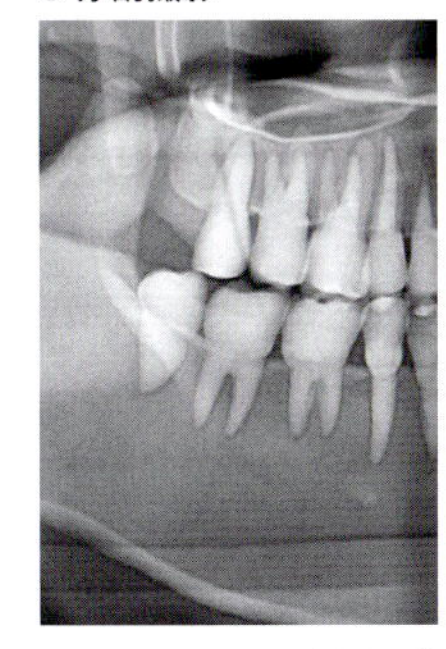
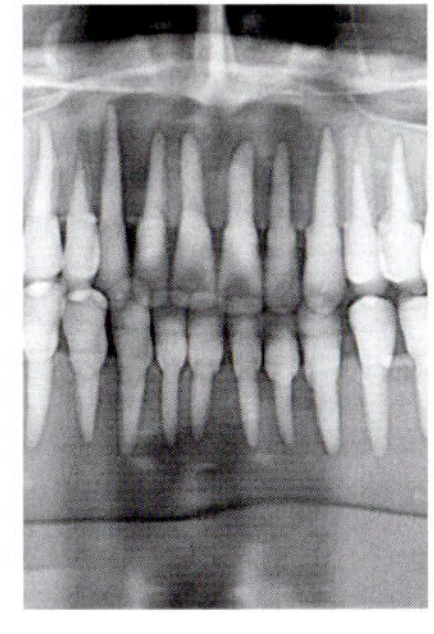
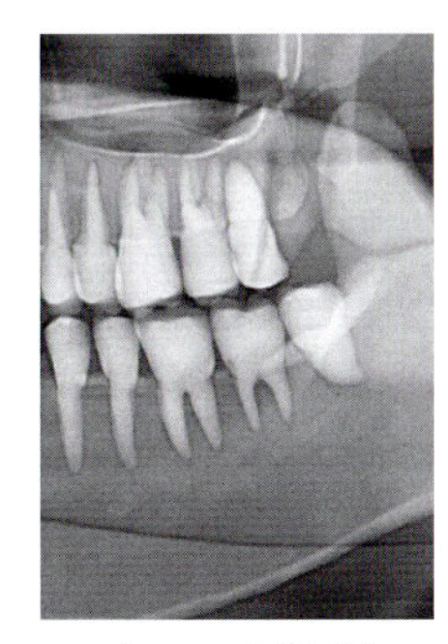

図 4-2-18 部分パノラマ撮影の例（ファントムを用いた撮影）

嘔吐反射のため口内法 X 線撮影が困難である症例などで口内法 X 線撮影の代替として用いられる．また，患者の唾液飛沫やエアロゾルを介した感染防止の観点からも，口内法 X 線撮影の代替撮影法として推奨される（p.219,「感染対策の考え方」参照）．

3　歯科用コーンビーム CT

1）歯科用コーンビーム CT の原理と構成

歯科用コーンビーム CT（CBCT）は，歯科領域の診断に特化した，3 次元断層像を作成する装置である．

装置の構造は，回転アームが懸垂されており，その両端には X 線管と 2 次元 X 線センサーが搭載されている（図 4-3-1）．円形または矩形に絞られた X 線が患者に入射する．2 次元センサーは**フラットパネルディテクタ**（FPD）とよばれる半導体検出器が用いられている．2 次元センサーの画素数は，512×512 前後のものが多い．

アームが患者の頭部周囲を回転して，目的の撮像領域の X 線の投影画像を収集する．回転は 360° あるいは 180° である．撮影時間は 8～40 秒程度で，1 秒間に 30～100 枚程度の投影画像を収集する．1 回の撮影では，256～1,024 枚程度の投影画像を得る．この投影画像から，コンピュータによって画像が再構成される．最終的なボクセルは，立方体で XYZ 方向の長さが同じである．1 辺の大きさは 0.08～0.3 mm 程度である．

画像の再構成の様子を図 4-3-2 に示す．**Filtered Back Projection**（FBP；**フィルター逆投影法**）が用いられ，横方向の高周波成分を強調し，エッジを強調した画像を得る（図 4-3-2-A）．次に点線に示すように，その画像の一定の高さの部分の濃淡を取り出し，平面上に逆投影する．平面上にはエッジによる縞模様が現れる．4 方向から得た投影像を前述と同様に処理し逆投影した結果を図 4-3-2-B に示す，4 方向からの縞模様の重積が認められる．180° に対して，16 方向・64 方向・256 方向から逆投影した結果を図 4-3-2-C に示す．投影回数が増加するにしたがって，縞模様が混ざりあい，下顎の臼歯部の根の軸位断層が浮き上がってくるのが観察される．以上の処理によって，1 平面（2 次元）の断層画像が得られる．次に図 4-3-2-A の点線の位置を 1 画素分だけ上方に移動し，前述と同じように FBP 法を行い，次の高さの断層像を得る．これを 2 次元の投影画像の一番上の位置へ移動するまで繰り返すことによって，多数の断層像を得るようにする．結果として，投影画像が長方形であれば，円柱の領域の断層像を得ることができる．このようにして，180° または 360°

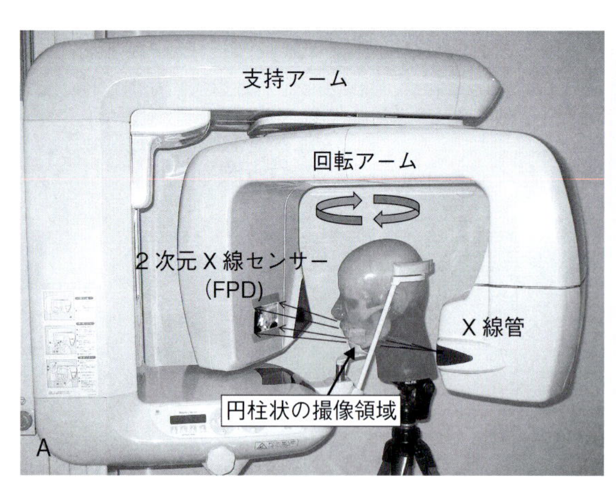

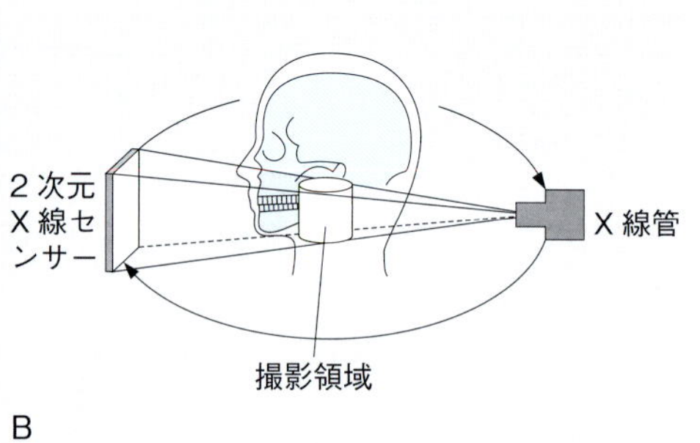

図 4-3-1　**歯科用コーンビーム CT の構造**
2 次元 X 線センサーと X 線管が頭部の周囲を回転し，投影画像を収集する．

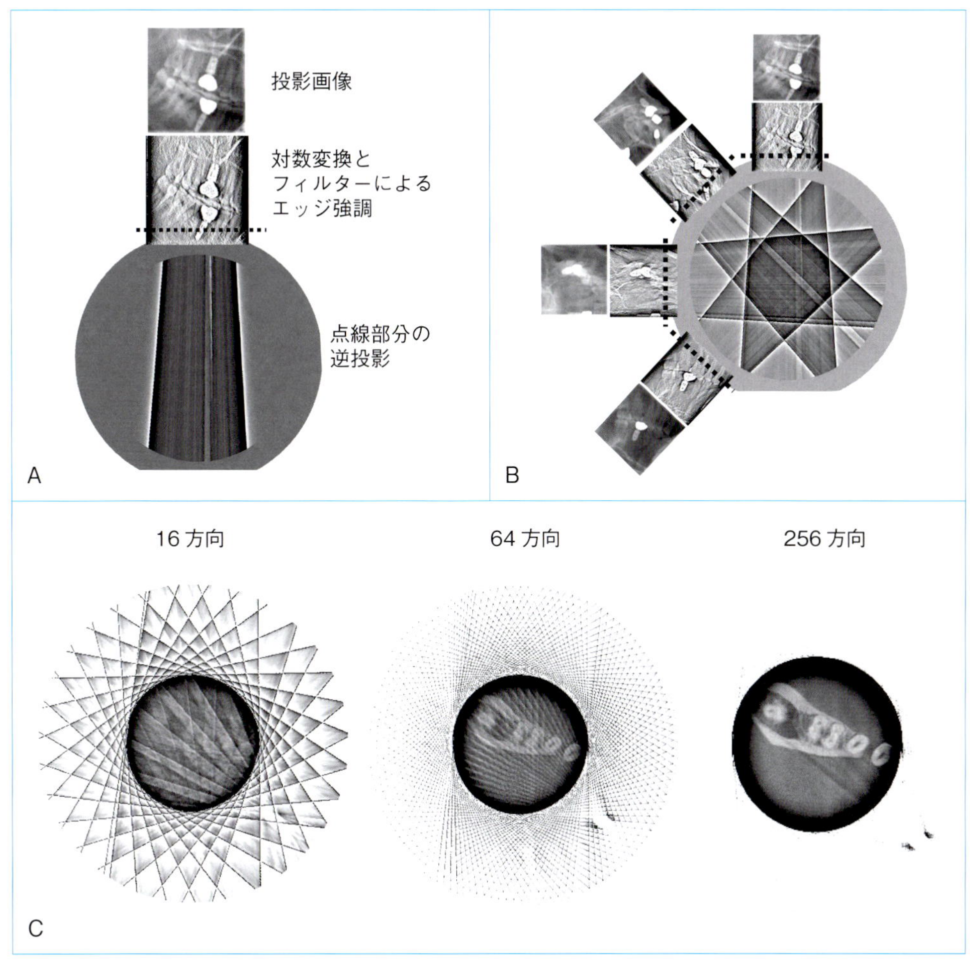

図 4-3-2　歯科用コーンビーム CT における画像の再構成
A：フィルター逆投影法の原理．投影画像はフィルターによってエッジが強調された後，平面上に逆投影される．B：4 方向からの逆投影．4 方向から得た投影画像を逆投影することで，投影像が重積する．C：多方向からの逆投影．投影回数が増加することによって縞模様が混ざりあい，次第に鮮鋭な断層像が得られる．

方向から得た複数の 2 次元の投影画像から，3 次元の画像が再構成される．この 3 次元の画像データ全体を**ボリュームデータ**（volume data）という．これを矢状断や冠状断，あるいは任意の断面を切り出すことによって，それぞれの方向の断層像を得る．この手法を**多断面画像再構成法**（**multiplanar reformation；MPR**）という．

なお，歯科用コーンビーム CT は，撮影領域の大きさ，被曝線量，画質などの基本性能が異なる装置が使用されていて，現在も発展途上であるといえる．

歯科用コーンビーム CT は，開発当初はその専用機として開発され，その後も専用機は販売され活用されているが，一方でパノラマ X 線撮影装置と歯科用コーンビーム CT の複合機（以下，複合機）が開発され，これが現在では一般的である．複合機では従来のデジタルパノラマ装置のスリット状の X 線検出器の代わりに，歯科用コーンビーム CT 用の 2 次元 X 線センサーを搭載し，両者の撮影を可能としたものである．これによって，従来は歯科用コーンビーム CT 装置を導入するには歯科用パノラマ X 線撮影装置とは別に専用のX線室を新たに用意する必要があったが，複合機の開発によって省スペース化が実現し，従来の歯科用パノラマX線撮影室に設置が可能となった．しかし，この複合機にはいくつかの制約がある．専用機に比較して，① X線の主線がパノラマX線撮影の入射角と同様で検出器に対して垂直に入射しない，②焦点・検出器間距離が短い，③撮影では1回転を基本とするが複合機では装置の構成上，半回転（180°）あまりしかできない，④装置自体の剛性が低い，などである．最近ではこのうちのいくつかの問題点を改善した装置が開発されている（図 4-3-3）．それに伴い画質も向上している（図 4-3-4）．

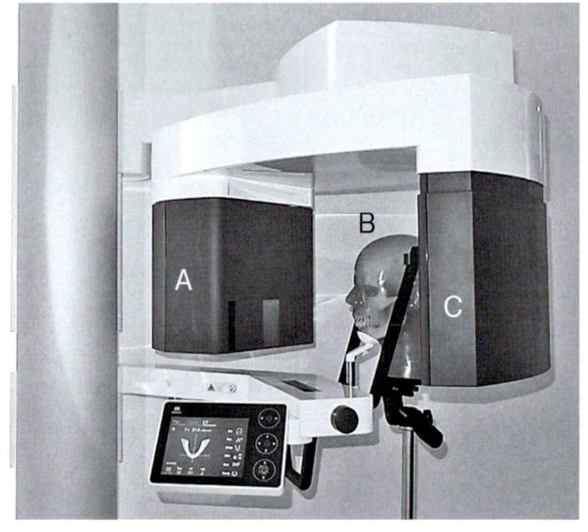

図 4-3-3　最近の複合機の例
本体の剛性の向上がはかられ，CT撮影時にはX線装置（A）から，患者（B），検出器（センサー，C）へのX線の入射角度も垂直方向に変更される．

2）歯科用コーンビームCTの撮影と適応

(1) 撮　影

現在，国内外から10数機種の歯科用コーンビームCT装置が発売されている．管電圧は60～110kV程度である．Field of View（撮影範囲；FOV）は，円柱形の機種が多く，直径40mm×高さ40mmから直径230mm×高さ170mmと機種により異なるが，最近では1つの装置で小から大までFOVを変更できる装置が多い．一般にFOVが小さいほど，画像の最小単位であるボクセルサイズが小さい（第4章7「CT」参照）．また，FOVが大きいほど患者の被曝線量は増加するため，目的にあった適正なFOVを選択することが重要である．

撮影では，撮影対象となる部分を撮影の中心（円柱の中央部）となるようにレーザービームなどで設定し，これをFOVとする．事前の撮影によって，患者の位置づけが適切であることを

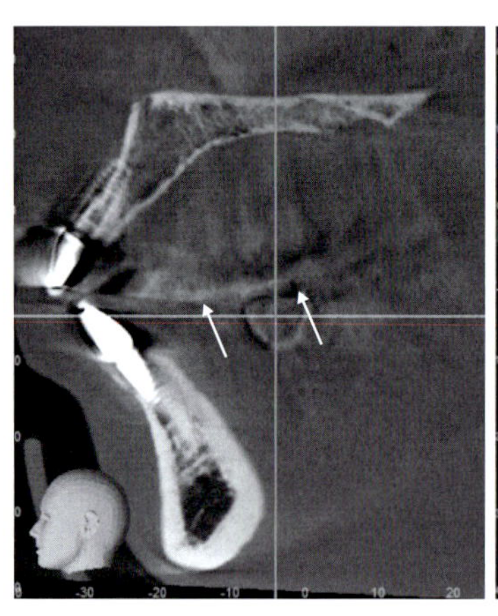

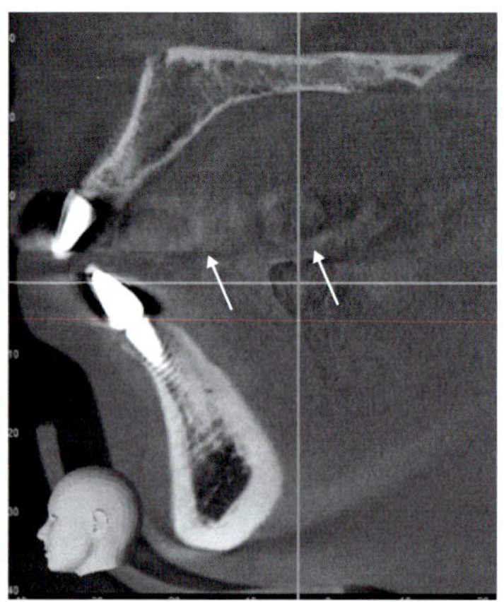

図 4-3-4　複合機による画質の向上
従来の複合機の画像（左）に比較して，最近の複合機による画像（右）ではアーチファクト（矢印）の減少が認められる．

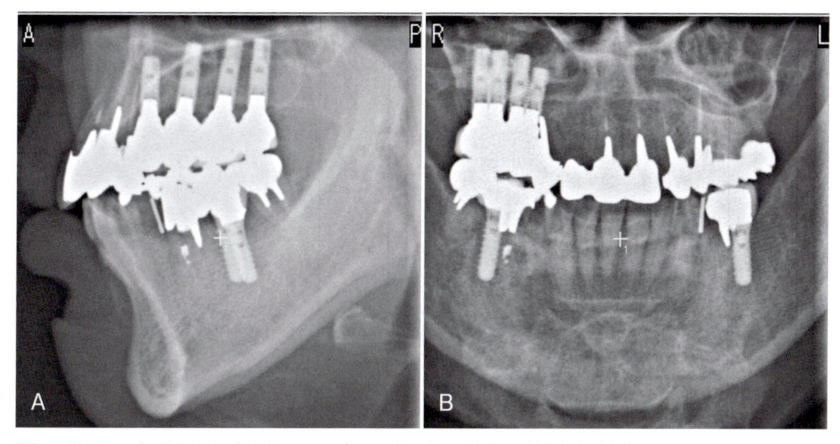

図 4-3-5　**事前撮影（スカウトビュー）による撮影領域の設定**
A：側面像，B：正面像．FOV の中心（撮影中心部）が表示される（+）．スカウトビュー機能を使って位置づけを行う．

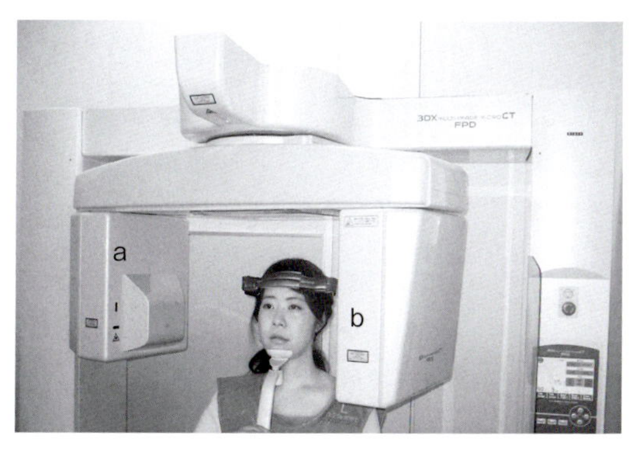

図 4-3-6　**歯科用コーンビーム CT による撮影−①**
専用機による撮影例．ここでは X 線管(a)と検出器(b)が，撮影目的部位である下顎大臼歯部を中心として 1 回転ないし半回転する．

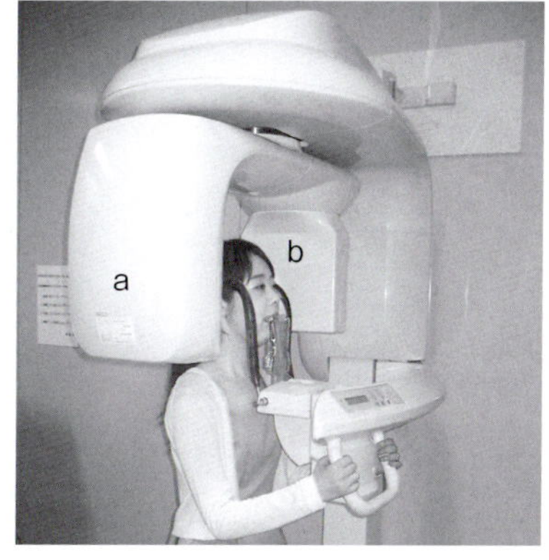

図 4-3-7　**歯科用コーンビーム CT による撮影−②**
パノラマ複合機による撮影例．患者をまず定位置に置き，検査対象部位を入力すると，その部位を中心として X 線管（a）と検出器（b）が半回転する．

確認する（図 4-3-5〜7）．撮影時間は，数秒から数 10 秒程度である．撮影の失敗には，通常の X 線撮影と同じく，位置づけ不良や患者の体動などが多い．

(2) 適　応

歯科用コーンビーム CT は，歯と骨を対象とする撮影法であるため，軟組織に限局する疾患には用いない．大きな FOV を用いると顔面を撮影できるため，広範囲の観察には適している．しかし，顔面部の外傷などによる骨折を疑う場合には，同時に内出血や軟組織への波及を診断する必要があるため，CT が用いられる．歯科用コーンビーム CT の**ボクセルサイズ**は 80〜200 μm と小さいことから，歯の破折，歯内・歯周病変，埋伏歯，変形性顎関節症，インプラント術前診断が適応となる．歯科用コーンビーム CT の適応や線量については，欧州のグループがガイドラインを提案している（**SEDENT-EXCT project**，www. sedentexct. eu Cone Beam CT for dental and maxillofacial radiology. Evidence-Based Guidelines, 2012.）．

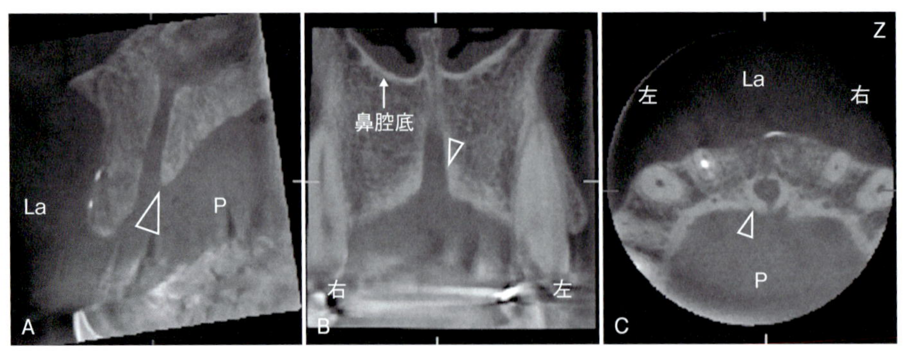

図 4-3-8　上顎前歯部の歯科用コーンビーム CT 像（FOVϕ 40×40 mm）
A：歯列直交断，B：歯列平行断，C：水平断．La：唇側，P：口蓋側，△：切歯孔．
切歯孔が確認できる．水平断では切歯孔が類円形に描写される．

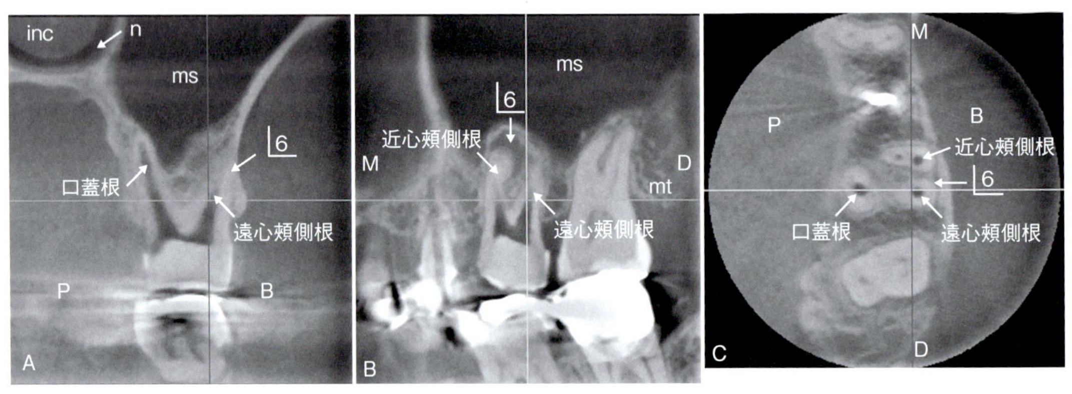

図 4-3-9　|6 の歯科用コーンビーム CT 像（FOVϕ 40×40 mm）
A：歯列直交断，B：歯列平行断，C：水平断．B：頬側，P：口蓋側，M：近心，D：遠心，mt：上顎結節，n：鼻腔，inc：下鼻甲介，ms：上顎洞．
歯列直交断では鼻腔，下鼻甲介，上顎洞，上顎洞底が確認できる．歯列平行断では近遠心的な位置関係が容易に理解できる．水平断では歯根，根管，歯根膜腔が明瞭に観察できる．近心頬側根の 2 根管も確認できる．

図 4-3-8〜11 に歯科用コーンビーム CT で描出される解剖学的構造を示す．

(3) 撮影条件の最適化

多くの歯科用コーンビーム CT の撮影領域は円柱形で，直径が 4〜20 cm ほど，高さが 4〜30 cm ほどで，さまざまな組み合わせによる撮影領域が選択できる．また，撮影時間，回転角度範囲（180°/360°），X 線管電圧（60〜90 kV）および管電流（1〜15 mA 程度），さらにはボクセルサイズ（0.08〜0.5 mm）などが選択可能である．これらを撮影目的に応じて選択し，適切な照射条件を設定しなければならない．特に，小児を撮影する場合や，大照射野で撮影する場合は，被曝線量が過大にならないように留意する必要がある．

小児を撮影する場合は，回転角度を 180° に設定し撮影時間を短縮する．また，管電流を 50〜80% に減少させる．これによって，標準設定より被曝線量を 1/4 程度に削減できる．線量を減少させることで，ノイズが増加する場合がある．このようなときは，たとえば，ボクセルサイズの一辺を標準値の 0.125 から 0.25 mm へと倍にすることで，ノイズが半分に低減される．この場合，空間的な解像力が減少するが，小児の場合は成人に比較して構造が単純であることか

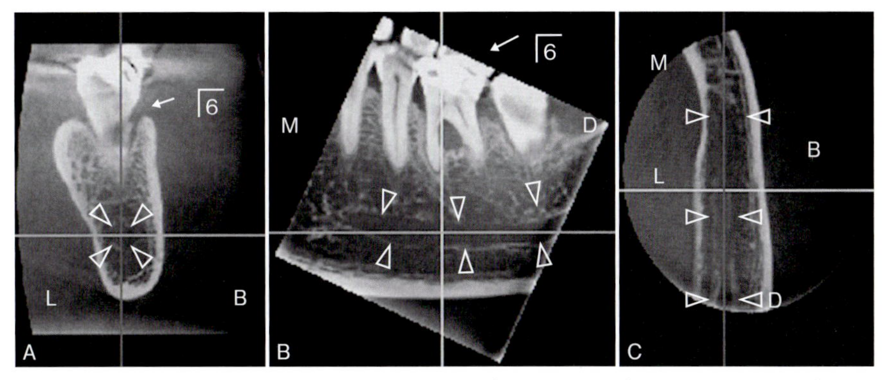

図 4-3-10　**下顎左側大臼歯部の歯科用コーンビーム CT 像（FOVϕ 40×40 mm）**
A：歯列直交断，B：歯列平行断，C：水平断．B：頰側，L：舌側，M：近心，D：遠心，△：下顎管．
歯列直交断では下顎管が円形に認められる．歯列平行断，水平断では下顎管が管状に観察される．

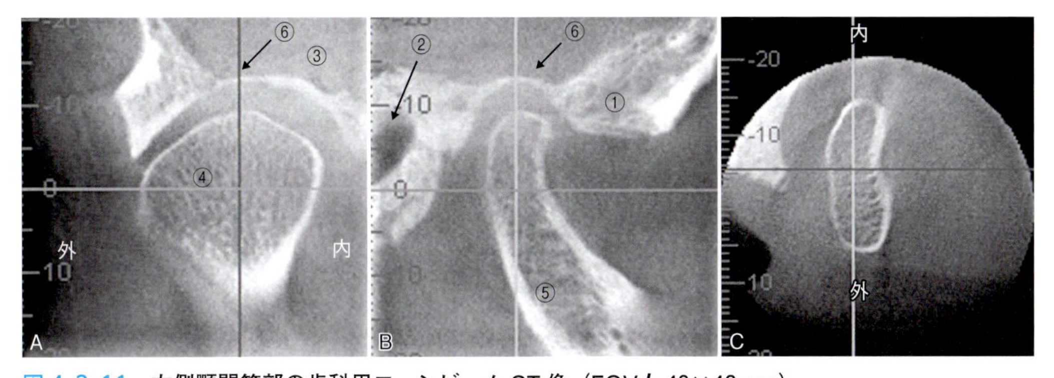

図 4-3-11　**右側顎関節部の歯科用コーンビーム CT 像（FOVϕ 40×40 mm）**
A：冠状断，B：矢状断，C：水平断．外：外側，内：内側．①関節隆起，②外耳道，③脳底部，④下顎頭，⑤下顎頸，⑥下顎窩最菲薄部．
水平断では下顎頭が楕円形に描出される．冠状断では凸型，矢状断では人指状を呈している．ほかに外耳道，脳底部，下顎頸などが描出される．下顎窩最菲薄部は変形性関節症では肥厚する．

ら，その減少は診断上ほとんど問題にならないと考えられる．直径8 cm以上の大照射野で撮影する場合も同様にし，たとえば，ボクセルサイズを0.125から0.32 mmにすることで，ノイズは1/3程度にすることができる．その分，管電流を下げれば被曝線量を低減できる．

歯内療法で根管などの微細な構造を診断する場合は最小の直径4 cmの小照射野を選択する．これによって，直径8 cmで撮影する場合に比較して被曝線量を減少することができる．さらには，散乱線の減少によりコントラストが向上してノイズが減少し，**空間分解能**が向上することから，診断能の向上が期待できる．

このように，診断目的を達成できる範囲で，**①観察する構造の大きさを考慮してできるだけ小さな撮影領域を選択し，②ボクセルサイズを適切に選択し，③管電圧・管電流・撮影時間を適切に選び，できるだけ低被曝での撮影をする**必要がある．

3）ボリュームデータの取り扱い

診断には従来，口内法やパノラマX線画像のように2次元画像が用いられたが，CTや歯科用コーンビームCT（CBCT）などの画像診断機器の発展に伴い，**ボリュームデータ**（3D画像）を取り扱って診断することが多くなってきた．3D画像は，従来のフィルムや紙に出力された一部の断面のみを利用した診断では不十分でコンピュータディスプレイ上に表示し読影者が自分で表示ソフトを操作し適切な情報を得る必要がある．ここでは主にCBCTを例に（一部CTを含む），ボリュームデータの表示・観察方法について概説する．

ボリュームデータの表示方法にはさまざまなものが提唱されているが，ここでは代表的と考えられる多断面画像再構成法（MPR），サーフェスレンダリングとボリュームレンダリング，最大値投影法，レイサム法について説明する．

（1）多断面画像再構成法（multiplanar reformation；MPR）

ボリュームデータを複数の異なった方向の断面で表示する方法を多断面画像再構成法（MPR）とよぶ．CBCTで撮影後最初に表示される画像もMPRを採用している装置が多い．図4-3-12Aはその初期表示の例で，横断（水平断），矢状断，冠状断の直交する3方向と，後述のボリュームレンダリング画像を表示している．断面の位置はそれぞれボリュームの中央部分であり，画像の濃度も初期表示のままである．MPR表示では，通常は1つの断面にほかの2つの断面の位置が表示される．たとえば図4-3-12では横断像に，矢状断の位置が緑線で，冠状断の位置が青線で表示されている．さらにほとんどのMPR表示では，断面を回転させることが可能である．図4-3-12Bはその例で，矢状断の方向を下顎管に合わせ，ほかの断面の位置も第三大臼歯に合わせて表示し，濃度も調整している．MPR表示では3次元的位置情報，画像の濃

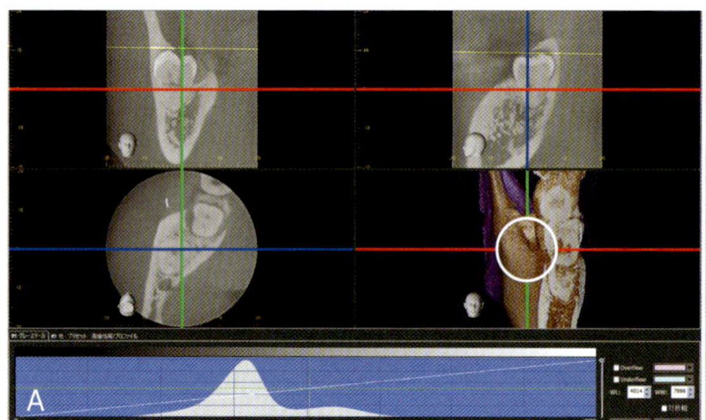

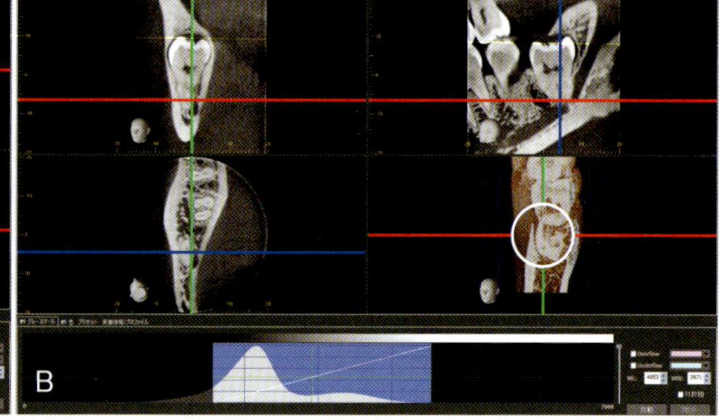

図4-3-12　**多断面画像再構成法（multiplanar reformation；MPR）**
A：CBCT装置のMPR初期表示の例．下顎埋伏智歯の症例，撮影後の初期表示の状態．画像として横断（左下），矢状断（右上），冠状断（左上）の直交する3方向の断面像と，後述のボリュームレンダリング画像（右下）を表示している．断面の位置はそれぞれボリュームの中央部分であり，画像の濃度も初期表示のままである．各断面画像に示される線（この場合は赤，青，緑の線）はほかの2つの断面の位置を示している．画像の下段には**濃度ヒストグラム**〔各ボクセル値（横軸）をもつボクセルの数（縦軸・左）〕と**ルックアップテーブル**〔各ボクセル値と濃度（縦軸・右）の対応状態〕を示している．
B：MPRの位置および濃度の調整後の画像．Aを下顎管の走行に合わせて各断面の位置移動および方向調整（回転）をし，さらにコントラストと明るさも調整したもの．これにより下顎管の走行が途切れず確認でき，しかも下段のルックアップテーブルでボクセル値と濃度の対応を示す直線の傾きが強くなっており，コントラストが強調される．さらに，読影診断時には断面の位置を少しずつずらして立体的な位置関係を把握することが必要である．その際，画像のもつ情報としては3次元的位置情報と濃度情報が正しく保持されている．

淡の情報も正しく保持される．また，MPRでは曲面の断層面をもった画像も作成でき，**Curved MPR**とよばれる．顎口腔領域では顎骨を歯列弓に沿った断面とそれに直交する断面で表示する方法がよく用いられる．これらの正式名称は確定していないが，歯列弓に沿った断面は，歯列（弓）平行断像やパノラミック画像，それに直交する断面は歯列（弓）直交断像やクロスセクション像とよばれることが多い．図 4-3-13 にCurved MPRの例を示す．下顎歯列に沿った断面を表示している．両側下顎第二大臼歯の萌出異常の症例で，歯列（弓）直交断像は右側第二大臼歯部を示している．MPRは個々の断面は従来の2次元X線画像と同様にさまざまな画像処理を行うことができる．歯や顎骨を観察する場合，**鮮鋭化処理**や**エッジ強調**などを行うと観察しやすくなることがある．ただ，この場合はノイズも増加してしまう．適切な画像処理の種類とその量は経験的に求めるのが一般的である．図 4-3-14 に鮮鋭化処理の例を示す．

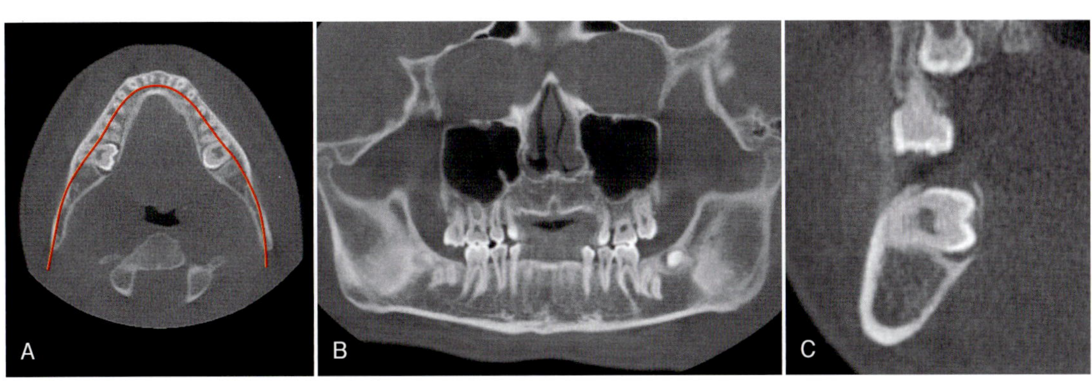

図 4-3-13　Curved MPR
MPR表示法のなかで，曲面の断面を含む場合，Curved MPRとよぶ．横断像（A）と下顎歯列弓に沿った断面（歯列平行断像）（B）と歯列直交断像（C）を示している．両側下顎第二大臼歯の萌出異常の症例で，歯列直交断像は右側第二大臼歯部を示している．

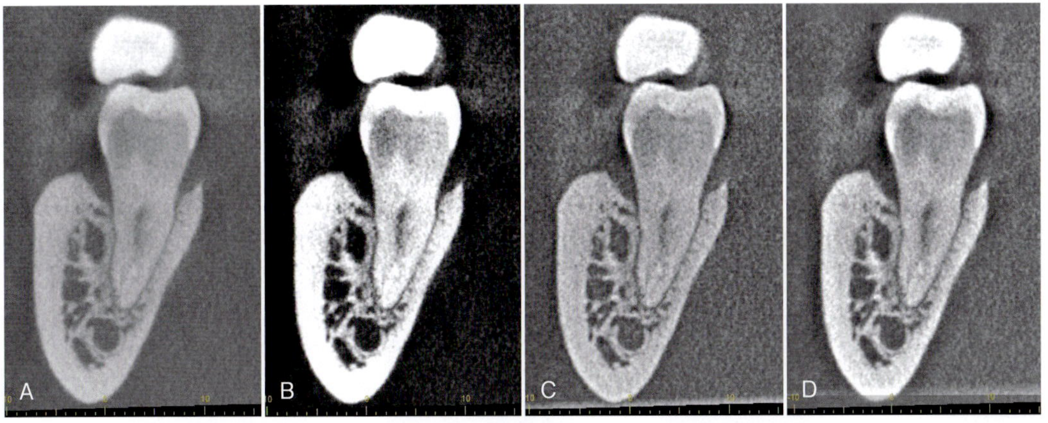

図 4-3-14　MPR画像のルックアップテーブルの変更やフィルター処理による変化
A：初期状態の下顎第二大臼歯部の歯列直交断像である．B：ルックアップテーブルをシグモイド状に変更したもの．コントラストや明るさが大きく変化している．C，D：Aに鮮鋭化フィルター処理を加えたものであり，フィルター処理の強度は，Cは中等度，Dは高度である．根尖孔付近の根管の形態がみやすくなってきているが，ノイズも増加している．また，歯冠の頬舌側や下顎骨頬側に鮮鋭化処理によるアーチファクトとしての低濃度域が生じている．

(2) サーフェスレンダリング（surface rendering；SR, shaded surface display；SSD）

図 4-3-15A にその概念図を示す．ボリュームデータ内の各ボクセルは被写体の状態（CBCT では X 線の吸収程度）に対応した値（ここではボクセル値とよぶ）をもっている．そこである閾値以上の値をもつものを取り出し，観察方向からみて表面になるボクセルのみを，視点からの距離で濃淡をつけて表示する方法である．図 4-3-15B，C はその例で骨を SR で表示したものである．処理能力の低いパソコンでも比較的高速に処理可能で 3 次元的位置情報（立体的な位置関係や距離）は保たれるが，ボクセル値の情報はなくなる．また，閾値の設定の仕方により，たとえば薄い骨などは消失してしまうことがあるため，注意が必要である．最近では取り出した表面形態をコンピュータグラフィックスで頻用されるポリゴンデータに変換して表示することで，回転や移動などを高速で処理できる．また, 3D プリンターで立体模型を製作する際にも利用されている．

(3) ボリュームレンダリング（volume rendering；VR）

概念図を図 4-3-16A に示す．通常カラー表示を行う．光線の経路上の各ボクセル値に応じて色と光の不透過度を設定し，それらに応じて各カラーが混合され表示される．各ボクセルはそれぞれの色がついた半透明のガラスの立方体ないしは直方体で，その集合をさまざまな角度から観察するようなものである．近年では，立体感を出すために光源を設定して影をつけることも多い．3 次元的位置情報（立体的な位置関係や距離）に加えてボクセル値の情報もある程度保存される．図 4-3-16B, C はその例で図 4-3-15B，C と同一症例である．顔面の軟組織の形

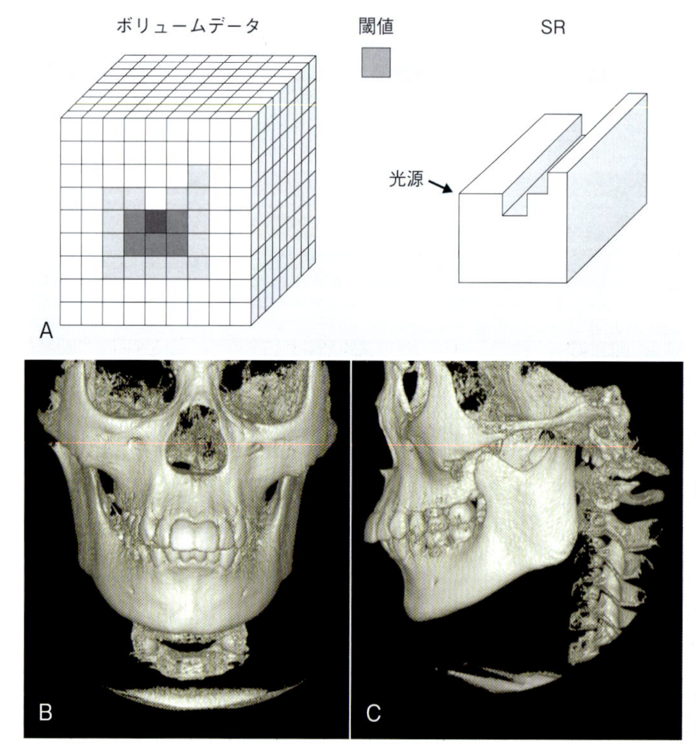

図 4-3-15　サーフェスレンダリング
A：サーフェスレンダリング（SR）の概念図. ボリュームデータの手前の表面に示す濃度をもつ棒状のものが奥まで続いている被写体を仮定している．SR は閾値（ここでは灰色）を設定し, それ以上のボクセル値をもつもの（ここでは黒, 淡い黒, 灰色）を取りだしてその表面のみを表示するものである．みやすいように光源を設定し，影をつけて表示する．B，C：SR の例. 矯正治療および上顎正中部過剰埋伏歯の症例．骨表面の形態が表現されている．

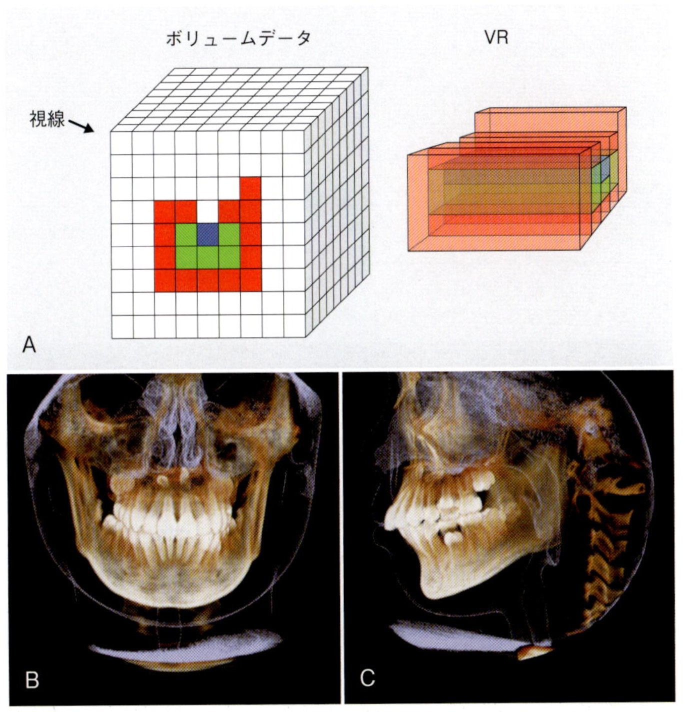

図 4-3-16　ボリュームレンダリング（Volume rendering；VR）
A：ボリュームレンダリングの概念図．ボリュームデータのボクセル値に対応した色と不透過度を設定し，光線の経路上の各ボクセルのカラーが混合され表示される．各ボクセルは色つき半透明のガラス（たとえばステンドグラスなどのガラス）でできており，その集合をさまざまな角度から観察するようなものである．図 4-3-15A と同一の被写体に，グレイ値に対応してそれぞれ半透明の赤，青，緑の色をつける．それを左側やや斜め前上方（視線の矢印方向）からみると，右側のようにそれぞれの色が混合され表示される．
B, C：VR の例．図 4-3-15 と同一症例の VR 画像を表示している．骨に加えて，軟組織を重ねて表示している．また，骨内にある上顎正中部過剰埋伏歯も観察できる．

状と骨の形状，埋伏歯の状態を重ねて確認できる．

(4) 最大値投影法（maximum intensity projection；MIP）

概念図を図 4-3-17A に示す．最大値投影法は，光線の経路上のボクセル値の最大値をその光線上の値として採用し，画像を表示する．図 4-3-17B～D に例を示す．最大値がその光線の経路上のどこにあるかは無視されてしまう．すなわち 3 次元的位置情報（立体的な位置関係や距離）はなくなる．ボクセル値の情報も最大値以外はなくなる．ただ，画像を回転させたりして，観察者が視覚情報を脳内で処理して立体的な印象を得ることも多い．顎骨内の埋伏歯などの表示に有効とされている．単独では 3 次元的位置情報がなくなるので，角度を少し変更した MIP 画像 2 枚を用いてステレオ表示することで，立体的な位置関係を把握することも可能である．

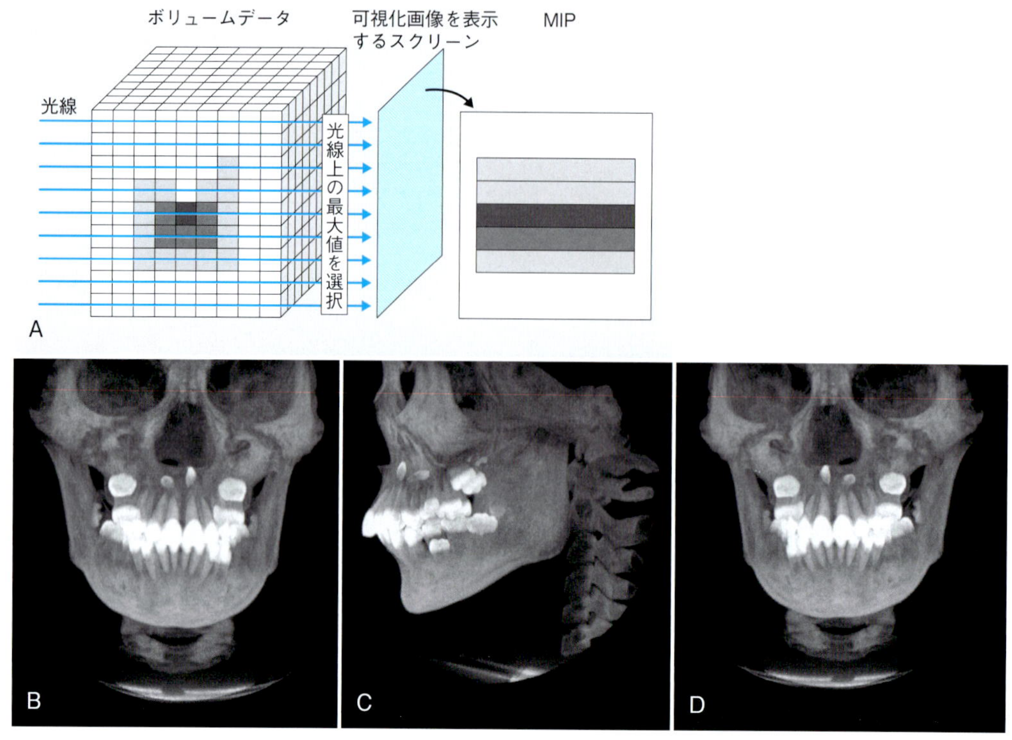

図 4-3-17　最大値投影法

A：最大値投影法の概念図．図 4-3-15 と同じ被写体の場合を示す．B, C, D：最大値投影法の例．図 4-3-15 と同一症例．正中過剰埋伏歯が明瞭に観察できる．B は正面からみた像，D は後方からみた像である．3 次元位置情報がなくなっているので，左右逆転してみえる以外は区別がつかない．画像表示ソフトの位置マーカーなどで向きを確認しないと位置関係を誤ることがあるので注意が必要である．

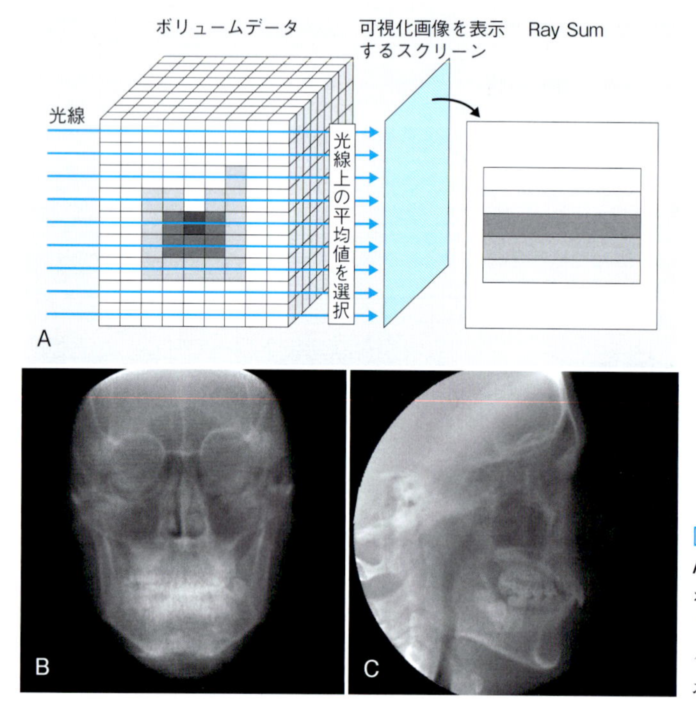

図 4-3-18　レイサム法（Ray sum）

A：レイサム法の概念図．光線の経路上のボクセル値の平均値をその光線上の値として採用し，画像を表示する．B, C：レイサム画像の例．セファログラム様に正面および側面像を示す．

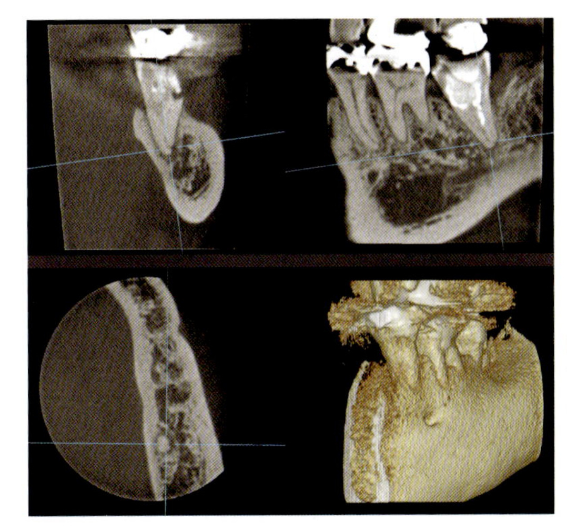

図 4-3-19　**根尖性歯周炎の症例**
下顎左側第二大臼歯の根尖病巣を疑った症例．MPRの断面は，冠状断および矢状断が根管と平行に，軸位断（水平断）は根管と垂直に設定している．根は樋状を呈し，冠状断で根尖孔が頬側に位置しており，その周囲の根尖部歯根膜腔の軽度の拡大が観察される．

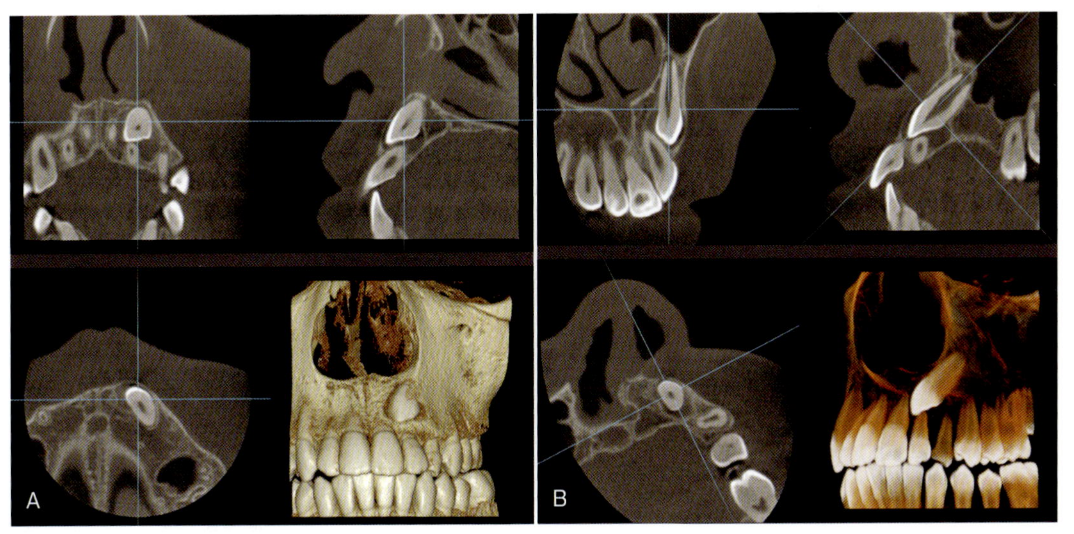

図 4-3-20　**上顎左側犬歯の埋伏**
A：初期状態のMPR像．B：断面の方向と位置を犬歯に合わせたもの．Aの状態でも断面位置をずらしていくことで観察は不可能ではないが，Bの状態にすることで，後述の所見が容易に観察できる．犬歯は根尖未完成で，鼻腔底，上顎洞底に近接していること，歯冠が中切歯および側切歯に接していること，歯冠部歯囊がやや拡大していること，歯根膜腔が明瞭なことが確認される．

(5) レイサム法（ray sum）

レイサム法は，光線の経路上のボクセル値の平均値をその光線上の値として採用し，画像を表示する．図 4-3-18A に概念図を示す．得られる画像は，比較的単純X線画像に類似したものとなる．歪みや拡大率の違いはあるが，過去のX線画像との比較に用いられることも多い．顎口腔領域ではパノラマX線画像やセファログラム類似の画像が利用されている．図 4-3-18B, C はレイサム法の例であり，顔面の正面および側面像でセファログラム様の画像を表示している．

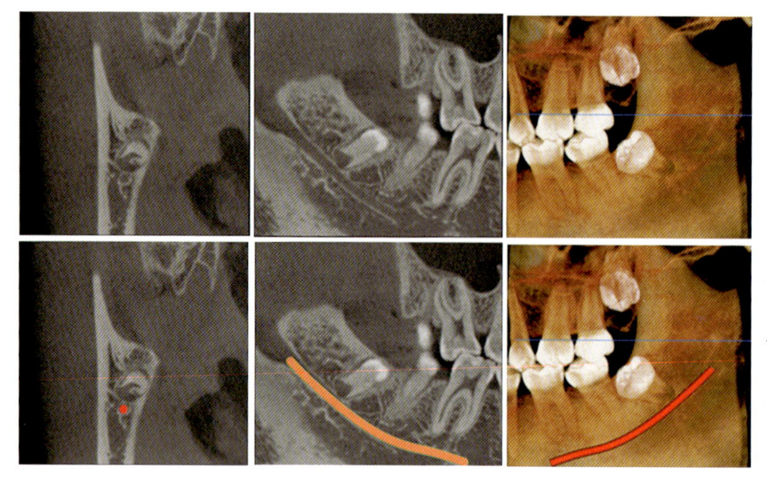

図 4-3-21　下顎第三大臼歯の埋伏と下顎管
下顎右側第三大臼歯埋伏の症例．上段が何もしていない歯列直交断，歯列平行断および VR 像，下段はそれぞれの下顎管に色をつけて表示したもの．根尖未完成の第三大臼歯と下顎管が接しており，その位置関係がわかりやすく表示されている．

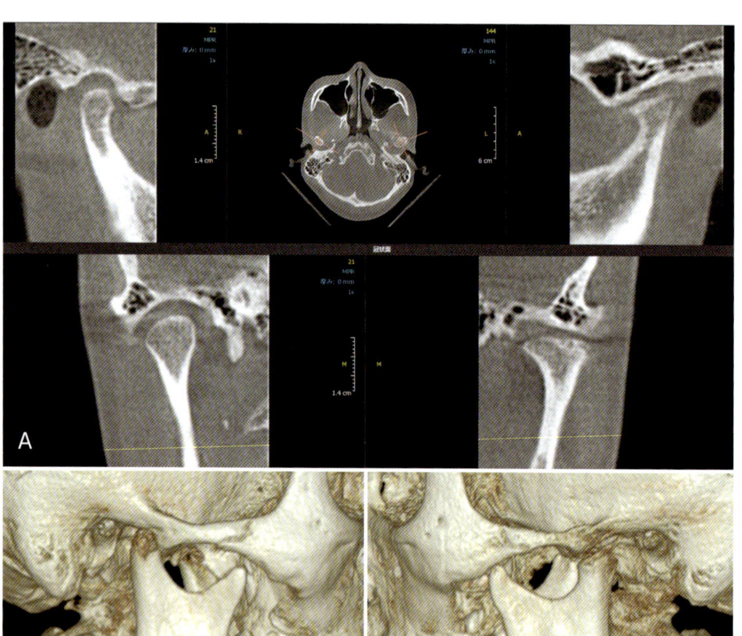

図 4-3-22　変形性顎関節症
A：両側顎関節部を MPR 表示したもの．右側顎関節部は正常の骨形態を呈している．左側では下顎頭の変形と皮質骨の粗糙化が認められる．使用するソフトウェアによるが，このように左右顎関節部を対にして表示し比較できるものも多い．B：この症例の顎関節部の VR 像．左側下顎頭の変形が認められる．ただし，正常の右側下顎頭でも表面が粗糙に描出されている．VR 画像ではこのような点に注意が必要である．

なお，歯科用コーンビーム CT で撮影されたデータは，撮影装置内では個々の装置固有の形式で保存されているものが多い．PACS やインプラントシミュレーションソフトへ移行する場合は，医用画像保存の標準形式である DICOM に変換され，ボリュームデータ全体が横断像の連続データ（150〜600 枚程度）として保存される．医用画像表示ソフトはさまざまなものが販売されており，無料で公開されているものもある（ただし，無料ソフトの使用については自己責任である．この項目で示した画像も，装置固有の表示ソフトで示したものと，サードパーティ製の医療画像表示ソフトで表示したものとがある）．

図 4-3-19〜23 に，代表的な疾患についてボリュームデータの表示例を示す．

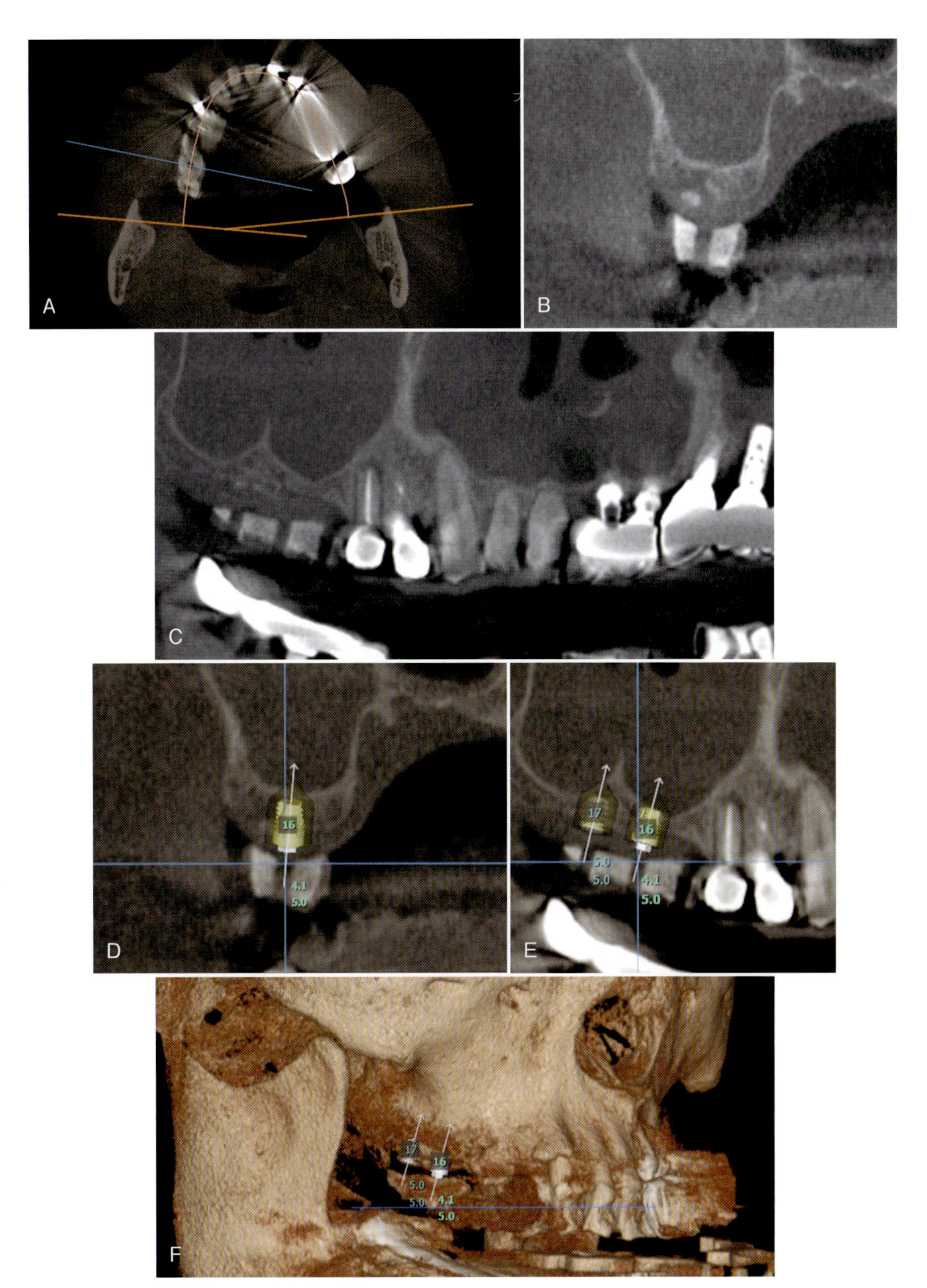

図 4-3-23　インプラント術前検査

上顎右側大臼歯部にインプラントを予定し，ステントを装着して歯科用コーンビーム CT 検査を行った症例．A：軸位断像に歯列直交断像と歯列平行断像の位置を表示している．B：歯列直交断像．C：歯列平行断像．ステントのマーカー部を X 線不透過の材料で製作しているためマーカーが不透過像であり，中央のインプラント挿入予定部位が透過像として観察される．上顎洞内が軟組織様不透過像で充満していることがわかる．D〜F：インプラントシミレーションを行った状態を示す．本症例では歯槽骨高径（歯槽頂－上顎洞底間距離）が短く，ショートタイプのインプラントのシミュレーションを行っている．

4　顔面頭蓋部撮影

1）体位・基準線と投影法

X 線撮影では，検査目的に応じて患者の体位，X 線の投影方向が経験的に決められている．これは検査目的を満たす X 線画像を得るためだけではなく，X 線撮影における約束ごととして，どの施設においても同様な X 線画像を得るためにも重要である．

(1) 撮影体位・X 線投影方向・基準線（面）

A. 撮影体位

立位と**座位**，**臥位**がある．頭部の撮影ではいずれの体位も用いられる．臥位には仰臥位と腹臥位がある．

B. X 線投影方向

基本的な投影方向として，患者の矢状方向に投影する場合（**矢状方向投影**），側方に向かって投影する場合（**側方向投影**），軸方向に投影する場合（**軸方向投影**）がある（図 4-4-1）．

C. 基準線（面）

頭部，顔面部を撮影する場合の基準線（面）として，矢状方向からの場合は正中矢状面を，側方向からの場合は**フランクフルト平面**（眼耳平面）が用いられる．なお，側方向からの場合は，上記以外に外眼角耳孔線（Orbitomeatal line；OM line），鼻聴道線（Acanthomeatal line；AM line，カンペル平面）などが用いられることがある（図 4-4-2）．

(2) 投影法

検査の目的に応じて適切な投影法を選択するが，中心線を検査対象の中心とし，しかも検出器に対して直交するように投影することが基本である．これをあえて中心垂直投影という．

2）顔面頭蓋部 X 線撮影装置と検出器

顔面頭蓋部の撮影では，撮影の範囲が大きく，

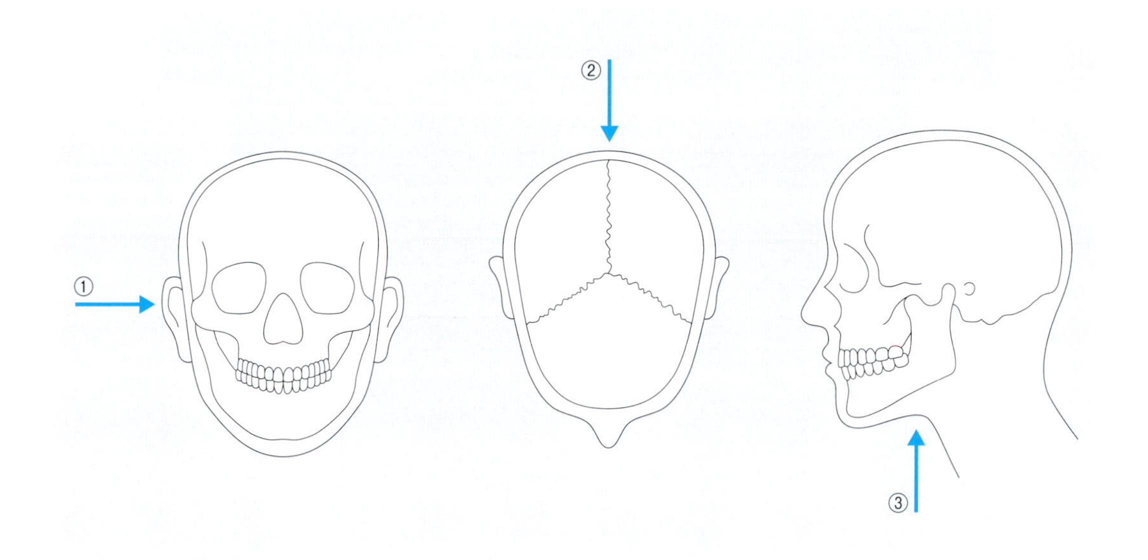

図 4-4-1　X 線投影方向
①側方向投影，②矢状方向投影，③軸方向投影

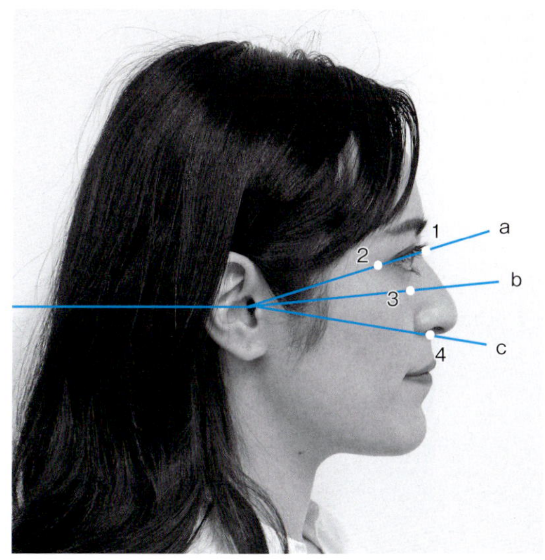

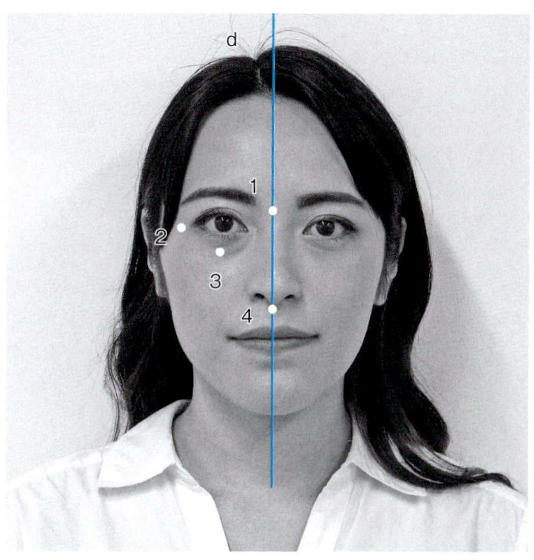

図 4-4-2　頭部撮影で利用される主な基準点，基準線，基準面
〔基準点〕
1：鼻根点，2：外眼角，3：下眼窩点，4：前鼻棘点．
〔基準線，基準面〕
a：外眼角耳孔線（OM line に相当），b：フランクフルト平面（眼耳平面），c：鼻聴道線（カンペル平面，AM line に相当），d：正中矢状面．

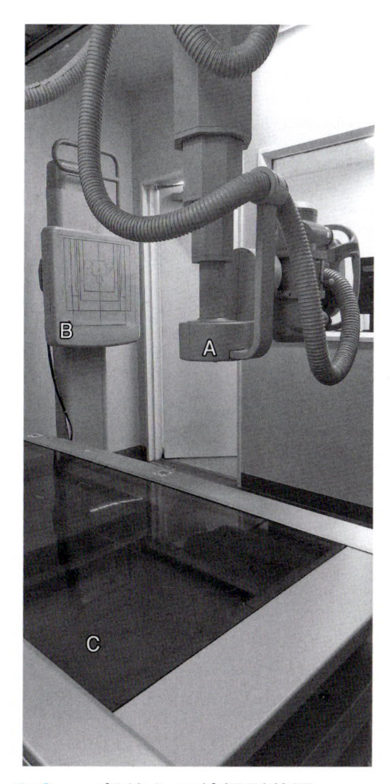

図 4-4-3　一般的な X 線撮影装置
A：ヘッド，B：立位の撮影台，C：臥位の撮影台．

X 線管と患者・検出器の距離が長くなるため，医科で一般的に胸部や腹部の撮影などに使用されている X 線発生装置が使用される（図 4-4-3）．この装置では，歯科用 X 線装置と比較して発生する X 線量が多いため，熱容量が大きい回転陽極の X 線管が用いられている．また，装置には可変式の**多重絞り**が装備されており，不要な部位には可及的に X 線が照射されないよう，照射野の大きさを自由に調整することが可能である．照射野の大きさや照射位置を明示するための指示用ライトも装備されており，その光を参考にして撮影時の位置づけを行う．

撮影には**フラットパネル検出器**（図 4-4-4）や，イメージングプレート（図 4-4-5）などの X 線検出器が使用される．検出器のサイズは撮影法や撮影部位に合わせて適切なものを使用する．また，検出器の X 線入射側に**グリッド**を配置して散乱線を減少させ，画質を向上させる．

図 4-4-4　直接方式デジタル X 線撮影で用いられるフラットパネル検出器（FPD）

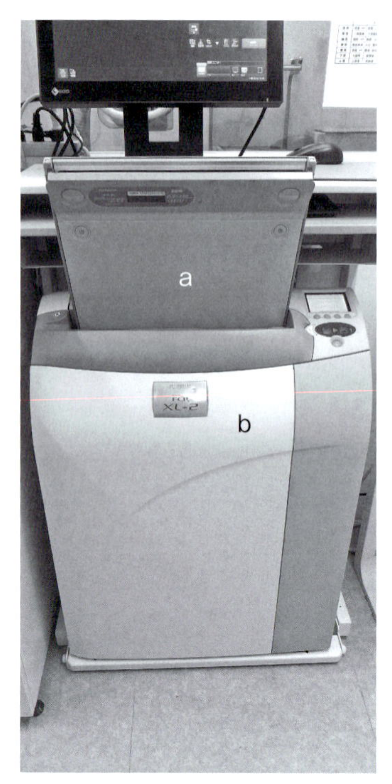

図 4-4-5　イメージングプレートを収納するカセッテ (a) とその処理装置 (b)

3）頭部後前方向撮影（postero-anterior projection；P-A 投影法）

(1) 目　的

頭部全体，あるいは顔面骨の正面像を観察したい場合，頭部後前方向撮影を行う．これは，歯科領域では頭部の前方に位置する顔面骨などを診断の対象とする場合が多く，これらを検出器に近づけるためである．

頭部を前方から透かして見える骨，すなわち，上方は前頭骨から側頭骨，下方は下顎骨までを含む広範囲の頭蓋顔面骨を観察できる．外傷による顔面骨骨折の診断や，鼻腔・副鼻腔・眼窩周囲などの観察，病変が頭部や顔の側方に向かって進展しているような場合に有用である．しかし，顎骨の正中部付近は頸椎が重なって投影されるため，また，顎関節は側頭骨と重なって投影されるため，明瞭な像を得ることはできない．

(2) 撮影法

立位，座位，腹臥位のいずれかで撮影を行う．検出器に対して正中矢状面が垂直となるように頭部を正対させ，鼻尖部が検出器に接触するまで近づけた後，さらに額を検出器に近づけ，フランクフルト平面が 10° 程度前傾するまで傾斜させる．中心線の入射点は外後頭隆起直下に位置づけ，検出器に対して垂直に入射するよう角度づけを行う（図 4-4-6）．

4）Waters 撮影法（Waters' projection）

(1) 目　的

副鼻腔の観察を主な目的とする．特に上顎洞の観察に適した撮影法であり，左右上顎洞の X 線透過性の違いを観察しやすい．また，前頭洞や眼窩周囲の骨，眼窩下孔，梨状口，鼻中隔，上顎骨，頬骨弓，正円孔などの観察にも適している．しかし，有歯顎者の上顎洞底部には歯が重なって投影されるため，洞底部の状態を詳細に観察することは困難である．

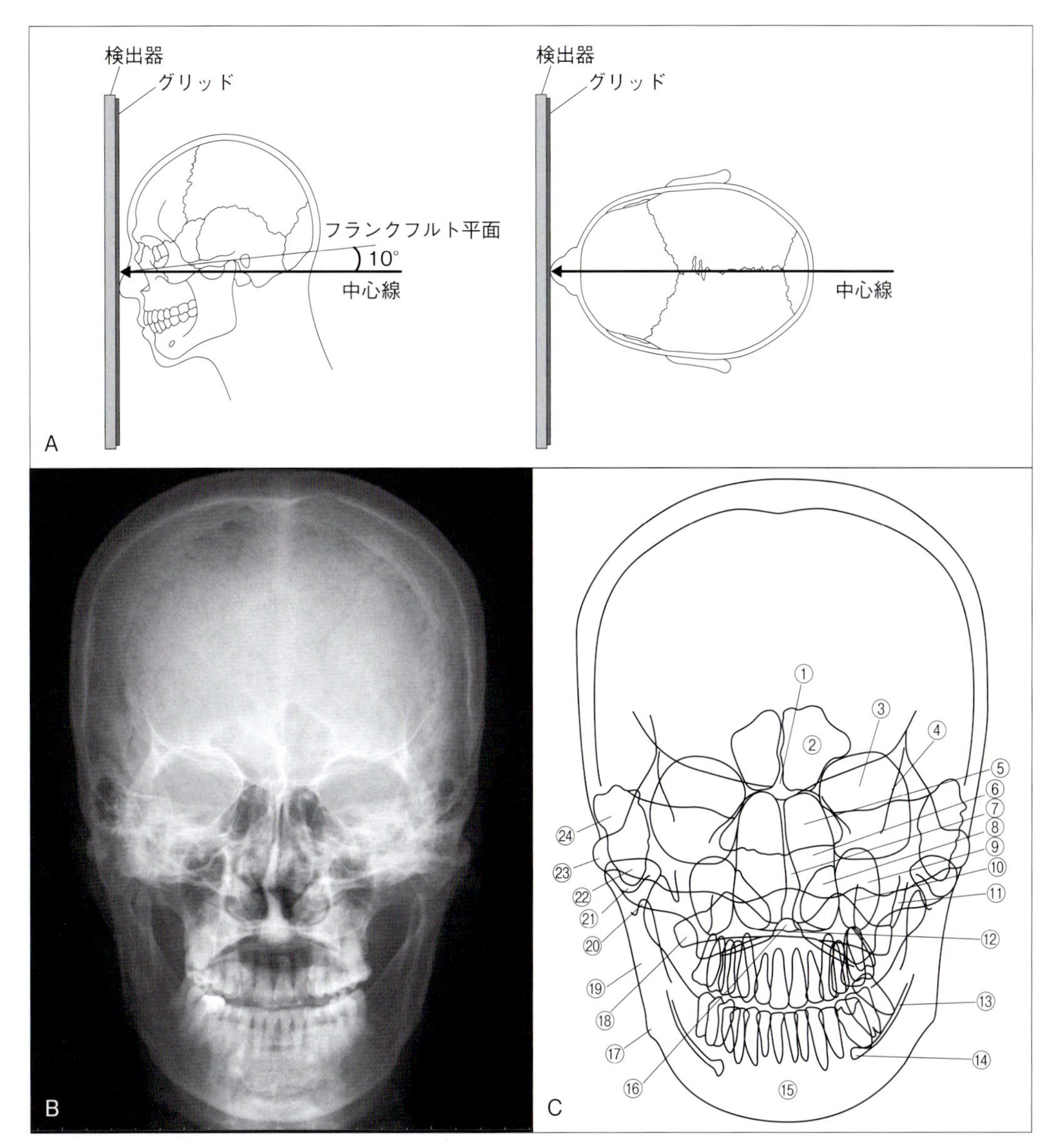

図 4-4-6　頭部後前方向撮影

A：位置づけ，B：X 線像，C：トレース像．

①鶏冠，②前頭洞，③眼窩，④無名線，⑤蝶形骨洞ならびに篩骨蜂巣，⑥梨状口，⑦鼻中隔，⑧下鼻甲介，⑨上顎洞，⑩ TM 線（上顎隆起線），⑪茎状突起，⑫前鼻棘，⑬下顎管，⑭オトガイ孔，⑮下顎骨，⑯軸椎，⑰下顎角，⑱環椎，⑲下顎枝，⑳筋突起，㉑乳様突起，㉒下顎頭，㉓頬骨弓，㉔乳突蜂巣

(2) 撮影法

立位，座位，腹臥位のいずれかで撮影を行う．図 4-4-7 に示すように，検出器に対して正中矢状面が垂直となるように頭部を正対させ，オトガイ部を検出器に付ける．オトガイ部を検出器に付けたまま，フランクフルト平面が検出器に対して 45° の角度となるまで頭部を後屈させるように額を上げる．中心線の入射点は，外後頭隆起の上方に位置づけ，鼻下点付近を透過して，検出器に対して垂直に入射するよう角度づけを行う（図 4-4-7）．

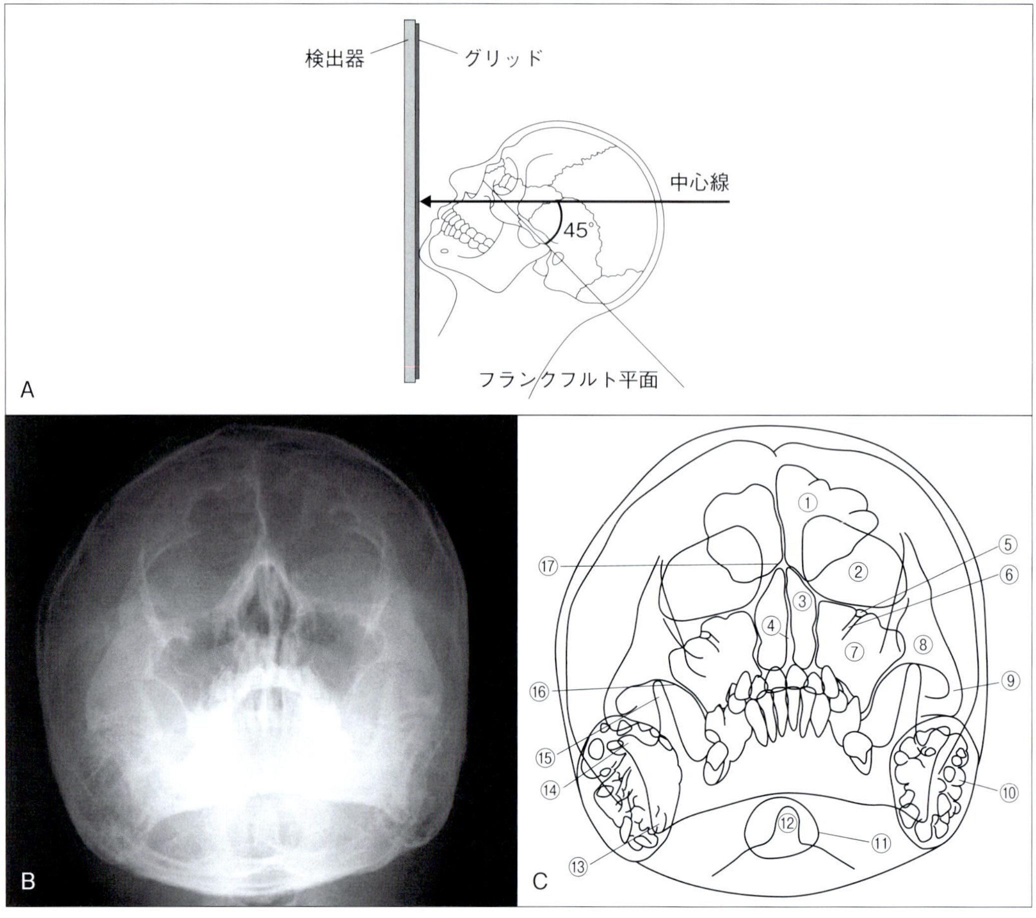

図 4-4-7　Waters 撮影法
A：位置づけ，B：X 線像，C：トレース像．
①前頭洞，②眼窩，③梨状口，④鼻中隔，⑤眼窩下孔，⑥眼窩下管，⑦上顎洞，⑧頬骨，⑨頬骨弓，⑩乳突蜂巣，⑪大後頭孔，⑫歯突起，⑬下顎角，⑭下顎頭，⑮筋突起，⑯頬骨下稜，⑰鶏冠

5）頭部 X 線規格撮影法（cephalometric radiography；cephalography）

頭部位置づけの角度や，焦点－被写体－検出器間距離を規格化して撮影することによって，撮影された X 線画像上における像の角度や拡大率が一定となる撮影法である．異なる時期に撮影した複数の画像間で，個体の成長・発育による大きさの変化や，矯正学的な計測角度の変化などを，経時的かつ定量的に比較できる．また，集団の平均値と個人の計測値を比較することも可能である．

撮影には，専用の頭部 X 線規格撮影装置を用いる（図 4-4-8）．近年は，パノラマ X 線撮影法と頭部 X 線規格撮影法など，複数の撮影法を一台の装置で行うことができる複合型デジタル X 線撮影装置も使用されている（図 4-4-9）．

撮影装置には，セファロスタットとよばれる頭部固定具が付属しており，セファロスタットにはイヤーロッド（耳桿）とよばれる外耳孔に挿入する細い棒が取り付けられている．撮影時には，フランクフルト平面を水平にし，イヤーロッドを両側外耳孔に挿入して頭部を固定することで，撮影装置に対する頭部の位置と向きが一定に固定される．X 線管と検出器の位置は固

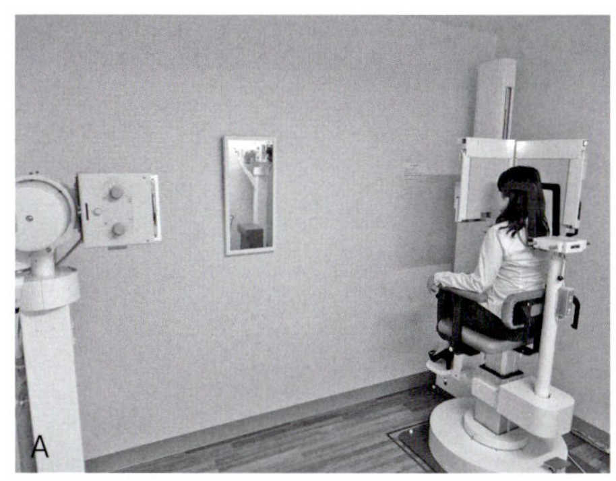

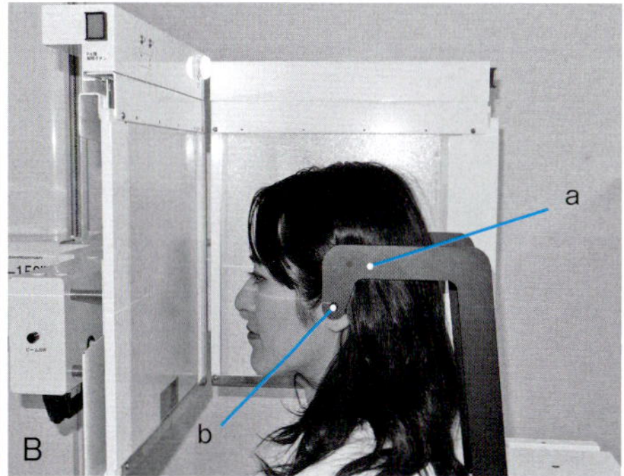

図 4-4-8　頭部 X 線規格撮影法－①
専用機による撮影例．セファロスタット（a）によって患者の位置づけをする（b：イヤーロッド）．X 線管，頭部正中矢状面および検出器との距離の比は，10：1 となるように配置されている．

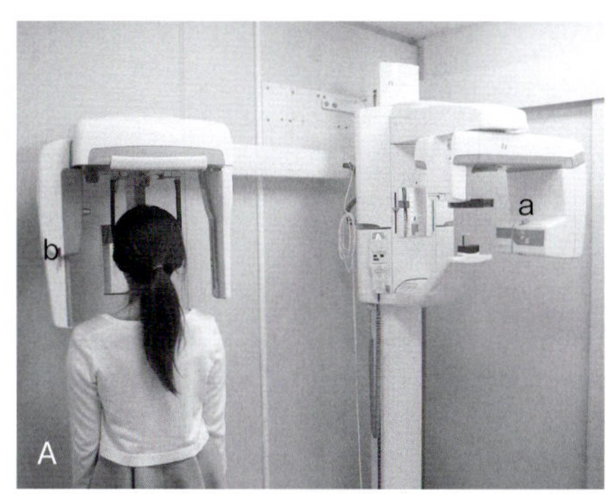

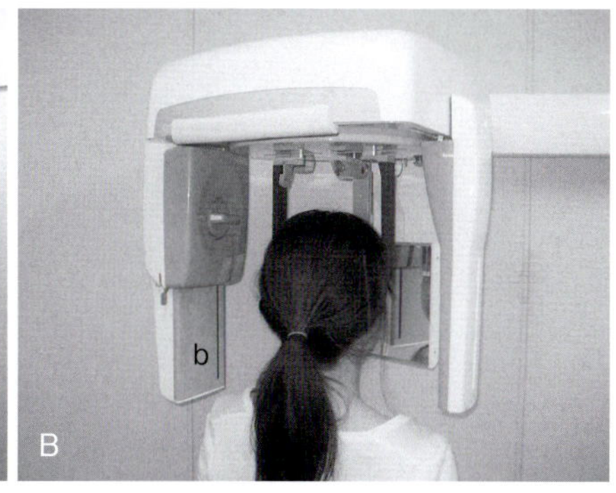

図 4-4-9　頭部 X 線規格撮影法－②
パノラマ併用機による撮影例．セファロスタットによって患者の位置づけをする．X 線管（a）からは，スリットにて幅が狭い縦長の X 線束が患者を走査する．その走査に合わせて半導体検出器（b）が，この装置の場合は患者の前後方向に移動する．

定されており，側方向の撮影では，中心線が必ず両側イヤーロッドの中心点を通過するように設定されている．X 線管内の焦点－正中矢状面－検出器間距離は常に一定に保たれ，一般的に焦点－正中矢状面間距離は 150 cm，正中矢状面－検出器間距離 15 cm に設定される場合が多い（図 4-4-10）．この幾何学的条件で撮影した場合，正中矢状面上の構造物は，必ず 1.1 倍の拡大率で投影される．

得られた画像の解析は第 5 章 15「歯と顎の成長とその障害」を参照．

6）顎関節の撮影

顎関節はどちらの方向から撮影しても骨の重なりが多いことから，できるだけ周囲骨との重積を避けて明瞭な関節像を得るために，独特な撮影法が用いられる．それらの撮影法には，顎関節を側面から観察するための撮影法と，正面から観察するための撮影法がある．側面像を得るための撮影法には，**側斜位経頭蓋撮影法**と**顎関節パノラマ四分割撮影法**があり，正面像を得るための撮影法には，**眼窩下顎枝（眼窩下顎頭）方向撮影法**がある．これらの撮影法は X 線単純撮影で，下顎頭や関節窩，関節結節など骨の状態を観察するための撮影法であり，関節円板や後部結合織などの軟組織を直接観察することはできないことを忘れてはならない．

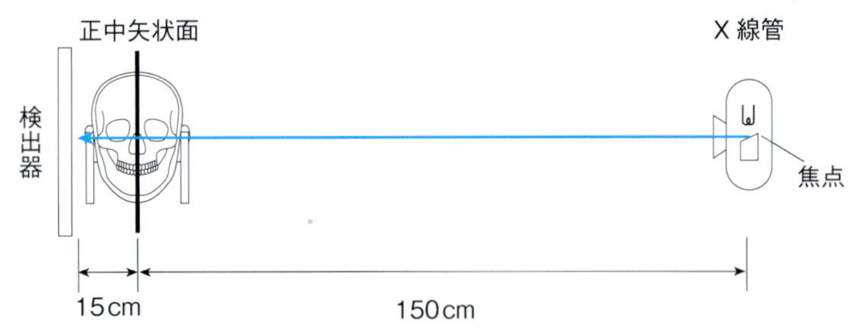

A（焦点-正中矢状面間距離が 200cm，正中矢状面-検出器間距離が 20cm の場合も 10：1 となり拡大率は 1.1 倍となる）

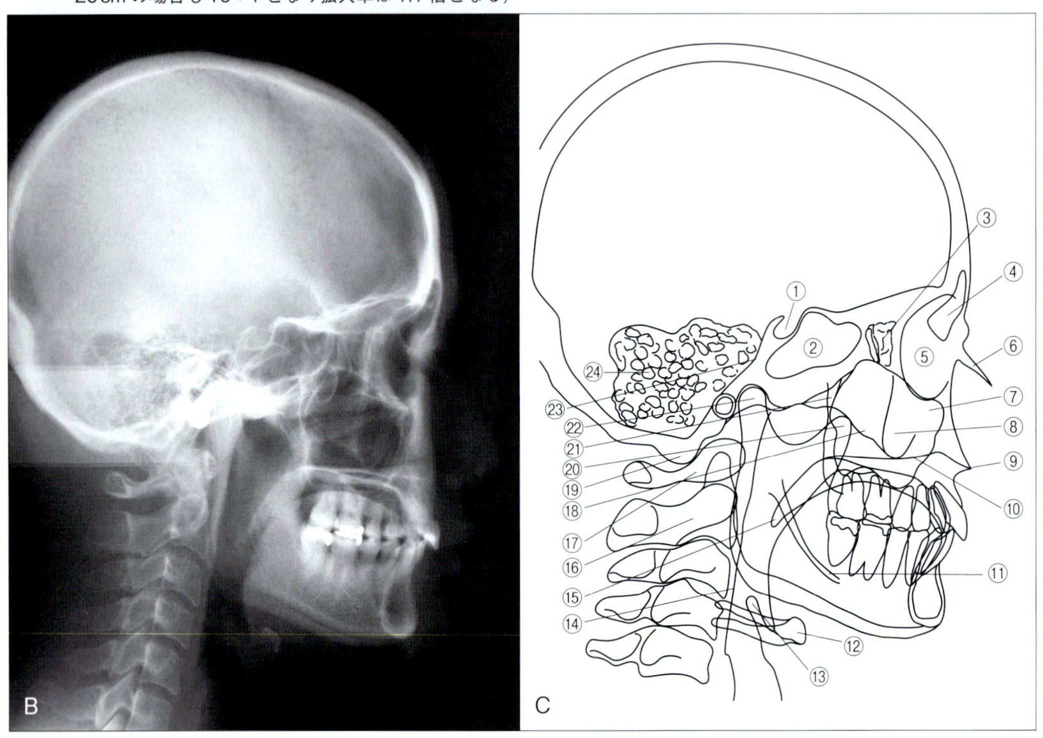

図 4-4-10　頭部 X 線規格撮影の幾何学的位置関係と X 線解剖

A：頭部 X 線規格撮影における一般的な幾何学的位置，B：X 線像，C：トレース像

①トルコ鞍 sella turcica，②蝶形骨洞 sphenoid sinus，③篩骨蜂巣 ethmoid cell，④前頭洞 frontal sinus，⑤眼窩 orbit，⑥鼻骨 nasal bone，⑦上顎洞 maxillary sinus，⑧頬骨 zygomatic bone，⑨前鼻棘 anterior nasal spine，⑩ floor of nasal cavity，⑪下顎管 mandibular canal，⑫舌骨 hyoid bone，⑬喉頭蓋 epiglottis，⑭咽頭後壁 posterior wall of pharynx，⑮軟口蓋 soft palate，⑯軸椎 axis，⑰環椎 atlas，⑱頬骨弓 zygomatic arch，⑲乳様突起 mastoid process，⑳筋突起 coronoid process，㉑翼口蓋窩 pterygopalatine fossa，㉒下顎頭 head of mandible，㉓斜台 clivus，㉔乳突蜂巣 mastoid air cell

(1) 側斜位経頭蓋撮影法（lateral oblique transcranial projection）

被検側の顎関節に対して，やや後側方の斜め上方から X 線を入射する撮影法で，X 線が頭蓋を透過することから，側斜位経頭蓋撮影法とよばれる．

反対側の顎関節の像と重なりを避けるため，フランクフルト平面に対して 20°～25° 上方から入射する．また，下顎頭は冠状面に対し少し傾きをもつため，冠状面に対し約 10° 後方からやや前方に向け，被検側下顎頭の長軸にできるだけ平行となるよう入射する（図 4-4-11）．

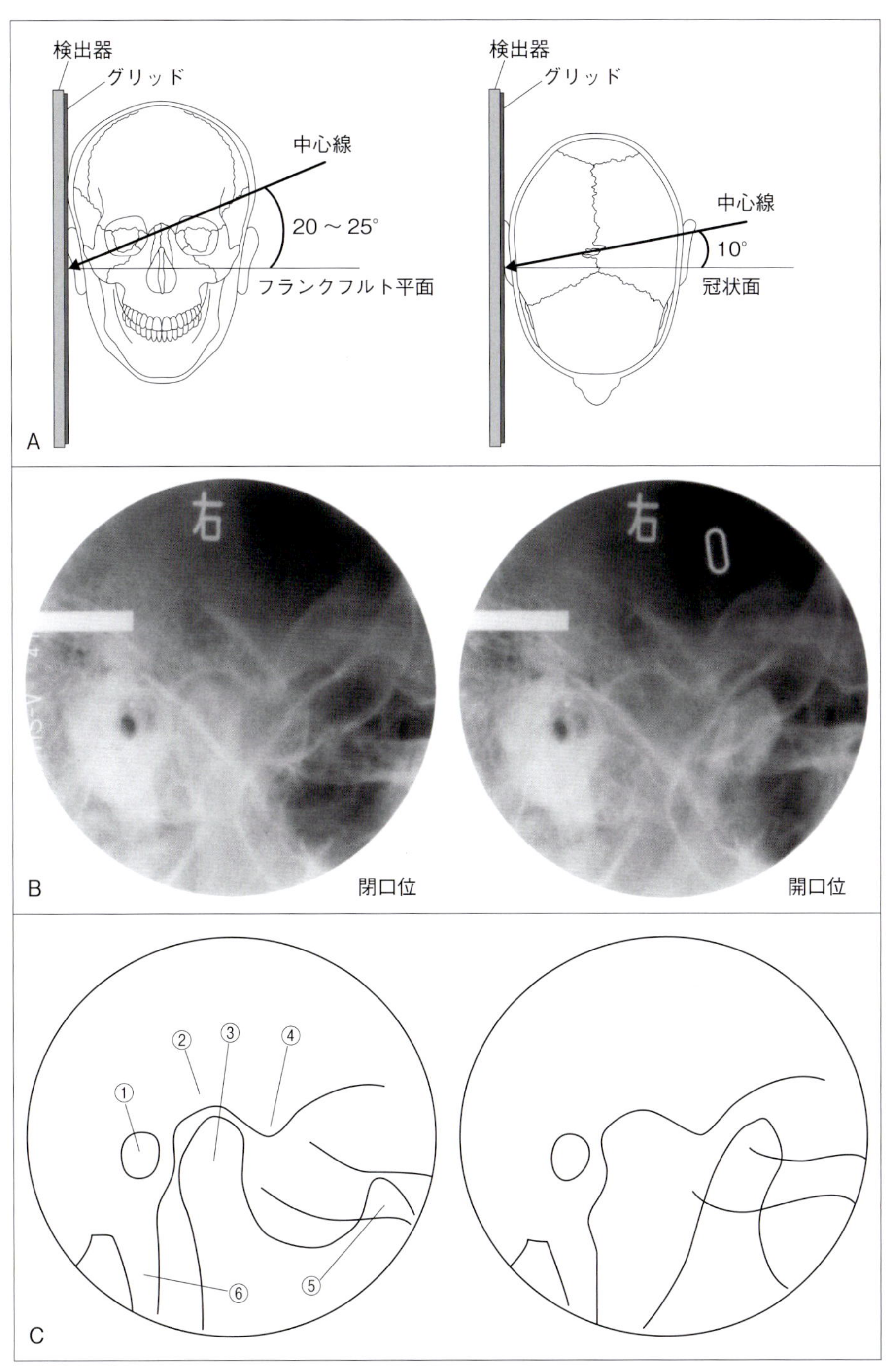

図 4-4-11　**側斜位経頭蓋撮影法**

A：位置づけ，B：X 線像，C：トレース像

①外耳孔，②下顎窩，③下顎頭，④関節結節，⑤筋突起，⑥茎状突起

(2) 眼窩下顎枝方向撮影法（orbitramus projection，眼窩下顎頭方向撮影法；orbitocondylar projection）

顎関節の正面像は，頰骨弓や側頭骨，乳突蜂巣などと重なって投影されて観察が困難なため，できるだけ下顎頭とほかの骨との重なりを避け，中心線が眼窩内を通過するようにして正面像を得る撮影法である（図 4-4-12）．

検出器を頭部後方に位置づけ，フランクフルト平面が検出器に対して垂直となるようにする．検出器とフランクフルト平面の角度を維持したまま，正中矢状面を被検側方向に 20°～25° 傾ける．被検側の眼窩下縁中央，あるいは内眼角付近に X 線の入射点を設定し，被検側の顎関節に向かって X 線を照射する．側方から見た場合，中心線はフランクフルト平面に対して 25° の角度で，頭頂側から足側に向けて照射する．顎関節を正面から見ると，閉口時に下顎頭は関節窩内にあるため，下顎頭上縁と関節結節が重積して投影されて観察が困難である．そこで通常は，下顎頭が前方滑走運動して関節隆起の下に位置するよう，開口させて撮影する．

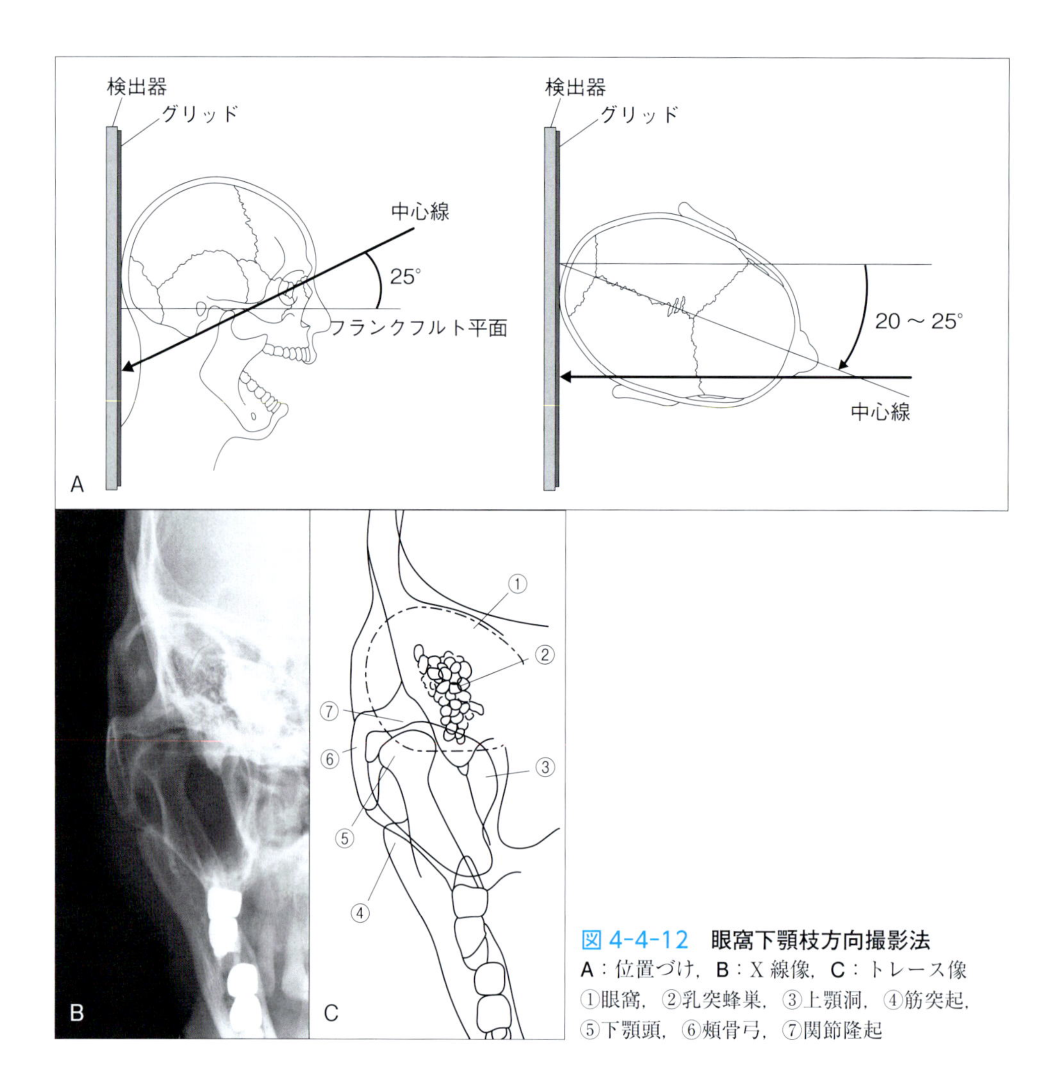

図 4-4-12 眼窩下顎枝方向撮影法
A：位置づけ，B：X 線像，C：トレース像
①眼窩，②乳突蜂巣，③上顎洞，④筋突起，⑤下顎頭，⑥頰骨弓，⑦関節隆起

5　X 線断層撮影法

通常の X 線像は，立体的構造をもつ被写体を透過した X 線を，平面である 1 枚のフィルム（またはイメージングプレートなどのデジタル検出器）上に画像として描画する．このため，X 線が透過する線上の物質・構造が重積して描出され，病変の細部の把握に困難を伴うことがある．重積像をなくし，目的とする部位の任意の部分を切り出した画像を得ることを目的として，**X 線断層撮影法**が考えられた．1921 年フランスの Bocage によって考案され，1931 年 Ziedses des Plantes によって初めて実用化されたものである．この方法は，X 線管とフィルムがある一定の関係を保ちながら，撮影中に互いに反対方向に移動することによって，被写体の特定の部分について像を形成し，それ以外の部分は運動によるボケによって消去しようとする撮影法である．

1）X 線断層撮影法の原理

原理図を図 4-5-1 に示す．被写体のうち断層撮影で明瞭に描出される平面（図で点 O を含むフィルムに平行な平面）を**断層（截）面**とよぶ．理論的には，この断層面は面であって厚さはないはずであるが，実際には人間の目でボケとして識別できない部分は鮮明に見えるため，断層截面は厚みのない平面ではなく，X 線管－フィルム方向に一定の厚みをもった層として認識される．これを**断層厚**という．観察者によっても異なりうるものである．図 4-5-1 で示す X 線管の動きでみると，X 線管が大きく振られる（振角が大きい）と，点 Y はフィルム上で大きく動きボケが強くなる．このことからわかるように X 線管の振角が大きいほど断層厚は薄くなる．

また，図 4-5-1 に示したフィルムの前後に一定の間隔をあけて別のフィルムを置き断層撮影すると，点 O を含む面より内側ないし外側の面

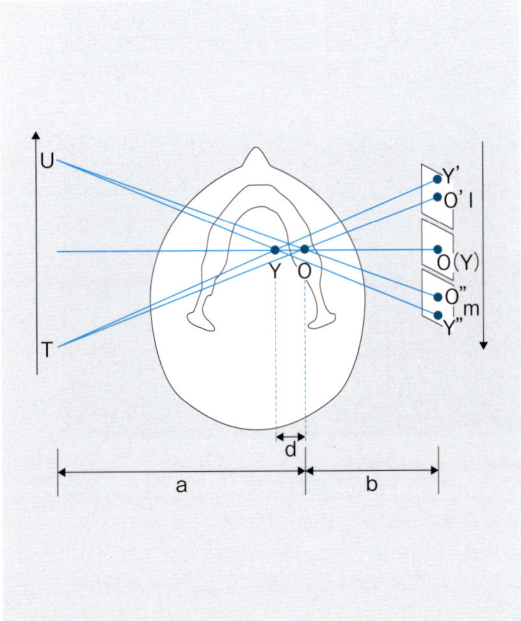

図 4-5-1　X 線断層撮影法の原理
被写体の点 O を中心として X 線管を T → U と移動させ，これと連動してフィルムを l → m と移動させながら X 線を照射する．このとき，点 O が写るフィルム上の位置は変化せず（O' も O" もフィルム上では同じ位置にある），フィルム像上で鮮明な像となる．点 O を含むフィルム面と平行な平面上の構造物では同様な関係が成り立つので，フィルム上で鮮明な像として描出される．一方，回転中心から d だけ X 線管寄りの点 Y の像は，フィルム上で Y' Y" だけ移動するためボケた像となる．すなわち，回転中心面（断層截面）上の像は鮮明であるが，この面から X 線管側あるいはフィルム側に離れるほどボケた像となり，そのボケの長さも長くなり，フィルム上では鮮明な像として得られない．いま，X 線管の運動角度（振角）を θ とし，ボケの長さを Bm とすると，フィルムおよび X 線管が平行移動する場合，

$$Bm = \frac{2d(a+b)\tan\left(\dfrac{\theta}{2}\right)}{a-d}$$

の関係が成り立つ．ゆえに断層截面から離れるほど，また振角が大きいほど，ボケの長さ Bm は大きくなる．

が，追加した別のフィルムに撮影できる．このようにして，一度に5枚程度を撮影する方法を同時多層断層撮影とよぶ．多層断層撮影では，1回の照射で同時に多くの層の撮影ができ被曝線量の軽減もできるが，鮮鋭度がやや劣り管電圧も限定される．

X線管およびフィルムが移動する軌跡（断層軌道）の最も単純なものは，直線軌道である．しかし，直線軌道においては，X線管移動方向と直交する場合はボケるが，平行する場合はぼかすことができない．これらの欠点をなくすために，円軌道，ハイポサイクロイダル軌道，スパイラル軌道などの複雑な動きが考えられてきた．顔面部を対象とした断層撮影は，断層截面の像が鮮明で截面外の陰影が少ないハイポサイクロイダルとスパイラルが好んで用いられている．

断層撮影法は，被写体を立体的に把握しやすい利点があるが，像の鮮明さは単純X線撮影に比べて格段に劣り，比較的大きな骨変化でないと観察が困難な場合が多い．上顎およびその周辺に生じた悪性腫瘍，嚢胞，骨折などで利用されていたが，最近ではCTやMRIなどの発達によってその適応は限られてきており，歯科領域では，顎関節造影断層法，骨内インプラントの術前計画および埋伏歯の検査などに限られてきている．

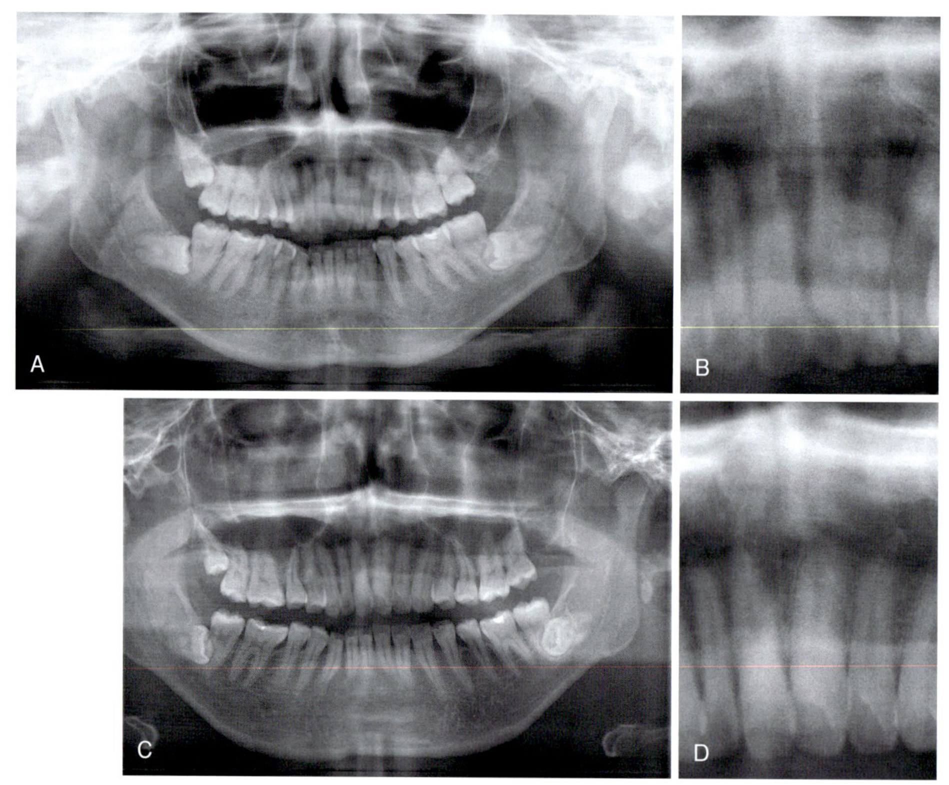

図4-5-2　トモシンセシスを応用したデジタルパノラマX線画像
トモシンセシスで，通常の断層位置で作成したパノラマX線画像の全体像（A）と上顎中切歯部の拡大像（B）：顎関節部まで撮影範囲になるようにしたため，前歯部がボケてしまっている．
断層位置を上顎切歯にあわせて調整したパノラマX線画像の全体像（C）と上顎中切歯部の拡大像（D）：断層截面をずらしたため右側顎関節部が描出されていない．上顎中切歯は歯根膜腔および歯槽硬線が明瞭に描出されている．

2) トモシンセシス

トモシンセシス（tomosynthesis）とは，複数の投影画像を組み合わせて断層画像を合成する方法である．その原理はすでに1931年に認識されていた．断層の原理に近いものであるためここで解説する．

図4-5-1で示す通常の断層撮影ではX線管が移動している間はX線を照射し続け，1枚のフィルムで撮影する．トモシンセシスでは，X線管が移動する経路の複数の場所で非連続にX線を照射する．受光側は複数の検出器で別々に撮影する．図4-5-1でいえば3つの検出器を別々に撮影すると考えればよい．この複数の画像（投影画像）を，位置を適切にずらして重ね合わせて任意の位置の断層像を作成する．以前はフィルムを重ね合わせていたため実用化されていなかった．しかし，近年のデジタル技術とコンピュータの進歩によりトモシンセシスを容易に利用できる環境になってきている．胸部や乳房の検査への応用が進んでいるが，歯科領域でも，デジタルパノラマX線撮影装置にこの原理を応用してパノラマX線画像の断層域をずらすことができる装置が複数のメーカーから開発されてきている．図4-5-2に一例を示す．1回の撮影で上顎中切歯が描出されている画像や顎関節部が描出されている画像を断層位置をずらして作成している．

6 造影検査

1）造影検査とは

口腔顎顔面領域では，顎骨内に発現した囊胞や腫瘍を扱うことが多く，骨と軟組織あるいは液成分とのX線透過性の差が大きいため，通常のX線検査で病変を明確に描出できる．しかし，顎顔面の軟組織に腫瘍性病変や囊胞性病変が生じた場合には，両者のX線減弱係数の差が小さいため，単純X線検査で観察することが困難である．また，唾液腺のような軟組織を単純X線画像で描出することも困難である．そこで，病変のX線吸収が周囲組織よりも極端に大きいかあるいは小さくなるように使用されるのが造影剤である．造影剤を用いて，目的とする臓器・構造物あるいは病変のX線透過性を変え，それらの位置，形状，大きさ，機能，変化などを明瞭に描出させる．この検査を**造影検査**という．

CTやMRIにおいては，造影剤を使用することにより，病変をより明瞭に描出させ，病変の血行動態が観察できることから，診断精度を向上することができる．

2）造影剤とその有害事象

(1) 造影剤

造影剤は，生体内へ直接注入されるため，X線吸収という物理作用のみが望まれ，薬理作用はまったく存在しないほうがよい．造影剤が具備すべき条件は，①周囲組織とのX線減弱係数の差が大きいこと，②化学的に安定していること，③生体への為害作用が少ないこと，④使用目的にあった性状を有すること，⑤検査後は排泄されやすいこと，などがあげられる．X線検査に用いられる造影剤に関しては，造影剤自体がX線を吸収するように高密度で高原子番号の物質を用いる陽性造影剤と，X線透過率の高い物質を用いる陰性造影剤がある．

陽性造影剤は，生体に投与されるとX線画像上では白く写り，X線不透過性を示す．陽性造影剤としては，ヨードまたはバリウムを主成分とする化合物が用いられることがほとんどである．顎顔面領域では，中でもヨードを主成分とする**ヨード造影剤**（ヨード系造影剤）が使用される．ヨード造影剤には，その性状から**水溶性造影剤**と油性造影剤に大別される．油性造影剤は水溶性造影剤に比べて鮮明な造影像を得られるが，体内に長期間残存するため，現在では利用が限られている．さらに，ヨード造影剤には，ヨウ素化合物がイオン化しているイオン性のものと非イオン性のものがある．**非イオン性造影剤**はイオン性造影剤に比べて，低浸透圧，高親水性であるため，有害事象の出現率が低く，安定性に優れている．

陰性造影剤としては，空気，酸素，炭酸ガスなどの気体が用いられ，X線透過性を示す．口腔顎顔面領域では，陰性造影剤と陽性造影剤を併用する**二重造影検査**として使用されることがある．

(2) 有害事象

現在使用されているヨード造影剤は合成化合物であり，生体にとっては異物であるため，人体にとって無害ではない．しかも，造影剤中に占めるヨード成分の割合が高く，検査中の投与量も多いことから，生体の各種臓器にさまざまな作用を示す．したがって，その薬理作用が一定の限界を超えたとき，各種の**有害事象**が出現する．ヨード造影剤の投与が**禁忌**とされているものは，①ヨードまたはヨード造影剤に過敏症の既往歴のある患者，②重篤な甲状腺疾患のある患者である．**原則禁忌**には，①一般状態の極度に悪い患者，②気管支喘息，③重篤な心障害，④重篤な肝障害，⑤重篤な腎障害，⑥マクログロブリン血症，⑦多発性骨髄腫，⑧テタニー（低Ca血症）を有する患者，⑨褐色細胞腫およびその疑いのある患者があげられる．原則禁忌とは，本来禁忌であるが，診断や治療上どうしても必要な場合，慎重に投与する必要がある場合に使用する．そのほか，**慎重投与**に属するものがあり，急性膵炎などが含まれる．

ヨード造影剤の有害事象には，皮膚症状，呼吸器症状，消化器症状，循環器症状などから，アレルギー様症状，**アナフィラキシー**に至るまで，さまざまなものがあり，具体的な症状には，嘔気，熱感，嘔吐，かゆみ，蕁麻疹，発赤，血管痛，嗄声，くしゃみ，咳，胸痛，腹痛，動悸，顔面浮腫，悪寒，呼吸困難，突然の血圧低下，意識消失，心停止がある．有害事象は，約70%が造影剤投与中あるいは投与後5分以内に発生する．非イオン性造影剤の登場によって，有害事象の発生頻度は減少しているが，イオン性造影剤と同様の有害事象がみられるため，従来と同様の注意が必要である．加えて，造影剤投与の1時間から1週間後に発現する**遅発性有害事象**を認めることがある．遅発性有害事象は，発疹，掻痒などの皮膚症状，悪心・嘔吐の消化器症状がほとんどである．

有害事象の防止対策は，造影剤の添付文書を熟読し，理解することが第一である．確実な問診により患者が造影剤の禁忌・原則禁忌に該当しないか，有害事象発生に対してリスク因子をもっていないかを確実にすることは重要である．たとえば，慢性腎臓病でStage Ⅲ以上〔eGFR（推算糸球体濾過量，単位：mL/分/1.73 m^2）の値が60未満〕のときは，**造影剤腎症**の発現率が急激に高まるので，造影剤投与前の確認が重要である．原則禁忌，慎重投与およびハイリスク患者に対しては，それぞれの内容に応じた適切な前処置が必要である．心電図モニタ下での造影検査の実施や，検査前後に補液が必要な場合もある．アレルギー既往患者では，ステロイド剤や抗ヒスタミン剤の検査前投与が望ましい場合もある．一方，造影剤注入前に行う予備テストの必要性は現在否定されており，テストアンプルの配布は廃止されている．したがって，予備テストを行う必要はないが，造影剤注入に先立ち，カテーテルが血管内に正確に留置されていることを確認する意味で，1～2 mLの造影剤を注入することが行われている．副作用が重篤になることを防ぐには，投与中の患者の様子を絶えず観察し，初期の異常反応を的確に把握することが必要である．造影剤の使用にあたっては，検査室に救急器具と救急医療品の常備が必須の条件であり，緊急時の連絡をスムーズに行えるシステム作りが重要である．

MRIの造影剤であるガドリニウムによる有害事象は，ヨード造影剤に比べて有意に低い．特異的なものに，遅発性有害事象として**腎性全身性線維症**がある．腎性全身性線維症は，腎機能不全患者のみに報告されており，通常投与後2～3カ月までに発現するが，数年後に発現することもある．皮膚での結合組織の過形成を特徴とするまれな疾患であり，皮膚が肥厚し，肌が粗く硬くなり，関節が動かなくなることもある．肺，肝臓，筋肉，心臓など多臓器にも同様の線維化を認める場合があり，急速に進行する劇症型の臨床経過をたどることもある．

3）口腔顎顔面領域における適用

歯科領域における造影検査としてはCTやMRIにおける造影の他に，唾液腺造影，顎関節腔造影，血管造影，嚥下造影などが行われている．唾液腺造影では耳下腺，顎下腺が対象となり，カテーテルを開口部から挿入して，ヨード系水溶性造影剤を注入する（図4-6-1）．CTやMRIにおける造影検査では，造影剤は経静脈的に注入されるが，血管造影（angiography）は，

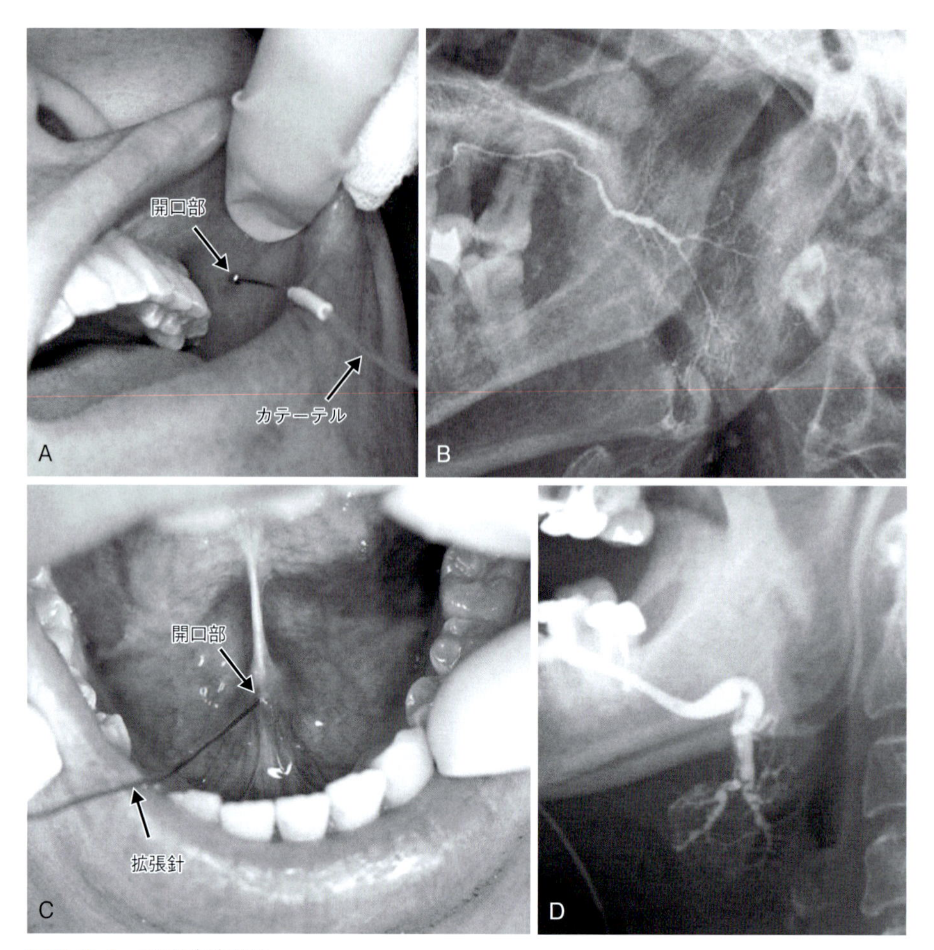

図 4-6-1　唾液腺造影法

A：カテーテルを耳下腺開口部からステノン管へ挿入する．B：耳下腺造影像（正常像）．C：カニュレーションの手技として，カテーテル挿入前に拡張針により開口部の拡張を行う方法がある．D：顎下腺造影像（炎症像）．

カテーテルを目的の動脈や静脈に挿入し，造影剤を直接投与する．血管の走行や形状を把握でき，血管性疾患の診断や抗腫瘍薬の動脈内注入治療に使用される．嚥下造影は，食品に陽性造影剤を添加し，嚥下運動に伴う食塊の移動と口腔，咽頭，食道の器官の動きをX線透視下で評価する（p.438，図 5-17-5 参照）．

顎顔面領域では，これまで唾液腺造影，血管造影，嚢胞造影などが画像診断のために行われてきたが，造影剤を使用することなく，MRIで描出できることも多く（MRアンギオグラフィ；p.183，図 4-8-14，15，MRシアログラフィ；p.365，図 5-10-23B，p.367，図 5-10-30 参照），その必要性が減少してきた．

7 CT

コンピュータ断層撮影（computed tomography；**CT**）は，被写体の周りを回転するX線を用いて人体を薄く輪切りにし，一定の厚みをもつ断面画像（断層像）を得る撮影法である．基本的には通常のX線画像と同じく人体を通過した際に生じるX線の減弱の程度を画像化したものである．異なる点は，通常のX線画像が減弱の程度を直接画像に変換するのに対し，CTは，被写体を通過することで減弱したX線の強度分布から，通過した各組織の減弱係数をコンピュータで計算し断層像を構築するところである．また，通常のX線画像では描出の困難な軟組織を描出可能な点に特徴がある．

CTは数学的には逆問題として扱われ，1917年にRadon（オーストリア）がその原理について証明している（その他の歴史的な次稿については第1章1「放射線と医療」参照）．

患者への適切な説明・同意の取得を含めて被曝に関する事項を十分に配慮して利用するならば，CTは多くの口腔顎顔面領域の疾患に対し非常に有用な画像検査法である．

1）CTの原理と装置

CT装置は対向して回転するX線管と検出器を納めた**ガントリー**とよばれるドーナッツ状の装置と，ガントリー開口部で患者の移動を行う**寝台**から構成され，造影剤の自動注入装置が補助的に使われる（図4-7-1）．また，操作室側には装置を制御する操作卓と画像を再構成するコンピュータシステムが設置される．

撮影時，X線管側のコリメータ（絞り）で整形された回転面に平行かつ扇形に広がる薄いファンビームが回転しながら人体を通過することで，多方向からのX線投影データを得る（図4-7-2）．X線投影データから対象部位の断層像が**再構成**（ないし**再構築**，reconstruction）される（p.140，「ボリュームデータの取り扱い」参照）．再構成方法の主流はFBP（フィルタ補正逆投影）であるが，被曝量の低減目的のため逐次近似と組み合わせた**反復再構成法**（iterative reconstruction）が広まりつつあり，さらに再構成過程の一部にAIの技術を組み入れた手法も模索されている．一方で，偽像の生成には注意が必要である（図4-7-8参照）．

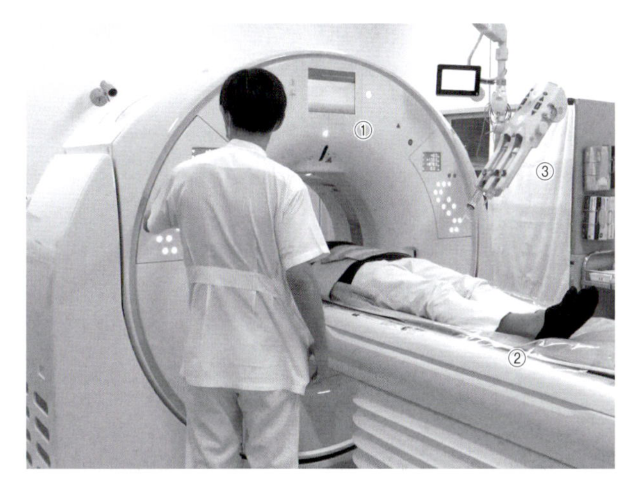

図4-7-1　CT検査時の患者の位置づけの様子
①ガントリー，②寝台，③造影剤自動注入装置．

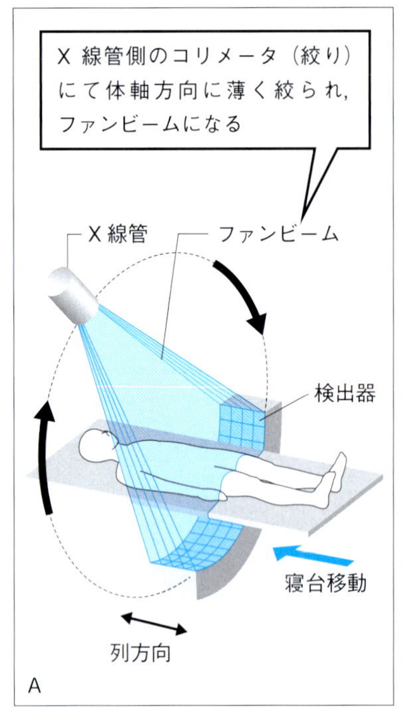

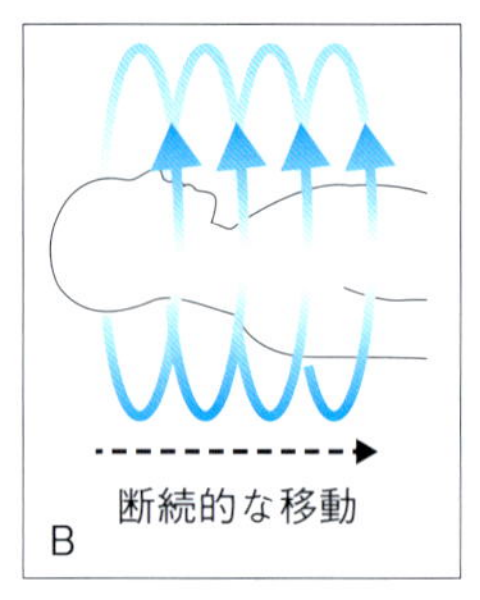

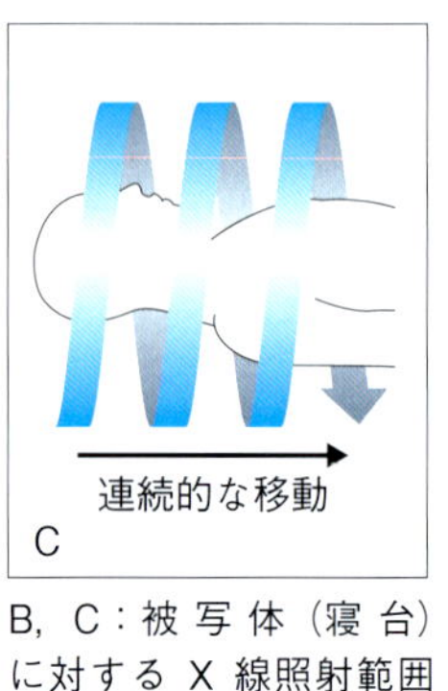

B，C：被写体（寝台）に対する X 線照射範囲の相対的な移動の概念図

X 線管
投影データ
減弱係数
ファンビーム
検出器
減弱係数
投影データ
D

ガントリー入口側から見た図

図 4-7-2　CT 撮影における X 線管，検出器および被写体の位置関係と寝台の移動，X 線投影データ収集の概念図
A：検出器が多列の CT（multidetector-row CT；MDCT）．CBCT と異なり，検出器側にも散乱線除去のためのコリメーションが存在する．図は 4 列の場合だが，320 列のものも存在する．
B：ノンヘリカルスキャン．寝台が停止した状態で 1 回転分撮影し，寝台を移動させ，次の 1 回転分の撮影を行う．ヘリカルスキャンによって発生する風車状アーチファクトを避けたい場合などで用いられる．
C：ヘリカルスキャン．寝台を移動させながら同時に X 線管と検出器を回転させ続けて撮影を行うことで，被写体に対し螺旋形に撮影が行われる．
D：ガントリー入口側から見た図．回転するファンビームが被写体を通過することで得られる X 線減弱の程度を検出器で収集し，スライス面内の CT 値の分布をコンピュータで計算する（再構成ないし再構築，reconstruction）．

現在用いられている手法は，歴史的には第 3 世代とよばれる撮影方法である．初期の装置では検出器が 1 列の CT で，1 回転（1 スライス撮影）するごとに，寝台が所定の距離を移動することを繰り返すノンヘリカルスキャンにより複数断面を撮影していた（図 4-7-2B）．近年はコンピュータの処理能力の向上とともに検出器の体軸方向の列数が増えて多列となっており，1 回転で複数のスライスを同時に撮影する**多検出器列 CT（multidetector-row CT；MDCT）**において X 線管と検出器が連続回転し続けながら被写体を載せた寝台が移動しつつ連続撮影するヘリカルスキャン（螺旋スキャン）方式が主流となっている（図 4-7-2A，C，D）．この方式により高速にかつ広範囲の撮影を行えるようになった．最新鋭の 320 列（16 cm）を有する機種では 0.3 秒ごとに三次元画像を撮影可能で，心臓の拍動のフェーズ単位で 4D-CT とよばれる時系列に沿った画像で診断が行われることもある．

異なった管電圧（低エネルギーと高エネルギー）を用いてスキャンし，物質の管電圧による透過性の差を利用することで，これまでの CT では区別できなかった物質を区別可能な Dual Energy CT も臨床応用されている．

2）CT 値

CT 像は人体を構成する組織の X 線減弱係数を画像化するものであるが，通常は相対比較が可能なように水と空気の減弱係数を基準とした **HU（hounsfield unit）**とよばれる単位系の **CT 値**に換算される．換算式では水を 0 HU（原点）とし，空気の減弱係数を仮想的に 0 として扱うことで空気の CT 値を −1,000 HU に設定する．

$$\text{CT 値（HU）} = \frac{\mu_t - \mu_w}{\mu_w} \times 1{,}000$$

μ_t：組織の X 線減弱係数

μ_w：水の X 線減弱係数

表 4-7-1 に代表的な各組織の CT 値（HU）を示す．CT 値は対象となる病変や組織の組成を推察し，造影効果を客観的に判定するうえで重要である．

表 4-7-1　人体各組織の CT 値

組織名	CT 値（HU）
エナメル質	2,000〜4,000 程度
象牙質	1,200〜1,900
皮質骨	1,000〜1,800
海綿骨	200〜500
筋　肉	50〜70
水	0
脂　肪	−120〜−90
空　気	−1,000

3）CT 像の表示

通常 X 線吸収が少ない領域（低濃度域）を相対的に黒く，X 線吸収が多い領域（高濃度域）を相対的に白く表示する．CT 撮影後に画像がデジタル化される段階でピクセルの値は 12 bit 以上で量子化される．最小値として空気の −1,000 HU を含むように −1,024 が割り当てられ，12 bit であれば 3,072 HU が最大値となる．読影時のモニタは通常 256 階調（8 bit）までしか扱えないため，4,096 階調（12 bit）以上のデータのうち，観察したい一定の範囲を**ウィンドウ**（window，窓）として 256 階調に変換して表示する．ウィンドウはウィンドウ幅（window width；WW）とウィンドウレベル（window level；WL ないし window center；WC）とよばれる 2 つのパラメータで指定する．ウィンドウレベルには観察したい対象の中央値を設定し，観察したい範囲にウィンドウ幅を調整することで，対象物の濃度が適切に変換されることとなる（図 4-7-3）．

顎顔面領域では硬組織観察用と軟組織観察用の 2 種類が用いられる．これらの設定値は施設により多少の相違があるが，読影時に調整可能である．なお，硬組織観察用のデータには硬組織構造を観察しやすくするための高周波成分を強調するようなフィルター（畳み込みフィルターの一種）が再構成過程で用いられている場合がある．

4）CT でのピクセル，ボクセルと部分容積効果

CT 像の 1 スライスは通常 512×512 マトリックスで構成されている．頭頸部であれば，FOV は通常 200〜250 mm 程度でありピクセルサイズが 0.4〜0.5 mm 程度である．**スライス厚**は通常 0.5 mm 以上で頭頸部では 1〜3 mm 程度までで撮影されるため，通常の CT でのボクセルは CBCT のような等方向ボクセルではなく，スライス厚方向に長い直方体となる．ボクセル内が単一の組織のみを含んでいる場合には問題ないが，組織の境界部分や複数の組織が含まれる場合，撮影時に含まれる組織の平均的な CT 値が撮影後のボクセルの値となり，ボクセル内部の構造に関する情報が消失するため解像度が低下する．この現象はスライス厚の影響を強く受け，**部分容積効果**（partial volume effect）とよばれ

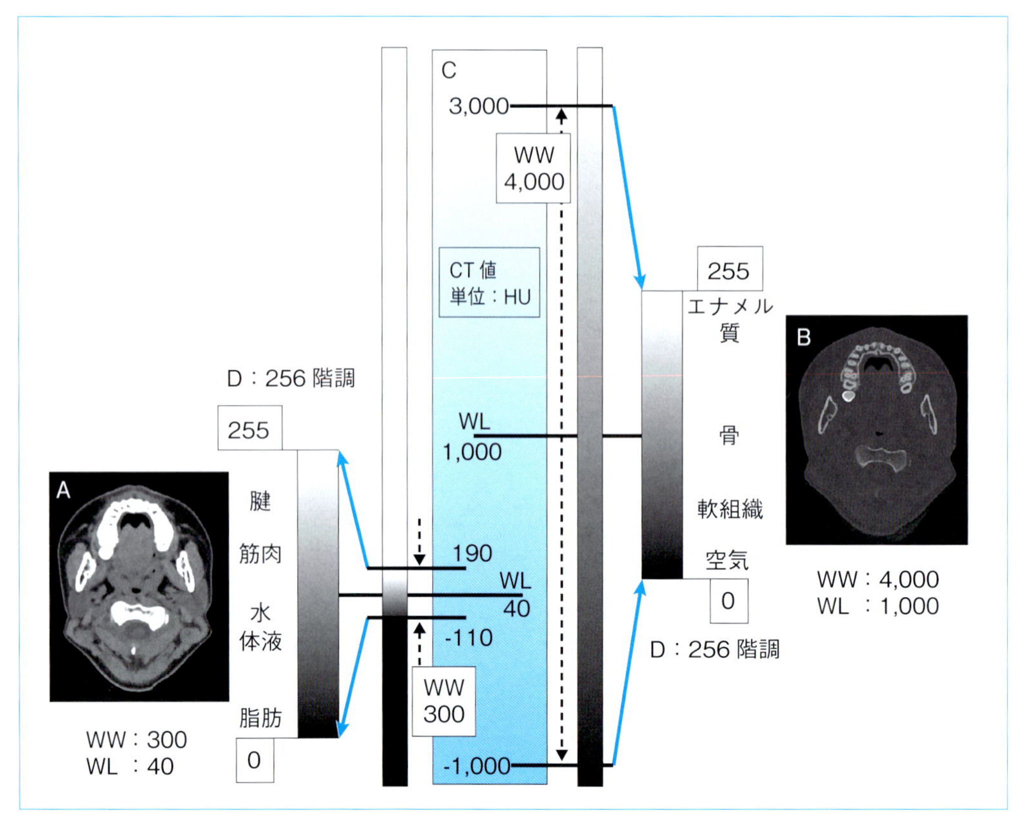

図 4-7-3　ウィンドウ幅とウィンドウレベル

A：軟組織観察用，ウィンドウ幅：300，ウィンドウレベル：40 の例．40 を中心に幅：300 の半分すなわち 150 を加算した値（190）を上限とし，150 を引いた値（－110）を下限として 256 階調に変換する．上限を超えた値は 255（白）とし下限を超えた値は 0（黒）とする．

B：硬組織観察用，ウィンドウ幅：4,000，ウィンドウレベル：1,000 の例．

C：12 bit 以上の階調を有する CT 値の領域．

D：256 階調（0 から 255）の表示領域，0 を黒とし 255 を白とする．

る（図 4-7-4）．ただし，スライス厚を薄くすればするほどノイズの影響を受けやすくなり，また被曝線量が増えるため，適切な厚みを選択する必要がある．

医科歯科連携の強化に伴い，医科系での CT 検査時に，同時に歯科系領域の撮影を含むように依頼する機会が増えるかもしれないが，スライス厚の指定を適切に行う必要がある．図 4-7-5 に医科系での胸腹部撮影時に頭部まで含む検査がなされた例を示す．医科系では特に胸腹部を含む場合，5 mm 厚の撮影は一般的である．

5）アーチファクト

アーチファクト（artifact）は，本来は存在しない偽りの画像が発生したり，存在するべき構造が認められないことであり，診断の障害となる．代表的なアーチファクトは**モーションアーチファクト**および**メタルアーチファクト**である．撮影途中で患者に動きが生じた場合，動きのあったスライス面内にてモーションアーチファクトが生じる．通常は，スライス面内での動きの方向に応じた帯状の濃淡や形態のボケが生じる（図 4-7-6）．

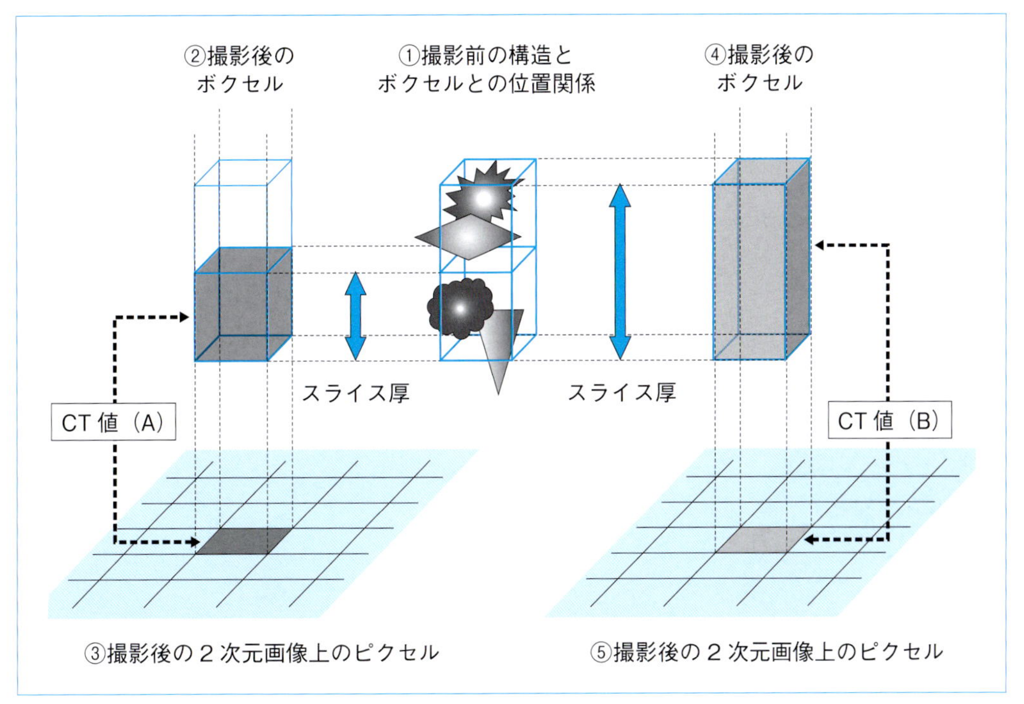

図 4-7-4 ピクセル，ボクセル，部分容積効果の関係

撮影前のボクセル内（①）の構造情報はスライス厚に応じて撮影時に消失し，ボクセル内でのCT値として平均化された値のみになる（②，④）．ディスプレイでの2次元画像ではピクセルとして表示される（③，⑤）．このときのCT値はボクセルのCT値と同じである．すなわちピクセルは，撮影前の3次元的なボクセルの内部構造をCT値として平均化して表示したものである．撮影前の内部構造の情報が平均化され消失することで，スライス厚に応じた部分容積効果が生じる．

スライス面内にX線高吸収となる金属が含まれていて同部でのX線の減弱が強すぎると，CT値を正確に計算できなくなる場合があり，高濃度と低濃度が混在する放射状のメタルアーチファクトが生じる（図 4-7-7A〜C）．CBCTと異なり，多くのCTではガントリーを傾斜（ガントリーチルト）させることができ，観察したい対象を含むスライスに金属が入らないよう工夫できる場合がある（図 4-7-7D〜F）．

投影された減弱係数からCT値の分布を計算する過程（再構成過程）にて，メタルアーチファクトを低減するようなソフト（MAR；metal artifact reducing）も存在するが，低減できたとしても予期せぬ別の場所に二次的にアーチファクトが出現する場合があるため，元画像との対比が必要不可欠である（図 4-7-8）．

6）造影 CT

造影 CT（contrast-enhanced CT）は，血管増生のさかんな腫瘍や炎症などの病巣をより明瞭に描出することを目的として行う．単純CTでは病変と正常組織のCT値が類似していることがあるため，造影剤を用いることによりコントラストを強調し，病変と正常組織との判別が容易となる．また，造影効果の程度や造影パターンは病巣の診断に有用である（図 4-7-9）．造影剤は非イオン性ヨード造影剤を使用し，一般的には，経静脈的に自動注入装置を用いて投与される．投与されると，造影剤は血管および血管外細胞外腔に入り込み，CT値が上昇する．これを造影剤による増強効果という．口腔領域の悪性腫瘍は周囲組織より早いタイミングで強く

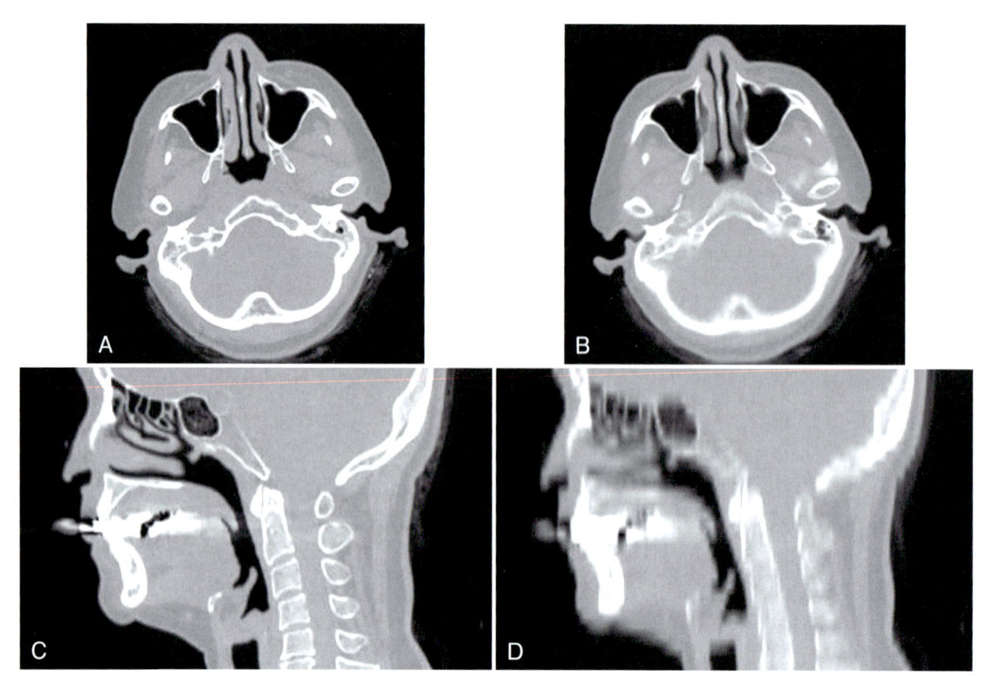

図 4-7-5　部分容積効果の例
A：1 mm 厚での軸位断画像と比較し，B：5 mm 厚の軸位断画像では体軸方向に変化する構造の辺縁がぼやけている．C：A から作成した矢状断 MPR 画像と比較し，D：B から作成した矢状断 MPR 画像では体軸方向の解像度が低下しており，頸椎が一体化し頭蓋底の骨に 5 mm 間隔での段差が認められる．

造影されることが多い．

ヨード造影剤の有害事象については，前述のとおりである（p.160,「造影剤とその有害事象」参照）．悪心熱感，かゆみ，嘔吐，蕁麻疹などの軽症な副作用から血圧低下，意識消失，心停止などの重篤な副作用がある．非イオン性ヨード造影剤の重度副作用の頻度は 2.5 万例に 1 例，死亡例は 40 万例に 1 例といわれている[16]．副作用の出現を予測することは困難であるが，アレルギー体質を有する患者では副作用の発現率が高いとされている．ヨードまたはヨード造影剤に過敏症の既往歴のある患者，重篤な甲状腺疾患のある患者は**禁忌**である．一般状態の極度に悪い患者，気管支喘息の患者，腎臓，肝臓，心臓に重篤な障害がある患者などは，原則禁忌または慎重投与である．ビグアナイド系糖尿病薬を服用している場合は造影剤との相互作用により乳酸アシドーシスが現れることがあるので，ビグアナイド系糖尿病薬を一時的に中止する必要がある．

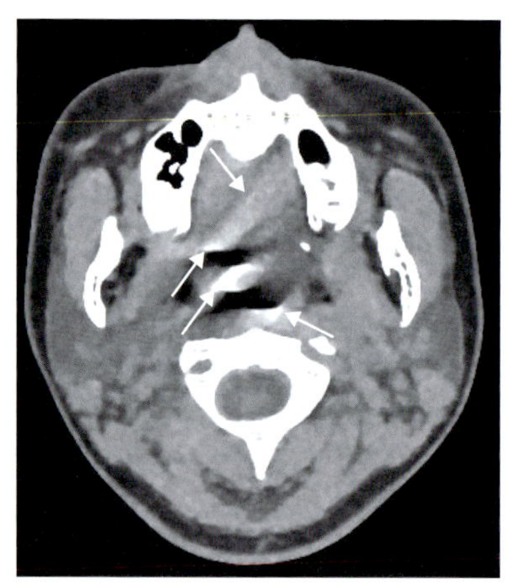

図 4-7-6　モーションアーチファクトの例
嚥下運動によるものと思われる（矢印）．

さらに，MDCT の普及に伴い，造影剤が急速に注入されるため，造影剤の血管外漏出の可能性もあり注意が必要である．

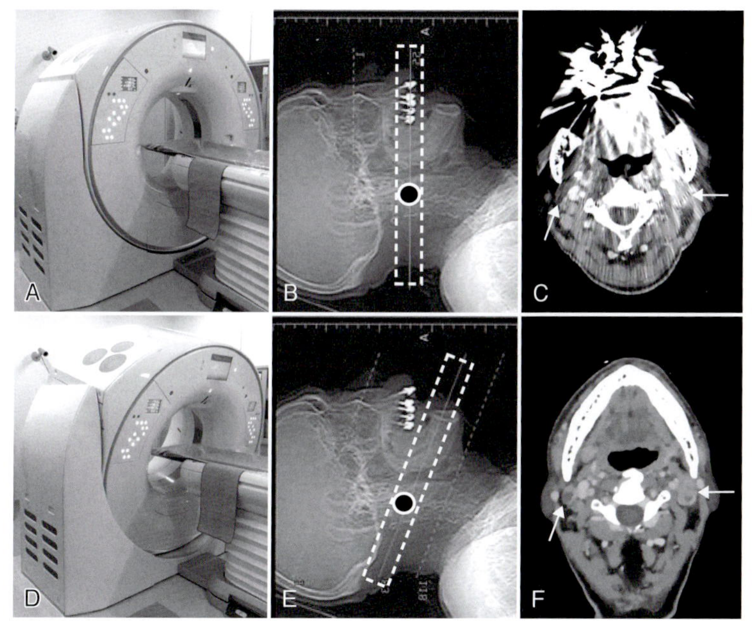

図 4-7-7　ガントリーチルトによるメタルアーチファクトへの対応

A：傾斜角がゼロ度でのガントリー．B：歯科用合金を通るスライス（点線）が観察したい部位（黒丸）を通る場合，C：メタルアーチファクトで上頸部リンパ節の病態が観察困難となる．D：ガントリーを適切な角度に傾斜させることで，E：観察したい部位（黒丸）を通るスライスから歯科用合金を外すことができ，F：上頸部リンパ節の病態を評価することができる．

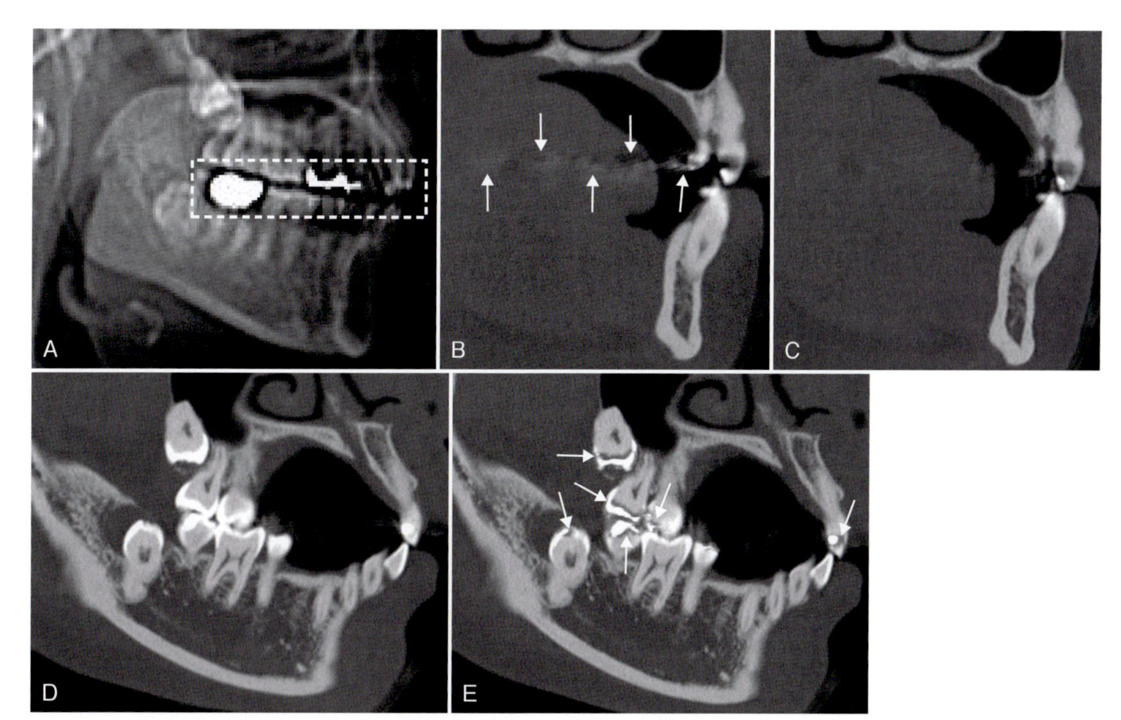

図 4-7-8　MAR（メタルアーチファクト低減ソフト，Metal Artifact Reduction）によるメタルアーチファクトの低減と同時に生じた二次的なアーチファクトの例

A：位置決め用画像にて歯科用合金が確認される場所．B：MAR 使用前，傍矢状断 MPR 画像でメタルアーチファクトが舌に重なって出現（矢印）．C：MAR 使用後，傍矢状断 MPR 画像で舌に重なるメタルアーチファクトがほぼ消失．D：MAR 使用前，メタルアーチファクトがあまり目立たない領域で臼歯部にはう蝕は認められない．E：MAR 使用後，臼歯部の複数の歯にてエナメル質および直下での歯質の欠損像（偽像）が出現（矢印，二次的なアーチファクト）．

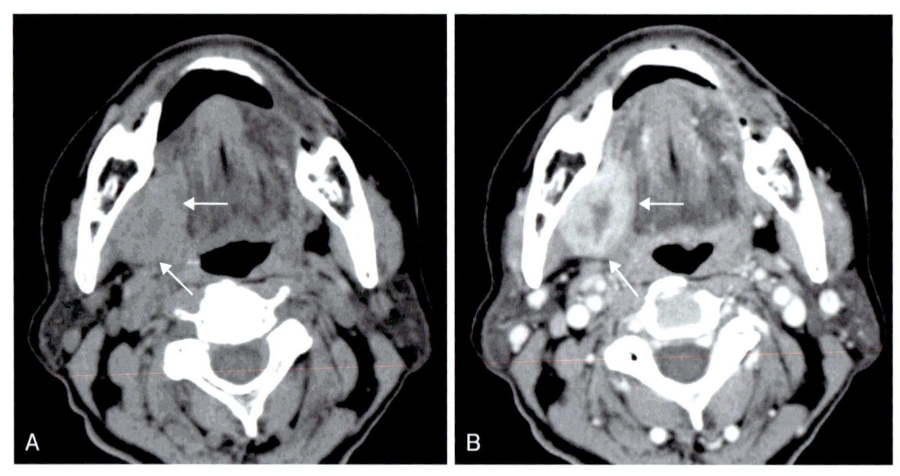

図 4-7-9　右側口底部粘表皮癌の単純 CT 像と造影 CT 像
単純 CT（A）と比較して造影 CT（B）では，造影剤が病変の充実部分に分布する血管に入るとともに血管外細胞外腔へ移行することなどにより，周囲の正常組織よりも病変の濃度が上昇してコントラストが強調され範囲が明確となり，病変内部の不均一な性状もより明瞭化する．

7）CT の適応

CT は口腔顎顔面の病変に広く用いられている．嚢胞や腫瘍などの腫瘤性病変の鑑別診断や進展範囲の評価，炎症の進展範囲や膿瘍の位置の診断など軟組織に進展波及する疾患には有効である．口腔癌原発巣の進展範囲の評価に関しては MRI に劣るが，広い範囲の高分解能撮影が可能であり，骨浸潤やリンパ節転移の評価での有用性は高い．外傷の場合は骨折の有無の確認のほかに出血や軟組織への波及の評価も必要なため，CT が適応となる．一方，歯と顎骨など硬組織に限局する疾患に関しては，撮影目的，撮影範囲，被曝線量などを総合的に考慮したうえで，CT と歯科用コーンビーム CT のいずれを選択するか判断する必要がある．

8 MRI

磁気共鳴画像法（magnetic resonance imaging；MRI）は，医療分野で広く利用される画像診断方法である．核磁気共鳴（nuclear magnetic resonance；NMR）の原理を利用するため，CT のような放射線被曝はない．臨床で利用される MRI では生体内に豊富に存在する**水素原子核（プロトン）**をターゲットとして，人体のさまざまな部位の多彩なコントラスト画像を得られる．

1）MRI の原理

(1) 核スピンと水素原子核

MRI は，陽子と中性子のうち，少なくとも一方が奇数である原子核（**磁性核**）を対象とする．磁性核は，角運動量により，磁気モーメント（磁石のような大きさと方向をもつベクトル量，μ）をもつ（図 4-8-1）．たとえば，**水素原子核**（プロトン）は，1 つの陽子（原子番号 1 および質量数 1）で構成される磁性核である．プロトンは人体での存在比が高く，磁気モーメントが強いため，信号感度の点で有利であり，MRI で利用される．MRI では生体内の水と脂肪に含まれるプロトンが主に画像化される．

(2) 核磁気共鳴と緩和現象

MRI は，このプロトンの磁石の性質と**核磁気共鳴**を利用して，生体内のプロトンの分布を画像化する．通常，組織中のプロトンの磁気モーメントはランダムに向いているため，互いに打ち消し合い正味の磁化を生じない（図 4-8-1）．一方，MRI 装置内の**静磁場**中（B_0）では，プロトンは静磁場の方向を軸に特定の周期でこまの

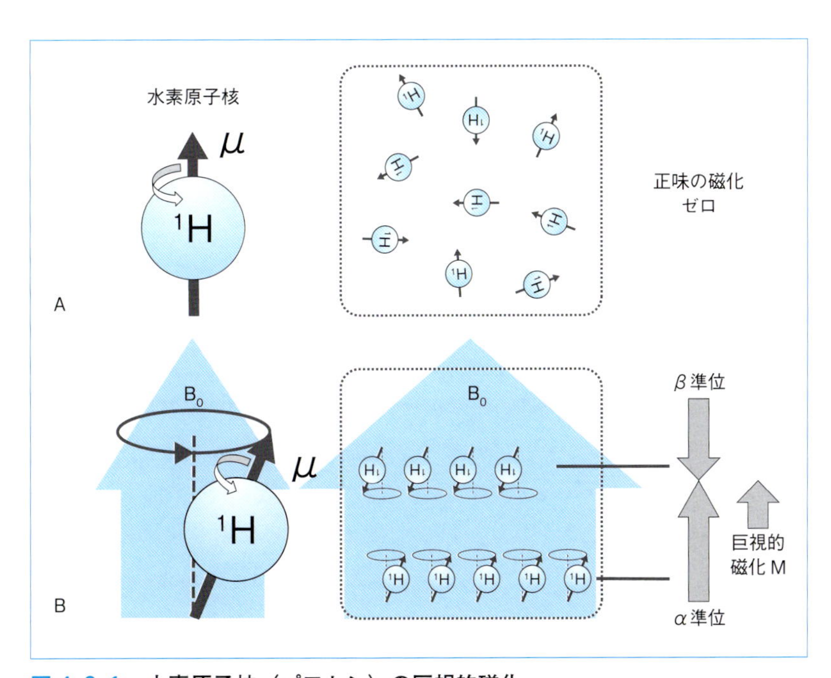

図 4-8-1　水素原子核（プロトン）の巨視的磁化
A：外部磁場がない空間のプロトン．
B：強い外部磁場で生じるプロトンの歳差運動と巨視的磁化．

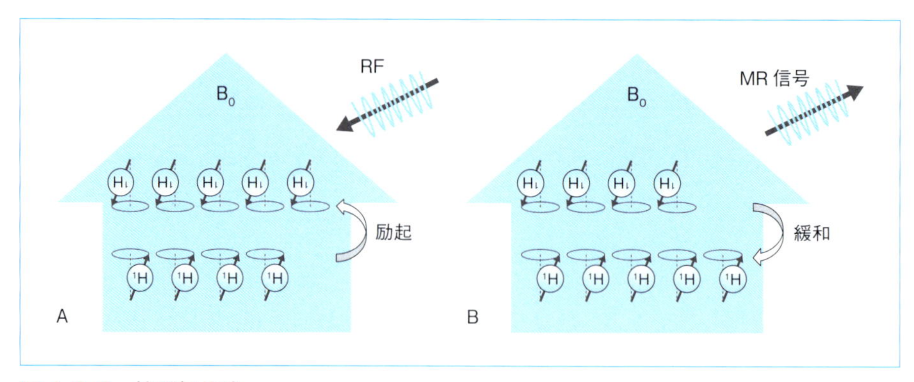

図 4-8-2　**核磁気共鳴**
A：プロトンの共鳴周波数に一致するラジオ波（RF）を照射すると励起状態になる.
B：RF 照射を止めると基底状態に戻り（緩和現象），MR 信号を生じる.

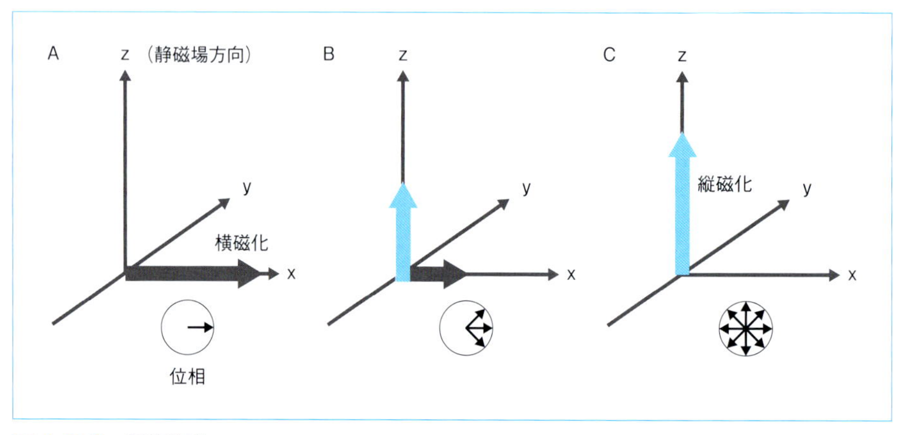

図 4-8-3　**緩和現象**
RF 照射後の，プロトンの巨視的磁化の縦磁化成分と横磁化成分の時間経過を示す（A→B→C）．縦磁化は時間の経過とともに回復する．円矢印はプロトンの xy 平面上の位相方向を示すが，時間の経過とともに位相は分散し，横磁化は時間の経過とともに減衰する．縦磁化の回復と比較して，横磁化の減衰は急速である.

ように回転し始める(**ラーモア歳差運動**)．この歳差運動の角周波数 w_0（**ラーモア周波数**，単位：MHz）は対象核の磁気回転比 g（MHz/T）と静磁場強度 B_0(T) で決まる ($w_0 = g \times B_0$)．プロトンの歳差運動の向きには，B_0 と平行（α 準位）と逆平行（β 準位）の 2 つがある．これらはほぼ等しい数で分布するが，実際にはエネルギー準位の低い α 準位のプロトンのほうが若干多い(ボルツマン分布)．両方向の総和をとると，このわずかな差を**巨視的磁化** M の大きさとして検出できる．この静磁場中の磁性核に対して，外部から同じラーモア周波数と周波数の**ラジオ波**（**radio frequency pulse, RF パルス**）を照射すると，プロトンが磁場と相互作用し，高いエネルギー準位に移動するとともに歳差運動の位相が一致し，励起状態になる（これを**核磁気共鳴**とよぶ，図 4-8-2）．この結果，プロトンの巨視的磁化は xy 平面上に倒れる(図 4-8-3)．RF パルスの照射を止めると，高いエネルギー状態のプロトンが周囲にエネルギーを与えながら緩徐に元の状態に戻るが（**緩和現象**)，この過程でエネルギー（電磁波）が放出される．この電磁波を信号として分析して MR 画像が作られる.

緩和現象には2つの成分がある．1つはプロトンの巨視的磁化の縦磁化成分であり，RFパルス照射後に縦磁化は消失した後，指数関数的にゆっくり回復していく．この過程を**縦緩和（T1 緩和）**という（図 4-8-3）．もう1つは，プロトンの巨視的磁化の横磁化成分であり，RFパルス照射後，核磁気共鳴によりプロトンの歳差運動の位相が一方向に揃うため，静磁場と直交する平面に横磁化成分が出現する．その後，位相が徐々に分散していくと，横磁化成分は指数関数的に急速に消失していく．この過程を**横緩和（T2 緩和）**という．組織によって T1 および T2 緩和の速度が異なり，また，この緩和速度が MR 画像の信号の大きさに影響する．そのため MR 画像は，単にプロトンの量のみならず，プロトンが存在する環境（緩和速度）も反映しているため，その画像コントラストは複雑な一方で多彩である．

(3) 画像構成法（イメージング）

生体のプロトンはほぼ同じ周波数で回転しているため，受信する MR 信号から空間的位置を区別できない．そのため MRI では**傾斜磁場コイル**を利用してプロトンの位置情報を把握し，画像化している．傾斜磁場コイルに電流を流してある1方向に勾配磁場を形成すると，プロトンの位置に応じて磁場強度が変化し，プロトンの共鳴周波数も変化するため，プロトンの位置を把握することができる．傾斜磁場コイルは直交する3軸（x，y，z 軸）に対して配置されており，これらを組み合わせて生体内のプロトンを三次元で画像化する．実際には，スライス選択傾斜磁場（z 軸），位相エンコード傾斜磁場（y 軸），周波数エンコード傾斜磁場（x 軸）がタイミングよく付加される．

(4) パルスシークエンス

RF パルスや3方向の傾斜磁場の付加，MR 信号を取得する方法やタイミングを決めるプログラムを**パルスシークエンス**とよぶ．**スピンエコー法**（あるいは高速スピンエコー法）と**グラジエントエコー法**は標準的な2つのパルスシークエンスである．スピンエコー法は磁場の不均一性に強い撮影法である．一方で，グラジエントエコー法は磁場の不均一性に弱いが，スピンエコー法より短い時間での撮影が可能である．それぞれ利点，欠点があり，検査内容に応じて，使い分けられる．MRI の重要な撮影パラメータに繰り返し時間（repetition time；TR）とエコー時間（echo time；TE）がある．TR は，各スライスで1つの RF パルスを与えてから次の RF パルスを与えるまでの間の時間であり，スピンエコー法では TR は画像の T1 コントラスト（T1 緩和の強調度）は大きく影響する．TE は，RF パルスを与えてから信号を取得するまでの時間を示し，スピンエコー法では TE は画像の T2 コントラスト（T2 緩和の強調度）に大きく影響する．さまざまなパルスシークエンスを利用して，撮影パラメータを調整することで多彩な画像コントラストを生み出せる．

(5) k 空間

MR 信号は，**k 空間（k-space）**とよばれるデータ空間に並べて位置空間の把握につなげている．受信コイルに MR 信号が受信されると，データは k 空間に決められた順番で配置される（図 4-8-4）．k 空間データの取得が完了すると，逆フーリエ変換が行われ，k 空間データは空間領域の画像データに変換され，実画像（MR 画像）が取得される．k 空間では，中心部に低周波成分が集中し，辺縁部に高周波成分が存在する．中心部の低周波成分は画像のコントラスト，辺縁部の高周波成分は画像の輪郭を構成する性質をもつ．そのため，一部のデータ収集を省略したり，あるいは k 空間の充填方法を変えたりすることが可能で，これにより高速撮像やアーチファクトの低減を行える．

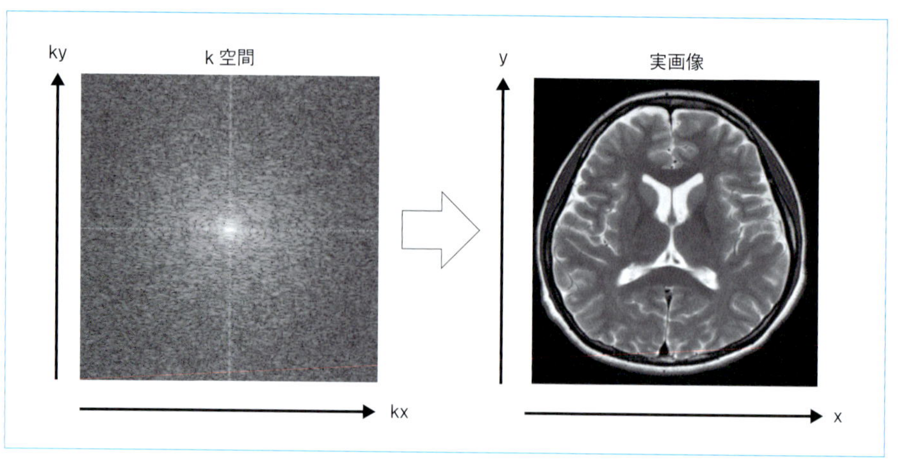

図 4-8-4　k 空間
取得されたMR信号はk空間とよばれるデータ空間に順番に配置される．これに逆フーリエ変換を行うことで実画像が得られる．

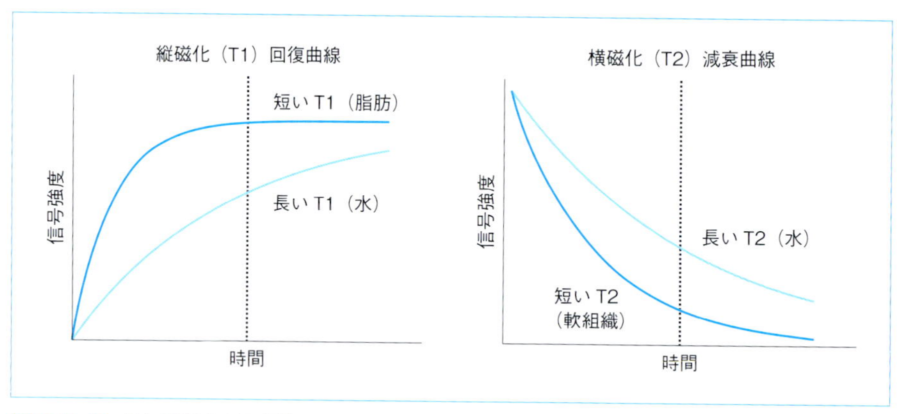

図 4-8-5　T1 緩和と T2 緩和
RF照射後の，プロトンの巨視的磁化の縦磁化成分（T1）および横磁化成分（T2）の大きさの時間経過を示す．T1やT2緩和の速度（緩和時間）が組織により異なるため，同じ時間で信号を取得すると，緩和速度の差により生じた信号の大きさの差を画像コントラストとして得ることができる．たとえば，T1の短い脂肪の信号は，T1の長い水よりも大きい．

2）MRI の画像コントラストと画像診断

(1) 画像コントラスト

MR画像では高信号を白，低信号を黒の濃淡で表現する．MR画像の信号強度は，プロトンの量に加えて，プロトンの緩和速度（T1，T2）の違いにより決められる．T1緩和では，RFパルス照射前の元の縦磁化の大きさ（信号強度）から約63％まで回復するのに要する時間をT1緩和時間とよび，T1緩和時間が短い部位ほど高信号となる．一方，T2緩和では，RFパルス照射直後に生じた横磁化の大きさ（信号強度）から約37％まで減衰するのに要する時間をT2緩和時間とよび，T2緩和時間が長い部位ほど高信号となる．T1緩和時間およびT2緩和時間は組織や疾患によって異なる（図 4-8-5）．スピンエコー法では，TR，TEという撮像パラメータを適切に調整することで，T1緩和時間やT2緩和時間を強調した画像を撮像できる．それぞれ**T1**

表 4-8-1　MRI における信号パターンと生体での代表例

	生体内での代表例
T1 強調像で高信号（T1 短縮）	脂肪，出血（メトヘモグロビン），高タンパク，メラニン，Gd 造影剤
T1 強調像で低信号（T1 延長）	炎症，浮腫，純水に近い液体（嚢胞）
T2 強調像で低信号（T2 短縮）	出血（デオキシヘモグロビン，ヘモジデリン），鉄沈着，体内金属
T2 強調像で高信号（T2 延長）	炎症，浮腫，純水に近い液体（嚢胞）
いずれも無信号	骨（皮質骨），空気

強調像（T1 weighted image；T1WI），T2 強調像（T2 weighted image；T2WI）および，MR 画像の基本的な組織コントラストである．T1 強調像と T2 強調像はいずれも組織コントラストの高い画像のため，病変の検出や広がり診断に有用である．

(2) 物質の弁別

T1 強調像と T2 強調像を用いて，さまざまな物質の弁別が可能である．まず，水（脳脊髄液や尿など）が T1 強調像で低信号，T2 強調像で高信号を示すことは重要である．口腔領域の水平断像であれば，撮像範囲に含まれる脊髄周囲の脳脊髄液の信号に着目すると T1 強調像か T2 強調像かを見分けられる．次に，多くの病変は浮腫や炎症により水分が多く，T2 強調像で高信号として描出される．そのため，T2 強調像で異常な高信号領域を探すことが病変検出の基本となる．その他，信号パターンと対応する組織の一覧を示す（表 4-8-1）．

多くの病変は T2 強調像で高信号，T1 強調像で低信号を示すため，この信号パターンは病変の検出には有用であるが，信号は非特異的である．一方，T1 強調像で高信号，あるいは T2 強調像で低信号を示す生体成分は限られている．そのため，このような信号は病変の質的診断の大きな手がかりになることが多い．たとえば，腫瘤内部に T1 強調像で高信号があれば，脂肪あるいは出血（亜急性期）を伴っていると推定できる．また，頭頸部は組織間隙や骨髄（脂肪髄）など脂肪が多い領域であるが，T1 強調像でこのような正常の脂肪の高信号が消失する所見も病変の検出に有用である．骨や空気など，プロトンがほとんど存在しない領域ではいずれの画像でも低信号（ほぼ無信号）となる．

(3) 脂肪抑制像

MRI では脂肪のプロトン（$-CH_2$ や $-CH_3$ など）も信号をもち，臨床画像では T1 強調像と T2 強調像いずれでも高信号を示す．そのため，脂肪の高信号は病変の高信号の検出の妨げになることが多く，脂肪信号を抑制することは，病変の検出向上につながる．一般的な脂肪抑制法には，水と脂肪の緩和時間の違い（short tau inversion recovery；STIR）や共鳴周波数の差（chemical shift selective；CHESS）を利用したものなどがある．それぞれ特徴があり，適切な脂肪抑制法の選択は，検査部位や検査内容に応じて選択される．

脂肪抑制像は，脂肪の高信号の中に埋もれた高信号（病変）の検出を向上させる．特に口腔領域では脂肪間隙や骨髄（脂肪髄）内の病変を検出するために必須の撮影法である．また，脂肪とそれ以外の成分（出血など）との鑑別にも利用される．T1 強調像で高信号を示す部位は脂肪か出血（あるいは高タンパク液）に大別されるが，脂肪抑制 T1 強調像で同部の信号低下（信号抑制）があれば，脂肪成分と診断できる．脂肪を含む腫瘍は限られるため，脂肪の有無は腫瘍の質的診断に重要である．

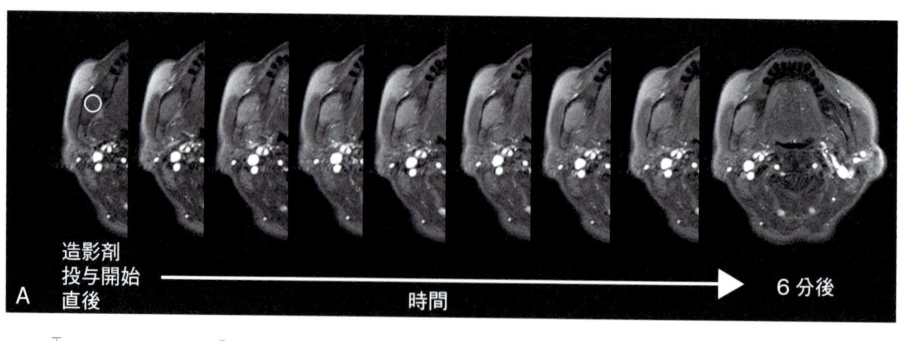

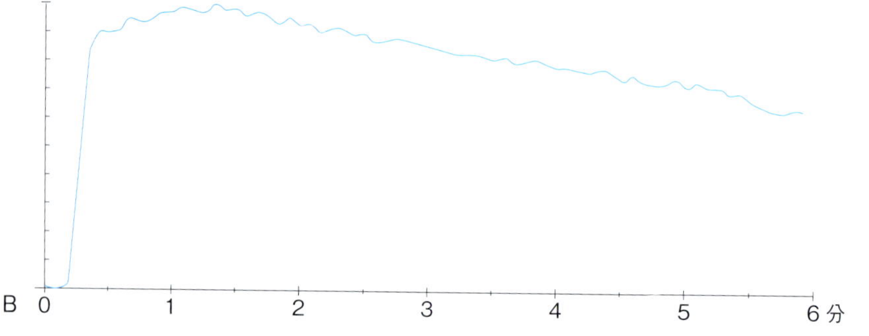

図 4-8-6　ダイナミック MRI の例
A：下顎歯肉扁平上皮癌症例．造影剤投与時に 5 秒ごとに計 73 回撮影を行った．白丸で囲んだ部分は時間信号曲線を得るために設定した関心領域（region of interest：ROI）を示す．B：時間信号曲線は経時的に急増漸減型を呈し，悪性腫瘍が疑われる．（東京歯科大学症例）

(4) 造影検査

組織や病変の画像コントラストを向上するために，MRI では**ガドリニウムイオン（Gd^{3+}）キレート製剤**が造影剤として一般的に使用される．Gd^{3+} は常磁性を示し，プロトンの緩和を促進するため，**強い T1 短縮効果**を示す．このため，Gd 造影剤がよく分布する部位は T1 強調像で高信号化する．Gd 造影剤は静脈内から投与され，血流により全身に広がり，目的の組織や病変の血管外腔に分布する．正常組織より血流の豊富な悪性腫瘍の視認性を向上させ，嚢胞性病変（血流がない）と充実性病変（血流がある）の鑑別にも用いられる．Gd 造影剤の Gd^{3+} はキレート化され，そのキレート構造の違いにより直鎖型と環状型の 2 つの区分に分けられる．キレート構造により体外に安全に腎排泄されるよう設計されているため，一般に安全である．しかし，まれではあるが一定の頻度でアナフィラキシー反応を生じるため，リスクの高い患者（気管支喘息など）への使用には注意する．また，高度腎不全患者では，特に直鎖型 Gd 造影剤で**腎性全身性線維症**（nephrogenic systemic fibrosis；NSF）を起こすことがある．これは，Gd 造影剤が体内に滞留し，遊離した Gd が組織に沈着することが原因と考えられている．四肢の拘縮や疼痛などを生じるが有効な治療法はなく，高度腎不全患者への使用は回避したい．また，Gd 造影剤の繰り返し使用による脳への Gd 沈着が近年報告されているが，病的意義は低いと考えられている．

ダイナミック MRI（dynamic MRI）は，Gd 造影剤を静脈内に注入し，一定時間ごとに撮影する検査法である．経時的な造影効果が病変の種類により異なることを利用し，良悪性や病変の種類の診断に役立てる．病変部位や比較のための正常組織など，同じ関心領域の信号強度の時系列変化を時間信号曲線とよぶ（図 4-8-6）．

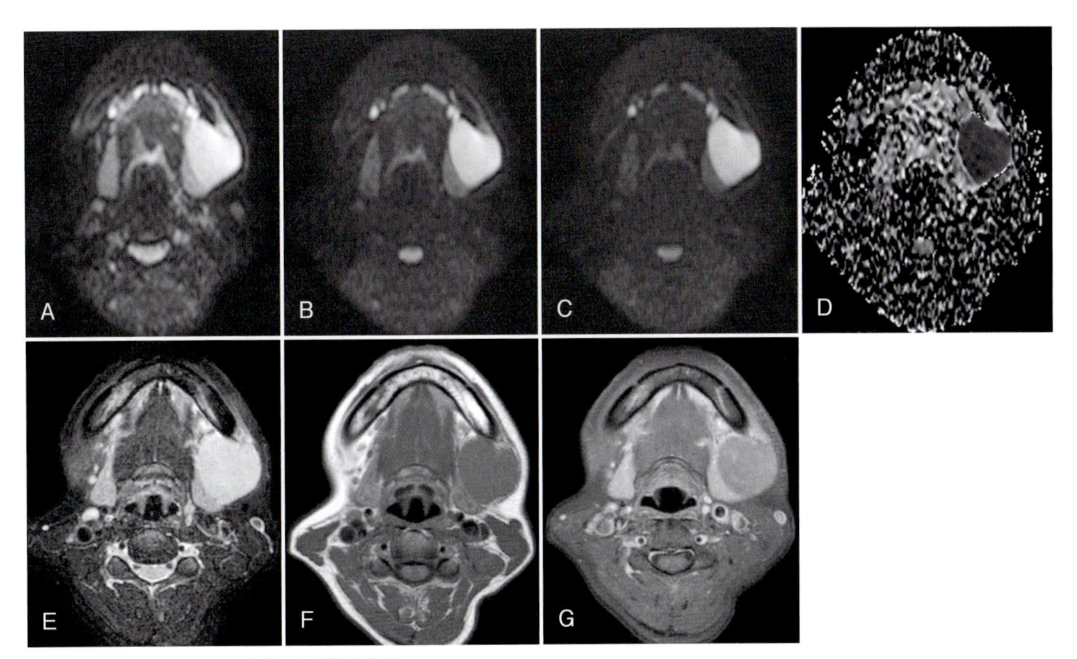

図 4-8-7 悪性リンパ腫の拡散強調像
A：b＝0 s/mm². B：b＝500 s/mm². 拡散強調像. C：b＝1,000 s/mm². 拡散強調像. D：ADC map（各ボクセルの ADC 値を画素値として表した画像）. E：脂肪抑制 T2 強調像. F：T1 強調像. G：造影後脂肪抑制 T1 強調像.
左顎下リンパ節は大きく腫大し，b＝500, 1,000 s/mm² の拡散強調像では高信号を示す．b＝500，1,000 s/mm² から得られる ADC map では，ADC は 0.33×10^{-3} mm²/s と低値を示し，細胞密度が高い腫瘍であることが示唆される．（東京歯科大学症例）

(5) 拡散強調像

拡散強調像（**diffusion-weighted imaging；DWI**）は，組織内の水分子の拡散のしにくさを強調した画像技術である．脂肪抑制 T2 強調像では，水分が高信号としてよく描出されるが，これに強い傾斜磁場（**motion probing gradient；MPG**）を付加すると，動きの大きな水分子の信号は大きく低下し低信号となる．一方，動きが制限された水分子の信号低下は小さく，相対的に高信号として描出される．**b 値**（**b-value**，単位：s/mm²）は MPG の強さを表す指標であり，b 値を大きくすると水の拡散制限をより強調できる．通常は b＝1,000 で撮影されることが多い．注意点として，DWI は MPG を付加しない元の T2 強調像（b＝0）の影響を受けるため，T2 強調像で高信号を示す部位が偽病変となることがある（**T2 shine-through**）．これを鑑別するために，通常は 2 点以上の b 値（b＝0，1,000）で撮影し，これから**見かけ上の拡散係数**（**apparent diffusion coefficient；ADC**，単位：mm²/s）マップを作成する．

体内組織には毛細血管が豊富にさまざまな方向に走行している．毛細血管は画像のボクセルサイズよりはるかに小さいため，その内部の血流（灌流）はボクセルに対して拡散と同じく無数の方向性をもつランダムな動き（incoherent motion）になる．拡散強調像では，拡散と灌流は，どちらもボクセル内のランダムな動き（Intravoxel incoherent motion，IVIM）として観察され両者を区別できない．このような画像から算出された拡散係数（mm²/s）は純粋に拡散だけによるものではないために見かけ上の拡散係数（ADC）とよばれる．

DWI の読影では正常組織よりも高信号を示す部位を探すことが基本となるが，正確には ADC マップも併せて評価する必要がある．拡散制限のある部位では ADC は低値を示すが，T2 shine-through では高値を示すため，両者の鑑別が可能である．超急性期脳梗塞では，細胞の膨化により組織間隙の水分子の動きが制限されるため，DWI で高信号を示す．DWI は急性期脳梗塞の早期検出に利用され発展してきたが，高い細胞密度（多くの固形癌，悪性リンパ腫），高い粘稠度（膿瘍，血腫，類表皮腫）など，水分子の拡散制限を示す全身の病理・病態の画像化に広く利用されている．例として細胞密度が高い悪性リンパ腫は ADC が低く，b＝500，1,000 s/mm^2 の拡散強調像では高信号を呈する（図 4-8-7）．また，腫瘍診断では組織型や悪性度の推定に用いられることがある．

なお，これまでは，灌流の影響をできるだけ排除し，拡散のみを評価する目的で，高い b 値を用いた DWI が行われることが多かったが，最近では，低～高の複数の b 値で DWI を行い，拡散と灌流の両者を区別して評価する IVIM モデル解析に注目が集まっている．

(6) アーチファクト

MRI では，原理上，さまざまな**アーチファクト（偽像）**が生じる．特に，動きや体内金属によるアーチファクトはその代表例である．アーチファクトは，画像の評価や診断の妨げになる．そのため，MRI 検査はアーチファクトを低減・除去するように最適化されるが，限られた検査時間の都合もあり，アーチファクトがやむを得ない場合も多い．このような MRI のアーチファクトを病変と誤って解釈しないように，代表的なアーチファクトを知る必要がある．体動のような不規則な動きは画像のぼけとして出現する（**モーションアーチファクト**，図 4-8-8）．また，口腔内の金属インプラントがある患者では，磁化率の大きい金属が局所の磁場を著しく乱すため，その周囲に大きな信号欠損や歪みを生じる（**メタルアーチファクト**，図 4-8-9）．そのため，金属インプラント近傍の病変評価はしばしば困難となる．その他にも MRI に特有のアーチファクトがある（化学シフトアーチファクト，折り返しアーチファクト，トランケーションアーチファクトなど）．

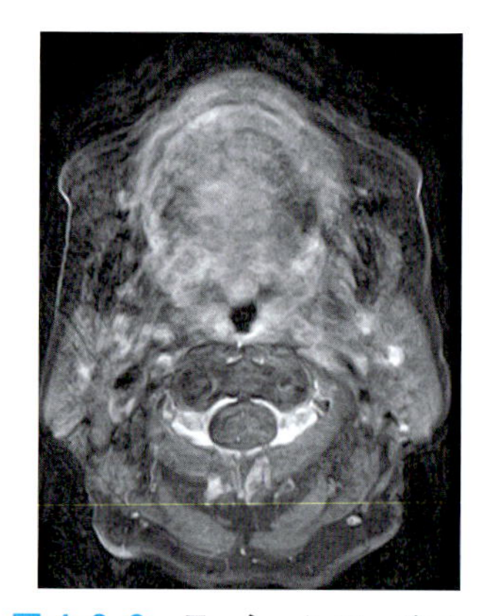

図 4-8-8　モーションアーチファクトの例
舌の動きによるモーションアーティファクトの例．

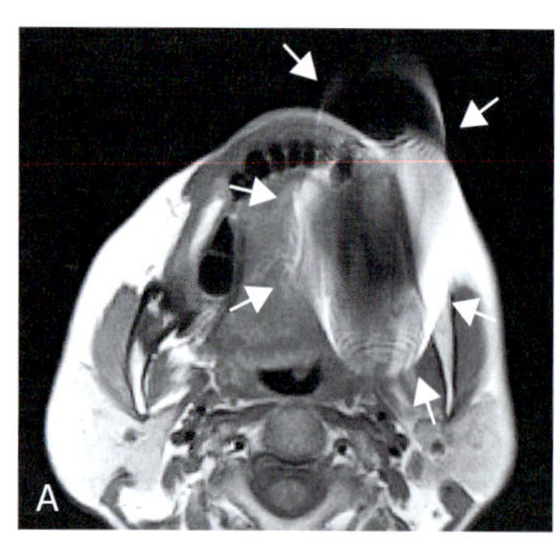

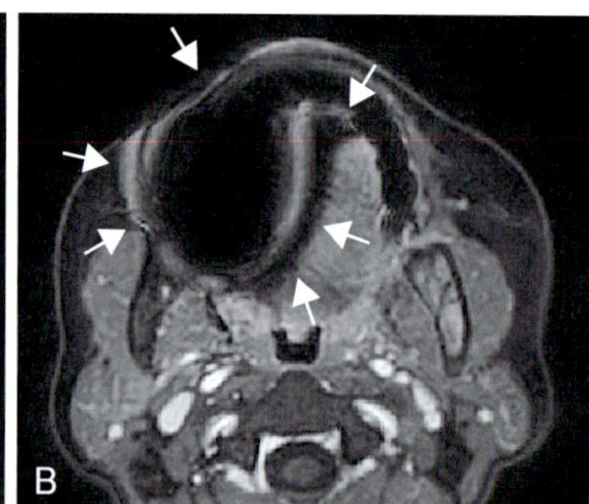

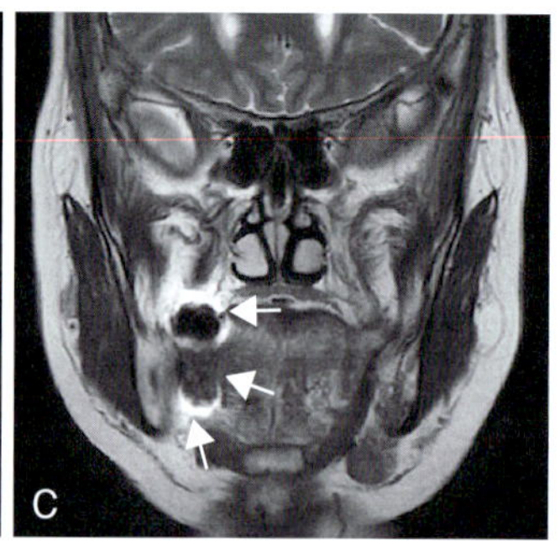

図 4-8-9　メタルアーチファクトの例
A：T1 強調像，B：造影後脂肪抑制 T1 強調像，C：T2 強調像．（東京歯科大学症例）

3）MRI による検査

(1) MRI 装置の成り立ち

臨床で広く利用されているMRI装置は超伝導磁石を利用している．電磁石はコイルに電流を流して磁場を発生させる．この際，コイルを低温にすると電気抵抗は小さくなり，絶対零度では抵抗はほとんどゼロになり，電力を使わずに高磁場を維持できるようになる．これは超低温における超伝導現象で，超伝導磁石の基本原理である．コイルを低温にするには液体窒素や液体ヘリウムが利用される．装置（図 4-8-10）はトンネル型のガントリーで，体格の大きな患者や閉所恐怖症の患者には不向きという欠点がある．

核磁気共鳴を起こすためには送信コイルからRFパルスを送信し，RFパルスによって共鳴したプロトンの信号が受信コイルによって検出される（p.172参照）．また，顎関節のように目的とした部位が小さく，かつ，体表面に近い場合には，表面コイルを受信コイルとして利用するとSN比の高い画像を得られる．

(2) MRI 装置の設置

MRIの装置内には超伝導磁石により，その装置内部に常に静磁場が存在している．この静磁場は装置の周囲にも及んでおり，検査室内では次のような配慮が求められる．すなわち，金属物体は磁場強度や材質によってその程度は異なるが，磁石により高速に引き付けられ，人との衝突などの危険を伴う．加えて，静磁場には生体に有害とはいえない程度の影響があることが知られている．また，人体内に装具として使用している金属製の動脈瘤クリップや心臓ペースメーカではクリップの移動や装置の誤作動の可能性があるので，装具の安全性を事前にチェックする必要がある．検査室への人の立ち入りはこうした点を配慮して制限を加えている．すなわち，待合室のように誰でも入室できるゾーンと，検査をする医療職員や患者が立ち入るゾーンであり，後者では上記のような医療装具の装着者は立ち入りできない．さらに，MRI装置がある撮影室は装置内の静磁場とそこから漏洩する磁場がみられる場所であり，JISによれば漏洩磁場強度が0.5 mT（5 Gauss）以上の区域を立ち入り制限区域として設定する．装置が設置された撮影室がこれに相当する．

(3) MRI 検査の注意事項

・心臓ペースメーカ，人工内耳をつけている人

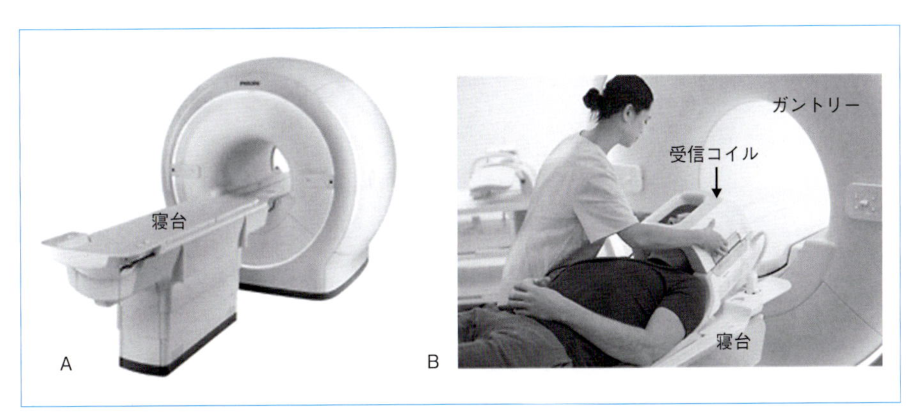

図 4-8-10　MRI 装置
A：ガントリー内には，強力な静磁場をつくるコイルが入っている．B：患者は受信コイルを顔面・頸部や顎関節表面部に設置した状態で寝台の上に横たわる．その後寝台をスライドして撮像部位をガントリー内に設定する．

は一般に禁忌である．ただし，近年はMRI対応のものもある．

・金属を装着している人は，禁忌または厳重注意

・矯正装置，動脈クリップ，人工関節，刺青，などの金属が体内にある人は，体内移動による外傷，または発熱して火傷を負うことがある．近年は，装置の高磁場化や新たな撮像法により，金属が強磁性体でなくても発熱につながるため，金属を装着している人は禁忌または厳重な対応が求められている．

・顔の化粧品と同じく，髪の化粧（白髪隠しファンデーション，白髪染めスプレー，増毛パウダー，ヘアマスカラ）は金属成分を含んでいる可能性があり，画像が乱れたり，MRIが故障したりするので，「頭髪は洗髪した後何もつけていない状態でご来院ください」と説明する．

・マニキュア，つけ爪，ネイルアートなども金属成分を含んでいるものがあるため，ネイルの種類・装着部位（手指・足指）に限らず，全て除去して来院してもらうよう説明する．

・コンタクトレンズも同様．

・上述のように顔面表面近くにコイルを付けて，かつガントリー内のトンネルのような空間に仰向けに横たわって撮像されるため，閉所恐怖症の人は撮像困難である．また検査時間が長い場合，腰痛の強い人も困難である．

・ガドリニウム造影剤を使用する場合には，腎障害，気管支喘息，肝障害など全身状態を確認する．腎機能は，血清クレアチニン値から算出する推算糸球体濾過量（eGFR）を算出して評価し，その使用を判断する．

・ガドリニウム造影剤は胎盤を通過し，胎児への影響が予想されるために，妊娠中の造影検査は避けるべきである．

4）MRIの適応

以下のMRIの利点を鑑みると，適応症の例として，腫瘍，血管系疾患，炎症性疾患，顎変形症などがあげられる．悪性腫瘍など血流が増大している症例では，造影剤を静脈から注射し，造影MRIを追加撮影する．

(1) MRIの利点

・軟組織の描出に優れる（組織コントラストが高い）

・X線被曝がない

・任意の面の像を直接撮ることができる．（例：下顎頭長軸に垂直な面）

・さまざまな撮像方法があり，目的に応じ条件調整ができる．また撮像法の選択や組み合わせを検討できる．

(2) MRIの欠点

・撮像時間が長い（たとえば，T1強調像の1セットの撮像に数分かかる．また，T2強調像ならびにその他の画像セットは，別に撮像する必要がある）

・歯科金属修復物（補綴装置や歯列矯正装置など）に留意する．基本的に金，銀，パラジウムはMRIには影響しにくく，チタンは影響が少ない．ただし，鉄，ニッケル，コバルトなど磁性体を含むものは局所の磁場を乱し，画像上に広範囲の無信号領域を生じて読影診断の妨げになることがある．メタルアーチファクトは，周囲環境や磁場との関係，撮像方法によっても異なる．たとえば，スピンエコー法とグラジエントエコー法では出方が異なり，同じ金属でもT1強調像とT2強調像，あるいは横断像と冠状断像では異なる（図4-8-9参照）．

撮像方法とアーチファクトの影響をよく検討することは大切である．

5）症例

MRIを用いた各症例を図4-8-11～13に示す．

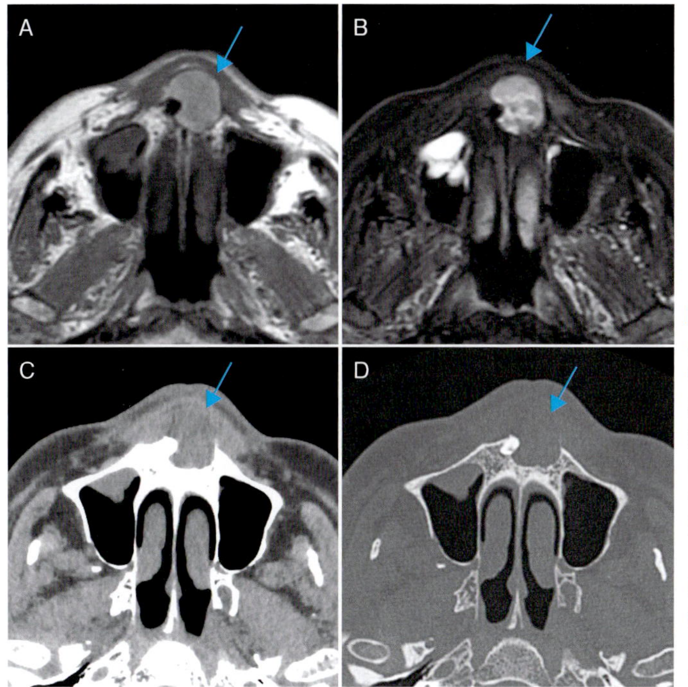

図 4-8-11　顎骨囊胞（鼻口蓋管囊胞）
A：T1 強調像，B：脂肪抑制 T2 強調像，C：CT 軟組織表示，D：CT 硬組織表示．病変（青矢印：鼻口蓋管囊胞）は，T1 強調像では，筋肉より信号が高い中等度の信号を呈し，脂肪抑制 T2 強調で内部やや不均一な高信号を呈している．MRI では，病変に接する無信号域が歯であることを識別することは困難であるが，CT 硬組織表示では容易に識別できる．一方，CT では病変の唇側の境界は不明瞭であるが，MRI では明瞭に病変の境界が把握できる．

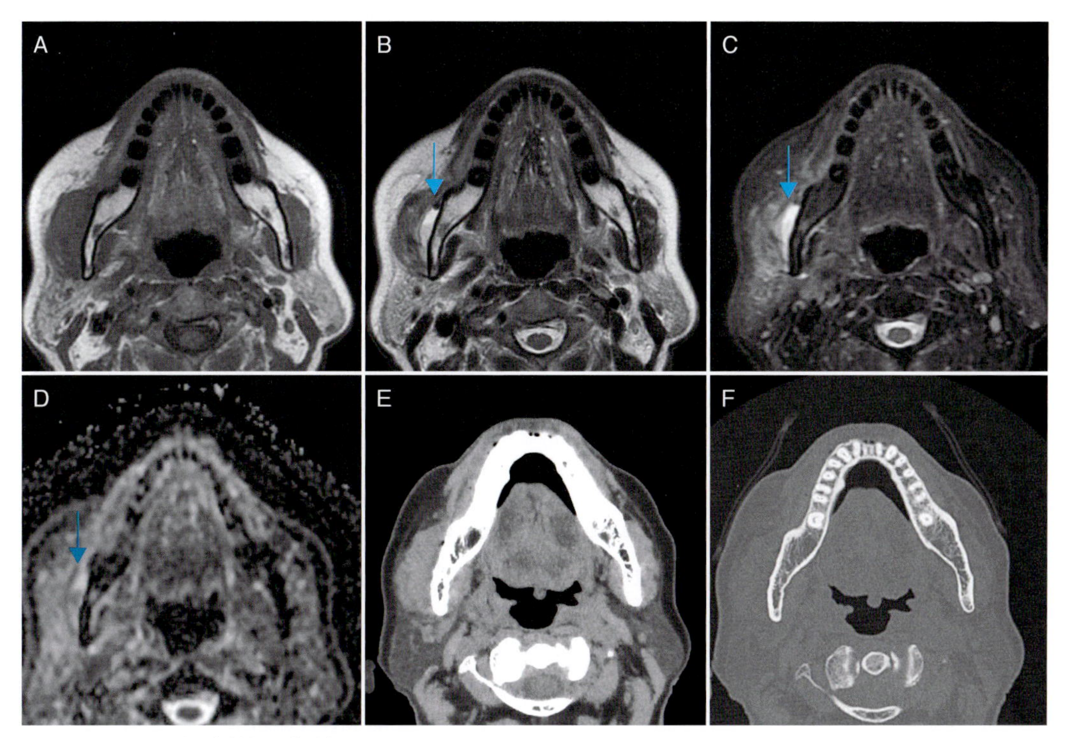

図 4-8-12　炎症（咬筋下膿瘍）
A：T1 強調像，B：T2 強調像，C：脂肪抑制 T2 強調像，D：拡散強調像 ADC マップ，E：CT 軟組織表示，F：CT 硬組織表示．T1 強調像で右側咬筋の腫大が認められる．T2 強調像ならびに脂肪抑制 T2 強調像で咬筋下に高信号領域が認められ，膿瘍（青矢印）が形成されていることが把握できる．ADC マップで膿瘍は比較的高値を示す．一般的に，MRI では膿瘍形成を容易に把握できるが，単純 CT では膿瘍が明瞭に描出されてないことが多い．

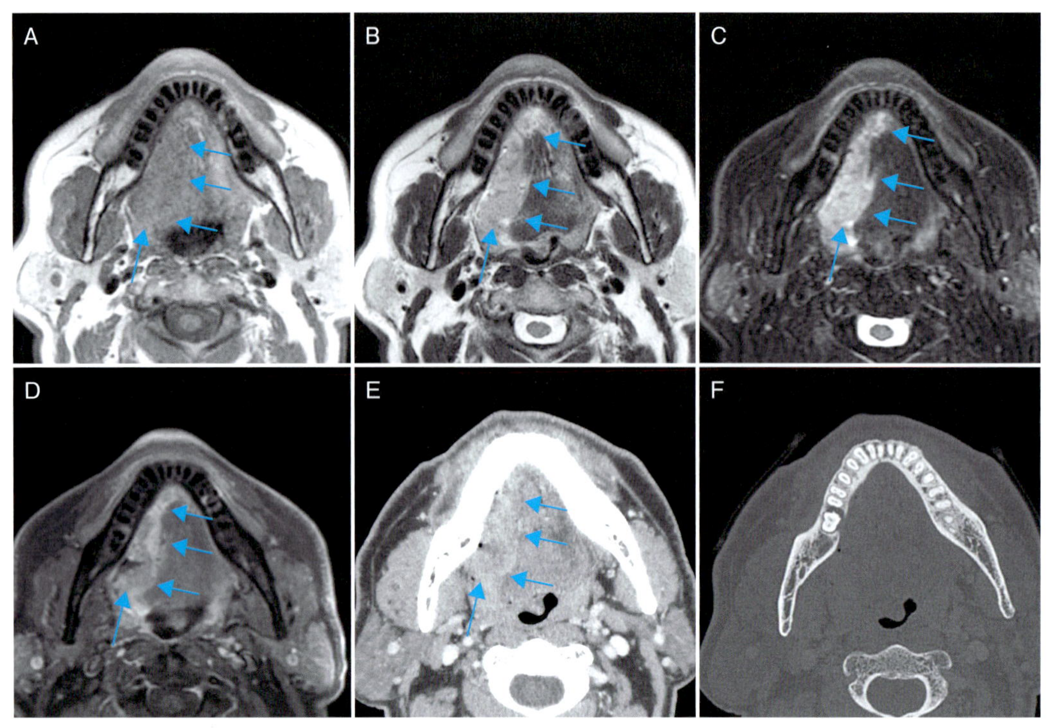

図 4-8-13　悪性腫瘍（舌扁平上皮癌）
A：T1 強調像，B：T2 強調像，C：脂肪抑制 T2 強調像，D：脂肪抑制造影 T1 強調像，E：造影 CT 軟組織表示，F：造影 CT 硬組織表示．MRI において，T1 強調像では病変（青矢印：舌扁上皮癌）の境界は不明瞭であるが，T2 強調像，脂肪抑制 T2 強調像，脂肪抑制 T1 強調像で病変の境界が明瞭に描出されている．造影 CT でも，同様に周囲組織と病変の境界を把握することができる．脊髄周囲の脳脊髄液（水）の信号をみれば，T1 強調画像か T2 強調画像か区別がつく．

6）その他の MRI

(1) MRA (MR Angiography)

血管を選択的に描出する撮像法である．スピンエコー法では，流速が早い液体は無信号となるが（flow void），MRA では信号の取得時間を極端に短縮することにより，血管内の血流を高信号として描出している．大別して，スライス断面内への血液の流入効果を利用した TOF（time of flight）法と血流の傾斜磁場内での位相のずれを利用した PC（phase contrast）法がある．MRI 造影剤を使用しなくても血管を描出できることが最大の利点であるが，造影剤を使用するとさらに詳細な血管構造が描出可能となる．２次元断面での診断も有用であるが，複雑な血管構造は最大値投影法（MIP；maximum intensity projection）により３次元表示が行われることが多い．

MRA を用いた症例を図 4-8-14，15 に示す．

(2) MR spectroscopy

病変の異常な代謝を評価することができ，MRI や CT でみえない変化を捉える可能性がある．良悪性の評価には有用である．治療効果判定に関する結果はさまざまで，今後も検討が必要である．

(3) 機能的 MRI (functional MRI)

MRI を用いてヒトの脳機能を可視化する．blood oxygenation level-dependent（BOLD）contrast は 1990 年に AT & T ベル研究所の小

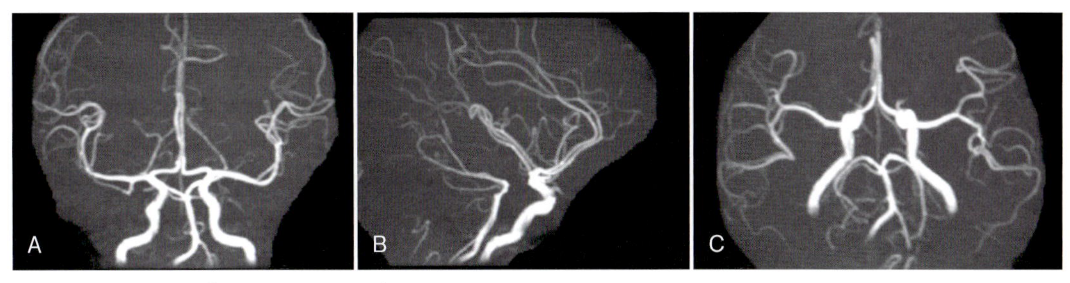

図 4-8-14　**MRA（MR Angiography）**
A：正常脳血管（正面像）．B：正常脳血管（側面像）．C：正常脳血管（軸位像）．図は最大値投影法（MIP：maximum intensity projection）で，脳血管を三次元的に描出した画像である．

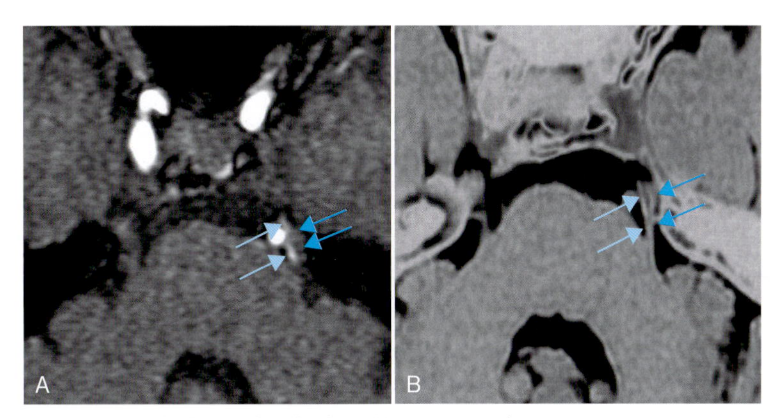

図 4-8-15　**真性三叉神経痛（脳血管による圧迫）**
A：MRA 軸位像（二次元原画像）．B：FIESTA 法*軸位像．左側上小脳動脈が三叉神経を内側から圧迫している（矢印）．（水色矢印：上小脳動脈，青矢印：三叉神経）．
* FIESTA（fast imaging employing steady－state acquisition）法神経や血管などの微細構造を描出できる撮像法の一種である．A の MRA と比較して，神経と血管が明瞭に描出できている．

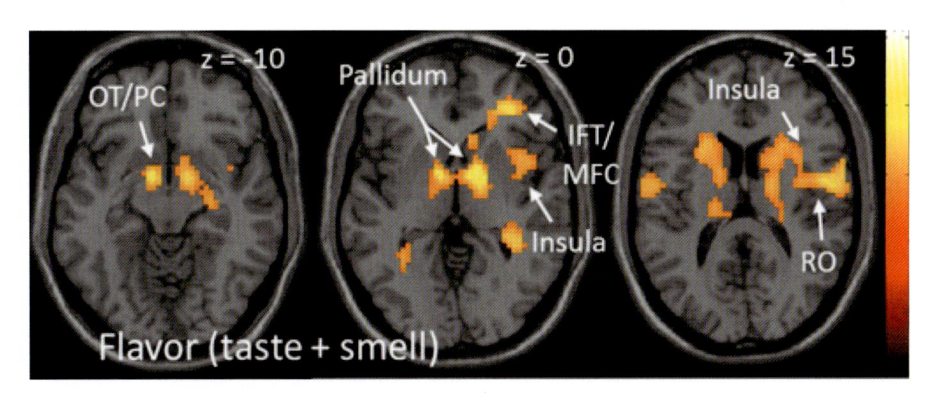

図 4-8-16　**機能的 MRI**（Suen JLK et al, 2021[1)]）
MRI を用いて，脳活動領域とその活動の強さを示した図．本図は風味（味覚＋嗅覚）による脳活動について被験者全員の全脳を集団解析した結果を示している．脳活動領域は 1 mm 単位の三次元座標（x, y,z 座標）で表すことができる．図中の z は脳画面の体軸方向の位置を示している．右横のバーの数値と色は脳活動の強さを表している．
OT：嗅結節，PC：梨状皮質，IFT：下前頭回三角部，MFC：中前頭皮質，RO：ローランド弁蓋，Pallidum：淡蒼球，Insula：島．

川博士により報告された．脳内の局所神経活動により変化した局所脳血流および酸素代謝に伴って変化するMRIの信号強度を検出する．被験者の脳の高解像度の3D解剖画像を別に撮像し，機能画像を重ね合わせる．脳活動領域を地図のように表示したり，それらの間のネットワークを解析することができる（図4-8-16）．神経生理学から心理学に至るまで，基礎から臨床の広い範囲で応用されている．

7）MRIの展望

近年は，上で述べたような欠点を克服したMRI装置が開発されている．撮像時間の短縮，金属アーチファクトや磁化率アーチファクトの軽減，ヘリウムを減らすことで軽くて設置しやすく，またガントリー内が広いMRI装置も運用されている．画像の解像度が向上し，細かい構造を描出することで病気の早期理解と治療に役立っている．MRIの分子イメージング法も臨床応用され，腫瘍の質的診断，定量解析により，診断精度向上，悪性度予測，治療法の選択，治療効果判定，経過予測を画像で行っている．今後もMRIで腫瘍の病理組織を診るなど，より精度の高い分子イメージングの発展が期待されている．

9　CT，MRI の顔面・頸部の正常画像解剖〔(間) 隙を含む〕

顔面・頸部に生じる病変の診断には CT・MRI が利用される．この部の解剖は筋膜によっていくつかの隙（間隙）に区分されるので，隙に含まれる解剖を CT・MRI の画像上で把握すれば，病変の鑑別診断と病変の広がりを把握できる．それぞれの隙には特有な組織が存在するため，発症しやすい疾患が異なるためである．顔面・頸部の隙を表 4-9-1 に，画像との対応を図 4-9-1 に示す．

表 4-9-1　顔面・頸部の隙（間隙）

舌下隙（SLS；Sublingual Space）
顎下隙（SMS；Submandibular Space）
咀嚼筋隙（MS；Masticator Space）
頬隙（BS；Buccal Space）
傍咽頭隙（咽頭側隙）（PPS；Parapharyngeal Space）
耳下腺隙（PS；Parotid Space）
頸動脈隙（CS；Carotid Space）
咽頭粘膜隙（PMS；Pharyngeal Mucosal Space）
咽頭後隙
椎前隙

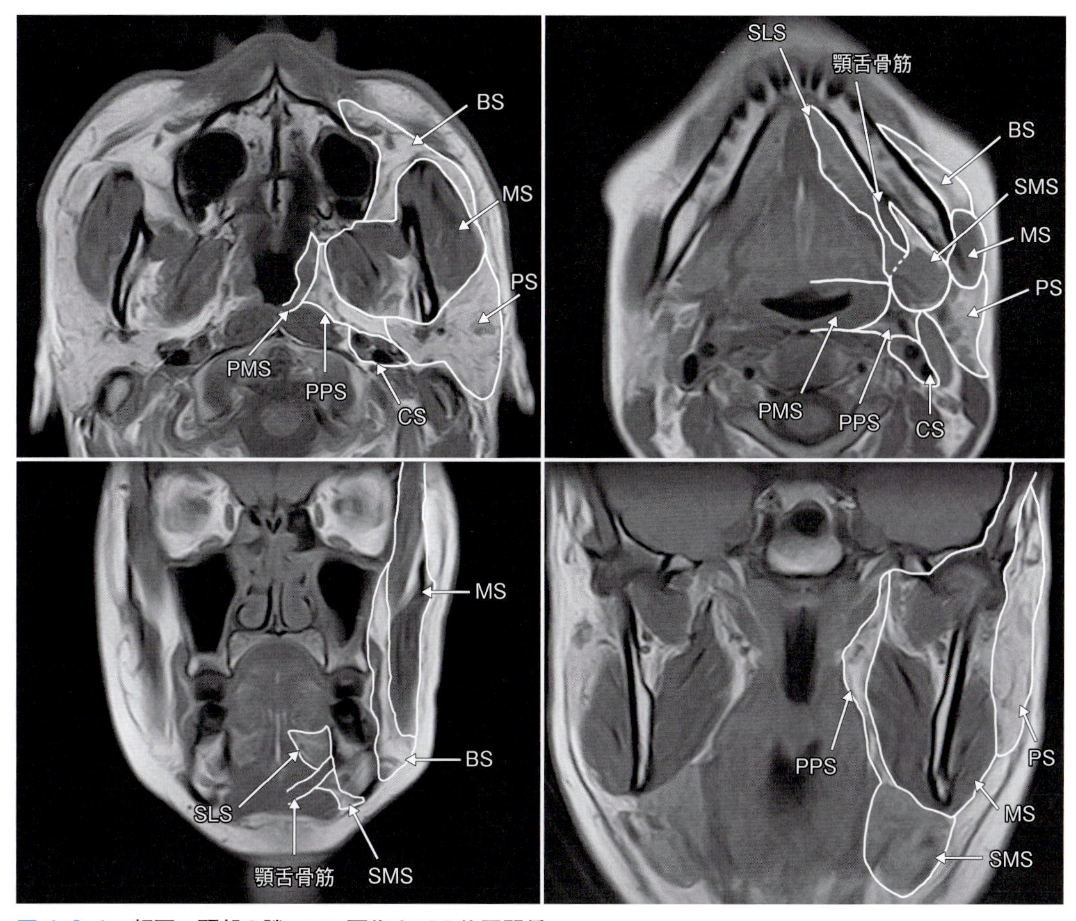

図 4-9-1　顔面・頸部の隙：MR 画像上での位置関係

表 4-9-2 （間）隙の重要解剖構造

①舌下隙の重要解剖構造
舌下腺
舌動・静脈
舌神経
舌咽神経
舌下神経
舌骨舌筋
茎突舌筋
脂肪組織
顎下腺深部および顎下腺管
②顎下隙の重要解剖構造
顎下腺
リンパ節（顎下，オトガイ下リンパ節）
顔面動・静脈
舌下神経
顎二腹筋前腹
脂肪組織
③咀嚼筋隙（MS）の重要解剖構造
咀嚼筋（咬筋，内側翼突筋，外側翼突筋，側頭筋）
三叉神経（下歯槽神経）
顎動・静脈
翼突静脈叢
下顎骨後方部
④頬隙（BS）の重要解剖構造
頬筋
耳下腺管
顔面動・静脈
顔面神経
頬神経
頬脂肪層
⑤傍咽頭隙（咽頭側隙）（PPS）の重要解剖構造
脂肪
三叉神経
顎動脈
上行咽頭動脈
咽頭静脈叢
⑥耳下腺隙（PS）の重要解剖構造
耳下腺
耳下腺管
顔面神経
下顎後静脈
耳下腺内リンパ節
⑦頸動脈隙（CS）の重要解剖構造
総頸動脈
内頸静脈
迷走神経
内頸静脈リンパ節鎖
舌咽神経
舌下神経
副神経
交感神経叢
⑧咽頭粘膜隙（PMS）の重要解剖構造
咽頭扁桃
口蓋扁桃
舌扁桃
上咽頭収縮筋
中咽頭収縮筋
耳管咽頭筋
咽頭頭底筋膜
口蓋帆挙筋
耳管（耳管隆起側）

それぞれの隙に含まれる代表的な組織を表 4-9-2 に示すとともに，それらがCT・MRIの画像上でどのように描出されるかを図 4-9-2～9 に示す．たとえば，顎下隙にはリンパ節が存在するので悪性リンパ腫の発生母地になる．

なお，口腔領域は上下顎を含む口腔，舌下隙，顎下隙に分けられる．舌下隙と顎下隙は顎舌骨筋により区分される．ラヌーラは舌下隙に生じるが，顎舌骨筋の隙間を通過して顎下隙に進展していわゆる潜入型となる（図 4-9-10）．

また下顎の智歯周囲炎とそれに続発した下顎骨骨髄炎は顎下隙に広がって，傍咽頭隙（咽頭側隙）に波及している（図 4-9-11）．これらについては改めてそれぞれの項目で示されるが，顔面・頸部の隙とそこに含まれる解剖構造を把握することが重要である．

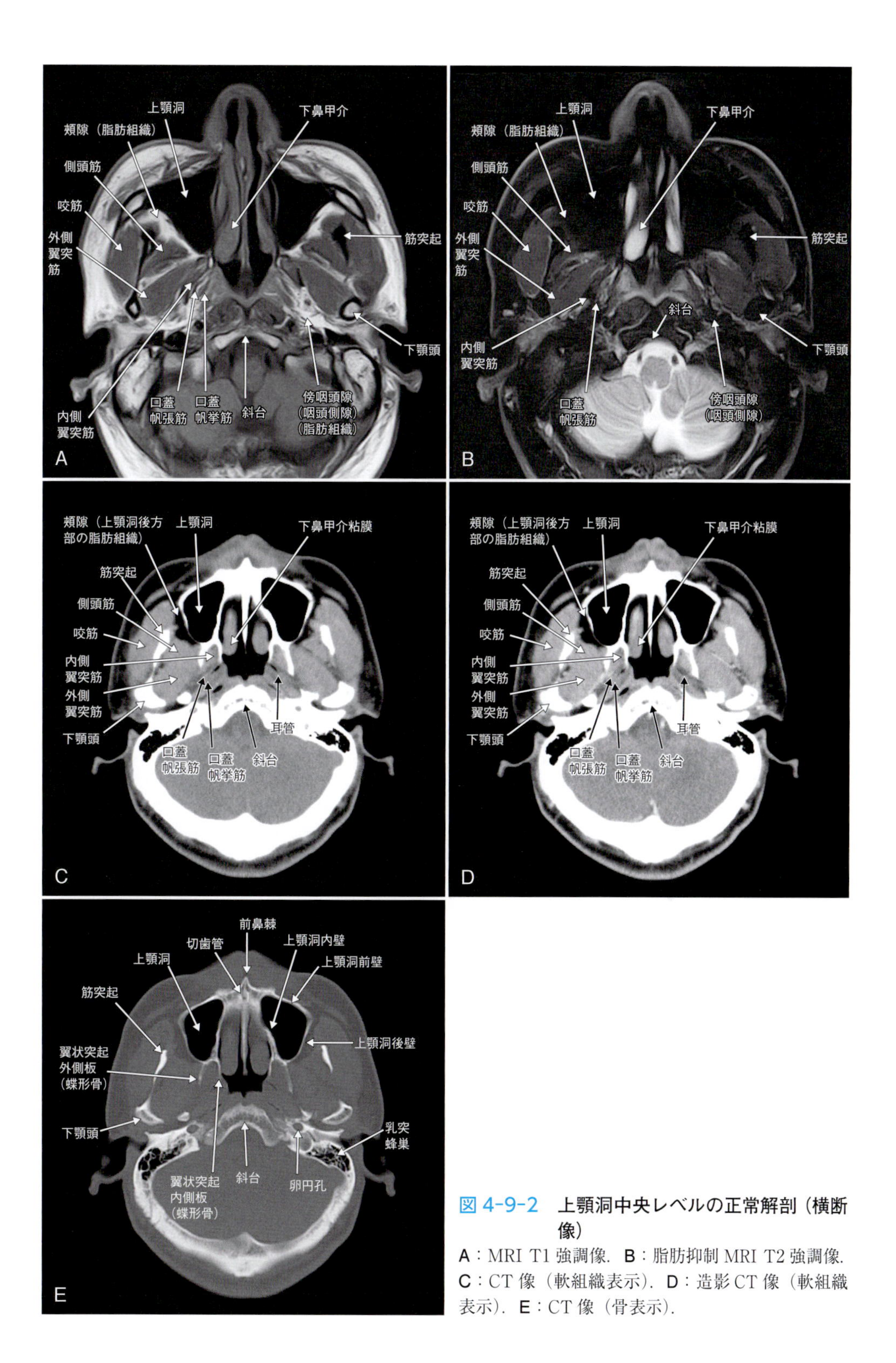

図 4-9-2　上顎洞中央レベルの正常解剖（横断像）

A：MRI T1 強調像．B：脂肪抑制 MRI T2 強調像．C：CT 像（軟組織表示）．D：造影 CT 像（軟組織表示）．E：CT 像（骨表示）．

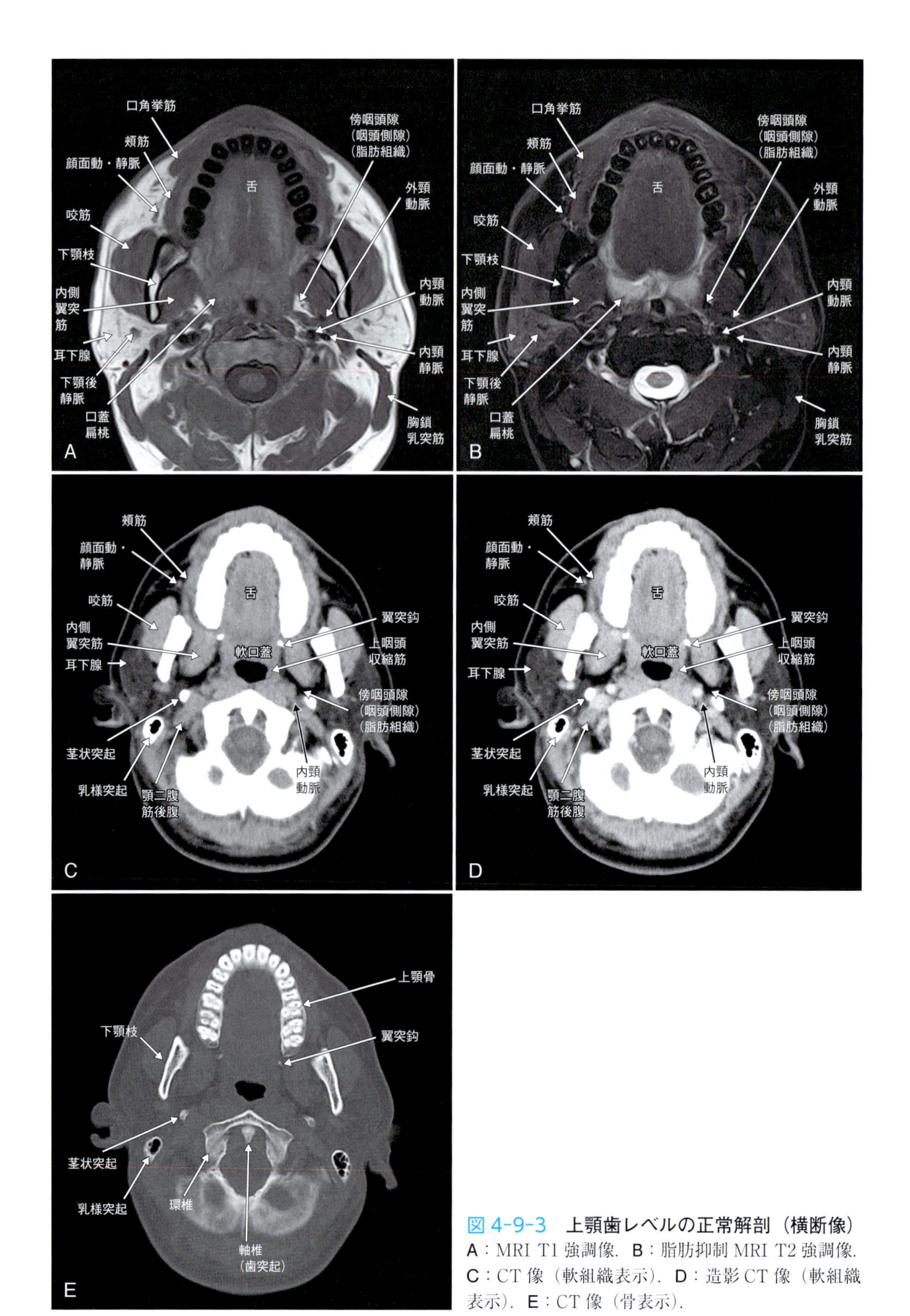

図 4-9-3　上顎歯レベルの正常解剖（横断像）
A：MRI T1 強調像．B：脂肪抑制 MRI T2 強調像．C：CT 像（軟組織表示）．D：造影 CT 像（軟組織表示）．E：CT 像（骨表示）．

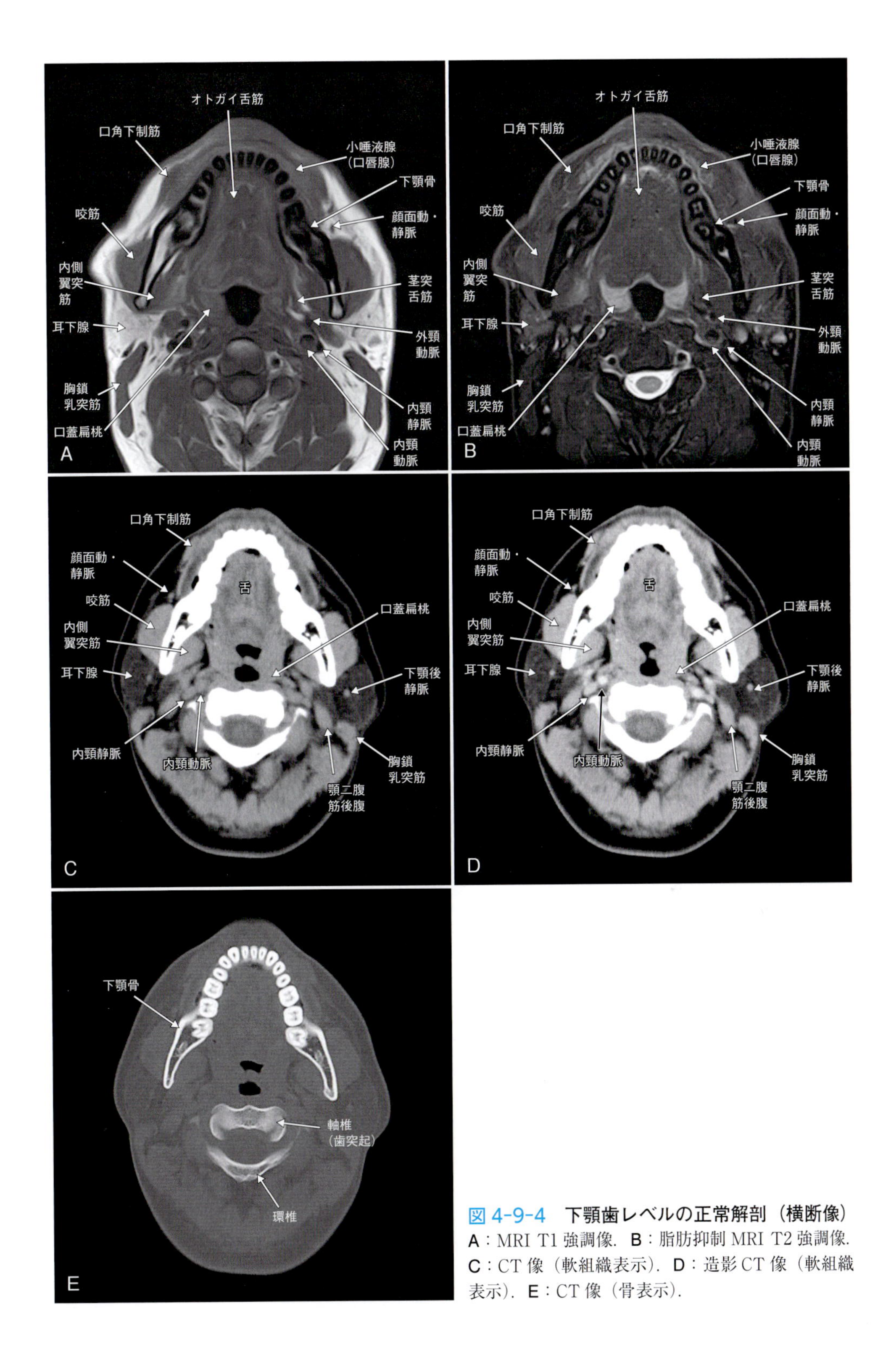

図 4-9-4　下顎歯レベルの正常解剖（横断像）
A：MRI T1 強調像．B：脂肪抑制 MRI T2 強調像．C：CT 像（軟組織表示）．D：造影 CT 像（軟組織表示）．E：CT 像（骨表示）．

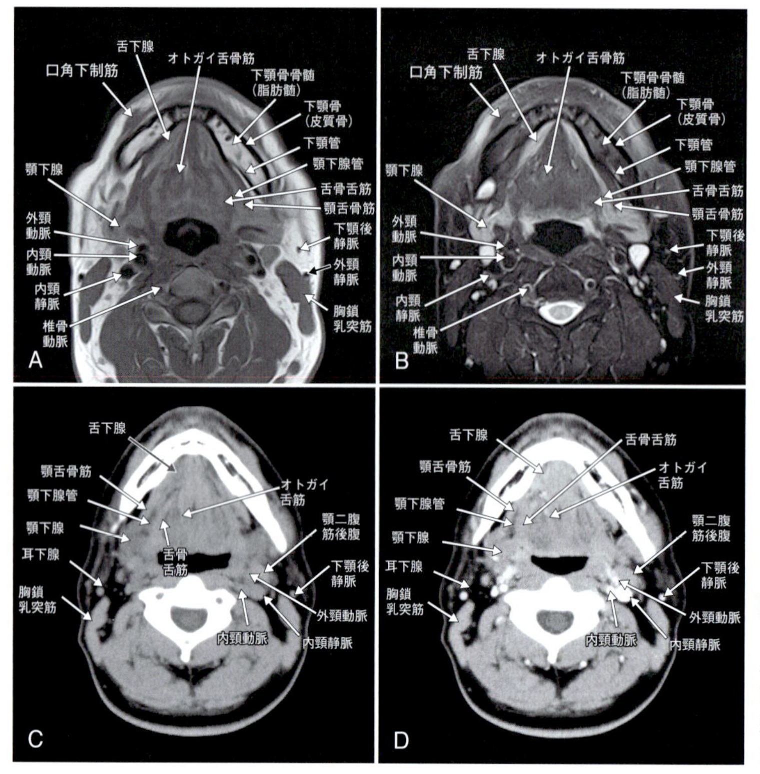

図 4-9-5　顎下腺レベルの正常解剖（横断像）

A：MRI T1 強調像．B：脂肪抑制 MRI T2 強調像．C：CT 像（軟組織表示）．D：造影 CT 像（軟組織表示）．

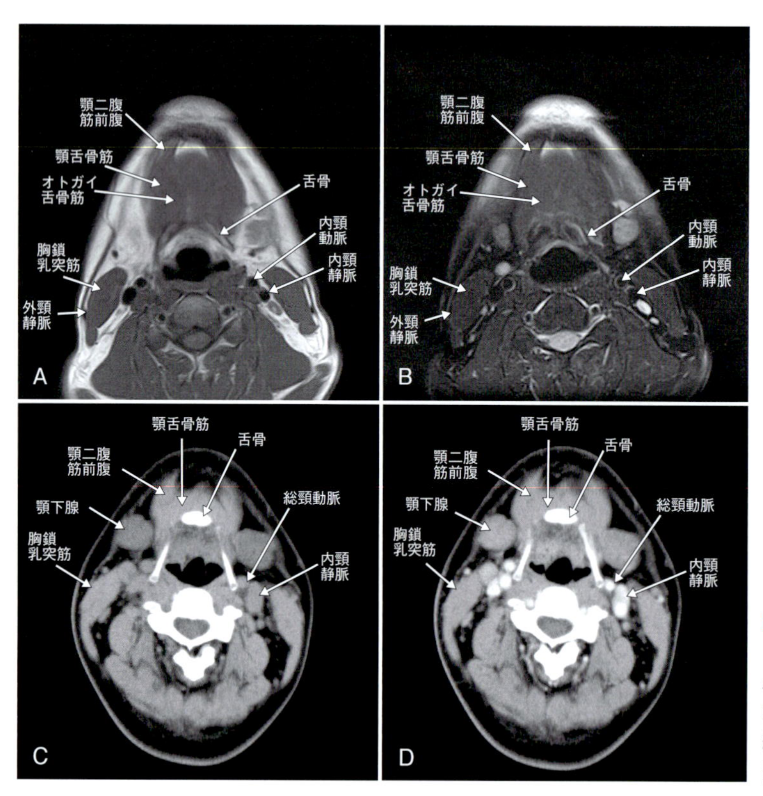

図 4-9-6　舌骨レベルの正常解剖（横断像）

A：MRI T1 強調像．B：脂肪抑制 MRI T2 強調像．C：CT 像（軟組織表示）．D：造影 CT 像（軟組織表示）．

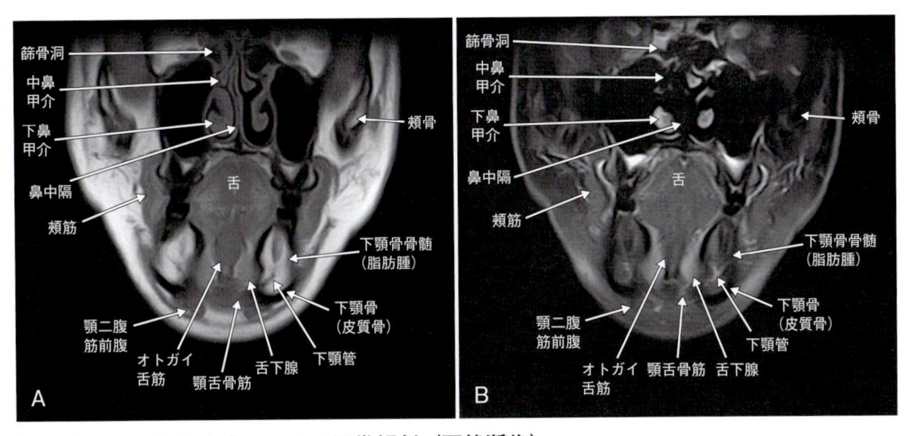

図 4-9-7　上顎洞中央レベルの正常解剖（冠状断像）
A：MRI T1 強調像．B：脂肪抑制 MRI T2 強調像．

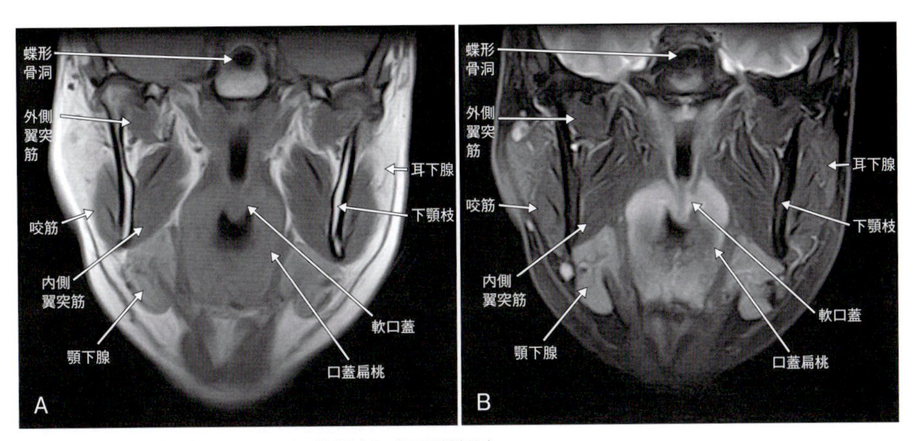

図 4-9-8　顎下腺レベルの正常解剖（冠状断像）
A：MRI T1 強調像．B：脂肪抑制 MRI T2 強調像．

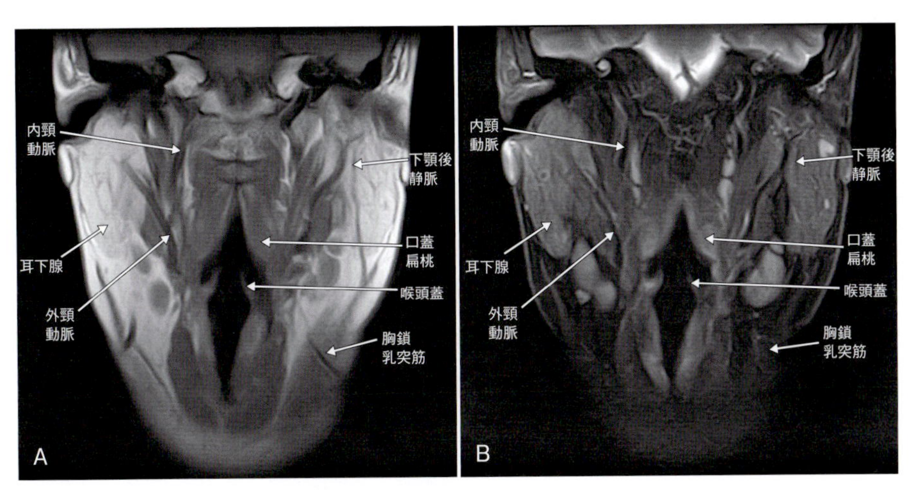

図 4-9-9　耳下腺レベルの正常解剖（冠状断像）
A：MRI T1 強調像．B：脂肪抑制 MRI T2 強調像．

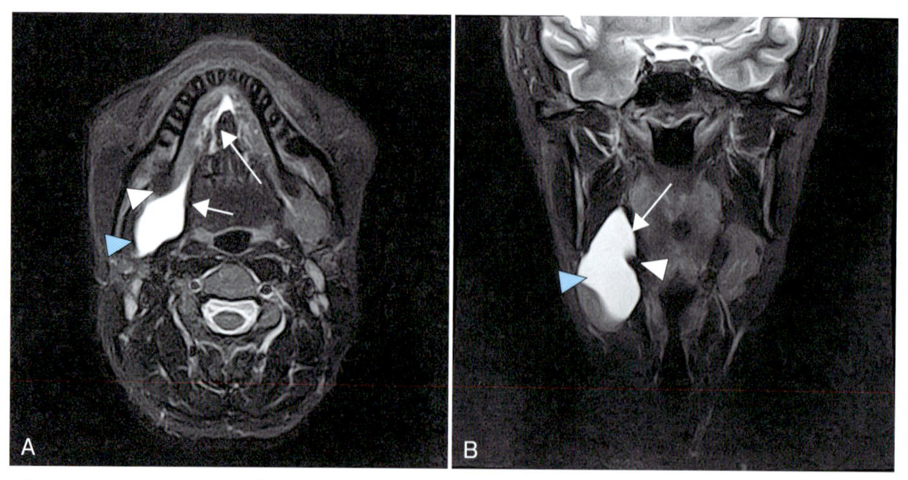

図 4-9-10　ラヌーラの進展
MR 画像（A：横断像, B：冠状断像）. 右側舌下隙に液性成分の貯留を認める（白矢印）. 液性成分の貯留は顎舌骨筋（白矢頭）の下方，すなわち右側顎下隙まで広がっている（青矢頭）. 顎下隙と傍咽頭隙（咽頭側隙）の間にも筋膜による境はなく連続している. そのため，一方の隙に発症した病変が他方に進行しやすい.

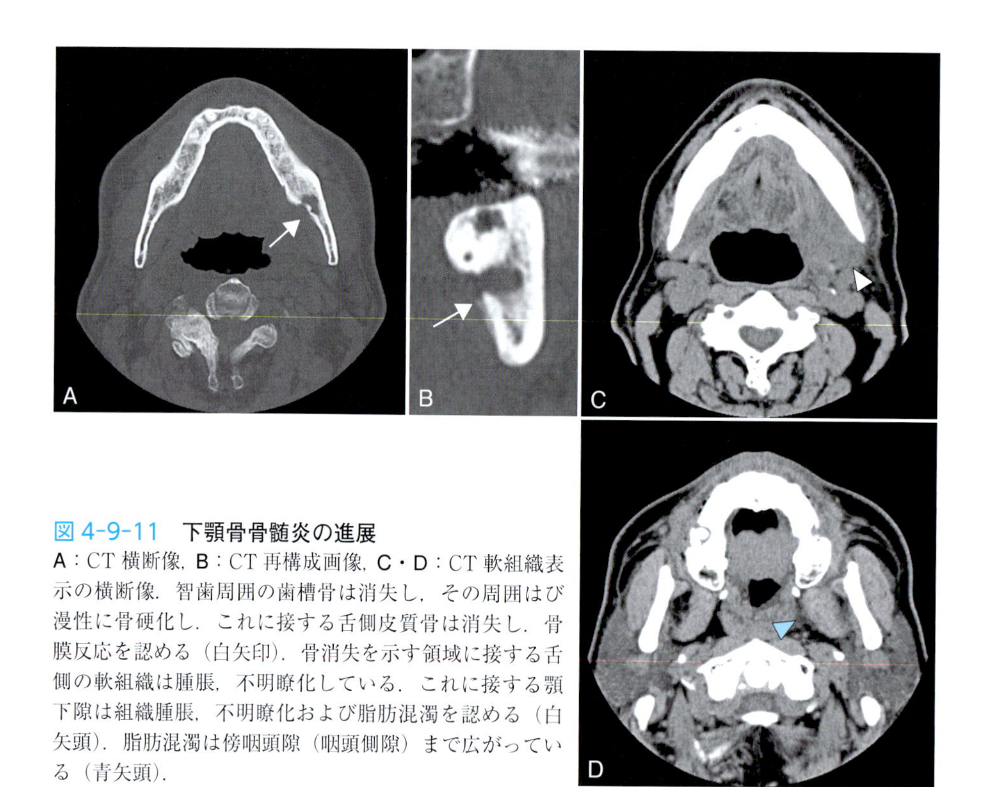

図 4-9-11　下顎骨骨髄炎の進展
A：CT 横断像, B：CT 再構成画像, C・D：CT 軟組織表示の横断像. 智歯周囲の歯槽骨は消失し，その周囲はび漫性に骨硬化し. これに接する舌側皮質骨は消失し，骨膜反応を認める（白矢印）. 骨消失を示す領域に接する舌側の軟組織は腫脹，不明瞭化している. これに接する顎下隙は組織腫脹，不明瞭化および脂肪混濁を認める（白矢頭）. 脂肪混濁は傍咽頭隙（咽頭側隙）まで広がっている（青矢頭）.

10 超音波検査法（US）

人間の耳で聞くことのできる音の周波数（約20～20 kHz）は可聴域といわれており，これより高い周波数の音波を**超音波**とよんでいる．また，聞くことを目的としない音という定義もある．超音波は弾性波とよばれる波動であり，水，生体，空気や金属などの媒質中を伝搬するが，媒質のない真空中では伝わらない．横波と縦波（疎密波）に大別でき，縦波は音の進行方向と微小粒子の振動方向が一致しており，空間座標を固定して時間経過を観察すると疎密状態が時間的に変化する．周波数が高いほど直進性が高く，対象物からの反射を利用して医療以外にも魚群探知機や非破壊検査などにも利用されている．生体内に入射されると，透過した超音波は組織の境界面でさまざまな程度の反射を生じる．超音波診断は，この反射波を受信して解剖学的な構造や組織の性状，動きや血流分布の状態を画像化する方法である．ただし，歯や顎骨などの硬組織内部は情報が得にくいため，主として軟組織を対象とした診断に用いられている．低コストで簡便，電離放射線被曝がなく非侵襲的という特徴を有し，最近では診断装置の小型化が進み，ポイントオブケア（point-of-care）診断に利用されるようになってきている．

1）周波数，音速，音響インピーダンス

超音波診断装置で使われる超音波の周波数は1～20 MHz 程度であるが，口腔領域や頸部では，7～18 MHz 程度が主に利用されている．超音波診断装置では，パルス状の超音波を放射し，生体中の音速を1,530 [m/s] あるいは1,540 [m/s]（厳密には各臓器によっても音速に差があり，同じ物質でも温度により音速は変化する）として，(音速×反射波が戻ってくるまでの時間÷2）で反射体までの距離を計算している．

また，音響インピーダンスは

$$Z = \rho \cdot C$$

で表される．ここで ρ は物質（媒質）の密度，C は媒質中の音速を表す．

2）反射・散乱・透過・減衰

超音波が伝搬するとき，均一な媒質中では直進し，媒質の音響インピーダンスに差があると，一部は反射し残りは透過する．反射は異なる媒質が接している境界面，すなわち音響インピーダンスの差があるところで起こり，この差が大きいほど反射する割合が多い．境界面が超音波の波長より小さく不規則な場合は散乱が起こり，超音波は四方に反射する．境界面に垂直ではない角度で超音波が入った場合には媒質の音速の比に応じて超音波が屈折する（Snell の法則）．屈折によりアーチファクトが生じる場合もある．超音波は生体内の組織などによる吸収，反射や散乱などにより減衰するが，その量は音源から距離が遠くなるほど，超音波の周波数が高くなるほど多くなる．

3）超音波の発生と超音波診断装置

(1) 超音波の発生と送受信

水晶の結晶やある種のセラミックスに圧力を加えて変形させると，表面に分極が現れて電圧が発生する．この現象を**圧電効果**といい，逆にこれらに電圧（電界）を加えると伸び縮みを起こして変形する（**逆圧電効果**）．こうした性質をもつ物体を**圧電素子**とよぶ．超音波診断装置では，圧電素子に高周波の電気信号を加えることで超音波を発生させ，超音波による圧電素子の変形から高周波の電気信号を取り出している．

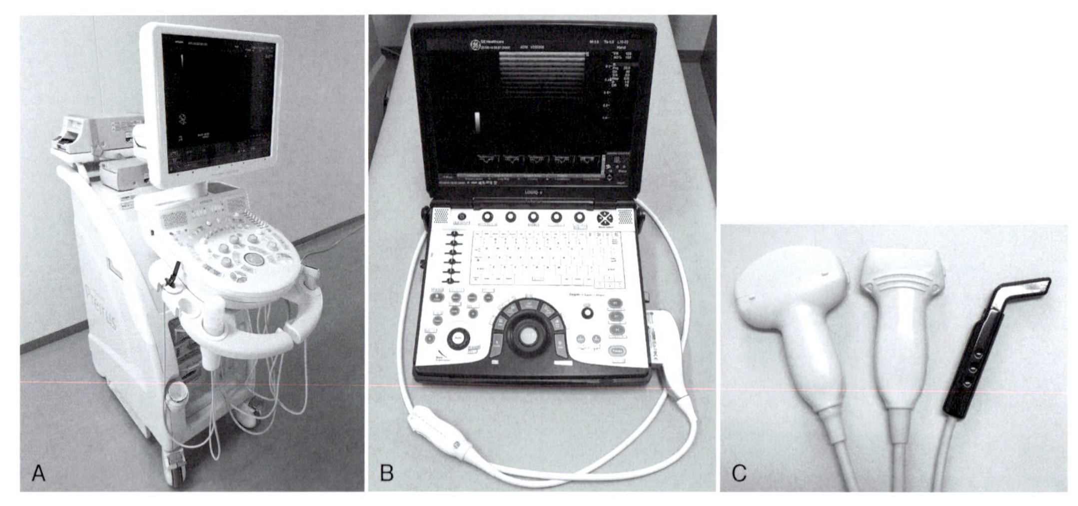

図 4-10-1　**超音波診断装置と探触子**
A：据置型　B：携帯型（ラップトップ型）　C：さまざまな探触子（コンベックス型，リニア型，ホッケースティック型）

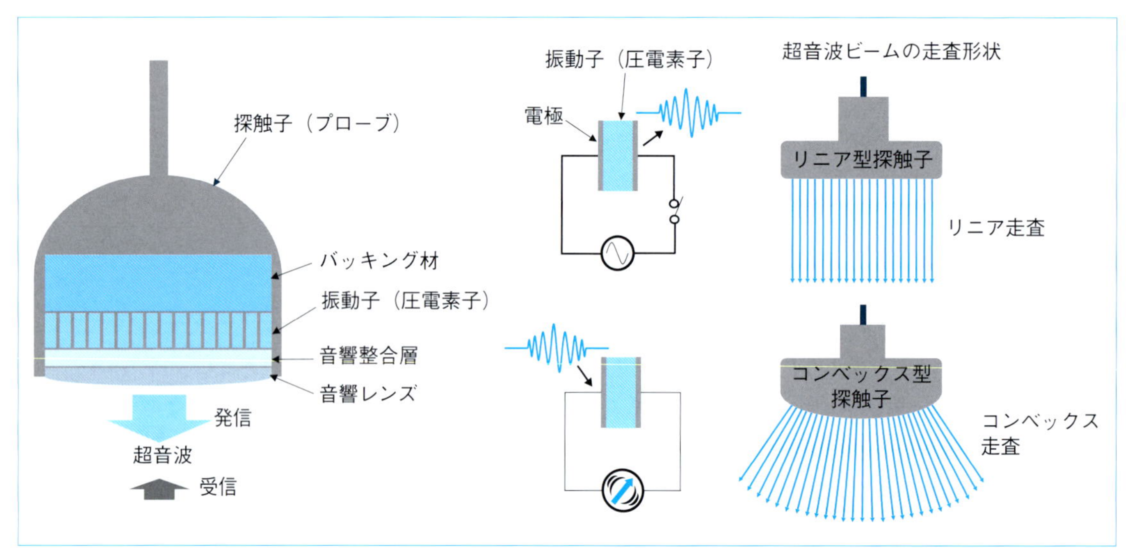

図 4-10-2　**超音波探触子の構造，超音波の発信・受信と圧電効果，超音波ビームの走査形状**（林　孝文，2021[1]）

図 4-10-1 に超音波診断装置と**探触子（プローブ）**を示す．探触子を皮膚や粘膜などの生体表面に，超音波が透過しやすいように音響カップリング材などを介在させ，密着させて情報を収集する．探触子内部には前述の圧電素子が組み込まれており，超音波を発信するとともに，生体内から戻ってくる超音波を受信する（図 4-10-2）．得られた電気信号は各種の処理がなされ，リアルタイムに近い動画で装置の画面に表示される．画像の深さ（縦）方向は前述のように発信してから反射波が戻ってくるまでの時間によって，対応する位置が求まる．一方，画像の横方向の情報を得るためには超音波の発信（受信）位置を探触子内で少しずつずらして行う．これを走査という．走査の形状にはリニア，セクタ，コンベックス，アーク，ラジアルなど

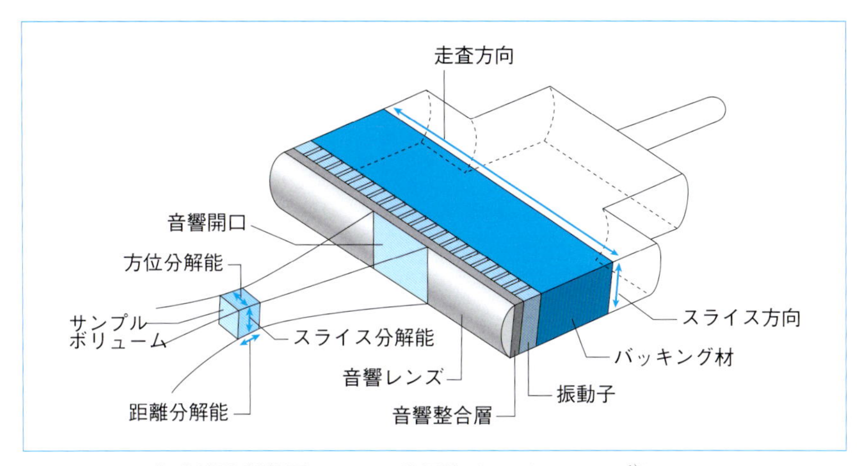

図 4-10-3　超音波診断装置における分解能（林　孝文, 2021[1]）
深さ方向を距離分解能, 走査方向（横方向）を方位分解能, 断面の厚さ方向をスライス分解能とよぶ. 距離分解能は, 周波数と超音波パルスの持続時間に依存する. 方位分解能とスライス分解能は, 超音波ビームの広がり, すなわちビームのフォーカスの程度に依存する.

があるが, 顎顔面領域ではリニアやコンベックスが用いられている（図 4-10-2).

超音波診断装置は, 大型でキャスターをもつ据置型と, 小型でポータブルな携帯型とに大別でき, さらに後者はノートパソコンあるいはラップトップ型と, タブレットあるいはパームトップ型に大別できる（図 4-10-1). 前者が高性能で多機能であるのに対し, 後者はポイントオブケア検査に適する. 探触子には, 振動子を直線状に配列したリニア型, 凸状に配列したコンベックス型などがあり, 前者は表在組織や唾液腺・甲状腺などの浅い領域に適するのに対し, 後者は深く広い範囲が描出されるため腹部などの領域に適する. 歯科口腔領域ではリニア型が多く使われ, 表在用のもののほか, ホッケースティック型などの術中用小型探触子が口腔内走査に用いられる（図 4-10-1).

(2) 分解能（図 4-10-3)

近接した2点を分離した2点として見分けられる限度を空間分解能といい, 超音波診断装置の分解能には**距離分解能**（深さ方向の分解能), **方位分解能**（横方向の分解能), **スライス分解能**（断面の厚み方向の分解能）があるが, これらは同一にはならない. 距離分解能は, 周波数が高く, 超音波パルスの持続時間が短いほど向上する. しかし, 周波数を高くすると生体内での減弱が強くなり深部を観察できなくなる. 方位分解能は横方向の広がり, すなわち超音波のビーム幅が狭いほど向上する. ビームは電子的に超音波を収束させ目的部位で最小となるように工夫されているが, 距離が離れるとビームは広がり, 方位分解能は低下する. 超音波ビームは断層面に直交する方向にも広がっており厚みをもっている. この厚みをスライス分解能とよぶ. スライス分解能はプローブ先端を覆う音響レンズの特性で決まり, 一般的な電子リニア探触子の焦点域でのスライス分解能は数ミリ程度であり, 他の2つの分解能よりも劣る.

(3) 表示モード（図 4-10-4)

表示モードには, 振幅波形（Amplitude）で表示したAモード法, 輝度（Brightness）の二次元像として表示したBモード法, **Bモード超音波像**のある部分の動き（Motion）を波形として表示するMモード法がある. Bモード超音波

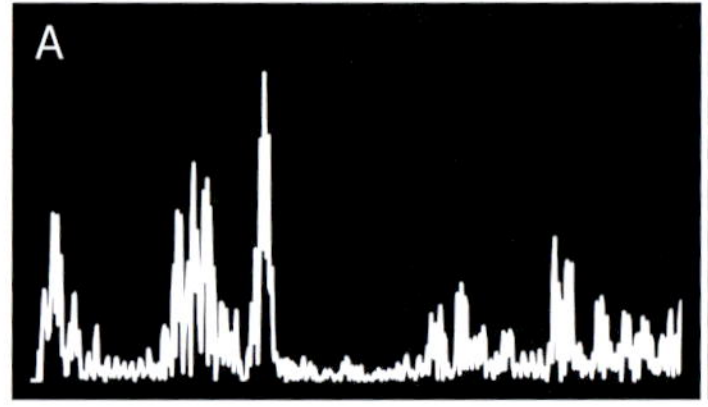
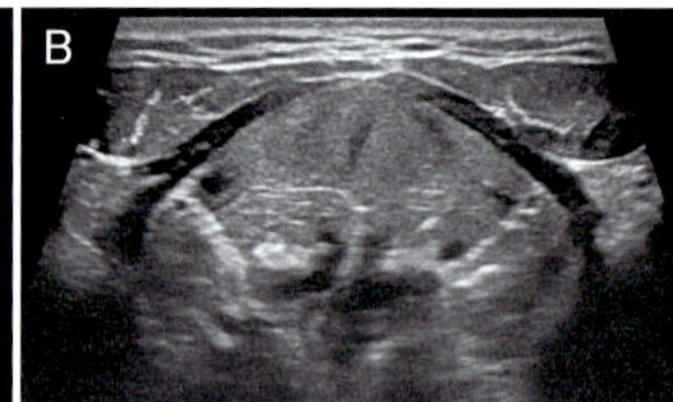
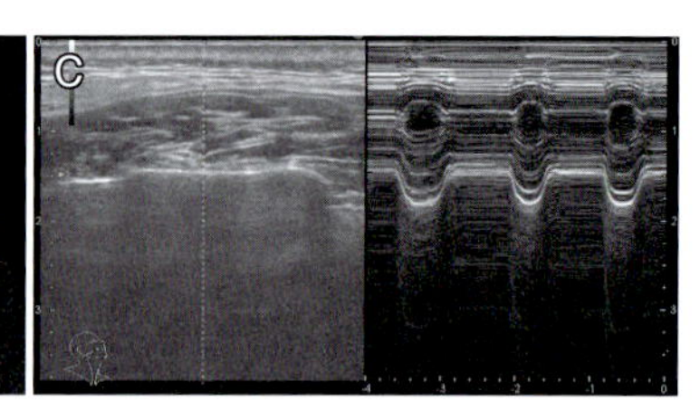

図 4-10-4　超音波診断における表示モード
A：A モード法，B：B モード法，C：M モード法．

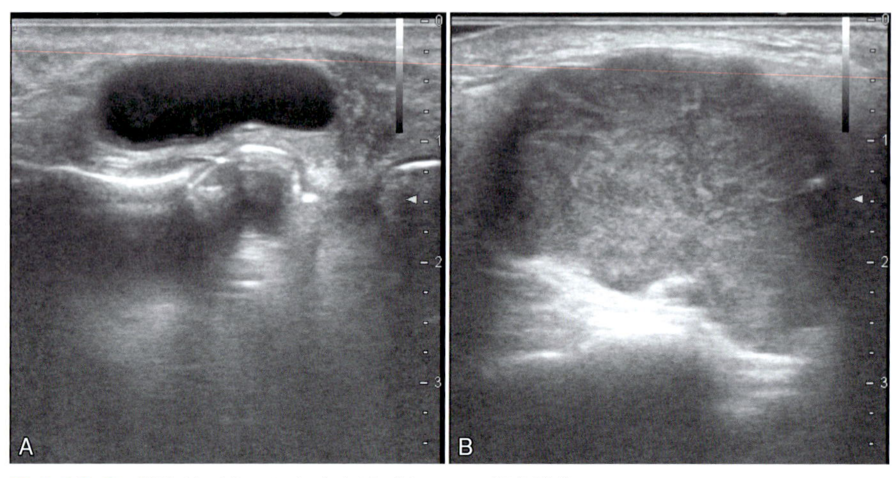

図 4-10-5　嚢胞性パターンと充実性パターンの超音波像
A：右側下唇腺の粘液貯留嚢胞，B：左側耳下腺の多形腺腫．粘液貯留嚢胞は境界明瞭で辺縁はおおむね整であり，内部は均一な無エコーで液体の貯留が示唆される．多形腺腫は境界比較的明瞭であるが辺縁には凹凸がみられ不整であり，内部はやや不均一に密な内部エコーが認められ実質性であることが示唆される．

像は超音波ビームの走査により得られた反射信号の強さを白黒の明るさ（輝度）に変換して，二次元画像に表現した画像であり，反射が強い場合は明るく，弱い場合は暗く，リアルタイムの動画として断面画像で表示されるため，臨床に最も広く利用されている．

4）超音波所見とアーチファクト

本来，生体に存在しないはずの構造が虚像として現れることを，アーチファクトという．超音波診断は反射によって画像が形成されているため，その際に多様なアーチファクトが生じる．その中には病変の診断に有用なアーチファクトも含まれる．ここでは特徴的な超音波所見と代表的なアーチファクトについて述べる．

(1) 反射と内部エコー，スペックルパターン

前述のように，B モード超音波像は生体から反射した超音波の強さに応じて画像の輝度を対応させる．反射の強いところは白く，弱いところは黒く表示される．病変が周囲組織と比較し輝度が高い（白い）場合には高エコー，輝度が低い（黒い）場合には低エコー，同等の場合には等エコーという．病変の内部が水で充満されていると仮定すると，超音波の反射はまったく起こらないために内部は真っ黒に描出される．これを無エコーといい，嚢胞性パターン（cystic pattern）とよぶことがある（図 4-10-5）．充実性パターン（solid pattern）は，さまざまなレ

ベルの点状エコーを呈する場合で，病変内部に超音波が反射・散乱する境界面が多数存在することを反映しており，病変が液体ではなく充実性成分から構成されていることを意味する（図 4-10-5）．

生体内に密に存在する微小構造（超音波の波長と比べて十分に小さい）からの微弱な多数の反射により，さまざまな散乱波が干渉してランダムに斑紋状のパターンが現れる．これをスペックルパターンまたはスペックルノイズという．耳下腺や顎下腺，甲状腺などでみられ，輝点の一つひとつが組織構造と一致するわけではない．

(2) 音響陰影，外側陰影，後方エコー増強（図 4-10-6）

音響陰影は，著しく超音波を反射する構造が存在すると，その深部に帯状の無エコー域が出現することをいい，唾石などの石灰化物の診断に役立つことがある．歯や顎骨の内部はそもそも音響陰影の中に隠れてしまっているともいえる．外側陰影は，辺縁平滑な病変の外側縁に沿って深部に伸びる細長い音響陰影であり，音速が異なる２つの媒質の境界面における接線方向の超音波の屈折が原因で生じる．後方エコー増強は，周囲組織と比較して多くの超音波が透過する病変の深部に出現する高エコー領域をいう．均一な液体あるいは組織で構成される病変は超音波の反射が少なく，液体部分では減衰も少ないため，それより深部に超音波がより多く到達する．多く到達した超音波はそれだけ多く反射して受信されるため，周囲と比較して高エコーに描出される．

(3) 多重反射，サイドローブ

多重反射は，ある間隔をもった２つの構造の間で超音波が双方向に反射し何往復もすることにより，画面に反射面が何回も重なって表示される現象である．境界面間や探触子と境界面との間で反射を繰り返すことで，画像にエコー輝度の高いアーチファクトが生じる．

超音波は探触子の中心軸方向以外に斜めの方向にも放射される(サイドローブ)．このサイドローブからの反射を受信すると，本来の位置にはないものが表示されることがある．

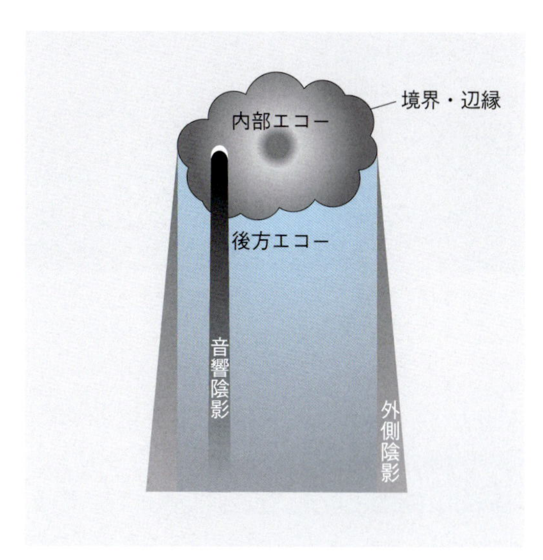

図 4-10-6　主な超音波所見の模式図

＜基本的所見＞

①形状：対象組織像の全体から受ける形態の印象であり，定形か不定形かを判断する．ただし，異なる断面における情報を総合的に評価するべきであり，一断面での評価は避けたほうがよい．

②境界・辺縁：対象像と周辺組織との判別が容易な場合は境界明瞭，困難な場合は不明瞭と判断する．また辺縁は対象組織の外縁の状態により整か不整かを評価する．

③内部エコー：対象組織内部の状態は種々の用語で表現されている．内部エコーが認められない場合は無エコー，anechoic，echo free，sonolucent など，エコーが認められる場合には，弱いエコーでは低エコー，hypoechoic，hypoechogenic，low echo level など，強いエコーでは高エコー，hyperechoic，hyperechogenic，high echo level などである．またエコーの分布状態が均一な場合には homogeneous，不均一な場合には heterogeneous などが使われている．

5）ドプラ法（ドプラモード）

音源が観察者に近づいてくる場合に，疎密波の疎密の間隔が密になり音の高さ（周波数）が

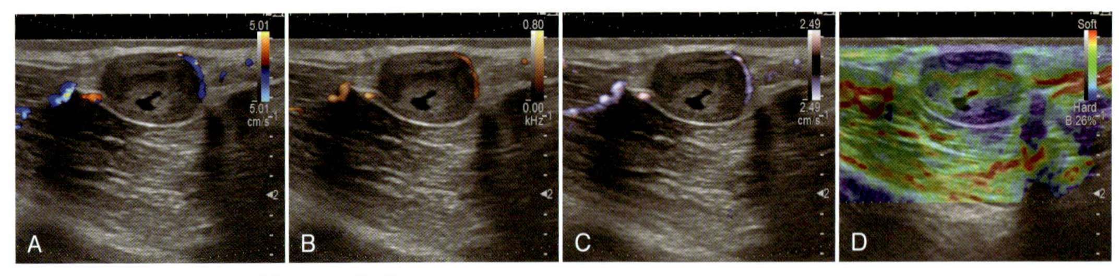

図 4-10-7　**転移リンパ節の超音波像**
A：カラードプラ，B：パワードプラ，C：高分解能パワードプラ，D：ストレインエラストグラフィ．

本来よりも高く聞こえ，遠ざかる場合には疎になり周波数が低く聞こえる現象を，**ドプラ（Doppler）効果**という．超音波診断においては，血管の中を流れている血球によりこのドプラ効果が生じる．**ドプラ法**は，この効果を利用して血流の速度や方向などの情報を知る方法である．実際の超音波診断装置では，流速をスペクトルで表し速度の計測もできるパルスドプラ法やBモード画像に重ねてカラーで表す**カラードプラ法**などがある．さらにカラードプラ法には，血流方向と平均血流速度を色の違いとして表す速度表示法（カラーフローマッピング）とドプラ遷移周波数を積分して血流の多寡のみを表すパワー表示法（**パワードプラ法**）がある．パワードプラ法は低速血流の感度が高く超音波と血流の角度依存性が低い利点を有する（図 4-10-7）．

6）ハーモニックイメージング

超音波が生体内を伝播するにつれて，発信波の周波数成分に加えてその整数倍の周波数成分（高調波）が発生する．こうした高調波を利用して映像化を行う方法をティッシュハーモニックイメージングという．一方，造影剤として微小気泡（マイクロバブル）を血管内に投与し，超音波照射による気泡の膨張・収縮に伴って生じる高調波を利用する方法もあり，コントラストハーモニックイメージングとよばれる．

7）エラストグラフィ

エラストグラフィは組織の硬さを測定・画像化し，診断に利用しようとするものである．組織の硬さを評価するためにさまざまな方法が提唱されているが，ストレインエラストグラフィ（strain elastography）と，シェアウェーブエラストグラフィ（shear wave elastography）の2つが実用化され，Bモードでの診断に補助的に利用されている．ストレインエラストグラフィは，外圧により生じた組織のひずみから弾性係数を求める方法で，探触子の操作による術者の手圧などによる方法と，外部からの音圧（プッシュパルス）を利用する方法に分けられる．シェアウェーブエラストグラフィは，振動を加えたときに硬い組織ほど横波が早く伝わっていく性質を利用したものであり，せん断波（shear wave）を発生させその伝搬速度を測定し画像化する．組織の硬さについては，悪性腫瘍は細胞密度が高く周囲組織浸潤も伴うために正常組織よりも硬い傾向にあると考えられている．エラストグラフィは悪性腫瘍の鑑別やリンパ節転移の診断，顎関節症における筋肉の硬さの診断への応用が検討されている（図 4-10-7）．

8）超音波診断の適応

歯科領域における超音波診断は，探触子を口腔外で操作する口腔外走査と口腔内で操作する口腔内走査に大別できる．超音波診断は硬組織

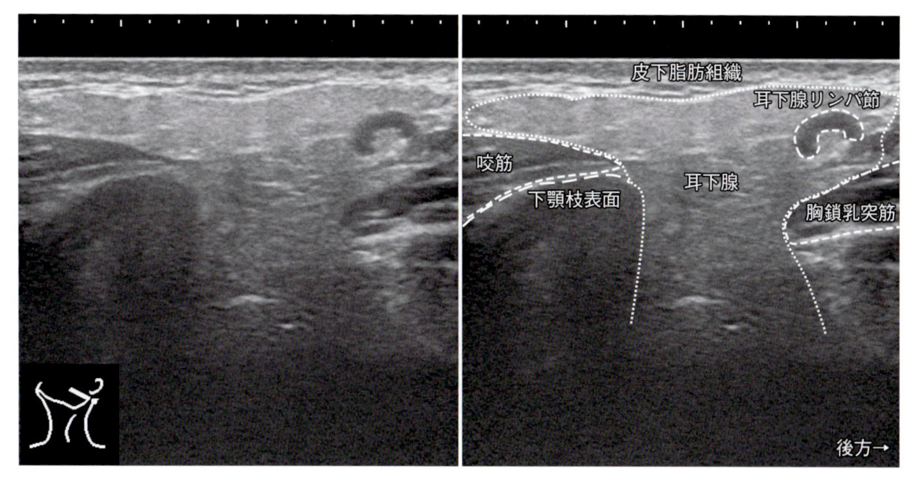

図 4-10-8　耳下腺部の正常超音波像

左側耳下腺部の横断像では，耳下腺腺体は内部やや高輝度で微細な点状構造の集合体として認められ，浅部が広く深部が狭い逆三角形の高エコー構造として描出される．また耳下腺リンパ節，腺体内導管や脈管が認められることがある．この画像は耳下腺の最大横断面相当部が描画されており，前方には咬筋および下顎枝表面が，後方には胸鎖乳突筋が観察される．超音波の減衰のため深部は不明瞭であり，全体像の描出は困難である．

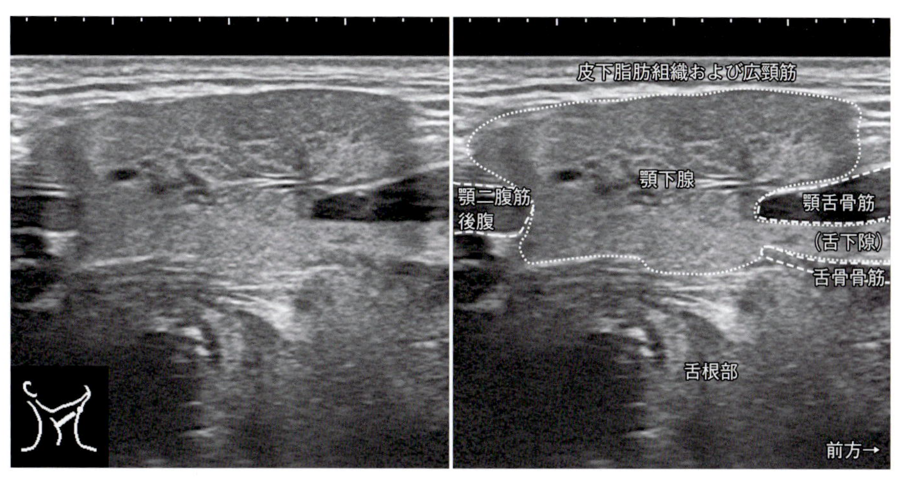

図 4-10-9　顎下腺部の正常超音波像

右側顎下腺部の横断（矢状断）像．完全な水平断像（横断像）ではなく顎下部から上内方に向けた矢状断に近い断面である．顎下腺内部はやや高輝度で微細な点状構造の集合体として高エコー構造として描出される．また腺体内導管や脈管が認められることがある．この画像は顎下腺の最大横断面相当部が描画されており，前方やや深部には顎舌骨筋および舌骨舌筋が，後方には顎二腹筋後腹が観察される．顎下腺の一部は顎舌骨筋後縁を越えて前方に延びて舌下隙に連続する．

内部の画像化に適さないため，適応となる疾患は軟組織に病的変化が生じるものに限定される．歯や骨，空気が存在すると超音波はその表面でほとんどが反射してしまうため，それらの表面から深部は画像化することができない．口腔外走査では，適応部位として，大唾液腺（図 4-10-8，9），顎関節，顔面，口底（図 4-10-10），頸部（図 4-10-11），頸部領域リンパ節（図 4-10-12〜14），などがある．特に頸部リンパ節転移と唾液腺疾患の診断に高い有用性が認

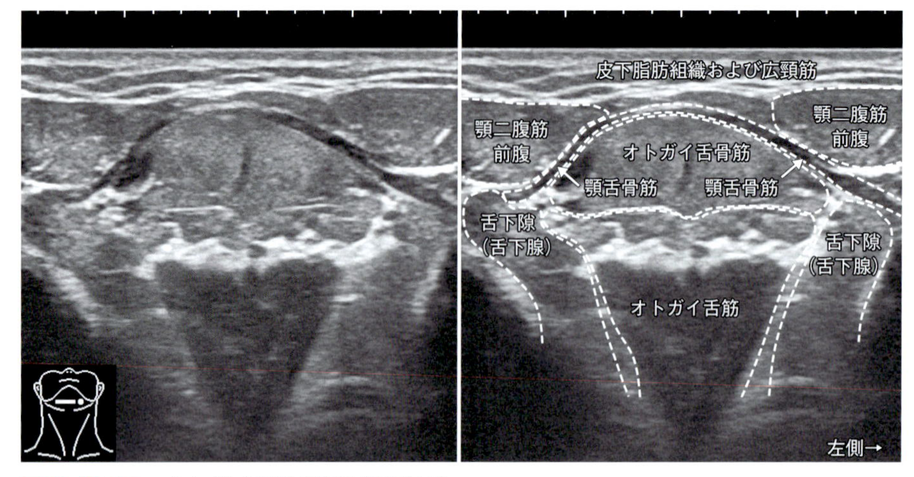

図 4-10-10　オトガイ下部の正常超音波像
オトガイ下部の冠状断像では，広頸筋を除き浅い方から顎二腹筋前腹，顎舌骨筋，オトガイ舌骨筋，オトガイ舌筋が左右対称的に確認できる．顎舌骨筋は板状に描出され，その深部でオトガイ舌骨筋・オトガイ舌筋外側には舌下隙が観察される．舌下腺は高エコー構造として認められ，この断面では舌下隙を占めているが，全体像の描出は困難である．舌下腺の一部が顎舌骨筋の欠損部から顎下隙に突出して認められることがある．

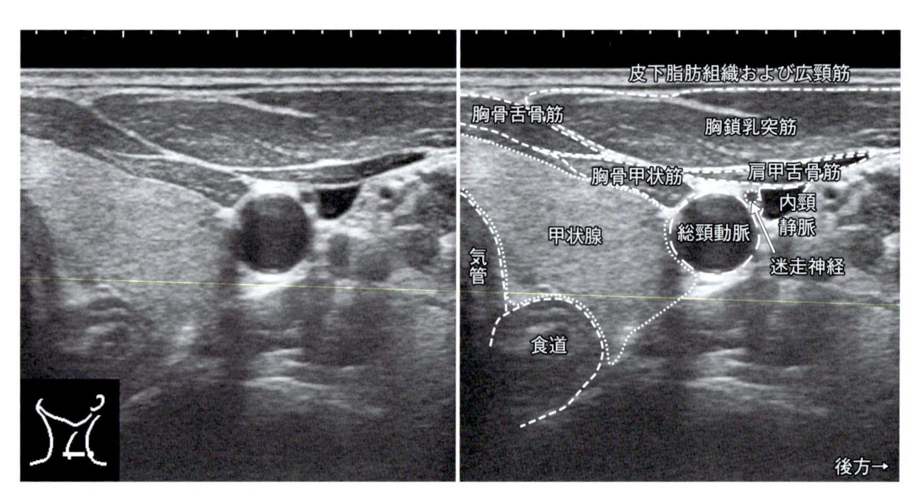

図 4-10-11　下頸部の正常超音波像
左側下頸部の横断像．甲状腺は大唾液腺と同様に，内部やや高輝度で微細な点状構造の集合体として高エコー構造として描出される．甲状腺の前方には胸骨舌骨筋と胸骨甲状筋が，後外側には胸鎖乳突筋と肩甲舌骨筋が認められる．また甲状腺の外側には総頸動脈や内頸静脈，迷走神経が認められ，内側には気管が，後方には食道が観察される．

められている．また口腔内走査では，ホッケースティック型などの小型探触子により，舌，口底，頬粘膜，口蓋，小唾液腺，歯肉・歯周組織を画像化できる（図 4-10-15）．特に，口腔癌の T 分類における深達度（DOI）の評価法の 1 つとして期待されている（図 4-10-16）．DOI は病理組織学的には腫瘍に隣接する正常粘膜部基底膜を結んだ仮想平面から腫瘍の最深部までの垂直距離と定義されている．

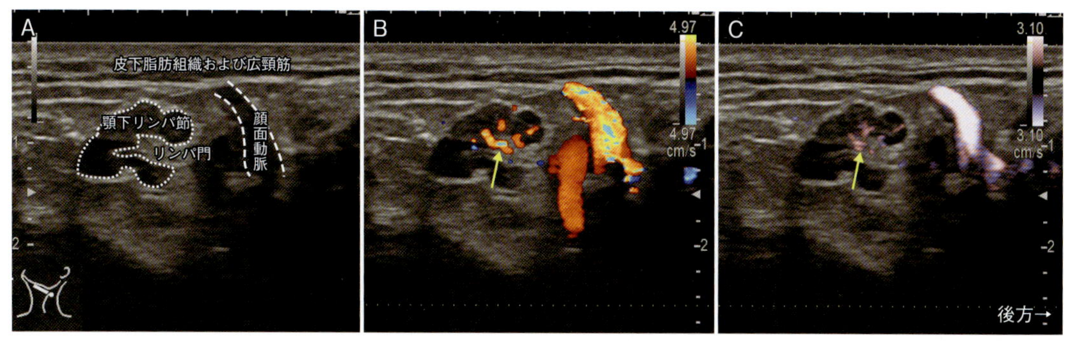

図 4-10-12　顎下リンパ節の正常超音波像

A：Bモード，B：カラードプラ，C：高分解能パワードプラ．

左側顎下リンパ節の横断（矢状断）像．リンパ節は花弁状に凹凸を有し内部はほぼ均一な低エコーであり，リンパ門が周囲脂肪組織と連続性を有する高エコー域として認められる．ドプラではリンパ門からリンパ節内部にかけて樹枝状の血流が認められる（黄矢印）．高分解能パワードプラではカラードプラと比較して血管からの滲み出しが少ない．

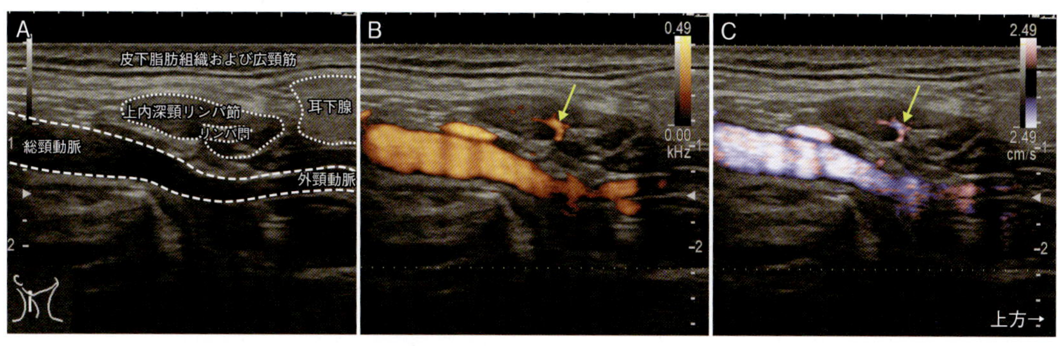

図 4-10-13　上内深頸リンパ節の正常超音波像

A：Bモード，B：パワードプラ，C：高分解能パワードプラ．

右側上内深頸リンパ節の冠状断像．リンパ節は上下に長い楕円体で内部はほぼ均一な低エコーであり，やや上方寄りの内側にリンパ門が周囲脂肪組織と連続性を有する高エコー域として認められる．ドプラではリンパ門からリンパ節内部にかけて樹枝状の血流が認められる（黄矢印）．

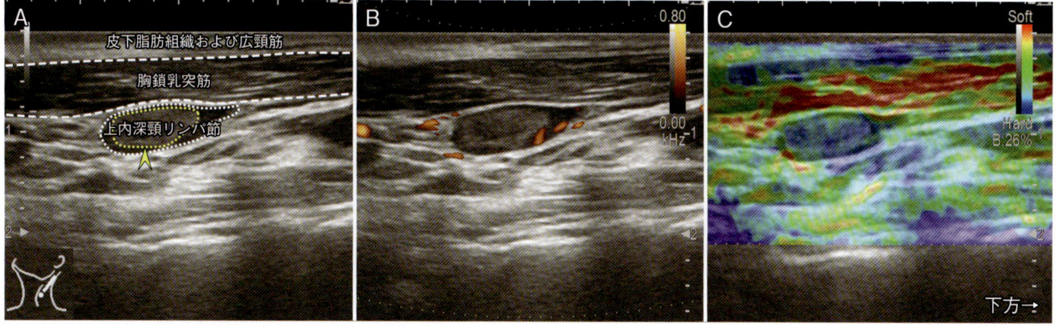

図 4-10-14　頸部の転移リンパ節の超音波像

A：Bモード，B：パワードプラ，C：ストレインエラストグラフィ．

左側の上内深頸リンパ節（転移）の冠状断像．リンパ節は上部が膨大した形態でリンパ門が浅く，内部には不定形の高エコー域が認められ不均一である（黄矢頭）．パワードプラではリンパ節下部のリンパ門に血流を認めるが高エコー域には血流はみられない．ストレインエラストグラフィではリンパ節が周囲と比較してやや硬い傾向（この場合は平均より軟らかい領域が赤や黄で，硬い領域が青で表示される）を示す．

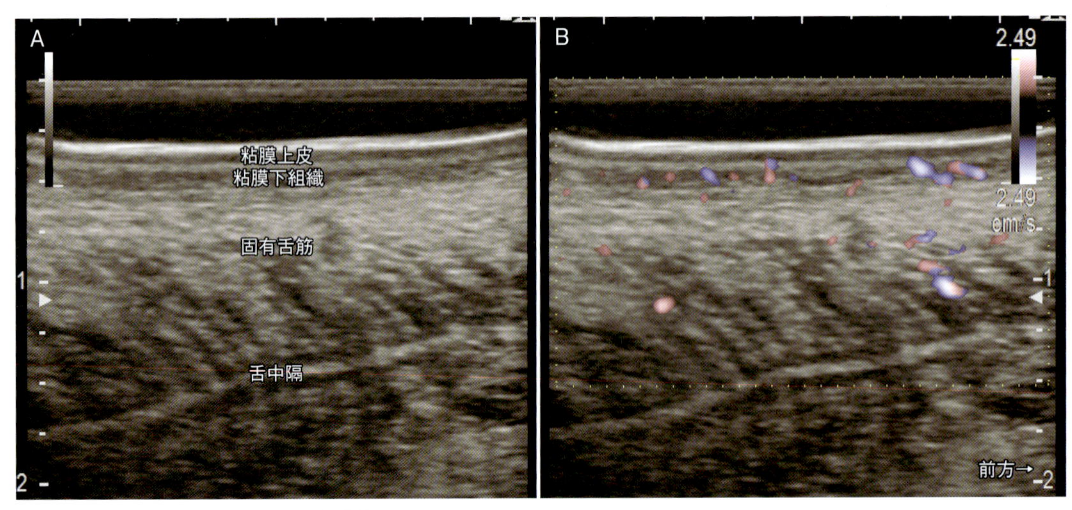

図 4-10-15　舌粘膜の正常超音波像

A：B モード，B：高分解能パワードプラ．

口腔内走査による右側舌側縁の横断像．舌粘膜は層状構造として認識できる．粘膜上皮は線状の低エコーに，その下層に粘膜下組織が帯状で粗い高エコーに，さらにその深層には固有舌筋が密な高エコーに描出される．パワードプラでは粘膜下組織から粘膜上皮にかけて縦走する血流が複数認められる．

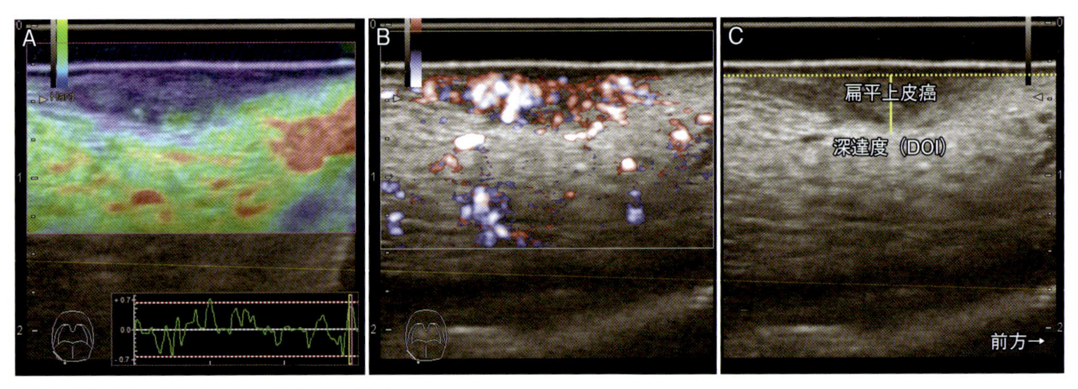

図 4-10-16　舌扁平上皮癌の超音波像

A：ストレインエラストグラフィ，B：高分解能パワードプラ，C：B モード．

口腔内走査による右側舌側縁の扁平上皮癌の横断像．癌組織は粘膜上皮と連続性を有する境界不明瞭な低エコー域として認められ，パワードプラでは深部辺縁から内部にかけて豊富な樹枝状の血流がみられる．ストレインエラストグラフィでは癌組織は周囲組織と比較して硬く（この場合は青く）描出される．癌は固有舌筋に浸潤しており，画像上の深達度（DOI）は，隣接する正常粘膜基底部に仮想線を結び，そこから浸潤先端までの垂直的な距離で計測される．

11 核医学検査

1）シンチグラフィ・シングルフォトンエミッション CT<SPECT>の原理と装置

核医学とは非密封の放射性同位元素（radioisotope：RI）*を利用する医学である．核医学検査とは組織や臓器の生理学的情報とそれをもとに生化学的情報を定量化し，総合的な生体機能情報を提供する検査である．つまり，CT，MRI，超音波検査などの形態画像診断では容易ではない病態生理を評価できる画像として疾患のマネジメントに寄与する．

シングルフォトン（単光子）放出核種の放射性医薬品を患者に投与した後，体内から放出されるγ（ガンマ）線を検出器（**シンチレーションカメラ**）で画像化する検査法を**シンチグラフィ**という．さらに，検出器が患者の周りを回転しながら画像データを記録し，断層画像を得るのを**シングルフォトンエミッション CT**（single photon emission computed tomography：**SPECT**）という．

現在はSPECT装置にCTが組み合わされたSPECT/CT装置が開発され，SPECTとCTの両方が効率的に検査可能となった（図 4-11-1）．その結果，CTデータはSPECTの減弱補正（吸収補正）のための減弱マップの作成に用いられるとともに，形態画像としてSPECTの機能・代謝画像との融合画像作成に用いられる．また，検出器に関しては，シンチレーションカメラに比して高いエネルギー分解能と空間分解能が得られる半導体カメラの開発も行われている．

2）ポジトロンエミッション断層撮影法（PET）の原理と装置

PETとはpositron emission tomography（**ポジトロンエミッション断層撮影法**）の略であり，**ポジトロン**（**陽電子**）を放出する放射性同位元素で標識された放射性薬品を体内に投与し，この分布を体外から検出し，画像化する撮影法である．投与されたポジトロン核種から放出され

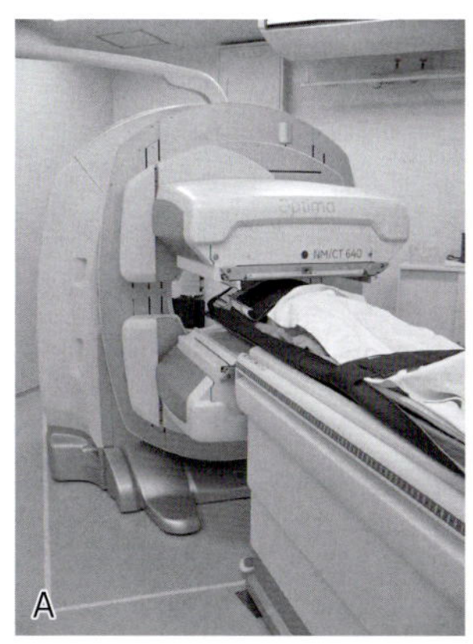

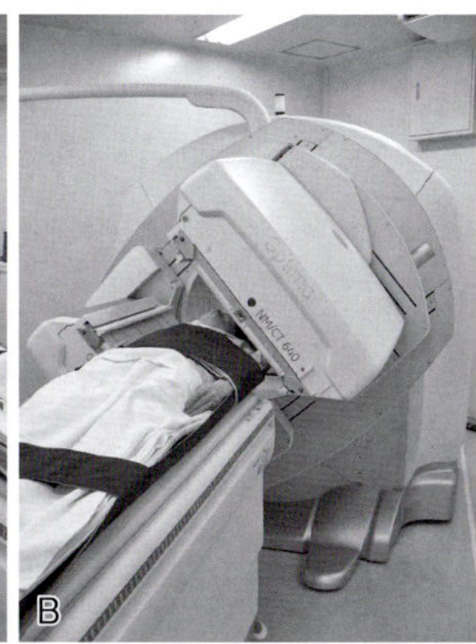

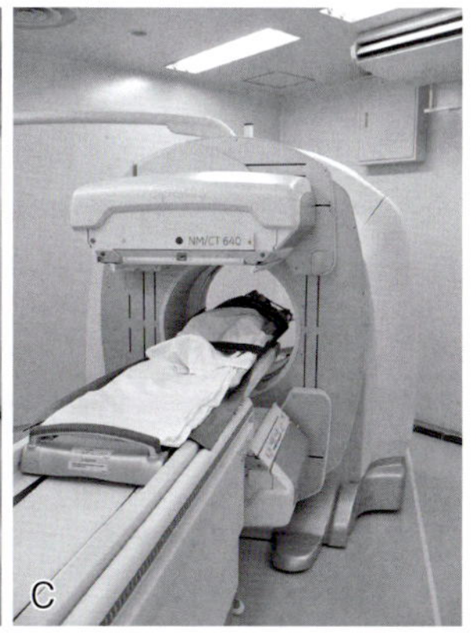

図 4-11-1　SPECT/CT 装置
患者の上下にγ線を検出する2台のカメラが対向しており（A），これが回転する（B）．CT装置も付属している（C）．

＊：「放射性同位元素」とは放射線を放出する元素であり，医学における利用には，密封された形で照射線源として放射線治療などに用いる場合と，密封されていない形（非密封）で診断や治療に用いる場合がある．

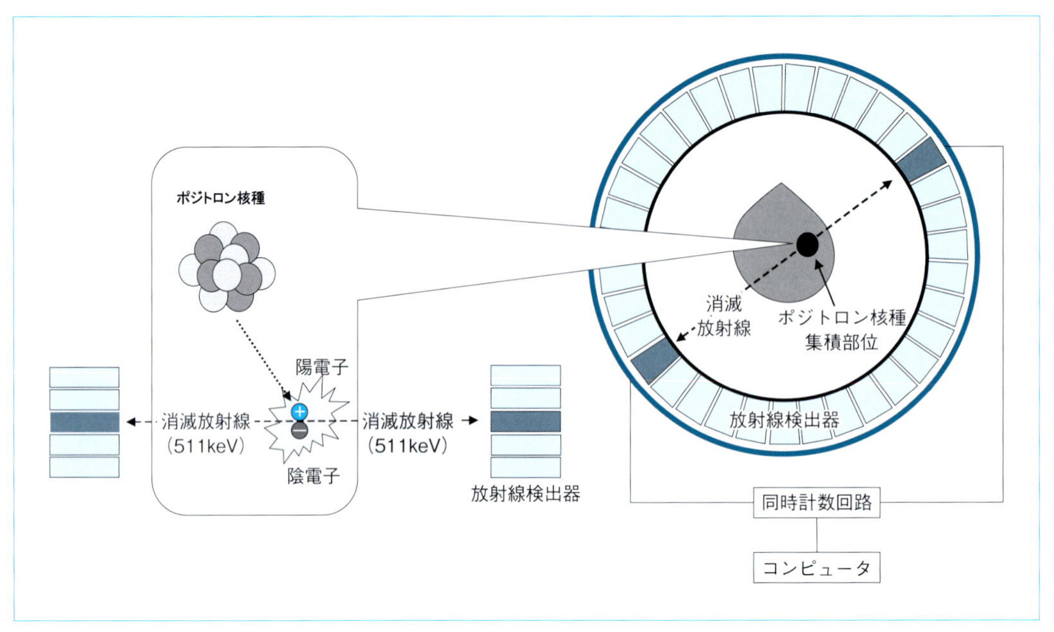

図 4-11-2　ポジトロンエミッション断層撮影法（PET）の原理
ポジトロン核種から放出された陽電子は近傍の陰電子と結合し消滅する．この際に 511 keV のエネルギーをもつ 2 本の消滅放射線を 180 度方向に放出する．これを装置内に配列された放射線検出器で同時計測することで薬剤集積部位を画像化する．

た陽電子と近傍の陰電子との衝突によって生じた 511 keV のエネルギーをもつ一対の**消滅放射線**を体外の放射線検出器で同時計数することで体内薬剤分布を画像化する（図 4-11-2）．PET 画像は解剖学的情報が乏しいため，CT と一体化した PET/CT 装置で撮影されることが近年では一般的になっており，PET 画像と CT 画像を重ね合わせること（**PET/CT 融合画像**）によって，薬剤集積部位の正確な同定が可能になった（図 4-11-3）．PET に利用されるポジトロン核種には，^{18}F，^{11}C，^{13}N，^{15}O などがあるが，このうち半減期 109.8 分の ^{18}F はがんの診断に広く利用されている．

3）口腔顎顔面領域における適応

(1) 骨シンチグラフィ・骨 SPECT

正常骨では，常に骨吸収と骨形成がバランスよく繰り返されているが（骨のリモデリング），病変部ではそのバランスが崩れる．**^{99m}Tc-リン酸化合物**は骨の無機質成分であるハイドロキシアパタイト（$Ca_{10}(PO_4)_6(OH)_2$）の成分であるリン酸イオンとのイオン交換により集積する．つまり，骨代謝のさかんな部位，特に骨形成部に強く集積する．静脈注射後 2〜4 時間で 50％以上が尿路系を介して体外へと排泄される．

骨シンチグラフィの撮像法はリン酸化合物に **^{99m}Tc**（テクネチウム 99m）を標識した ^{99m}Tc-MDP（methylene diphosphonate）または ^{99m}Tc-HMDP（hydroxymethylene diphosphonate）を成人においては 370〜740 MBq 静脈注射し，2〜4 時間後に撮像する．さらに SPECT 収集を行うことで，三次元情報を取得する．なお，尿中へ排泄された RI が骨盤部の画像に影響を与えるため，撮像直前の排尿が必要である．SPECT/CT 撮像は，CT 画像で解剖学的位置情報が得られるため，集積部位の診断に有用である．さら

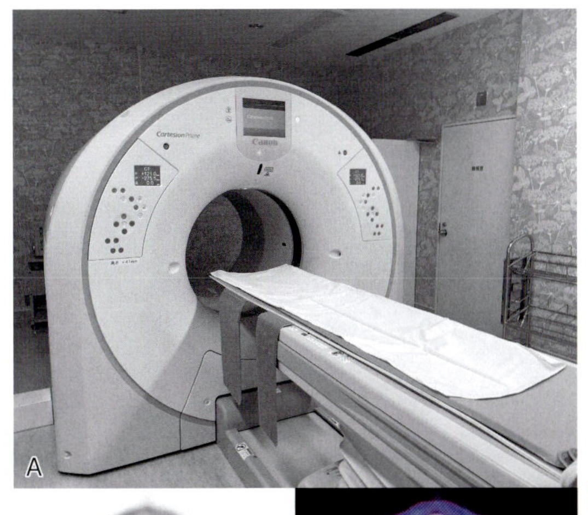

図 4-11-3　PET/CT 装置および PET/CT 画像
PET 画像と CT 画像が同時撮影できる PET と CT 一体型の撮影装置で，手前に CT 装置を奥に PET 装置が配置されている（**A**）．PET 画像（**B**）では周囲と比較して高い薬剤集積を示す領域が複数認められるが（赤矢印および黒矢印），集積部位の正確な同定は困難である．PET 画像と CT 画像を重ね合わせた画像（PET/CT 融合画像：**C**）では，赤矢印の集積は右上顎部に，黒矢印の集積は左内側翼突筋に相当することがわかる．

に，近年，集積部位を客観的に評価する定量評価の指標である **standardized uptake value**（**SUV**）が算出可能となり，口腔顎顔面領域疾患に対する臨床応用も始まった（図 4-11-4）．

骨シンチグラフィの特徴は全身検査が容易であり，X 線検査（30〜50％の脱灰がないと病変として認識できない）より病変検出感度が高いことである．悪性腫瘍の骨転移の検索，再発病変の経過観察や治療効果判定に関して有用である．近年，診断支援ソフトウエアが開発され，全身骨シンチグラフィから骨の輪郭を自動抽出し，正常データベースより集積が上昇している部位を抽出（カラー表示）することが可能になった（図 4-11-5）．BSI（bone scan index）などの数値を用いた評価が可能となり，骨転移の治療効果判定や経過観察に有用であるとされている．

顎骨病変においては，線維性異形成症では特徴的に強い骨への集積がみられ，単骨性・多骨性の判定が容易となる．また，顎骨骨髄炎や薬剤関連顎骨壊死の広がりや活動性，悪性腫瘍の顎骨浸潤の有無と範囲を知る目的でも利用される．さらに，近年，核医学において，**セラノスティクス**（theranostics）が注目されている．これは Therapeutics（核医学治療）と Diagnostics（核医学検査）を合わせた造語で，γ 線による画像診断と細胞障害性のある α（アルファ）線・β（ベータ）線による治療が一体化したものである．

(2) 唾液腺シンチグラフィ・唾液腺 SPECT

唾液を分泌する上皮細胞は，Cl^-，I^- などの一価の陰イオンを取り込み，濃縮する機能がある．**$^{99m}TcO_4^-$** も同様の機序で取り込む．取り込まれた $^{99m}TcO_4^-$ は投与後時間とともに集積するが，唾液とともに徐々に口腔内に排泄される．

唾液腺シンチグラフィの撮像法は $^{99m}TcO_4^-$ を 185〜370 MBq 静脈注射後より動態収集を約

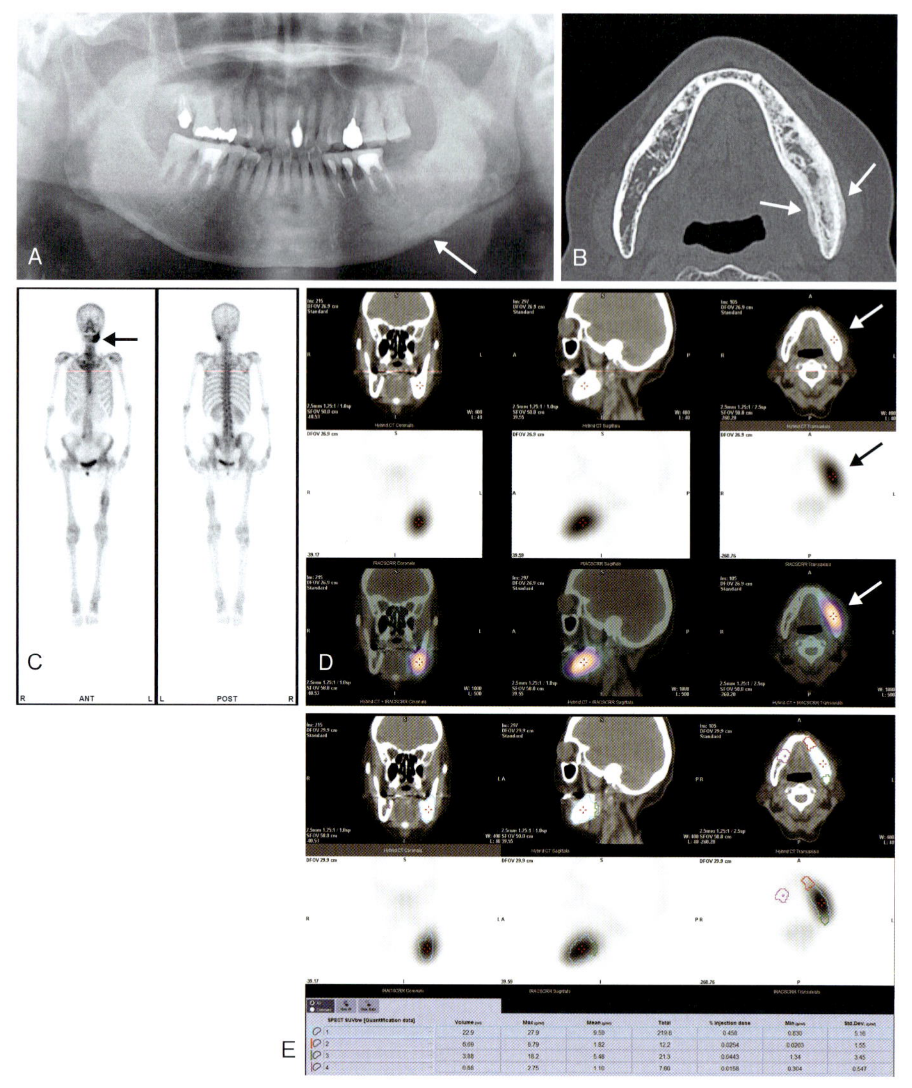

図 4-11-4　骨 SPECT/CT：左側下顎骨骨髄炎

A：パノラマＸ線画像．**B**：CT（骨表示画像）．**C**：プラナー画像．**D**：SPECT/CT 画像．上段はCT 画像，中断はSPECT 画像，下段はSPECT とCT の融合画像で，左から冠状断像，矢状断像，横断像である．下顎左側臼歯部に強い集積がみられる．**E**：集積部位を客観的に評価する定量評価の指標であるstandardized uptake value（SUV）が算出可能である．

30 分間行う．その後，レモン汁，クエン酸などの酸味剤を口腔内に投与し，唾液分泌刺激を行う．後に，耳下腺や顎下腺に関心領域（ROI）を設定し，**時間放射能曲線**（time activity curve）を作成することで，唾液腺の機能評価が可能である．**唾石症**（図 4-11-6）や **Sjögren 症候群**（図 4-11-7）の唾液腺機能の診断に有用である．

また，Warthin 腫瘍とオンコサイトーマでは，特異的に集積が増加することが知られている．さらに，近年，骨 SPECT/CT と同様に唾液腺 SPECT/CT でも SUV による唾液腺機能定量評価が行われている．

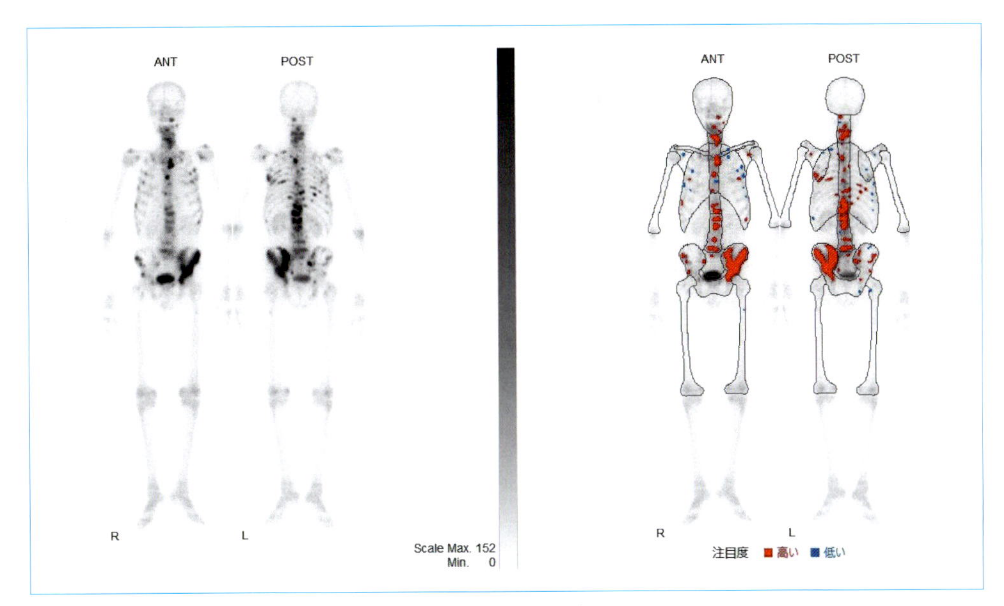

図 4-11-5 **骨シンチグラフィ（前立腺癌の多発骨転移）**
左の2画像は前面（ANT）・後面（POST）で，右の2画像は装置に付属した自動診断機能にて骨転移の有無を示唆している．

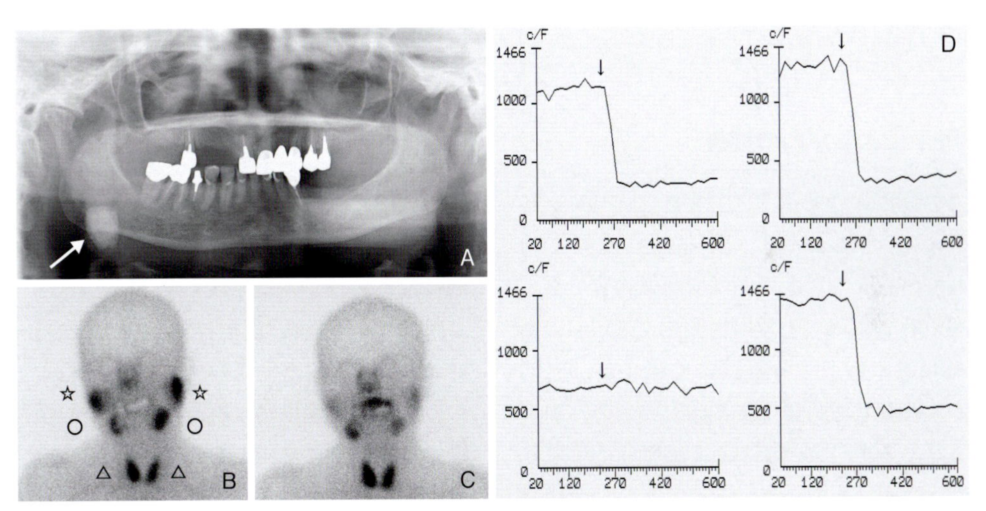

図 4-11-6 **唾液腺シンチグラフィ（右側顎下腺唾石症）**
A：パノラマX線画像．B：投与からの時間経過で撮像した画像．耳下腺（☆），顎下腺（○），甲状腺（△）が描出され，左右側の耳下腺と左側の顎下腺で時間とともに取り込みが増加すること，右側の顎下腺の集積が低いことがわかる．C：唾液の分泌を刺激した後に撮像した画像．左右側の耳下腺と左側の顎下腺で急激に集積が低下すること，右側の顎下腺の集積に著変がないことがわかる．D：時間放射能曲線は時間経過とともに集積量を評価したグラフで，唾液分泌刺激で右側の耳下腺（左上），左側の耳下腺（右上），左側の顎下腺（右下）で急激に集積が低下すること，右側の顎下腺（左下）で集積に著変がみられないことが分かる．

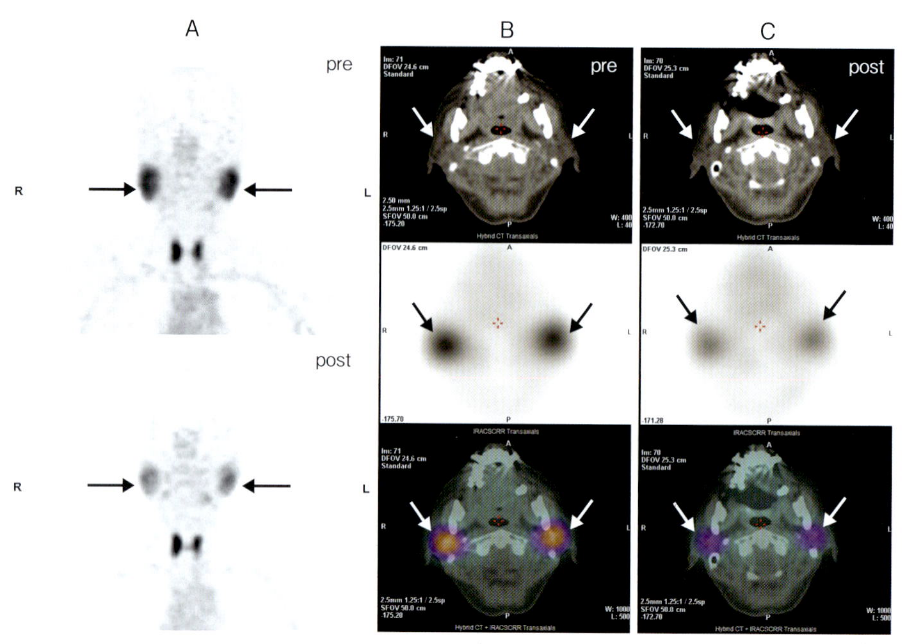

図 4-11-7　唾液腺 SPECT/CT（Sjögren 症候群）
A：MIP 画像．上段は唾液分泌刺激前の画像，下段は唾液分泌刺激後の画像．B：唾液分泌刺激前の SPECT/CT 画像（横断像）．上段は CT 画像，中断は SPECT 画像，下段は SPECT と CT の融合画像．C：唾液分泌刺激後の SPECT/CT 画像（横断像）．上段は CT 画像，中断は SPECT 画像，下段は SPECT と CT の融合画像．左右側の耳下腺で急激に集積が低下することがわかる．

(3) PET によるがんの検査

がんの診断のための PET 検査では ^{18}F-フルオロデオキシグルコース（^{18}F-FDG）が広く用いられている．これはブドウ糖類似物質である FDG を ^{18}F で標識した放射性薬剤で，がんのような糖代謝の亢進する組織に集積する．FDG は，がん細胞で過剰発現する細胞膜上のグルコーストランスポーターによって細胞質内に取り込まれ，ヘキソキナーゼによって 6 リン酸化される．FDG-6- リン酸は解糖系には移行しないため細胞内に蓄積される．このようにして集積した FDG 分布を画像化することでがん診断に活用している．

FDG-PET では糖代謝を画像化するために，食後や糖尿病などの高血糖状態での検査では，がん細胞への FDG 取り込みが低下し診断が困難となることがある．そのため検査前 4〜6 時間の絶食が必須となる．FDG 投与後は筋負荷による FDG 集積を避けるために 1 時間程度は安静にする（uptake time）．FDG は尿から排泄されるので撮影直前に排尿する．これによって膀胱の被曝線量を抑えるとともに画質の向上が期待できる．

PET では体内の放射性薬剤分布データを体外の放射線検出器で採取するため，体内深部からの放射線は検出器に至るまでにさまざまな組織で減弱を受けて検出しづらくなる．一方，体表面からの放射線は吸収をあまり受けない．このような体内における放射線吸収の不均一性を補正する必要があり，この処理を**減弱（吸収）補正**という．減弱補正によって消滅放射線の発生位置に依存しない正確な薬剤分布を知ることができる．PET/CT 装置における CT は解剖学的情報を提供するだけでなく，減弱補正データとしても利用されている．CT による減弱補正は外部線源を利用したものと比較して短時間で補正データが収集できるが，CT 上でのアーチ

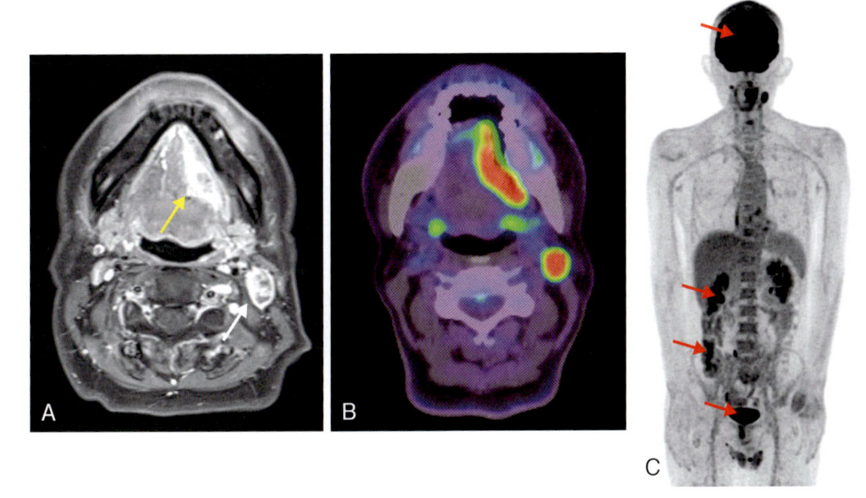

図 4-11-8　舌癌の FDG-PET/CT 画像
左舌癌の症例．脂肪抑制造影 T1 強調像（**A**）において左舌縁部に不均一な信号増強を伴う原発巣（黄矢印）および左上内深頸リンパ節転移（白矢印）が認められる．PET/CT 融合像（**B**）ではこれらに一致して FDG 高集積（舌原発巣：SUVmax＝20.5 および頸部転移巣：SUVmax＝16.1）が認められる．PET 全身像（**C**）ではこれらに加えて，脳，腎臓，腸管，膀胱への生理的集積（赤矢印）が認められる．

ファクト（金属アーチファクトなど）の影響を受ける．

PET では放射線性薬剤の集積分布だけでなく，集積程度を半定量的に評価することが可能で，これには **SUV** が用いられる．これは投与した放射性薬剤が体内に均一に分布すると仮定した場合の組織放射能濃度を 1 とし，関心領域の放射能濃度が何倍程度あるのかを示す指標であり，一般的には関心領域内の最大値である SUVmax が広く臨床に利用されている．

FDG-PET は CT や MRI のような解剖学的画像診断法とは異なり，糖代謝を画像化した機能画像である．また一度の検査で全身評価が可能であるために，CT，MRI と組み合わせることで，新たな診断情報を得ることが期待できる．がんの診断に関しては，原発巣および転移病変の検出による病期診断，術後の再発診断，放射線治療や化学療法の治療効果判定などに広く利用されている（図 4-11-8〜11）．また病変の良悪性鑑別にも有用であるが，FDG 集積は糖代謝の亢進を反映するものであるので，悪性病変以外にも炎症巣や一部の良性腫瘍への集積を認めることがあるので注意が必要である（図 4-11-12）．また，唾液腺や扁桃組織などの正常組織への集積（生理的集積）を認めることが知られている（図 4-11-13）．

(4) 核医学検査の被曝線量

A. シンチグラフィ・シングルフォトンエミッションCT（SPECT）

核医学検査では，患者に放射性同位元素を投与するため，患者は内部被曝をすることとなる．放射性同位元素は物理学的な半減期に基づいて減少するが，ある特定の臓器に選択的に集積するという点と，代謝とともに排泄されるという点に注意しなければならない．生体に投与された放射性医薬品は，目的とする部位に集積あるいは欠損として像を形成する．毒性がなく，被曝線量が少ないことが求められる．そのため，薬物としては体外に排泄されやすく，放射性同

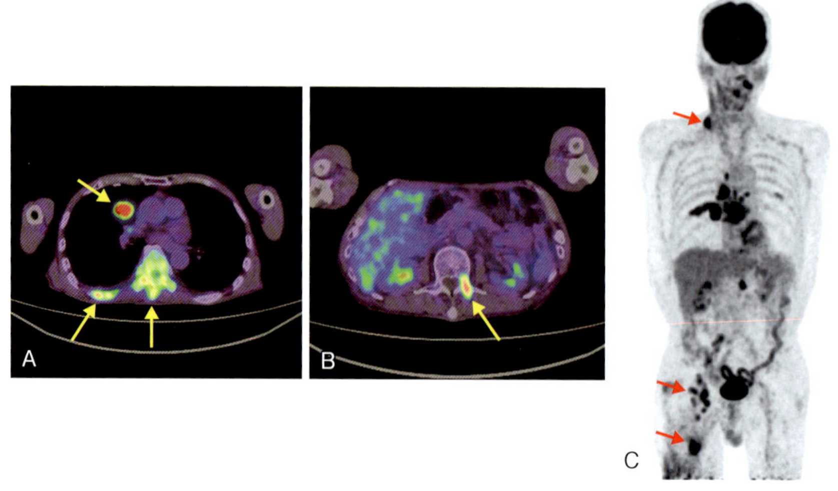

図 4-11-9　遠隔転移症例の FDG-PET/CT 画像

右舌下腺癌放射線治療後の遠隔転移症例．胸部レベルの PET/CT 融合像（**A**）にて右肺，右肋骨，胸椎に FDG 高集積（SUVmax＝10.1 など）が認められる．腹部レベルの PET/CT 融合像（**B**）では腰椎に FDG 高集積（SUVmax＝7.9）が認められる．PET 全身像（**C**）ではこれらに加えて，右頸部，右鼠径部，右下腿部にも FDG 集積が認められ，頭頸部領域以外にも多発性の転移の存在が示唆される．

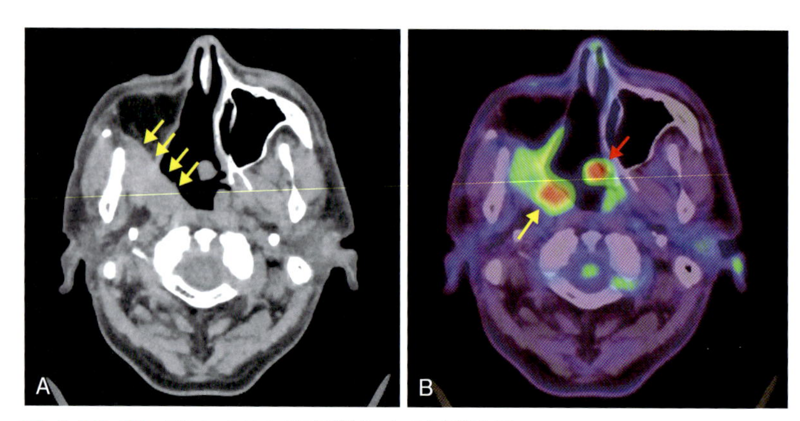

図 4-11-10　FDG-PET/CT 画像による再発診断

右上顎歯肉癌術後の症例．単純 CT 画像（**A**）で切除部後方から咽頭部にかけて肥厚した軟部濃度が認められる（黄矢印）．腫瘍再発が疑われるが，術後変形の存在を考慮すると形態画像である CT では評価が難しい．PET/CT 融合像（**B**）では同部に FDG 高集積（SUVmax＝7.5）を認めており腫瘍再発と診断される．他にも鼻腔にも病変が存在することがわかる（SUVmax＝8.7；赤矢印）．

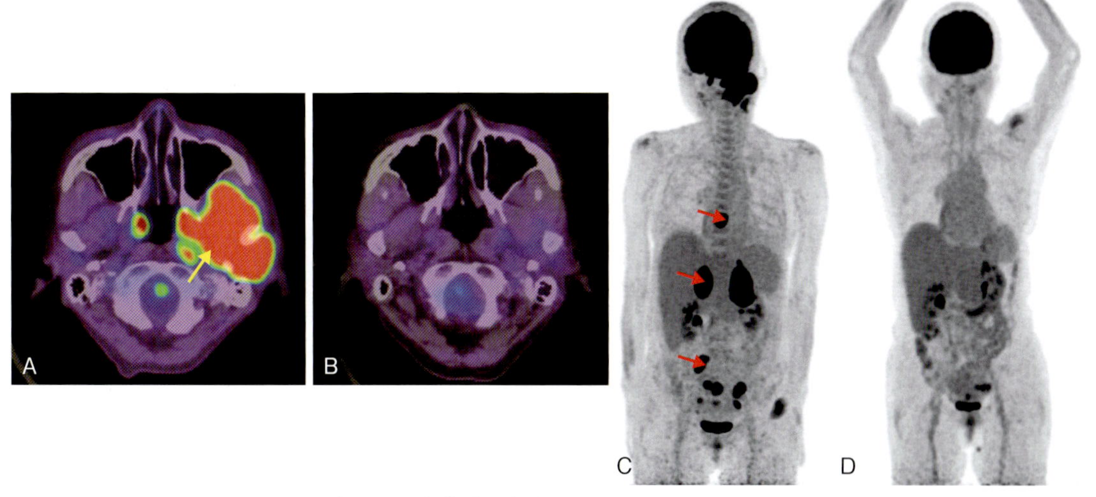

図 4-11-11　FDG-PET/CT 画像による治療効果判定
左咀嚼筋隙に発生した悪性リンパ腫の症例．術前 PET/CT 融合像（**A**）で左咀嚼筋隙に一致して FDG 高集積（SUVmax＝23.7；黄矢印）が認められる．化学療法（R-CHOP 治療）後 PET/CT 融合像（**B**）では左咀嚼筋隙の FDG 集積は消失している．術前 PET 全身像（**C**）では頭頸部領域の他にも縦隔部，副腎，腹部にも FDG 高集積病変が認められる．治療後 PET 全身像（**D**）ではこれらへの集積はいずれも消退しており，治療によってすべての病変が制御されている（CMR；Complete Metabolic Response）ことがわかる．

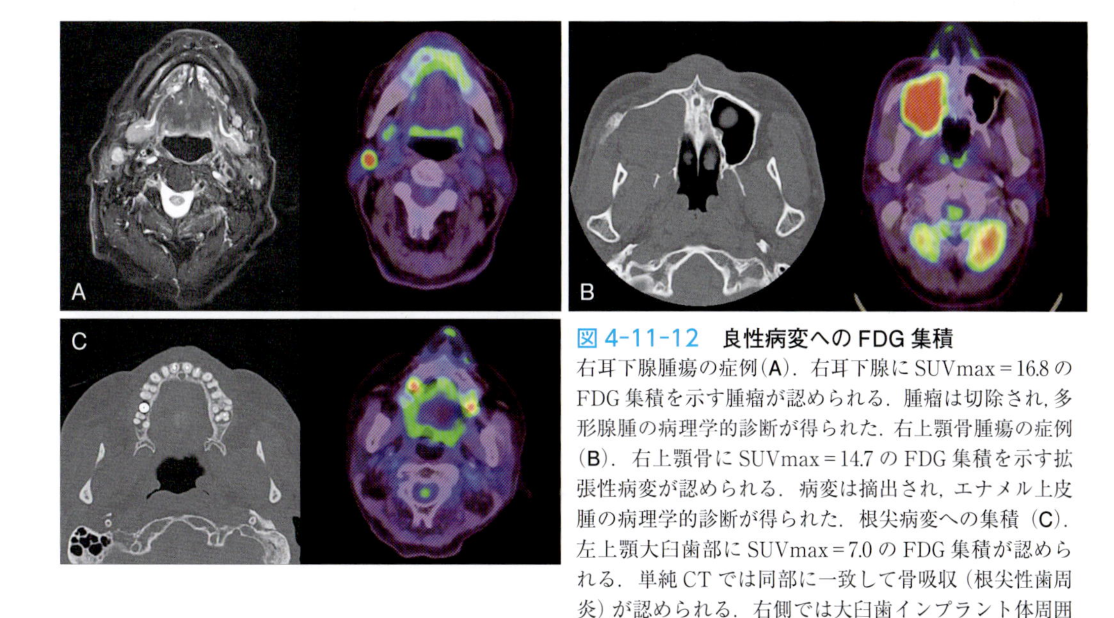

図 4-11-12　良性病変への FDG 集積
右耳下腺腫瘍の症例（**A**）．右耳下腺に SUVmax＝16.8 の FDG 集積を示す腫瘤が認められる．腫瘤は切除され，多形腺腫の病理学的診断が得られた．右上顎骨腫瘍の症例（**B**）．右上顎骨に SUVmax＝14.7 の FDG 集積を示す拡張性病変が認められる．病変は摘出され，エナメル上皮腫の病理学的診断が得られた．根尖病変への集積（**C**）．左上顎大臼歯部に SUVmax＝7.0 の FDG 集積が認められる．単純 CT では同部に一致して骨吸収（根尖性歯周炎）が認められる．右側では大臼歯インプラント体周囲に SUVmax＝7.3 の FDG 集積が認められ，インプラント周囲炎が疑われる．

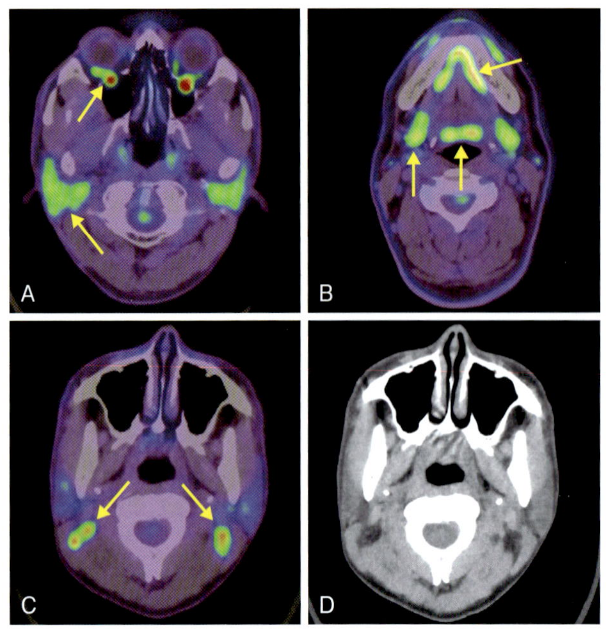

図 4-11-13　**頭頸部領域における生理的集積**
頭頸部領域にはさまざまな生理的 FDG 集積部位が存在する．左右対象性にみられることが多いが，画像診断をするうえで，これらの局在を知っておくことは重要である．頭頸部では前述の脳のほか，外眼筋および耳下腺，舌下腺，顎下腺，扁桃に認められることが多い（**A**，**B**）．PET/CT 融合像（**C**）では左右頸部にリンパ節への集積を疑わせる FDG 集積が認められるが，同部の単純 CT 像（**D**）ではリンパ節構造は認められず，脂肪様の低吸収領域のみである．褐色脂肪組織への生理的集積と考えられる．PET 画像上では転移リンパ節と間違えやすいので注意が必要である．

位元素としては半減期が短く，測定の効率や遮蔽の効果から適切なエネルギーの γ 線を出すものが望まれる．

口腔顎顔面領域でよく使用される放射性同位元素は ^{99m}Tc で，半減期は 6 時間である．吸収線量において，骨シンチグラフィ（^{99m}Tc-HMDP）は全身で 2.4 mGy/740 MBq，骨で 10.2 mGy/740 MBq である．唾液腺シンチグラフィ（$^{99m}TcO_4^-$）は全身で 1.1 mGy/370 MBq，甲状腺で 13.0 mGy/370 MBq である．また，SPECT/CT 装置の CT については，通常の診断用 CT の場合，高線量（管電流：100 mA～）で高画質になるように設計されているが，吸収補正用 CT は 10～30 mA で低被曝撮像を実現している．

B．ポジトロンエミッション断層撮影法（PET）

PET 検査における患者の被曝線量は，PET 部分での FDG からの被曝と PET/CT 装置であれば CT 部分での X 線被曝の合算になる．FDG からの被曝線量はおよそ 3.5 mSv 程度であるが，CT の被曝線量は減弱補正のみを目的とした低線量 CT であれば 1.4～3.5 mSv 程度，CT 診断レベルの画像を得る場合は 10～20 mSv 程度と増加する．このため，PET/CT での被曝線量は CT 部分の被曝線量によって大きく増減する．

術者の被曝は，放射性薬剤の調整，患者への薬剤投与時，薬剤投与後での患者の誘導，PET 撮影時などで発生する．PET 核種から放出される放射線のエネルギーは 511 keV と高く，鉛半価層はおよそ 4 mm 程度である．そのため防護エプロンによる遮蔽は有効ではなく，遠隔操作による距離の確保や業務のローテーションによる上記の作業時間の短縮が必要である．

12 interventional radiologyと内視鏡

1）歯科における interventional radiology

interventional radiology（IVR）（**画像診断的介入治療**）とは，画像診断のための検査技術を治療に応用する診療の分野で，診断と同時に**低侵襲治療**（minimally invasive therapy）が可能となる特徴がある．たとえば，肝癌の診断に有用であった肝動脈造影法は，CT や MRI などの出現によって診断法としての意義はかなり低下したが，その手技を利用して肝癌を栄養している血管を血管造影によって確認し，選択的に閉塞させて治療する方法が確立された．MRI や超音波検査などの画像診断機器や内視鏡を利用した低侵襲治療も，IVR の概念に含まれる．さらに生検術などを CT や超音波などの画像観察下に行う方法も，広義の IVR としてとらえられる．顎口腔領域でも，従来の診断手技から派生した種々の IVR がある．

血管造影手技を応用した口腔癌に対する**超選択的動注化学療法**（superselective intra-arterial infusion，図 4-12-1）は，口腔癌の栄養動脈を血管造影で診断して，造影用カテーテルをそのまま利用して抗腫瘍薬を注入する治療法である．これに放射線照射を併用することもあり，舌などの機能温存が可能な低侵襲治療となる．

唾液腺造影検査の手技を応用して，X 線透視下で唾石を確認しながらバスケット鉗子で唾石を摘出する方法や，閉塞性唾液腺炎に対して，X 線透視下で唾液腺造影を併用しながら唾液腺

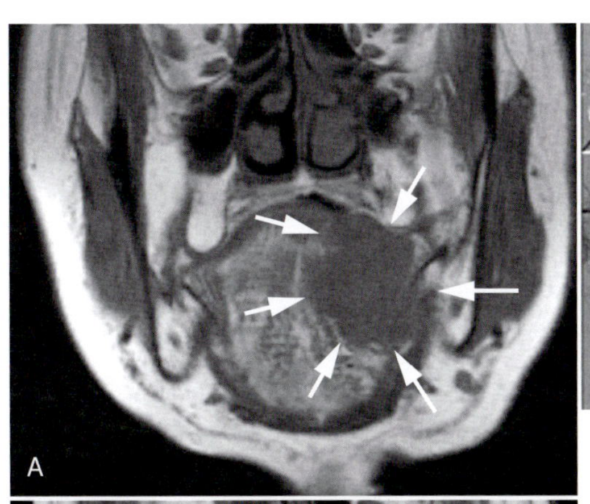

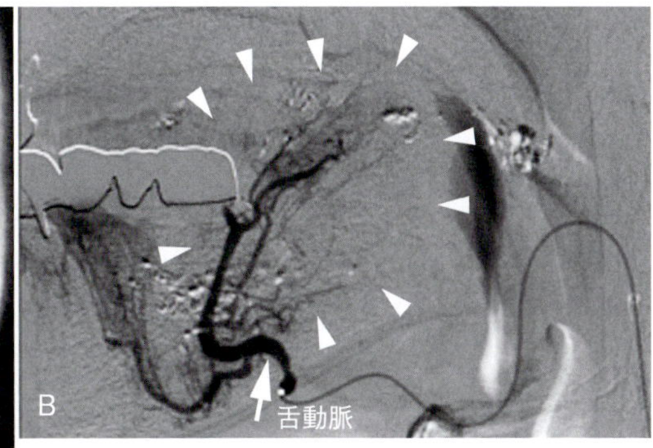

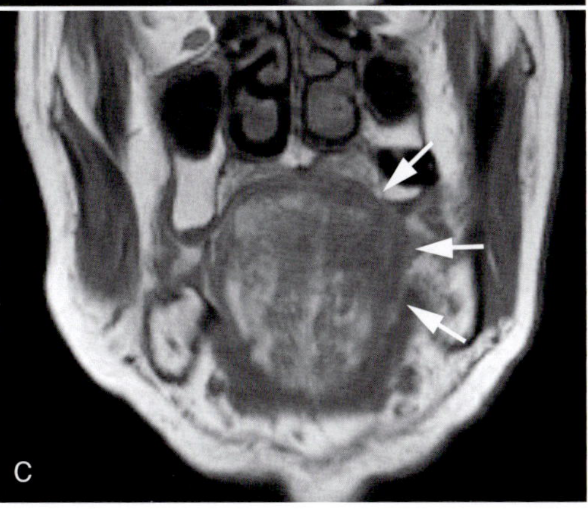

図 4-12-1　舌癌に対する超選択的動注化学療法
A：術前の MRI T1 強調像では，左側舌縁から正中近くまで内向性の腫瘍（矢印）がみられる．**B**：血管カテーテルを超選択的に舌動脈まで挿入した血管造影像．腫瘍組織（矢頭）を栄養している血流を確認して抗癌剤を注入した．**C**：放射線治療を併用した治療後には腫瘍は縮小し（矢印），生検では腫瘍細胞は消滅して線維組織に置換されていた（熊本大学大学院医学薬学研究部顎口腔病態学分野・篠原正徳名誉教授のご厚意による）．

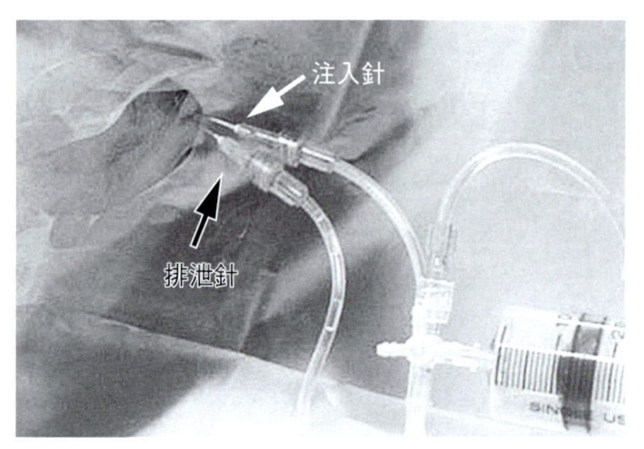

図 4-12-2　顎関節腔洗浄療法

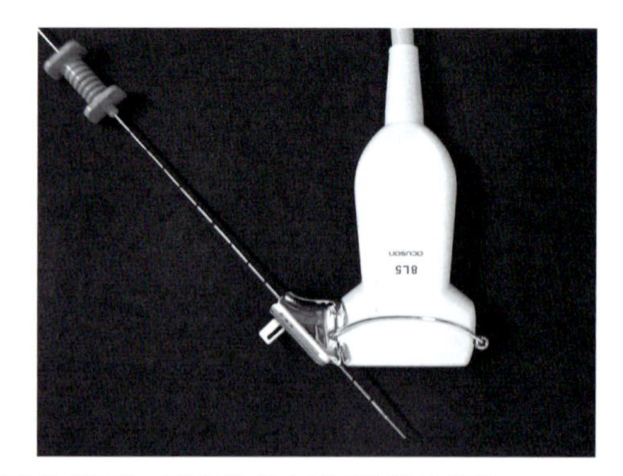

図 4-12-3　超音波ガイド下生検の器具
超音波検査装置のプローブに生検針を装着し，超音波像で確認しながら針生検を行う．

管の狭窄部をバルーンによって拡張する治療法も行われており，これらはinterventional sialographyとよばれる．このほかにも，Sjögren症候群などの口腔乾燥症に対して，耳下腺管内を生理食塩液やコルチコステロイド溶液で定期的に洗浄して口腔乾燥感を改善する唾液腺洗浄療法や，化膿性唾液腺炎に対する洗浄療法がある．

顎関節腔穿刺法を応用した治療法として，**顎関節腔パンピング・マニピュレーション療法**（pumping manipulation technique）と**関節腔洗浄療法**（arthrocentesis）がある．顎関節腔造影検査に引き続き実施することもあり，開口障害の改善と関節痛の改善を目的とする．パンピング・マニピュレーション療法は，顎関節腔に刺入した注射針を用いて，生理食塩液の加圧注入・吸引を繰り返す（パンピング）と同時に，徒手による強制開口練習（マニピュレーション）を行う．関節腔洗浄療法は，2本の注射針を上関節腔に刺入し，一方から生理食塩液を注入し，他方の注射針から排泄させる方法である（図4-12-2）．

超音波検査の動画像を観察して処置を行う**超音波ガイド下IVR**は，皮下膿瘍の切開・排膿処置，頸部リンパ節針生検，皮下腫瘤針生検などを行う（図4-12-3）．その他，**CTガイド下IVR**や**MRガイド下IVR**も，解剖学的に複雑な頭頸部深部の病変の生検術などに応用されている．

2）歯科における内視鏡検査

体内や体腔や外分泌腺の導管内に外部から光を誘導し，その内面を肉眼レベルで観察するための器具を**内視鏡**（endoscope）という．内視鏡は，外部で光を発生する光源装置，その光を誘導する光ケーブル，内視鏡，その生体画像を表示するためのCCDカメラやそのコントローラー，モニター，ビデオ画像を記録する録画機などから構成される（図4-12-4A）．先端部分がある範囲内で自由に曲がる軟性鏡（図4-12-4B）と曲がらない金属製の針状硬性鏡（図4-12-5）とがある．また，薬液を注入できる灌流チャンネルや，鉗子などの器具を挿入できる作業チャンネルを備えているものも多い．

顎関節への適応では，**関節鏡**（arthroscope）を関節腔に挿入して顎関節腔内面を観察する方法があり，外径が2.0mm前後の細い針状硬性鏡（図4-12-5）が開発されている．病態の診断のためだけではなく，生検，腔内の洗浄や癒着部位の剝離などの治療的な処置（**関節鏡視下手術**；arthroscopic surgery）が実施される．

唾液腺内視鏡（sialendoscope）は，唾液腺管に挿入して腺管内部を観察するだけではなく，唾石を摘出する低侵襲治療法に利用される（図

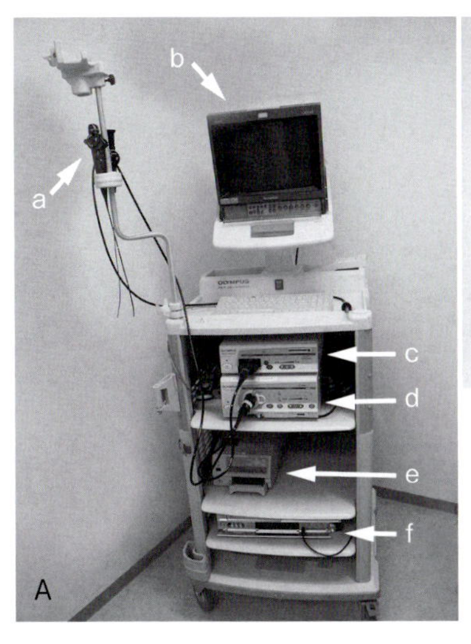

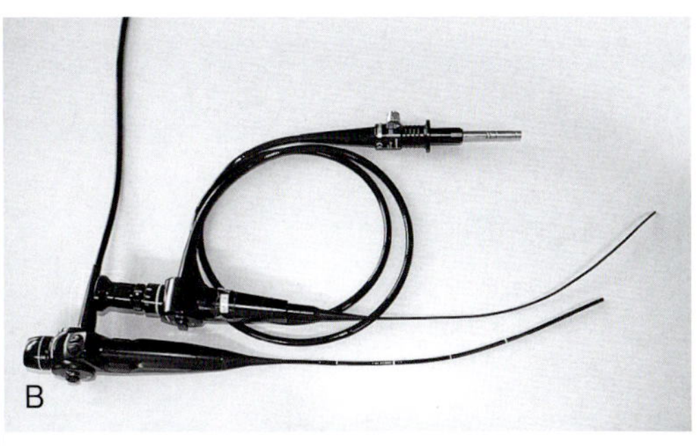

図 4-12-4　**内視鏡**

A：嚥下内視鏡検査システム．内視鏡（a），モニター（b），CCD カメラのコントローラー（c），光源装置（d），感熱紙プリンター（e），ビデオレコーダー（f）によって構成されている．B：軟性の鼻咽腔喉頭ファイバースコープ（北海道医療大学リハビリテーション科学部言語聴覚療法学科・木下憲治教授のご厚意による）．

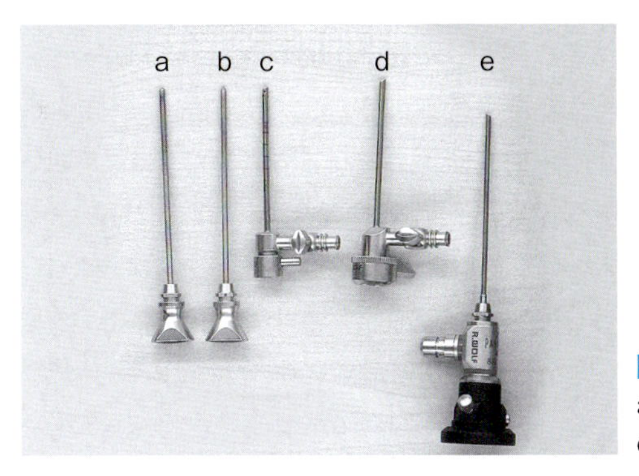

図 4-12-5　**顎関節用の針状硬性鏡のセット**

a：関節腔穿刺針（先端が鈍），b：関節腔穿刺針（先端が鋭），c：灌流用の外筒針，d：顎関節鏡用の外筒針，e：顎関節鏡．

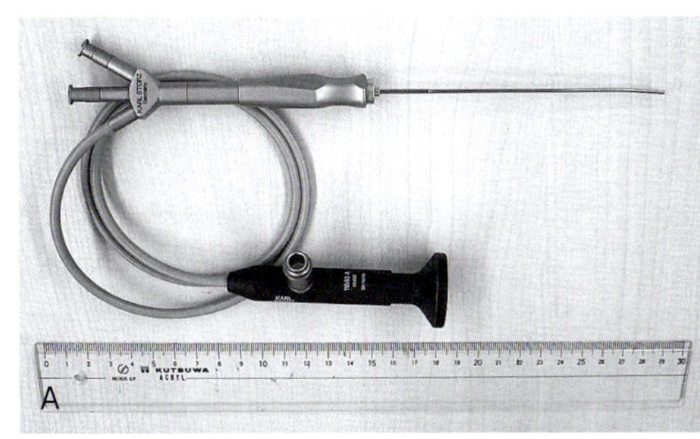

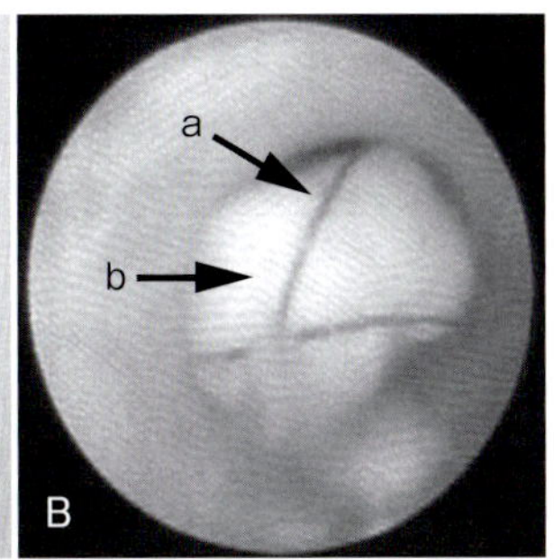

図 4-12-6　**唾液腺内視鏡**

A：唾液腺内視鏡．B：唾液腺内視鏡観察下にバスケット鉗子で顎下腺管内唾石を摘出している内視鏡像（a：バスケット鉗子のワイヤー，b：唾石）．

4-12-6）．

口腔癌手術後の嚥下機能障害などに対しては，軟性の内視鏡によって咽頭腔を観察する**嚥下内視鏡検査**（VE）が嚥下機能の評価に実施されている（図 4-12-4）．

内視鏡はそのほかに，上顎洞内の異物や残根を摘出する場合や骨折の整復などに使用される．歯髄腔内観察用の内視鏡や癌組織粘膜表層の微小血管構造を表示する狭帯域光観察内視鏡（narrow band imaging；NBI）も開発されている．

13 画像検査における医療安全

1）医療安全管理と画像検査

1999年頃より患者の生命に関わる医療事故が社会問題となり，医療事故防止に関するさまざまな取り組みが始まった．これにより，2006年に医療法の一部が改正（2008年交付）され，医療安全の確保のために個々の診療施設の中に医療安全システムを作ることが進められた．このシステムには，医療安全管理委員会を設置して医療事故の情報収集と安全に関する基本的な考えを周知し，医薬品安全管理責任者と医療機器安全責任者をおいて管理マニュアルの作成や研修会を実施することが含まれている．

なかでも，インシデント・アクシデントレポートによる医療現場の情報収集は重要とされ，診療施設の医療従事者全体で情報，および防止・解決策を共有することが，安全対策の基本となっている．インシデント・アクシデントには，歯科の放射線・画像検査に関する事例もある（表4-13-1）．

画像検査の安全に関連する事項には人間（医療スタッフや患者）に起因するものの他に，画像診断装置の不具合などに起因するものがあり，医療機器の安全管理も重要である．また，検査で得られる画像の品質（画質）を管理することも，診断エラーを減らすことを通じて医療安全に寄与する．

なお，放射線被曝に関する医療安全については別項（第2章5「医療における放射線防護」）を参照されたい．

2）画像診断装置の安全管理

X線撮影などの画像診断に用いる機器は管理医療機器（クラス2）に属するため，保守点検，修理その他の管理に専門的な知識および技能が必要とされる．機器の性能を適切に維持するために，各装置に定められた項目について，診療スタッフが毎日行う日常点検と年に数回のメーカー（販売業者）が行う定期点検が実施される．

X線撮影装置の性能が不安定なら画像検査の安全な実施や画像診断の精度に大きく影響する．画像データベース（PACS）などのコンピュータ機器に問題がある場合，個人情報を含む診療データの消失や漏洩により医療情報の安全が脅かされる．このため，医療機器に対して適切な形で保守点検を行わなければならない．

歯科臨床で用いられる主な画像検査装置とし

表4-13-1　放射線・画像検査に関するインシデント・アクシデントの例

インシデント・アクシデント（例）	対策（例）
パノラマX線撮影時に，姓の同じ患者を取り違えて撮影した	患者をフルネーム（氏名）で確認する
口内法X線撮影で，上下顎の同名歯を間違えて撮影した	治療中の歯の部位を患者に聞いて確認する
口内法X線撮影で，術者の指を患者（患児）に噛まれた	検出器の保持具を用いて，患者の口腔内に指を入れない
歯科用CT撮影時に患者が動いたため，画像がブレて再撮影となった	患者は座位で撮影する．撮影（照射）前に，患者への声かけで動かないように指示する
口内法X線撮影で，口内法撮影装置のヘッドが静止せずに動いて，患者の頭部に衝突した	撮影装置の日常点検で不具合の兆候があれば，使用を停止して修理する

表 4-13-2　歯科 X 線装置の日常点検項目（○＝実施する）

	口内法 X 線撮影装置	パノラマ X 線撮影装置	頭部 X 線規格撮影（セファロ）装置	歯科用コーンビーム CT 装置
装置の外観に異常がないこと	○	○	○	○
装置の起動と終了が正常であること	○	○	○	○
X 線照射スイッチの動作が正常であること	○	○	○	○
機械可動部に異常がないこと	○	○	○	○
	X 線ヘッド，支持機構の円滑な動作と位置決め時の静止	円滑なアームの回転と本体上下動	検出器の円滑な動作（スキャン方式の場合）	円滑なアームの回転と本体上下動
頭部固定具に異常がないこと		○	○	○
位置付けビームの点灯が正常であること		○	○	○
操作パネル（画面）の表示が正常であること	○	○	○	○
データ保存容量に余裕があること	○	○	○	○
「使用中」表示灯の点灯が正常であること	○	○	○	○
撮影室の清掃ができていること	○	○	○	○

（岡野友宏・他，2012[1] より一部改変）

ては，口内法 X 線撮影装置，パノラマ X 線撮影装置，頭部 X 線規格撮影（セファロ）装置，および歯科用コーンビーム CT 装置があげられる．定期点検の必要な項目は撮影装置により異なるが，X 線発生機構に関するものとしては，X 線出力の直線性と再現性，管電圧・管電流・照射時間・管電流時間積の正確度，照射野の形状と大きさ，および線量があげられる．それぞれの診療期間における日常点検の項目を表 4-13-2 に示す．

フィルムを用いた X 線写真の場合は写真処理（現像）に関する保守管理が重要となる．X 線写真の写真処理に関する品質保証には，以下のような点検項目が含まれる．

- 暗室の光漏れや安全光の点検
- 自動現像器のフィルム搬送と現像液の温度設定
- 現像液の定期的な交換，および劣化状況の点検
- 定着液の定期的な交換，および水洗が不足していないかの点検

3）画像の品質管理

病変を見落としたり他の病変と間違えたりする診断エラー（いわゆる誤診）をなくすことは，医療安全のため重要である．診断エラーの発生に最も深く関係するのは診断者の経験や技能で

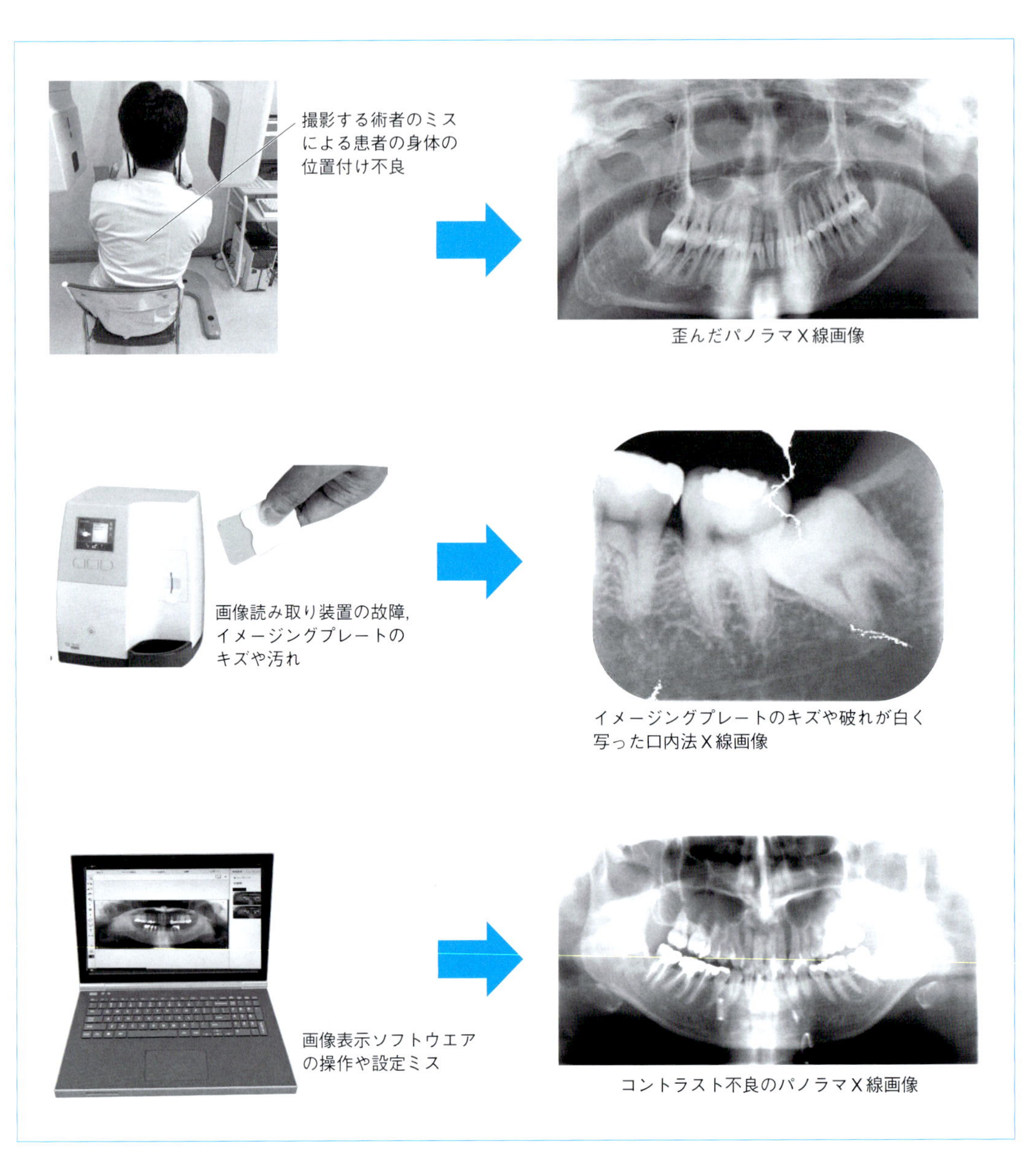

図 4-13-1　**画像品質低下の原因と結果（X 線画像）**

あるが，画像の品質も診断に影響する．

画像の品質に影響するものは撮影者の技術，検査装置ハードウエア，画像（解析）ソフトウエア，画像表示装置（モニタ）など，多岐にわたる（図 4-13-1）．

画像の品質を評価する方法の1つは，検査対象の解剖構造や病変が「よく見える」か「見えにくい」か，観察者が主観的に判断することである．より客観的に診断画像を評価する方法としては，テスト用の被写体を撮影して画像の解像度（空間分解能）や濃度階調（コントラスト分解能）を調べる方法がある（図 4-13-2）．

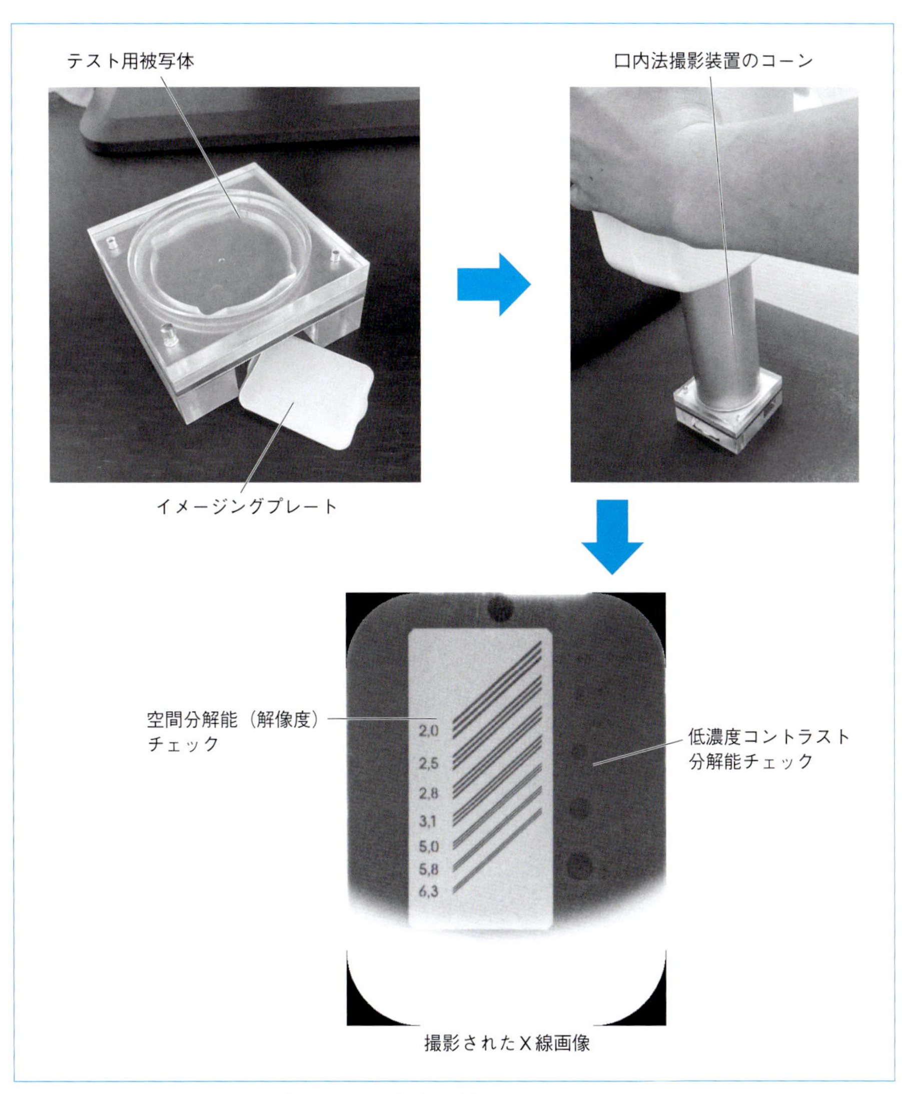

図 4-13-2　テスト用被写体による口内法 X 線画像のチェック

4）X 線撮影時の感染対策

(1) 感染対策の考え方

歯科診療の環境は感染物質にさらされており，画像検査を含むあらゆる診療に**感染対策**（infection control）が重要である．感染物質とは，生体物質，汚染された器具，装置，床や壁などの環境表面，水および大気などを意味する．観血的処置となることが少ない歯科放射線領域の診療では，感染予防に対する認識が低くなりがちである．しかし，各種造影検査では，出血を伴う皮膚や粘膜への刺入が行われる．また，日常歯科臨床で繁用される口内法 X 線撮影では，感染源となる血液が混じった唾液と接触する．これは，患者から術者への感染，および器具や手指を介して第三者への交叉感染の危険があることを意味しており，その予防が必要である．

2019 年に始まった COVID19（コロナウイル

表 4-13-3　歯科放射線診療の感染リスク

感染リスク	感染源との接触	例
高い	組織の穿孔や血液との接触を伴うもの	造影検査およびIVR（血管，唾液腺，顎関節腔ほか） 抜歯直後や手術中の口内法X線撮影 外傷患者の口外法X線撮影
やや高い	組織の穿孔や血液との接触はないが粘膜や唾液との接触を伴うもの	通常の口内法X線撮影 口腔内プローブによる超音波検査
低い	健常な皮膚との接触のみ	パノラマおよび頭部X線撮影，CT，MRI，超音波検査など

ス感染症）の世界的流行は，歯科診療にも影響を与えた．このような飛沫あるいはエアロゾルによる感染症の流行下における歯科の画像検査に関して，日本歯科放射線学会から以下のような対応が推奨された．

- 歯科X線撮影全般として，緊急性のない症例に対しては原則として行わない．
- 緊急性があり撮影が必要な場合であっても，口内法X線撮影は唾液やエアロゾルが感染経路として懸念されるため行うべきではない．
- やむを得ず口内法撮影を行う場合は，個人防護具（PPE）等，十分な感染対策のもとに撮影を行う必要がある．
- 口内法の代替として，パノラマX線撮影あるいは歯科用コーンビームCT（CBCT）が利用可能である．

また,顎骨歯列を3～5つの領域に分けて部分的なパノラマX線撮影を行う部分パノラマ撮影（p.132,「部分パノラマ撮影」参照）は，口内法X線撮影の代替法として有用である．

歯科放射線領域の検査における**感染リスク**をまとめた表を示す（表 4-13-3）．

感染対策は，患者から歯科医療従事者，歯科医療従事者から患者，患者から患者へ，病気が伝播する可能性を防ぐ，あるいは減らすことが目的となる．また，感染症患者のみを特別に扱うのではなく，すべての患者に同じように対応するという，**スタンダードプリコーション**の概念をもって感染防止に取り組む必要がある．

現在日本には歯科放射線領域の診療における感染防止の具体的なガイドラインはない．感染対策に熱心な米国では，1990年代より感染防止に関するいくつもの勧告や指針が提示されている．2003年に**米国疾病管理予防センター**（National Center for Chronic Disease Prevention and Health Promotion；CDC）より歯科放射線領域を含む歯科臨床における感染防止法についての指針（改訂版）が出された．本項ではこの指針に沿った感染防止法を，口内法およびほかのX線撮影について概説する．

感染症として問題となるBおよびC型肝炎，梅毒，結核，MRSA感染症，AIDSなどの感染源微生物は，患者の血液，唾液，組織などに含まれ，皮膚の傷や粘膜との接触および飛沫の吸入などにより感染の危険を生じる．

歯科放射線領域では，撮影検査装置を使用することなどに独特な側面をもつが，主要な感染防止の目的は通常の歯科診療と同様の滅菌消毒および**カバー（バリア）テクニック**の使用により達成される．

滅菌消毒法は，対象物と病原微生物の種類によって異なってくる．表 4-13-4に結核菌，梅毒トレポネーマ，MRSA，HIV，HBV，HCVウイルスに有効な消毒法の一例を示す．

(2) 口内法X線撮影の感染対策

口内法X線撮影では，術者の手指が患者の唾液や口腔粘膜に接することが多い．撮影時にはディスポーザブルの手袋着用が原則である．撮

表 4-13-4　消毒法

消毒対象	結核菌	梅毒トレポネーマ	MRSA	HIV	HBV・HCV
手指消毒	ラビング法（擦式法）：一定量の消毒薬（アルコール製剤）を手掌に取り，乾燥するまで摩擦し消毒する方法 スクラブ法（洗浄法）：洗浄剤を配合した消毒薬と流水によって手指を消毒する方法				
金属小器具	エタノール清拭後 オートクレーブ滅菌	グルタール浸漬後（60 分以上） オートクレーブ滅菌			
プラスチック類	エタノール清拭後 ガス滅菌	グルタール浸漬後 ガス滅菌			
撮影室， 撮影装置	クロルヘキシジンまたはエタノール清拭		エタノール清拭	エタノールまたはグルタール清拭	グルタール清拭

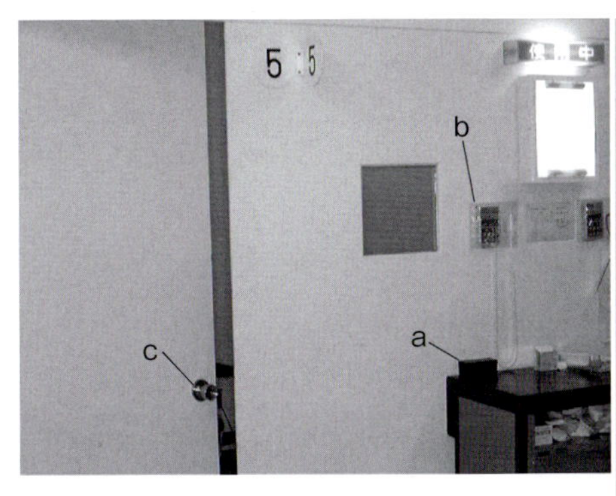

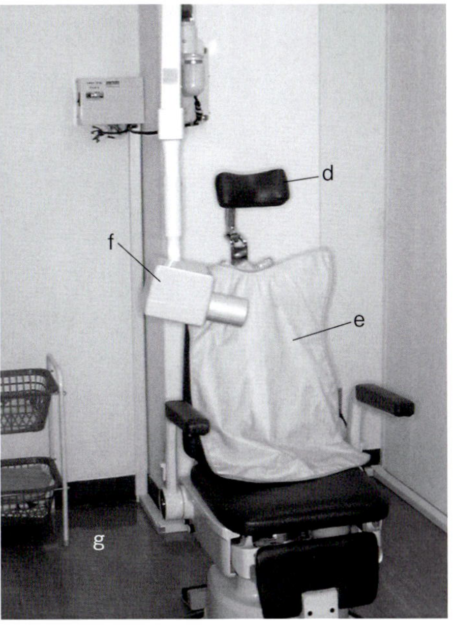

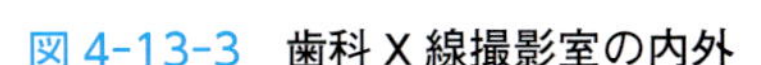
図 4-13-3　歯科 X 線撮影室の内外
テーブル（a），コントロールパネルと照射スイッチ（b），ドアのノブ（c），チェア（d），防護エプロン（e），ヘッドとアーム（f），床（g）など，さまざまな箇所に汚染の危険性がある．

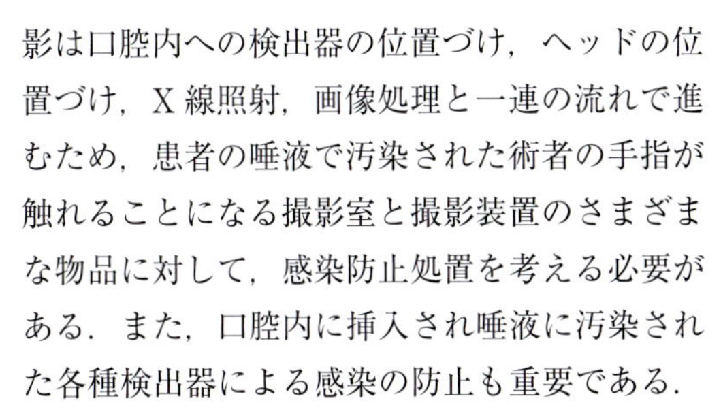

影は口腔内への検出器の位置づけ，ヘッドの位置づけ，X 線照射，画像処理と一連の流れで進むため，患者の唾液で汚染された術者の手指が触れることになる撮影室と撮影装置のさまざまな物品に対して，感染防止処置を考える必要がある．また，口腔内に挿入され唾液に汚染された各種検出器による感染の防止も重要である．

A. 撮影室と撮影装置

歯科 X 線撮影室において汚染の危険がある箇所は，室外ではテーブルとその上の物品，X 線撮影装置のコントロールパネルと照射スイッチ，撮影室ドアのノブなどである（図 4-13-3）．室内では，患者が座るチェア，防護エプロン，術者が触れるヘッド，アームなどである．診療室の床も唾液などの飛散により汚染される可能性がある．

これらの汚染対策としては，薬液消毒およびカバー（バリア）テクニックの応用が有効である．器具などの消毒はエタノールやグルタールに浸した布やペーパータオルによる清拭あるいは噴霧によるが，電気器具へのスプレー使用は避けるべきである．バリアテクニック専用のカバーも供給されているが，ディスポーザブルの食品用透明ラップフィルムやビニール袋による

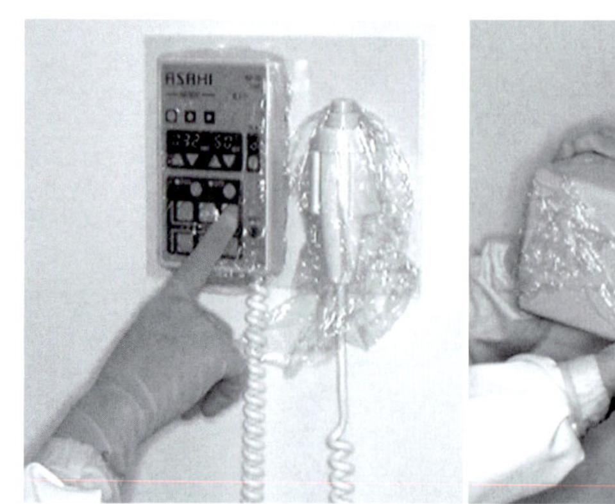

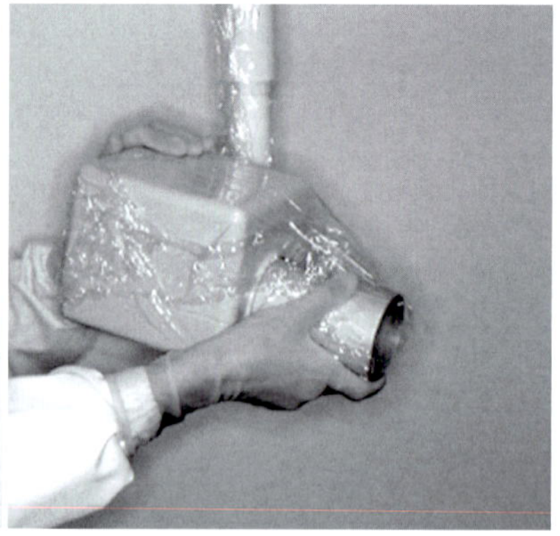

図 4-13-4　ラップフィルムでカバーしたコントロールパネル，照射スイッチ，ヘッド，アーム

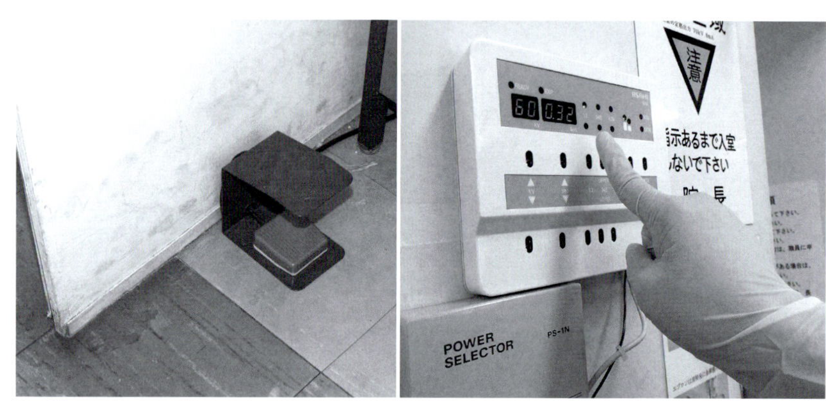

図 4-13-5　足で操作するタイプの照射スイッチ（フットスイッチ）（左）と非接触型のコントロールパネル（右）

カバーで十分に代用できる．撮影装置では，術者が汚染された手袋で触れる可能性のある部分，すなわちコントロールパネル，照射スイッチ，ヘッド，アームをカバーする（図 4-13-4）．照射スイッチを足で操作するタイプ（**フットスイッチ**）にしたり，コントロールパネルを直接触れずに指を近づけるだけで作動するタイプにしたりすることも汚染対策として有効である（図 4-13-5）．撮影機器，撮影室ドアのノブ，テーブル表面や床の消毒は，毎日の診療前あるいは診療後に行う．**防護エプロン**は口腔外に流出した唾液が付着する可能性が高いので，患者ごとに清拭消毒する．装置などのカバーも患者ごとに交換することを原則とし，患者の入室前に装着して撮影終了後に除去して処分する．また，カバーを用いなかった場合や唾液や血液による汚染を生じた場合は，患者の撮影終了後，ただちに汚染の除去と消毒を行う．

B．保持具を用いた口内法 X 線撮影

撮影に用いる検出器，バイトウイング（咬翼），バイトブロック，保持具などの機材は，カバーをしたテーブルまたはペーパータオルなどの上にあらかじめ準備する．このうちディスポーザブルではないものは加熱あるいはガス滅菌などをしておく．また，撮影後の汚染されたフィルムやイメージングプレートを運ぶ紙コップやトレーも準備しておく．撮影時には，撮影装置やチェアのカバーされた部分以外に触れないよう

に注意する．撮影済みのフィルムやイメージングプレートは紙コップやトレー内にまとめて保存する（図 4-13-6）．

保持具は，本体が耐熱性の場合は高圧蒸気またはガス滅菌する．保持具には患者が噛んで保持する X 線照射の位置決めを兼ねたインジケータタイプのもの，および歯ブラシのようにグリップを握って検出器を保持する歯ブラシタイプのものがある．撮影時には，それぞれ使い捨てのビニール袋などでカバーし，保持具と検出器が直接汚染されないようにする．インジケータタイプの保持具をカバーする手順を図 4-13-7 に，歯ブラシタイプの保持具をカバーする手順を図 4-13-8 に示す．

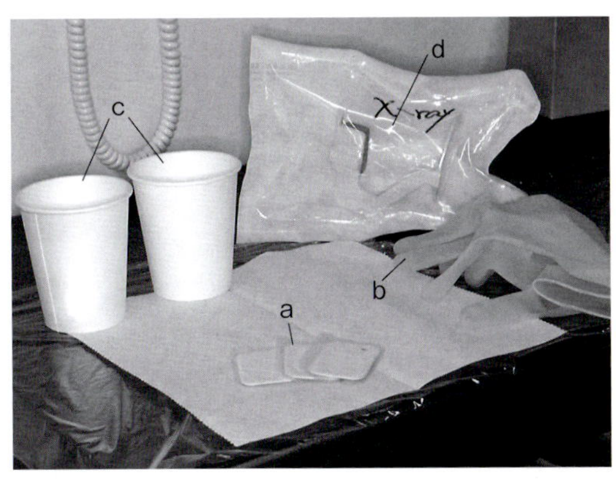

図 4-13-6　口内法 X 線撮影の準備
フィルムまたはイメージングプレート（a），手袋（b），撮影後の検出器を運ぶ紙コップ（c），滅菌した保持具（d）などを，カバーをしたテーブルやペーパータオルの上に準備する．

C．口内法 X 線フィルムの感染防止

フィルムを用いて撮影する場合，患者の口腔内に挿入される口内法 X 線フィルムの感染防止は特に重要である．パケット（外装）に唾液が付着したフィルムを素手で現像すると，術者の手指のみならず，内部のフィルム面も汚染される．さらに，現像機の表面や内部の薬液，および汲み置きの水洗水を汚染し，同じ現像機（あるいは写真処理薬液）を使用するほかのフィルムを媒介として汚染が拡大するおそれがある．現像された X 線写真には医療従事者以外も触れる可能性があり，汚染されないように特に留意する必要がある．

写真処理（現像）時の感染防止テクニックは，口内法 X 線フィルムをパケットごと覆う汚染防止カバーを使う場合と，使わない場合に分けられる．口内法 X 線フィルムにはあらかじめカバーされた状態で供給されるものがある（図 4-13-9）．撮影後は汚染された手で触れること

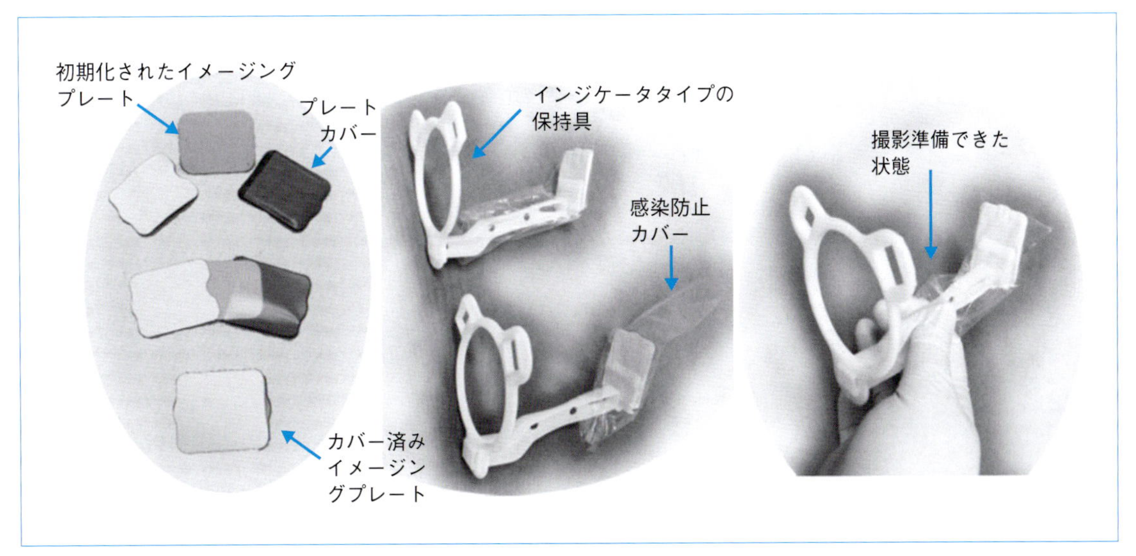

図 4-13-7　インジケータタイプの保持具をカバーする手順

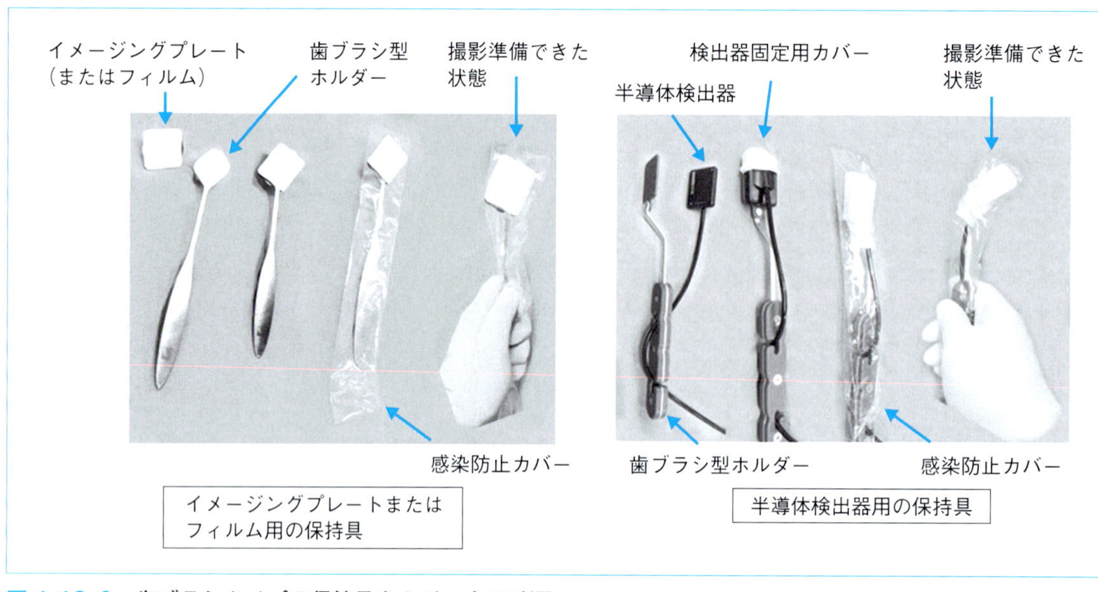

図 4-13-8　**歯ブラシタイプの保持具をカバーする手順**

なくカバー内部のフィルムパケットを取り出せるように工夫されている．

フィルム用カバーを使用した場合，現像操作における感染防止の手順が簡単になる利点がある．撮影後の感染防止操作は，明るい場所でカバーを破り，フィルムパケットを清潔な場所へ取り出すだけである．このとき撮影に使用した手袋がパケットに触れないように注意する必要がある．取り出されたフィルムは清潔なので，撮影に使用した手袋を外して素手でフィルムパケットを取り扱って現像する（図 4-13-10）．この方法は，フィルムパケットに針を刺して薬剤を注入するインスタント（1 浴）現像法にも利用できる．

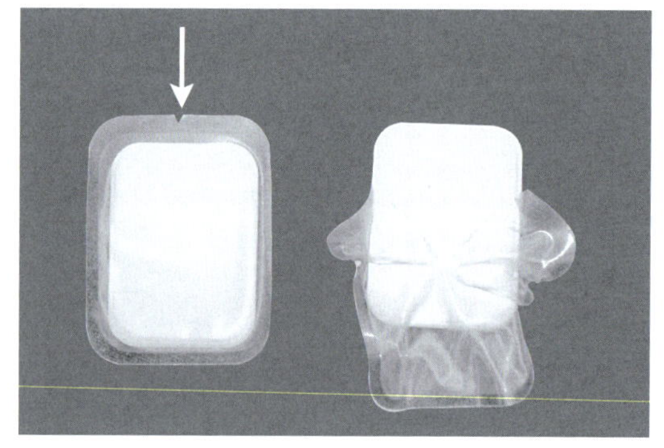

図 4-13-9　**口内法フィルムをパケットごと覆うカバー**
撮影後は，カバーを左右に引っ張って上部の切れ目から破り，汚染された手で触れることなく，内部のフィルムパケットを取り出せる．

パケットを覆うカバーなしで撮影した場合は，撮影済みフィルムを厳重に消毒する方法，またはパケット内の生フィルムを暗所で手に触れずに取り出す方法が用いられる．前者の場合，撮影済みフィルムに付着した血液や唾液を洗浄（あるいはペーパータオルなどで除去）した後で，グルタール液などに十分な時間，浸漬する必要がある．浸漬時間は最低10〜60分必要なので，早急に画像が必要な場合は不便である．後者では，撮影に使用した手袋を装着したまま暗室あるいは暗箱内でフィルムパケットから生フィルムを取り出す．暗室あるいは暗箱内には，パケットから取り出された生フィルムを入れる清潔な紙コップ，トレー，ペーパータオルなどをあらかじめ準備しておく．紙コップなどに入れて運んだ撮影済みフィルムを持ち，手袋がパケット内のフィルムに触れないように，下に置いた紙コップなどの上へ生フィルムを落とすよ

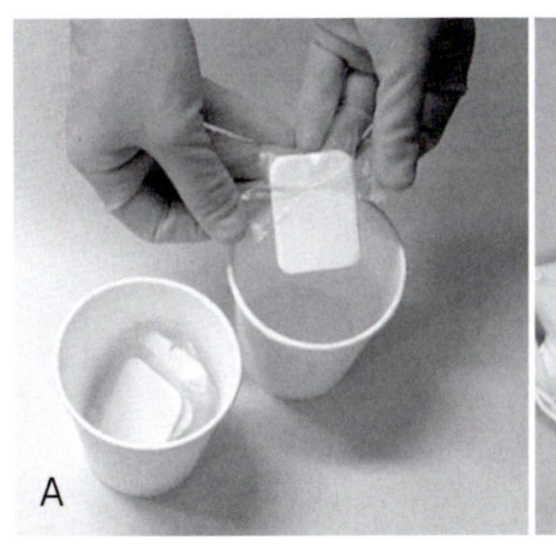

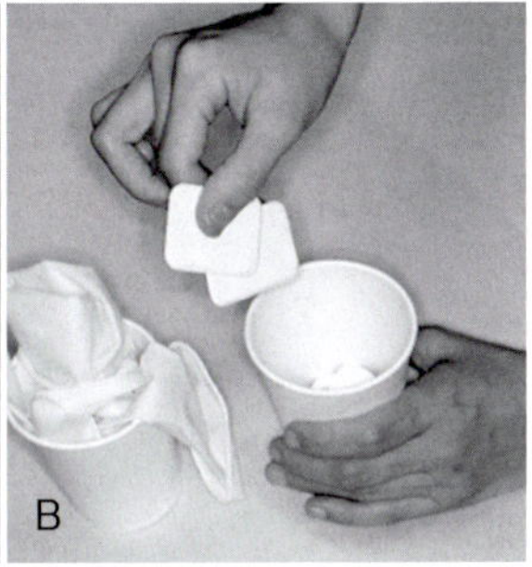

図 4-13-10　**カバーを使用したフィルムの現像操作**

A：撮影後，撮影に使用した手袋をしたまま，明るい場所でカバーを破りフィルムパケットを取り出す．

B：後は手袋を外してフィルムを取り扱う．

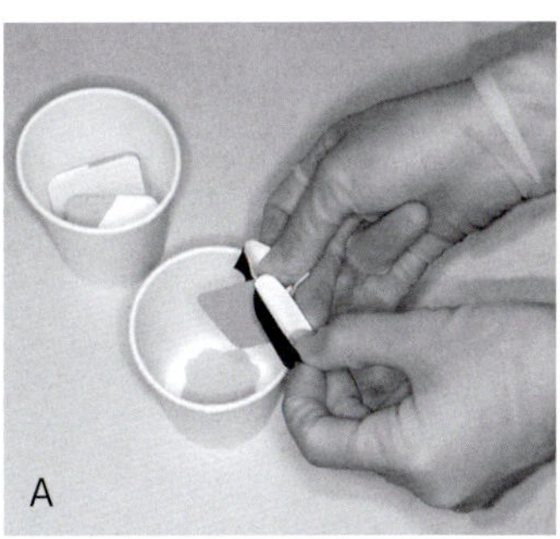

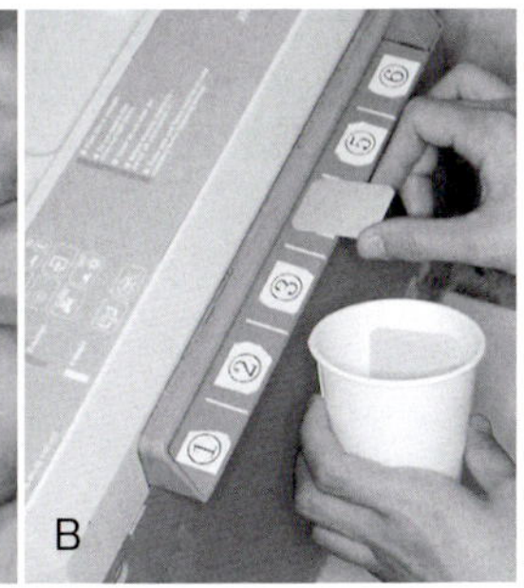

図 4-13-11　**パケットを覆うカバーをしなかったフィルムの現像操作**

A：暗室あるいは暗箱内でフィルムパケットから生フィルムを清潔な紙コップ内に落とし出す．このときフィルム面に手袋が触れないように注意する．

B：この後，手袋を脱いで素手でフィルムを持ち現像する．

これらの操作は暗室あるいは暗箱内で行われるので，細心の注意が必要となる．

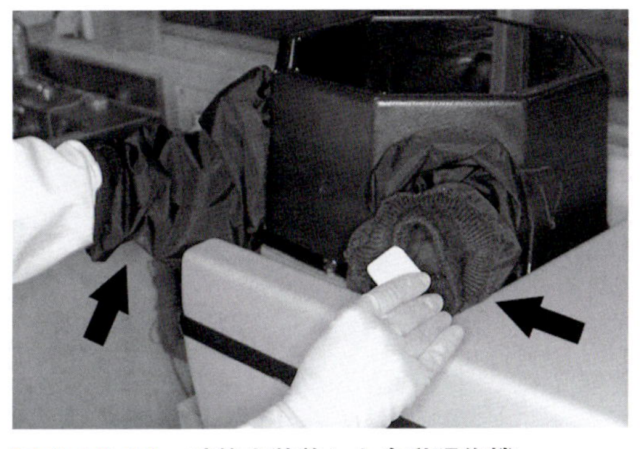

図 4-13-12　**暗箱を装着した自動現像機**

腕の出し入れ口の遮光カバー（矢印）が汚染されやすい．

うにする．この後，手袋を脱いで素手でフィルムを持ち現像することになる（図 4-13-11）．

この方法は，感染防止操作を暗室や狭い暗箱内で行うので，慣れないうちは少し難しいかもしれない．また，撮影に使用した手袋をしたまま暗箱で現像操作をする場合，腕の出し入れ口の遮光カバーや箱の内面はきわめて汚染されやすい箇所となる．腕の皮膚を露出しない状態で手を出し入れすることと，遮光カバーや暗箱内の頻繁な消毒が必要となる（図 4-13-12）．

(3) 歯科用デジタル X 線撮影の感染防止

口内法 X 線撮影を行う歯科用デジタル X 線撮影装置には，半導体検出器を用いるもの，IP（イメージングプレート）を利用するものがある．保持具の有無に関わらず，検出器は口腔内に挿入され，粘膜や唾液と接触することになるので，汚染の危険が高い（準危険）医療機器として扱う必要がある．各装置の検出器には唾液からの防湿と感染防止を兼ねた専用のカバーが用意されている．

半導体検出器を用いた装置には，検出器と装置本体を連絡するコードがある．コードは，検出器から伝わった唾液や術者の手で汚染される可能性が高いので，コードまで十分に覆うことができるカバーを用いる（図 4-13-13）．

IP（イメージングプレート）方式の口内法 X 線撮影では，IP を覆うカバーの取り付け方法，撮影後のカバーの開封と読み取り装置への装填方法が，各装置によって異なる．IP は繰り返し

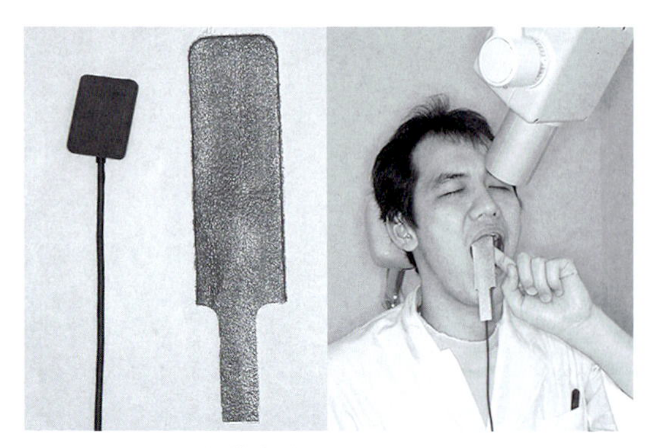

図 4-13-13　**半導体検出器による保持具を用いない口内法 X 線撮影の感染防止**
コードの一部を含む広い範囲を覆うカバーを使用して撮影する．

て使用されるため，カバーの不良などにより IP に付着した唾液から読み取り装置を通じて汚染が拡大するおそれもある．撮影後の IP はカバーに付着した血液や唾液を除去し，消毒してから開封する．また，撮影に使用した手袋を装着したまま読み取り操作をしないように注意する．

口腔内に挿入される半導体および IP 検出器は，理想的には，患者ごとに滅菌消毒されるべきである．しかし，製造業者または装置の種類により滅菌消毒に対する適応能力が異なっており，使用前に確認することが必要である．

デジタル X 線装置にはコンピュータが付随しており，撮影前の各種設定や撮影後の画像表示にキーボード，マウス，タッチパネルなどの入力装置の操作が必要となる（図 4-13-14）．半導体検出器を用いて複数部位の撮影を一度に行う場合などでは，撮影に用いて汚染された手袋で入力装置を操作する必要も生じてくる．汚染された手袋で触れるおそれがある入力装置は，ラップフィルムなどでカバーして患者ごとに交換する．撮影中は，装置のカバーされていない部分，プリントアウト装置，画像保存用ディスクなどに触れないように注意し，画像の編集や保存などの操作は，撮影終了後にカバーを除去してから行う．デジタル X 線撮影装置の使用前後には一般の X 線撮影装置と同様の消毒を行

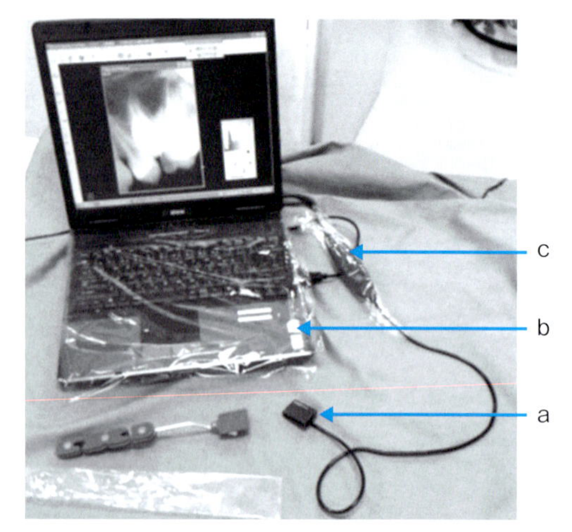

図 4-13-14　**半導体検出器方式の歯科用デジタル X 線撮影装置**
検出器（a），マウスとキーボード（b），コード（c）などに汚染の危険性がある．プリンタやコンピュータ本体には汚染された手袋で触れないように注意する．

うが，精密電子機器であることを考慮して，消毒法や薬液を選択する必要がある．

チェアサイドに配置したコンピュータに画像を表示し，患者に見せながら診断や治療の説明を行うことも多い．チェアサイドに置いたコンピュータのキーボードやタッチスクリーンから MRSA などが検出された事例もあり，入力装置を汚染された手で操作しないこと，頻繁に消毒すること，必要に応じてカバーを用いることなどの配慮が必要である．デジタル X 線撮影装置を含む IT 医療機器の感染防止対策は重要な課題である．

(4) 口外法 X 線撮影およびほかの画像検査時の感染防止

造影撮影や外傷患者の撮影を除けば，通常のパノラマ X 線撮影，歯科用コーンビーム CT（CBCT）撮影，頭部 X 線規格撮影（セファログラフィ），顎関節撮影などで汚染が生じる可能性は高くない．傷のない健常な皮膚は感染物質に対する最良のバリアであり，接触による感染の危険性はない．

パノラマ X 線撮影装置で患者と接触する部

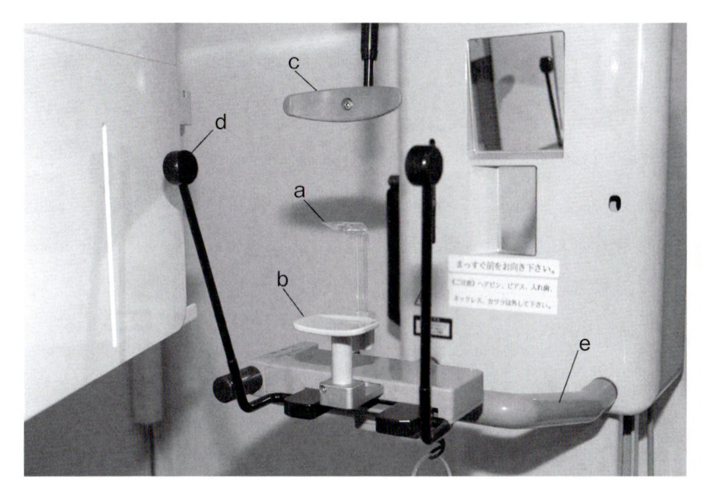

図 4-13-15　パノラマ撮影装置の感染対策
口腔内に挿入するバイトブロック（a）は，患者ごとに交換するかカバーを用いる．口腔から流出した唾液が付着しやすいチンレスト（b）の汚染に注意する．頭部固定具（c，d）やグリップ（e）は定期的に清拭洗浄する．

分のうち，バイトブロックは唾液に接触するので，ディスポーザブルのバイトブロックを用いるか患者ごとにカバーを掛けて交換する．これらが利用できない場合は，患者ごとに交換して，消毒滅菌する．顎関節撮影で開口位の保持に用いるバイトブロックについても同様である．チンレストは口腔外に流出した唾液が付着する可能性があるので，頻繁に清拭消毒するかカバーを用いる必要がある．患者あるいは術者に接触するその他の箇所は，定期的に清拭消毒する（図 4-13-15）．

頭部 X 線規格撮影装置，顎関節撮影装置および一部の歯科用コーンビーム CT やパノラマ X 線撮影装置で頭部固定に用いるイヤーロッドは耳からの滲出液に汚染される可能性があるため，患者ごとに清拭消毒するかカバーを用いることが望ましい．

造影撮影を行う場合や出血の認められる患者，あるいは外傷で皮膚に傷のある患者の撮影では，観血的処置に準じた感染防止が必要となる．すなわち，患者のチェアや寝台をカバーして検査終了後に処分するとともに，カバーされない部分に生じた汚染の除去と消毒を行う．術者は手袋を着用して撮影装置の手が触れる部分には，口内法 X 線撮影装置と同様のカバーや消毒を行う．

造影を伴わない CT および MRI 検査時の感染対策は，口外法 X 線撮影と同様である．超音波検査装置のプローブ（探触子）は，体表用のものを健康な皮膚の上から使用する限りにおいては，患者ごとに清拭洗浄すればよい．プローブを口腔内に挿入したり，穿刺に使用したりするケースでは，装置により指定された方法によるプローブの滅菌消毒あるいはカバーの装着が必要となる．

14 医療情報とデジタル画像の統合

「**医療情報**」とは医療にまつわる情報で，患者の診療に関する情報の他，医療施設や医療機器に関する情報，診療報酬に関わる情報やそれらを解析した経営分析情報など多くの情報が含まれる．診療情報はその一部であり，その記録は「**診療記録**」とよばれる．「診療記録」には「**診療録**」に加え，処方せん，手術記録，看護記録，検査所見記録，X線画像，紹介状，退院した患者に係る入院期間中の診療経過の要約その他の診療の過程で患者の身体状況，病状，治療などについて作成，記録または保存された書類，画像などの記録などが含まれ，診療の過程で，患者の身体状況，病状，治療などについて，医療従事者が知り得た情報と定義される．「診療録」は医師・歯科医師により記述された診療の記録であり，患者の住所，氏名，性別，年齢，病名および主要症状，治療方法（処方および処置），診療年月日が記されたもので，診療をしたときは，遅滞なく診療に関する事項を「診療録」に記載しなければならない．

診療情報および医療情報は**個人情報**あるいは要配慮個人情報を含み，取り扱いに注意を要する．特に電子化された情報の取り扱いでは容易に拡散されるおそれがあるため，漏洩対策が重要で，システム的な対応に加え運用での対応も必要である．情報管理では**個人情報保護法**および関連するガイドラインを意識する必要があり，これらの法規は社会情勢の変化に対応し更新されている．民間企業や行政機関ごとに異なっていた根拠となる法律や条例が統合され2023年4月に施行された改正個人情報保護法に一本化された．また，**個人情報保護委員会**（内閣府）が一元的に制度を所管し，個人情報の取り扱いを監督している．

一方で情報活用の一環として医療情報の共有は進んでおり，施設を越えた情報連携やクラウドサービスへの移行，認証の仕組みとしてオンライン資格確認やマイナンバーカードとの連携や統合などが進んでいる．

1）診療録などの電子化

医療情報は長らく紙媒体での保存が義務づけられていたが，1999年に厚生省から発出された「診療録等の電子媒体による保存について」で**電子保存**が認められた．電子保存では情報の「真正性」，「見読性」，「保存性」を担保することが求められている．「診療録」はいわゆる**電子カルテ**に記録されるが，「診療記録」は電子カルテ以外にも部門システムとよばれる複数のシステムにより管理され，相互参照される．

電子カルテはわが国ではオーダエントリシステムと医事会計システムの連携から始まり，オーダエントリシステムを拡充する形で診療録の機能を内包し発達してきた．一方ですでに電子化されていた複数の部門システムに保存された電子情報は電子カルテには直接保存はされず，間接的に参照するものが多い．このように医療情報は複数のシステムに分散，保存されるが，これを統合管理する仕組みが構築されており，これを**病院情報システム**（hospital information system：HIS）とよぶ．また，臨床研究などを含め何らかの形で患者の情報を保有するものを医療情報システムとよび，より広義の意味をもつ．

2）医療情報システムと病院情報システム

病院情報システムには電子カルテ，医事会計システム，オーダエントリシステム，部門システムが含まれる．部門システムには**放射線情報システム**（radiology information system：RIS）や検体検査情報システム（laboratory information system：LIS）などさまざまなものがあるが，放射線領域においてはRISと協働する**医療用画像管理システム**（picture archiving and communication system：**PACS**）やレポーティングシステムがあり，これらを包括して放射線部門システムとよぶ．

PACSとは，以下に述べる画像を取り扱う国際標準規格に準じ，画像の保存，配信などの管理を行うシステムである．画像の閲覧には標準規格に対応した画像ビューアが用いられPACSに接続して利用される．

3）医療情報システムの標準化

医療情報システムに含まれる複数のシステムは相互参照や協働して利用される．システム間の情報交換には標準規格を用い，相互運用性を確保することが望ましいが現時点では網羅的に実装されておらず，独自規格での接続も多い．しかし，**一般社団法人医療情報標準化推進協議会**（HELICS協議会）およびその会員である団体（表4-14-1）の活動により標準規格の整備が進み，徐々に普及している．放射線領域においては**DICOM**（digital imaging and communications in medicine）が比較的古くから使われ，すでに広く普及している．

ひとことで標準化といっても対象は複数あり，データそのものの形式，通信技術の形式，データに含まれるコードの形式，データ保存のための構造などさまざまな視点で作成された規格があるが，大まかに分けると画像を取り扱うDICOMと文書を取り扱う**HL7**（health level seven）が標準規格の核となる．

HL7は国際規格で特にシステム間の情報連携で重要な規格でHL7 V2.x，V3を経て，CDA（clinical document architecture）にて診療記録文書のやり取りをするための規格となった．わが国ではHL7 V2.5やCDAでやり取りされるデータを構造化して保存する標準化ストレージとしてSS-MIX2（standardized structured medical record information exchange）が策定され，臨床研究等で施設間での情報共有に利用されている．近年はHL7 FHIR（fast healthcare interoperability resources）が，次世代の規格として普及し始めている．HL7 FHIRはweb標準技術を用いた規格であり，通信と文書の両者を網羅するため注目されている．これらの規格の中で使われる標準コードセットあるいはマスターも加え，現在，**厚生労働省標準規格**となっているものを表4-14-2に示す．

表4-14-1　医療情報標準化推進協議会（HELICS協議会）参加団体

1. 一般財団法人　医療情報システム開発センター（MEDIS-DC）
2. 公益社団法人　日本医学放射線学会（JRS）
3. 一般社団法人　日本医療情報学会（JAMI）
4. 一般社団法人　日本画像医療システム工業会（JIRA）
5. 公益社団法人　日本放射線技術学会（JSRT）
6. 一般社団法人　保健医療福祉情報システム工業会（JAHIS）
7. 一般社団法人　日本IHE協会（IHE－J）
8. 公益社団法人　日本放射線腫瘍学会（JASTRO）
9. 一般財団法人　流通システム開発センター（GS1）
10. NPO法人　MedXMLコンソーシアム（MedXML）
11. 一般社団法人　医療データ活用基盤整備機構（IDIAL）
12. 日本HL7協会（HL7-J）

4）DICOM標準規格による画像および画像通信の標準化

画像情報の管理でDICOMが果たす役割は大きい．DICOMは1993年にDICOM3.0として公開され，現在も仕様の更新が行われている．DICOMは画像情報のファイル構造（フォーマット）を定義するだけでなく，情報の通信に関する規約も盛り込まれている．決まった手続きで情報交換するため異なる装置やシステム間でも同様の手続きで通信でき，得られたデータも共通の方法で取り扱える．これによりPACSで

表 4-14-2　厚生労働省標準規格の一覧

- 医薬品 HOT コードマスター
- ICD10 対応標準病名マスター
- 患者診療情報提供書及び電子診療データ提供書（患者への情報提供）
- 診療情報提供書（電子紹介状）
- IHE 統合プロファイル「可搬型医用画像」およびその運用指針
- 医療におけるデジタル画像と通信（DICOM）
- JAHIS 臨床検査データ交換規約
- 標準歯科病名マスター
- 臨床検査マスター
- JAHIS 放射線データ交換規約
- HIS, RIS, PACS, モダリティ間予約，会計，照射録情報連携指針（JJ1017 指針）
- JAHIS 処方データ交換規約
- 看護実践用語標準マスター
- SS-MIX2 ストレージ仕様書および構築ガイドライン
- 処方・注射オーダ標準用法規格
- ISO 22077-1：2015 保健医療情報－医用波形フォーマット－パート 1：符号化規則
- データ入力用書式取得・提出に関する仕様（RFD）
- 地域医療連携における情報連携基盤技術仕様
- HL7 CDA に基づく退院時サマリー規約
- 標準歯式コード仕様
- 口腔診査情報標準コード仕様
- 医療放射線被ばく管理統合プロファイル
- 処方情報 HL7 FHIR 記述仕様
- 健康診断結果報告書 HL7 FHIR 記述仕様
- 診療情報提供書 HL7 FHIR 記述仕様
- 退院時サマリー HL7 FHIR 記述仕様

表 4-14-3　DICOMweb

DICOMweb サービス		
サービス	概要	規格書
Query	Search for DICOM objects（QIDO-RS）	DICOM PS3.18 10.6
Retrieve	Retrieve DICOM objects（WADO-RS）	DICOM PS3.18 10.4
	Retrieve single DICOM instances（WADO-URI）	DICOM PS3.18 9
Store	Store DICOM objects（STOW-RS）	DICOM PS3.18 10.5
Worklist	Manage worklist items（UPS-RS）	DICOM PS3.18 11
Capabilities	Discover services	DICOM PS3.18 8.9
DICOMweb フォーマット		
フォーマット	**概要**	**規格書**
JSON	Encodes any DICOM Data Set in JSON*	PS3.18 Appendix F
XML	Encodes any DICOM Data Set in XML**	PS 3.19 Appendix A.1

*JSON：JavaScript Object Notation, **XML：eXtensible Markup Language　いずれもデータ記述言語である.

の画像保管や各種ビューアソフトでの画像閲覧が可能となる. 近年は Web に対応する **DICOMweb**（表 4-14-3）**規格**が策定され, 汎用的な利用が可能となっている.

DICOM ファイルには**タグ**（tag）とよばれるメタ情報（そのデータを表す属性や関連する情報を記述したデータ）を保存する領域をもっており, 患者情報や撮影装置などモダリティに関する情報などが含まれる. 各要素を示すタグ番号は表 4-14-4 に示すような 16 進数で表記される 4 桁のグループ番号とそれに続く 4 桁の項目番号により表現され, それぞれのタグに対応するデータはあらかじめ指定された形式（数値, テキストなど）で格納され, 管理や解析に用いられる. 一方で DICOM タグには必須の項目と任意の項目がある. 必須情報はモダリティによっても異なるが, たとえば患者基本情報では氏名, 性別, 生年月日などは必須だが, 主訴や既往歴などの付帯情報は任意であるため, 実際には DICOM タグに記述されていないことも多い. 表 4-14-4 にデジタル口内法撮影での必須の DICOM タグを示す.

DICOM の画像情報そのものはタグ情報を保存するヘッダに続くデータエレメントに格納さ

表 4-14-4 デジタル口内法撮影の必須 DICOM タグ

要素番号	内容
(0008, 0020)	検査日
(0008, 0030)	検査時間
(0008, 0050)	Accession Number
(0008, 0060)	モダリティ
(0008, 0068)	Presentation Intent Type
(0008, 0090)	依頼医名
(0010, 0010)	患者氏名
(0010, 0020)	患者 ID
(0010, 0030)	患者生年月日
(0010, 0040)	患者性別
(0020, 000D)	Study Instance UID
(0020, 000E)	Series Instance UID
(0020, 0010)	検査 ID

＊条件付き必須（不明の場合は空欄を認める項目）と任意の DICOM タグは除外している.

れるが，含まれるデータは装置から出力されたピクセル（ボクセル）値が列挙される raw 形式の他，JPEG，JPEG2000 など，さまざまな形式が許容されている．一般的には非圧縮の raw 形式か lossless JPEG（汎用的に用いられる JPEG は圧縮に伴いデータが劣化するが，lossless JPEG では圧縮してもデータの劣化を伴わない．可逆性圧縮ともよばれる）が利用される．

DICOM ビューアはオープンソースソフトウェア（OSS）から，**薬機法**（医薬品，医療機器等の品質，有効性及び安全性の確保等に関する法律）の承認を受けた商用のものまでさまざまなものがある．Python における pydicom のように，近年ではプログラミング言語に DICOM 用の汎用モジュールが OSS として用意され DICOM を簡単に取り扱うことができる環境が整っており，情報活用の幅が広がっている．

5）医療情報の統合

RIS やレポーティングシステムは各社独自の仕様であり，現時点で標準化されていない．しかし，今後 FHIR などの標準規格や，JJ1017 など標準コードセットを用いた連携が期待されている．特に FHIR は分野を問わず広く利用できる規格で，すでに表 4-14-2 に示す処方情報，健康診断結果報告書，診療情報提供書，退院時サマリーの FHIR 記述仕様が厚生労働省標準仕様として認められている．

画像情報は DICOM が世界的に標準であり，画像診断機器は標準で DICOM を扱えることが期待される．多くは DICOM DIMSE（DICOM Message Service Element）を利用し，医療用機器やシステムで DICOMweb に標準で対応するものはまだ限定的である．しかし，FHIR でも DICOM の画像を取り扱うためのリソースが用意されており，DICOMweb での連携が求められている．

地域医療連携や PHR（personal health record）では既存の SS-MIX2 や CDA に加え，FHIR を利用した医療情報の統合，連携が検討されている．

6）遠隔画像診断

遠隔画像診断はクラウド上での SaaS（software as a service）としてすでに広く利用されている．遠隔画像診断の目的は専門家による画像読影が困難な環境や地域において実施された画像検査に対し，画像診断専門医などの専門家による診断サービスを提供することにある．近年の画像診断装置は精細かつ高度化しており，診断の品質を向上させるために依頼者による観察に加え，専門家による読影が必要となる．平成 14 年度の診療報酬改定により，施設基準を満たした保健医療機関で基準を満たした専門の医師が診断した場合に画像診断加算が算定できるようになった．現在，歯科では施設基準を満たすことで歯科画像診断管理加算 1 あるいは 2(表 4-14-5）を算定でき，遠隔画像診断においても送信および受信側が要件を満たしていれば遠隔画像診断による画像診断管理加算が算定できる(表 4-14-6)．なお，遠隔画像診断における算定

表 4-14-5　歯科画像診断管理加算の施設基準

歯科画像診断管理加算１の施設基準
(1) 歯科診療報酬点数表の初診料の注２の届出※（地域歯科診療支援病院歯科初診料に係るものに限る.）を行った保険医療機関であること.
(2) 画像診断を専ら担当する常勤の歯科医師が１名以上いること. なお, 画像診断を専ら担当する歯科医師とは, 勤務時間の大部分において画像情報の撮影又は読影に携わっている者をいう.
(3) 画像診断管理を行うにつき十分な体制が整備されていること.
(4) 当該保険医療機関以外の施設に読影又は診断を委託していないこと.
(5) 電子的方法によって, 個々の患者の診療に関する情報等を送受信する場合は, 端末の管理や情報機器の設置等を含め, 厚生労働省「医療情報システムの安全管理に関するガイドライン」を遵守し, 安全な通信環境を確保していること.
歯科画像診断管理加算２の施設基準
(1) 歯科診療報酬点数表の初診料の注２の届出※（地域歯科診療支援病院歯科初診料に係るものに限る.）を行った保険医療機関であること.
(2) 画像診断を専ら担当する常勤の歯科医師が１名以上いること. なお, 画像診断を専ら担当する歯科医師とは, 勤務時間の大部分において画像情報の撮影又は読影に携わっている者をいう.
(3) 当該保険医療機関において実施される全ての歯科用３次元エックス線断層撮影及びコンピューター断層診断（歯科診療に係るものに限る.）について, (2) に規定する歯科医師の下に画像情報の管理が行われていること.
(4) 当該保険医療機関における歯科用３次元エックス線断層撮影診断及びコンピューター断層診断（歯科診療に係るものに限る.）のうち, 少なくとも８割以上の読影結果が, (2) に規定する歯科医師により遅くとも撮影日の翌診療日までに当該患者の診療を担当する歯科医師に報告されていること.
(5) 画像診断管理を行うにつき十分な体制が整備されていること.
(6) 当該保険医療機関以外の施設に読影又は診断を委託していないこと.
(7) 電子的方法によって, 個々の患者の診療に関する情報等を送受信する場合は, 端末の管理や情報機器の設定等を含め, 厚生労働省「医療情報システムの安全管理に関するガイドライン」を遵守し, 安全な通信環境を確保していること.

※注２の届出の詳細は省略

表 4-14-6　遠隔画像診断に関する施設基準

送信側（画像の撮影が行われる保険医療機関）
1　画像の撮影及び送受信を行うにつき十分な装置・機器を有しており, 受信側の保険医療機関以外の施設へ読影又は診断を委託していないこと.
2　電子的方法によって, 個々の患者の診療に関する情報等を送受信する場合は, 端末の管理や情報機器の設定等を含め, 厚生労働省「医療情報システムの安全管理に関するガイドライン」を遵守し, 安全な通信環境を確保していること.
受信側（画像診断が行われる病院である保険医療機関）
歯科診療に係る画像診断については, 歯科画像診断管理加算の要件を満たしていれば足りるものであること.
1　画像診断管理加算 1, 2 又は 3 に関する施設基準を満たすこと. （注：歯科では加算は 1, 2 のみ. 3 は医科の加算）
2　特定機能病院, 臨床研修指定病院, へき地医療拠点病院又は基本診療料の施設基準等別表第六の二に規定する地域に所在する病院であること.
3　電子的方法によって, 個々の患者の診療に関する情報等を送受信する場合は, 端末の管理や情報機器の設定等を含め, 厚生労働省「医療情報システムの安全管理に関するガイドライン」を遵守し, 安全な通信環境を確保していること.

は送信側の保険医療機関において撮影料, 診断料および歯科画像診断管理加算を算定し, 提供された文書またはその写しを診療録に添付することが求められている. また, 患者の個人情報を含む医療情報の送受信にあたり, 厚生労働省「医療情報システムの安全管理に関するガイドライン」を遵守し, セキュリティに配慮が必要である.

5章 画像診断

1 診断入門

1）診療における意思決定過程

自らの健康に関してなんらかの疑問をもち，その結果，専門的立場からの助言なり医療行為を求めるのが患者である．患者の訴えを聴き，患者に最大の利益がもたらされるように，その能力の最善を尽くし，患者にとって重大ないくつかの決定を行うのが医師である．

患者と医師との関係は，通常，患者が医師に働きかけたところから始まる（図 5-1-1）．まず，患者に関する資料（データ）の収集が開始される（①）．医師は患者を診察し，X 線検査を含むさまざまな検査を施行する．検査が終わると，収集した資料を検討して診断する．このとき医師は，さまざまな疾患が呈するさまざまな所見についての知識を駆使して，その患者のデータに最も近い疾患名を探し出し，診断する（②）．その診断は，確信度の高い場合もあれば低い場合もあり，また，治療にあたってこれで十分かどうかを自問し（③），もし“否”であれば最初に戻り，さらに検査を追加する．もし“可”であれば，医師は次の段階（④）に進む．治療法の決定にあたっては，医師は再度その知識，ことに疾患の予後とほかの治療法による効果についての知識を駆使し，その患者に最も適した治療法を選択する．治療結果を観察し，期待どおりの反応を患者が示せば，この過程は終了することになる（⑤）．

ここで示した過程は単純化しすぎているが，医療における意思決定過程を系統的に解析する場合の骨組みとなっている．X 線検査は「資料の収集」と「診断の決定」に該当する．

2）診断学における正確度

疾患の診断においては，さまざまな検査法が用いられている．しかし，いずれの検査法も，“完全”に病気を検出し，あるいは病気を否定す

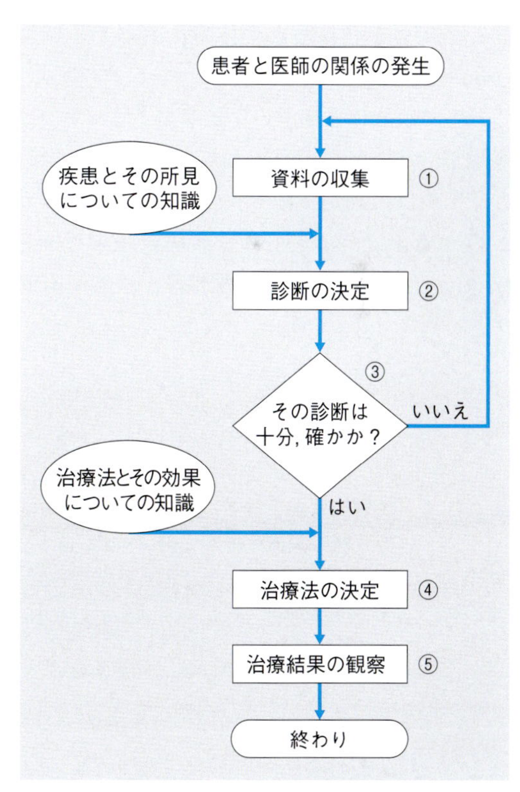

図 5-1-1 診療における意思決定過程を模式的に示した図
（Wulff HR, 1981[1] より改変）

ることは困難なことが多い．このため正しい診断（正診）とともに，誤った診断（誤診）が生じることとなる．したがって，医師は各検査法がどの程度正しいのか，いわばその正確度ないし正診度についての知識が必要となる．

(1) 正診と誤診

正診度を表現するために最も頻繁に用いられる尺度は「この検査はその疾患の30％を検出する」といったもので，これは**検出能**とよばれる．しかし，これだけでは不足で，同時に「この検査はその疾患ではないものの90％を正しく疾患ではないといえる」ということも必要である．したがって，検査の正確さを表現するためには，両者を同時に示すこととなる．前者は**有病正診率**（true positive rate）あるいは**感度**（sensitivity）といい，後者を**無病正診率**（true negative rate）あるいは**特異度**（specificity）という．有病と無病とを合わせた全体の正診率を正確度（accuracy）という．

一方，誤診にも2つのタイプがある．1つは疾患が“ない”ものを誤って“ある”という，もう1つは疾患が“ある”のに誤って“ない”という場合である．前者は**無病誤診率**（false positive rate）あるいは**偽陽性率**，後者を**有病誤診率**（false negative rate）あるいは**偽陰性率**という（表5-1-1，表5-1-3参照）．

たとえばいま，1万人の集団に対してある特定の疾患に対してスクリーニング検査を行ったとする．ここでこの集団の1％（100人）にこの疾患を有する人が含まれている（有病率1％）と仮定する（検査結果は表5-1-2の例1のとおり）．その結果，この検査は真に疾患を有する100人のうち90人を検出し，10人を見逃した．また疾患を有しない9,900人のうち9,405人を正しく否定し，残りの495人を誤って病気とした．したがって，この検査の有病正診率は，90/100＝0.9であり，無病正診率は9,405/9,900＝0.95である．なお，有病誤診率は10/100＝0.1，無病誤診率は495/9,900＝0.05である．一方，有病率が60％で同一の検査による結果は，表5-1-2の例2のようになる．

(2) 診断の適中度

ある特定の疾患の疑いのある患者に対して検査を実施し，その結果，陽性と出たとき，いったいどれほどの確率で真に病気であるのか，あるいは陰性と出たとき，真に病気ではない確率はどれほどなのかを知りたいとする．表5-1-2の例1を用いて，それぞれの確率を算出してみ

表5-1-1　病気の有無と検査の結果における病気の有無の関係を示す2対2の表

		真の状態	
		病気あり	病気なし
検査結果	病気あり	有病正診：a true positive (TP)	無病誤診：b false positive (FP)
	病気なし	有病誤診：c false negative (FN)	無病正診：d true negative (TN)

2種類の正診と2種類の誤診が生じることがわかる．

表5-1-2　病気の有無と検査結果との関係を示す2つの例

例1		真の状態		
		病気あり	病気なし	合　計
検査結果	病気あり	90	495	585
	病気なし	10	9,405	9,415
	合　計	100	9,900	10,000
例2		真の状態		
		病気あり	病気なし	合　計
検査結果	病気あり	54	2	56
	病気なし	6	38	44
	合　計	60	40	100

有病正診率90％，無病正診率95％であるが，両者では有病率が異なり，例1では1％，例2では60％である．

る．検査の結果，陽性となったのは585例で，このうち疾患が実際にあったものは90例であった．これを**陽性適中度**（predictive value of positive test）といい，この場合，90/585＝0.15である．一方，検査の結果，陰性となったのは9,415例で，このうち疾患が実際になかったものは9,405例であった．これを**陰性適中度**（predictive value of negative test）といい，この場合，9,405/9,415 ≒ 1.0である．

ここで注意すべきことは，検査の正診率が同一であっても，対象とした集団の疾患の有病率（例1では1%であった）が変化すれば，適中度は変化する点である．有病率が60%の例2では，陽性適中度は54/56＝0.96，陰性適中度は38/44＝0.86である．すなわち，有病率が低い集団を対象とした検査で陽性となったとき，検出率が0.9と高い検査であっても真に病気である確率はそれほど高くないのに対して，有病率の高い集団では，病気である確率は高い．

一般に，病気の有病率をP(D)，その病院の来院患者のうち，この検査で陽性と出る患者の割合をP(C)とし，「この検査はその疾患の90%を検出する」に相当する有病正診率をP(C|D)，「この検査で陽性と出たときその患者が真に病気である確率」に相当する陽性適中度をP(D|C)とすると，それらの関係は，

$$P(D|C) = P(C|D) \times P(D)/P(C)$$

となる．この関係式は**ベイズの定理**（Bayes' theorem）とよばれる．例1では，陽性適中度P(D|C)＝9/10×1/100×10,000/585＝0.15であり，例2では0.96である．

したがって，医師は検査の正診率と同時に，その病院に来院する患者の，それぞれの疾患の有病率についての正しい認識が必要とされる．

診断あるいは検査の正確度や有効性を示す用語を表5-1-3に示す．なお，**オッズ**（odds）は，ある結果が起こる確率（p）のそれが起こらない確率（q＝1-p）に対する比率（p：q）のことをいう．**尤度比**（ゆうどひ）は，ある検査法で特定の結果が得られたときの**相対的オッズ**を示す．

(3) 観察者動作曲線を利用した正診度の評価

ある検査，たとえば，血液検査のように連続的な値を示す場合を考えてみる．この検査結果を正常者群と有病者群とに分けると頻度分布曲線が両群について得られる（図5-1-2）．一般にはこのように，両群の曲線に重なりが生じる．正常と異常との間にしきい値を引くと，必然的に前述の正診と誤診が生じる．また，しきい値を変化させると，それに伴い正診と誤診の割合が変化する．

X線診断の場合も血液検査の場合と同様，診断の確からしさを連続的に変化するものと考えたとき，このようなことが起こる．たとえば，読影において積極的に疾患を検出しようとすると，有病正診率（TP）が高くなるものの，無病誤診率（FP）も増加する．反対に，慎重になったときは，無病誤診率（FP）が低くなるものの，有病正診率（TP）も低くなる．

検査法の正確さを評価する場合，このように読影者の意志によって，それらの値が変動することは好ましくない．そこで読影者の主観的な部分を考慮して，それに依存しない正確さの指標を決める必要があろう．その様子を有病正診率（TP）の割合と無病誤診率（FP）との割合との関係でグラフに示すと，図5-1-3のように

表5-1-3　診断の正確度や有効性を示す用語

用語	式	用語	式
感度	$\frac{a}{a+c}$	特異度	$\frac{d}{b+d}$
偽陽性率	$\frac{b}{b+d}$	偽陰性率	$\frac{c}{a+c}$
陽性適中度	$\frac{a}{a+b}$	陰性適中度	$\frac{d}{c+d}$
有病率	$\frac{a+c}{a+b+c+d}$	正確度	$\frac{a+d}{a+b+c+d}$
陽性尤度比	$\frac{a/(a+c)}{b/(b+d)}$	陰性尤度比	$\frac{c/(a+c)}{d/(b+d)}$

a＝TP，b＝FP，c＝FN，d＝TN（表5-1-1参照）に相当する．

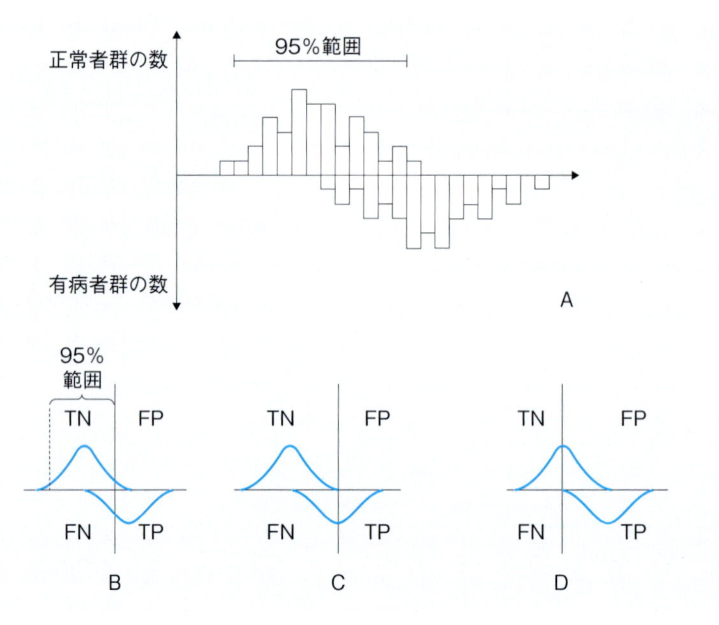

図 5-1-2　ある数値の得られる検査における正常者群と有病者群の頻度分布曲線
正常者群の分布について，たとえば95%の範囲に含まれるところで，しきい値を引くと（**A**），正診のほかに誤診が生じる（**B**）．しきい値を右に移動すると，無病正診率（TN）が最大になるが，有病誤診率（FN）が増加し，有病正診率（TP）が減少する（**C**）．しきい値を左に移動すると，有病正診率（TP）が最大になるが，無病誤診率（FP）が増加し，無病正診率（TN）が減少する（**D**）（Wulff HR, 1981[1] より改変）．

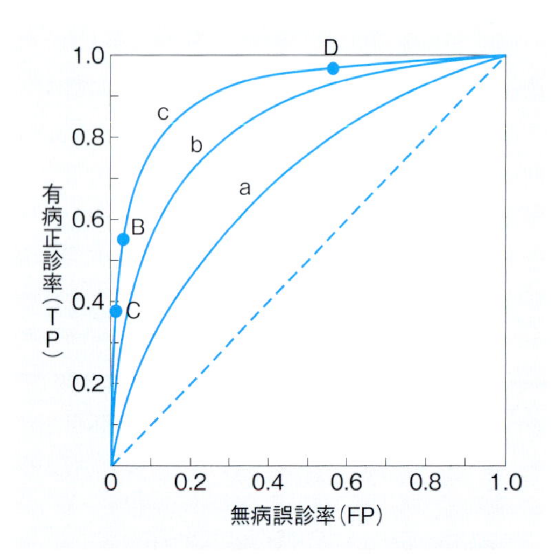

図 5-1-3　観察者動作曲線（ROC 曲線）の例
有病正診率（TP）と無病誤診率（FP）との関係を示す．曲線 c 上の B～D は，図 5-1-2 における B～D に対応している．しきい値を移動すると，TP と FP の関係は，このように変化する．また，ここに示した 3 種類の曲線（a～c）は，3 種類の検査法の正確さが相違することを示しており，a，b，c の順で，より良好な結果となることを示している（Swets J, 1982[2] より改変）．

なる．この種のグラフは，**観察者動作曲線**（receiver operating characteristic curve；**ROC 曲線**）といわれる．グラフは左上に近づくほど良好な動作，良好な検査法あるいは良好な診断者といえる．ランダムな答えをしたときには対角線となる．正確さの定量化はグラフでは不便なので，曲線下の面積をよく用いる．

3）口腔疾患における X 線検査法の選択とその基準

口腔疾患の診断においては，ほかの疾患の場合と同様，診察や非侵襲的検査が X 線検査に先行する．それらの結果から診断あるいは治療方針を決定することが困難で，かつ X 線検査によって必要な情報が得られると予想されたとき，X 線検査が初めて行われる．さらに X 線検査においては，必要最小限の撮影とする配慮が必要とされている．これらは患者の被曝を不必要に多くしないための配慮である．

X線検査の目的は，主に①疾患の診断，②病変の進展範囲の把握，および③治療終了後の予後の評価といえる．以下に，X線検査法の選択について述べる．

米国歯科医師会（American Dental Association；ADA）により1988年に**歯科X線検査の利用についてのガイドライン**が発表され，2012年にその改訂版が示されている（表5-1-4）．この勧告ではまず，X線検査は撮影法の種類，撮影の頻度などについて専門的な判断によって決められるべきであるということ，X線検査は臨床的な検査，歯科的既往歴，口腔および全身の健康についての患者の要求などを十分考慮したうえで行うべきであって，すべての患者に対して定期的な検査の一環として日常的に行うべきではないこと，個々の患者ごとで異なるのであるから，X線検査の処方も個々に対して行うべきこと，などと述べている．この表を使うにあたっては，患者の既往歴を含む診察を十分行った後に用いるべきことを強調している．

こうしたガイドラインの設定の背景には，最近得られた咬翼法を含む口内法X線撮影およびパノラマX線撮影に関する被曝線量や診断の正確さに関する情報，徐々に変化しつつある口腔病変の頻度についてのデータなどがある．欧州でも類似した勧告が提示されている[3]．

(1) 齲　蝕

齲蝕の検査は小児を対象とすることが多いので，被曝を考慮した検査法の選択に関心が高くなる．選択される撮影法は臼歯部の咬翼法であり，これを視診・触診に加える．咬翼法は隣接面齲蝕の検出のみならず，咬合面齲蝕にも有用であるとされる．定期的に咬翼法を行えば，初診時のそれと比較することによって齲蝕の動態，すなわち，進行しているのか停止しているのか，あるいは縮小しているのかを判断できる．その結果は，個々の予防・治療計画の決定に有用である．

X線検査を行うかどうかの判断は，視診・触診に加え，個々の患者の齲蝕のリスク判定を含む．

(2) 歯周疾患

歯周疾患の診断，予後，経過の観察にはX線検査が有用であるが，ここでは視診・触診を含む臨床検査を先行させる．

選択される撮影法は，基本的には咬翼法であるが，歯槽骨の吸収が進行していることが予想されるときは，平行法が利用される．また，全顎にわたる歯周疾患がみられる場合や，同時に多くの歯に修復治療や根管治療が施行されているときには，平行法による口内法全顎X線撮影（図5-1-5参照）を行う．一方，近年のパノラマX線画像の画質は向上したので，口内法全顎撮影に取って代わる可能性があるが，この場合でも，より高い解像度を必要とする部位には，平行法が追加されることになる．なお，口内法X線画像で歯槽骨の変化を経時的に観察するときには，幾何学的な再現性を高める工夫が必要である．

(3) 歯内療法

歯内療法を開始するにあたって必要な情報で，X線画像から得られるものは，歯冠歯髄腔の形態と広がり，歯根の数，歯根のおおよその長さ，歯根の彎曲，歯根歯髄腔の形態，歯髄腔の狭窄の程度，周囲解剖構造との関係，根尖部病変の有無，側枝の存在，術前の歯内療法の状況などである．これらを満たす撮影法は平行法であり，それに偏心投影を加えることも，時には必要である．なお，難治性の根管治療においては，歯根の異常や歯根破折の可能性があるので，近年では歯科用コーンビームCT（CBCT）を使用して，3次元的な観察が求められることもある．

表 5-1-4　X線検査の選択基準の例（2012年）

患者のタイプ	小児		青年	成人	
	乳歯列（最初の永久歯の萌出まで）	混合歯列（最初の永久歯の萌出後）	永久歯列（第三大臼歯の萌出まで）	永久歯列（一部に喪失歯がある場合を含む）	無歯顎
新患（口腔疾患の評価をする患者）	患者ごとのX線検査とする．隣接面を視診・触診できないときはその部位に口内法標準X線撮影および（または）咬翼法．疾患がないか隣接面が観察できるときはその時点での撮影は無用	患者ごとのX線検査とする．パノラマX線撮影と臼歯部咬翼法の組み合わせ，ないしは選んだ部位の口内法標準X線撮影と臼歯部咬翼法	患者ごとのX線検査とする．パノラマX線撮影と臼歯部咬翼法の組み合わせ，あるいは選んだ部位の口内法標準X線撮影と臼歯部咬翼法．視診で明らかな口腔病変や広範な歯科治療経験のある患者に対しては口内法全顎X線撮影		患者ごとのX線検査とする．口腔内所見と症状に基づいて行う
リコール患者（視診可能な齲蝕を有するか，齲蝕リスクの高まった患者）	隣接面を視診・触診できないときは，6〜12カ月の間隔で臼歯部咬翼法			6〜18カ月の間隔で臼歯部咬翼法	適用外
リコール患者（視診可能な齲蝕がないか，齲蝕リスクの低下した患者）	隣接面を視診・触診できないときは，12〜24カ月の間隔で臼歯部咬翼法		18〜36カ月の間隔で臼歯部咬翼法X線撮影	24〜36カ月の間隔で臼歯部咬翼法	適用外
リコール患者（歯周病を有する患者）	歯周病の評価での必要性，撮影法についての臨床判断を要する．歯周病（非特異性歯肉炎を除く）の所見が臨床的に認められる部位に対して，咬翼法および（または）口内法標準X線撮影				適用外
新患・リコール患者（歯顎顔面の成長発育の管理，および（または）歯と骨系の関係の評価）	歯顎顔面の成長発育の評価および（または）管理，および歯と骨系の関係の評価について，必要性，撮影法についての臨床判断を要する		歯顎顔面の成長発育の評価および（または）管理，および歯と骨系の関係の評価について，必要性，撮影法についての臨床判断を要する．第三大臼歯の評価のためにパノラマX線撮影あるいは口内法標準X線撮影	歯顎顔面の成長発育の管理は通常，適応外．歯と骨系の関係の評価について，必要性，撮影法についての臨床判断を要する	
患者（限定はしないが，たとえば次の状況にある患者．インプラントがあるか予定している，ほかの歯顎顔面疾患を有する，修復や歯内治療を必要とする，治療した歯周病を有する，齲蝕の再石灰化を有する）	左記の状況の評価および（または）管理に必要なことと，撮影法についての臨床判断を要する				

（American Dental Association Council on Scientific Affairs, 2012[4]）

治療中は根管の作業長を測定するために，また，根管充填終了後は，正しく充填がなされたか評価するためにX線撮影を行う．さらに治療後の経過を観察するためには，特に症状がないときは，変化がX線画像上で予想される1年後と数年後に行う．病変が大きかった場合には，撮影の頻度を多くする．

一方，歯内療法の適応とならない状況，たとえば著しい歯槽骨の吸収，著しい歯根の内部・外部吸収，治療不可能な歯根形態，歯根の破折なども，治療を開始する前にX線画像でこれらの病態を把握することが必要である．

(4) 歯科矯正治療

歯科矯正治療の多くは12〜13歳から開始されるが，治療計画の立案にあたって，パノラマX線撮影が採用される．これは発育途上の歯列を観察するのに都合がよい．さらに上顎前歯部の位置異常や病変を疑うときには，咬合法を加える．

骨格系に異常がみられるときは，頭部X線規格撮影を行う．得られたX線画像では，決められた基準点をトレースし，骨格系およびその歯との関係を評価する．この画像は，手術を伴う歯科矯正治療の治療計画の立案には必須である．顔面の非対称の検査では，頭部後前方向の規格撮影が必要である．治療中，治療後の経過観察でも，必要に応じてX線検査を行う．また，growth spurtを予知するために行われる手指骨のX線画像が用いられるが，歯科矯正治療の立場からは，その信頼性を把握したうえで利用する．

なお，顎顔面の3次元的形態が解析に必要と判断されたときには，歯科用コーンビームCTあるいはCTが適用される．この際，撮影対象が小児であることを考慮して，その必要性の検討と線量低減をはかる必要がある．

(5) 炎症性ないし顎骨の腫瘤性病変

パノラマX線撮影が第一選択である．パノラマX線画像の大きな利点は，病変の全容を展開像として提示し，周囲との関連をも描出するところにある．また，撮影が正しくなされていれば，原則として左右対称に投影されるため，患側を健側との対比で観察できることも利点である．病変と歯との関連については，通常の口内法X線撮影を追加する．口内法X線画像は解像度が高いため，歯とその周囲組織のみならず，病変の辺縁や内部構造の詳細な観察にも適している．この両者を注意深く観察することによって，病変の性状・範囲についておおかたの見当がつく．

パノラマX線画像でやや不明瞭となる正中部の病変には，上下顎を問わず，咬合法を加える．下顎骨内の病変の頬舌あるいは唇舌方向からの観察には，軸方向の咬合法を加える．また，病変が大きい場合や顎骨のみならずほかの顔面骨，頭蓋骨との関連を知りたいときには，頭部後前方向撮影や時に側方向X線撮影が必要となる．軸方向からの観察が必要であれば，オトガイ下頭頂方向からの軸位投影を加えることもある．これらは顎骨病変のもう一つの投影方向からの観察としても価値がある．病変が大きいときには，その範囲を正確に把握するために，歯科用コーンビームCTまたはCT，内部性状を把握する必要があればMRIが第一選択となる．

一方，根尖部に限局している嚢胞の切除，残根の抜去，歯根端切除などの外科的処置の術前検査においてパノラマX線撮影は必要なく，口内法X線撮影で十分なことが多い．

(6) 上顎洞の病変

歯科的疾患が原因で上顎洞に病変が波及したと疑われる場合は，パノラマX線撮影が第一選択となる．上顎洞底部を歯槽部から上顎結節部，さらに後方部の壁に至るまで観察することができるうえ，病変を洞底線との関連において把握するのに適している．洞内の腫瘤性病変の有無や透過性の変化もある程度把握できる．健側と比較できる点でも優れている．Waters撮影法はこれまで頻用されてきた．左右の上顎洞の透過性の変化や液面形成の把握に有用な情報を提供する．最近では，歯科用コーンビームCTにて歯との関係や上顎洞底部の詳細を観察できるようになった．

悪性腫瘍や大きな占有性病変の診断にはCTやMRIが有用で，単純X線画像のみで多くを論じることは無意味である．

(7) 顎関節の疾患

顎関節には種々な疾患が生じるが，最も頻繁に遭遇するのは顎関節症である．その原因を決めるために，さまざまな検査が行われる．

顎関節を対象とするX線検査では，これまでは側斜位経頭蓋撮影法（Schüller法）と眼窩下顎枝方向撮影法の2方向の撮影が頻用された．パノラマX線撮影は，顎関節との関連という立場から下顎骨全体の把握，たとえば，下顎骨の変形ないし変位，および口腔所見の確認に有用である．また，パノラマ4分割撮影では閉口時のみならず，開口時でも撮影することにより，下顎頭の骨変化とその移動をみることができる．さらに，詳細に骨の変化や下顎頭－下顎窩関係を観察したいときは，歯科用コーンビームCTやCTが必要となる．

関節円板障害の診断では，MRIが必要となる．なお，関節円板などの穿孔や，線維性癒着が疑われる場合は，関節腔造影を選択する．

(8) 唾液腺の病変

唾液腺疾患は対象が軟組織であるので，単純X線撮影の対象になりにくい．ただし，顎下腺の唾石が疑われた場合，咬合法が適用される．通常の投影によって，顎下腺導管（ワルトン管）内の唾石が検出できる．唾石が腺体に近い顎下腺導管内や腺体内にある場合では，患者の頭部を後側方へ十分屈曲させたうえで，X線の主線を斜め後方から腺体の中央を通るように投影する．一般に唾液腺の疾患では，超音波検査が用いられるが，腫瘤性病変や悪性腫瘍が疑われる場合にはただちにMRIを用いるべきである．

4) X線画像の読影

X線画像に描出された像を観察し，それを解釈する過程を，特に**読影**（interpretation）という．読影に用いるX線診断用画像の条件は，観察すべき対象が適切なコントラストと解像度で描出されていること，対象部位がひずみなく描出されていることである．

なお，読影に際してはその環境設定が必要である．診療情報やさまざまな画像を統合して閲覧できる機器やソフトの開発が進んでおり，最近の歯科医院では診療計画などを検討するために，専用の部屋を診療室とは別に設定するようになりつつある．画像の読影では誤りや見落としをなくすために，集中できるように雑音を極力排し，室内の明るさを多少落としてモニターに向かうことである．図5-1-4に示すように大学病院などでは医用画像観察専用の高精細モニターを使用するが，個人医院では一般のモニターで兼用してもよい．パソコン端末には電子カルテなどの診療情報や画像の読影所見を入力するとともに，近年の歯科用コーンビームCTの普及に伴い，3次元画像解析用ソフトを搭載しておくとよい．一般に画像観察用のソフトでは，さまざまなツールが準備されており，画像の輝度・コントラスト調整，拡大，反転・回転，距離測定などに加えて，3次元画像用の専用ソフトなどを活用することができる．たとえば，口内法X線画像やパノラマX線画像を拡大すると，さらに多くの情報に気づくことがある．

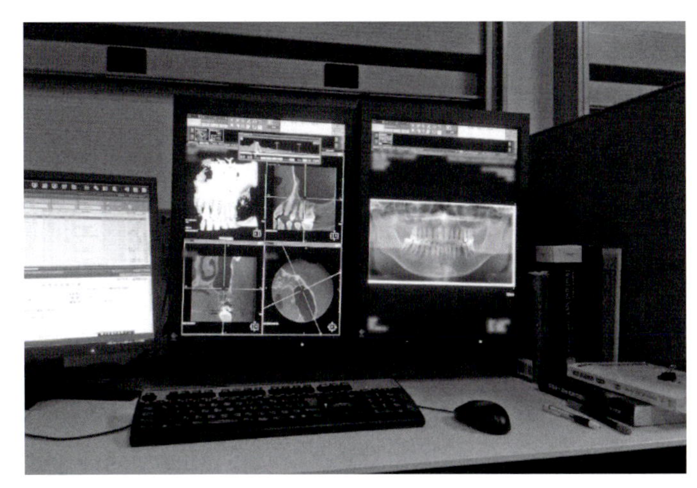

図 5-1-4　読影環境の設定
画像観察専用のモニター2台と，診療情報用の一般モニター1台を示す．隣接するモニターなどが視野に入らないように，パーテーションがあるとよい．部屋の明るさを調整できるようにし，読影時にはやや暗くしたほうが画像を観察しやすく，加えて目の疲労が少ない．

(1) 読影の原則

X 線画像の読影時には，患者名，年齢，性別，撮影年月日，左右を確認する．次に X 線画像を観察し，その所見を客観的に表現する．そこでは予想される疾患名が複数，思いつくであろう．さらに，すでに得られている患者の臨床所見，病歴などを参考にして，暫定的な診断名を決める．ここで必要な検査を加えて，最終的な診断を得て，治療方針を決定する．

X 線画像の所見を正常とするかどうかが問題となるが，「正常」にはバリエーションがあることに注意したい．X 線画像所見が正常の範囲（normal range）外にあることを確認するためには，さらなる検査が必要になる．なお，次のような原則も記憶しておきたい．すなわち，注目した所見が反対側においても同様にみられ左右対称のときは，正常範囲内にある可能性が高い．また，長期にわたって観察しているとき，その間に変化がなければ，その病変は落ち着いていることを意味するので，侵襲度の高い治療を控えることになろう．

X 線画像の観察は，系統的に行うべきである．観察の前に臨床所見を知っているときには，対象とした部位のみに注目する傾向がある．しかし，X 線画像上にはほかの部位も撮影されており，それらの部位に対象部位と類似ないし異質の病変が検出されることもある．そのため X 線画像は全体を観察することが必要で，観察の順番を決めておくとよい．

なお，もし過去に画像検査を行っている場合にはその画像を参考とする．

(2) 口内法 X 線画像の観察

口内法全顎 X 線撮影では，次のとおりに読影するが，臼歯部の咬翼法 X 線画像が含まれているときはそこから始める．上下顎の右側，左側をみて，それぞれの歯の隣接面と歯槽頂部を評価する．次に口内法全顎 X 線撮影の X 線画像を観察する．上顎の右側臼歯部から左側臼歯部へ，次に下顎の左側臼歯部から右側臼歯部へと移る．そこでは歯槽骨全体を評価する．次いで同様の順で歯髄腔と歯根膜腔，根尖周囲を個々の歯について評価する．さらに歯の周囲の歯槽骨，特に骨梁構造とその密度について評価する．また，歯や歯槽骨以外に投影された解剖構造，たとえば，上顎洞底や下顎管なども確認する（図 5-1-5）．

(3) パノラマ X 線画像の観察

パノラマ X 線画像（図 5-1-6）においては，まず，下顎骨の輪郭を右側下顎頸部から下顎頭，

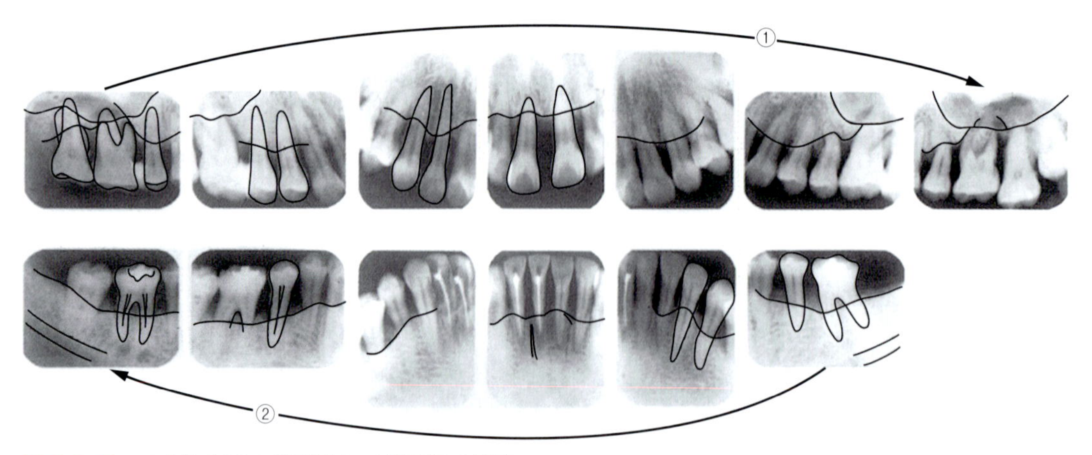

図 5-1-5　口内法全顎 X 線撮影の X 線画像の観察
上顎を右側の大臼歯部から，正中部を通って左側の大臼歯まで（①），次に下顎の左側大臼歯から右側の大臼歯まで（②）を観察する．歯冠部，歯根部と歯髄腔，白線・歯根膜腔，歯槽骨を観察し，それらの異常を検出する．

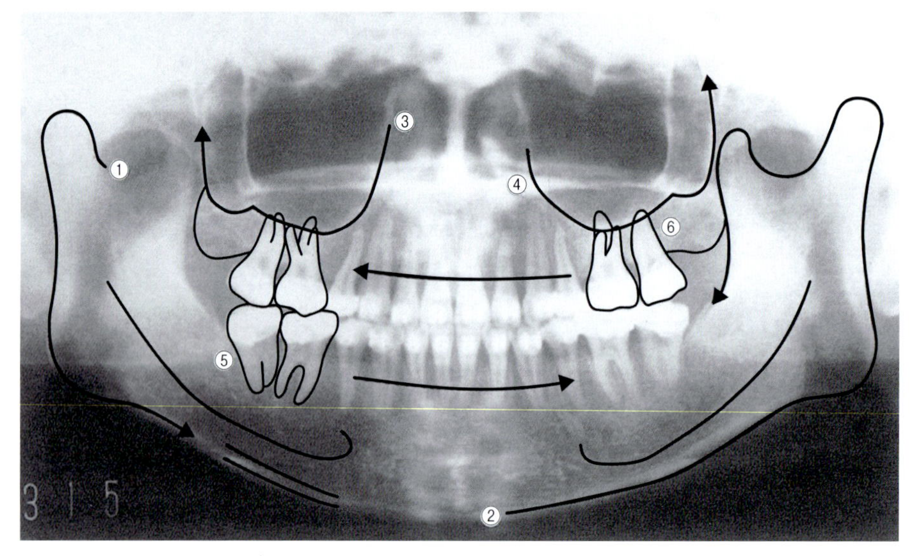

図 5-1-6　パノラマ X 線画像の観察
顎骨全体の輪郭と内部の構造，さらに歯とその周辺を観察する．顎骨については右側の下顎頭から下顎枝，骨体，そして左側へ．上顎は上顎洞の骨壁の輪郭を中心に鼻腔側から後壁までを観察する（①〜⑥の内容については本文を参照）．

下顎枝後縁，下顎角，下顎骨下縁を観察しながら左側に移り（①），下顎角，下顎枝後縁から下顎頭に至る（②）．下顎頭では，それが下顎窩内に位置しているか，輪郭に異常がないかを評価する．下顎骨下縁では，下縁の連続性が失われて外傷を疑う所見がないか，下縁の皮質骨が骨体内の病変によって膨隆・菲薄化する所見や骨膜反応がみられないか，皮質骨の幅が全般にわたって狭くなり，副甲状腺機能亢進症や骨粗鬆症を疑われないか，などを評価する．下顎骨全体の輪郭から左右対称性をみて，撮影時の患者の位置づけに誤りはなかったか，片側性の過形成や萎縮がないか評価する．下顎骨の内部では，下顎管やオトガイ孔，重積して投影される構造も確認する．そして，透過性の程度とその異常を顎骨全般にわたって評価する．正中部は頸椎が重なるため，不透過性でしかもやや不均一となり，また，下顎下縁から下顎管にかけては透過性が高い．

次に上顎に移る．鼻腔との境界から上顎洞底，歯との関係に注意しながら，上顎結節部から翼突上顎裂，翼口蓋窩まで観察し（③），同様に反対側のそれらを観察する（④）．次いで左右の上顎洞の輪郭を観察する．輪郭は骨壁に対応しており，そこでは断裂，消失，非対称性，膨隆などを評価する．特に洞壁に断裂，消失がある場合は，悪性腫瘍を疑う必要がある．さらに上顎洞内部は透過性であるが，そこに部分的あるいは全般にわたる不透過性変化の有無を評価する．

最後に歯を評価する（⑤，⑥）．埋伏歯，過剰歯，歯の喪失，大きな齲蝕，著しい歯槽骨の吸収，根尖病変などを確認する．なお，近年ではパノラマX線画像でみられる頸動脈の石灰化所見（p.433，図5-16-2参照）や，骨粗鬆症における下顎骨下縁皮質骨（p.432，図5-16-9, 10参照）にも注意する．

5）X線画像所見の表現

X線画像に認められる病変は，一定の原則に基づいて**画像所見**として表現される．画像所見では病変がみられる部位，病変の大きさ・形，辺縁の形態，内部の構造，周囲構造への影響などを記述する．ここではパノラマX線画像を例にしてその所見の表現を示し，さらに具体例を図5-1-7に示す．

(1) 部　位

病変の中心がどこかということは，鑑別診断のうえで重要である．たとえば，歯槽部あるいは下顎管より上で歯槽部に中心をもつ病変は，歯原性と判断できるであろう．また，病変が顎骨内に複数存在する場合や，顎骨以外のほかの骨にも存在するかも，局所的な疾患か系統的な疾患かの鑑別に役立つ．

(2) 大きさ

病変の大きさを知ることは，治療計画の立案，病変の経時的な観察に必要である．X線画像上

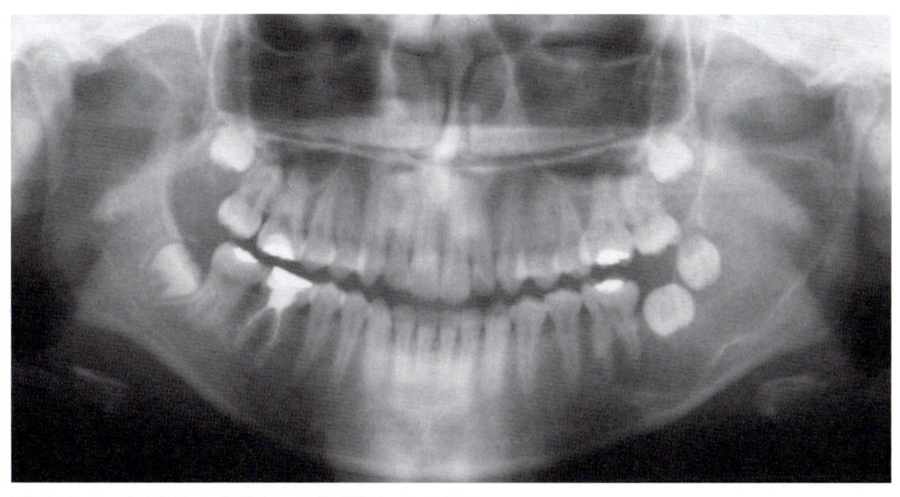

図5-1-7　顎骨内の病変のX線画像とその所見
病変は左側下顎臼歯部から下顎切痕にかけて位置している．境界は明瞭でその辺縁はやや波状を呈している．内部は均一な透過像で，第二および第三大臼歯と思われる歯が病変内に含まれている．病変は下顎枝を前後的に膨隆させている．病変に接した第一大臼歯の歯軸はやや傾斜しているが，歯根の吸収はみられない．以上の所見から，歯原性角化嚢胞を疑う．

で定規を用いて測定することもあるが，像は多少なりとも拡大していることに配慮すべきである．

(3) 形

病変が顎骨内から生じ，次第に大きくなる場合は円形ないし類円形を示す．ただし，病変は歯や皮質骨は避けて伸展するので，それが病変の形に影響することがある．たとえば，エナメル上皮種は類円形の透過性病変であるが，頬舌側の皮質骨を膨隆させる傾向が強いのに対して，同じ類円形の透過性病変である歯原性角化嚢胞は皮質骨を膨隆するがその傾向はエナメル上皮腫よりやや弱く，顎骨内を這うように進展する傾向がある．

(4) 境界と辺縁

顎骨内に生じた病変では，その境界と辺縁の状態を評価する．境界は明瞭，やや明瞭（やや不明瞭），不明瞭とし，辺縁は規則的ないし平滑な場合は整，不規則な場合は不整とする．顎嚢胞や良性腫瘍は多くの場合，骨硬化縁を伴って境界は明瞭で，辺縁は整である．これに対して，線維性異形成症や顎骨骨髄炎では境界は不明瞭で，辺縁は不整なことが多い．

(5) 内　部

病変の内部は透過性，不透過性，両者の混在に分けられる．透過性・不透過性という用語は相対的なものであるため，撮影対象部位や撮影法などによって変化することがあるので注意したい．顎骨の病変では，一般に透過性を示す病変が多いが，根尖性のセメント質骨性異形成症のように，病変の進行とともに透過性から不透過性に変化するものもある．透過性病変の内部に不透過物が生じる場合，その不透過物の量や性状によって，予想される疾患名は異なってくる．

透過性病変のうち，内部に隔壁を伴って複数の部分に分かれている場合を**多胞性**（multilocular）とよび，一方，そのような隔壁がない場合を**単胞性**（unilocular）とよぶ．たとえば，多胞性で一つひとつの胞が円形で多数ある場合は，特に**石鹸泡状**（soap bubble）とよび，エナメル上皮腫の特徴的な所見となっている．また，透過像の内部に多数の直線状の隔壁様構造がみられる場合は，テニスラケット（のガット）様とよび，粘液腫に特徴的な所見としている．

(6) 周囲構造への影響

嚢胞や良性腫瘍では，病変が大きくなると皮質骨を圧迫して膨隆させながら吸収するため菲薄化する．頬舌側および下顎下縁の皮質骨にこのような影響をみることができる．一方，悪性腫瘍や炎症性病変では，皮質骨を浸潤性に破壊する．病変が外骨膜を刺激すると，新生骨が形成される．これが**骨膜反応**で，骨髄炎では皮質骨に沿って生じ，X 線画像ではタマネギの皮状（onion-peel）を呈する．

嚢胞や良性腫瘍が歯に接すると，歯を圧迫して傾斜させる．さらに，圧迫した歯根を吸収することもある．エナメル上皮腫に典型的にみられる所見である．

6）コンピュータ支援による画像診断

(1) コンピュータ支援検出／診断（computer-aided detection/diagnosis；CAD）

CAD は，コンピュータで画像処理を行って病変を自動的に検出・解析することで，医師（歯科医師）の診断を助ける技術である．CAD において，コンピュータが勝手に病名を判断したりすることはなく，最終的な意思決定を行うのはあくまでも医師であり，CAD はその判断材料を提供するだけである．

CAD システムには以下の 2 種類がある．1 つは**コンピュータ支援検出**（computer-aided detection；CADe）で，コンピュータで自動検出された病変の候補位置を画像上にマーカーで指示することによって，医師が病変を見落とす危険を低減するとともに，読影手順の短縮をはかることができる．

もう1つは**コンピュータ支援診断**（computer-aided diagnosis；CADx）で，病変の良悪性鑑別など意思決定が困難である症例において，コンピュータによって分析された定量的データを提示することで，医師の客観的な判断を支援する．医師は，CADシステムから提供されたこれらの情報を第2の意見（second opinion）として参照することで，読影精度・速度を上げることができる．特に経験が大きくものをいう医用画像読影分野で，CADは経験の浅い医師の診断支援を行う．

(2) 医科領域でのCAD適応例

医科領域でのCAD適応として，マンモグラフィによる乳がん画像診断（腫瘤陰影と微小石灰化クラスター陰影の病変検出），胸部単純X線画像とCTによる肺がんの画像診断（図5-1-8），CTコロノグラフィあるいは大腸仮想内視鏡による大腸がんの画像診断などがあげられる．

(3) 歯科放射線領域でのCAD適応

歯科放射線領域でのCAD適応として，パノラマX線画像における例を示す（図5-1-9）．多くの歯科医は，全身に関連する疾患の異常像の読影に慣れていないし，忙しい開業歯科医は主訴以外の重要な所見を見落とすことがありうる．このCADシステムは，パノラマX線画像を定量的に解析し，全身的な疾患が疑われる症例を検知して歯科医に提示する．歯科医はCADの結果を参照し，疾患が疑われる部位を注視し，全身的な疾患が疑われる場合には専門医へ紹介できる．図5-1-9は下顎骨下縁皮質骨の厚みを自動計測し，皮質骨の形態をパターン分類して，骨粗鬆症の疑いの程度を提示するCADシステムを示す．

(4) 人工知能（artificial intelligence；AI）

AIは学習，推論，判断といった人間の知能と同様の機能をもつコンピュータシステムである．人間が知能によって遂行している問題解決や意思決定といった能力を，コンピュータを用いて模倣および再現する．AIは時代とともにより高度な技術へと発展してきたが，2000年代初頭からはディープラーニングの登場に端を発し，第三次AIブームとなっている．

(5) ディープラーニング（deep learning，深層学習）

ディープラーニングは，人間の脳の神経回路（ニューロン）を模倣したニューラルネットワークを多層化したものを用いて学習することで，コンピュータみずからがデータに含まれる潜在的特徴を捉え，より正確で効率的な判断を実現させる．ディープラーニングを活用すれば，人

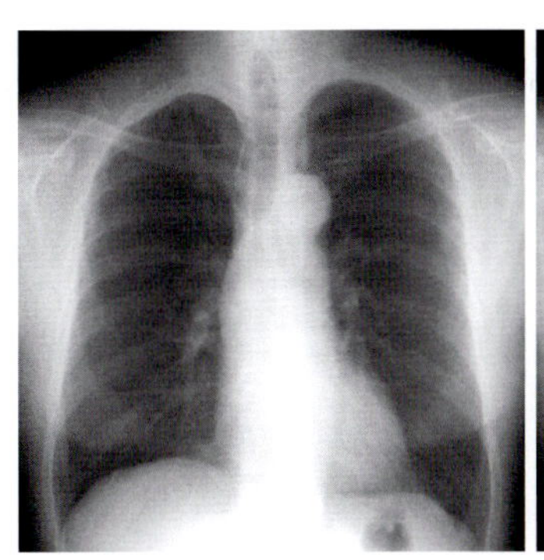
原画像

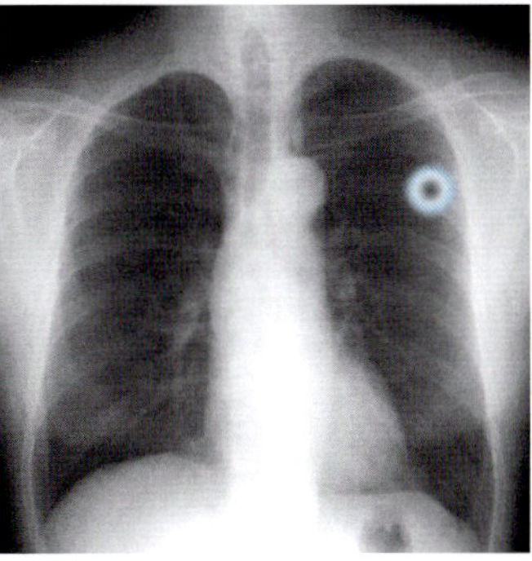
CADe

図5-1-8 胸部X線画像におけるCAD例
異常が疑われる部位をプログラムがマークで示している．

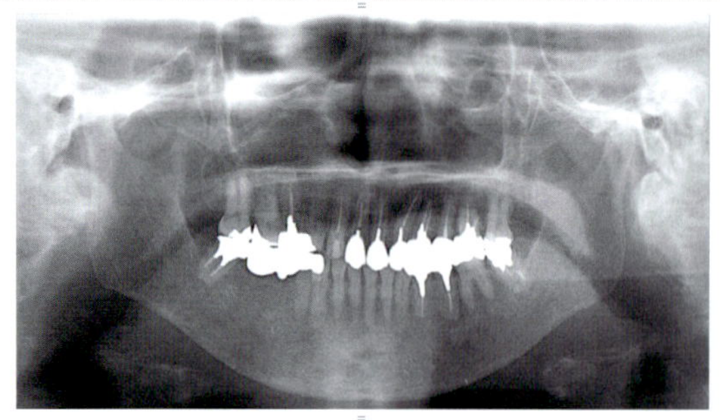

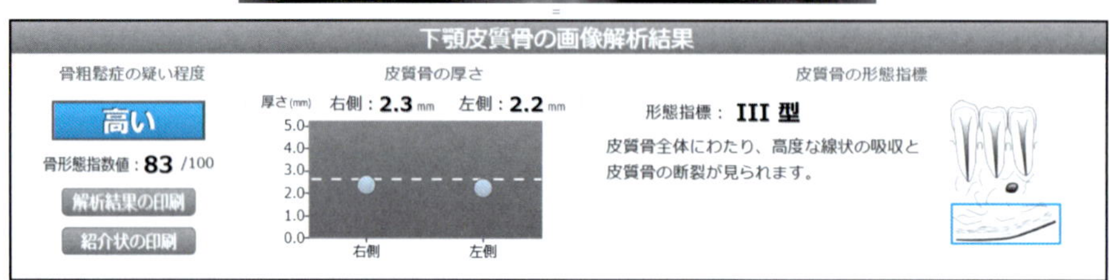

図 5-1-9 パノラマX線画像における CAD 例
下顎骨下縁皮質骨の厚さと形態を自動的に解析して，骨粗鬆症の疑い程度を示す CAD.
〔PanaScope（メディア株式会社）〕

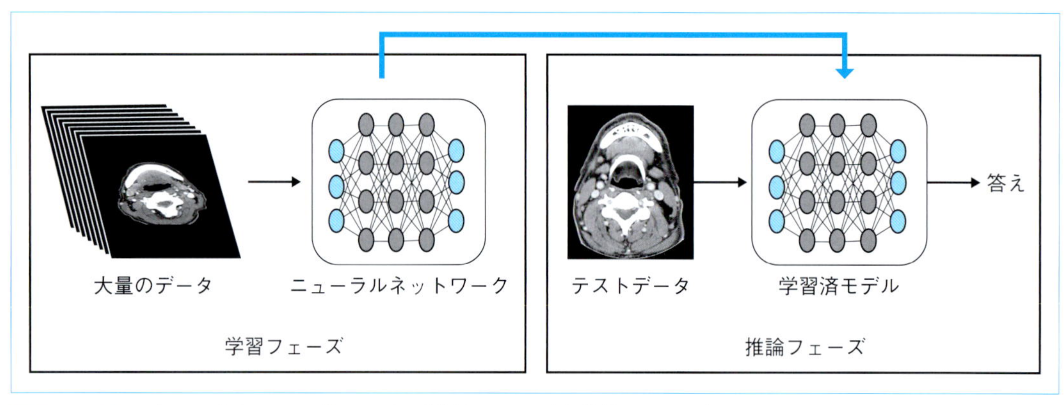

図 5-1-10 ディープラーニングにおける学習フェーズと推論フェーズ
ニューラルネットワークは，入力層，中間層（隠れ層），出力層からなる.

間が行うと膨大な時間がかかる作業も短時間で進められ，ビッグデータの有効活用も可能である．画像認識，音声認識，自然言語処理などのさまざまな分野で注目されている.

ディープラーニングを活用するには,「学習フェーズ」と「推論フェーズ」の理解が必要となる.「学習フェーズ」では, 大量のデータをニューラルネットワークに読み込ませ，正解との差が小さくなるようにネットワークモデルのパラメータの更新を最適になるまで繰り返し,「学習済みモデル」を作り上げる（図 5-1-10).「推論フェーズ」では,「学習済みモデル」に未知のデータ（テストデータ）を入力して出力を得る.

(6) ディープラーニングによる画像認識タスク

医用画像における画像認識タスクを紹介する．種類により難易度が大きく異なる.

①クラス分類（classification）

クラス分類は，画像に映っている物体の種類を判別して，画像を分類する手法である（図 5-1-11A)．対象物体の「種類」を認識する．分

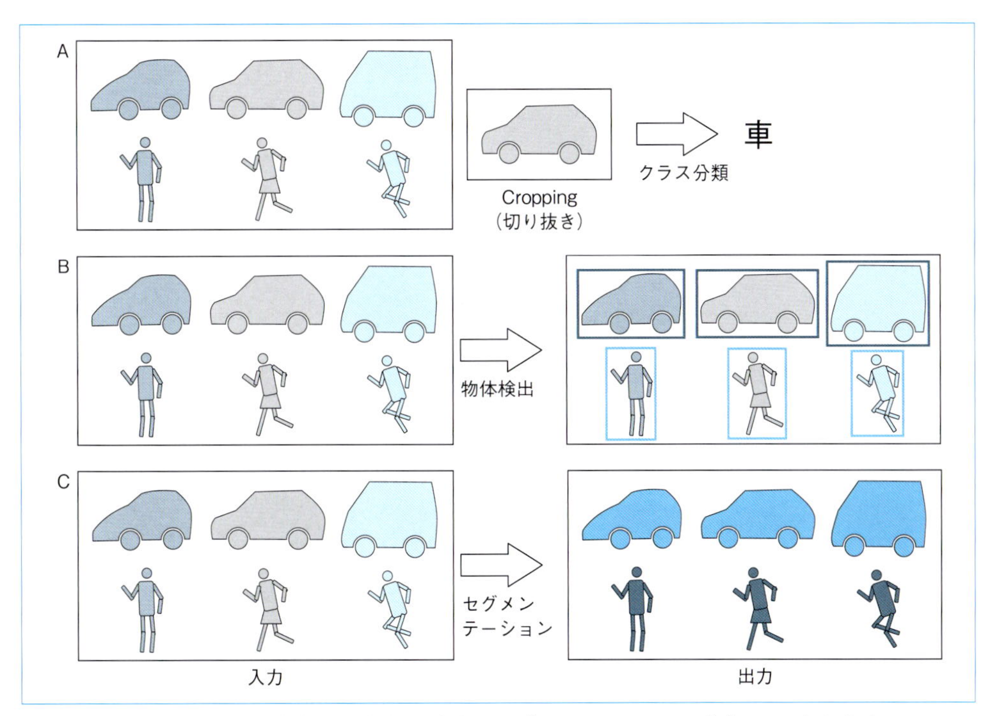

図 5-1-11　クラス分類（A），物体検出（B），セグメンテーション（C）の入力と出力

類の代表的なニューラルネットワークアルゴリズムには，ResNet，VGG，GoogLeNet，AlexNetなどがある．適応例を図 5-1-12A に示す．

②物体検出（object detection）

物体検出は，画像に映っている物体の種類に加えて，その物体の位置まで予測する方法である（図 5-1-11B）．対象物体の「種類」と「位置」を認識する．物体検出の代表的なニューラルネットワークには，Yolo，SSD，DetectNetなどがある．適応例を図 5-1-12B に示す．

③セグメンテーション（semantic segmentation）

セグメンテーションは，画像内の全画素にラベルやカテゴリを関連づける方法である（図 5-1-11C）．対象物体の「種類」と「位置」と「形」を認識する．セグメンテーションの代表的なニューラルネットワークには，U-Net や FCNなどがある．適応例を図 5-1-12C に示す．

(7) 画像生成系 AI

画像生成系 AI は，AI 技術を用いて新たな画像を作成することである．ニューラルネットワークを使って既存の画像データから特徴を学習し，それらの特徴をもとに新しい画像を生成する．代表的な技術として，GAN（generative adversarial network，敵対的生成ネットワーク），Diffusion（拡散）モデルなどがある．

応用例をいくつか紹介する．CT を半自動的に適切な冠状断像や矢状断像に画像再構成することにより，人間が手動で行う場合の 4～8 倍の処理速度が得られ，検査時間の短縮が可能となる．MRI で高画質を維持したまま短時間で撮像したり，あるいは撮像時間を延長せず画質を向上させたりする．低線量で撮影された CT の低画質画像を AI で標準線量と同等の画質まで引き上げ，患者被曝低減を可能にする．

(8) AI 開発の方向性

医療機器は「医薬品，医療機器等の品質，有効性および安全性の確保等に関する法律（薬機法）」によって規制される．AI を用いた医療機

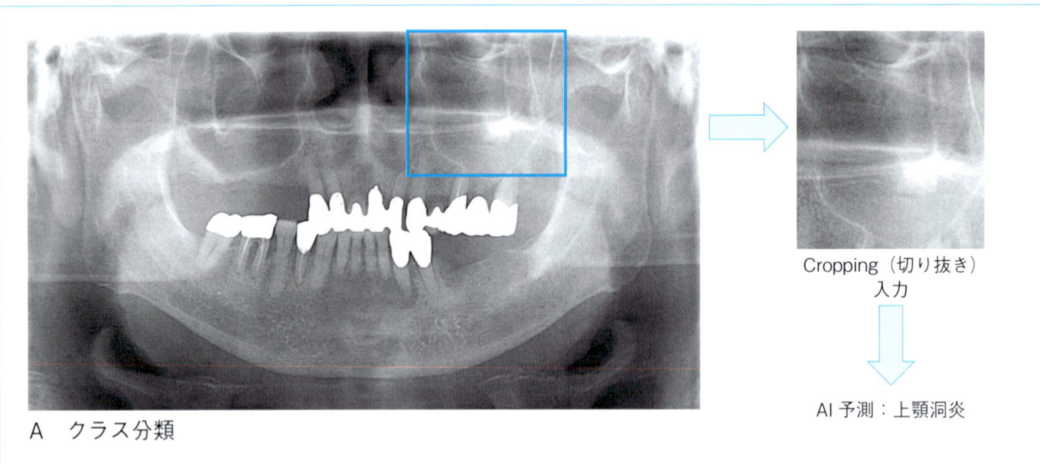

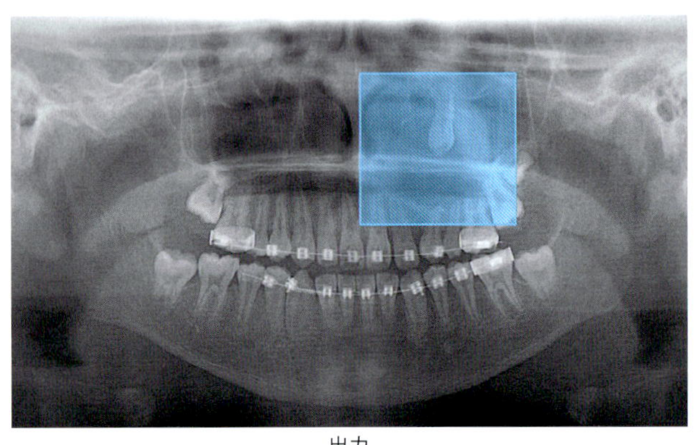

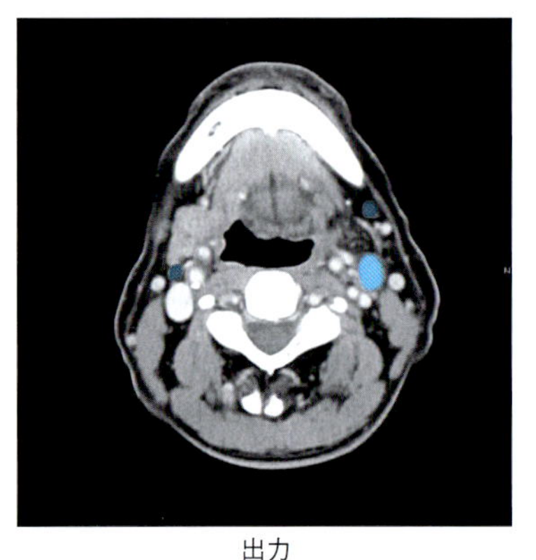

図 5-1-12 クラス分類（A），物体検出（B），セグメンテーション（C）の応用例

器は「**プログラム医療機器**」に含まれる．医療機器は人体へのリスクに応じてクラス分類されており，病変検出用画像診断支援プログラム（CADe）はクラスⅡに分類されるが，疾患鑑別用画像診断支援プログラム（CADx）は治療方針への影響の強さなどを鑑みてクラスⅢと分類されている．

個人の権利利益の保護に配慮しつつ，AIの開発のためには匿名加工された医療情報を安心して円滑に利活用する仕組みが必要である．「**次世代医療基盤法**（医療分野の研究開発に資するための匿名加工医療情報に関する法律）」は，医療ビッグデータの土台となる患者の医療情報を各医療機関から収集し，医療分野の研究開発に利活用できることを目的に，2018年5月11日に施行された．創薬や医療機器開発などに活用できることが期待される．

2022年の診療報酬改定で，「画像診断管理加算3」を算定する特定機能病院に対して，「AI画像診断支援」が算定のための一要件となった．当該施設は新たに専門の責任者を配置させ，関係学会の定める指針に基づいて，薬事承認されたAI診断支援ソフトウエアの適切な安全管理をすることによって，加算3を算定できる．

2 齲蝕

1）齲蝕とその画像検査法

齲蝕は歯科の二大疾患のうちの１つであり，全身の中でも三大生活習慣病や歯周疾患とともに罹患率の高い疾患である．齲蝕の主要な因子は口腔内の口腔レンサ球菌の一群であるミュータンスレンサ球菌であり，歯面に形成されたバイオフィルムのうち，特に歯面に接する深部の嫌気性環境において粘着性の不溶性グルカンを足場として有機酸を産生することにより歯質を脱灰するとともに歯の有機成分を分解して歯質の実質欠損をもたらす．このような機序で形成される齲蝕はひたすら拡大の一途をたどる訳ではなく，長い時間の中で脱灰と再石灰化を繰り返しながら進行し，明らかな齲窩の形成までは時間を要する．

齲蝕の要因として，口腔内の細菌，宿主因子，栄養源となる食物残渣などが相互的に作用するといわれているが，これらの均衡が崩れ，細菌が活性化する方向に傾くと次第に齲蝕が進行する．これらの均衡を保つ重要な役割を果たしているのが唾液の分泌であり，食物残渣の洗い流し，緩衝作用による有機酸の中和，唾液中の免疫グロブリンによる歯面や歯肉への細菌の定着阻害やミネラルによる再石灰化促進などで齲蝕発生予防・進行抑制に働いている．宿主の因子として，そのほとんどが無機結晶で構成されているエナメル質ではエナメル小柱を介した脱灰≒齲蝕となるが，象牙質では酸による脱灰＋酵素による有機成分の分解＝齲蝕となる．細胞や血管を含まないエナメル質の初期齲蝕の状態では，齲蝕の伝播も早くないので，フッ化物塗布による再石灰化促進により齲蝕の予防，進行抑制，回復の期待が可能であるが，エナメル質と比較して石灰化度も低く，有機成分や水分を多く含む象牙質に齲蝕が到達すると，象牙細管を介して齲蝕の進行が促進する．

齲蝕の検査には正確性に加え，客観性と再現性が高いことが望まれる．通常，直視可能な咬合面や平滑面については，多くの場合ミラーや探針などを併用して直接患者の口腔内を観察することで検出が可能であるが，直視が困難な隣接面齲蝕については，齲蝕の検出が困難であり客観的な検査として画像検査が重要な役割を果たす．

齲蝕診断における画像検査法として，簡便で一般的な方法としてＸ線検査に加え，**透照診**（fibreoptics transillumination；FOTI）やレーザー蛍光法などが主に用いられている．近年では，近赤外レーザー光を用いた**歯科用光干渉断層計**（optical coherence tomography；OCT）が齲蝕診断に利用され始めている．比較的表層の歯質の変化を高解像度の三次元画像で観察できることが可能なため，被曝を伴わない簡便な齲蝕の画像検査として注目されている．今後さらなる改良と普及が期待される．

Ｘ線検査は透照診などと比較して，深部の齲蝕に対しても検出可能で，客観性が高く，比較的再現性も優れており，齲蝕に罹患して歯質が崩壊した部分はＸ線透過像として検出可能になる．一方でＸ線画像では照射されたＸ線束が検出器に到達するまでに前後的に複数の構造が存在する場合，すべての構造が重積（p.71 参照）して検出器に記録される．Ｘ線不透過性の高いもの（健常エナメル質や金属修復物など）と齲蝕が重積した場合，重積により，齲蝕病変の大きさが小さく，脱灰の程度の低い初期齲蝕などは画像上で識別できず，結果的に齲蝕を見落とす危険性がある．Ｘ線画像でエナメル質に透過像が識別できるには元々のエナメル質の35％程度まで脱灰が進まないかぎり画像で透過像として観察できないといわれている．これらのこ

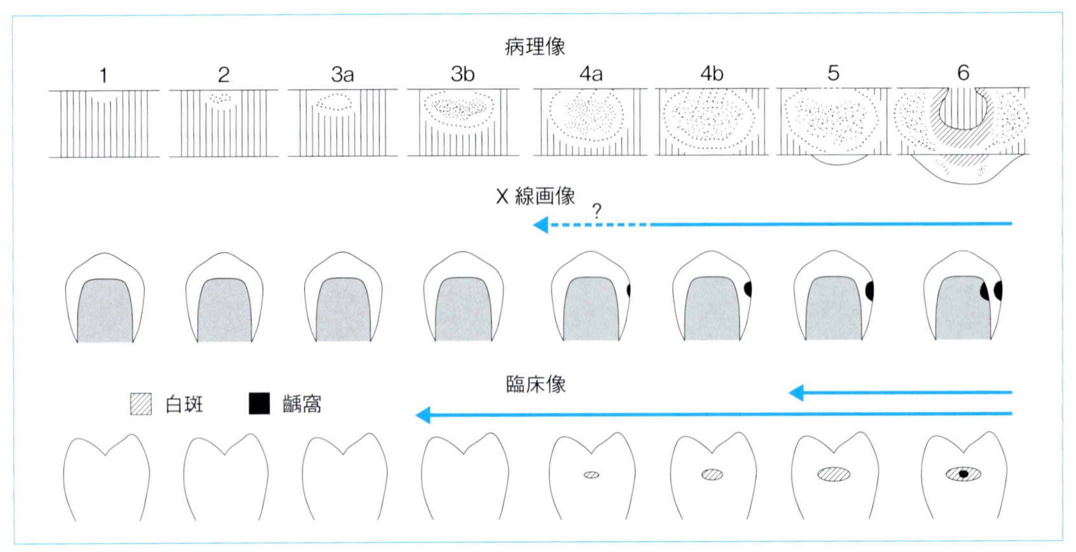

図 5-2-1　隣接面齲蝕の組織学的所見と外観所見に対する X 線所見を対比した模式図
(Darling A, 1959[1])

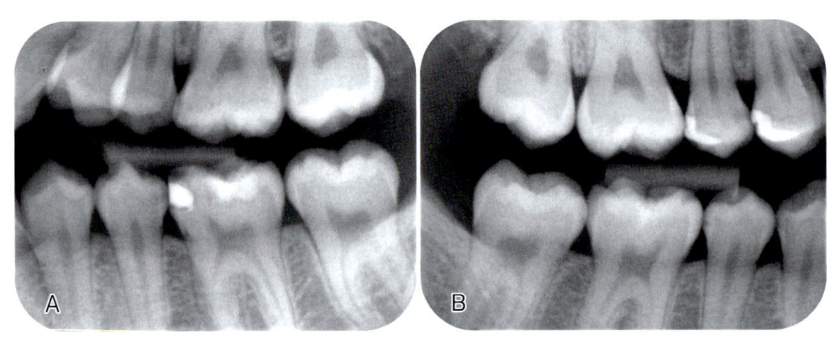

図 5-2-2　咬翼法で確認される臼歯部隣接面の齲蝕
直接確認することが困難な隣接面の初期齲蝕病変の検出には咬翼法が有効である.

とは, 実際に X 線画像で齲蝕が検出可能であることは, 臨床的に認知される齲蝕（あるいは組織学的な真の齲蝕）の到達度が画像で確認できるものよりも大きい印象を受けることがある理由の 1 つであるといえる（図 5-2-1）.

齲蝕に対する X 線検査では, 範囲が限定されていることから, 他の X 線検査と比較して少ないながらも, 被曝を伴うことに留意しなければならない. 十分臨床的な診査を行った後に, 正当化（p.54 参照）できる場合に限り, 照射野を限定する工夫（p.56 参照）, 甲状腺カラー（p.56 参照）などにより最適化（p.54 参照）をして実施されるべきである.

2）齲蝕の X 線検査と画像所見

(1) 齲蝕の X 線検査法

X 線検査を行うにあたり, 他の臨床的な診査の後に正当化される場合に X 線検査を実施する. 予防的な定期検診や, 直視が困難な臼歯部などに初期の齲蝕が疑われる場合の X 線検査では, 咬翼法を実施することが望ましい. 咬翼法はフィルムや IP などの検出器を正しく位置付けるのがやや困難であるが, 検出器が上下歯冠とほぼ平行になり, 正放線投影を行うことにより各歯質の境界を歪みの少ない明瞭な画像で観察することが可能となる．さらに隣在歯同士の隣接面の重積を避けることができるため，直視しづらい隣接面齲蝕の検出に最適である（図5-2-2）．

齲蝕が明らかで歯髄や歯周組織に波及が疑われる場合では二等分法や平行法による口内法撮影を行い，根尖部を含む周囲の歯周組織を含めて観察することが望ましい（図5-2-3）．

なお，X線検査の適応と間隔については表5-1-4（p.238）を参照のこと．

（2）齲蝕の画像所見

齲蝕はエナメル質や象牙質の無機成分が脱灰することにより，脱灰部分のX線透過性が亢進することで，透過像の病変として識別される．しかしながら，エナメル質表面が保たれて，白斑のみのいわゆるエナメル質初期齲蝕の状態の場合や，脱灰が生じていたとしても齲蝕の病変自体が小さい場合や脱灰程度が少ない場合はX線画像で検出できないことが多く，また齲蝕が疑われたとしても過小評価される場合が多い．

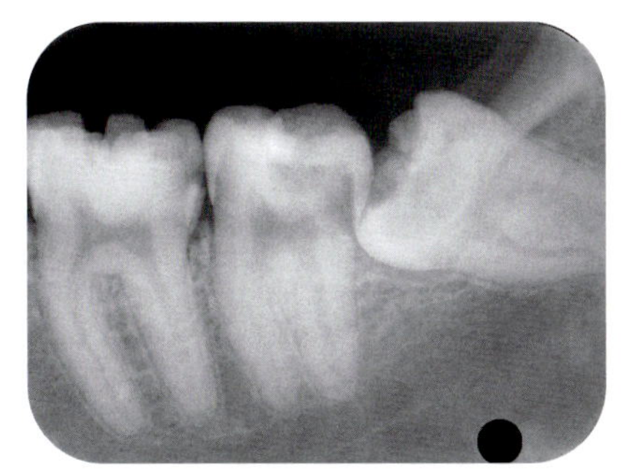

図5-2-3　周囲への進展が疑われる齲蝕のX線画像
埋伏した下顎左側智歯が近接する第二大臼歯では象牙質に及ぶ透過像を認め，歯髄への影響が疑われる．またそのような場合は根尖部歯周組織の変化も確認する必要がある．

脱灰が進み歯の表層から歯質内部へ進達する場合，病巣の進行は有機酸の濃度勾配に依存して拡大する．結果的に齲蝕病巣の三次元的な輪郭は**齲蝕円錐**といわれる円錐形を示す（図5-2-4）．咬翼法などの口内法X線画像では三次元的な観察は困難であるが，咬合面の小窩裂溝部の齲蝕では裂溝部を頂点とした円錐形となり，内部に行くにつれて広がる特徴的な形態を示す．また，いったんエナメル象牙境まで達すると，エナメル象牙境部分で拡大した底面から頂点を歯髄に向けた齲蝕病巣を形成する（図5-2-5）．象牙質の表層部分については，マッハ効果により視覚的にエナメル象牙境に接する象牙質部分が帯状に透過性が亢進しているように見えることがあるので齲蝕との鑑別に注意が必要である．

（3）歯根面の齲蝕（根面齲蝕）

加齢や慢性歯周炎による歯肉退縮や骨欠損が

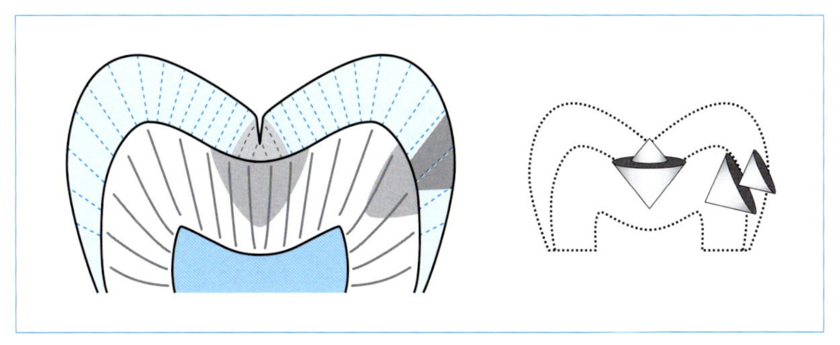

図5-2-4　齲蝕円錐の模式図（下野正基，2021[2]）
齲蝕は，エナメル質ではエナメル小柱の走行（青破線），象牙質では象牙細管の走行（灰実線）に沿って進行するため，小窩・裂溝部と平滑面では齲蝕円錐の向きが異なっている．

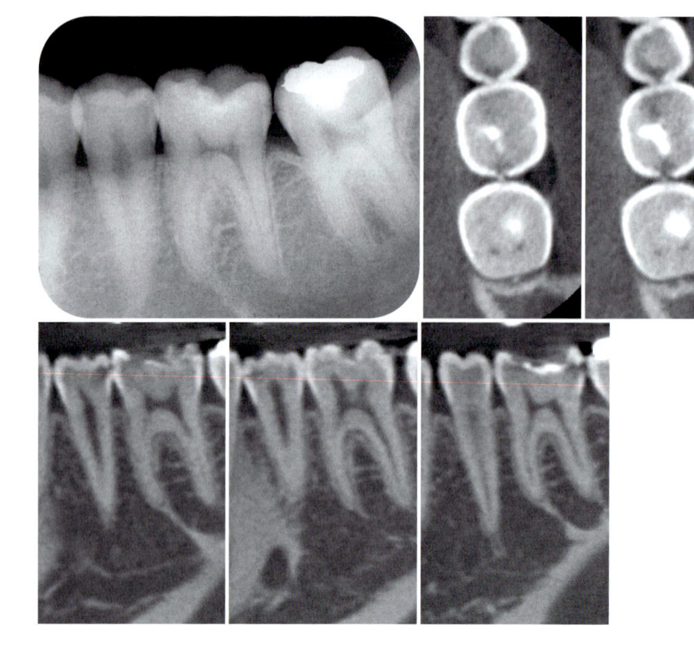

図 5-2-5　**齲蝕の歯科用コーンビーム CT 画像**（口内法の画像は河合泰輔，2007[3] より転載）
口内法でも下顎左側第二小臼歯および第一大臼歯の隣接面齲蝕は確認できるが，歯科用コーンビーム CT では進行形態を三次元的に把握できる．しかし，齲蝕診断の目的のみで本検査を用いることは推奨されない．また，逆に他の目的で検査を行った場合は，関心領域内の偶発所見として齲蝕についても評価しなければならない．

生じている場合，歯根部も齲蝕に罹患する．歯根部は表面のセメント質は厚さが薄く（20～50 μm），また石灰化度が低いことなどから，齲蝕に罹患した場合の進行は他の部位と比較して早いことに留意しなければならない．また，類円形の断面形態をした歯根表面に持続的にバイオフィルムが除去されない状況が生じると，歯根全周に齲蝕病巣が形成されることもある．一般的に歯根面の齲蝕については，プローブなどを用いた臨床的な診査により確認されることが多く，治療方針についてもさまざまであるが，X 線撮影で観察する場合，バーンアウトとの鑑別に留意する必要がある．

(4) 乳歯の齲蝕

近年，フッ化物の応用や食育指導などにより，乳歯の齲蝕罹患率は低下している．また，シーラントなどの予防処置や健診も積極的に行われていることから齲蝕が多発している症例に遭遇することはまれになった．しかしながら乳歯の解剖学的な特徴として，永久歯と比較してエナメル質が薄く，象牙質の有機成分の比率も大きいため，酸に対する抵抗性が低い．

乳歯に齲蝕が形成された場合，変色が少なく，進行が速い．このため表面に小さな齲窩として発見されたとしても，成人以上に表面の齲窩より実際の齲蝕病変は深部まで広く形成されていることが多い（図 5-2-6）．乳歯齲蝕が疑われる場合，永久歯以上にリスクに応じた経過観察のサイクルを考慮する必要がある．

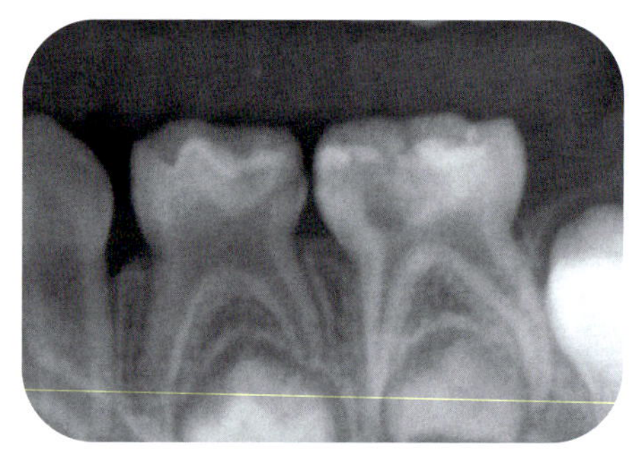

図 5-2-6　**乳歯齲蝕の X 線画像**
第一乳臼歯遠心隣接面の齲蝕が張り出した髄角に到達している．乳歯は形態的にも永久歯と異なるため早期発見・治療が必要である．

3　歯髄・根尖病変と歯内療法

1）歯髄・根尖病変と画像検査法

歯髄および根尖部歯周組織を診査する場合，X線画像は必要不可欠な情報源である．非常に微細な構造を診査するため，解像度の高い口内法撮影が一般に用いられる．三次元的な診断が必要な場合，歯科用CTが用いられることもある．

X線撮影は平行法が最も適しているが，検出器の位置づけと保持が困難であることから，二等分法を用いる場合が多い．二等分法で得られた画像にはひずみが生じるため，根管長をX線画像で診査する際には注意が必要である．(p.109，図4-1-20参照)．一方，水平的照射角度については正放線投影が基本となるが，複根歯の場合には**偏心投影**が有効となる場合がある．すなわち，正放線投影では頰舌側の歯根部の歯髄腔（根管）が重なり1根管にみえる場合でも，偏心投影によって2根管が明瞭に写し出される（図5-3-1）．また，偏心投影は複数の根管の根尖が一致しているか分離しているかを診査するうえでも有用な撮影法である．

2）歯髄・根尖病変の画像所見

(1) 歯髄の画像所見

歯髄は，X線透過像（歯髄腔）として歯冠部から連続的に根尖部に続いてみられる．歯髄腔の大きさは，年齢によって変化し，加齢によって生理的に縮小する．また，さまざまな原因による**第二象牙質**（図5-3-2）や**象牙質粒**（**歯髄結石**）（図5-3-3）により冠部の歯髄腔が縮小することがある．

(2) 根尖病変の画像所見

根尖病変は，根管を通じて種々の炎症性刺激が根尖周囲組織に及んだ結果生じる病変で，根尖膿瘍，歯根肉芽腫および歯根囊胞の3型がある．炎症の進展に伴い，根尖部を中心に歯槽骨が破壊されることからX線画像による画像診断は不可欠であり，X線所見から病変の広がりや根管の状態を把握し適切な治療法を選択する．

A．根尖部病変の典型像

根尖部病変の典型例では以下の特徴的なX線所見を呈する（図5-3-4，5）．

①根尖を取り囲む類円形の透過像としてみられる．

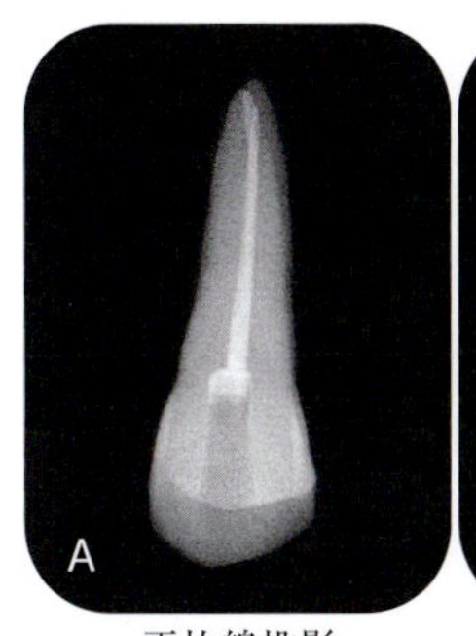

正放線投影

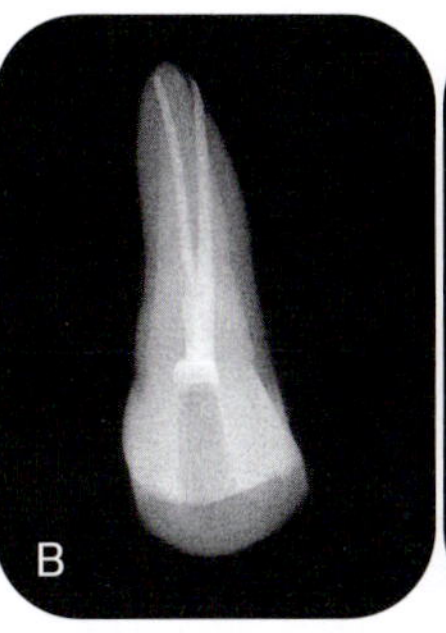

偏遠心投影（10°）

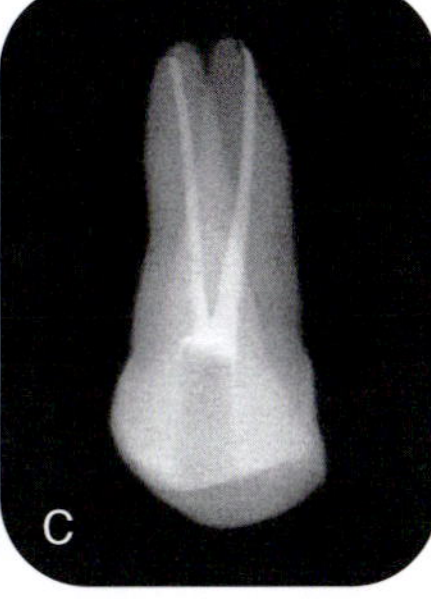

偏遠心投影（20°）

図5-3-1　正放線投影と偏心投影
上顎小臼歯を例にすると，正放線投影(A)では1根管のように投影されているが，偏心投影（B，C）では2根管として投影されている．また，偏心投影は複数の根管の根尖が一致しているか分離しているかを判断するうえでも有用である．

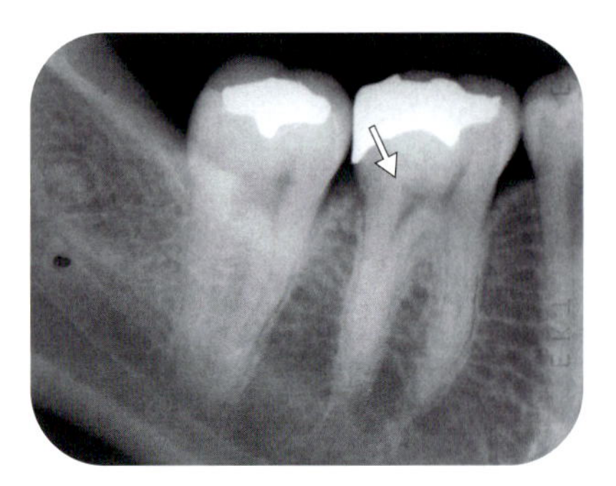

図 5-3-2　**第二象牙質**
「6 の歯冠遠心部象牙質には充填処置が施され，第二象牙質が形成されている（矢印）.

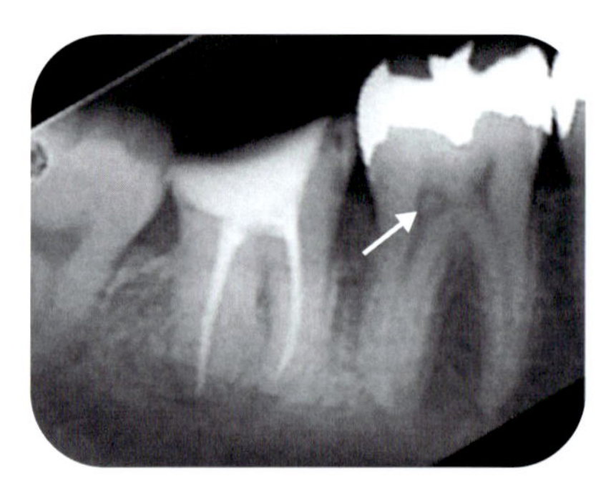

図 5-3-3　**象牙質粒（歯髄結石）**（飯久保正弘，笹野高嗣，2020[1]）
「6 の歯冠遠心部の歯髄腔に象牙粒と思われる不透過物がみられる（矢印）.

②透過像は歯根膜腔と連続する.

③歯槽硬線が消失することがある．これは炎症性の破壊吸収像であり適切な歯内療法によって回復することがある.

④慢性に経過した場合や歯根嚢胞では，透過像周囲に歯槽硬線と連続する一層の硬化帯がみられることがある.

⑤病変の周囲骨梁にびまん性に不透過性の亢進がみられることがある．これは反応性の硬化性変化（硬化性骨炎）であり，適切な歯内療法によって消失することがある.

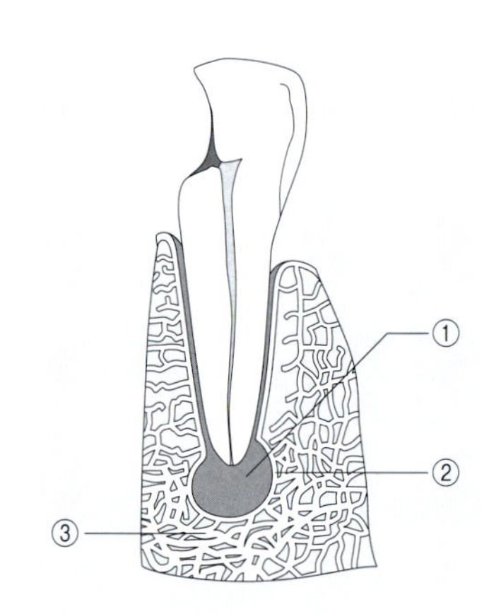

図 5-3-4　**根尖病変の典型像**
①：根尖を取り囲む類円形の透過像としてみられ，透過像は歯根膜腔と連続する．②：透過像周囲に歯槽硬線と連続する一層の硬化縁がみられることがある．③：透過像の周囲に反応性の硬化性変化がみられることがある.

B. 根尖および根尖周囲組織の X 線画像の解釈

①実際の根管は複雑な分岐をしており，主根管以外に根管側枝や髄管などの分岐が存在するが，これらの副根管が X 線画像に写し出されることはまれであり，主に主根管のみが写し出される.

②根尖狭窄部は微細なため X 線画像では確認しにくい.

③ X 線画像における歯根膜腔は歯根膜の変化（特に炎症性変化）を反映する.

④歯槽硬線は歯根周囲の緻密骨が接線効果により描出されたもので，常に写し出されるとは限らない．したがって，消失している場合の解釈には他の所見を加味する必要がある.

C. 根尖部 X 線透過像の解釈

① X 線検査によって，すべての根尖部病変が写し出されるとは限らない．X 線画像では，海綿骨内に限局する小さな病変は通常検出されず，病変が皮質骨を吸収して初めて透過像として認められるようになる（図 5-3-6）.

②実験的に頬側あるいは舌側の顎骨皮質骨に作成された人工的欠損は，いずれも透過像として確認できるが，舌側に作成されたときのほうがより明瞭であることが報告されている．すなわち，検出器に近い舌側の病変のほうが検出されやすい.

③正常な解剖学的構造が X 線画像上で根尖と

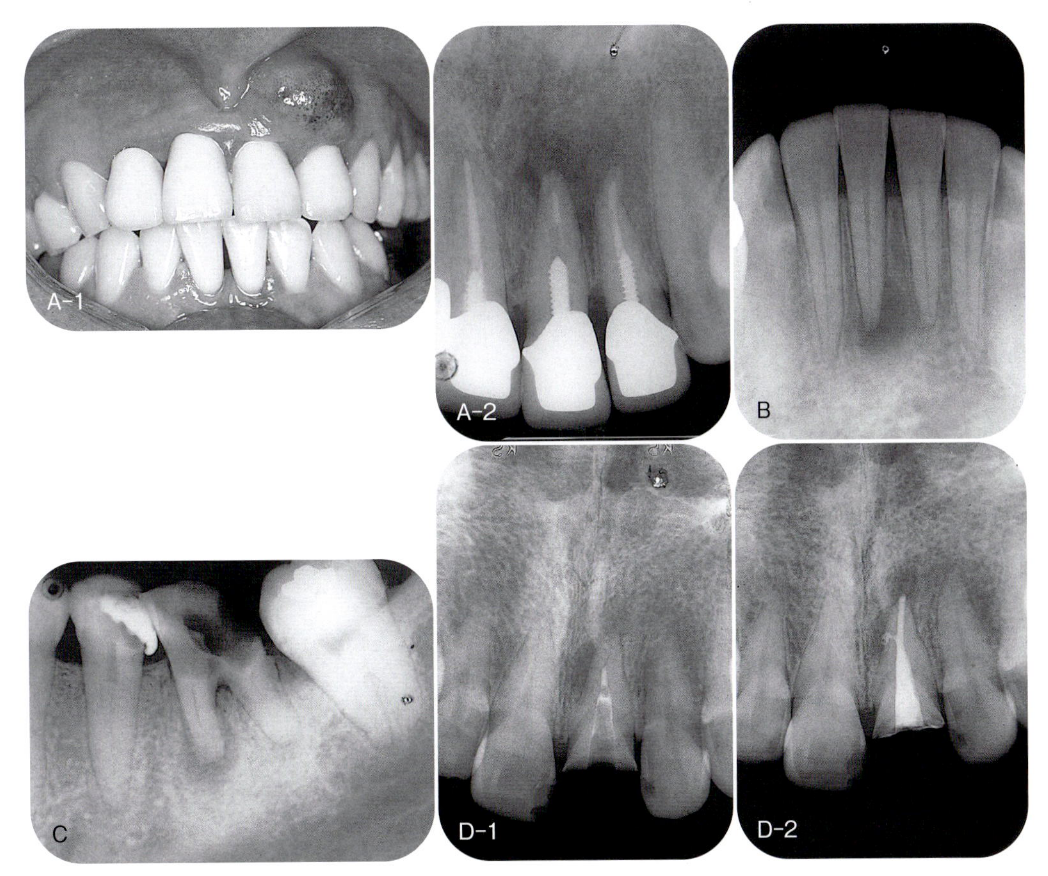

図 5-3-5　根尖病変の X 線画像

A-1：上顎左側前歯部歯肉の腫脹を主訴に来院．A-2：X 線画像では上顎左側中切歯および側切歯の根尖を囲む透過像がみられる．透過像は境界が不明瞭で歯槽硬線は消失しており，急性期の骨吸収像と考えられる．B：下顎右側中切歯の根尖を囲む境界明瞭な透過像がみられ，透過像周囲の硬化縁は歯槽硬線に連続している．この所見は慢性の経過を示しており，実際に臨床症状はなかった．根尖病変の原因としては外傷による歯髄死が考えられる．C：下顎左側第一大臼歯の近心根および遠心根の根尖部に透過像がみられ，透過像周囲には著明な硬化性病変がみられる．この所見は反応性の硬化性変化で慢性の経過を示している．D-1：上顎左側中切歯の根尖および近心側壁に透過像がみられる．この画像では根管側枝の存在はわからない．D-2：根管充填後の X 線画像から近心側壁の根管側枝の存在が明らかとなった．

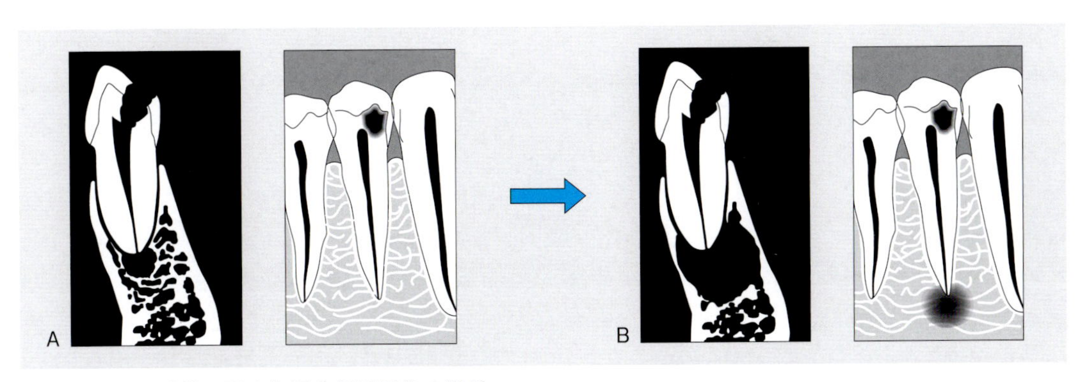

図 5-3-6　骨破壊の程度と根尖部透過像の関係

海綿骨内に限局する病変は X 線画像に変化が現れないが（A），病変が皮質骨を破壊してはじめて透過像として認められるようになる（B）．

重なり，根尖部病変と見誤ることがある．すなわち，上顎洞，オトガイ孔，切歯孔，大きな骨髄腔などである．

④他の疾患が根尖付近に発現した場合，根尖部病変と見誤ることがある．すなわち，根尖性セメント質異形成症の第1期，咬合性外傷，嚢胞や腫瘍などである．

⑥根尖部にみられるX線透過像を根尖部病変と診断するためには，歯根膜腔や歯槽硬線とX線透過像との位置関係を注意深くみることや，歯髄の生死診断が不可欠である．

3）歯内療法におけるX線画像の活用

(1) 治療方針の決定と歯内療法の適応

根尖部病変に対する治療計画を立案するとき,X線所見は重要な情報源である．たとえば,著しい歯槽骨の吸収や歯根破折がある場合には抜歯が選択され，根管内のポストコアや異物の除去が困難と判断されれば歯根端切除術が選択されることもある．歯内療法が適応となる症例は，歯の保存が可能であり，根管の拡大清掃が可能な症例である．歯内療法を行うと決定したときは，X線画像で次の点を把握する．

①歯冠部

歯髄腔の形や大きさ，二次象牙質や象牙質粒(denticle) による歯髄腔の狭窄（図5-3-2，3）

②根管

根管の数，おおよその長さ，彎曲，狭窄，内部吸収，副根管，根管充塡材の状態（緊密度,過不足度),根管内異物（ポストコアや破折リーマーなど）

③根尖

根尖の完成度，破折，穿孔，閉鎖，根尖部病変の大きさと広がり，周囲組織（下顎管，オトガイ孔，上顎洞底など）との位置関係

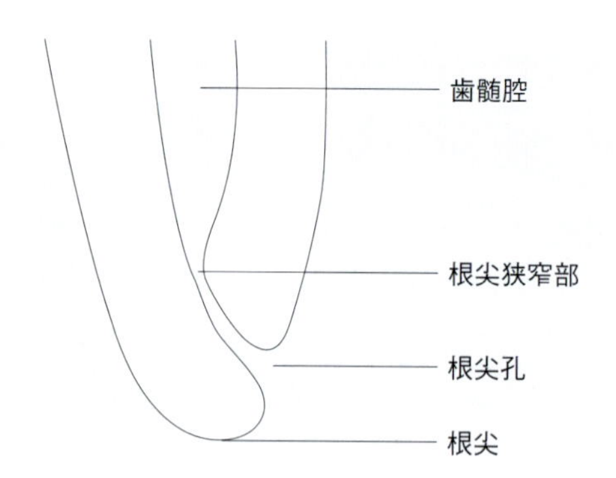

図5-3-7　根尖，根尖孔および根尖狭窄部の位置関係

根尖と根尖孔は歯根の長軸方向に0.4～0.6 mm程度のずれがある．また根尖狭窄部は根尖孔と0.5 mm程度のずれがある．

(2) 根管長の測定

歯内療法を成功させるためには，根尖狭窄部までの長さ（根管長）を正確に測定することが必要となる．実際の臨床では電気的根管長測定法が主であるが，電気的根管長測定法が困難な場合には，根管内にリーマーを挿入してX線画像を撮影し，根管長を把握する方法が有効である．しかしながら，X線画像における根尖は必ずしも根尖孔と一致しない．根尖孔が根尖に開口しているのは，20～30%程度で，歯根の長軸方向に0.4～0.6 mm程度のずれがある場合が多い．さらに,根尖狭窄部は根尖孔より0.5 mm程度のずれがある（図5-3-7）．X線画像で歯内療法のための作業長を決定する場合には，このずれを考慮する必要がある．

(3) 経過観察

歯内療法後の根尖部病変の経過をX線画像で判定する際のポイントは，透過像の縮小，骨梁の再生，歯槽硬線の出現である．

(4) 歯科用コーンビームCTの活用

歯内療法において，歯科用コーンビームCTは，根管の形態，根尖部病変の有無，病変の広

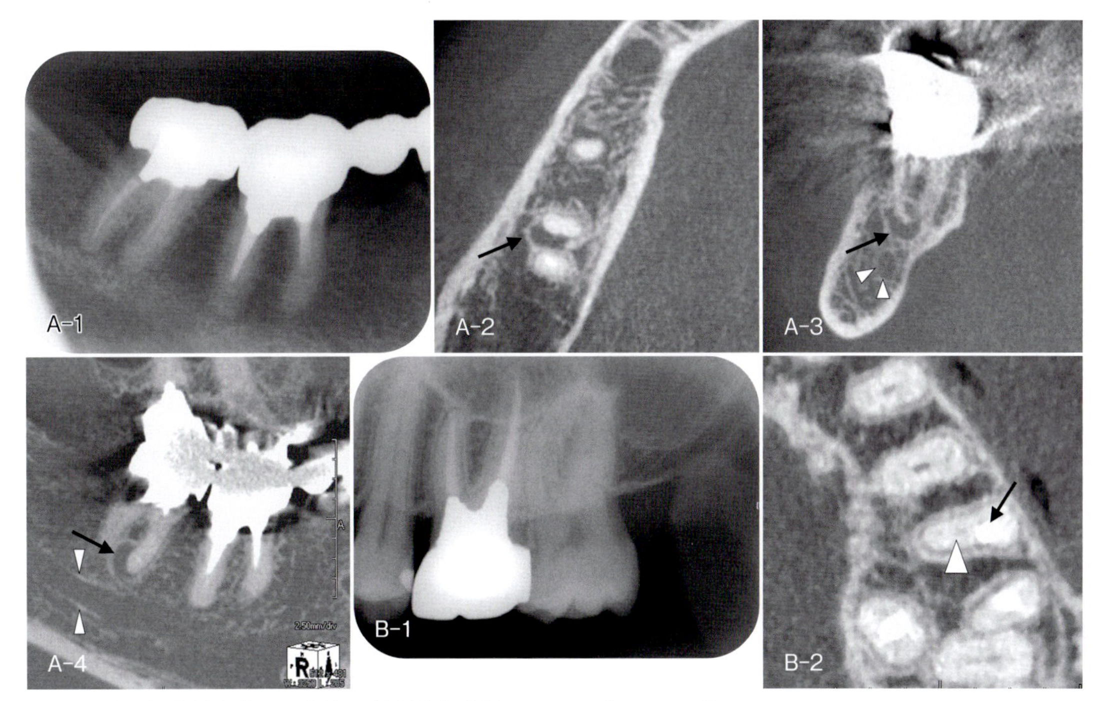

図 5-3-8　根尖部病変の口内法 X 線画像と歯科用コーンビーム CT 像
口内法 X 線画像（**A-1**）では，下顎右側第二大臼歯根尖部の病変は明らかではないが，歯科用コーンビーム CT 像（**A-2～4**）では，根尖部に類円形の低吸収域（矢印）がみられ，周囲は一層の高吸収帯で囲まれている．なお，病変は下顎管（矢頭）には及んでいない．口内法 X 線画像（**B-1**）では，上顎左側第一大臼歯近心頬側根は一根管にみえるが，歯科用コーンビーム CT 像（**B-2**）では，近心頬側根が 2 根管存在することがわかる．1 根管は根管充填（矢印）されているが，もう一方の根管は根管充填はされていない（矢頭）．

がり，下顎管や上顎洞と根尖との位置関係，歯根破折などの把握に有用である．口内法撮影で得られない情報が得られる場合も多い（図 5-3-8）．

4 歯周疾患

1）歯周病と画像検査法

歯肉炎は正常歯肉へのデンタルプラークの付着により炎症が起こる病変である．歯肉の腫脹，発赤，歯肉ポケット（仮性ポケット）の形成および出血が起こるが，正常歯肉と比較してアタッチメントレベルに相違はなく，歯槽骨の吸収は認めない．したがって，画像検査は適応となりにくく，主に視診・触診にて診断を行う．

歯周炎では歯周ポケット（真性ポケット）が形成され，**歯槽骨吸収**が認められる．歯槽骨吸収には**水平性骨吸収**，**垂直性骨吸収**および両者の混在した**混合型骨吸収**がある．歯槽骨吸収が生じるとプローブによる検査とともに画像検査が適応となる．画像検査により歯槽骨の消失の程度，歯根の長さや形態，根分岐部の状態および咬合状態（外傷性咬合の可能性）がわかる．なお，日本歯周病学会では歯槽骨吸収の程度からみた歯周炎の進行程度を次のように分類している．

（1）**軽度歯周炎**：歯槽骨吸収あるいはアタッチメントロスが歯根長の1/3以下で根分岐部病変がないもの

（2）**中等度歯周炎**：歯槽骨吸収あるいはアタッチメントロスが歯根長の1/3〜1/2以下で根分岐部病変があるもの

（3）**重度歯周炎**：歯槽骨吸収あるいはアタッチメントロスが歯根長の1/2以上で根分岐部病変が2度以上のもの

使用される画像検査は高分解能な口内法X線検査が主となるが，パノラマX線検査も使用・併用される．ただし，これらの検査のみでは二次元的であるため，唇（頬）口蓋（舌）側の骨吸収の情報は乏しくなる．重度の辺縁性歯周炎で歯槽骨の消失の形態と程度を三次元的に把握するには十分に正当化を行ったうえで歯科用コーンビームCTが適応となる．歯科用コーンビームCTでは根分岐部病変，歯槽骨の裂開（ディヒーセンス），開窓（フェネストレーション），骨縁下骨欠損の残存壁数の把握が可能である．重度の辺縁性歯周炎から波及した歯肉周囲膿瘍や骨髄炎に伴う蜂窩織炎では軟組織の描出が可能な全身用CTやMRIが追加されることもある．さらに主に悪性腫瘍に適応となる ^{18}F-FDG-PET/CTでは二次的に歯性感染への ^{18}F-FDGの集積が認められる．

(1) 口内法X線画像

二等分法，平行法および咬翼法があるが，唇（頬）口蓋（舌）側の骨吸収の詳細な把握では平行法や咬翼法が優れる．口内法撮影用の保持具を使用すれば平行法に近い画像が得られ（図5-4-1），ある程度の規格性も担保されるため，長期の辺縁性歯周炎の経過観察に利用される．口内法X線画像（図5-4-2，3）では歯槽骨の骨吸収の部位と形態，歯根形態，歯根周囲歯根膜腔の拡大，歯槽硬線の消失度合いおよび歯石の有無を読影する．また，歯肉に瘻孔形成がある場合にはガッタパーチャポイントを挿入し，ガッタパーチャポイントの到達部位から原因を推測する．

(2) パノラマX線画像

異常絞扼反射のある患者や辺縁性歯周炎以外にも歯科・口腔外科疾患がある場合に撮影する．ただし，口内法X線画像と比較して画像の分解能が劣ること，上下顎の前歯部では頸椎の障害陰影により画像が不鮮明となることに十分留意して辺縁性歯周炎による歯槽骨吸収や周囲顎骨の骨髄炎を読影する．また，口内法X線画像を局所的に追加撮影することがある．

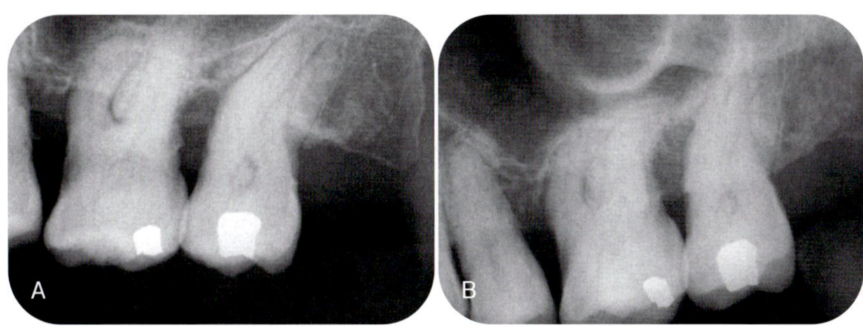

図 5-4-1　同じ患者の同部位で保持具を使用した平行法に近い画像と二等分法画像の比較

保持具を使用した平行法に近い画像（**A**）では歯根長の 1/3〜1/2 程度の歯槽骨の吸収が明瞭で，セメント-エナメル境（CEJ）からの骨消失が把握しやすい．また，|6 の遠心歯頸部から根面にかけての歯石の付着が明瞭に描出されている．二等分法画像（**B**）では実際よりも少ない歯根長の 1/3 程度の歯槽骨の吸収として描出され，|6 の遠心歯頸部から根面にかけての歯石の付着も不明瞭である．

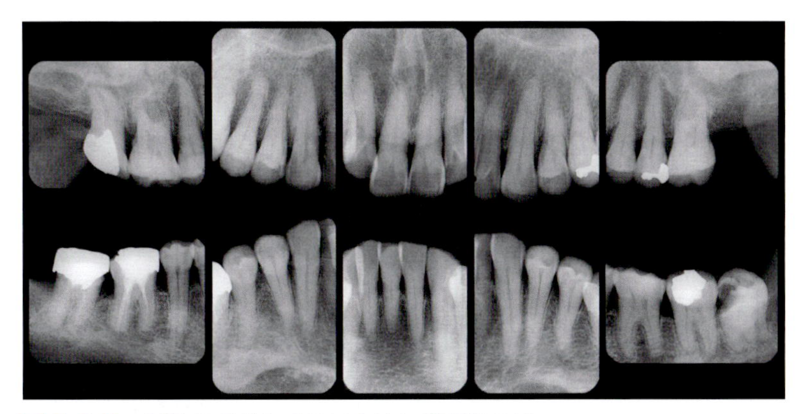

図 5-4-2　全顎 10 枚法による口内法 X 線画像の例

通常サイズの検出器を使用する場合は 10 枚法や 14 枚法で撮影する．

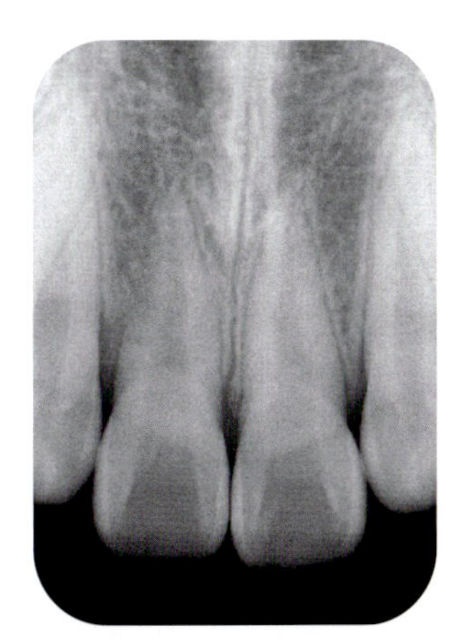

図 5-4-3　歯周組織の正常像の例

正常像では上下顎歯のセメント-エナメル境と歯槽頂部歯槽骨がほぼ一致している．また，歯槽頂部から根尖にかけての歯槽硬線は明瞭であり，線状の X 線透過性構造物である歯根膜腔の拡大は認められない．

(3) 歯科用コーンビーム CT

口内法 X 線検査やパノラマ X 線検査は二次元的画像であるため，歯科用コーンビーム CT で三次元的な歯槽骨吸収の範囲と形態を読影する．歯根破折が描出されることもある．ただし，歯科用コーンビーム CT は硬組織が対象であるため，軟組織に波及した炎症や炎症性肉芽組織の描出は不可能である．根分岐部病変による骨吸収，歯槽骨の裂開，開窓，骨縁下骨欠損の残存壁数の把握，歯周炎から波及した歯槽骨の炎症（骨吸収とびまん性の骨硬化）の硬組織に特化した読影が可能である．

(4) 全身用 CT

小照射野の歯科用コーンビーム CT よりも分解能は劣るが，軟組織ターゲット画像では骨消失部の炎症性肉芽の形成，周囲軟組織への炎症波及が描出され，骨ターゲット画像では歯科用コーンビーム CT に準じた骨変化の観察が可能である．CT 値計測により慢性骨髄炎による骨硬化の度合いが判断できる．

(5) MRI

辺縁性歯周炎による骨消失部では T1 強調像で低信号，T2 強調像で中等度から高信号の信号変化領域として描出される．さらに炎症が骨外に波及した場合には組織の腫脹，不明瞭化および信号変化が認められる．

(6) ^{18}F-FDG-PET/CT

適応は主に悪性腫瘍であるが，二次的に歯性感染への ^{18}F-FDG 集積が認められる．辺縁性歯周炎の骨消失が増大するほど ^{18}F-FDG の集積度合いが上がる傾向にあるとの報告がある．

2）歯周疾患の画像所見（図 5-4-4〜9）

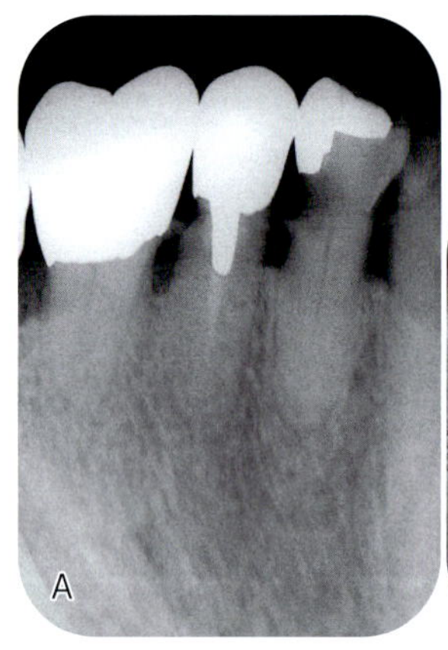

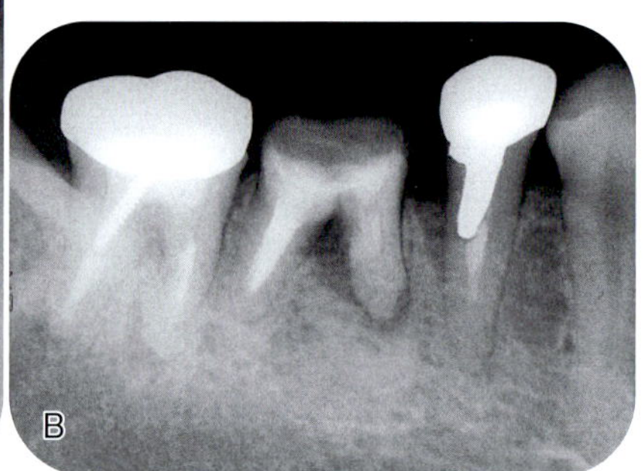

図 5-4-4　辺縁性歯周炎における水平性骨吸収と垂直性骨吸収の画像所見

歯列のセメント-エナメル境と吸収した歯槽頂部歯槽骨が平行であるものを水平性骨吸収と分類する（A）．上記が平行ではなく，限局性に歯軸方向へ吸収したものを垂直性骨吸収と分類する（B の5|遠心部）．垂直性骨吸収は咬合性外傷との関連が指摘される．水平性骨吸収と垂直性骨吸収の混合型骨吸収が認められることがある（B の6|近心根遠心部）．

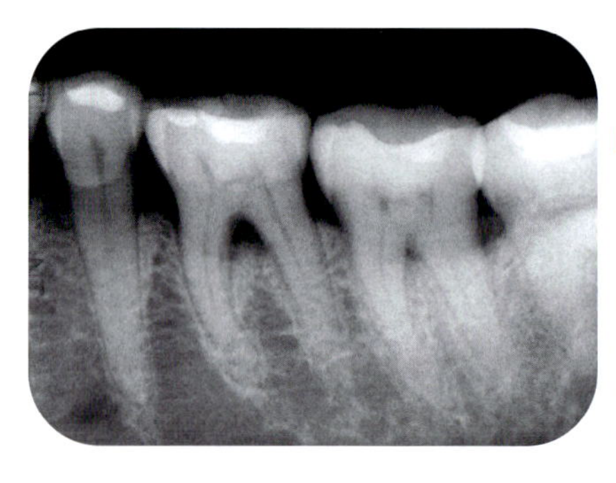

図 5-4-5　辺縁性歯周炎における根分岐部病変の画像所見

多根歯の根分岐部の歯槽骨が破壊されて吸収したものを根分岐部病変とよぶ．|6 では中等度の根分岐部病変（Tarnow の根分岐部病変の分類ではグレード B），|7 では軽度の根分岐部病変（Tarnow の根分岐部病変の分類ではグレード A）が認められる．

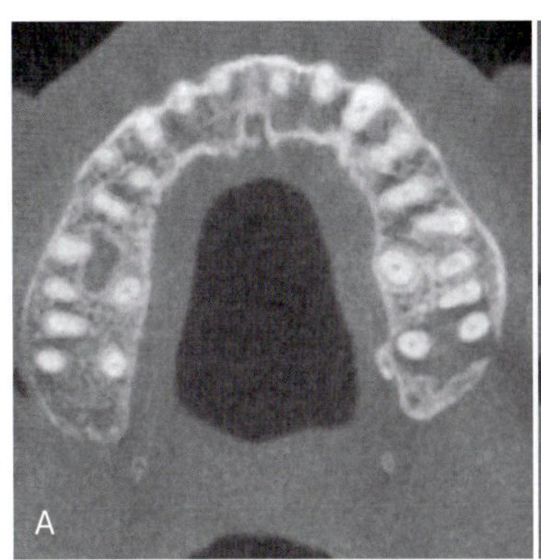

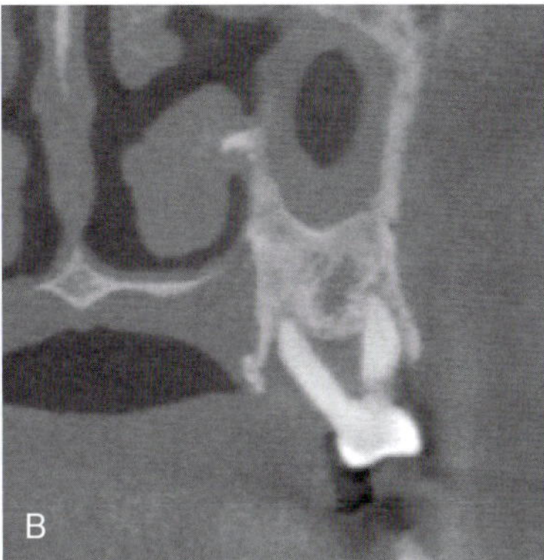

図 5-4-6 歯科用コーンビームCTによる辺縁性歯周炎による骨欠損の詳細を示す画像所見

A：横断像，B：歯列直交断像．歯科用コーンビームCTでは骨欠損の三次元的所見を得られる．この画像では|7 遠心頬側根と口蓋根周囲の全周性の骨消失（A）や根分岐部病変による骨消失（B）が認められる．

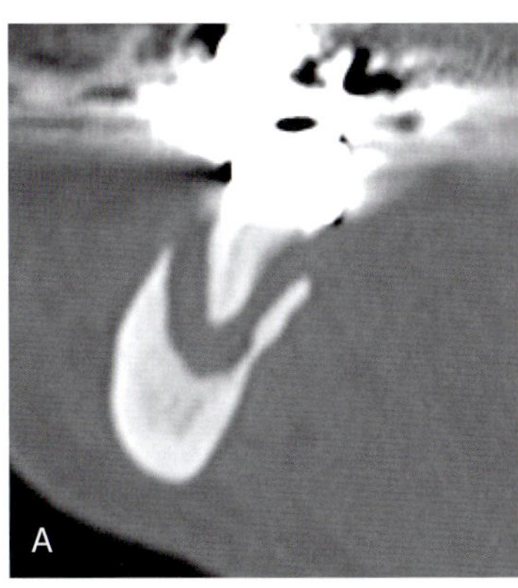

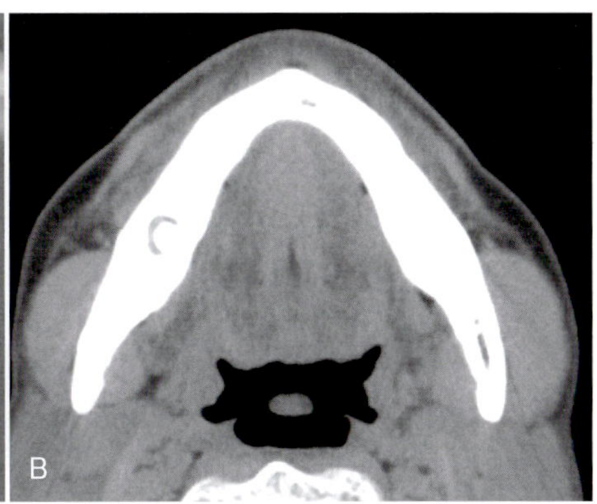

図 5-4-7 重度の辺縁性歯周炎を原因とする周囲顎骨の慢性骨髄炎と周囲軟組織の蜂窩織炎の全身用CT所見

A：歯列直交断像，B：軟組織ターゲット横断像．重度の辺縁性歯周炎による7|骨消失部周囲顎骨のびまん性の高吸収域（A）と頬側軟組織への炎症波及（B）が認められる．軟組織への炎症波及は全身用CTでなければ同定できない．この症例では下顎管は骨消失部に含まれていて同定できない．

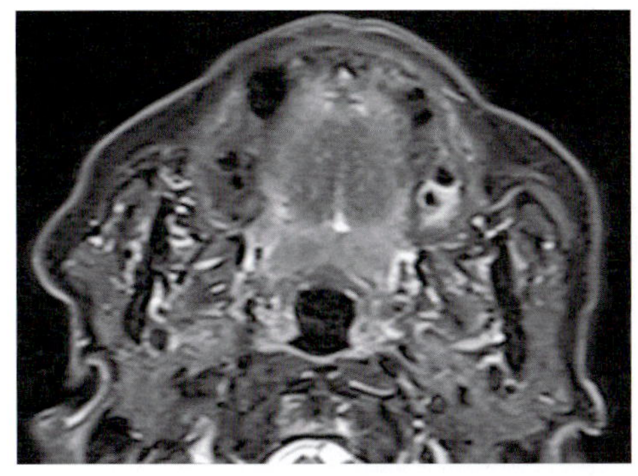

図 5-4-8 重度の辺縁性歯周炎とMRI（STIR像）所見

重度の辺縁性歯周炎による|7 の骨消失部に一致したMRIでの信号変化領域を認める．T1強調像で低信号，STIR像では高信号の領域となっている．

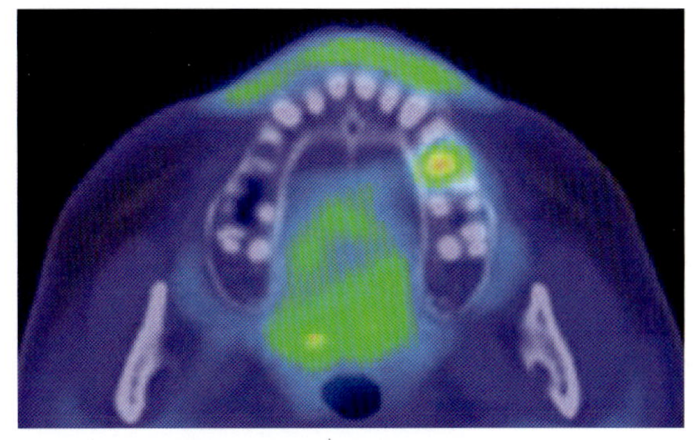

図 5-4-9 重度の辺縁性歯周炎と ^{18}F-FDG-PET/CT所見

|5 の辺縁性歯周炎による骨消失部と一致した ^{18}F-FDG の高集積を認める．

5 歯の異常

歯の異常の評価には，口内法X線撮影，パノラマX線撮影を基本とし，必要に応じて歯科用コーンビームCTを追加する．

1）数の異常

(1) 歯数の過剰（過剰歯）

過剰歯（supernumerary tooth）は，上顎前歯部で最も多く，正中部に発生した過剰歯は，特に**正中歯**（mesiodens）とよばれる（図 5-5-1）．次いで下顎小臼歯部であり，多数の過剰歯がみられることが多い（図 5-5-2）．また，正中歯のように発生場所によって，過剰歯に特別な名称がつけられることもある（図 5-5-3）．

症候群や系統疾患に随伴し過剰歯を生じる場合があり，鎖骨頭蓋骨異形成症やガードナー（Gardner）症候群などが知られている．

(2) 歯数の不足（無歯症）

すべての歯が欠損する**完全無歯症**（total anodontia）や多数の歯が欠損する**部分無歯症**（5歯までの部分無歯症をhypodontia／6歯以上の部分無歯症をoligodontiaとよぶ）から，1歯の欠

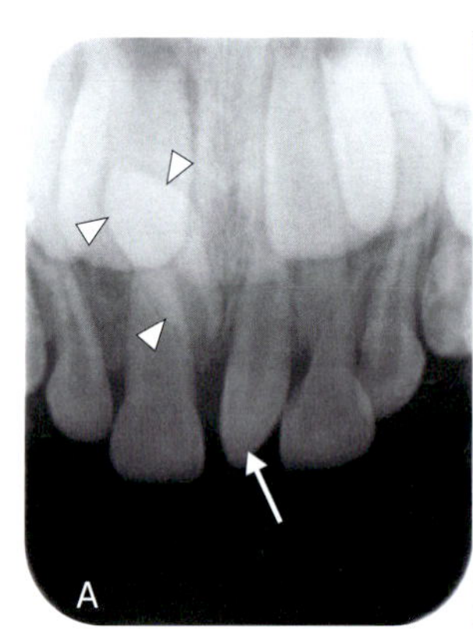

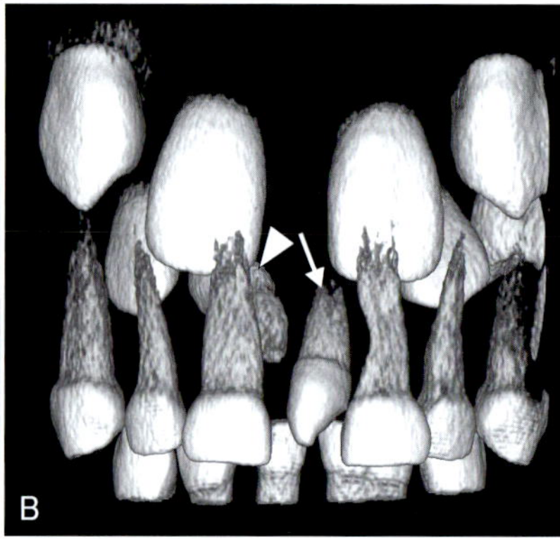

図 5-5-1　上顎正中過剰歯
A：上顎正中部に萌出する矮小過剰歯が認められ（矢印），両側乳中切歯が離開している．また，右側乳中切歯，中切歯歯胚と重複する逆生（上下逆向き）に埋伏する過剰歯（矢頭）が認められる．
B：歯科用コーンビームCT 3D表示．正中部過剰歯（矢印），右側中切歯口蓋側に位置する逆性過剰歯（矢頭）と周辺の歯の位置関係が明確に表示される．

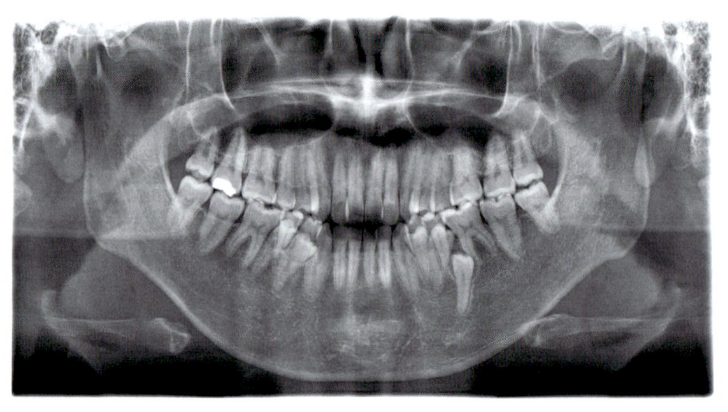

図 5-5-2　下顎小臼歯部過剰歯
下顎両側小臼歯は正常萌出しているが，これらと重複する過剰歯が，右側で2歯，左側で3歯認められる．

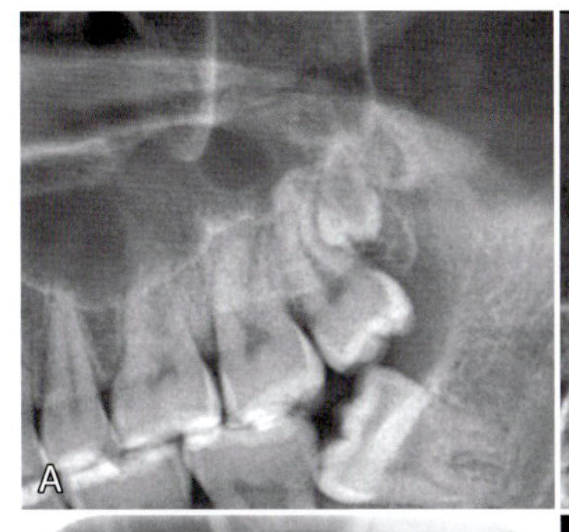

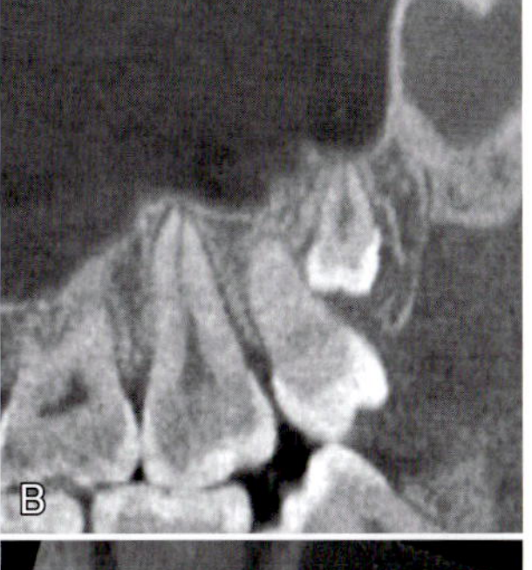

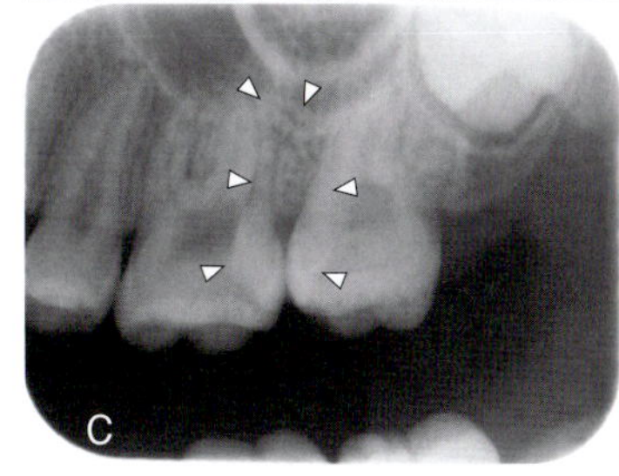

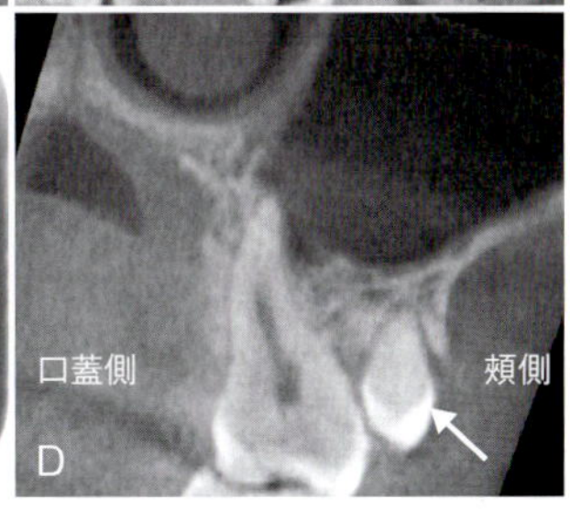

図 5-5-3　**臼後歯，臼傍歯**
A, B：臼後歯（第三大臼歯の遠心に存在する過剰歯）. Bは歯科用コーンビームCT像. 上顎左側第三大臼歯遠心に埋伏する過剰歯を認める.
C, D：臼傍歯（大臼歯の頬側または舌・口蓋側に存在する過剰歯）. Dは歯科用コーンビームCT像. C（口内法）では上顎左側第一・第二大臼歯に重複する過剰歯を認めるが（矢頭）, Dでは, 過剰歯は上顎左側第一・第二大臼歯の頬側に位置していることがわかる（矢印）.

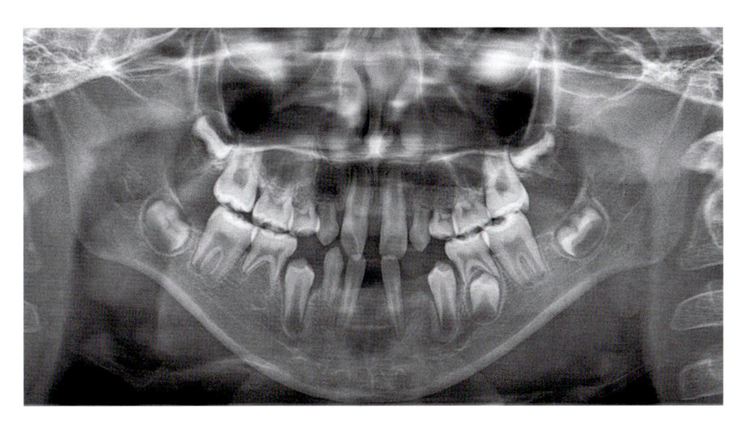

図 5-5-4　**部分無歯症**
両側上顎側切歯・犬歯・第一小臼歯・第二小臼歯, 両側下顎中切歯・犬歯・下顎右側第二小臼歯の計13歯が欠損するoligodontiaである.
（日本大学歯学部・稲葉瑞樹先生のご厚意による）

損までさまざまである（図 5-5-4）. 1～2歯程度であれば, 第三大臼歯, 第二小臼歯, 上顎側切歯が欠損する頻度が高い. 先天性外胚葉異形成症や一部の遺伝性疾患でも無歯症を生じる. また, 歯の形成開始期の局所的な炎症や外傷, 放射線治療などによっても歯胚が欠損することがある.

(3) 歯根の数の異常

A. 歯根数の過剰

過剰根または副根は, 下顎小臼歯や上顎側切歯に好発する（図 5-5-5）.

B. 歯根数の減少

上下顎第二・第三大臼歯では, 歯根が少ない場合がある. また, 歯根形成期の放射線障害として, 歯根が異常に短くなる無根歯を生じることがある.

2) 形および大きさの異常

(1) 形の異常

A. 歯の癒合（癒合歯）

癒合歯（fused tooth）は, その結合状況によって, **癒着歯**, （狭義の）**癒合歯**（**融合歯**ともい

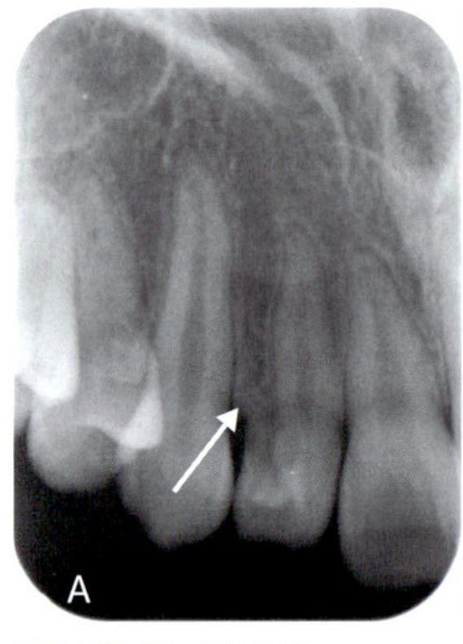

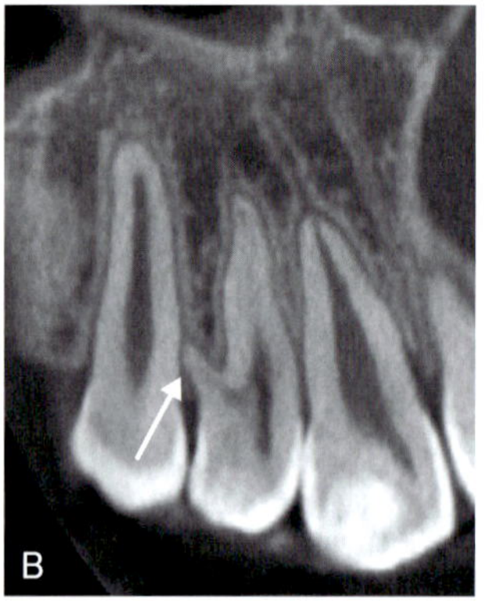

図 5-5-5　**過剰根**
A：口内法 X 線画像．B：歯科用コーンビーム CT 像．上顎右側側切歯に過剰根が認められる（矢印）．

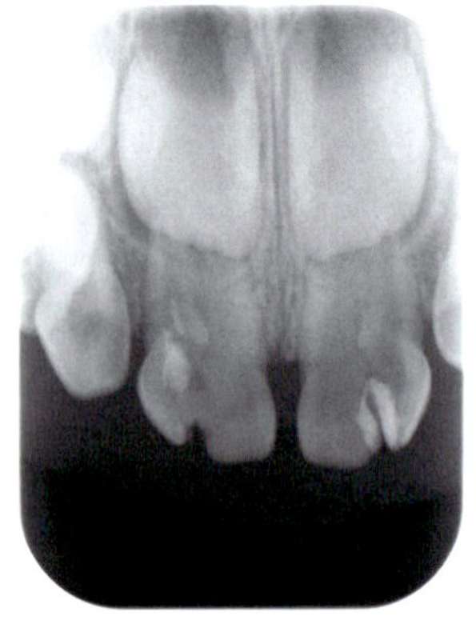

図 5-5-6　**癒合歯（融合歯）**
両側乳中切歯がそれぞれ乳側切歯とエナメル質，象牙質を介して癒合している．

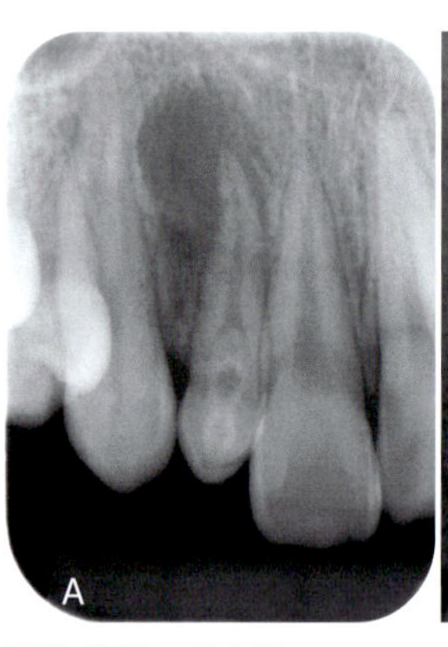

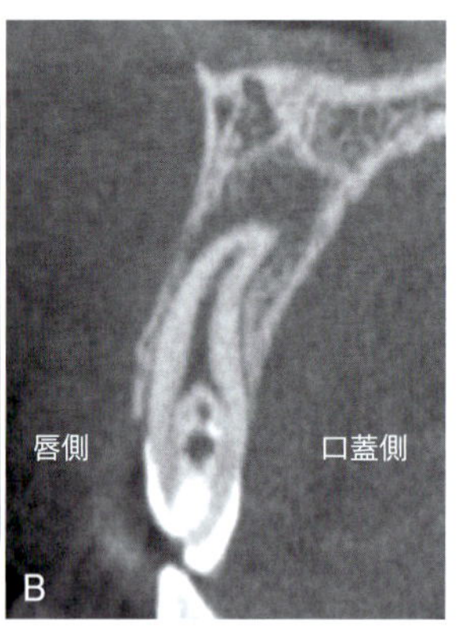

図 5-5-7　**歯内歯**
A：口内法 X 線画像．B：歯科用コーンビーム CT 像．歯冠側から根管に向かってエナメル質が造成している．本症例のように歯内歯では根尖病変により痛みを生じてみつかる場合も多い．

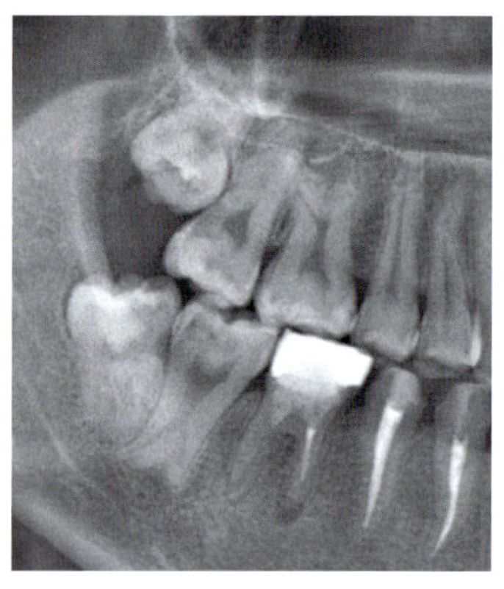

図 5-5-8　**タウロドント**
上顎右側第一大臼歯，下顎右側第二大臼歯は歯髄腔が大きく，分岐部は低位である．

う），双生歯に分類される．癒着歯はセメント質で結合したもの，癒合歯（融合歯）はエナメル質，象牙質で結合したもの（図 5-5-6），双生歯は 1 つの歯胚が不完全分裂した場合と正常な歯と過剰歯が癒合した場合に生じた歯を指す．好発部位は下顎前歯で，特に乳歯で多い．

B. 異常結節

上顎切歯・犬歯の基底結節が肥厚した切歯結節・犬歯結節，下顎小臼歯咬合面に好発する中心結節，上顎大臼歯口蓋側に生じるカラベリー（Carabelli）結節，下顎臼歯頬側面に生じる臼傍結節などがあり，X 線画像で検出できることがある．

C. ハッチンソン（Hutchinson）の歯

先天性梅毒による歯冠形態異常で，上顎切歯の切縁に半月状の歯質欠損がみられる．

D. 歯内歯

歯内歯（dens in dente）は，歯冠部エナメル質，象牙質が歯髄腔内に向かって異常発育することで，X 線画像上，歯の中に歯があるようにみえる（図 5-5-7）．上顎側切歯に好発する．

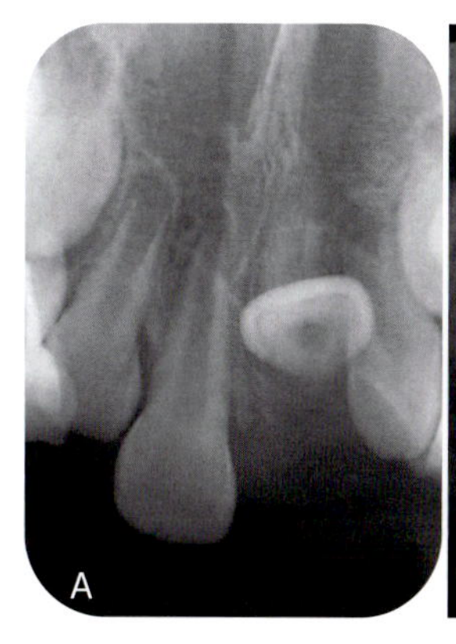

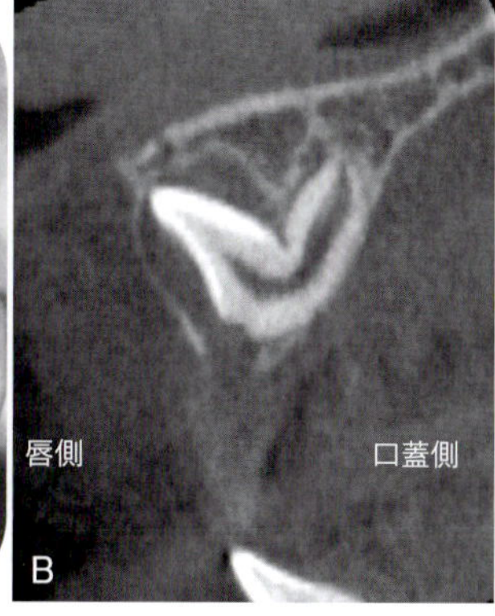

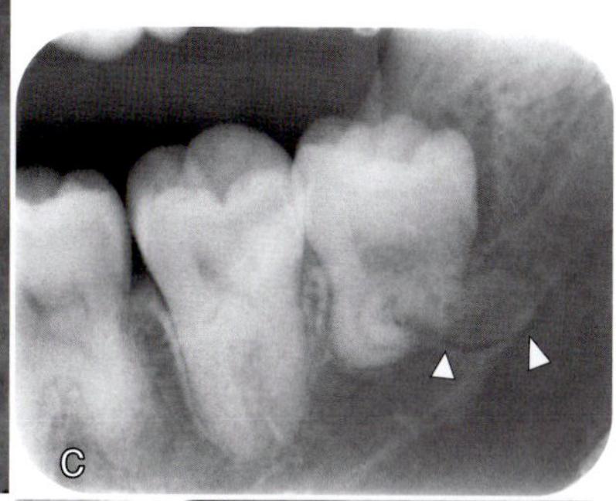

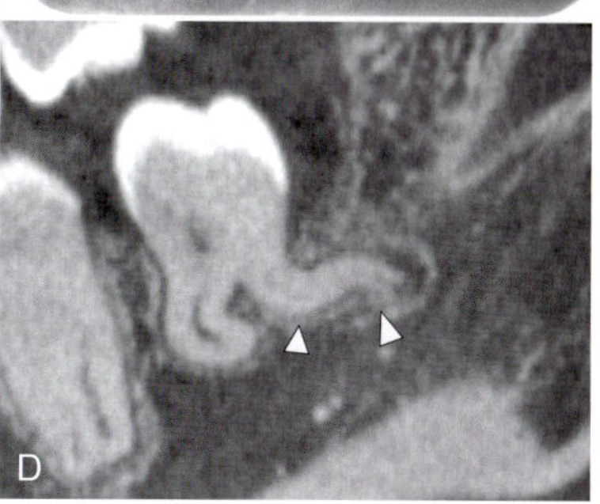

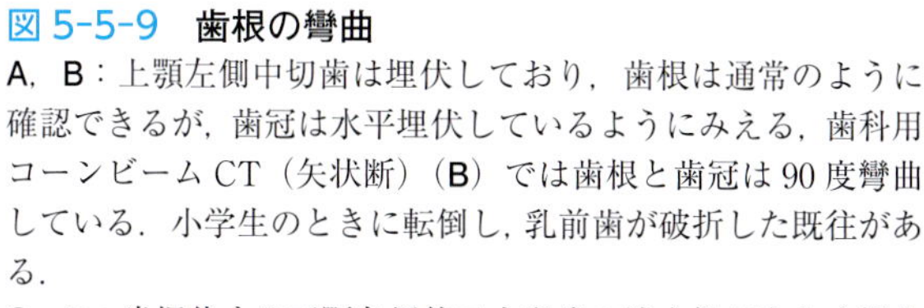
図 5-5-9　歯根の彎曲
A，B：上顎左側中切歯は埋伏しており，歯根は通常のように確認できるが，歯冠は水平埋伏しているようにみえる．歯科用コーンビーム CT（矢状断）（B）では歯根と歯冠は 90 度彎曲している．小学生のときに転倒し，乳前歯が破折した既往がある．
C，D：半埋伏する下顎左側第三大臼歯の遠心根が大きく彎曲している（矢頭）．D は歯科用コーンビーム CT 像．

E．タウロドント

タウロドント（taurodontism）は，**長胴歯**ともよばれ，広い歯髄腔と短い歯根を特徴とする（図 5-5-8）．下顎大臼歯に多くみられ，乳歯，永久歯どちらにも発生する．ダウン（Down）症患者やクラインフェルター（Klinefelter）症候群患者では，タウロドントの頻度が高いという報告がある．

F．歯根の彎曲

先行乳歯の外傷を原因として，後続歯歯根の彎曲を呈することがある（図 5-5-9A，B）．歯科用コーンビーム CT を用いることで，口内法で判断しにくい頬舌側的な歯根彎曲も診査することができる．また，外傷など原因がない場合でも，歯根の彎曲を生じることがある（図 5-5-9C，D）．

(2) 大きさの異常（巨大歯，矮小歯）

通常より大きい歯を巨大歯（macrodont），小さい歯を矮小歯（microdont）という．どちらも歯列不正などの原因になる．巨大歯は上顎中切歯，矮小歯は上顎側切歯や第三大臼歯に好発する．

3) 形成異常

(1) エナメル質の形成異常

A．異所性エナメル質

エナメル滴（**真珠**），エナメル突起といい，根面に生じたエナメル質の造成であり，画像上は，エナメル質と同じ濃度が根面にみられる．エナメル滴は孤立性の半円形のエナメル質（図 5-5-10），エナメル突起は健全エナメル質から連続し，根分岐部に向かって伸びたエナメル質である．どちらも歯周疾患の局所的な増悪因子となる．

B．エナメル質減形成，エナメル質石灰化不全

外傷や炎症，放射線障害などの局所的な原因によって，エナメル芽細胞に障害を生じ，エナ

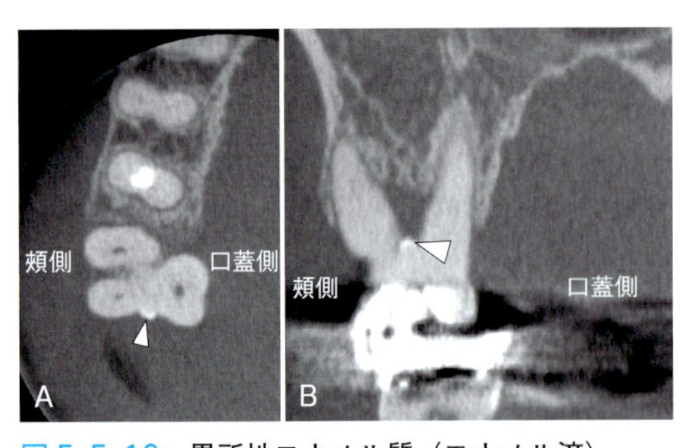

図 5-5-10　**異所性エナメル質（エナメル滴）**
A：歯科用コーンビーム CT 横断像．B：歯科用コーンビーム CT 矢状断像．上顎右側第一大臼歯の口蓋根と遠心頬側根の分岐部歯質表面にエナメル質程度の高密度（矢頭）が認められる．

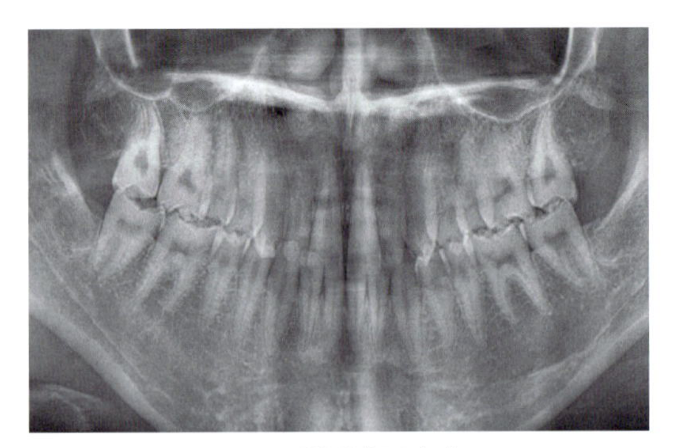

図 5-5-11　**エナメル質形成不全症**
全顎的にエナメル質の形成が菲薄であるが，象牙質の形成に異常は認めない．

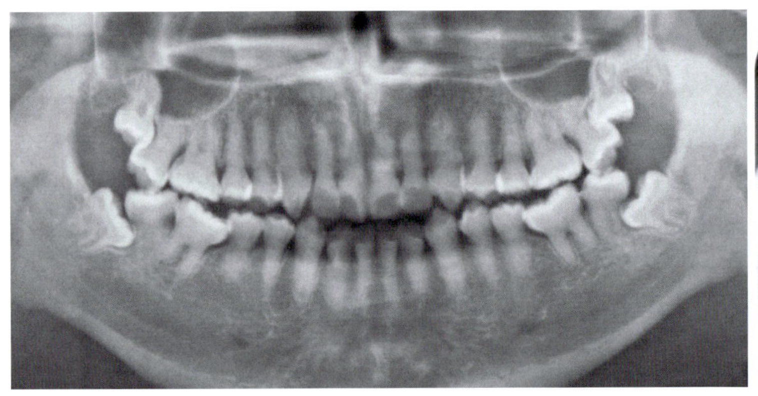
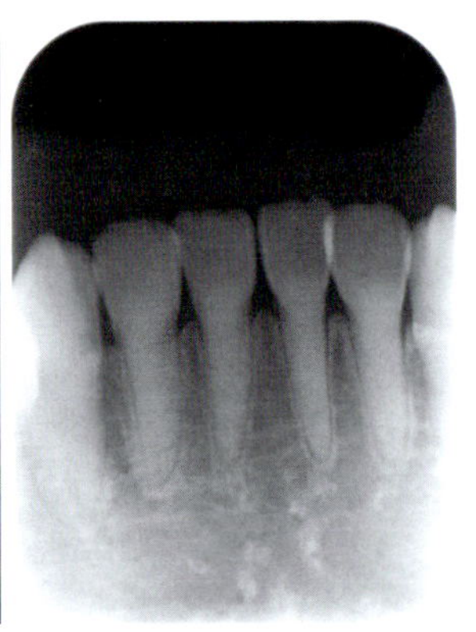

図 5-5-12　**象牙質形成不全症（Shields Ⅰ型）**
18 歳の女性．第三大臼歯を除く全歯の歯髄腔が消失している．幼少期から骨折が多く，医科で骨形成不全症と診断されている．

メル質の形成障害を生じる．乳歯の根尖性歯周炎が原因で生じる後続永久歯エナメル質の形成異常を，特に**ターナーの歯**（Turner's Teeth）という．また，先天性表皮水疱症，ビタミン D 欠乏症，内分泌障害，胎生期の栄養障害に伴って発生することがある．

C．エナメル質形成不全症

エナメル質形成不全症（enamel hypoplasia）は，エナメル質形成に関わる遺伝子の変異を原因として発症し，エナメル質が菲薄な病型，石灰化不良を起こす病型などいくつかに分類される（図 5-5-11）．

(2) 象牙質の形成異常

象牙質形成不全症（dentinogenesis imperfecta）は，骨形成不全症に伴う Shields Ⅰ型と全身的症状を伴わない Shields Ⅱ型に分類される遺伝性疾患である．視診では，オパール様の色調を呈する．X 線画像では，短根で歯頸部が狭窄し，歯髄腔が早期に狭窄・閉鎖する特徴的な所見を呈する（図 5-5-12）．**象牙質異形成症**（dentin dysplasia）は，象牙質形成不全症と同様に歯髄腔の早期閉鎖に加え，著明な短根と根尖部透過像を呈する病型と象牙粒が多発する病型に分けられる．また，エナメル質と同様，ビタミン D 欠乏や内分泌障害によっても象牙質

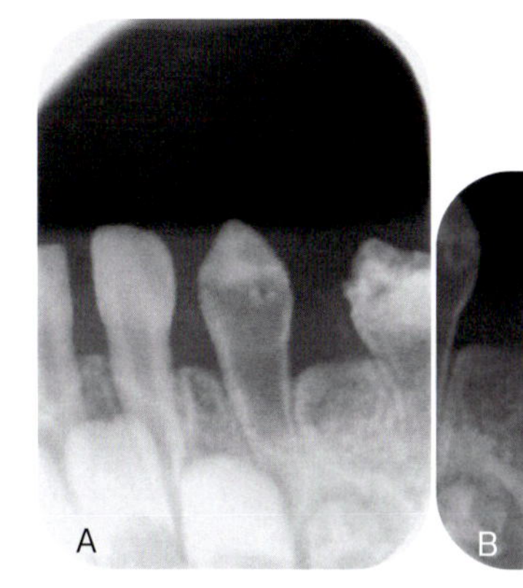

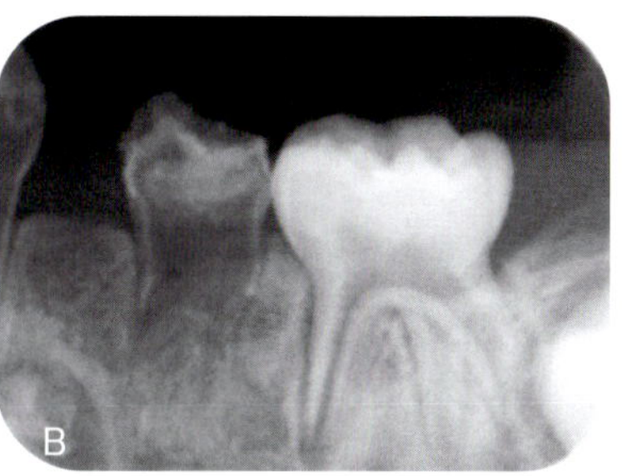

図 5-5-13　**歯牙異形成症**
下顎左側乳犬歯，第一乳臼歯は，エナメル質・象牙質ともに低形成で歯質が菲薄な ghost tooth を呈する．一方，隣在歯には異常はみられない．

の形成異常を生じることがある．

(3) 歯牙異形成症

非常にまれな疾患で，複数歯に及ぶエナメル質，象牙質の形成不全を示し，歯質が菲薄なことから ghost tooth とよばれる特徴的な X 線像を示す（図 5-5-13）．

4）萌出の異常

(1) 萌出時期の異常

出生時にすでに萌出した歯を先天性歯といい，下顎前歯に生じることが多い．早期萌出は，先行乳歯の早期喪失のほか，バセドウ（Basedow）病（Graves 病）や下垂体機能亢進症が知られている．一方，萌出遅延は，先行乳歯の晩期残存，過剰歯，炎症，腫瘍，嚢胞，歯肉の肥厚などの局所的原因のほか，鎖骨頭蓋骨異形成症，ダウン症，外胚葉異形成症，先天性甲状腺機能低下症（クレチン病）などの全身疾患も考えられる．

(2) 萌出状態の異常

埋伏は，歯の萌出スペースがないことや，当該歯の周囲の腫瘍，嚢胞，炎症などによって，歯が萌出しない状態を指し，特に第三大臼歯で多くみられる．正常方向とは逆向きの逆生埋伏，正常方向に対し 90° 傾いた水平埋伏，低位埋伏など歯の埋伏状態や方向によって，さまざまなパターンがある．鎖骨頭蓋骨異形成症やガードナー症候群，ダウン症で埋伏歯が多くみられる．

転位は，歯胚の位置異常や萌出スペースがないことによって生じる萌出位置異常で，犬歯の唇側転位や下顎小臼歯の舌側転位がよく知られている．

5）歯の退行性変化

(1) 象牙粒（歯髄結石）

象牙粒（denticle）は，歯髄腔内に生じる石灰化物で，これ自体に症状はみられず，画像検査で偶発的に発見されることが多い．石灰化物は 1 つのこともあれば，複数存在する場合もあり，加齢変化の 1 つとも考えられている．

(2) 新生象牙質

第二象牙質の添加によって，加齢とともに歯髄腔は狭窄する．また，齲蝕や tooth wear によって歯髄が刺激されると，生体防御反応として生じた歯髄腔側の象牙質表面に形成された修復象牙質（第三象牙質）が X 線画像で検出できる場合がある（図 5-5-14）．

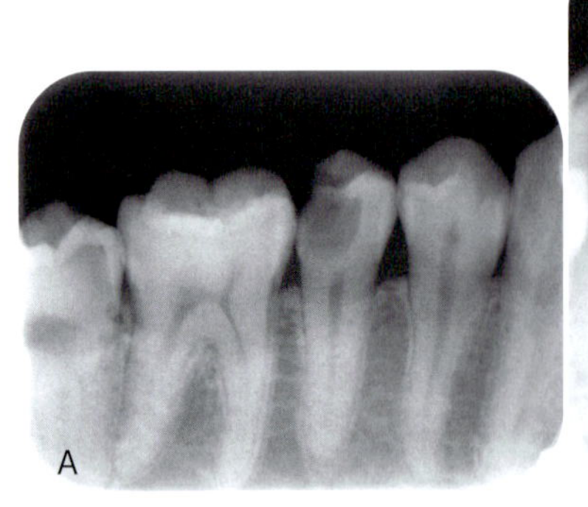

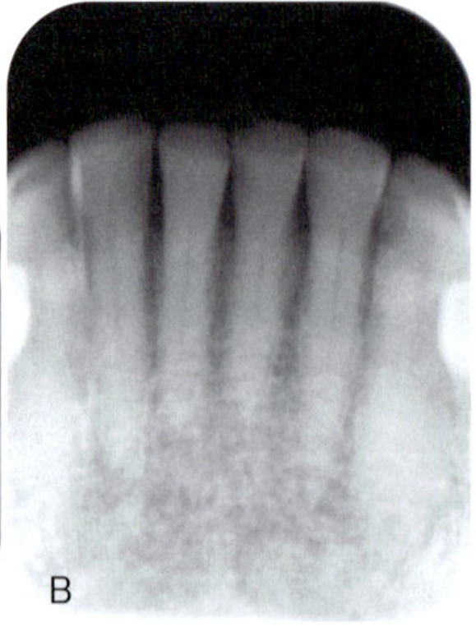

図 5-5-14　新生象牙質

A：下顎右側第二小臼歯遠心部に歯質の実質欠損が認められ，これに面する歯髄腔に第三象牙質が添加され，第一小臼歯の歯髄腔と比べると顕著に歯髄腔が縮小している．

B：下顎前歯全域で切縁が平坦化し，象牙質に対する刺激によって歯髄腔が狭窄している（咬耗症）．

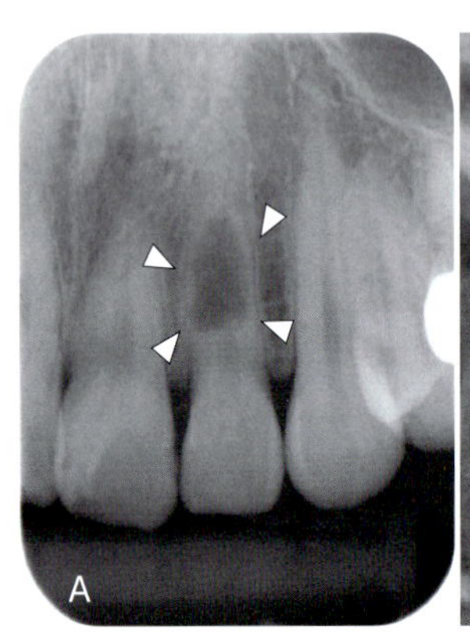

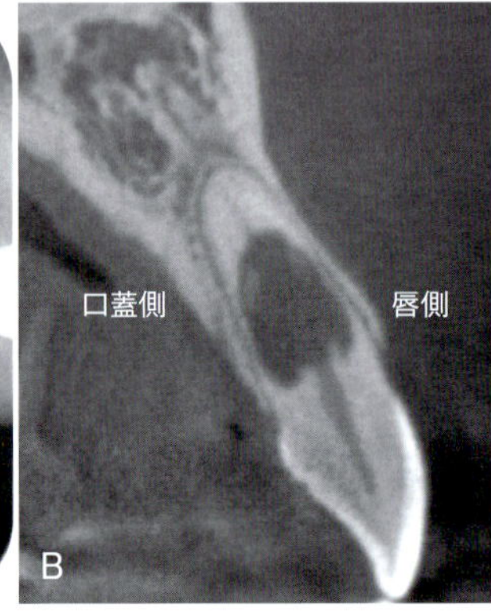

図 5-5-15　歯の内部吸収

A：口内法 X 線画像．上顎左側中切歯歯根中央部に境界明瞭な透過像がみられる．歯根の連続性は保たれ，歯根膜腔に異常は認めない（矢頭）．

B：歯科用コーンビーム CT 像．歯質の吸収は歯髄腔と連続し，残存歯質は菲薄である．

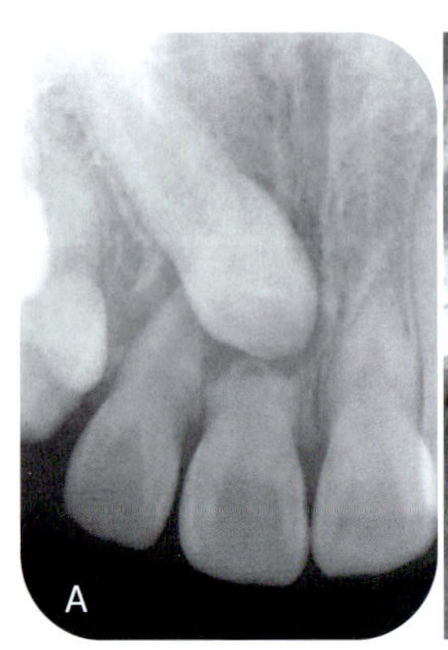

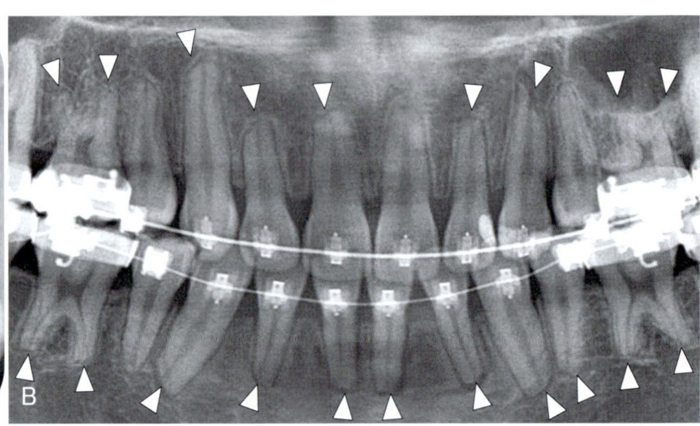

図 5-5-16　歯の外部吸収

A：上顎右側犬歯の近心転位に伴い，右側中切歯歯根に外部吸収がみられる．

B：過度の矯正力によって生じた，根尖部の外部吸収が多数歯に認められる（矢頭）．

(3) 歯の内部吸収，外部吸収

歯の内部吸収は，原因不明ながら，歯の内部から歯質が吸収され，歯髄腔が拡大したようにみえる（図 5-5-15）．また，炎症，占拠性病変，萌出異常，外力などさまざまな原因で，歯根周囲から歯質が吸収することがあり，歯の外部吸収という（図 5-5-16）．

6 顎骨とその周囲の炎症

1）画像診断の役割

顎骨とその周囲の炎症は，齲蝕や歯髄疾患に続発する根尖病変，あるいは辺縁性歯周炎や智歯周囲炎などに起因することが多い．また抜歯など外科的治療が発症契機となることもある．これらは口腔常在菌の感染によるもので，ほかと区別するために歯性感染（odontogenic infection）とよばれる．ここでは炎症が骨髄に波及した骨髄炎症例と炎症が顎骨周囲の軟組織に進展した症例の画像診断について述べる．従来のX線画像では歯と顎骨の診断が中心であったが，CTやMRIでは周囲軟組織への病変の広がりや原因歯との関係などを把握でき，MRIでは骨髄の変化を早期に診断できるようになり，治療方針の決定における画像診断の役割は大きくなっている．

2）顎骨の炎症

骨髄炎の多くは，齲蝕，根尖病変，辺縁性歯周炎，智歯周囲炎などの限局性の歯性感染に続発するが，抜歯などの術後や外傷後の感染によっても引き起こされる．原因が不明の場合や，薬剤や放射線照射が原因となるものもある．近年では，抗菌薬の使用により様相が変化し，急性のものは少なくなったが，慢性化して難治性の骨髄炎が増えているともいわれている．慢性に経過するものでは，起炎菌と宿主の抵抗力の関係で，時に急性化する場合もある．このような病態を反映して，X線画像所見は多岐にわたる．骨髄炎を急性と慢性とに分類し，後者をさらに**慢性化膿性骨髄炎**，**慢性硬化性骨髄炎**などに分類することもあるが，これらには移行型も多く，X線画像での判別は必ずしも容易ではない．

X線画像所見は骨融解像（X線透過像），骨硬化像（X線不透過像）および両者の混在したものに分類できる．また特徴的な所見として，**骨膜反応**と**腐骨形成**をあげることができる．急性期・亜急性期には，骨融解性の所見が特徴的とされるが，X線画像では異常を検出できないことも多い．慢性期では，混在性や硬化性の所見が中心となる．骨膜反応や腐骨形成も，長期にわたる経過のなかで観察されることが多い．このような骨の変化はCTで明瞭に描出される．しかし，X線画像やCT像では，骨髄自体の変化ではなく，炎症が骨髄に及んだ結果として海綿骨や皮質骨に表れた変化を見ていることを認識する必要がある．また，骨髄炎は顎骨内に留まらずに周囲軟組織に炎症が波及することも多く，その評価には，CTやMRIが有用である．初期変化をとらえるには，骨シンチグラフィ（p.204参照）が有用との見解もある．

(1) 急性期・亜急性期の骨髄炎

急性期や亜急性期にはX線画像やCT像で異常が検出できない場合や，わずかに骨硬化のみがみられることもある（図5-6-1）．このような場合でも骨髄は炎症性変化を来たしていることがあるので，その検出にはMRIを施行する．T1強調像で低信号，T2強調像や脂肪抑制像（STIR像）では高信号となる．

(2) 慢性期の骨髄炎

慢性期の骨髄炎は，さまざまな画像所見を呈する．慢性化膿性骨髄炎のX線画像所見は，辺縁不整なX線透過像が特徴とされるが，その周囲には反応性の骨硬化を伴う場合が多い．広範な骨硬化がみられる慢性（びまん性）硬化性骨髄炎では下顎管の下方に及ぶ骨硬化が特徴的であるが，急性化を繰り返す症例ではX線透過像

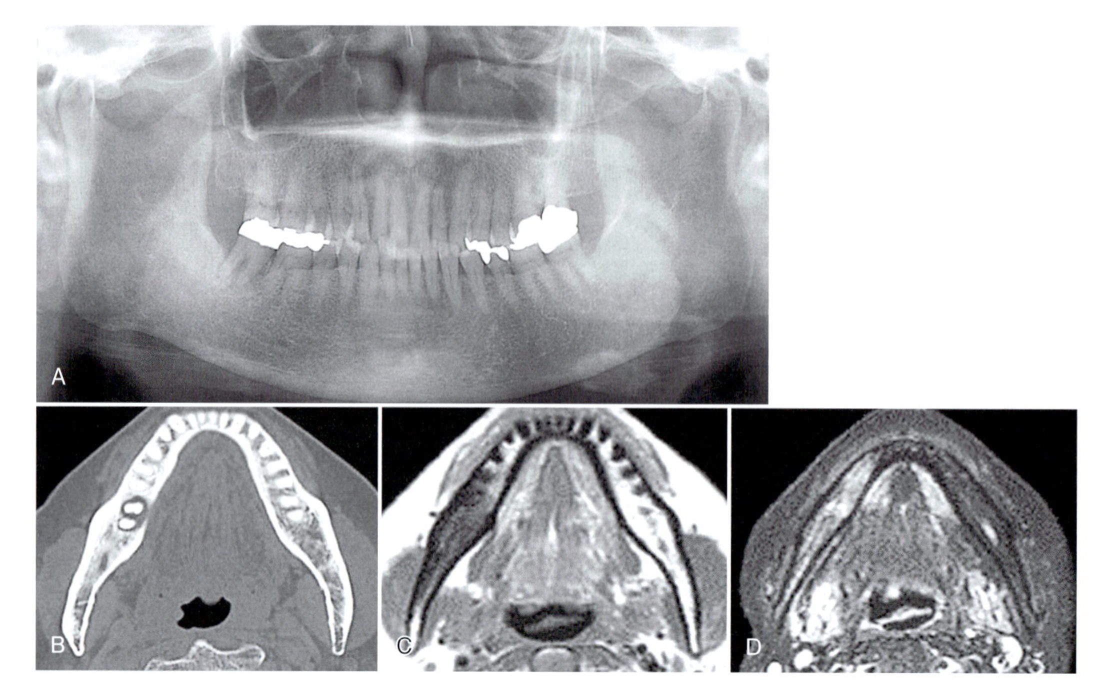

図 5-6-1　急性期・亜急性期の骨髄炎
患者は3日前に出現した下顎右側第二大臼歯部の疼痛を主訴として来院した．消炎処置を行ったが症状が消退しないので，1カ月後にCTおよびMRI検査を行った．初診時のパノラマX線画像（A）では根尖部の透過像とその周囲に軽度の骨硬化が観察されるのみである．CT像（B）でも同様の所見であるが，同部の骨髄信号はT1強調MR像（C）で低下し，脂肪抑制像（STIR像）（D）で上昇している．

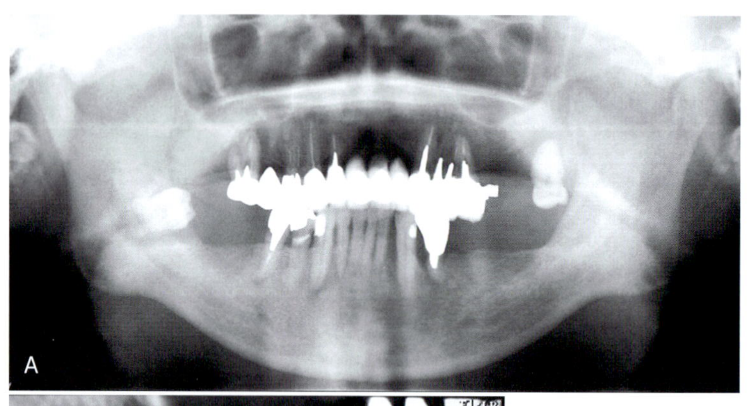

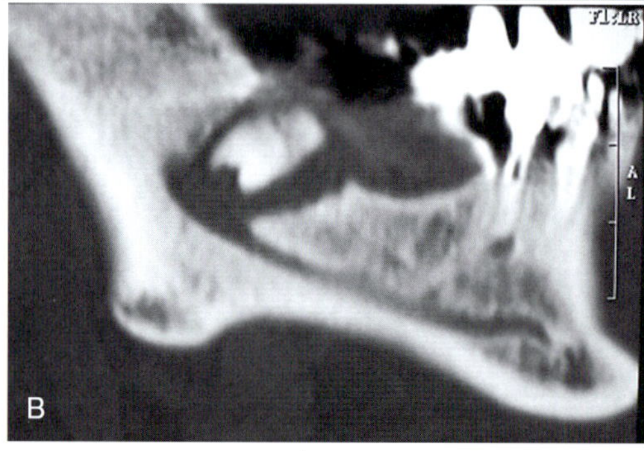

図 5-6-2　慢性期の骨髄炎－①
患者は数年前から下顎右側智歯部の腫脹と疼痛を繰り返していたが，5日前から再び症状が出現したという．パノラマX線画像（A）では右側智歯は水平埋伏して周囲の骨吸収がみられ，その周囲には下顎枝から下顎骨下縁に及ぶ骨硬化が観察される．この所見はCT像（B）で明瞭に描出されている．

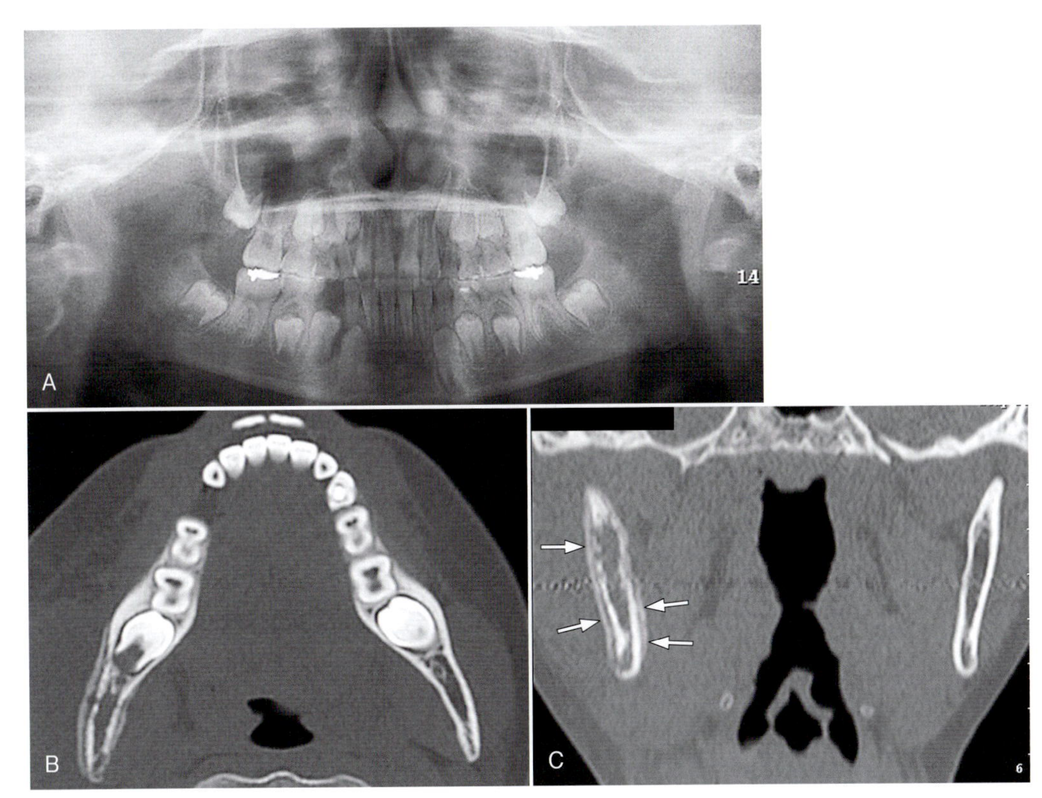

図 5-6-3　**慢性期の骨髄炎－②**
患者は9歳の男児で，3カ月前からときどき下顎第一乳臼歯の痛みを訴えていたが最近強くなってきたため，1週前に同歯を抜去された．以後も症状が持続している．パノラマX線画像（A）では骨吸収像が観察される．CT像（B：横断像，C：冠状断像）では海綿骨の消失，皮質骨の断裂および骨膜反応（矢印）が明瞭である．Garré 骨髄炎が疑われる．

を伴い，混在性の所見を呈することもある（図 5-6-2）．骨膜反応や骨壊死も慢性期に多くみられる所見である．骨の変化は，CTで明瞭に描出できる．骨硬化は，MRIではT1強調像・T2強調像ともに，無信号領域として描出される．造影MRIは，骨膜反応，腐骨の境界，軟組織への炎症の波及範囲などの情報を提供する．

若年者にみられる慢性骨髄炎では，軽度の炎症に対する反応として**タマネギの皮状**の骨膜反応を特徴とするものがあり，**Garré 骨髄炎**とよばれる．原因は大臼歯の根尖病変や抜歯後感染などで，膿瘍や瘻孔の形成はない．初期のX線画像は，皮質骨表面に**骨膜反応**による隆起性骨新生像を呈する．炎症が継続すると皮質骨は肥厚し，骨新生像は層状になる（図 5-6-3）．

(3) 薬剤関連顎骨疾患

ビスホスホネート（Bisphosphonate；**BP**）**製剤**は，破骨細胞の活性を抑制して骨の吸収を防ぐ骨吸収抑制剤であり，骨粗鬆症や悪性腫瘍の骨転移などの治療に使われる．デノスマブはRANKL（Receptor activator of nuclear factor kappa-B ligand）に対するヒト型IgG2モノクロナール抗体製剤で，同様の治療に使われる．近年，これら薬剤の副作用として顎骨壊死・骨髄炎が報告され，**骨吸収抑制薬関連顎骨壊死**（**ARONJ**），あるいは血管新生阻害薬や免疫調整薬も含めて**薬剤関連顎骨壊死**（**MRONJ**）と総称されている．MRONJは顎骨，とりわけ歯の支持組織である歯槽頂部に初発することが多い

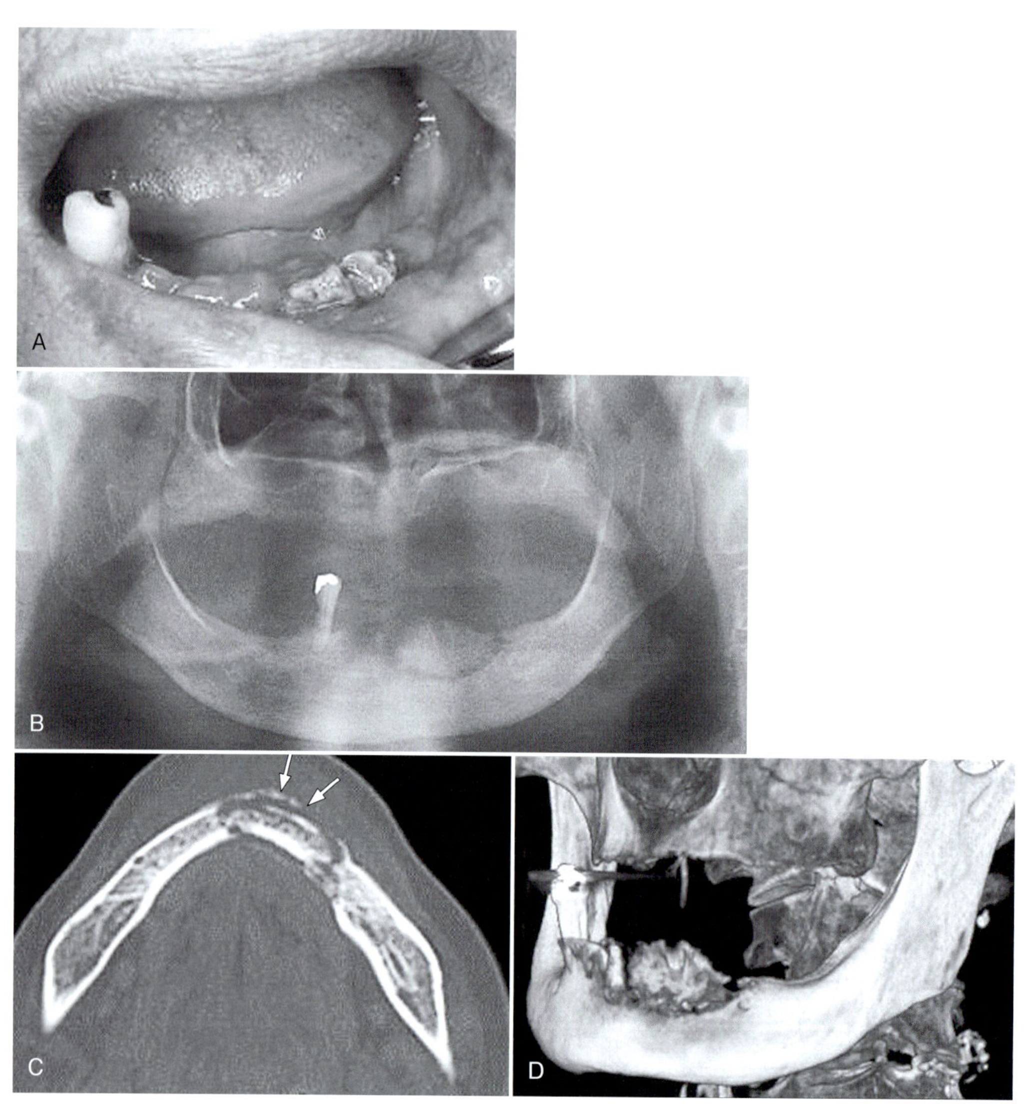

図 5-6-4　薬剤関連顎骨壊死
患者は２年前から乳癌の骨転移に対して，BP 製剤の投与を受けている．５カ月前から下顎前歯部に骨露出を，数日前からは腫脹と排膿を認めるようになり，下唇の知覚鈍麻も出現した（**A**）．パノラマＸ線画像（**B**）では下顎前歯部に腐骨分離とその周囲に骨硬化を認める．CT（**C**：横断像，**D**：三次元再構成像）では頬側に骨膜反応もみられる（矢印）．

とされる．骨露出は自然発生的に起こる場合もあるが，抜歯，歯周外科，歯根尖切除術などの外科処置に継発することが多い．細菌の感染による骨髄炎が主体であるとする意見が強い．

Ｘ線画像所見としては，歯槽硬線の肥厚，歯根膜腔の拡大，抜歯窩の残存，歯槽骨辺縁の骨硬化，びまん性骨硬化などがみられる．CT では骨融解，骨硬化，骨髄腔の狭小化，皮質骨の断裂，腐骨形成，著明な骨膜反応などの所見が報告されている（図 5-6-4）．MRI では従来の骨髄炎の所見と同様に骨髄信号が T1 強調像で低信号，T2 強調像や脂肪抑制像（STIR 像）で高信号を呈し，ガドリニウム造影で造影効果がみられる．骨シンチグラフィや PET では病変部に早期に集積を認めるとされるが，その集積像は他疾患によるものと同様である．したがっ

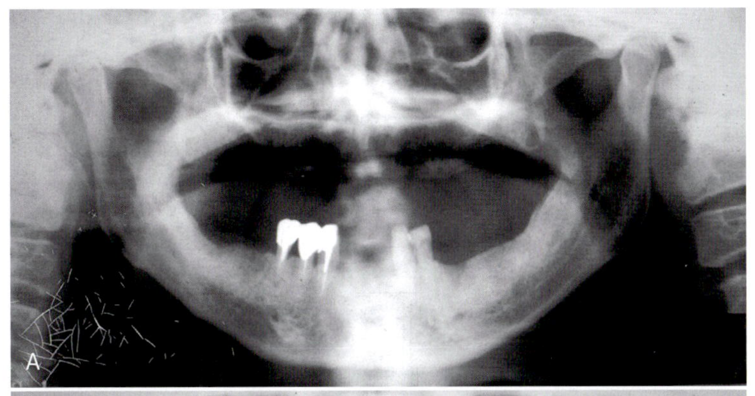

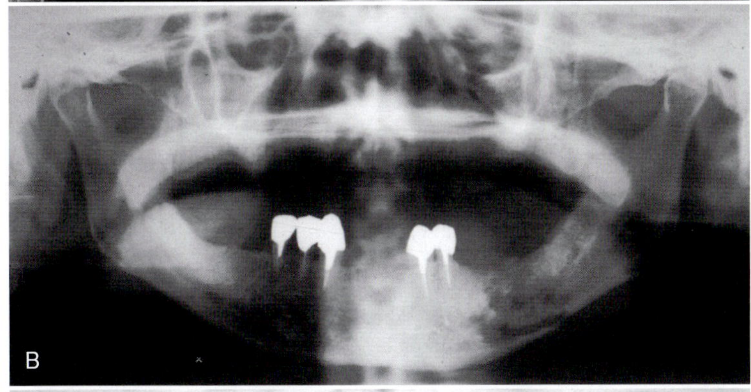

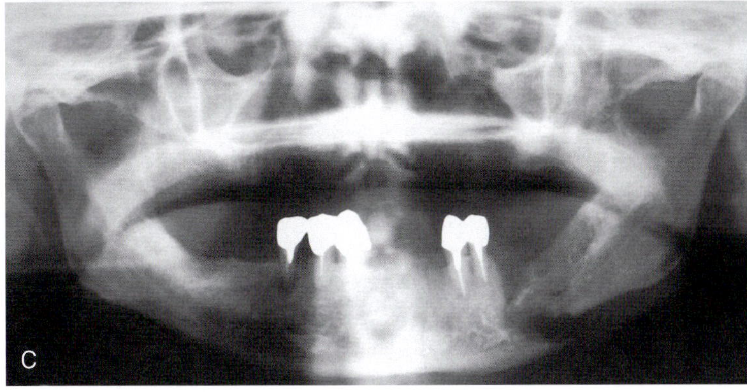

図 5-6-5　放射線骨障害（病的骨折）
左側舌縁部の扁平上皮癌（T4）に対して，外部照射法とラジウム針による密封小線源治療が施行された症例．A：放射線治療直後のパノラマX線画像では下顎左側に明らかな変化はみられない．B：治療2年後では下顎左側臼歯部に骨融解性の変化がみられる．C：治療4年後には病的骨折が観察される．

て，転移性悪性腫瘍との鑑別を要する．

(4) 放射線性骨壊死

口腔癌の放射線治療などで顎骨へ放射線が照射された後に引き起こされる骨障害は，**放射線性骨壊死**（osteoradionecrosis），**放射線骨髄炎**（radiation osteomyelitis），あるいは放射線骨障害とよばれている．厳密な使い分けはされていないが，感染を伴う場合は放射線骨髄炎とよばれることがある．照射によって骨芽細胞や破骨細胞が損傷され，健常な骨改造が損なわれることや局所の循環障害によって血液供給が減ずることが原因とされる．感染がない場合でも骨壊死は起こりうる．しかし，感染源として歯・歯周組織病変や抜歯，外傷後の感染も無視できず，しばしば感染が症状を重篤にする．放射線骨障害のリスクは原発腫瘍の病期，線量，照射野，骨を覆う粘膜の状態，歯科疾患の有無，口腔衛生状態などにより異なる．臨床的には粘膜の潰瘍，壊死骨の露出などがみられ，下顎管に

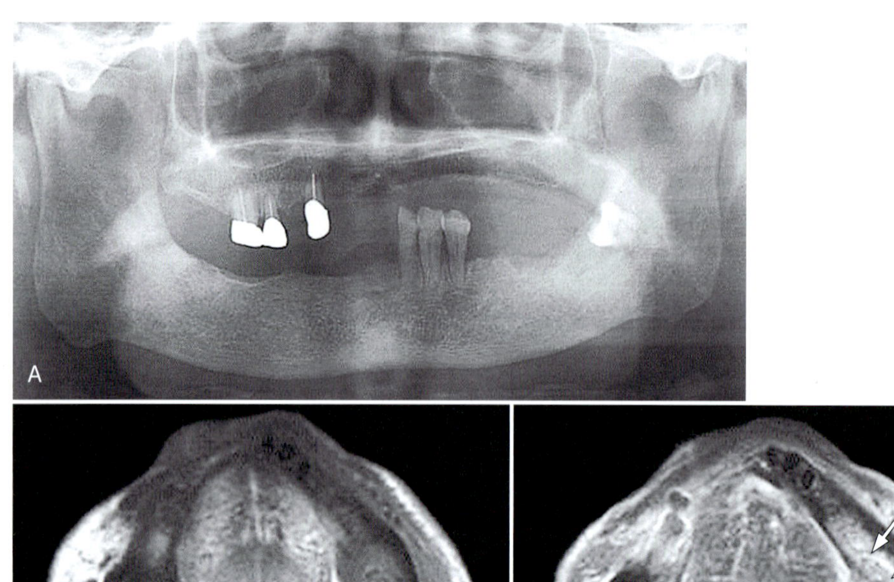

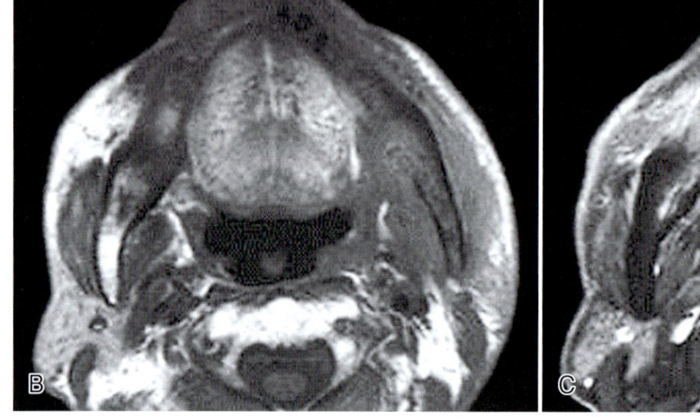

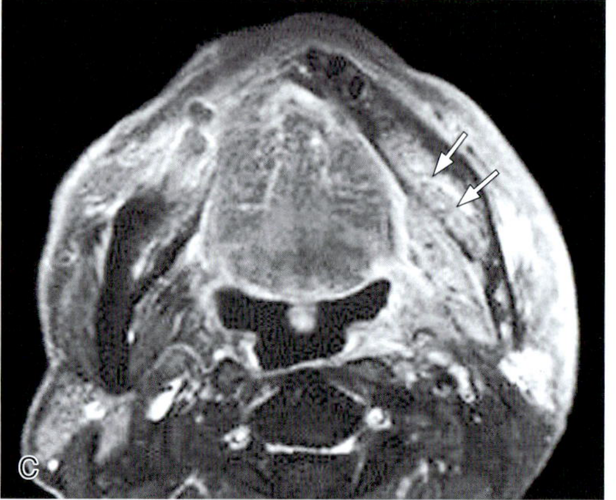

図 5-6-6　放射線骨障害

下顎左側臼後部の扁平上皮癌に対して，66 Gy の外部照射法と化学療法が併用された．4 年後に開口障害と下唇の知覚鈍麻が出現した．パノラマ X 線画像（A）では下顎左側智歯の埋伏とその歯冠部から大臼歯部に及ぶ骨吸収像がみられた．T1 強調 MR 像（B）では同部の信号強度は低下し，脂肪抑制像（STIR 像）（C）では上昇している（矢印）．腫瘍の再発はなく放射線骨障害と診断された．

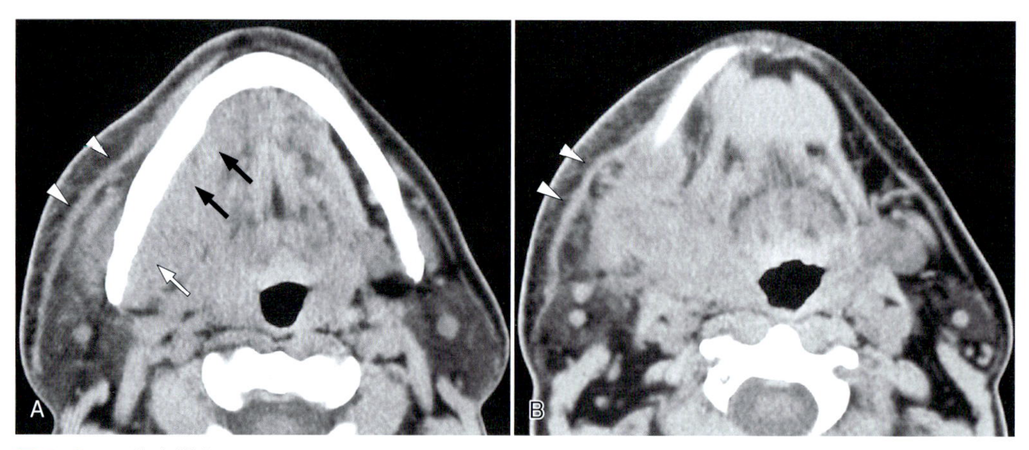

図 5-6-7　蜂窩織炎

下顎左側第二大臼歯に起因する歯性感染の症例で，口底の蜂窩織炎を起こしている．内側翼突筋（矢印・白）および顎舌骨筋（矢印・黒）の腫大に伴って，下顎骨の内側の脂肪層が消失している（A）．炎症は下方に進展して顎下隙の CT 値が上昇している．また広頸筋（矢頭）は腫大し，その外側の皮下脂肪にも炎症が及んでいるのがわかる（B）．

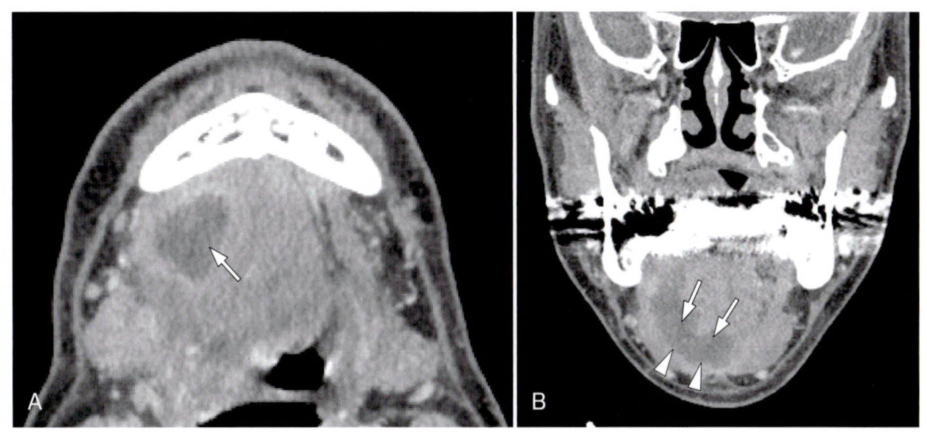

図 5-6-8　**膿瘍（造影 CT）**
A：横断像，B：冠状断増．下顎右側第二大臼歯の根尖病変を原因として発生した．造影 CT では膿瘍は低濃度となり，辺縁がやや増強されている（矢印）．膿瘍は顎舌骨筋（矢頭）の上方・内方で舌下隙に位置し，外舌筋を圧排している．咽頭側壁の腫大もみられる．

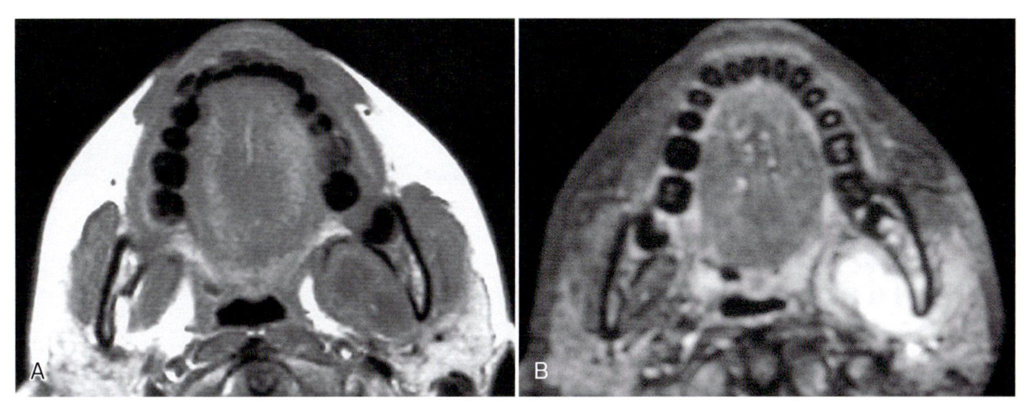

図 5-6-9　**膿瘍（MRI）**
膿瘍の確認には MRI が有効である．T1 強調像（A）では低信号，脂肪抑制像（STIR 像）（B）では高信号を示す境界明瞭な領域が下顎枝内側で内側翼突筋との間（翼突下顎隙）にみられ，膿瘍の形成が確認できる．

達した場合には疼痛や下唇麻痺を伴う．病的骨折がみられることもある（図 5-6-5）．

本疾患の初期の特徴的な X 線画像所見は，歯根膜腔の拡大とびまん性 X 線透過像である．病変が進行すると虫食い状所見を呈し，皮質骨破壊もみられる．感染が加わると，通常の骨髄炎と同様にその所見は多様となり，骨膜反応や病的骨折が生じることもある．腐骨形成がみられる場合は放射線性骨壊死の診断名を使用することが多く，X 線画像で腐骨の形成と分離が確認できる．骨破壊の進行に伴い，病的骨折も起こる．CT 像では皮質骨の吸収，骨断片，腐骨分離，海綿骨の硬化性変化が明瞭となる．MR 画像は骨髄信号の変化を敏感に描出し，T1 強調像で低信号，T2 強調像で高信号を呈し，造影によりびまん性に増強される（図 5-6-6）．

3）顎骨の周囲軟組織の炎症

顎骨周囲軟組織の炎症は，術後や外傷による感染を除けば多くは顎骨内に留まらない歯性感染の波及である．**智歯周囲炎**は半埋伏や位置異

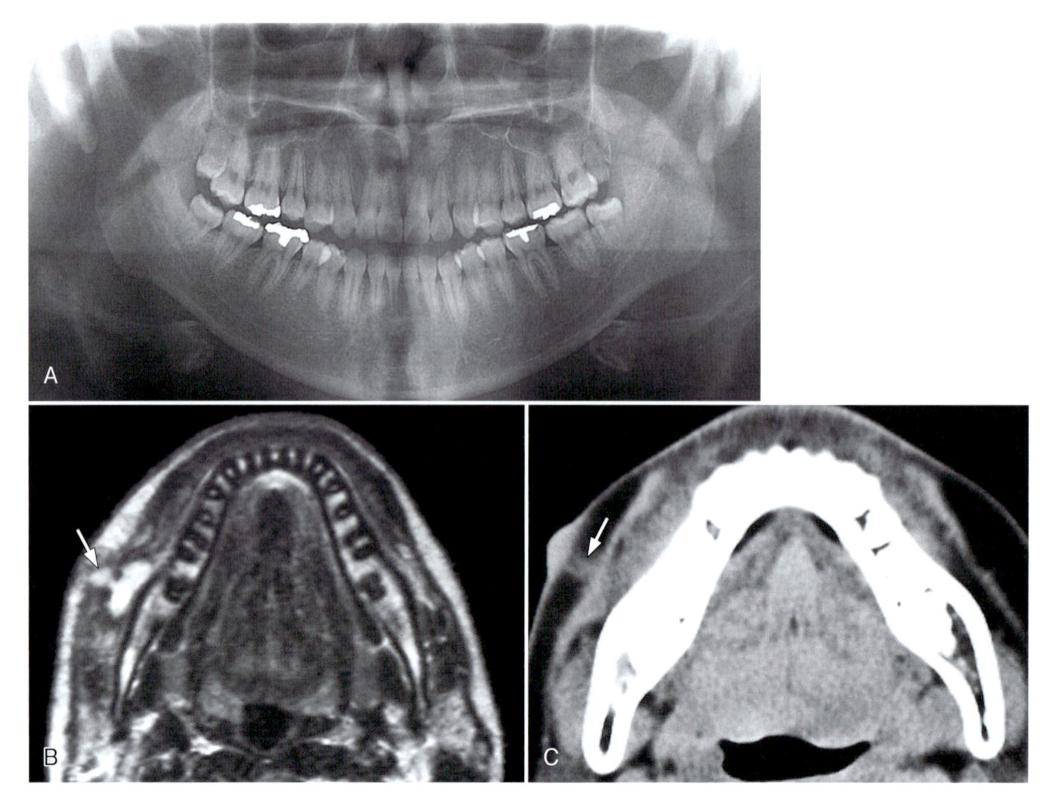

図 5-6-10 **外歯瘻**
4カ月前から下顎右側大臼歯部の腫脹と疼痛を繰り返していたが，頬部に瘻孔を認め来院した．パノラマX線画像（A）で明らかな異常所見はみられないが，脂肪抑制像（STIR像）（B）で頬側軟組織に境界明瞭な高信号域を認め，膿瘍の形成が確認される．同部から連続して皮膚表面に及ぶ瘻の形成がみられる（矢印）．別の症例のCT像（C）では柵状の高いCT値の構造物（矢印）が観察される．同部は口角下制筋と咬筋の間に相当し，広頸筋を貫いて瘻孔を形成しているのがわかる（A，B：日本歯科放射線学会編：歯科臨床における画像診断アトラス．医歯薬出版，2008．C：吉田和史ほか：歯科放射線，43：7～16，2003.）．

常の智歯が感染源となり，歯肉やさらには周囲軟組織に炎症が波及した状態で，重篤な場合は開口障害や嚥下痛などを伴う．

CTやMRIにおいて炎症の波及は筋肉や脂肪組織の腫大，CT値や信号強度の変化として観察され，その結果として筋肉間の脂肪層の消失も重要な所見となる．読影では筋肉や筋膜隙を中心とした解剖を熟知しておく必要がある．

(1) 蜂窩織炎と膿瘍

蜂窩織炎とは，化膿性炎が組織隙を急速に広がりびまん性に腫脹する状態で，CTでは，筋肉の腫大や脂肪組織のCT値の上昇とそれに伴う筋肉間などの脂肪層の偏位や消失が特徴的である（図 5-6-7）．**膿瘍**とは限局性に膿が貯留した状態で，CTでは周囲より低濃度の領域が限局性に観察される（図 5-6-8）．MRI T2強調像においてこの領域は高信号域として明瞭に描出される（図 5-6-9）．

(2) 外歯瘻・内歯瘻

根尖病変などの排膿路が，顎骨や皮下組織を経て口腔粘膜や顔面皮膚に達して排膿するものを瘻という．瘻孔が口腔粘膜に形成されたものが**内歯瘻**で，顔面皮膚に形成されたものが**外歯瘻**である．排膿路は抵抗の少ない部位を通って

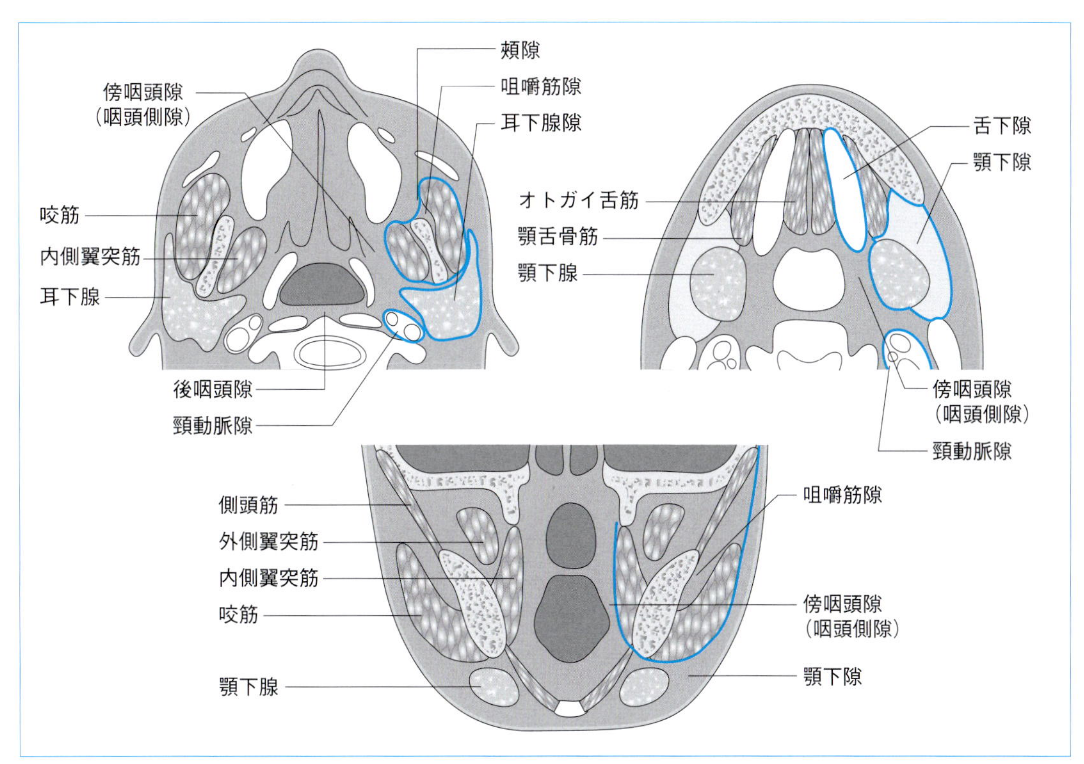

図 5-6-11　**筋膜隙の解剖**

形成されることが多く，原因歯によって形成部位は異なる．

外歯瘻は下顎大臼歯部が原因となることが多く，この場合，瘻は頬側皮質骨および骨膜を越えて皮下組織に達し，前後的には口角下制筋と咬筋の間，上下的には頬筋と広頸筋の顎骨への付着部位の間で，広頸筋の疎な部位を貫いて皮膚に開口する（図 5-6-10）．下顎骨骨髄炎を伴う場合には下顎骨下縁部に瘻孔を形成することが多い．上顎歯に起因する外歯瘻はまれであるが，上顎犬歯が原因となって口輪筋と上唇挙筋の間の鼻唇溝部に排膿路が達する場合や，上顎大臼歯が原因となって上顎洞前壁の疎な部位を貫き上頬部に達する場合がある．

(3) 歯性感染の顎骨周囲軟組織への進展

顎骨周囲の軟組織に波及した歯性感染の画像診断では**筋膜隙**（fascial space）を単位に考えるのがよい（図 5-6-11）．筋膜隙は比較的厚い筋膜によって囲まれた領域であり，顎骨周囲にも咀嚼筋隙などいくつかの重要な隙が存在する*．その内部では，炎症は組織を越えて波及しやすいが，外部に対しては筋膜がバリアとして働く．重篤な炎症では複数の隙にわたる異常が確認される．

歯性感染は，咀嚼筋隙や顎下隙へ波及しやすい．**咀嚼筋隙**は，咀嚼筋，下顎枝を含む隙であり，その隙の炎症は開口障害を引き起こす（図 5-6-12）．臨床的に重要とされる**翼突下顎隙**は，下顎枝と内側翼突筋に挟まれた領域であり，咀嚼筋隙に含まれる．顎下隙は舌骨の上方に位置し，深部は顎舌骨筋の筋膜，浅部は広頸筋の筋膜によって囲まれる領域である．下顎後方臼歯を原因とする炎症は，多くの場合舌側へ波及し，

*：頬隙の周囲や顎下隙と傍咽頭隙（咽頭側隙）の境界など，部分的には厚い筋膜が存在しないところもある．

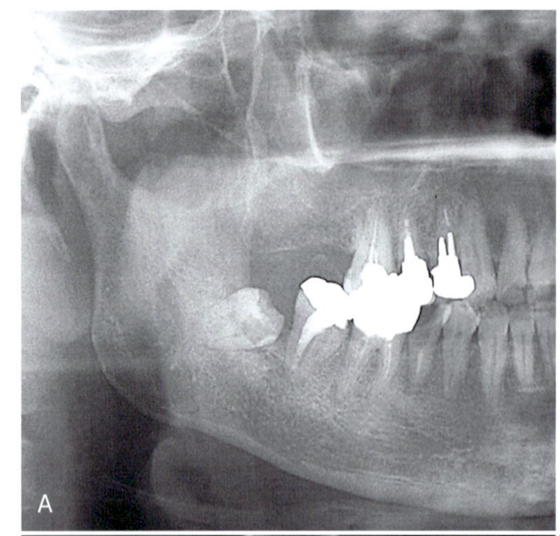

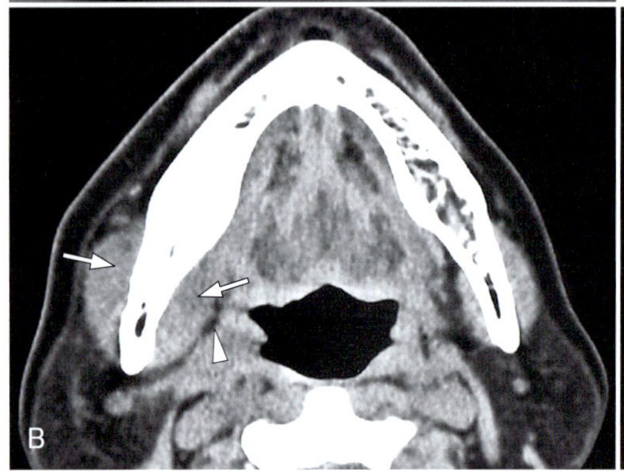

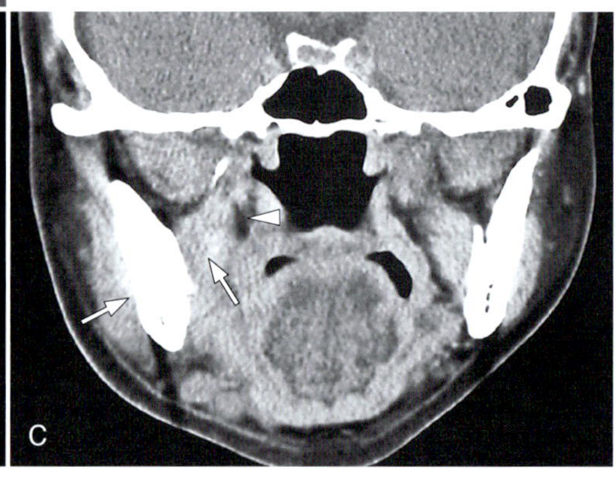

図 5-6-12　咀嚼筋隙への炎症の波及
智歯周囲炎症例．パノラマX線画像（A）では下顎右側に埋伏智歯と歯冠周囲に軽度の骨硬化がみられる．CT像（B：横断像，C：冠状断像）では右側内側翼突筋および咬筋が腫大し，咀嚼筋隙への炎症の波及が観察される（矢印）が，内側翼突筋の内側に脂肪層が確認でき，傍咽頭隙（咽頭側隙）（矢頭）へは波及していないことが確認できる．

舌下隙から顎舌骨筋を腫脹させて顎下隙へ達する（図 5-6-7 参照）．嚥下痛や発熱などの症状との関連で重要とされるのは傍咽頭隙（咽頭側隙）である．この隙は咀嚼筋隙の内側に位置し，上下的には頭蓋底から舌骨大角に及び感染の昇降通路となる．歯性感染による炎症は，内側翼突筋（咀嚼筋隙）内側の筋膜を越えて，あるいは顎下隙から後方へ進展して傍咽頭隙（咽頭側隙）に波及することがある（図 5-6-13）．また，歯性感染が扁桃下極の深部に膿瘍を形成する場合もある（**扁桃周囲炎**）．さらに重篤なものでは頸動脈周囲の隙などを経由して縦隔に及ぶ場合もある．画像の注意深い観察が肝要である．

(4) 皮下気腫

皮下気腫は皮下組織内に気体が侵入した状態で，根管治療や智歯抜歯時のエアシリンジやエアタービンの使用によって偶発的に起こることが多い．放置すると感染源となり，炎症の拡大を招くことがある．筋膜隙に沿って進展することが多く，縦隔に及ぶ場合もある．多くは抗菌薬を投与して経過観察で対処するが，感染をした場合は外科的処置を必要とすることもある．画像による観察では気体の位置や周囲組織の炎症を確認する（図 5-6-14）．

(5) 肉芽腫性炎および特異性炎

寄生虫，結核菌，真菌，ウイルスなどに対する防御反応として，類上皮細胞，マクロファージ，組織球，巨細胞などの炎症細胞が集合し，この周囲をリンパ球，形質細胞，線維組織が取り囲んで，異物を隔離しようとして肉芽腫が形

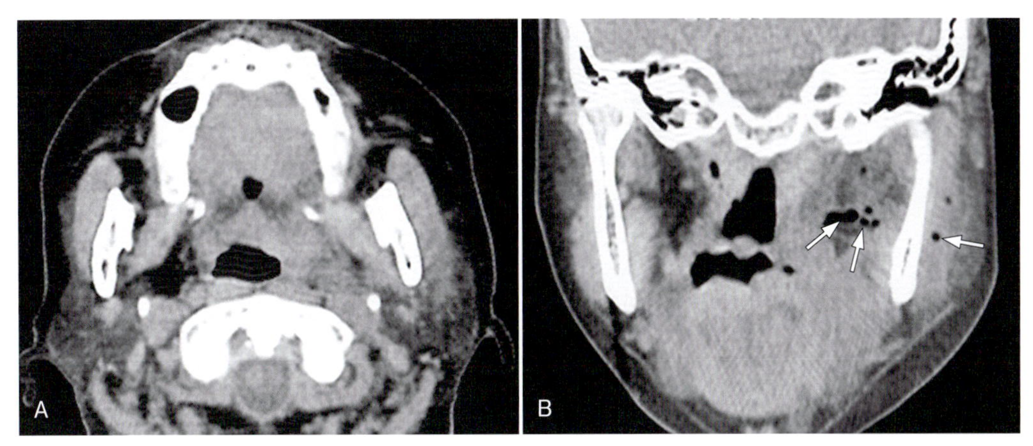

図 5-6-13　傍咽頭隙（咽頭側隙）への炎症の波及
CT 像（A：横断像，B：冠状断像）では左側傍咽頭隙（咽頭側隙）の脂肪の CT 値が上昇し，炎症の波及が確認できる．さらに嫌気性菌の感染を疑わせるガスの産生（矢印）もみられる．反対側（右側）の所見と比較するとよくわかる．

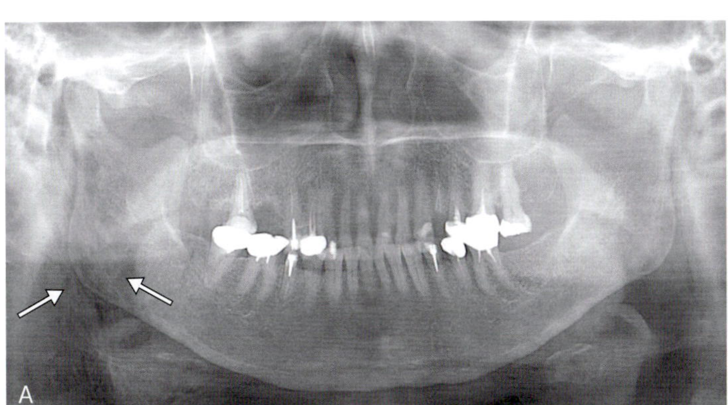

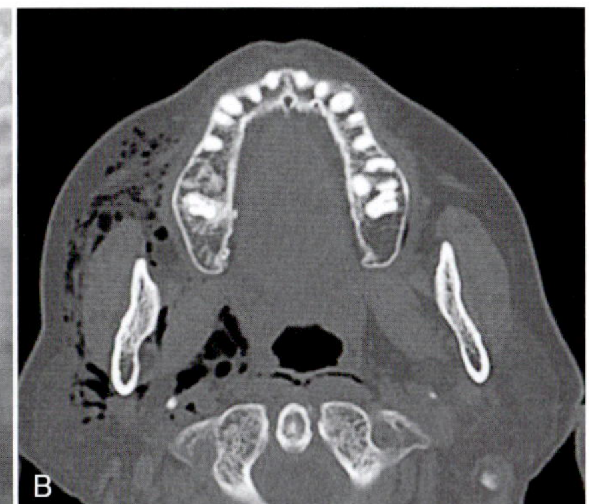

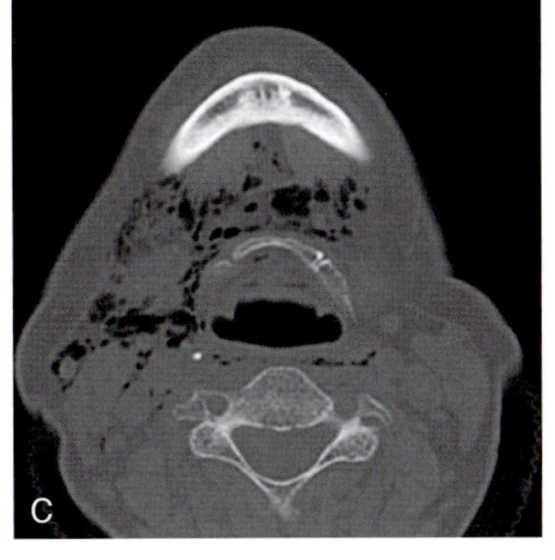

図 5-6-14　皮下気腫
上顎右側第二小臼歯の抜歯後に右側頬部から顎下部に腫脹を生じ，気腫を疑った症例．パノラマX線画像では右側上行枝部から顎下部に気道とは別の透過性領域の重積がみられる（矢印）（A）．CT では第二小臼歯部に抜歯窩を認め，咬筋周囲および頬間隙を中心に air density area がみられる（B）．内側は傍咽頭隙（咽頭側隙）や後咽頭隙に及び，下方は顎下隙から反対側に及ぶ air density がみられる．また内頸動脈周囲にも認められるため，さらに下方への進展に注意が必要である（C）．

成される．**放線菌症**は口腔から顔面，頸部へ病変が拡大し，しばしば多胞性膿瘍を形成する．顎骨では骨髄炎と同様の症状を呈し，骨吸収や広範な骨壊死がみられる．**アスペルギルス症**は周囲に慢性炎症を伴うことが多く，肉芽腫性炎を引き起こすことがある．内部に菌塊の石灰化がみられることがあり，CT で高 CT 値，MRI T2 強調像で無信号を呈する．

7　顎骨の嚢胞・腫瘍

「**嚢胞**」は病理学的には上皮に裏装され，内部に液状物や粥状物を含む病変とされ，顎骨にも種々の嚢胞が発生する．上皮の裏装のないものは**偽嚢胞**とよばれる．一方，腫瘍は，身体の細胞がなんらかの原因によって非可逆的かつ自律的に過剰増殖してできた組織である．**歯原性腫瘍**は，歯を構成する上皮性組織，外胚葉性間葉組織および間葉組織を発生母体とする腫瘍である．顎骨内には嚢胞や歯原性腫瘍のほかに，骨に関連した腫瘍や異形成症などが発生する．

画像診断では，まず，パノラマX線画像や口内法X線画像の読影から入るのが通常である．したがって，病理組織学的な診断に行き着くには，病巣の透過性（透過像，不透過像および両者の混在像）や境界の状態を手がかりに病変を分類して診断を進めるのが一般的であるが，本項では，X線画像所見によって分類整理するのではなく，初学者にも理解しやすいように，病理組織学的な分類に基づいてX線画像所見を記載する．

歯原性腫瘍については，WHOの病理組織学的分類を使用するのが一般的であるが，2017年に「**歯原性ならびに顎顔面骨腫瘍の分類**」として改定された（巻末付表参照）．歯原性腫瘍や顎顔面の骨腫瘍が大きく13項目に分類され，以前の分類（2005年）で除外されていた上皮性嚢胞などが再度取り上げられた．また，骨腫などの骨腫瘍や形質細胞腫が分類に追加され，顎骨に変化をもたらす嚢胞および腫瘍性病変が概ね網羅された．本項ではこの分類に従って画像所見を記載するが，病変を「嚢胞」「歯原性腫瘍」「骨・軟骨腫瘍」など6項目に分類した．さらにこのWHO分類には入らないが，顎骨に所見を呈する病変を「その他の腫瘍性病変」および「その他の病変」として追加した．また，歯原性以外の悪性腫瘍については骨の孤立性形質細胞腫を含めて別に述べる．

1）画像検査法

パノラマX線撮影は，顎骨内の病変について上下顎や部位を問わず有効で，病変の範囲を近遠心的および上下的に示すことができる．また，病変の辺縁や内部の特徴も表現する．頭部後前方向撮影も有用で，病変の内外側への膨隆や皮質骨の変化をみることができる．ただし，前歯部の病変については信頼性が低いので，この部の病変や病変の辺縁が正中部にかかる場合は，咬合法を追加する．これはパノラマX線撮影や頭部後前方向撮影にみられる正中部の像の重積や障害陰影の重なりという欠点を補完する．上顎の病変では，Waters撮影法を必要に応じて加える．また，歯と病変との関係や病変が歯に及ぼす影響をみる場合，あるいは病変の内部構造を詳細に観察する場合には，口内法X線撮影が必要となる．

最近では，CTやMRIで検査されることが多くなった．病変の進展範囲を的確に把握できるとともに，病変内部の画像所見から病変の性質を推測することができる．単純CT像では病変は水や軟組織と同等の濃度で示され，造影CT像では病変の実質は増強される．MRIでは，嚢胞の内容液はT1強調像で筋と等信号～低信号像，プロトン密度強調像，T2強調像では高信号像を示す．腫瘍実質は，T1強調像で筋と等信号～低信号像，プロトン密度強調像，T2強調像で低信号～高信号像を示す．このため，高信号像を呈する内容液と腫瘍実質とが鑑別できる場合がある．造影すると腫瘍実質の信号強度が上昇する．

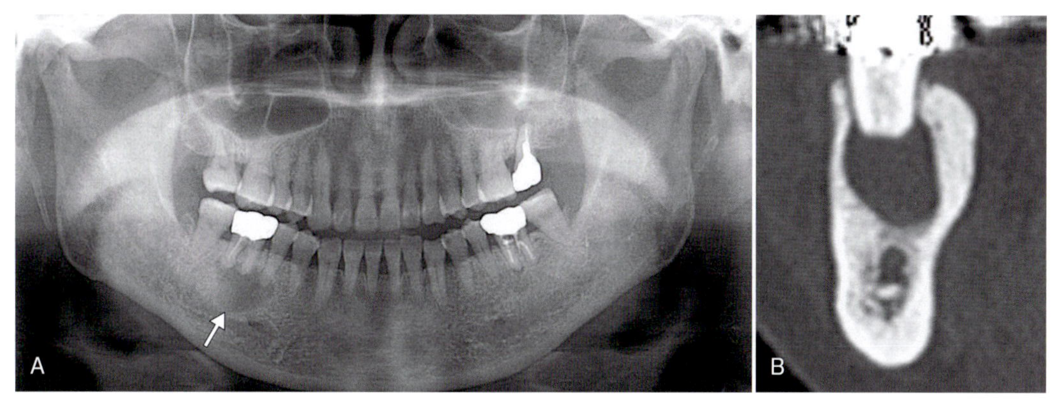

図 5-7-1　**歯根嚢胞－①**
パノラマ X 線画像では，下顎右側第二小臼歯および第一大臼歯歯根部に境界明瞭な円形の透過像を認める（A，矢印）．CT 歯列直交断像では，第一大臼歯の歯根膜腔に連続して低濃度域が描出され，根尖に軽度の吸収を認める．頬舌的な膨隆はみられない（B）．

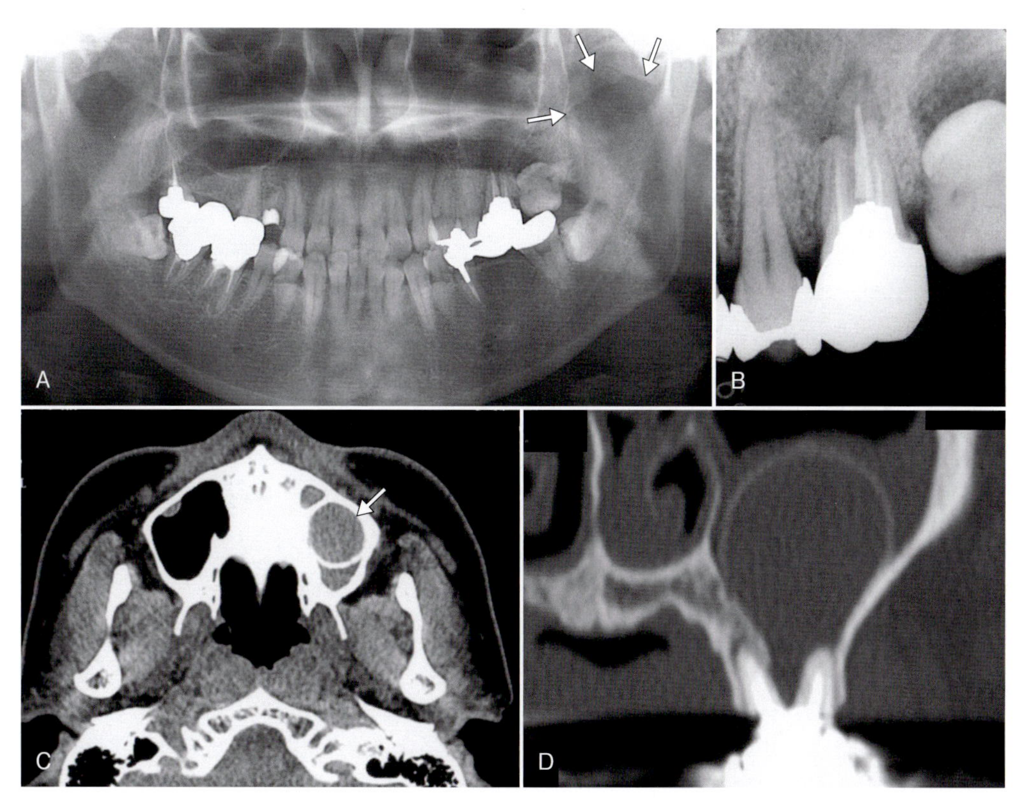

図 5-7-2　**歯根嚢胞－②**
パノラマ X 線画像（A），口内法 X 線画像（B）では，上顎左側第一大臼歯根尖部から上顎洞内へ突出した嚢胞様の透過像を認める．病変の周囲には硬化縁が明瞭にみられる（A，矢印）．CT 横断像では，周囲に一層の硬化縁を有する低濃度域として描出される（C，矢印）．病変に接する周囲の上顎洞にも粘膜肥厚を示す軟組織様の構造がみられる．CT 冠状断像では，病変の周囲の硬化縁が明瞭である（D）．この硬化縁は病変が顎骨内に発生したことを示す重要な所見である．

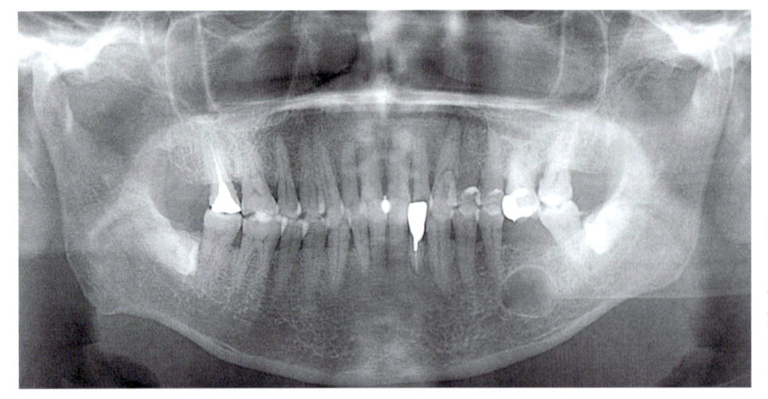

図 5-7-3　**歯根囊胞：残存性（残留）囊胞－①**
パノラマ X 線画像では，下顎左側大臼歯部に類円形の透過像を認める．同部の歯は抜去されており，残存性囊胞が疑われる．

2）囊　胞

(1) 炎症性歯原性囊胞

A. 歯根囊胞

歯髄死に引き続いて起こる炎症の結果として，歯周靱帯の上皮遺残（**マラッセの上皮遺残**）から発生する囊胞である．

X 線画像は，歯根膜腔と連続する歯根を含む透過像を示す．多くは境界明瞭で類円形を示すが，境界不明瞭なことや多胞性を思わせる所見を呈するものもある（図 5-7-1，2）．

同様に歯髄死に引き続く炎症によって生じる**歯根肉芽腫**との鑑別は困難である．境界はいずれも明瞭なものが多い．歯根囊胞は，増大すると皮質骨の圧迫吸収や骨膨隆を生じる．上顎臼歯部に発生し上顎洞底に及ぶと，パノラマ X 線画像などで上顎洞底を押し上げた所見を示し，上顎洞を広範に占拠するまで増大するものもある．

炎症に起因するため，比較的厚い骨硬化縁を伴っているものもある．

根尖部透過像としては，最も頻度が高い病変の一つである．失活歯の歯根膜腔と連続した限局性透過像については，まず歯根囊胞，歯根肉芽腫，慢性根尖性歯周炎を疑うべきである．

残存性（残留）囊胞は，原因であった歯を抜去した後も顎骨内に残存する歯根囊胞である．

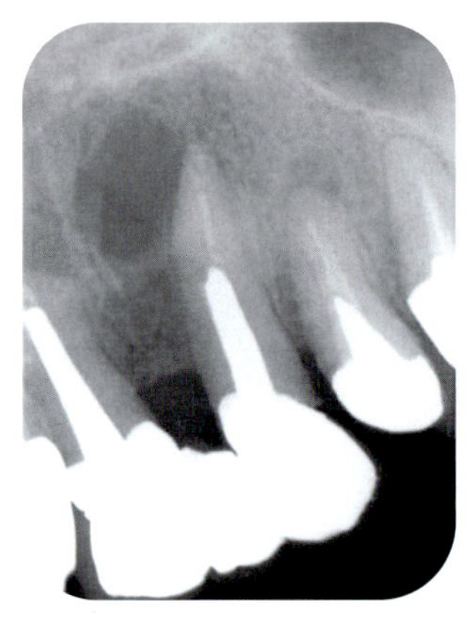

図 5-7-4　**歯根囊胞：残存性（残留）囊胞－②**
口内法 X 線画像では，上顎左側中切歯と犬歯の歯根間に類円形の透過像を認める．側切歯は抜去されているが，抜歯窩は透過像と連続し，注意深く観察すると残存した側切歯の歯槽硬線がみられる．

X 線画像は原因となった失活歯が失われている以外は歯根囊胞と同じである．抜歯直後は歯槽窩が X 線透過像として確認でき，病変の透過像と連続しているので，以前にあった歯との関係を理解しやすい（図 5-7-3，4）．しかし，歯槽窩が治癒して周囲の骨と区別できない状態になった場合には，単胞性の歯原性角化囊胞や良性腫瘍と類似している．歯根の高さに存在する境界明瞭な類円形の透過像であり，周囲に骨硬化縁を伴っていることもある．臨床症状や徴候がみられない場合には，治癒過程の一時期や骨瘢痕のこともあり，経過観察を行ってから判断する必要がある．

B. 炎症性傍側性嚢胞

炎症性傍側性嚢胞は部分的に萌出した歯や萌出後間もない歯の歯根の側方に発生する嚢胞で，下顎智歯の遠心側や頬側あるいは下顎第一第二大臼歯の根分岐部に発生することが多い（2017 年 WHO 分類）．歯冠周囲炎や歯周炎の結果として発生し，関連する歯は生活歯である．X 線画像からは，側方性歯周嚢胞，歯根に隣接した単胞性の良性腫瘍との鑑別が困難である．

(2) 歯原性ならびに非歯原性発育性嚢胞

A. 含歯性嚢胞

歯冠を包含し，その未萌出歯の歯頸部に付着した嚢胞である．下顎第三大臼歯，上顎犬歯，上顎第三大臼歯，下顎第二小臼歯に多い．含歯性嚢胞は，未萌出歯の歯冠周囲に生じる X 線透過性病変としては最も頻度が高い．

X 線画像の特徴は，以下のとおりである（図 5-7-5，6）．

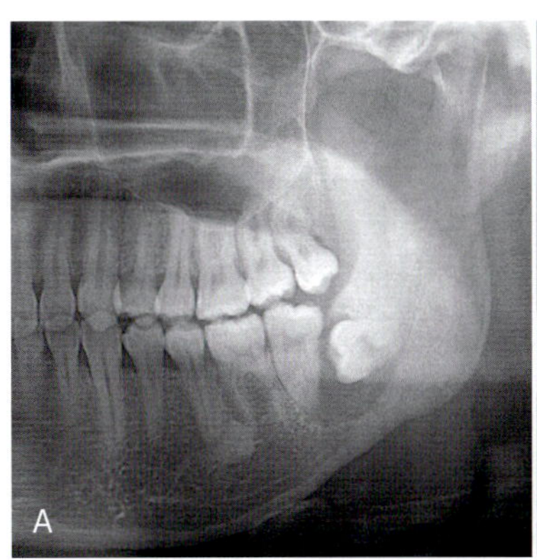

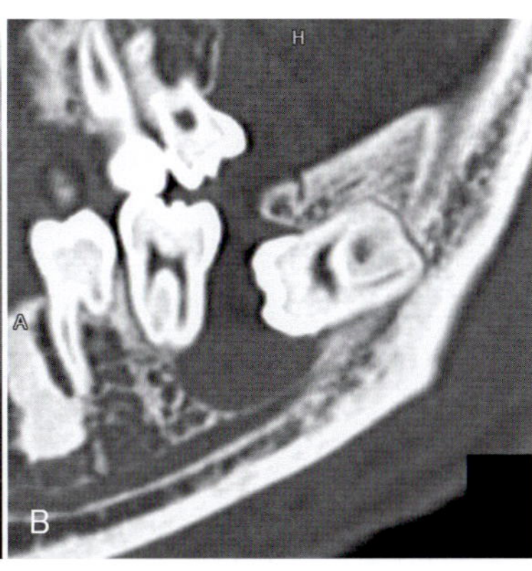

図 5-7-5 含歯性嚢胞－①
パノラマ X 線画像では，水平埋伏した下顎左側智歯の歯冠周囲に境界明瞭な透過像を認め，その周囲には軽度の骨硬化を認める．透過像は第二大臼歯の歯根を含んでいる（A）．CT 像では，低濃度域が歯頸部のセメント－エナメル境付近を基部として認められる．下顎管は下方へ圧排されているが，第二大臼歯歯根の吸収はみられない（B）．

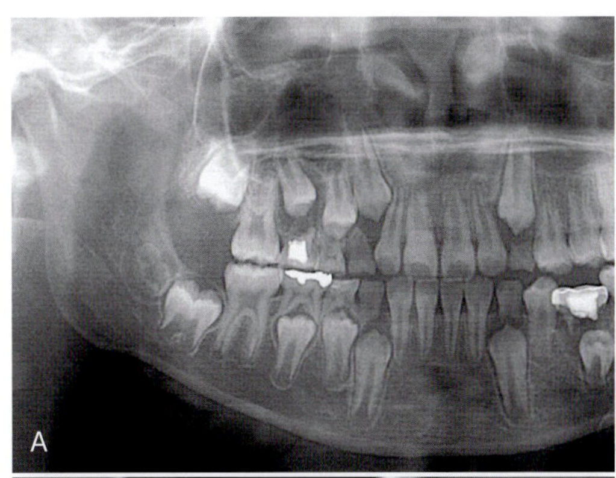

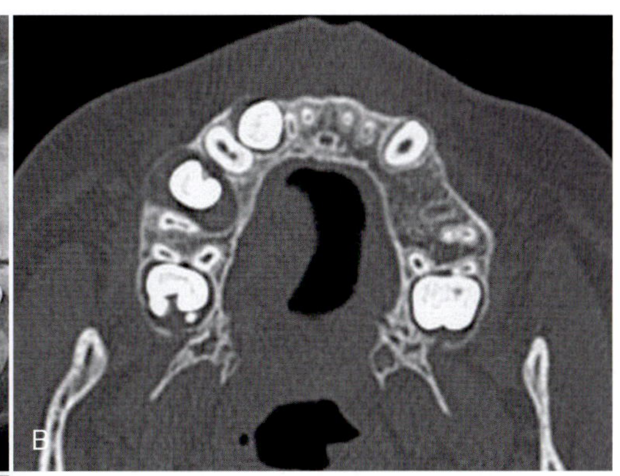

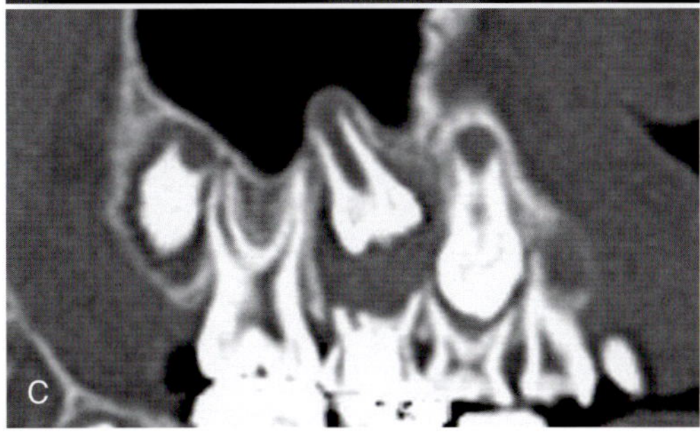

図 5-7-6 含歯性嚢胞－②
パノラマ X 線画像では，埋伏した上顎右側第二小臼歯の歯冠周囲に境界明瞭な類円形の透過像を認める（A）．CT 像では，第二小臼歯歯冠周囲に低濃度域を認める（B，C）．

①歯冠全体を取り囲む境界明瞭な透過像である．まれに歯冠の片側に位置するものがある．

②多くは単胞性，類円形を呈する．

③未萌出歯歯冠周囲の透過帯（歯小嚢）の幅が3mmを超える．

④大きな病変では骨膨隆が生じる．特に下顎枝に生じた場合や上顎洞内に及んだ場合には，膨隆が高度になることが多い．

歯原性角化嚢胞が隣接する未萌出歯を包含した場合や，未萌出歯の歯冠を含む単胞性のエナメル上皮腫との鑑別は困難である．弧線状辺縁や多胞性を呈する場合には，含歯性嚢胞よりも歯原性角化嚢胞やエナメル上皮腫を疑うべきである．また，隣接する歯根の吸収や歯の移動が著明な場合には，エナメル上皮腫を疑うべきである．

B．歯原性角化嚢胞

錯角化した重層扁平上皮によって裏装された嚢胞腔を特徴とする．上下顎の歯槽部と第三大臼歯後方に生じる．65～75%が下顎で，その約半数は下顎角部に生じ，下顎骨体部や下顎枝に及ぶ．再発傾向があることに注意を要する．

X線画像の特徴は，以下のとおりである（図5-7-7～9）．

①境界明瞭な単胞性あるいは多胞性のX線透過像である．

②辺縁は弧線状を呈することがある．

③膨隆傾向が強く，特に舌側に膨隆する傾向

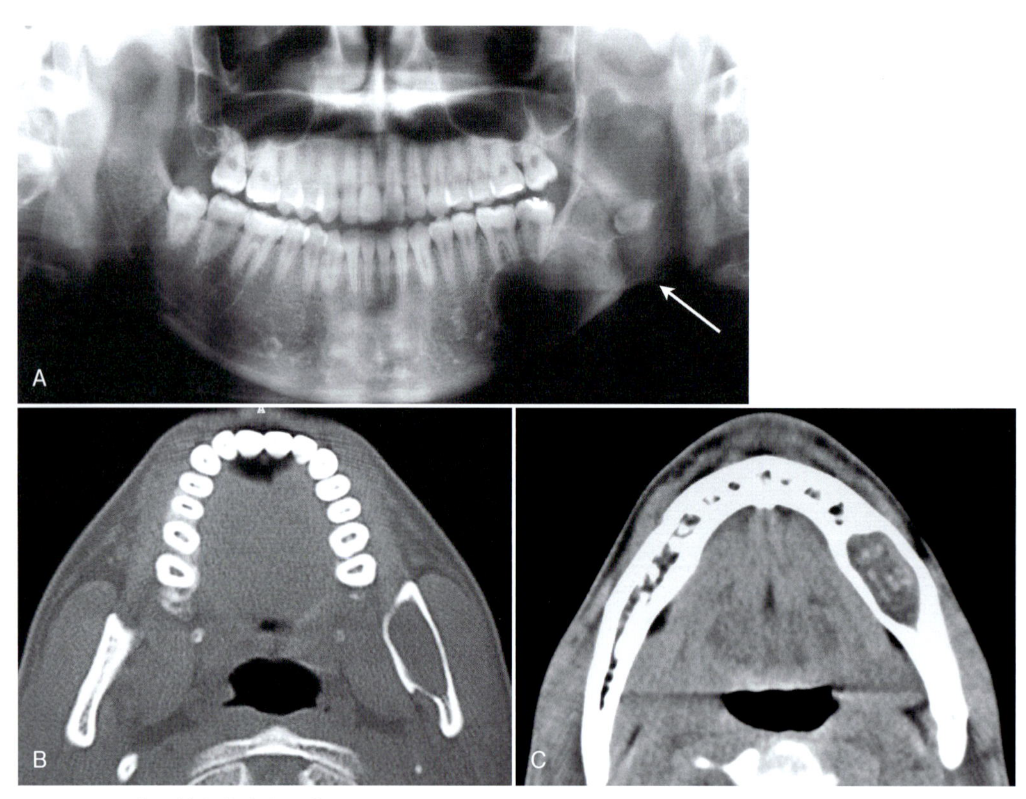

図5-7-7　歯原性角化嚢胞－①

パノラマX線画像では，下顎左側大臼歯部から下顎切痕にかけて，多胞性の疑われる境界明瞭な透過像を認める．下顎下縁の皮質骨は菲薄化している（A）．CT像（硬組織表示）では，下顎枝部に頬舌的な膨隆を認め，皮質骨は菲薄化している（B）．CT像（軟組織表示）では，境界明瞭な低濃度域として観察され，内部に高濃度の構造を含む．この高濃度は硬組織表示では観察されず，石灰化物ではないことがわかる．CT値は200HU前後を示し，嚢胞壁から離脱した角化物と思われる．本腫瘍の特徴的な所見とされる（C）（森田光子ほか：歯科放射線，50：27～83，2010.）．

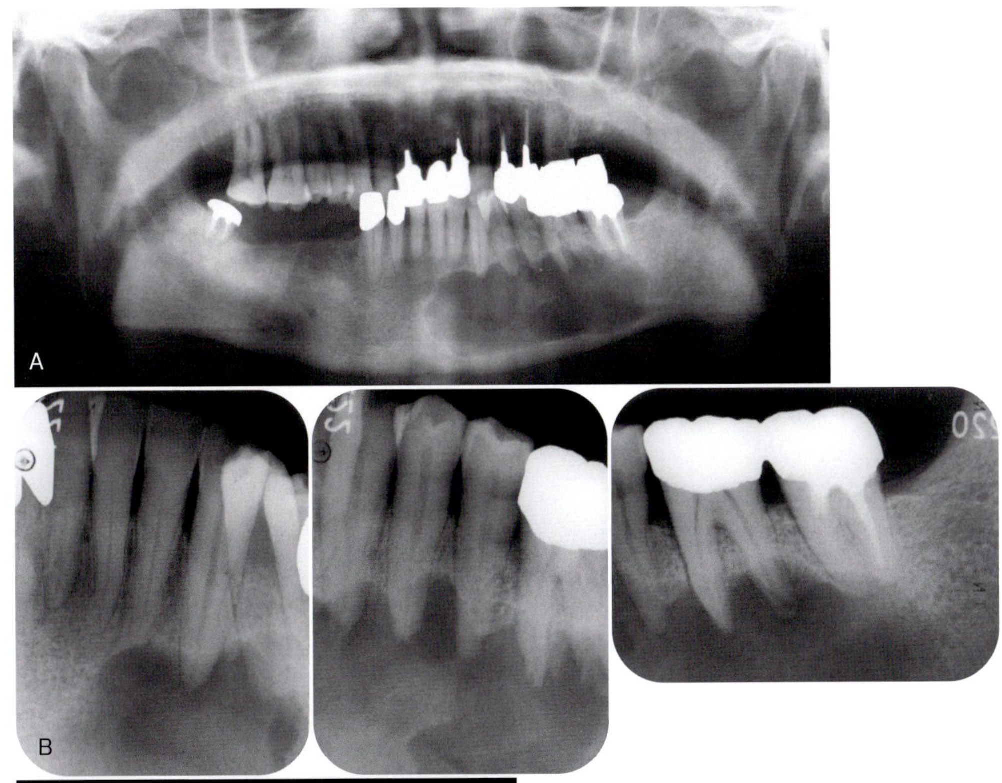

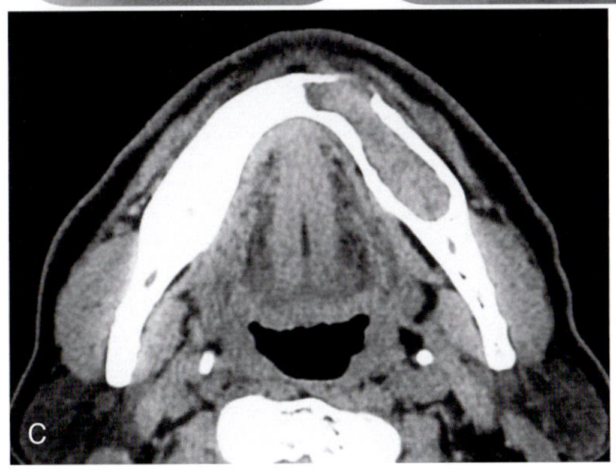

図 5-7-8　歯原性角化嚢胞－②
パノラマ X 線画像，口内法 X 線画像では，下顎正中部から左側第二大臼歯にかけて，上下的には歯槽部から下顎下縁に及ぶ境界明瞭な単胞性の透過像を認める．周囲には一層の硬化縁を認める．歯槽部では，槽間中隔に入り込んだような所見（弧線状辺縁）が観察される．含まれる歯根には軽度の吸収がみられる（A, B）．CT 像（軟組織表示）では，大臼歯部は境界明瞭な低濃度域として描出されるが，内部には図 5-7-7 でみられるような高濃度の構造物はみられない．本例のように離脱した角化物がみられないものもある．頰舌的な膨隆は比較的軽度であるが，一部皮質骨の断裂も疑われる（C）．

が強い．

④歯根吸収や歯間離開，歯の移動が生じることがある．

⑤膨隆による皮質部の消失がみられる．

これらの所見は，エナメル上皮腫に類似するため鑑別が必要となる．両者を比較すると，歯根吸収の頻度は，エナメル上皮腫では 80％以上で吸収程度も高度であるが，歯原性角化嚢胞では 36％と低く，吸収程度も軽度である．歯の移動についても，歯原性角化嚢胞では軽度で歯が本来の位置にあり，傾斜や回転した所見が多い．膨隆については，歯原性角化嚢胞のほうが頰側に膨隆する割合が低く，エナメル上皮腫のほうが頰舌的膨隆の程度は強い．また，歯原性角化嚢胞では，病変部の透過性が低い印象を与えることを“cloudy（曇った）appearance”や“Milky Way（天の川）appearance”と表現することがある．これらは角化上皮が嚢胞壁から離脱し，

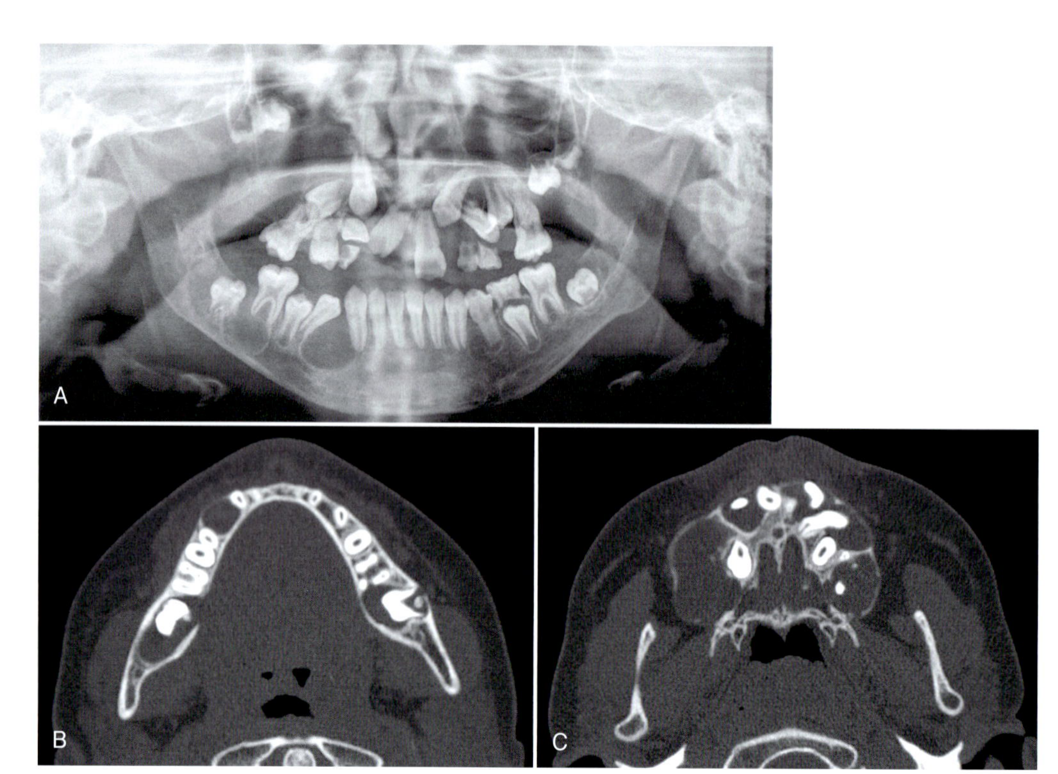

図 5-7-9　歯原性角化囊胞－③
パノラマ X 線画像では，下顎では右側犬歯と第一小臼歯の間，右側第一大臼歯下方，右側第二大臼歯歯冠部および左側第二大臼歯歯冠部に囊胞様の透過像を認める．上顎では右側第二大臼歯は上方に偏位し，上顎洞を占拠する病変の存在を疑わせる．未萌出の右側犬歯歯冠周囲，左側小臼歯部および第二大臼歯歯冠部にも囊胞の存在が疑われる（A）．CT 像では，上下顎に多発性の囊胞を確認できる．本例は基底細胞母斑症候群の症例である（B，C）．

囊胞腔内に集積した結果と考えられるもので，CT の軟組織表示の画像で腫瘍内部に高濃度を示す領域として観察できる．この所見はすべての症例でみられるわけではないが，鑑別診断に非常に有効な所見である．

埋伏歯の歯冠とは原則的に関連しないが，時に隣接する未萌出歯を包含したり，歯が歯原性角化囊胞の腔内に萌出することもある．歯冠を取り囲んだ場合には，画像所見からは含歯性囊胞との鑑別が困難になる．

ほとんどの歯原性角化囊胞は孤立性の病変であるが，多発性や両側性のことがある．この場合には，**基底細胞母斑症候群**（**母斑性基底細胞癌症候群**）を疑う必要がある．本症候群は，母斑様基底細胞癌，多発性顎囊胞，肋骨異常を 3 主徴とし，以下のような骨格系の異常所見を示す．①大脳鎌，硬膜，脳幹神経節の石灰化，②トルコ鞍の異常（bridging），③前頭・頭頂隆起，④両眼隔離，⑤椎骨の異常（二分脊椎，強直，後彎，側彎），⑥肋骨の異常（二分肋骨），⑦手指の異常(中手骨の短小化)．さらに皮膚には，①母斑様基底細胞癌，または母斑様基底細胞上皮腫（思春期以降に増大する），②点状小窩，③掌蹠の角化症，角化異常，④囊胞，血管筋腫のような異常がみられる．母斑様基底細胞癌を生じる本症候群は，歯原性角化囊胞の出現年齢が基底細胞癌よりも若年であるために，歯科医師によって発見される可能性が高いとされている．

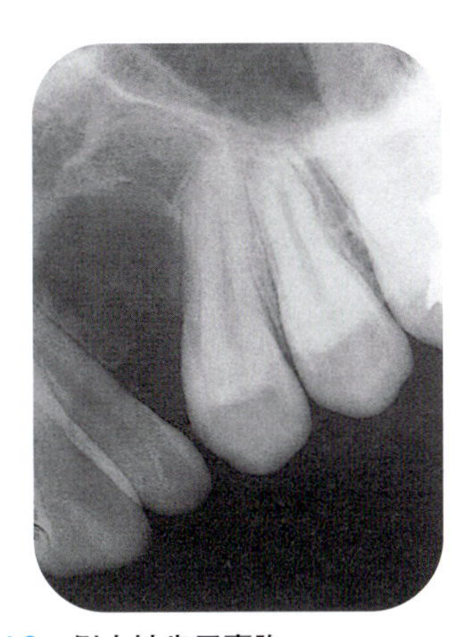

図 5-7-10　**側方性歯周嚢胞**
上顎小臼歯の近心側に円形の透過像がみられる．接する歯の歯間離開がみられる．接する歯は生活歯である（昭和大学歯科放射線科のご厚意による）．

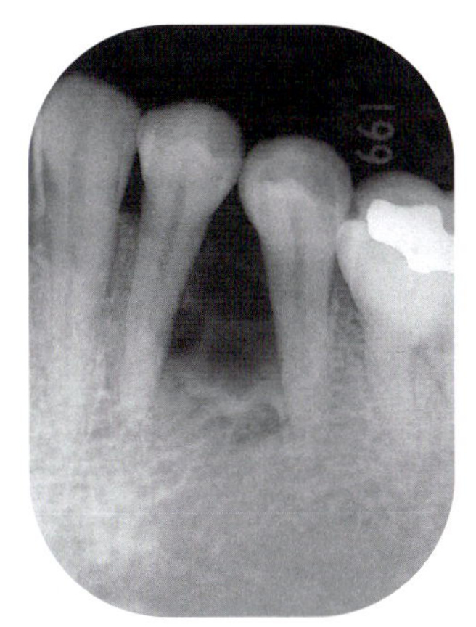

図 5-7-11　**ブドウ状歯原性嚢胞**
下顎小臼歯間に多房性の透過像を認める．

C．側方性歯周嚢胞とブドウ状歯原性嚢胞

生活歯の歯根側面や歯根間に発生し，炎症性刺激の結果によるものではない嚢胞で，非角化性の上皮で構成される．多房性のものはブドウ状歯原性嚢胞とよばれる（2017 年 WHO 分類）．

発現頻度の高い部位は，下顎小臼歯部，次いで上顎前歯部である．歯原性上皮から発生するが，そのどの部分から発生するかについては，統一した見解は得られていない．

X 線画像では，歯根側面または歯根間の境界明瞭で，円形もしくは類円形の単胞性の X 線透過像として認められ，まれに多胞性を呈することもある（ブドウ状歯原性嚢胞）．限局した骨膨隆を生じ，皮質部が消失することもあるが，大きさが 1 cm を超えるものはまれで，隣接歯の移動がみられることもある（図 5-7-10，11）．

歯原性角化嚢胞，成人の歯肉嚢胞やエナメル上皮腫などとの鑑別が必要であるが，臨床所見と X 線画像からだけでは鑑別が困難である．歯根側面に生じる炎症由来の嚢胞との鑑別も必要である．

D．腺性歯原性嚢胞

腺性歯原性嚢胞は，1988 年に Gardner らによって提唱され，1992 年の WHO の歯原性腫瘍の分類で発育性歯原性嚢胞として新たに取り上げられた病変である．

本疾患の発生起源は明確ではないが，歯堤の残存から発生した嚢胞と考えられている（2017 年 WHO 分類）．

発現部位は 75％が下顎骨に，次いで上顎前歯部に多く発現する傾向がある．X 線画像は，境界明瞭な単胞性または多胞性を呈し，弧線状辺縁を示すこともある．また，下顎に発現した病変は大きく成長し正中を越えることがあり，病巣領域の歯根吸収や移動を生じる．また，病巣内に埋伏歯を包含することはまれとされている（図 5-7-12）．

歯原性腫瘍や歯原性角化嚢胞との鑑別が必要であるが，臨床所見と X 線画像からは鑑別が困難である．充実性病変との鑑別のために MRI や造影 CT 検査が有効となる．

E．石灰化歯原性嚢胞

上皮に ghost cell（幻影細胞）の出現と，その石灰化をきたす病変である．臨床的には局所性の無痛性腫脹として生じる．まれな病変で性差はなく，あらゆる年齢層にみられるが，若年者に多い．上下顎にも差はなく，主に前歯部から第一大臼歯に生じる．

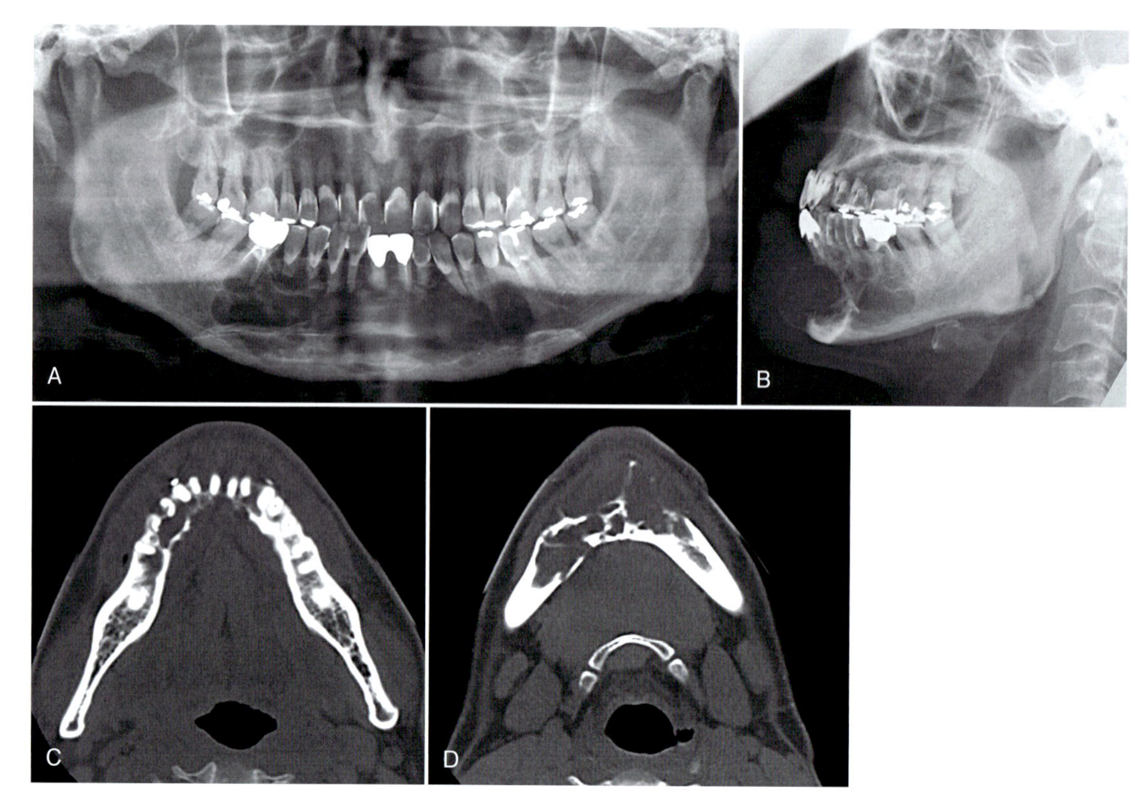

図 5-7-12　**腺性歯原性囊胞**
パノラマＸ線画像では，下顎右側第一大臼歯根尖から左側第二小臼歯部に弧線状辺縁を伴う境界明瞭な多胞性の透過像を認め，唇側は著明な骨膨隆を示し，卵殻様辺縁を伴っている．領域に含まれる歯の根尖の一部に著明な歯根吸収を認める（A，B）．CT 像では，直線的な中隔様構造を伴う，低濃度域が下顎右側第一大臼歯から左側第二小臼歯部に認められる．舌側の皮質骨の非薄化が確認される（C，D）．（大阪歯科大学・古跡孝和先生のご厚意による）

境界明瞭な単胞性Ｘ線透過像であるが，時に境界やや不明瞭である．埋伏歯の歯冠に関連したものが約 1/3 ある．また，歯牙腫と関連している場合もあるので，歯牙腫との鑑別も必要である．透過像の辺縁に凝集した形態不整な塊状のＸ線不透過像が特徴であり，石灰化上皮性歯原性腫瘍，腺腫様歯原性腫瘍との鑑別点になる（図 5-7-13）．

F．正角化性歯原性囊胞

正角化した重層扁平上皮によって裏装された囊胞腔を特徴とする囊胞で 90％が下顎に，その 75％が後方臼歯部に生じる．

Ｘ線画像の特徴は，以下のとおりである（図 5-7-14）．

①境界明瞭な単胞性のＸ線透過像が多いが，多胞性のものも報告されている．

②辺縁は硬化性辺縁を呈することがある．

③病巣内に埋伏歯を包含することが多い．

これらの所見は，含歯性囊胞に類似するため鑑別が必要となる．

多発性や両側性に発現することもあるが，基底細胞母斑症候群と関連する報告はみられない．

G．鼻口蓋管（切歯管）囊胞

鼻口蓋管の上皮遺残から生じる囊胞で，30～50 歳代に好発する．男女比は 3：1 で，男性に多い．

上顎正中部に境界明瞭なＸ線透過像を呈する．この部位には，正常解剖構造として切歯孔がみられる．切歯孔の正常なＸ線画像は，両側

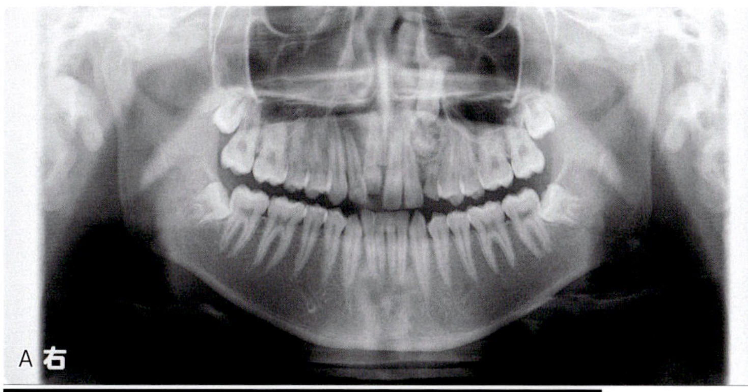

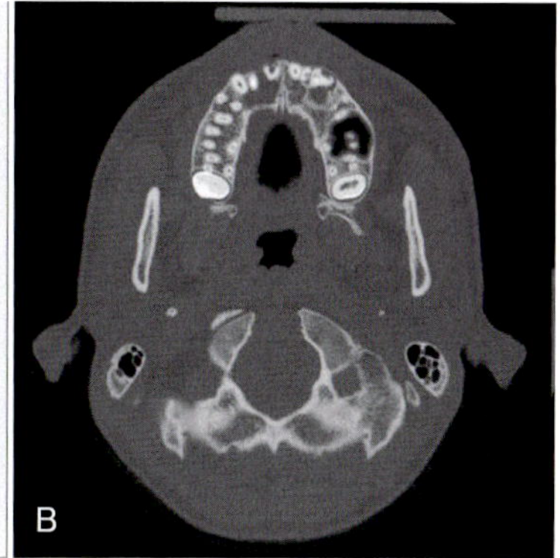

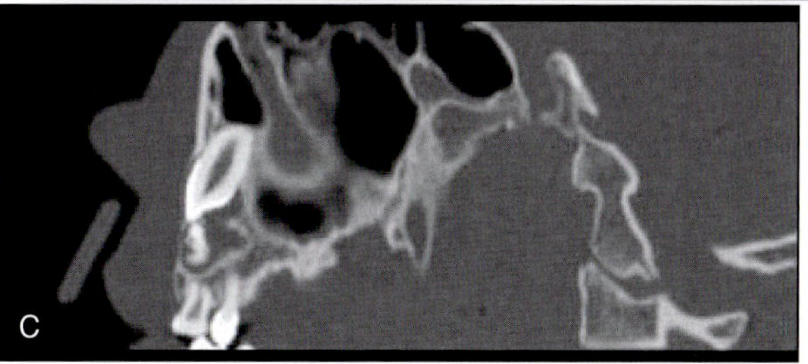

図 5-7-13　石灰化歯原性嚢胞
パノラマ X 線画像（**A**）では埋伏した上顎左側犬歯周囲に境界明瞭な透過像があり，これと連続した下方の透過像に塊状の外形不整な不透過像がみられる．不透過像の水平断 CT 像（**B**）では形態不整な塊状石灰化像の内部は不均一である．矢状断 CT 像（**C**）で埋伏した犬歯歯冠周囲空隙と連続した透過像があり形態不整な塊状石灰化像は尖頭に接している．この症例のように CT 像では透過像辺縁に限局して存在する塊状石灰化像が石灰化歯原性嚢胞に特徴的な所見である．

中切歯歯根間からその上方に存在し，楕円形の透過像で，周囲に硬化縁（白線）はないことが多い．このため境界不明瞭にみえることがある．切歯孔の大きさは 6 mm 以下であるため，6 mm 以下のものについては，異常と判定することはできない．鼻口蓋管は上方で 2 つ以上に分岐することが多く，分岐部を含んで発生したものでは，特徴的なハート型の X 線像を示すことがある．

X 線画像の特徴は，以下のとおりである．

①境界明瞭な X 線透過像で，多くは透過像周囲に硬化縁を有する（図 5-7-15）．

②円形または楕円形で，ハート型にみえることもある．

③大きさは 1 cm 以下のものが多いが，それ以上に増大するものもまれではない．

④唇舌的骨膨隆や鼻腔底の膨隆を生じることがある．

⑤歯の移動を引き起こすことがある．

骨外に発現したものを口蓋乳頭嚢胞というが，発現頻度は低い．この場合には，口内法 X 線画像では骨変化がみられない．

上顎正中部に生じた歯と関連しない境界明瞭で類円形の透過像の多くは鼻口蓋管嚢胞であるが，この部に生じた歯原性角化嚢胞，良性腫瘍などとの鑑別が必要な場合もある．

H. 鼻唇（鼻歯槽）嚢胞

2017 年の WHO 分類では取り上げられていないが，鼻翼の付け根に近い歯槽突起の上に生じる嚢胞である．鼻翼基部から口唇上部にかけての波動性の腫脹を呈する．嚢胞は骨外に存在するので，口内法 X 線画像，咬合法 X 線画像では変化はみられないが，画像検査法によっては，上顎唇側歯槽骨の表面に吸収像がみられることがある．MRI や CT で病変の存在を明らかにすることができる（図 5-7-16）．軟部組織病変として超音波検査も有効に利用される．

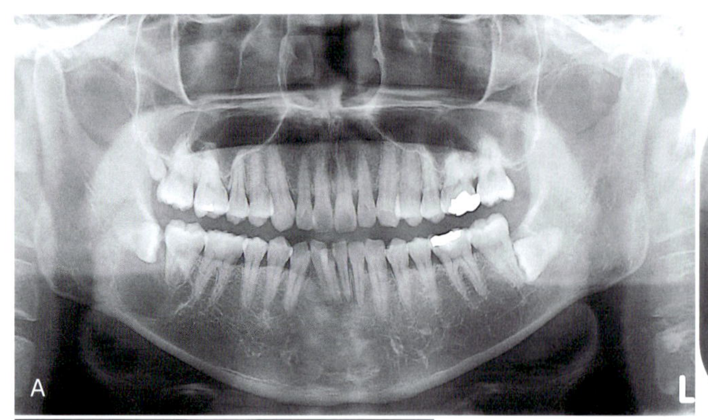

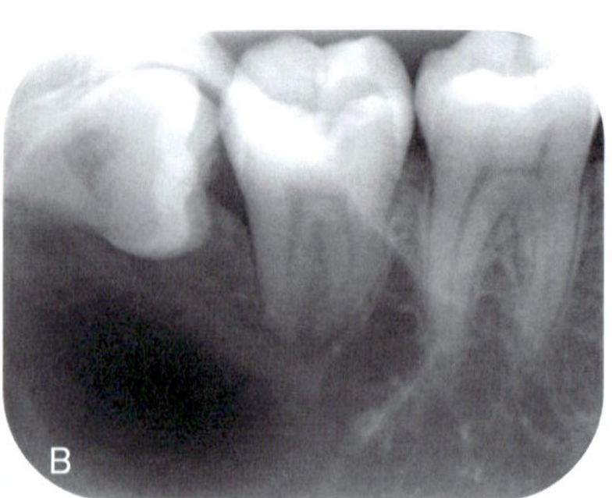

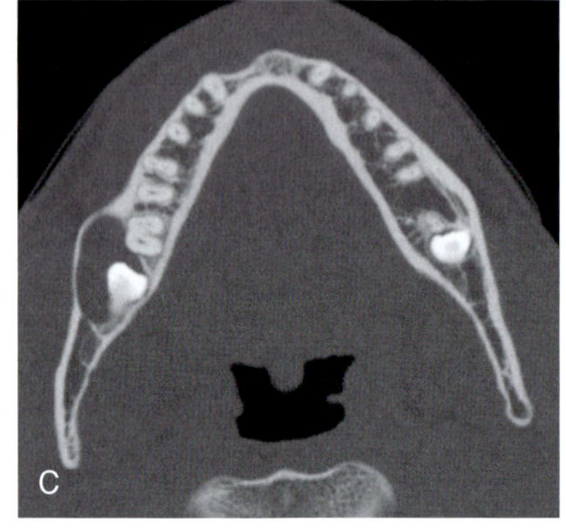

図 5-7-14　正角化性歯原性囊胞

パノラマX線画像では，水平埋伏した下顎左側智歯の歯冠周囲に境界明瞭な透過像を認め，近心辺縁の一部で軽度の骨硬化を認める．透過像は第二大臼歯の歯根を含んでいる（A，B）．CT像では，低濃度域が歯頸部のセメント－エナメル境付近を基部として認められる．下顎管は舌側下方へ圧排されているが，第二大臼歯歯根の吸収はみられない（C）．（大阪歯科大学・古跡孝和先生のご厚意による）

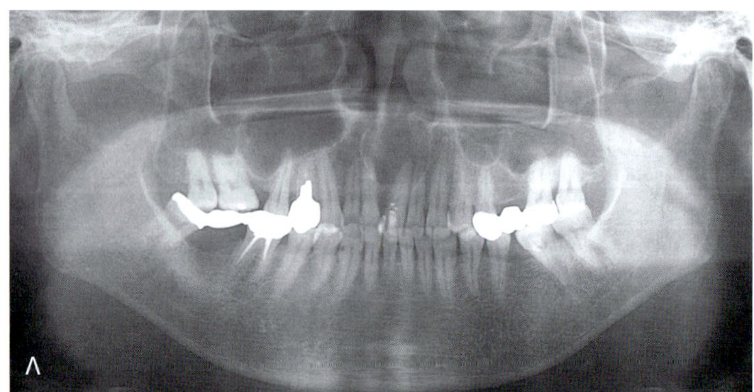

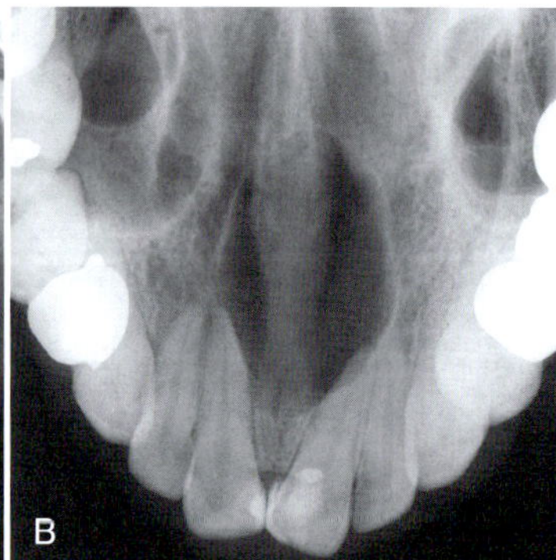

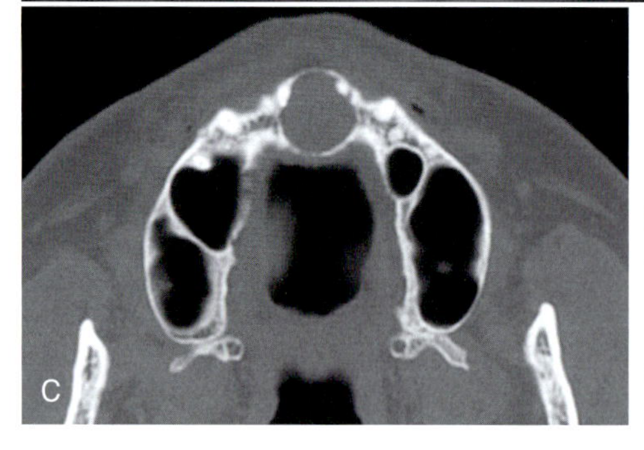

図 5-7-15　鼻口蓋管（切歯管）囊胞

パノラマX線画像では，上顎正中部に境界明瞭で周囲に硬化縁を有する円形の透過像を認める．両側の中切歯歯根はやや離開している（A）．咬合法X線画像でもほぼ同様の所見である（B）．CT像では，境界明瞭な円形の低濃度域として描出され，唇側および口蓋側への膨隆がみられる（C）．

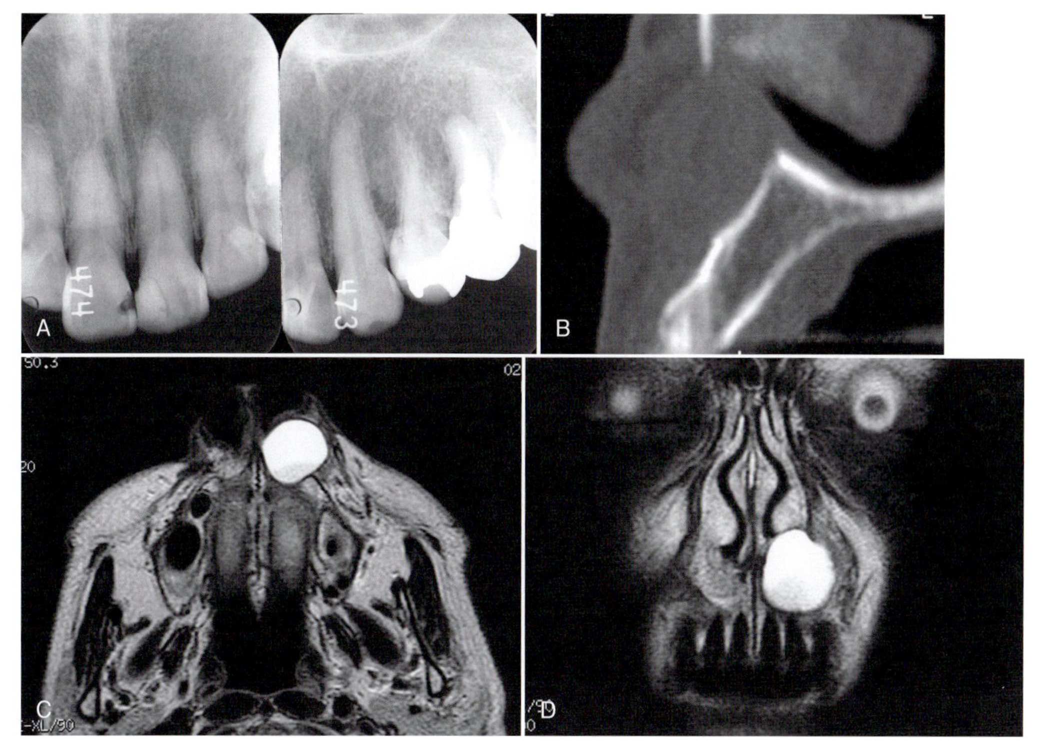

図 5-7-16　**鼻唇（鼻歯槽）嚢胞**

患者は左側鼻根部の腫脹を主訴として来院した．口内法 X 線画像では異常を認めない（A）．CT 矢状断像では，上顎左側前歯部唇側にわずかな骨の陥凹を認める（B）．MRI T2 強調横断像および冠状断像では，上顎左側前歯部で上顎骨前方の軟組織内に類円形の境界明瞭な高信号域を認める（C，D）．

3）歯原性腫瘍

(1) 歯原性悪性腫瘍

歯原性癌腫，歯原性癌肉腫および歯原性肉腫に大別される．癌腫には既存の良性腫瘍および嚢胞から発生するものや，遺残した歯原性上皮から発生する原発性骨内癌などがある（図 5-7-17）．画像所見は，初期のものでは良性腫瘍や嚢胞と同様の所見を示すが，辺縁の一部が不整になるなどの所見がみられることがある．進行したものでは辺縁の不整が顕著となり，粘膜由来の扁平上皮癌と同様の所見を示すようになる．

(2) 良性上皮性歯原性腫瘍

A．エナメル上皮腫

WHO 分類（2017 年）では，通常のエナメル上皮腫の亜種として単嚢胞型，骨外型/周辺型，転移性の 3 つが分類されている．

腫瘍実質が歯胚の上皮成分，特にエナメル器に類似した構造を示す腫瘍である．口腔腫瘍の 14％を占め頻度が高いが，国によってはそれより高いこともある．好発年齢は 20～40 歳代とされている．下顎に多く 80～94％を占める．発現部位は，下顎では約 75％が大臼歯部から後方で，上顎では前歯部から臼歯部にみられる．通常のエナメル上皮腫は組織学的には濾胞型，網状型（叢状型）や類腱型などに分類されるが，画像所見とは必ずしも一致しない．

X 線画像は境界明瞭，辺縁平滑な透過像であ

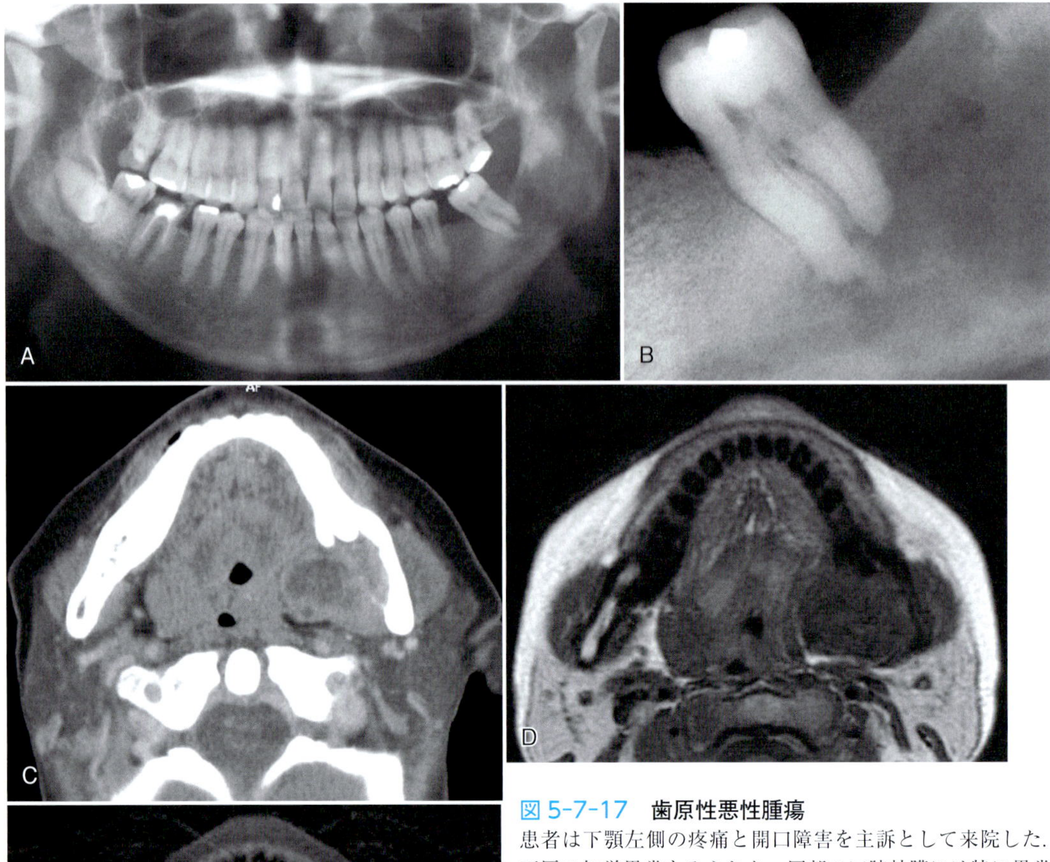

図 5-7-17　歯原性悪性腫瘍
患者は下顎左側の疼痛と開口障害を主訴として来院した．下唇の知覚異常もみられた．同部の口腔粘膜には特に異常はみられなかった．パノラマX線画像では，下顎左側第二大臼歯から下顎枝にかけて広範な骨破壊がみられた．下顎角部では下縁の皮質骨が吸収している．歯根の吸収はみられない（A, B）．造影CT像では下顎骨の舌側に骨破壊がみられ，内側翼突筋に浸潤した腫瘤がみられる．腫瘤の周囲には造影効果がみられ，内部の低濃度域が観察される（C）．MRI T1強調像では腫瘤は低信号に（D），T2強調像では不均質な高信号域として描出されている（E）．顎骨内原発あるいは転移性の悪性腫瘍を疑ったが，病理組織学的に原発性骨内扁平上皮癌と診断された．

る．多胞性を示すものでは，石鹸泡状あるいは蜂巣状である．直径1 cm以下でほぼ同じ大きさの小胞が多数存在するものを蜂巣状，大小不同の比較的大きな胞が少数あり膨隆を伴うものを石鹸泡状として区別する考えがある．この所見は，エナメル上皮腫の典型像の一つとされる．エナメル上皮腫が周囲組織に影響を及ぼした画像所見としては，顎骨の著しい膨隆や歯根吸収がある．特に“ナイフで切ったような（ナイフカット状）”と表現される明瞭な歯根吸収は，本疾患の特徴の一つとされている．膨隆した顎骨の皮質部は菲薄化し，部分的に消失する（図5-7-18～20）．

X線画像の特徴は，以下のとおりである．

①境界明瞭な透過像である．

②単胞性あるいは多胞性透過像で，弧線状辺

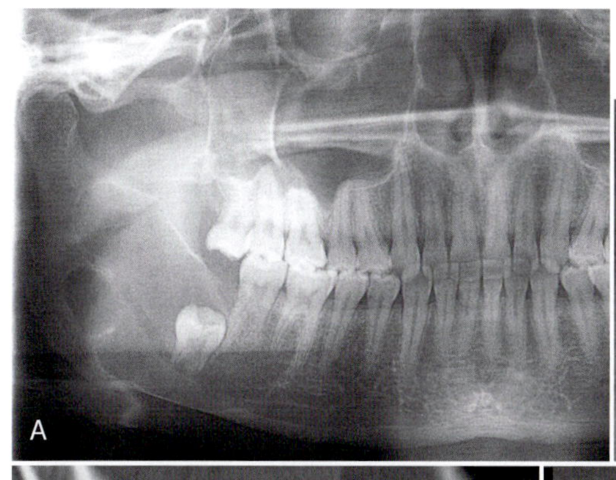

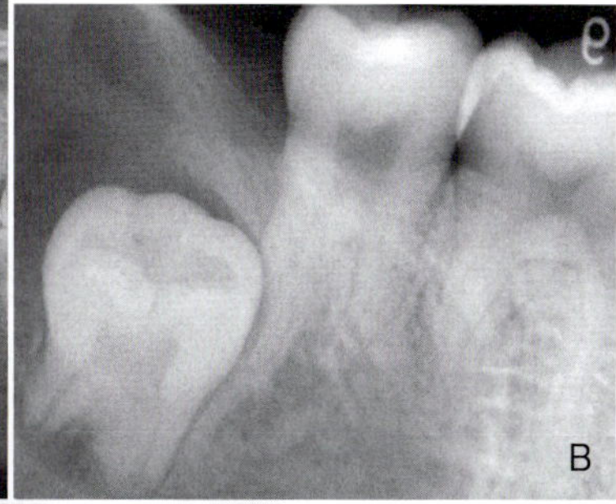

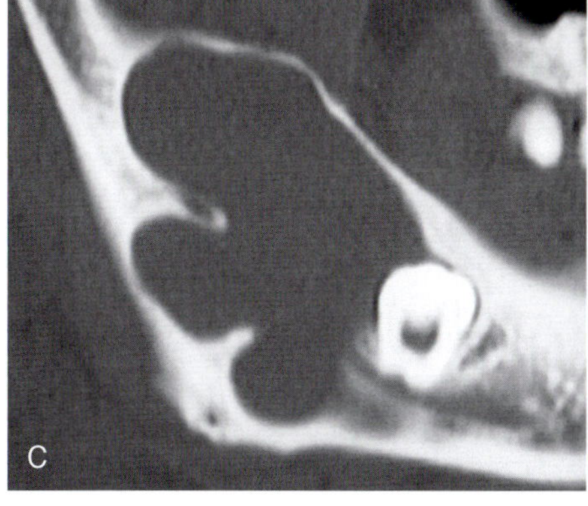

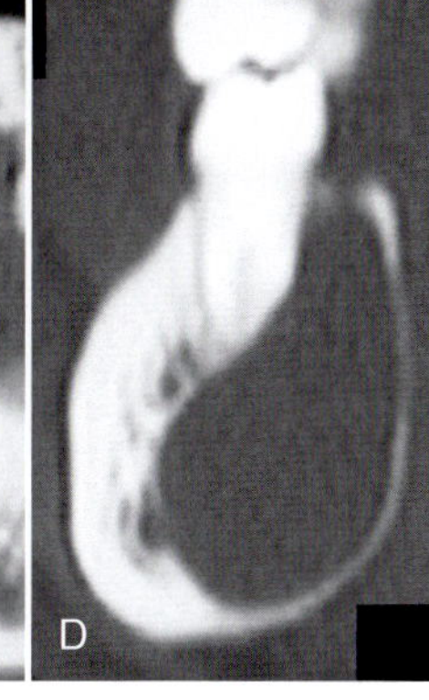

図 5-7-18　エナメル上皮腫ー①
パノラマX線画像，口内法X線画像では，下顎右側第一大臼歯部から下顎枝にかけて，境界明瞭で弧線状の辺縁をもつ一部多胞性を疑わせる透過像を認める．内部には未萌出の智歯を含んでいるが，第二大臼歯歯根の吸収は明瞭ではない（A，B）．CT矢状断像では，弧線状の辺縁が明瞭である（C）．CT歯列直交断像では，第二大臼歯歯根のナイフカット状の吸収が明瞭に観察できる（D）．

縁を呈するものが多い．

③歯根吸収を生じるものが多く（80％以上），典型例では**ナイフカット状**の歯根吸収を示す．

④顎骨膨隆が著明である．

a．エナメル上皮腫，単嚢胞型

病巣が嚢胞様構造を呈する亜種で，画像特徴の多くは，通常のエナメル上皮腫と類似し，単胞性透過像で約80％が埋伏歯を包含する（図5-7-21）．

本病変は，腫瘍実質の壁面への増殖の有無と成長様式により，嚢胞様に腫瘍実質が嚢胞腔を形成する（luminal type），腫瘍実質が嚢胞腔に突出する（intraluminal type），嚢胞壁内に実質が浸潤する（mural type）に分類される．

前者のluminal type，intraluminal typeは，顎骨への浸潤性が低く再発のリスクは少ないが，mural typeは通常のエナメル上皮腫に準ずる処置が必要とされる．mural typeは，歯原性嚢胞との鑑別が問題となることが多い．鑑別には，造影CTやMRI検査が有効となる．

b．エナメル上皮腫，骨外型/周辺型

軟組織に発現する腫瘍で，その多くは下顎後臼歯唇側部に発現する．

X線画像は，骨表面の浸食像や圧痕様像を呈する．

c．転移性エナメル上皮腫

以前は悪性腫瘍に分類されていたが，病理組織的に良性のエナメル上皮腫と区別できないことから，WHO分類（2017年）では良性腫瘍に分類された．

エナメル上皮腫のなかに，まれであるが転移を示すものがあり，転移先は肺が最も多いとされている（図5-7-22）．原発巣のエナメル上皮腫は，通常のエナメル上皮腫と同様の画像特徴を呈する．診断は転移が発見された後に確定する．

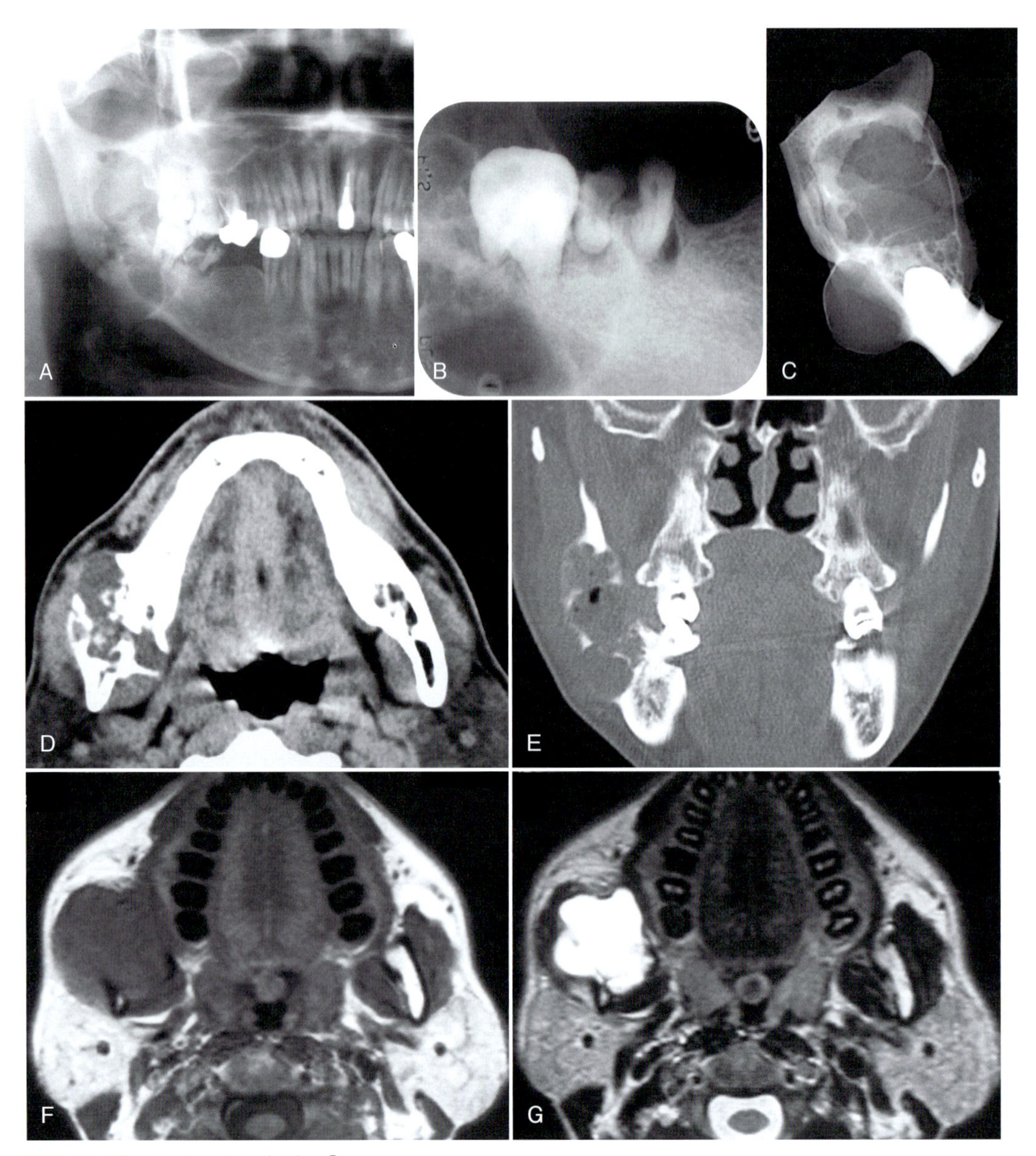

図 5-7-19　エナメル上皮腫ー②
パノラマ X 線画像，口内法 X 線画像では，下顎右側大臼歯部から下顎切痕に及ぶ多胞性で石鹸泡状の境界明瞭な透過像を認め，智歯の歯根吸収が疑われる（A，B）．摘出物の X 線画像では，大小不同の類円形の透過像を多数認める（C）．CT 像では，頬舌的な膨隆が強い多胞性病変として描出され，病変実質は低濃度域を示す（D，E）．MRI T1 強調像では病変は低信号域（F），T2 強調像では高信号域を示す（G）．

B．石灰化上皮性歯原性腫瘍

Pindborg 腫瘍ともいい，特に好発年齢はなく性差もない．下顎に発現するものが2/3を占め，大臼歯部での頻度が高い．症例の約 1/2 が埋伏歯に関連している．臨床的には発育緩慢で，無痛性の腫瘤であることが多い．発現頻度は歯原性腫瘍の約 1%とされ，まれな疾患である．

X 線画像所見は境界明瞭であるが，不明瞭な部分を伴うこともある透過性病変で，その内部にさまざまな大きさの X 線不透過像を有する．埋伏歯を伴うものが多い．病変が小さな場合は単胞性，大きな場合は多胞性を示すものが多い

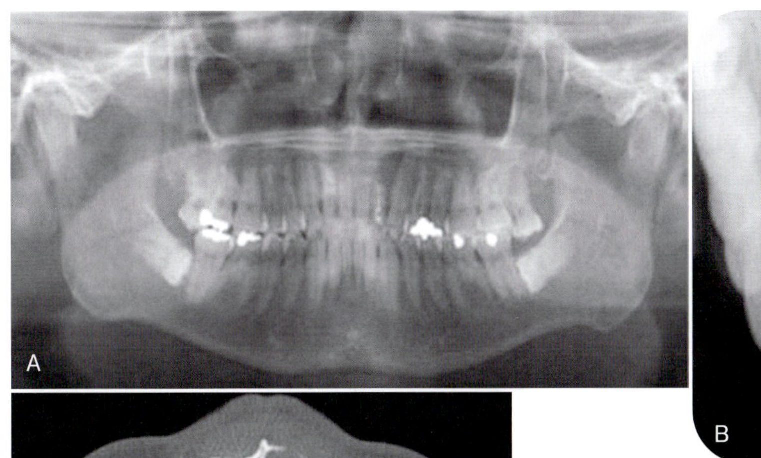

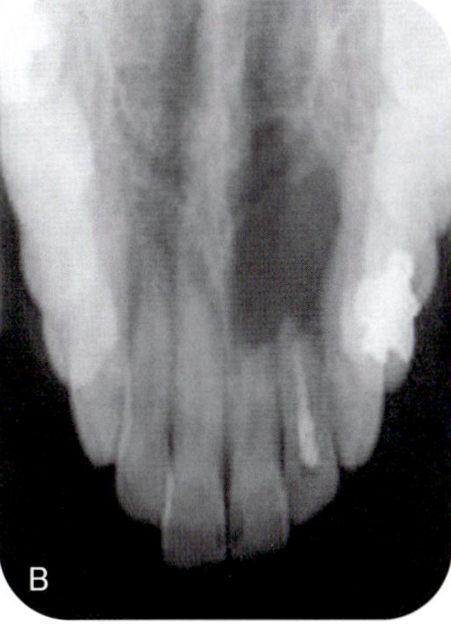

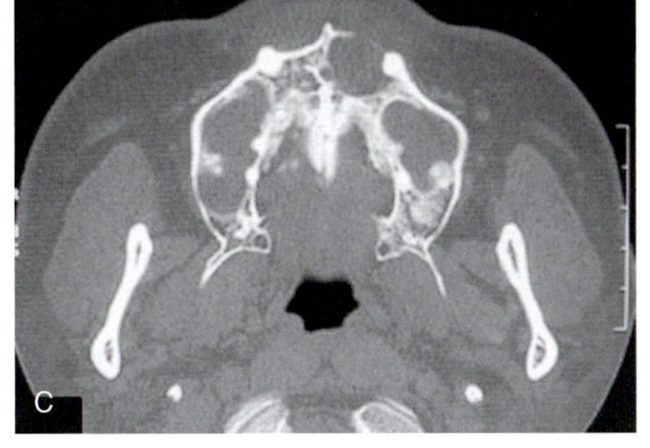

図 5-7-20　エナメル上皮腫－③
パノラマX線画像では，上顎左側中切歯から第一小臼歯の歯根部に類円形の境界明瞭な単胞性の透過像を認める（A）．咬合法X線画像では，切歯の歯根吸収がみられる（B）．CT像では，上顎正中部唇側に軽度の膨隆を示す低濃度域として描出されている（C）．病理組織学的にエナメル上皮腫と診断された．

（図 5-7-23）．

C．腺腫様歯原性腫瘍

エナメル上皮腫約370例に対し，腺腫様歯原性腫瘍は10例程度とする報告があり，比較的まれな歯原性腫瘍である．臨床的には無痛性で，徐々に腫脹が増大する．10歳代の女性に多い．上顎前歯部が約半数で，次いで下顎前歯部が1/4とされている．65～75%が埋伏歯または未萌出歯を伴っており，犬歯がその過半数を占める．

境界明瞭な単胞性のX線透過性病変で，透過像の内部に埋伏歯の歯冠部または歯冠から歯根部を含む．過半数の症例では，透過像内に点状ないし砂粒状の不透過物が散在する（図 5-7-24）．

X線画像の特徴は，以下のとおりである．

①前歯部に存在する境界明瞭な単胞性X線透過像である．

②埋伏歯（犬歯または切歯）の歯冠および歯冠から歯根部を透過像内に含む．

③透過像内に散在する点状のX線不透過像を伴う．

鑑別診断は次のとおりである．X線不透過物が存在する場合には，石灰化上皮性歯原性腫瘍，石灰化歯原性嚢胞との鑑別が必要である．X線不透過物が存在しない場合では，埋伏歯を伴う場合は含歯性嚢胞との鑑別，埋伏歯のない場合には，歯原性角化嚢胞との鑑別が必要となる．病変が発育すると骨膨隆，隣接した歯の移動（歯根離開）を引き起こす．

(3) 良性上皮間葉混合性歯原性腫瘍

A．エナメル上皮線維腫

20歳未満に発現するものが多い．下顎臼歯部の発現頻度が高く，単胞性X線透過像で埋伏歯を伴っているものが多い（図 5-7-25）が，多胞

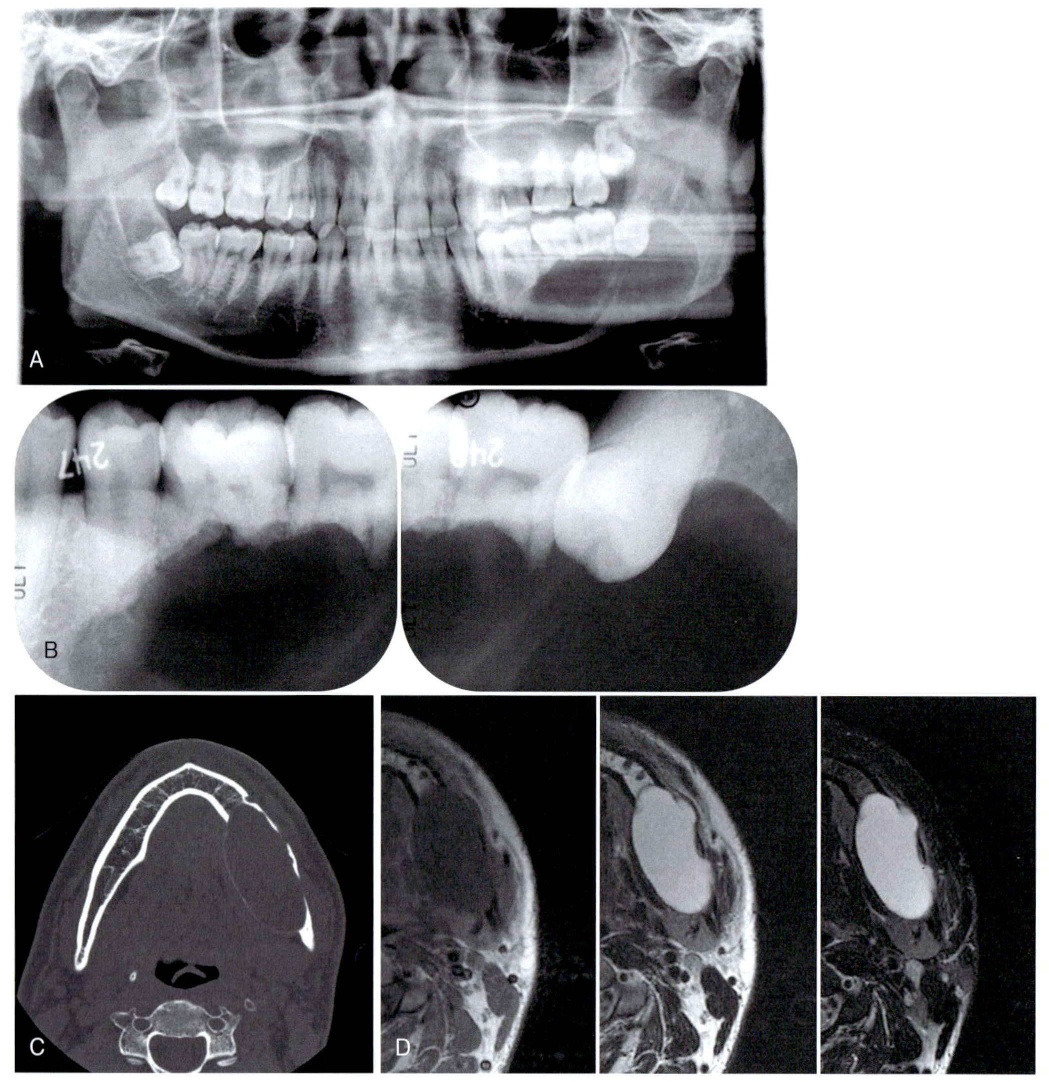

図 5-7-21 **エナメル上皮腫，単嚢胞型（luminal type）**
パノラマＸ線画像では，下顎左側小臼歯根尖部から水平埋伏した下顎左側智歯部に境界明瞭な透過像を認める．領域に含まれる，第一，第二大臼歯の歯根の著明な吸収がみられる（A，B）．CT 像では，低濃度域が歯頸部のセメント－エナメル境付近を基部として認められる．頬側皮質骨の小さな波状の辺縁を示し，舌側皮質骨は著明な骨膨隆を示し，卵殻様辺縁を呈している（C）．MR 画像では，境界明瞭な病巣は舌側への著明な骨膨隆を示し，T1 強調像（左）では均一な低信号，T2 強調像（中）では均一な高信号，脂肪抑制 T2 強調像（右）では均一な著明な高信号を呈している．内部に腫瘍性の病変は認められない（D）．

性Ｘ線透過像を呈するものもある．このため，含歯性嚢胞やエナメル上皮腫との鑑別は，Ｘ線画像からは困難である．

B．歯牙腫

最も発現頻度の高い歯原性腫瘍で「歯牙腫，集合型」と「歯牙腫，複雑型」に分類されている．一般には「歯牙腫，集合型」のほうが多い．発現頻度が高く，特徴的なＸ線画像所見を示すので，臨床的な鑑別が重要な疾患である．

a．歯牙腫，集合型

好発年齢は歯牙腫，複雑型よりもやや若年で，10 歳代からそれ以下に多い．下顎よりも上顎に

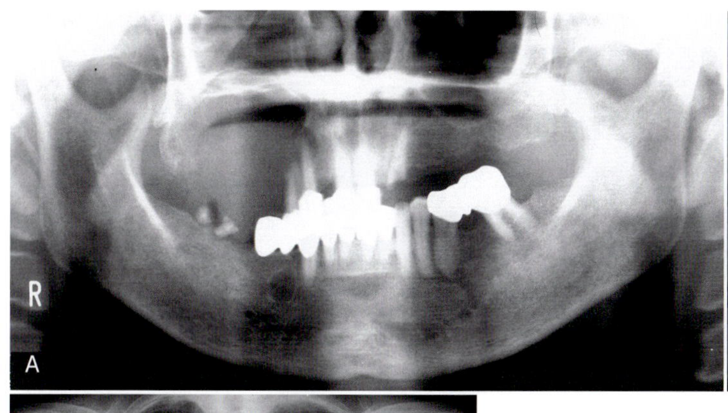

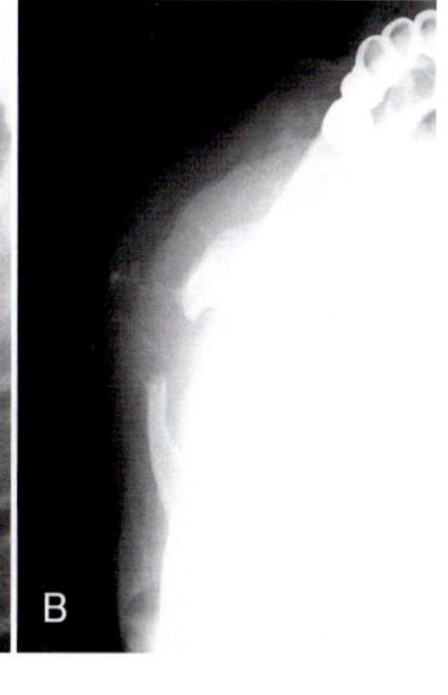

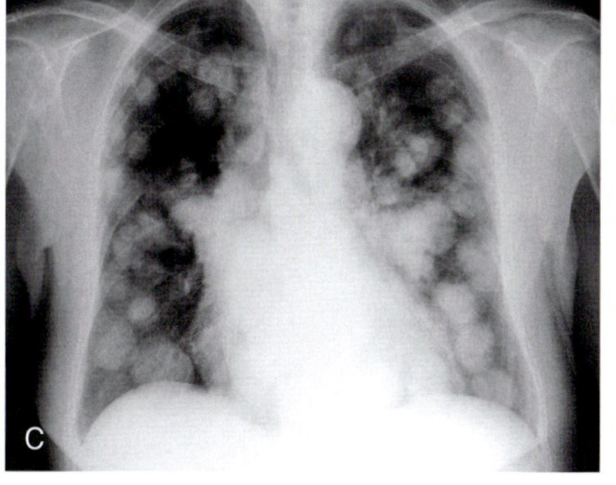

図 5-7-22　転移性エナメル上皮腫
66歳，女性．右側上顎臼歯部の腫脹．パノラマX線画像では，上顎右側犬歯部から智歯部に境界明瞭な単胞性の透過像を認め，上顎洞下壁を挙上している（A）．術後12年の軸方向撮影像において右側頬骨弓中央部に，境界明瞭な多胞性の透過像を認める（B）．術後15年の胸部X線画像で肺野全体にピンポン玉大の多数の腫瘍性陰影の散在がみられる．同病巣の組織像は，初診時の病理組織像と同様な様相を呈していた（C）．（大阪歯科大学・古跡孝和先生のご厚意による）

多く3/4を占める．上顎前歯部で頻度が最も高く，全体の半数以上を占める．X線画像所見は，周囲との境界が明瞭な透過像の内部に，小さな不透過像が散在または集合している．小さな不透過像の一つひとつは，通常の歯と同様にエナメル質，象牙質，歯髄腔が識別でき，これが本疾患の特徴的な所見である．多数の“小さな歯牙様構造物”と表現される（図 5-7-26）．

b．歯牙腫，複雑型

10～20歳代で発見されることが多く，男性にやや多い．病変が小さなものでは無症状であるが，永久歯の萌出を阻害して乳歯の残存を引き起こすことがある．大きなものでは顎骨の膨隆や歯の移動を生じる．上顎よりも下顎にやや多く発現し，下顎臼歯部に最も好発し，この部が約半数を占める．

X線画像所見は，周囲と境界が明瞭な透過帯で境された塊状のX線不透過像である．病変全体の形態は類円形で，辺縁が平滑なものが多い．不透過像はエナメル質，象牙質が不規則に形成されるために，不透過性の異なる部分が混在している（図 5-7-27）．この不透過性の異なる部分が放射状にみえることもある．従来エナメル上皮線維歯牙腫とよばれていた病変は本腫瘍の未成熟なものとして2017年のWHO分類からは除外された．

(4) 良性間葉性歯原性腫瘍

A．歯原性線維腫

顎骨内と顎骨周辺に生じるものとがある．骨中心性のものは，20歳以下の若年者にみられることが多い．まれな疾患である．臨床的には発育の緩徐な無痛性膨隆を呈し，歯の欠如や埋伏を伴うこともある．X線画像所見は，顎骨内の境界明瞭な単胞性または多胞性のX線透過像であり，画像所見が類似するエナメル上皮腫と

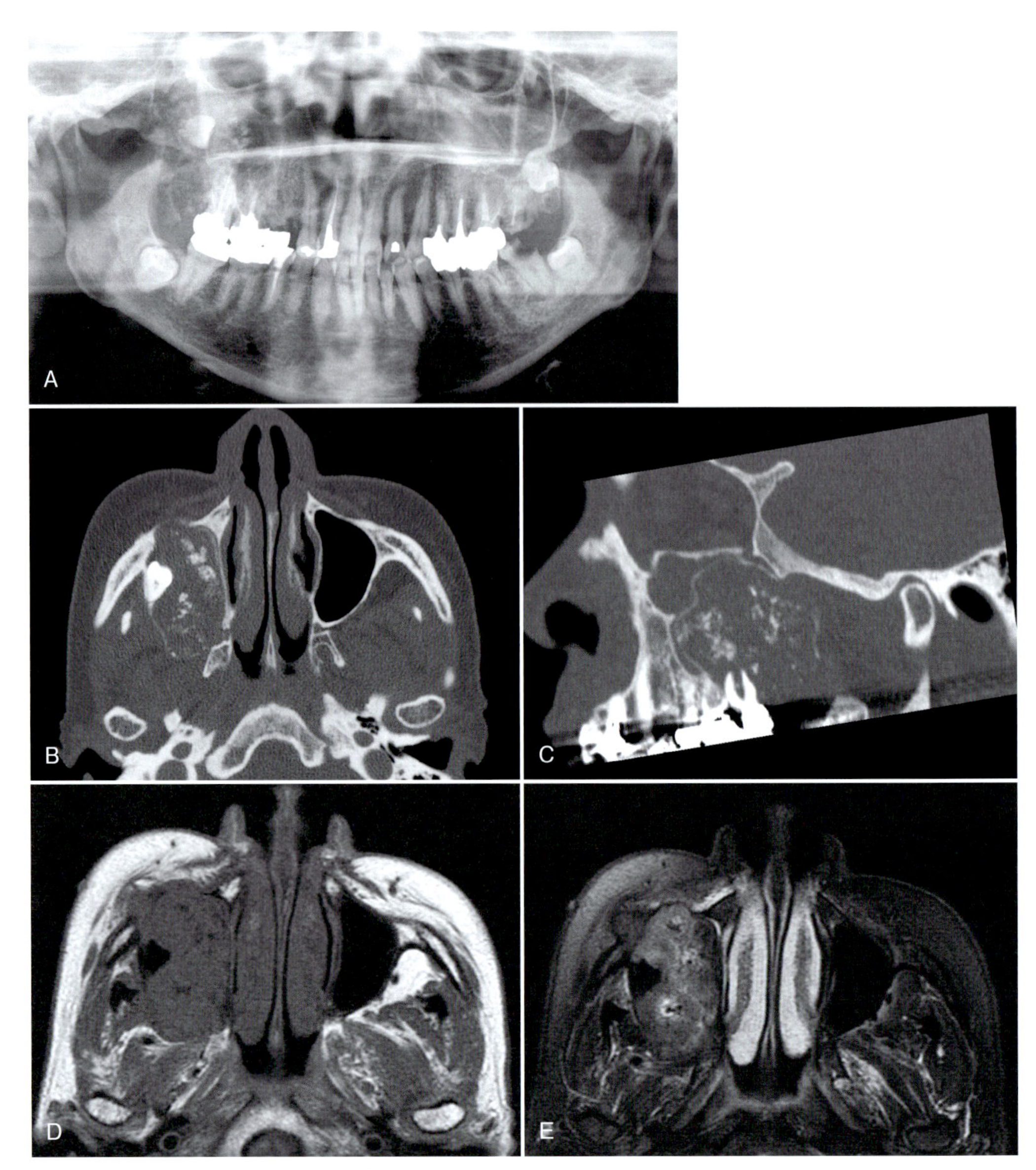

図 5-7-23　石灰化上皮性歯原性腫瘍
パノラマＸ線画像では，上顎右側大臼歯部から上方の上顎洞にかけて，未萌出の智歯を含む広範な透過像を認める．内部には小さな石灰化物が散在している．境界は比較的明瞭であるが後方では一部不明瞭である（A）．CT像では，境界明瞭で一層の硬化線に囲まれた病変を認める．病変内部に智歯および散在する小さな石灰化物を含んでいる（B，C）．MRI T1 強調像では境界明瞭な均質な低信号域（D），T2 強調像では内部に石灰化物と思われる低信号スポットを含む一部不均質な高信号域として描出される（E）．（大阪歯科大学・古跡孝和先生のご厚意による）

の鑑別は困難である（図 5-7-28）．

B．歯原性粘液腫/歯原性粘液線維腫

豊富な粘液様間質内の円形および角状の細胞からなる局所浸潤性のまれな腫瘍である．30 歳前後に多いが，あらゆる年代にみられる．下顎に多く，臼歯部が好発部位である．臨床的には緩徐な無痛性膨隆を示すものが多いが，発育の早いものもある．歯の欠如や埋伏を伴うこともある．組織学的には，顎骨の粘液腫はほとんど被膜をもたず，周囲の軟組織に進展するため，

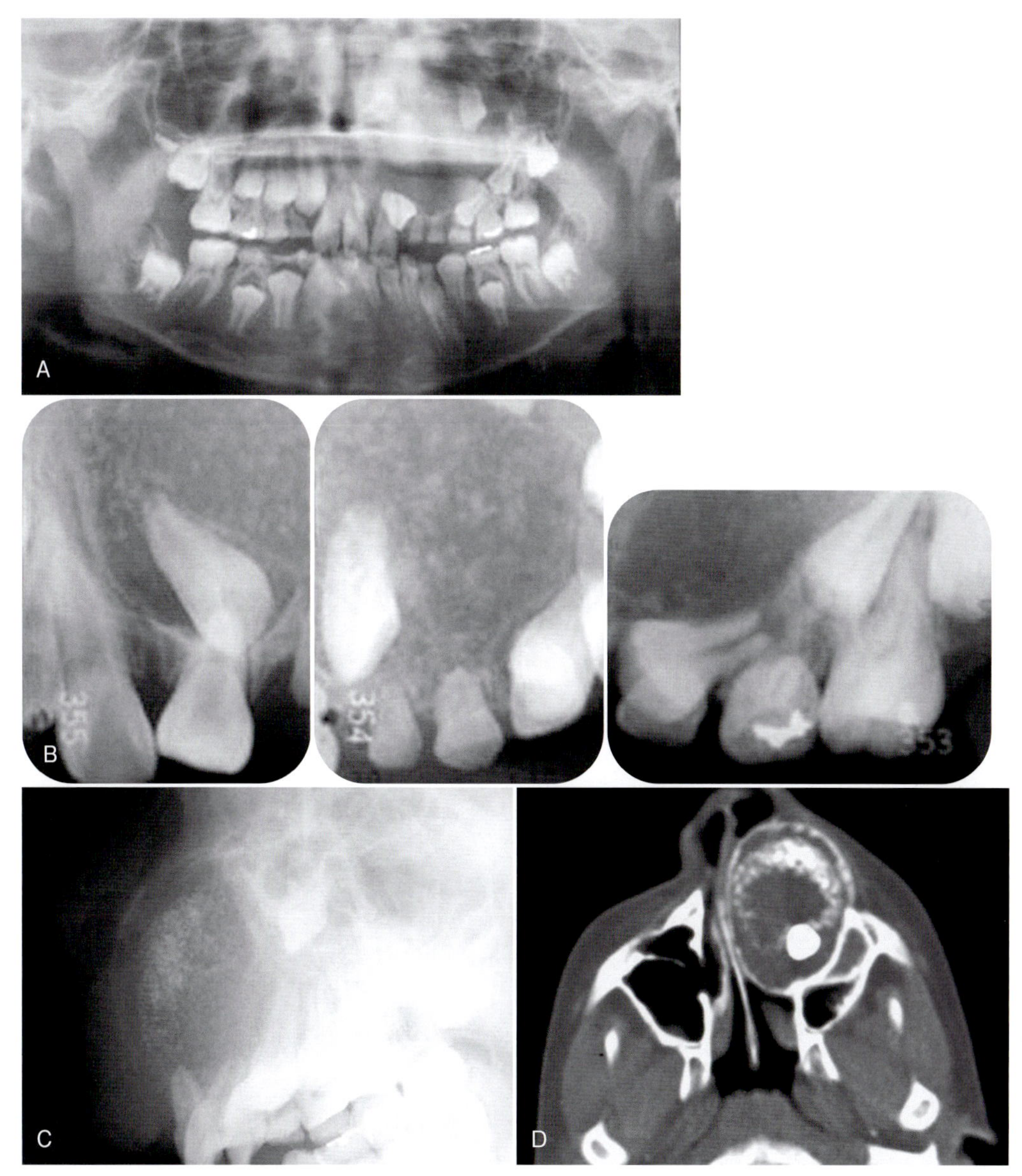

図 5-7-24　**腺腫様歯原性腫瘍**
パノラマX線画像では，近遠心的には上顎正中部から左側大臼歯部にかけて，上下的には歯槽部から眼窩底に及び上顎洞をほぼ占拠する透過性病変を認める．内部には側切歯，犬歯と思われる歯を含み，上方では不透過性が亢進している．小臼歯は病変の辺縁部に偏位している（A）．口内法および頭部側方向X線画像では，砂状の小さな石灰化物が散在する特徴的な所見が明瞭である（B，C）．CT像では，境界明瞭な類円形の低濃度域として観察され，内部に砂状の石灰化物が明瞭である（D）．（大阪歯科大学・古跡孝和先生のご厚意による）

完全な除去が困難で再発がよくみられる．このため，本腫瘍の診断は臨床的に意義が大きい．

X線画像所見は透過像を呈し，境界はほとんど被膜をもたないため，不明瞭なことも明瞭なこともある．発育すると著しい顎骨の膨隆，歯の移動，歯根吸収を生じる．X線透過像の内部には，本疾患の特徴的なX線画像所見である直線的な多数の骨中隔を有することがあり，この場合には，X線画像所見から強く本腫瘍を疑うことができる．直線的な多数の骨中隔は**“テニ**

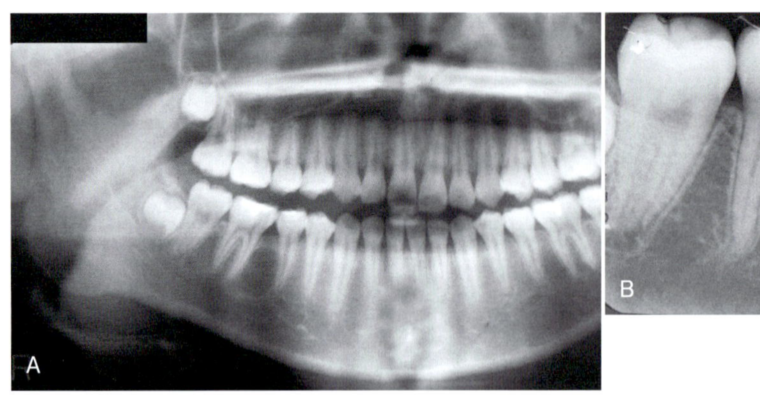

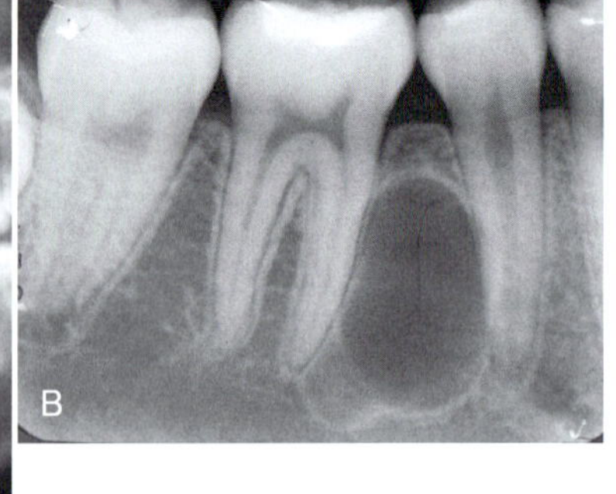

図 5-7-25　エナメル上皮線維腫
パノラマＸ線画像，口内法Ｘ線画像では，下顎右側第二小臼歯と第一大臼歯間の歯槽部に境界明瞭で楕円形の単胞性透過像を認める．辺縁には一層の硬化線を有する．第二小臼歯と第一大臼歯歯根は軽度離開しているが，明瞭な歯根吸収はみられない（A，B）．単胞性のエナメル上皮腫，歯原性角化囊胞，歯原性線維腫や側方性歯周囊胞などとの鑑別は難しいが，病理組織学的にエナメル上皮線維腫と診断された．（大阪歯科大学・古跡孝和先生のご厚意による）

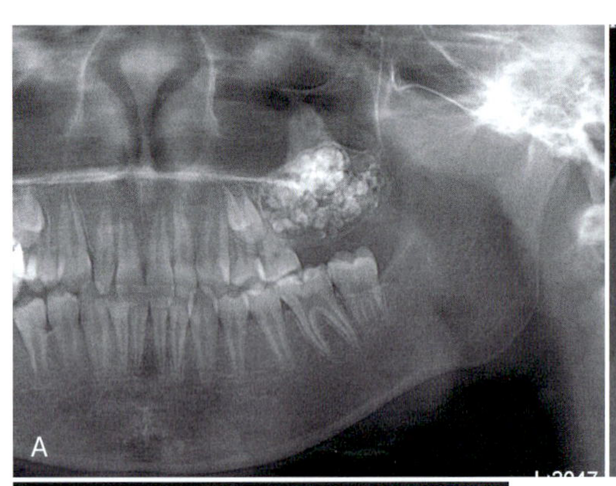

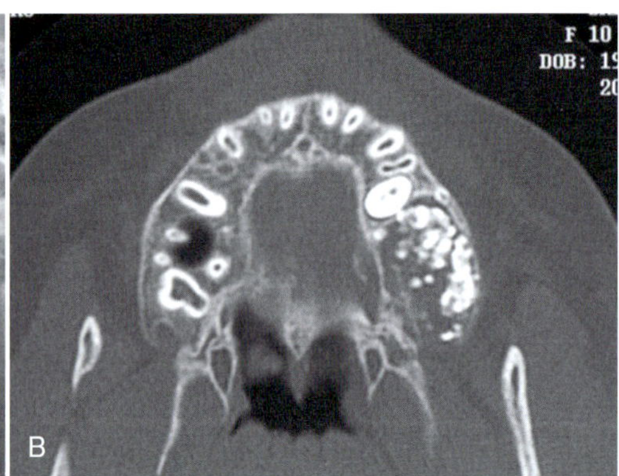

図 5-7-26　歯牙腫，集合型
パノラマＸ線画像では，埋伏した上顎左側第一大臼歯歯冠に連続して，小さな歯牙様の構造物からなる不透過像を認める．境界は明瞭で辺縁に硬化線を有する透過性構造のほぼ全域を不透過病変が占めている（A）．CT 像では，この不透過物はエナメル質と同程度の濃度を示す部分もみられる（B）．摘出物のＸ線画像では，小さな歯牙様不透過物の集合であることがわかる．一部に歯髄腔様の構造もみられる（C）．

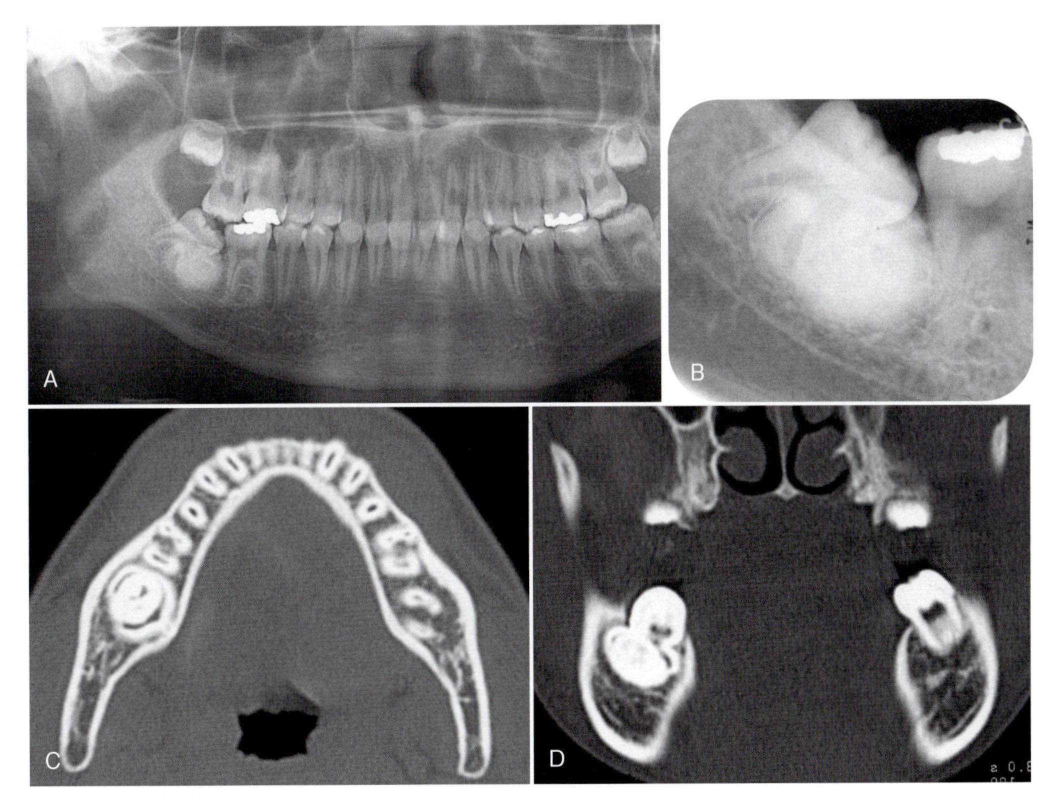

図 5-7-27　**歯牙腫，複雑型**
下顎右側第二大臼歯近心に接して境界明瞭な類円形の不透過像を認める．パノラマ X 線画像，口内法 X 線画像では，ほぼ均質に描出されているが（A，B），CT 像では，大臼歯内部に歯髄様の構造もみられる（C，D）．

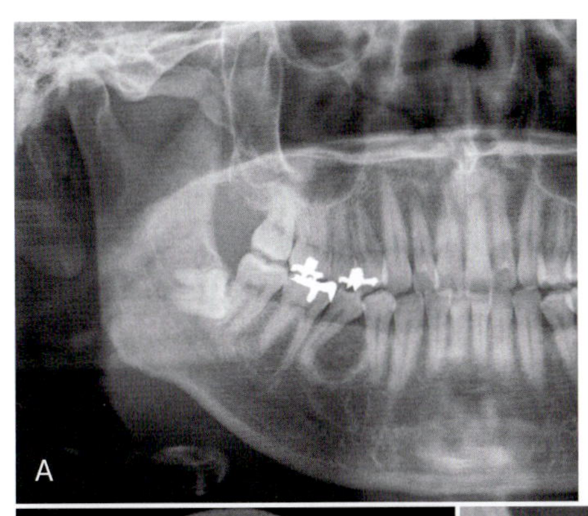

図 5-7-28　**歯原性線維腫**
パノラマ X 線画像では，下顎右側第一小臼歯と第二小臼歯の間に境界明瞭で内部が不均質な透過性病変を認める．歯槽部に限局し，第一・第二小臼歯の歯根はこの病変によって圧排されて離開している（A）．CT 像では，頬側に膨隆した低濃度域として認められ，内部には石灰化物などの所見はなく均質である．パノラマ X 線画像における内部不均質な所見は，舌側の骨の残存部が重積した結果と思われる（B〜D）．（大阪歯科大学・古跡孝和先生のご厚意による）

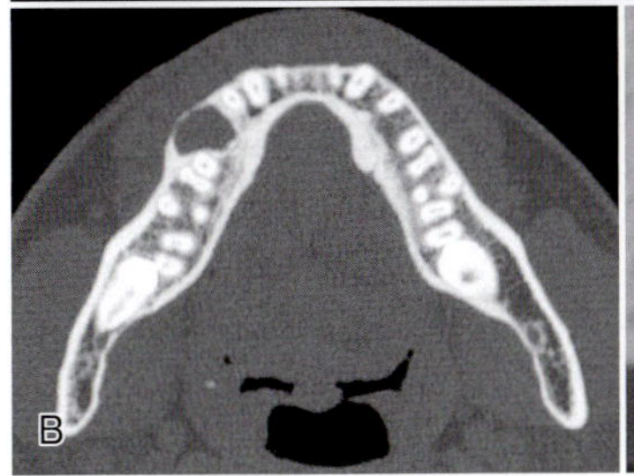

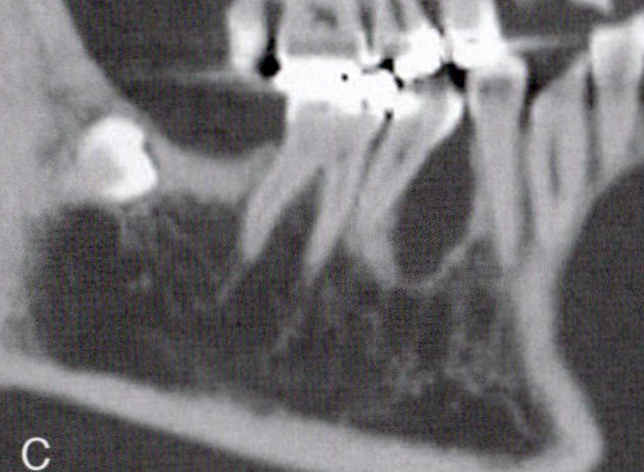

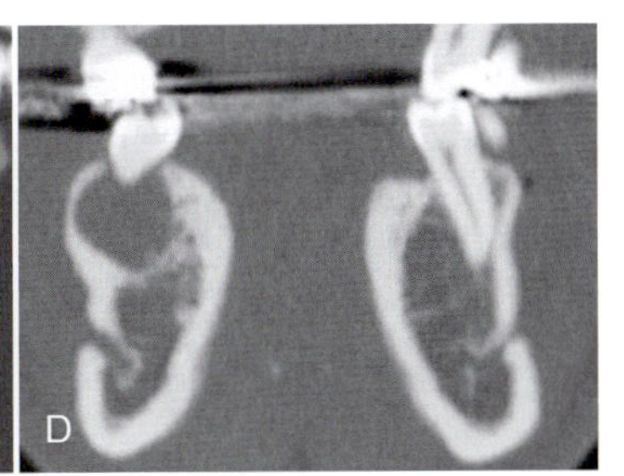

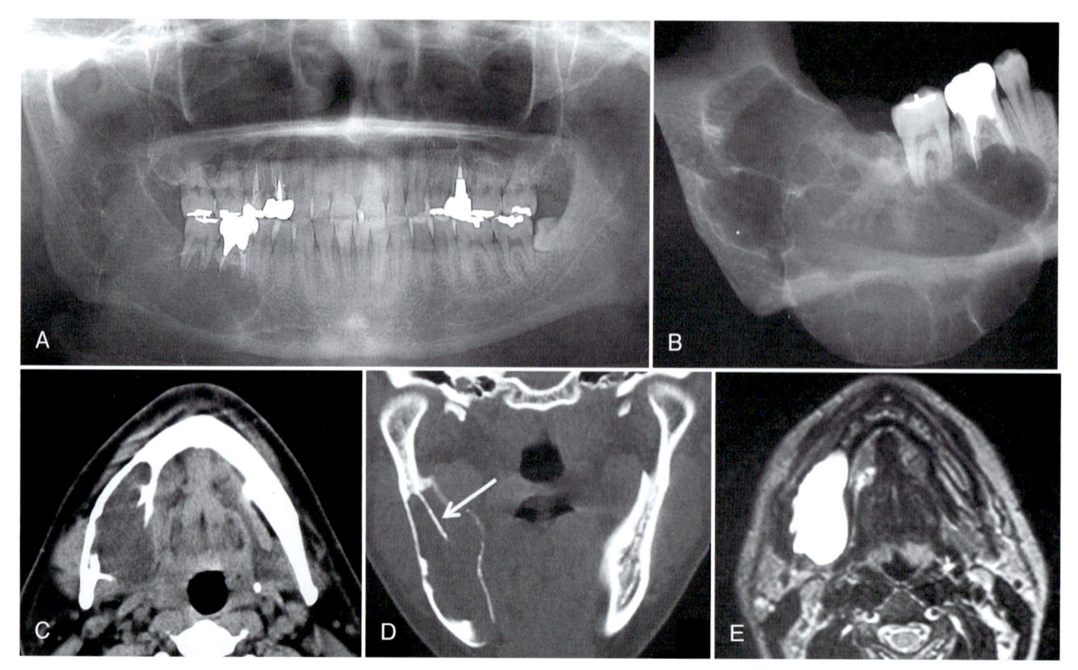

図 5-7-29　**歯原性粘液腫/歯原性粘液線維腫**
パノラマX線画像では，下顎右側第二小臼歯から下顎枝に境界明瞭な多胞性の透過性病変を認める．病変内の中隔は，比較的直線的なものもある．下顎下縁を越えて膨隆し，第一・第二大臼歯の歯根の吸収が疑われる（A）．摘出物のX線画像では，多胞性の透過像が明瞭にみられ，下顎下縁から下方にみられる直線的な中隔（テニスラケット様所見）は，本腫瘍の特徴的な所見とされる．病変に含まれる歯根に吸収が確認できる（B）．CT像では，水と同程度の低濃度を示し，内部の直線的な中隔も明瞭である（C，D）．MRI T2強調像では均質な高信号域を示す（E）．

スラケット（のガット）**様**"，"**樹枝状**" などと表現されるが，本腫瘍の約30％でみられるにすぎない．曲線的な骨中隔を呈するものもあり，エナメル上皮腫との鑑別が困難なことがある．CTでは多くの場合，腫瘍の進展範囲の判定は可能であり，水と同程度の低濃度域の内部に直線状の骨中隔がみられることが多い（図 5-7-29）．

C．セメント芽細胞腫

歯根膜に由来するといわれているが，病因に関しては定説がない．25歳以下の男性に好発するとされており，下顎の小臼歯あるいは大臼歯，特に第一大臼歯の根尖部に多く発現する．一般に疼痛などの臨床症状を呈することなく経過し，大きく増大してから顎骨の膨隆を主訴とすることが多い．

X線画像所見は，根尖を含むあるいは根尖から連続した円形または類円形のX線不透過像，またはX線不透過像とX線透過像の混在像として認められる．病変の境界は明瞭であり，周囲はX線透過帯によって囲まれる．原因歯の歯根吸収や周囲顎骨のびまん性骨硬化像を認めることがある（図 5-7-30）．

内骨症，硬化性骨炎，骨硬化症，骨芽細胞腫などとの鑑別を必要とする．セメント芽細胞腫はX線透過帯に囲まれているが，内骨症や骨硬化症はX線透過帯に囲まれることはない．また，硬化性骨炎は原因歯があり，かつ，失活歯であることが多いのも鑑別の要点の一つとなる．骨芽細胞腫は，歯根と無関係に発現することがほとんどで，歯根を含むか否かが鑑別点の一つとなる．

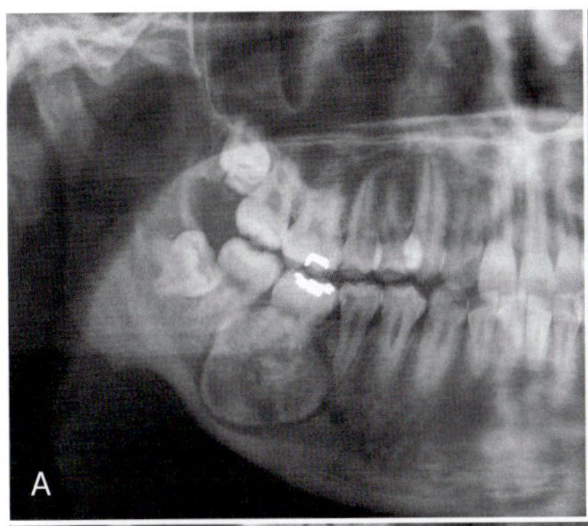

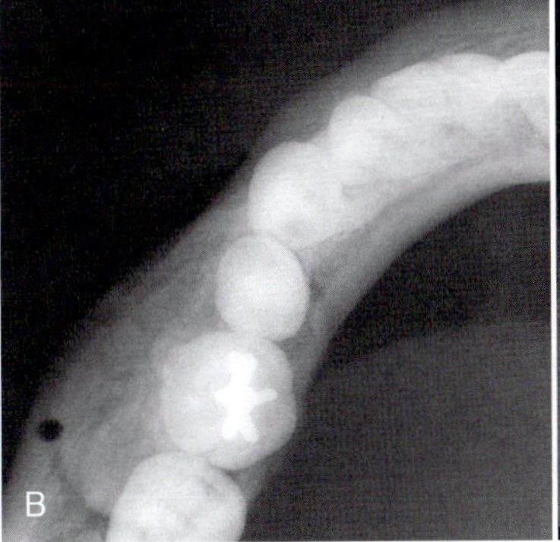

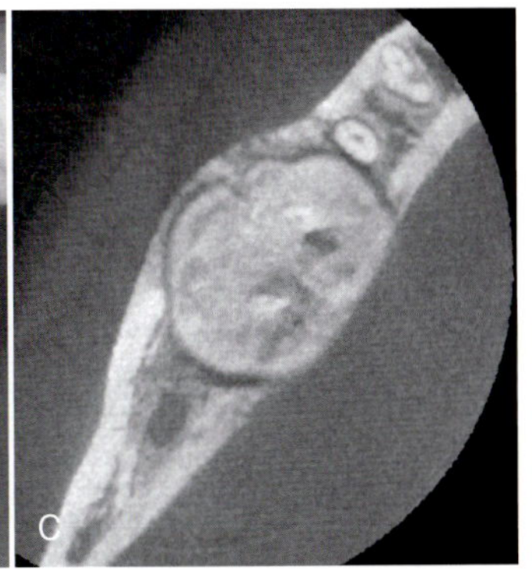

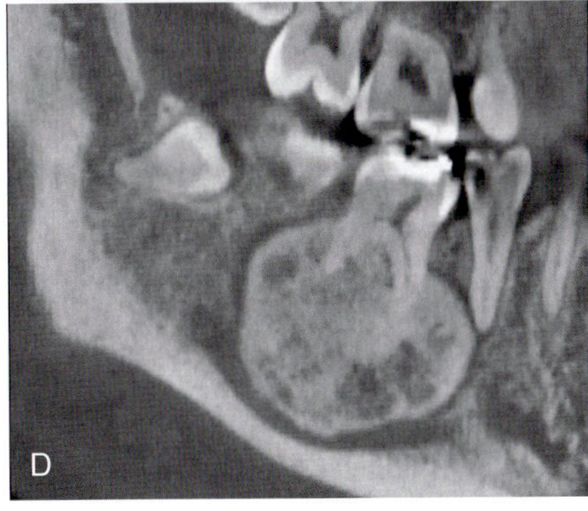

図 5-7-30　セメント芽細胞腫
パノラマＸ線画像では，下顎右側第一大臼歯根尖に接して類円形の境界明瞭で周囲に透過帯を有する，内部が一部不均質な不透過像を認める．歯槽頂から下顎下縁に及び下縁の皮質骨は菲薄化している．近遠心的には第二小臼歯歯根から第二大臼歯近心根に及ぶ（A）．咬合法Ｘ線画像では，頬舌的に膨隆して皮質骨が消失あるいは菲薄化している（B）．CT 横断および歯列平行断像では，上記の所見が明瞭に観察できる（C，D）．（大阪歯科大学・古跡孝和先生のご厚意による）

D．セメント質骨形成線維腫

線維組織の増殖と，その中に骨あるいはセメント質に類似した石灰化物を含む境界明瞭な腫瘍である．骨とセメント質の区別は困難とされ，2005年のWHO分類では骨関連病変の骨形成線維腫に統一されていたが，2017年の分類では骨形成性線維腫の１タイプとして，歯槽部に発生し歯原性と考えられるものはセメント質骨形成線維腫の名で歯原性腫瘍に分類された．一般に臨床症状を示すことなく発育することが多く，骨の膨隆を主訴とすることが多い．発育は緩慢であるが，大きさが拇指頭大から手拳大以上となることもある．好発部位は臼歯部であるが，上顎よりも下顎に発生する頻度が高い．一般に若年者から壮年者までの広い範囲に認められる．

Ｘ線画像所見は，線維性異形成症と同様に，病期によってＸ線透過像として認められる時期，Ｘ線透過像と不透過像が混在する時期，Ｘ線不透過像として認められる時期の３段階に分けられる．初期においてはＸ線透過像が主体であり，囊胞様透過像として発現することが多い．一般に境界は明瞭である．中期になると囊胞様透過像の中に斑紋状のＸ線不透過像が認められる．後期では囊胞様透過像は失われ，充実性の骨様Ｘ線不透過像を呈することが多い（図 5-7-31，32）．

線維性異形成症，骨ページェット病などとの鑑別を必要とする．線維性異形成症との鑑別は，境界や増殖した骨構造の相違などが重要となる．しかし，未熟なときには，両者の鑑別は病理検査に頼らざるをえないことが多い．骨ページェット病では，囊胞様所見を認めることが少ないこと，境界が不明瞭なこと，膨隆が比較的軽度であることなどがあげられる．

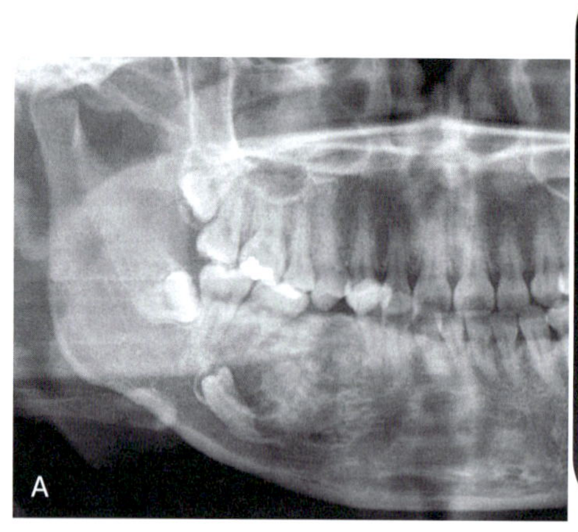

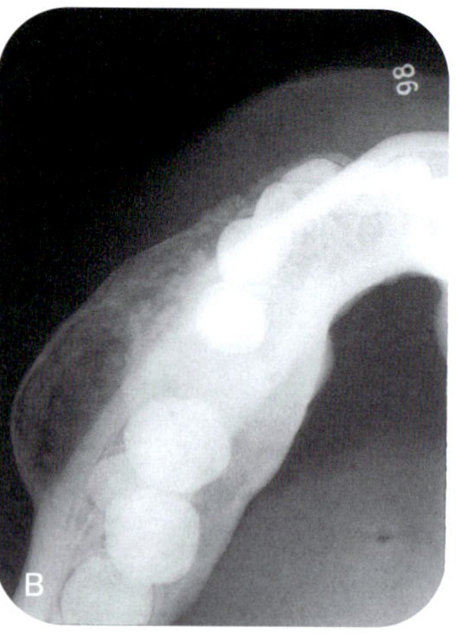

図 5-7-31　**セメント質骨形成線維腫ー①**
パノラマＸ線画像では，下顎右側犬歯から第二大臼歯部に不均質な透過性を示す不透過像を認める．第二小臼歯は遠心へ移動し，歯冠を遠心に向けて埋伏している（A）．咬合法Ｘ線画像では，頬舌的に膨隆を示す境界の比較的明瞭な透過像と不透過像の混在した病変として描出されている．皮質骨は菲薄化している（B）．（大阪歯科大学・古跡孝和先生のご厚意による）

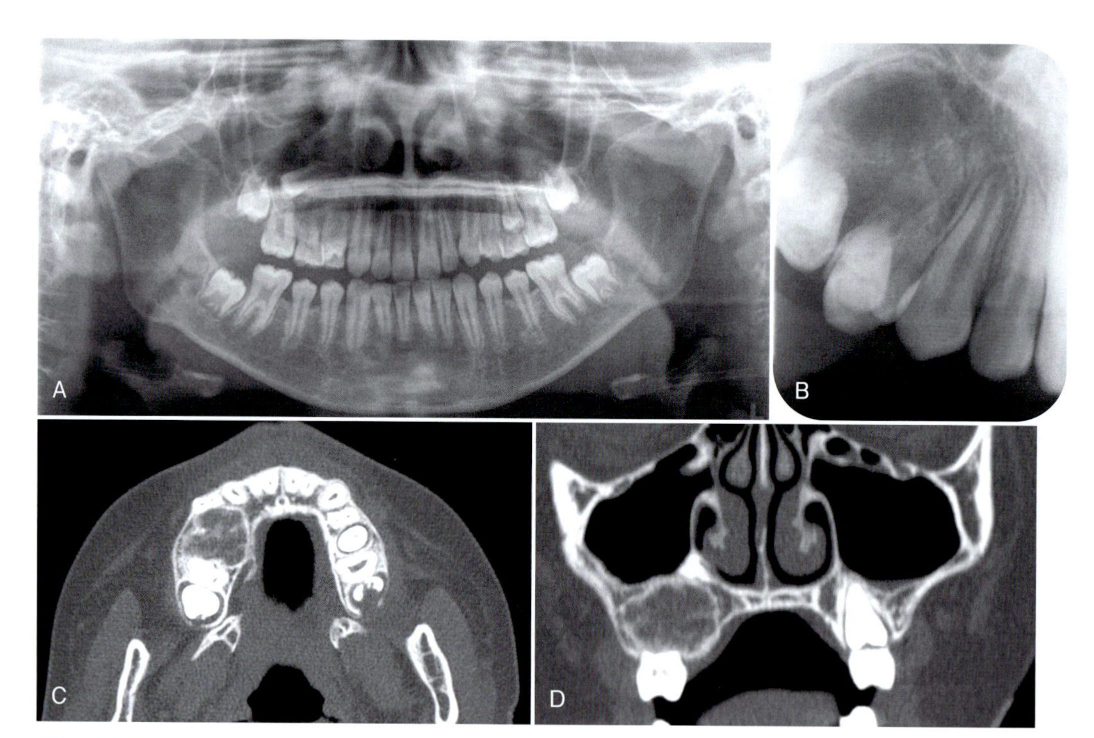

図 5-7-32　**セメント質骨形成線維腫ー②**
パノラマＸ線画像，口内法Ｘ線画像では，上顎右側第二小臼歯は未萌出で上方に埋伏し，それを含む透過性の領域を認める．内部には不透過性の構造が存在するようであり，透過性と不透過性の混在性の病変が疑われる（A，B）．CT 像では，境界明瞭で周囲とは一層の硬化層で境され，内部には骨と同様な高濃度域を認める（C，D）．（大阪歯科大学・古跡孝和先生のご厚意による）

4）骨・軟骨腫瘍

(1) 悪性顎顔面骨腫瘍ならびに軟骨腫瘍

軟骨肉腫，骨肉腫が該当するが，これについては5章9-3)「非上皮性悪性腫瘍」で述べる．

(2) 良性顎顔面骨腫瘍ならびに軟骨腫瘍

A. 軟骨腫

遺残軟骨に由来する軟骨組織からなる良性腫瘍である．部分的に骨化を開始しているので，軟骨骨腫とよぶほうが適当である．顎骨では悪性症状を呈するものが多く，軟骨肉腫として発現することが多々認められる．好発部位は，四肢の指先，胸骨，肋骨であり，顎骨に発生することはまれである．顎骨に発生するときには，上顎前歯部，下顎骨筋突起部，顎関節部あるいは下顎骨の縫合部に好発する．好発年齢は特に一定ではない．

特徴的なX線画像所見を呈することは少ないが，通常X線透過像の中にX線不透過物が散在性あるいは斑点状に認められ，全体としてX線半透過像を呈する．境界は不明瞭なことが多い（図5-7-33）．

類骨骨腫，線維性異形成症，セメント質骨形成線維腫などとの鑑別を要するが，発生部位の相違などが鑑別点となることが多い．

B. 骨　腫

一般には，反応性の骨過形成や線維性の骨疾患の一型，あるいは軟骨腫の成熟型と考えられている．しかし，真の腫瘍であるか否かについては不明な点が多い．病理組織学的には，内骨症，外骨症，骨硬化症などと同様の所見を示すことが多い．したがって，骨腫であるか否かは，臨床所見やX線画像所見から判断せざるをえない．

好発年齢は一定ではないとされているが，一般的には20〜30歳以上の男性に多い傾向が認められる．上顎の犬歯窩付近と下顎のオトガイ孔外縁，あるいは下顎角の内外縁および下顎下縁に好発するといわれている．発生頻度は，上顎よりも下顎に多いといわれている．通常，疼痛などの臨床症状を自覚することなく経過するが，大きくなると顎骨の膨隆や腫瘤を主訴とすることがある．一般に境界は明瞭で硬く，有茎状のものが触知されることが多い．

骨腫は，**顎骨中心性骨腫**と**周辺性骨腫**の2型に分けられる．顎骨中心性骨腫とは海綿骨の増殖によるもので，きわめてまれであるといわれている．骨腫といわれているものはほとんどが

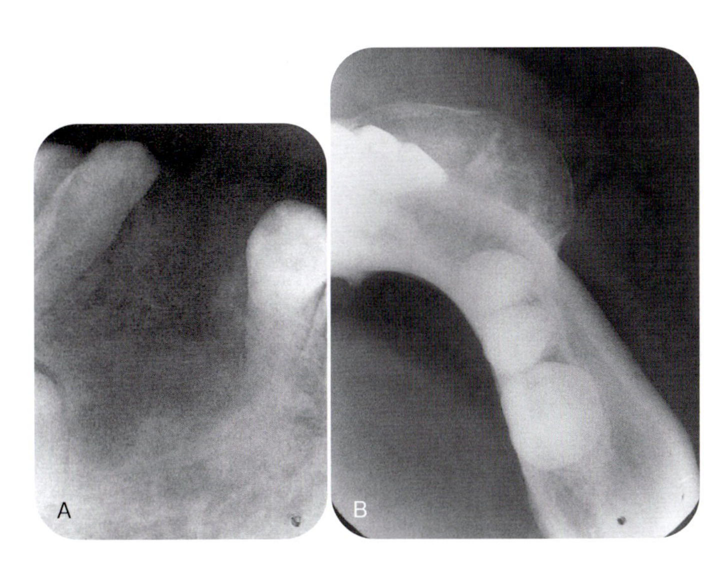

図5-7-33　**軟骨腫**
下顎左側前歯部に境界の不明瞭な透過像がみられ，内部には不透過物が散在している．頰側に著しく膨隆して，その部の皮質骨は菲薄化している（北海道医療大学症例）．

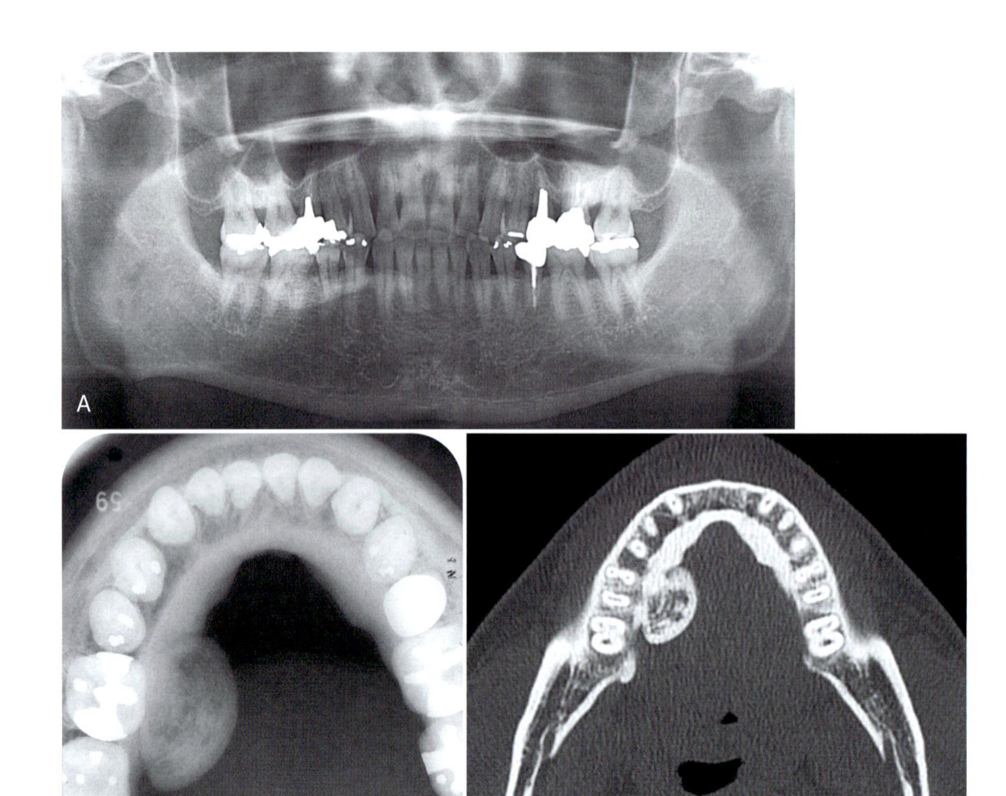

図 5-7-34　**骨腫**
パノラマＸ線画像では，下顎右側第一小臼歯から第一大臼歯の歯槽部に一致して不透過性の構造物がみられる（A）．咬合法Ｘ線画像では，右側大臼歯部舌側に突出した類円形の骨様の不透過像を認める．内部には骨梁構造がみられる（B）．CT 像では，舌側皮質骨から連続する骨様の構造を認める（C）．

周辺性骨腫で，皮質骨の増殖によるものである．

骨の増殖による一塊の境界明瞭なＸ線不透過像として認められることが多い．緻密でかつ均一なＸ線不透過像を呈するものから，正常の骨梁に近い像を呈するものまで，さまざまなＸ線像を呈することがある（図 5-7-34）．

周辺性骨腫と鑑別を要する疾患としては外骨症，中心性骨腫と鑑別を要する疾患としては内骨症があげられる．外骨症は骨の過形成であり，有茎状のものは少ない．内骨症も腫瘍性病変というよりも海綿骨の過形成である．しかし，両者は病理組織学的にも骨腫と同じであり，鑑別に困難をきたすことが多い．

C．類骨骨腫，骨芽細胞腫

類骨骨腫は，周囲に反応性の骨硬化を伴い，類骨組織が病変の主体となる腫瘍である．病理組織学的には未熟な骨梁と類骨からなり，骨梁間に骨芽細胞が存在する良性病変である．10～20 歳代に好発し，好発部位は大腿骨や脛骨である．顎骨に発生することはまれであるが，多くは皮質骨の近くで発生する．臨床症状としては，激しい疼痛を伴うことが多く，腫脹が数週間に及ぶこともまれではない．Ｘ線画像所見では，比較的境界明瞭なＸ線透過像あるいはびまん性のＸ線透過像の中に，斑点状あるいは散在性の石灰化物の集合体が認められる．

骨芽細胞腫は，病理組織学的には類骨骨腫と

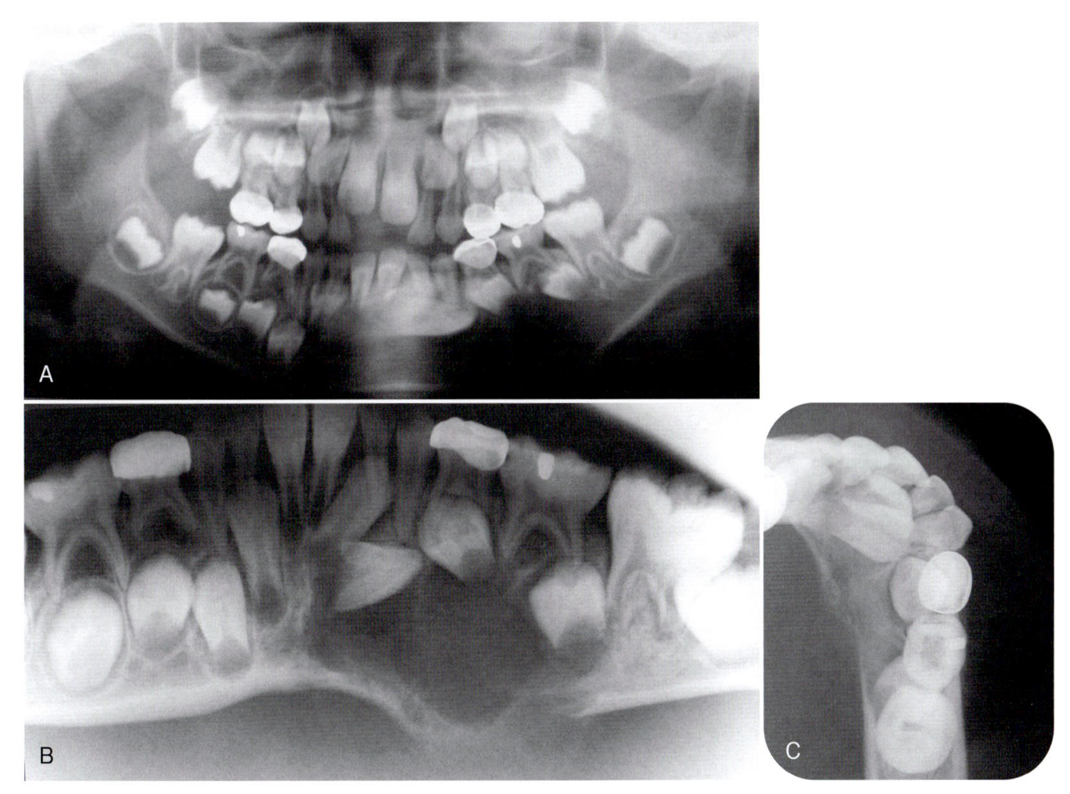

図 5-7-35　**骨芽細胞腫**
パノラマX線画像では，下顎左側正中部から臼歯部にかけて境界の比較的明瞭な透過像を認める（A）．内部には中隔様の構造も観察される．下顎下縁の膨隆および皮質骨の菲薄化がみられ，顎骨の変形が著明である（B）．なお，この画像は，現在は使用されなくなった口腔内線源方式（パナグラフィ）によって得られた画像である．咬合法X線画像では，頰舌的な膨隆も観察される（C）．本例は骨芽細胞腫と診断されたが，特徴的とされる透過像と不透過像の混在した所見は観察されない．

ほぼ同一で，両者を同じ疾患とするものもある．好発年齢は類骨骨腫と同様であるが，好発部位は脊椎とされる．両者を腫瘍巣の大きさによって区別するものもある．顎骨の骨芽細胞腫では，疼痛を伴わない症例も報告されている．X線画像所見も類骨骨腫と同様で，顎骨内で一層のX線透過帯に囲まれ，不透過像と透過像との混在した所見を呈することが多い（図 5-7-35）．この所見は骨肉腫にもみられる所見で，鑑別が重要となる．発育段階によっては，強いX線不透過像として認められることもある．セメント芽細胞腫と同様のX線画像所見を呈することもあるが，歯根を含むことはまれであり，鑑別の一助となる．まれに著明な骨破壊様所見を呈し，腫瘤を形成するものがあり，骨肉腫との鑑別は，画像的に困難な場合がある．

5）線維性骨ならびに骨軟骨腫様病変

(1) 骨形成線維腫

前述のように歯原性と考えられるものはセメント質骨形成線維腫（p.302 参照）とよばれている．若年性の骨形成線維腫は急激な発育を示すことが知られている．

(2) 線維性異形成症

発生原因は不明であるが，骨髄が線維性組織で置換され，その後，骨化するといわれている．本症はさらに，**単骨性線維性異形成症**，**多骨性線維性異形成症**，**McCune-Albright 症候群**などに分けられる．

30歳以下の年齢に多発し，女性にやや多い傾向が認められる．好発部位は脛骨や大腿骨であるといわれているが，全身のいかなる骨にも発生する．顎骨における発生頻度は，単骨性が多く全体の3.8%程度とされる．一般に無痛性に増大し，顔貌の非対称性や顎骨の膨隆による咀嚼障害，あるいは違和感を主訴とすることが多い．上顎に発生したときには上方や内方に進行し，鼻閉や眼球突出を臨床症状とすることもある．

線維組織の量と骨組織の量によってX線画像が異なって現れる．線維組織の多い初期においては，境界明瞭な嚢胞様のX線透過像を呈することもある．中期では骨組織の増加に伴って，斑紋状あるいは綿花状のX線透過像とX線不透過像が混在した所見を呈する．後期になるといわゆる**すりガラス様**のX線不透過像を呈する．一般的に病変の境界は不明瞭なことが多い．また，頬舌的な膨隆が認められる（図 5-7-36，37）．

骨形成線維腫との鑑別は，線維性異形成症は境界不明瞭な砂粒状の大きさの一定したすりガラス様のX線不透過像を呈するが，骨形成線維腫は，大小不整の石灰化像が境界明瞭な嚢胞様X線透過像の内部に散在する所見を呈する．

(3) セメント質骨性異形成症

根尖部の骨が線維組織や異形性の骨によって置き換わる病変である．線維組織の形成として初発し，次いで骨化され，時には大きな塊を生じる．セメント質骨性異形成症は従来から根尖に限局して発生する根尖性，臼歯部に単発性に発生する限局性および広範囲の顎骨に発生する開花性に分類されてきた．常染色体優性の遺伝

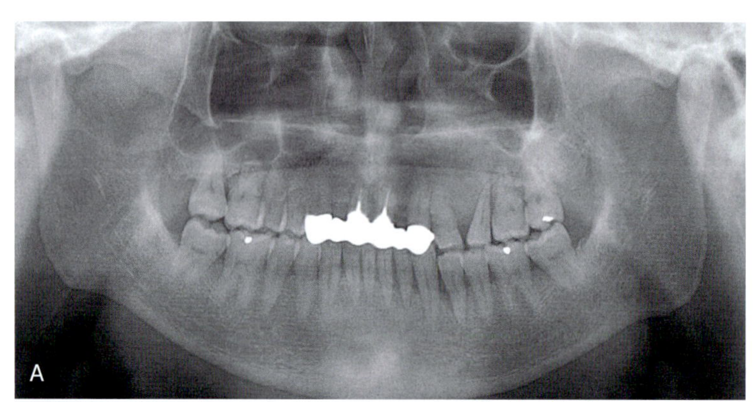

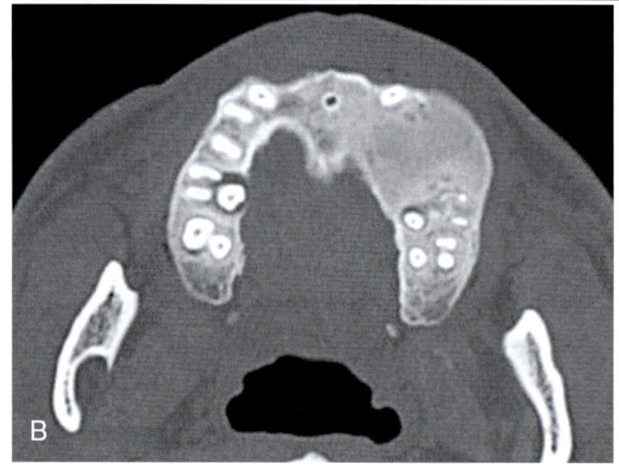

図 5-7-36　線維性異形成症－①
パノラマX線画像では，上顎左側小臼歯部を中心に上顎結節部まで骨梁が緻密となり，いわゆるすりガラス様所見を呈する領域を認める．境界は不明瞭である．第一・第二小臼歯歯根は離開し，上顎洞底は挙上されている（A）．CT像では，頬舌的な膨隆を示す均質な骨様の高濃度域を認め，周囲の正常な骨梁とは移行的である（B）．上顎骨以外に異常は検出されず，単骨性の線維性異形成症と診断された．

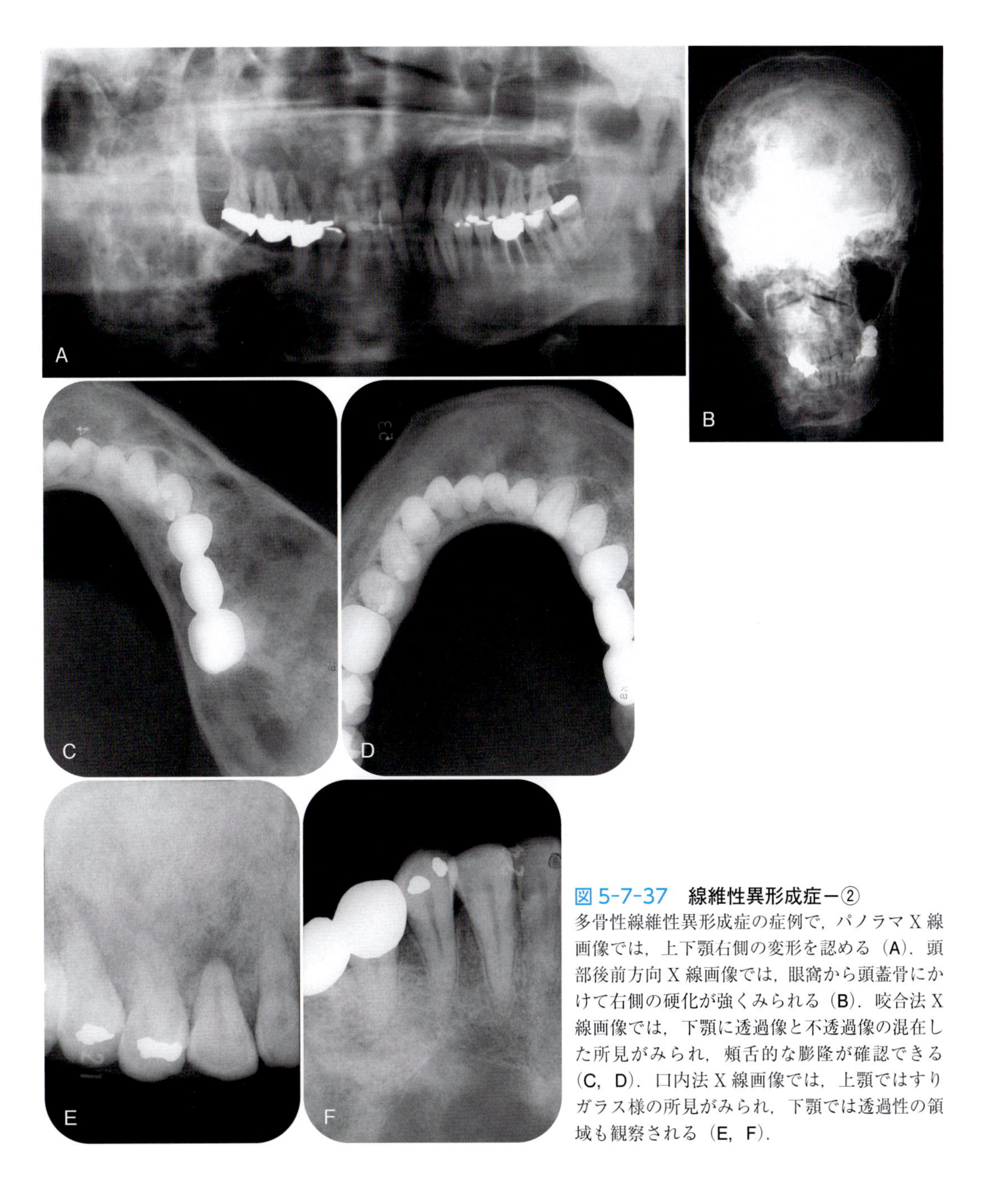

図 5-7-37　**線維性異形成症ー②**
多骨性線維性異形成症の症例で，パノラマ X 線画像では，上下顎右側の変形を認める（A）．頭部後前方向 X 線画像では，眼窩から頭蓋骨にかけて右側の硬化が強くみられる（B）．咬合法 X 線画像では，下顎に透過像と不透過像の混在した所見がみられ，頬舌的な膨隆が確認できる（C，D）．口内法 X 線画像では，上顎ではすりガラス様の所見がみられ，下顎では透過性の領域も観察される（E，F）．

的疾患とされる家族性巨大型セメント質腫を**開花性セメント質骨性異形成症**と同一の疾患とする見方もあるが，2017 年の WHO 分類では別に分類された．一般に臨床症状を呈さないことが多く，X 線検査で偶然発見されることがほとんどである．病巣の大きさが 1～2 cm のものは 40 歳前後の女性に多く認められ，下顎前歯部や下顎大臼歯部に好発する．X 線画像は 3 段階に分けられる．初期では根尖に連続する X 線透過像，中期では X 線透過像と X 線不透過像の混在像，後期になって X 線不透過像を呈する．一般に境界は不規則であるが，明瞭なことが多い．周囲は一層の X 線透過帯に囲まれることがほとんどである（図 5-7-38～41）．

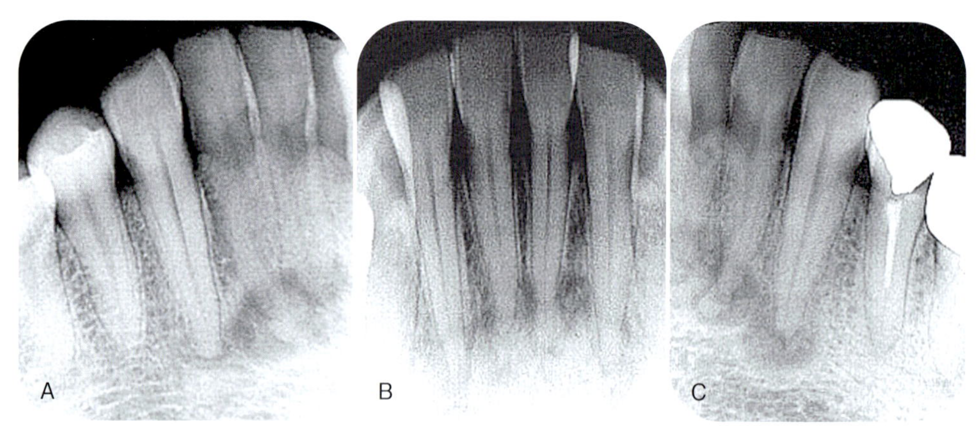

図 5-7-38　**セメント質骨性異形成症（根尖性セメント質異形成症）—①**
患者（31 歳，女性）は，X 線画像検査で下顎前歯部の根尖に病変を指摘された．すべて生活歯で症状はない．口内法 X 線画像では，下顎前歯根尖部に境界明瞭な透過像の内部に，種々の段階の不透過像を伴う病変を認める．不透過像が明瞭でないものは，根尖病変との鑑別が重要である（A〜C）．

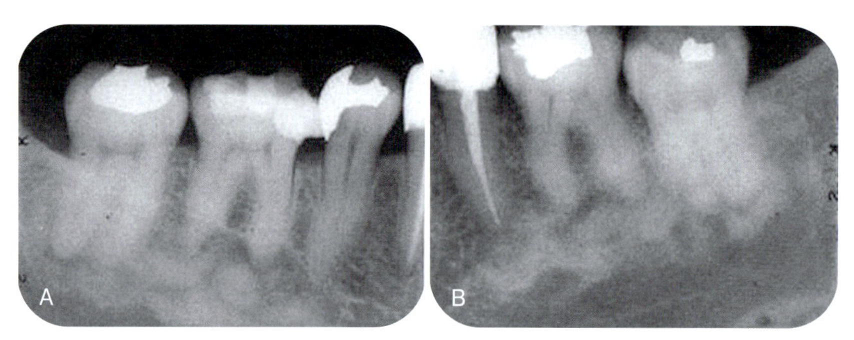

図 5-7-39　**セメント質骨性異形成症（根尖性セメント質異形成症）—②**
図 5-7-38 と同様の所見は大臼歯部にも好発する．

硬化性骨炎，骨硬化症，骨形成線維腫などとの鑑別を必要とする．硬化性骨炎や骨硬化症は X 線透過帯に囲まれることはないが，本症は X 線透過帯に囲まれることが多い．骨形成線維腫との鑑別点は，本症のほうがより不規則な辺縁を呈することである．

硬組織が多量に形成されたものは，開花性セメント質骨異形成症とよばれる．黒人に多く，下顎大臼歯部に好発する．しかし，上顎大臼歯部や下顎小臼歯部，あるいは上顎小臼歯部にも発生することがある．X 線画像では，周囲の骨との境界は不明瞭なことが多く，石灰化物が不規則な形態で認められる．歯根と続く X 線不透過像として現れることが多い．また，単純性骨囊胞を伴うことも多く，不透過物の周囲に囊胞様の透過像を示すこともある．

6）巨細胞病変と骨囊胞

(1) 中心性巨細胞肉芽腫

中心性巨細胞肉芽腫は限局性の良性病変であるが，時には侵襲性の高い骨融解を示すこともある．出血やヘモジデリンを含み，破骨細胞様の巨細胞と反応性の骨造成を伴う病変である．外傷後の修復過程であるとも考えられているが，原因については不明な点が多い．

好発は 30 歳以下の若年者であり，下顎骨の前

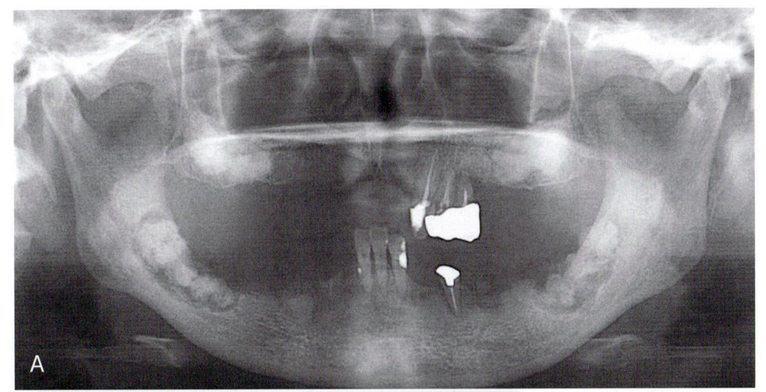

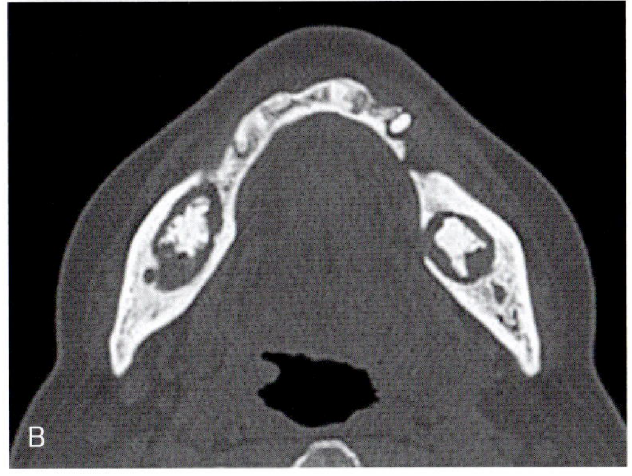

図 5-7-40　セメント質骨性異形成症（開花性セメント質骨異形成症）ー③
比較的大きな不透過像を多発的に認める場合もある．パノラマＸ線画像では，上下顎両側の臼歯部周囲に透過層を伴う不透過像がみられる（**A**）．CT 像では，境界明瞭な低濃度域の内部に骨様の濃度の構造を認める（**B**）．

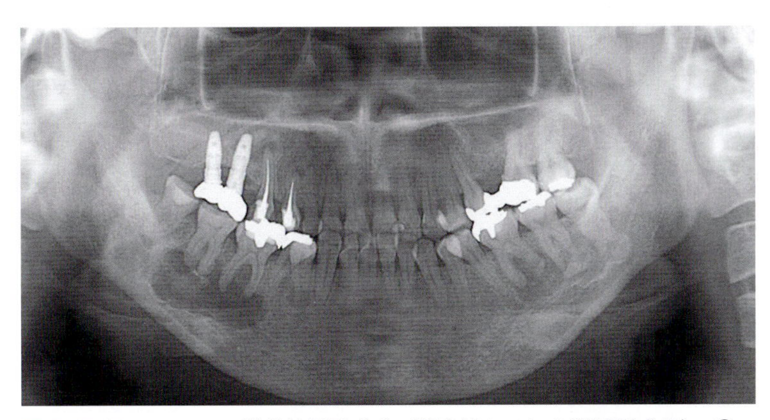

図 5-7-41　セメント質骨性異形成症（根尖性セメント質異形成症）ー④
パノラマＸ線画像では，下顎右側第二大臼歯部および左側第二・第三大臼歯歯根に不透過像を認め，その周囲には広範な透過像を認める．透過像は歯槽部に進展しているが，歯根吸収はみられない．単純性骨嚢胞（図 5-7-45 参照）の所見である．

歯部から臼歯部に発生することが多い．多胞性または単胞性の嚢胞様所見を呈することが多い．一般に発育は緩慢で，かつ膨隆を呈し，皮質骨の菲薄化が認められることが多い．疼痛などの臨床症状を自覚することが少なく，Ｘ線検査によって偶然発見されることが多い．また，歯の転位や離開が認められることも多い．

Ｘ線透過像として認められる．境界は明瞭であるが，時には皮質骨の破壊を認めることもある．病変は一層の骨硬化縁によって囲まれることが多い．歯根が病変内に含まれた場合には根の吸収をきたすこともあり，転位や離開がみられることが多い（図 5-7-42）．

(2) ケルビズム

小児，幼年期の初期に起こる家族的傾向を示す病変である．顎骨に対称的な膨隆をきたし，上下顎ともに侵されることも多い（図 5-7-43）．名前の由来である天使様顔貌とよばれる特異な顔貌を呈する．多胞性の X 線透過像を呈し，骨が膨隆する．膨隆は年齢とともに進行するが，思春期以降は停止するといわれている．病理組織学的には，中心性巨細胞肉芽腫と区別はできないとされる．

(3) 動脈瘤様骨囊胞

血液の充満したさまざまな大きさの腔によって特徴づけられる良性の病変である．上顎よりも下顎に多いが，まれな病変とされている．

多胞性か単胞性の X 線透過像を呈し，骨膨隆を生じる（図 5-7-44）．X 線画像からは，ほかの多胞性 X 線透過像を呈する病変との鑑別が困難なことが多い．

(4) 単純性骨囊胞

上皮のない菲薄な結合組織の裏装を有する骨内囊胞とされている．偽囊胞のなかでは臨床的に比較的頻度の高いものである．10 歳代に多くみられ，25 歳以上の症例は少ないとされてい

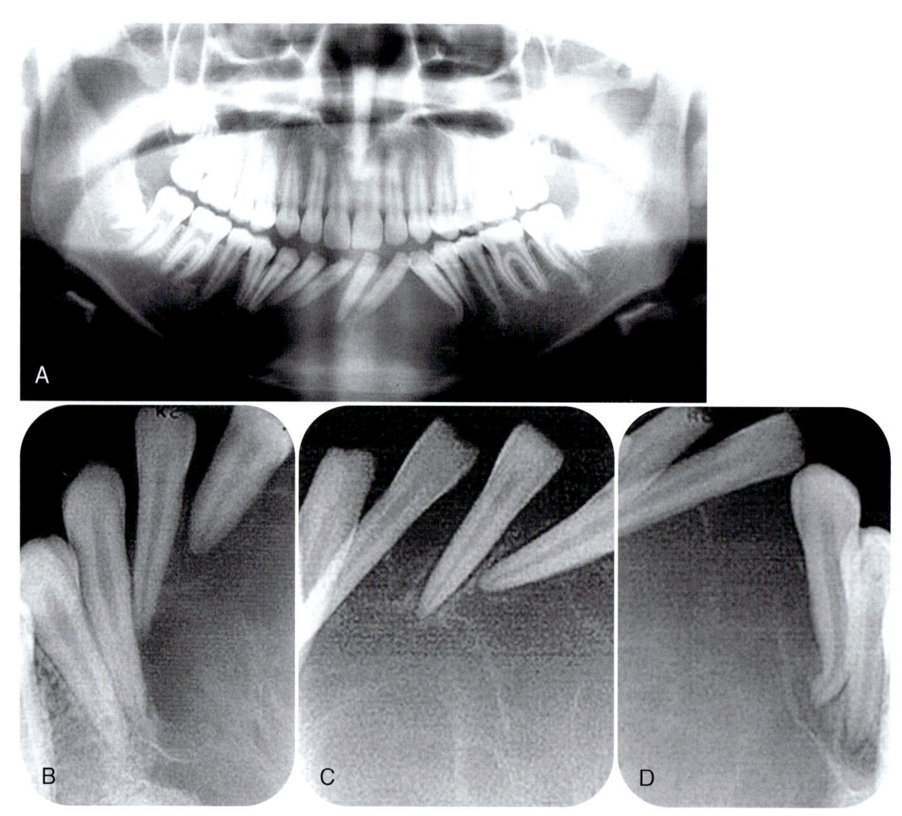

図 5-7-42　中心性巨細胞肉芽腫
パノラマ X 線画像では，下顎正中部から両側の小臼歯部に境界の比較的明瞭な透過像を認める．病変に含まれる歯は圧排されて移動しているが，明らかな歯根吸収はみられない（A）．口内法 X 線画像では，内部に中隔様の構造がみられ，多胞性透過像を示す（B〜D）．

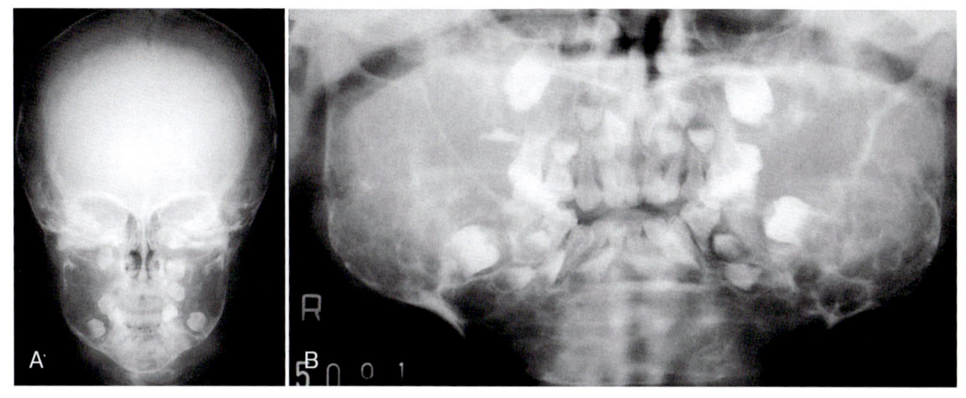

図 5-7-43　ケルビズム
男児．2 歳時の頭部後前方向 X 線画像では，下顎骨に両側性の透過像があり，頰舌的な膨隆を認める（A）．4 歳時のパノラマ X 線画像では，上下顎に左右対称的に多胞性の X 線透過性の病変を認め，顎骨の膨隆が顕著である（B）（東京歯科大学・和光衛先生のご厚意による）．

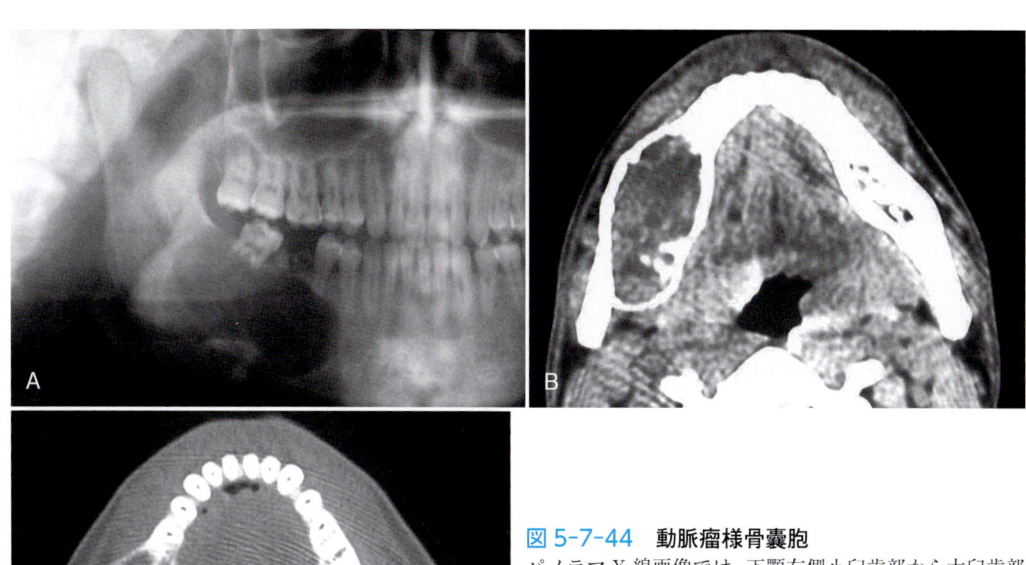

図 5-7-44　動脈瘤様骨囊胞
パノラマ X 線画像では，下顎右側小臼歯部から大臼歯部にかけて，歯槽部から下顎下縁に及ぶ境界明瞭な透過像を認める．内部には隔壁様の構造が観察される．第一小臼歯，第一大臼歯に歯根吸収を認める（A）．CT 像では，内部は低濃度域として描出され，多胞性を呈する．皮質骨の菲薄化および頰舌的な膨隆が観察される（B，C）．エナメル上皮腫などの歯原性腫瘍との鑑別は難しい（九州大学・吉浦一紀先生，河津俊幸先生のご厚意による）．

る．好発部位は下顎骨の体部と正中部である．単純性骨囊胞の名称が用いられることが多い．時に外傷性骨囊胞あるいは出血性骨囊胞とよばれるが，発生原因についてはわかっていない．

X 線画像の特徴は，以下のとおりである（図 5-7-45）．

①境界明瞭な X 線透過像で，辺縁は繊細な線状の白線を有する．

②槽間中隔部に病変が及ぶと，弧線状辺縁（帆立貝状辺縁）を呈する．

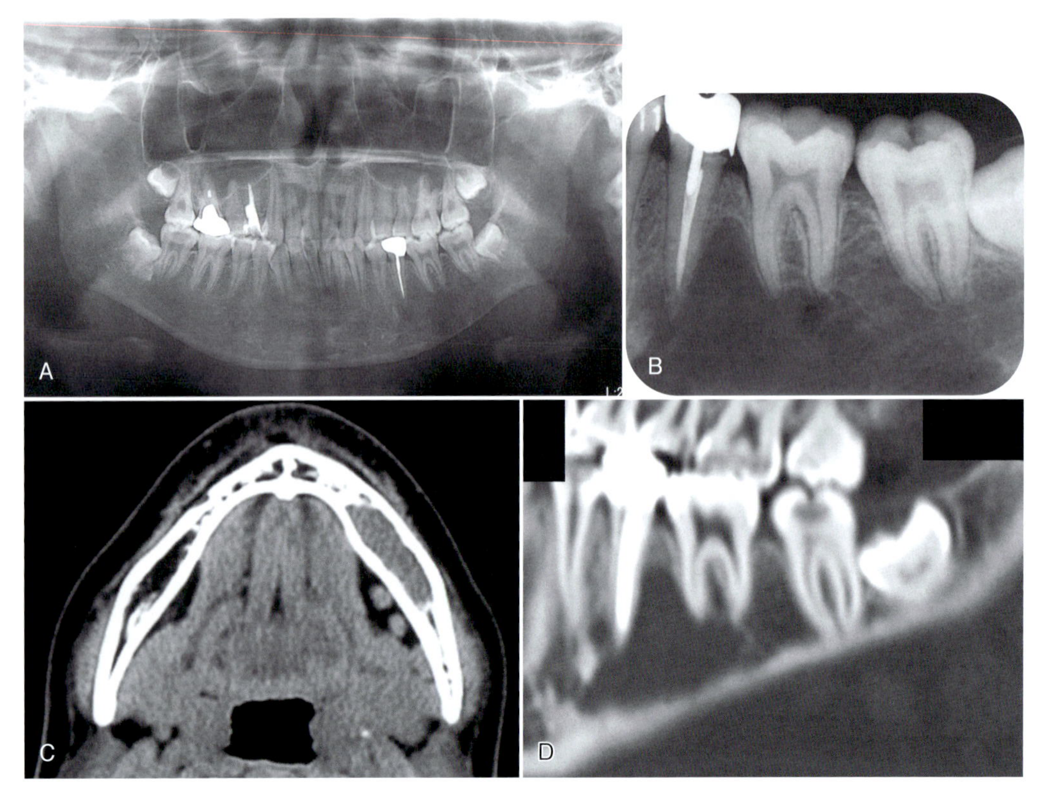

図 5-7-45 **単純性骨嚢胞**
パノラマX線画像，口内法X線画像では，下顎左側第一小臼歯から第二大臼歯にかけて境界明瞭な透過像を認める．歯槽部では槽間中隔に入り込む所見を示すが，歯槽硬線は明瞭に描出されていて異常はない．下顎下縁の皮質骨は非薄化している（A，B）．CT像では，内部は水と同等の濃度を示す．頬舌的な膨隆は軽度である．槽間中隔への進展が明瞭に観察できる（C，D）．

③隣接する歯の歯槽硬線は，正常あるいは菲薄化しても消失することは少ない．

④隣接する歯の歯根吸収はない．

骨膨隆を生じることは少なく，膨隆しても軽度である．

なお，本病変には，病変の内部に不透過像を含む非典型的なものが発現することが報告されている（p.308「セメント質骨性異形成症」参照）．

7）その他の腫瘍性病変

(1) 血管腫

血管腫は，真の腫瘍というよりも血管組織からなる腫瘍様の先天的な組織奇形，すなわち過誤腫の一つであると考えられる場合が多い．ISSVA（The International Society for the Study of Vascular Anomalies）分類では，静脈奇形に分類されている．

一般に疼痛などの臨床症状を呈することは少ないが，腫脹を主訴とすることもある．腫脹は緩慢に起こり，触診により骨様硬を呈することもある．X線検査で偶然発見されることが多く，下顎骨に好発する．年齢的には若年者に多いといわれている．

顎骨に発生する**毛細血管性血管腫**（**中心性血管腫**）は，石鹸泡状や蜂巣状の多胞性X線透過像として認められる．境界は明瞭で，周囲は一層の骨硬化縁に囲まれる．**海綿状血管腫**は毛細

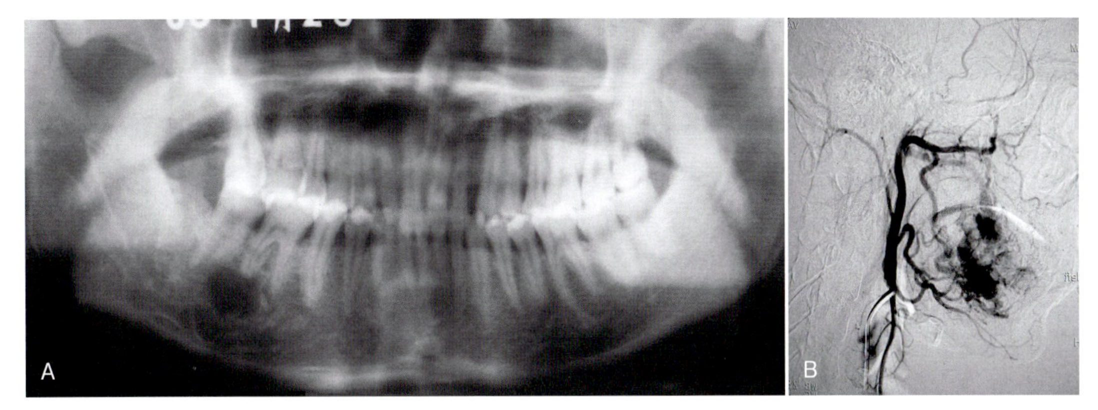

図 5-7-46　血管腫
パノラマ X 線画像では，下顎右側第一大臼歯根尖部に類円形の境界明瞭な透過像を認める．下顎管は拡張し，下壁の走行にも変位がみられる（A）．血管造影では同部を中心に造影剤の貯留がみられ，血管腫が示唆される（B）．

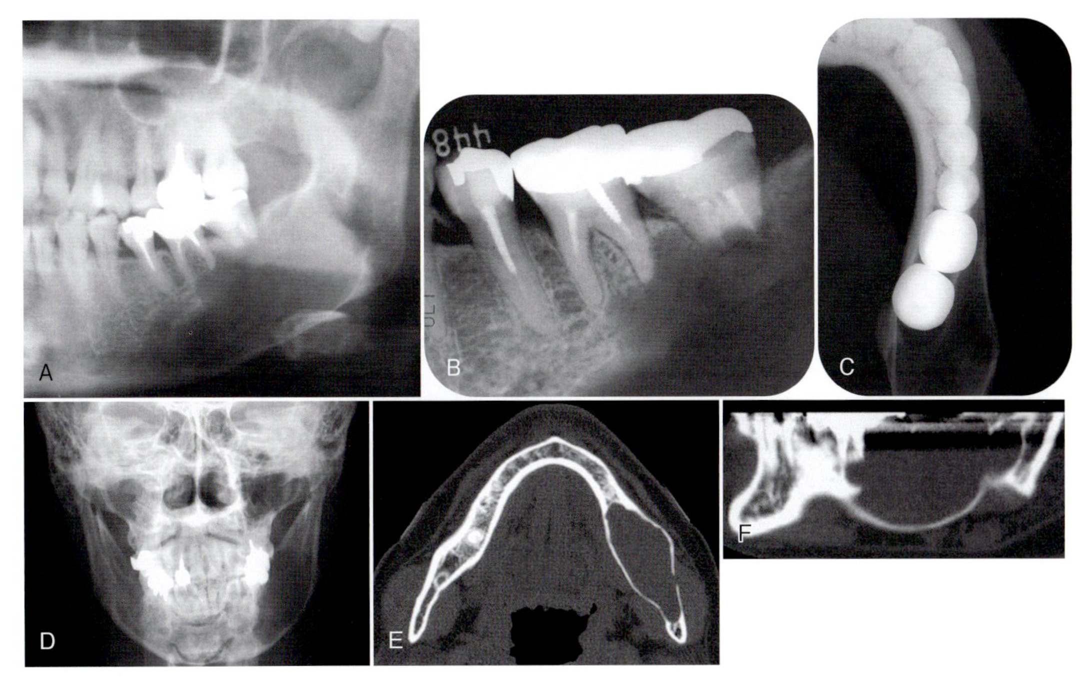

図 5-7-47　神経鞘腫
パノラマ X 線画像，口内法 X 線画像，咬合法 X 線画像では，下顎左側大臼歯部から下顎枝にかけて境界明瞭な透過像を認める．病変は下顎骨下縁に及び，同部の皮質骨は菲薄化している．透過像は上方では下顎孔から連続している印象を受ける（A〜C）．頭部後前方向 X 線画像では，下顎枝上方で透過像内部に下顎管下壁を観察できる（D）．CT 像では，頰舌的にはなだらかな膨隆を示している（E，F）．（大阪歯科大学・古跡孝和先生のご厚意による）

血管性血管腫の血管腔が拡大しているもので，内皮裏装の洞からなる（図 5-7-46）．顎骨内に生じた血管腫は一般に疼痛などの臨床症状なしに経過し，ほかの検査時の X 線撮影によって偶然発見される場合がほとんどである．腫瘍が増大すると，腫脹や膨隆が認められることもある．10〜20 歳代の若年者に好発し，多くは下顎骨に発生するといわれている．海綿状または蜂巣状，あるいは石鹸泡状の多胞性の X 線透過像として認められることが多いが，単胞性のこともある．各胞は小さく，それらの境界は明瞭である．中心から放射状に広がる針状の骨梁を有することが多い．時にはエナメル上皮腫様の所見として認められることもある．

(2) 神経鞘腫

神経鞘腫は末梢神経の鞘，すなわちSchwann鞘から発生するものとされている．顎骨に発生することはまれであるが，下顎管に由来して発生することがある．顎骨に認められる神経鞘腫は，下歯槽神経に由来して下顎骨骨体部に好発する．通常，疼痛などの臨床症状なしに経過することがほとんどであり，ほかの目的のX線検査で偶然発見されることが多い．腫瘍が増大すると，顎骨の膨隆を主訴とすることもある．

X線画像所見では，下顎管から続く卵円形，楕円形のX線透過像として認められることが多い．周囲は一層の骨硬化縁に囲まれる．動脈瘤様骨嚢胞と類似した所見を示すことがある（図5-7-47）．

(3) ランゲルハンス細胞組織球腫症

従来Histiocytosis Xとされていた疾患で，ランゲルハンス細胞の増殖をきたす疾患であることが明らかとなった．全身の臓器に発生するが，顎骨では下顎骨が多い．X線画像所見は，単発性で境界が明瞭な透過像を示すものから，多発性で辺縁も不整な骨吸収像を示すものまで多彩である（図5-7-48）．単発性のものは**好酸球肉芽腫**として報告されてきた．

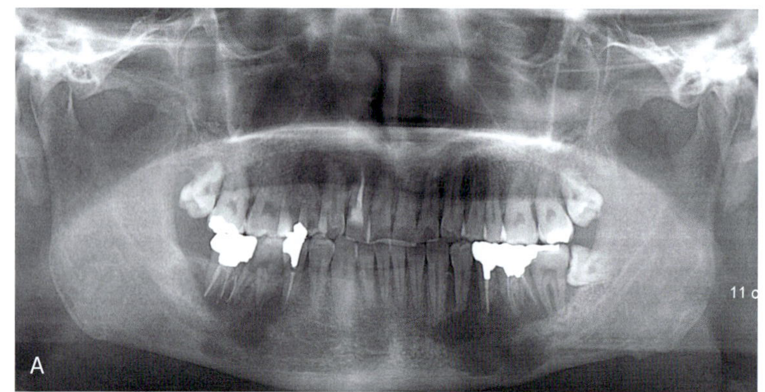

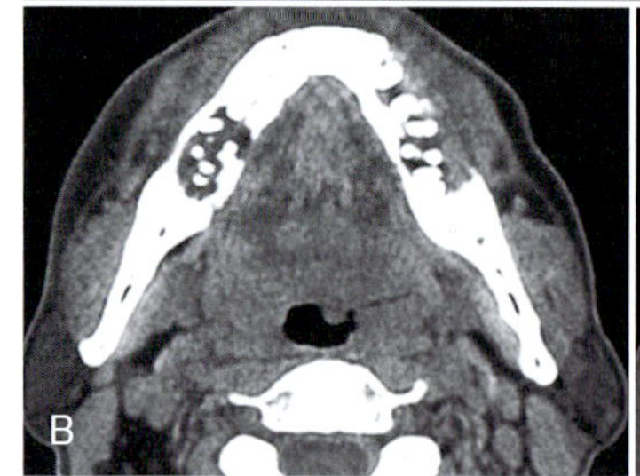

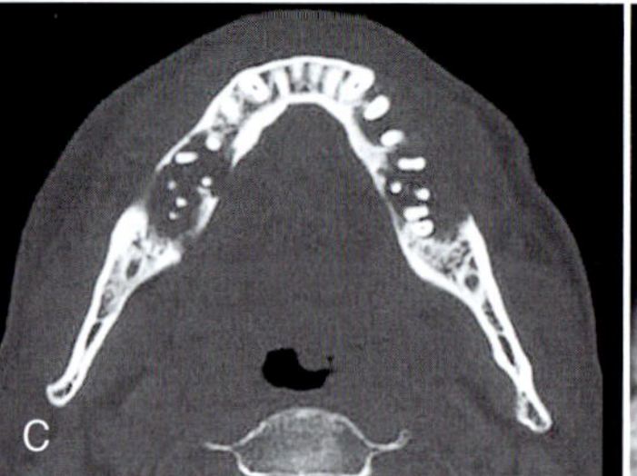

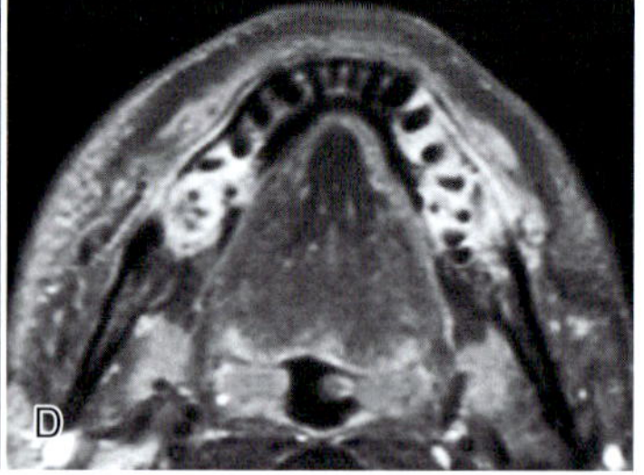

図5-7-48　ランゲルハンス細胞組織球腫症
パノラマX線画像では，下顎骨の両側臼歯部に辺縁のやや不整な骨吸収像を認める．透過像は不定形で一部は下顎下縁に達し，同部の皮質骨も吸収している（A）．CT像では，下顎両側に皮質骨の吸収を伴い，辺縁の不整な低濃度の病変を認める．骨の膨隆はみられない（B，C）．MRI T2強調像では，両側に高信号域を認める．頬側の骨膜に一致して線状の高信号が観察され，骨膜の変化が疑われる（D）．皮質骨に及ぶ多発性の骨吸収は，本疾患に特徴的な所見である．

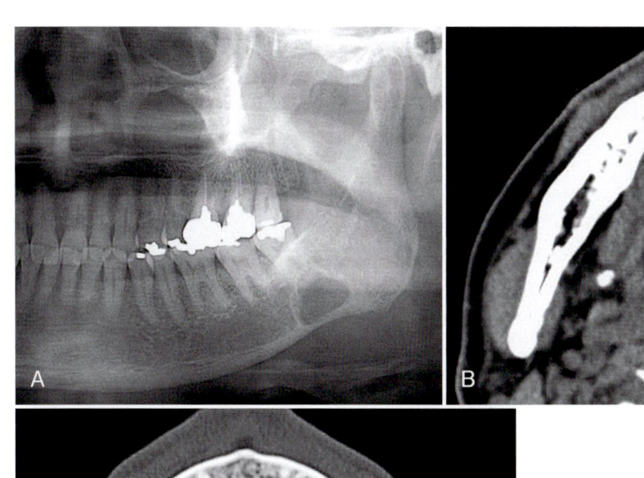

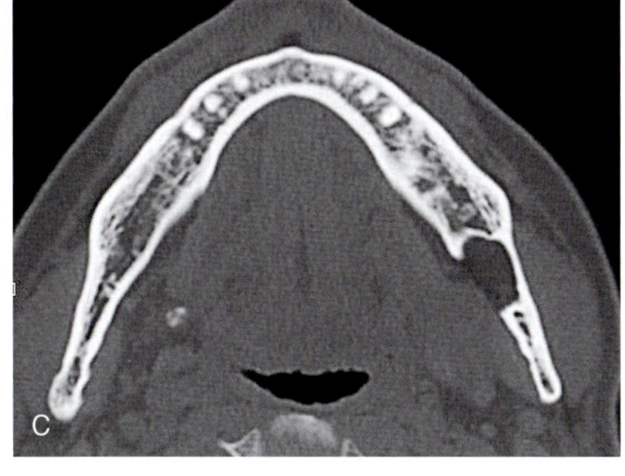

図 5-7-49　**静止性骨空洞**
パノラマX線画像では，下顎左側第二大臼歯根尖から下顎下縁に及ぶ類円形の境界明瞭な透過像を認める．辺縁には一層の硬化層がみられる（A）．CT横断像（軟組織表示，B）では，左側下顎角前方に舌側に開いた骨陥凹として観察される．内部は脂肪組織で満たされている．骨表示（C）では，近遠心には一層の皮質骨がみられる．頬舌的には陥凹が頬側皮質骨に及んでいる．

8）その他の病変

(1) 静止性骨空洞

下顎骨の下顎角前方の舌側にみられる骨陥凹で，原因は不明である．40～50歳以上の男性に多く認められる．

パノラマX線画像では，下顎角部の下顎管と皮質骨の間に，嚢胞様の透過像としてみられる．一般に臨床症状を示すことなく経過し，X線検査で偶然に発見されることが多い．CT，MRIによって舌側の陥凹を描出することで，本病変と確定することができる（図 5-7-49）．

(2) 骨硬化症，内骨症，外骨症

顎骨内における原因不明の限局性骨硬化は特発性骨硬化症や内骨症とよばれるが，多くは無症状で経過し，治療の必要はない．両者の鑑別も簡単ではないが，外骨症を皮質骨から連続して外向性に過剰発育した病変とし，これに対して内側に発育したものを内骨症とする考えもある．組織学的には骨腫との区別は難しいとされるが，真の腫瘍ではないと考えられている．歯根に連続した場合にはセメント質骨性異形成症やセメント芽細胞腫などの他の硬化性疾患との鑑別が必要となる場合がある．下顎の舌側や口蓋に発生した外骨症は下顎隆起，口蓋隆起とよばれる（図 5-7-50）．

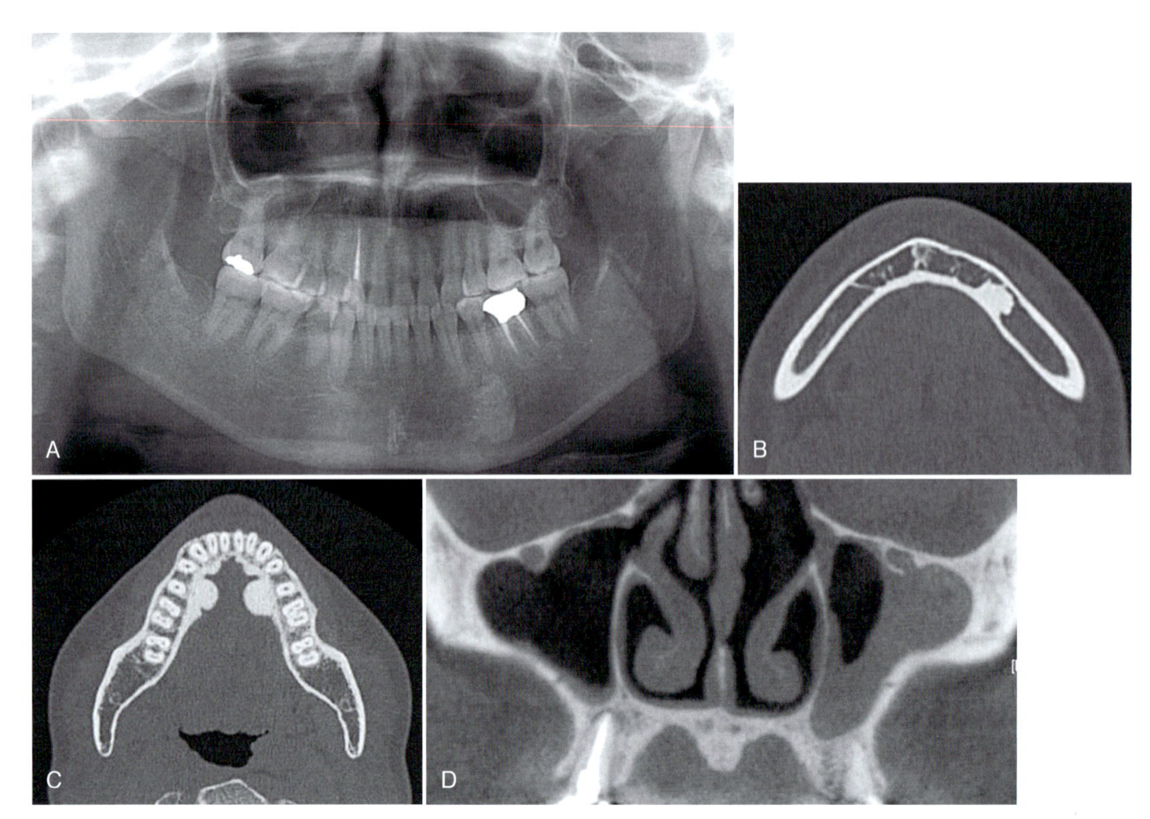

図 5-7-50　**顎骨内の限局性骨硬化**

A, B：骨硬化症あるいは内骨症．パノラマX線画像（A）では下顎左側小臼歯部下方に境界明瞭な不透過像を認める．CT像（B）では皮質骨に連続し海綿骨内に境界明瞭な高濃度域を認める．C：下顎隆起．CT像で下顎舌側皮質骨に連続して外方へ突出した骨様構造を両側に認める．D：口蓋隆起．CT冠状断像で硬口蓋から連続して下方へ突出した骨様構造を認める．

8 口腔・頸部の軟組織疾患

1) 口腔・頸部の解剖（図 5-8-1）

口腔領域に発生した炎症や腫瘍は，蜂窩織炎やリンパ節転移といった病態でしばしば頸部へ進展する．歯科口腔領域の診療医は，口腔と同様に，頸部についても解剖学的事項を熟知する必要がある．解剖学的には，口腔は気道消化管の最上部に位置し，中咽頭とは有郭乳頭・扁桃柱・軟口蓋により区別される．ここには，舌の前方3分の2が含まれ，上方は口蓋・上顎歯槽突起・上顎歯，外側は頬，後方は口蓋舌弓・口蓋咽頭弓，下方は口底・下顎歯槽突起・下顎歯，前方には口唇が存在している．口腔の表面全体は粘膜上皮に覆われており，小唾液腺がその下に広く分布している．

筋膜は骨や筋，神経，血管などの周囲に存在する結合組織が膜状になったものであり，頸部では浅頸筋膜と深頸筋膜（浅葉，中葉，深葉）に大別される．筋膜間には疎性結合組織で構成される筋膜隙（隙）が存在する．

筋群としては，舌骨上筋には顎二腹筋，顎舌骨筋，茎突舌骨筋，オトガイ舌骨筋が含まれ，舌骨下筋には胸骨舌骨筋，肩甲舌骨筋，胸骨甲状筋，甲状舌骨筋が含まれる．

頸部のリンパ節については，「リンパ節の疾患」（p.330）の項で，また口腔・頸部に生じる炎症については，「顎骨の周囲軟組織の炎症」（p.275）の項で詳述する．

2) 画像診断法

画像診断法の最大の目的は，炎症や嚢胞，腫瘍などの病変の進展範囲の把握にあり，単純X線画像の有用性は低く，断面画像により軟組織の解剖学的な情報を得られるCTやMRIが一般的に用いられる．また，表在性の病変や頸部リンパ節の評価のためには，超音波検査も広く利用されている．炎症の場合には，CTが異物や石灰化物，歯や顎骨との関係を把握するのに有用であるが，骨髄内の炎症の評価はMRIが優れている．嚢胞や腫瘍の検出にもMRIが優れているが，石灰化や顎骨の吸収を詳細に評価するためにCTが必要となる場合も多い．超音波検査は，視野が限定され客観性に劣るという欠点があるが，簡便かつ経済的で非侵襲的という利点を有しており，唾液腺や頸部リンパ節などの病変の検出に有用性が高く，口腔内走査も可能である．また悪性腫瘍に対しては，PET（陽電子放射断層撮影法）が病期診断（リンパ節転移や遠隔転移など），悪性度診断，治療効果判定，再発診断などに利用される．

CTでは横断像が基本であり，軟組織表示画像ではスライス厚（スライス間隔）1 mm 程度，骨表示画像ではスライス間隔 0.5 mm 程度が用いられている．病変の下顎骨への浸潤が疑われる場合には，軟組織条件ばかりでなく骨条件画像も必要となり，それぞれに適した画像表示が必要となる．病変の進展範囲や内部性状（嚢胞性あるいは充実性の鑑別）をより詳細に評価するためには，ヨード造影剤の経静脈投与による造影CT検査を併用することが望ましい．一方，MRI検査では任意の断面を容易に得られるため，横断像に加えて冠状断や矢状断の撮像も行われる．撮像シークエンスは，スピンエコー法のT1強調像やT2強調像を基本として，必要に応じて拡散強調MRIやガドリニウム造影剤の経静脈投与後の造影T1強調像やダイナミックMRIの撮像も行われる．T2強調像や造影T1強調像では，さまざまな脂肪抑制法の併用が行われることが多い．一般にT1強調像は，人体の解剖構造をよく描出し，病変の範囲や内部性状の評価にはT2強調像や造影T1強調像が優れ

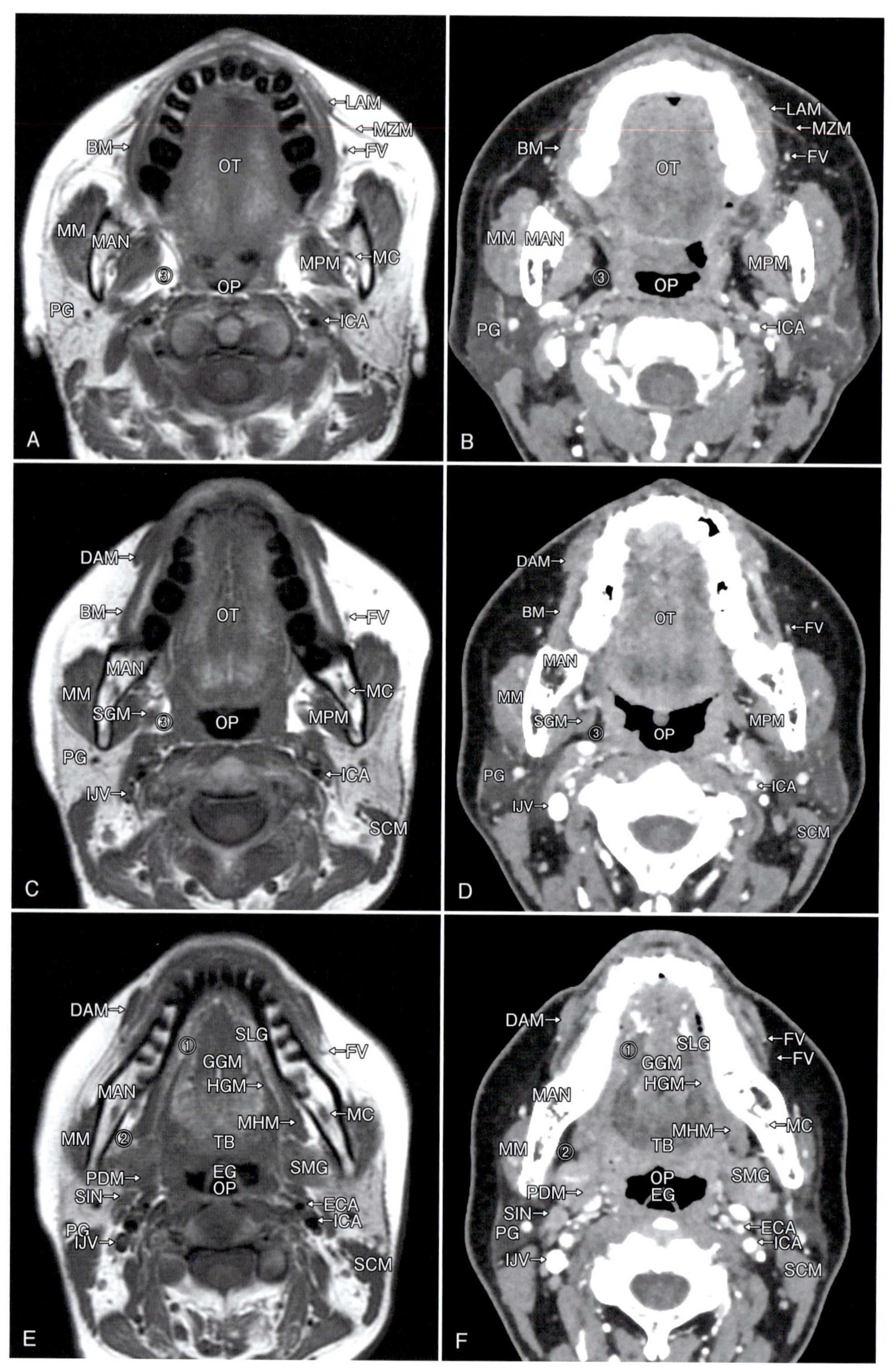
←LAM
←MZM
BM→
←FV
OT
MM
MAN
←MC
MPM
③
OP
PG
←ICA
A
←LAM
←MZM
BM→
←FV
OT
MM
MAN
MPM
③
OP
PG
←ICA
B
DAM→
BM→
OT
←FV
MAN
←MC
MM
SGM→
③
OP
MPM
PG
←ICA
IJV→
SCM
C
DAM→
BM→
OT
←FV
MAN
MM
SGM→
③
OP
MPM
PG
←ICA
IJV→
SCM
D
DAM→
①
SLG
←FV
GGM
HGM→
MAN
MHM→
←MC
MM
②
TB
EG
OP
SMG
PDM→
SIN→
←ECA
←ICA
PG
IJV→
SCM
E
DAM→
①
SLG
←FV
←FV
GGM
HGM→
MAN
MHM→
←MC
MM
②
TB
OP
EG
SMG
PDM→
SIN→
PG
←ECA
←ICA
IJV→
SCM
F

図 5-8-1　（図説次頁）

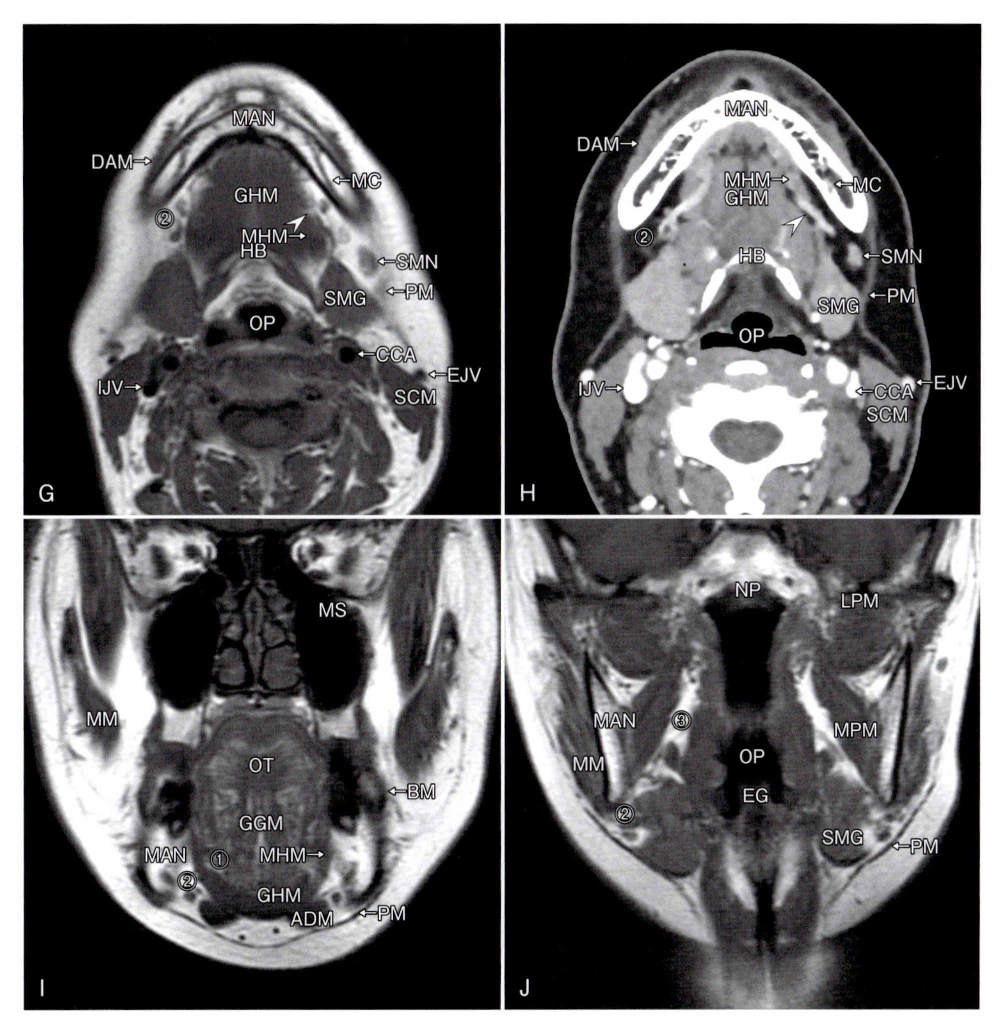

図 5-8-1　口腔・頸部の正常解剖

A：上顎歯槽突起レベルの T1 強調 MR 横断像，B：上顎歯槽突起レベルの造影 CT 横断像，C：下顎歯冠レベルの T1 強調 MR 横断像，D：下顎歯冠レベルの造影 CT 横断像，E：舌下レベルの T1 強調 MR 横断像，F：舌下レベルの造影 CT 横断像，G：顎下レベルの T1 強調 MR 横断像，H：顎下レベルの造影 CT 横断像，I：T1 強調 MR 冠状断像，J：T1 強調 MR 冠状断像（I の約 25 mm 後方）．

①：舌下隙，②：顎下隙，③：傍咽頭隙（咽頭側隙），矢頭：顎舌骨筋の部分的な欠損

ADM：顎二腹筋前腹，BM：頬筋，CCA：総頸動脈，DAM：口角下制筋，ECA：外頸動脈，EG：喉頭蓋，EJV：外頸静脈，FV：顔面静脈，GGM：オトガイ舌筋，GHM：オトガイ舌骨筋，HB：舌骨，HGM：舌骨舌筋，ICA：内頸動脈，IJV：内頸静脈，LAM：口角挙筋，LPM：外側翼突筋，MAN：下顎骨体，MC：下顎管，MHM：顎舌骨筋，MM：咬筋，MPM：内側翼突筋，MS：上顎洞，MZM：大頬骨筋，NP：上咽頭，OP：中咽頭，OT：舌，PDM：顎二腹筋後腹，PG：耳下腺，PM：広頸筋，SCM：胸鎖乳突筋，SGM：茎突舌筋，SIN：上内深頸リンパ節，SLG：舌下腺，SMG：顎下腺，SMN：顎下リンパ節，TB：舌根部．

ている．CT・MRI いずれも造影後には，病変の充実部分は分布する血管に加えて造影剤の血管外細胞外腔への移行などにより，周囲組織よりも濃度や信号強度が上昇してその範囲が明瞭化する．超音波検査はリアルタイム性の高いBモードによる任意の断面動画像を主体として，ドプラ法で病変の血流の状態，エラストグラフィで組織の硬さの評価を行うことができ，チェアサイドやベッドサイドで診断が可能である．

3）囊　胞

口腔・頸部に発生する囊胞として，ラヌーラ（ガマ腫）や種々の先天性囊胞（類皮・類表皮囊胞，甲状舌管囊胞，鰓裂囊胞など）があげられる．ラヌーラと他の囊胞とは手術法が異なるため，これらの鑑別診断は臨床的に重要である．多くの囊胞は境界明瞭であり，CT では水に近い低濃度，T2 強調 MR 像では高信号強度を示す病変として認められる．造影剤による内部の増強効果を伴うことはほとんどない．

(1) ラヌーラ（ガマ腫）

ラヌーラは，舌下腺（または小唾液腺）の閉塞によって舌下隙に原発する囊胞性病変であり，その多くは，囊胞上皮をもたない偽囊胞（pseudocyst）である．ラヌーラのうち，舌下隙に限局しているものを舌下型ラヌーラ（単純型：simple ranula），顎下隙への進展を伴うものは顎下型ラヌーラ（膨出型：plunging ranula）とよばれる．一般に舌下型ラヌーラは，口腔内にみられる特徴的な臨床所見によってその診断は容易であるが，顎下型ラヌーラの症例では，しばしばほかの囊胞との鑑別診断が問題となる．画像上では，境界明瞭で水と同等の内容物を有する囊胞性病変として認められる（図 5-8-2，3）．顎下型ラヌーラは，複数の隙に進展しやすく，傍咽頭隙（咽頭側隙）に進展して上咽頭レベルや頭蓋底近傍まで及ぶ場合もある（図 5-8-4）．

(2) 類皮囊胞，類表皮囊胞

類皮囊胞（dermoid cyst）や**類表皮囊胞**（epidermoid cyst）は，胎生期に迷入した外胚葉組織に由来する囊胞であり，囊胞壁に皮膚付属器官をもつものを類皮囊胞，これをもたないものを類表皮囊胞とよぶ．口腔領域に生じる類皮・類表皮囊胞は，多くは口底正中にみられるが，舌下隙や顎下隙にもしばしば認められる．画像上では，類皮囊胞はその内腔に含まれる皮脂腺分泌物などを反映した内部不均一な病変として認められる場合がある（図 5-8-5）のに対して，類表皮囊胞は一般に内部均一な囊胞性病変として認められる（図 5-8-6）．

(3) 鰓裂囊胞

鰓裂囊胞（branchial cleft cyst，正確には第二鰓裂囊胞：2nd branchial cleft cyst）は，鰓裂由来の囊胞であり，臨床的に下顎角部から側頸部にかけてみられることから，側頸囊胞ともよばれる．画像上では，顎下腺体の後方，胸鎖乳突筋の前内方，内頸動・静脈の外側に局在する病変として認められ，隣接するこれらの組織を圧排し，偏位させる所見が特徴的である（図 5-8-7）．囊胞内部の性状は症例によって多様である．

(4) 甲状舌管囊胞

甲状舌管囊胞（thyroglossal duct cyst）は，胎生期の甲状舌管の遺残上皮組織に由来する囊胞である．先天性頸囊胞の中では最も発生頻度が高いが，その多くは舌骨またはその下方のレベルに発生するため，歯科領域で扱うことはそれほど多くない．画像上では，舌骨近傍の正中部に局在する囊胞性病変として認められ，片側性に生じるラヌーラとの鑑別が問題となることはほとんどない（図 5-8-8）．

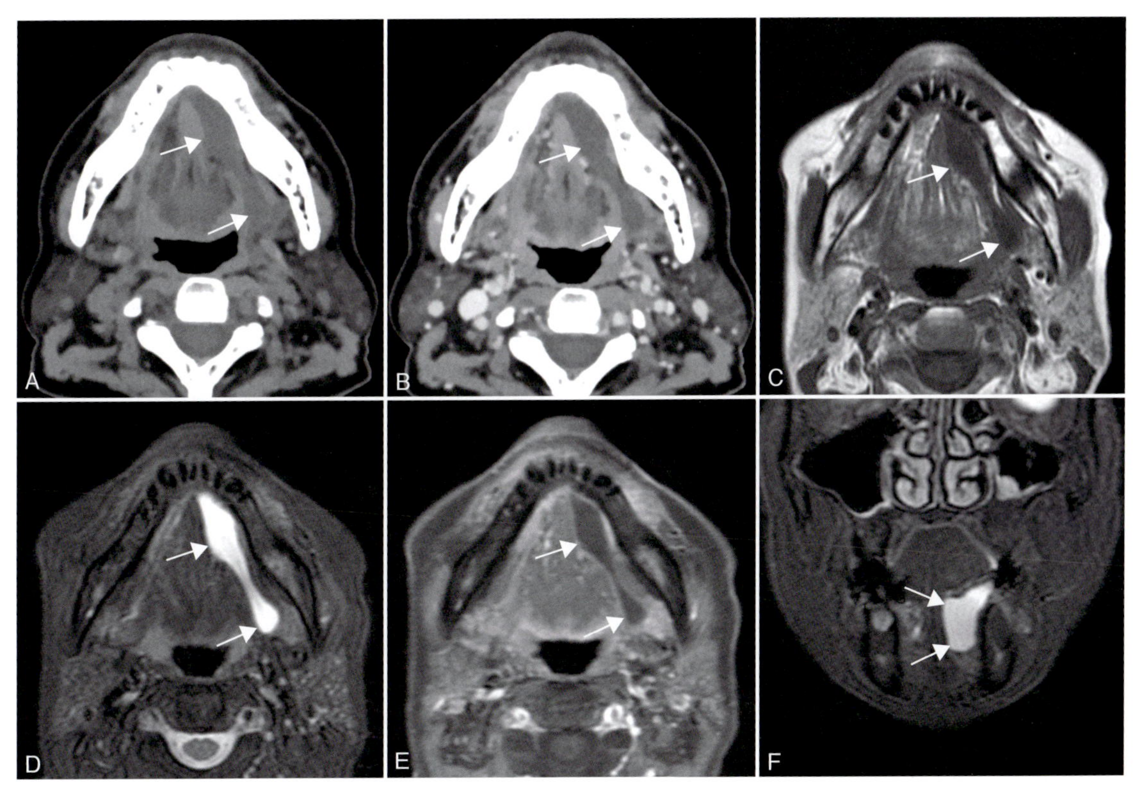

図 5-8-2　舌下型ラヌーラ（舌下隙）
A：単純 CT 横断像，B：造影 CT 横断像，C：T1 強調 MR 横断像，D：脂肪抑制 T2 強調 MR 横断像，E：脂肪抑制造影 T1 強調 MR 横断像，F：脂肪抑制 T2 強調 MR 冠状断像．左側の舌下隙には，境界明瞭で辺縁に緩やかな凹凸を有する病変が認められる．CT では内部均一な筋より低濃度，MRI では内部均一な水と同等の信号強度（T1 強調像で低信号，T2 強調像で高信号）を示す（矢印）．造影後には辺縁部がわずかに線状に造影される（MRI でより明瞭）が，内部に増強効果は認められない．舌下隙に限局しているものは舌下型ラヌーラ，顎下隙（顎舌骨筋の外方～後方）への進展を伴うものは顎下型ラヌーラとよばれる．

4）良性腫瘍

口腔・頸部に発生する良性腫瘍の中で，歯科領域で扱う疾患としては，**唾液腺腫瘍**，**血管腫**（hemangioma），**リンパ管腫**（lymphangioma），**脂肪腫**（lipoma），**神経鞘腫**（neurinoma, schwannoma），**傍神経節腫**（paraganglioma）などがあげられる．

唾液腺腫瘍は第 5 章 10「唾液腺の病変」の項で詳述する．血管腫（静脈奇形）およびリンパ管腫は，多くは先天性疾患であり，病変の存在は幼少期から明らかな場合が多い．一般に血管腫は CT で筋と同等の濃度で T2 強調 MR 像では高信号を示し，造影後には多様な増強効果を示す（図 5-8-9）．超音波像では内部は多彩で大小不同の網目状を呈することが多い．内部に静脈石を示す石灰化物（CT では硬組織濃度，MRI では無信号）が認められれば，血管腫が強く示唆される（図 5-8-10）．一方リンパ管腫は，一般に多胞（房）性の嚢胞性病変として認められ（図 5-8-11），舌下隙や顎下隙に局在した場合には，顎下型ラヌーラと同様に複数の隙に進展しやすい．脂肪腫は，画像上で脂肪と同等の濃度や信号強度を呈することから，通常はほかの病変との鑑別は容易である（図 5-8-12）．神経鞘腫は，一般に充実性であるが嚢胞状を呈する場

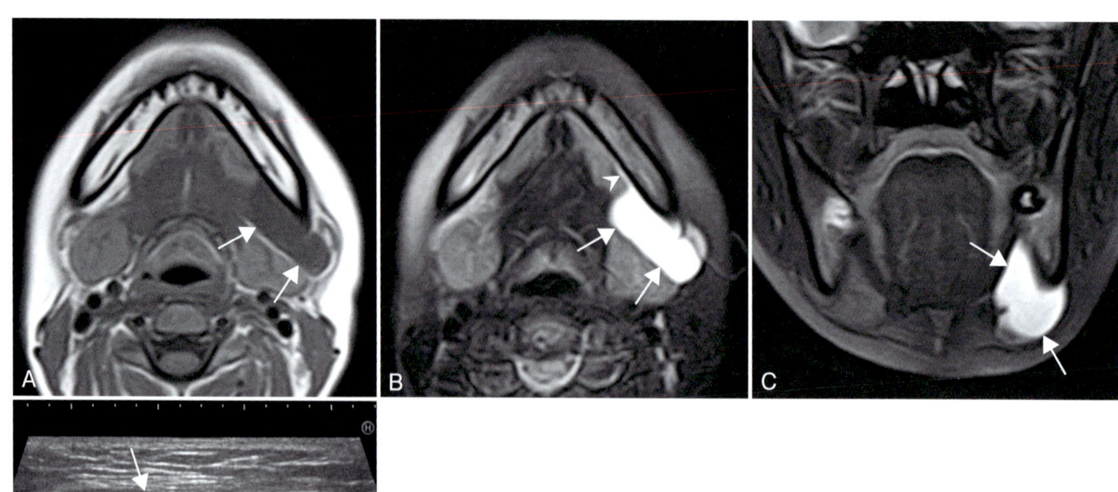

図 5-8-3　顎下型ラヌーラ（顎下隙）
A：T1 強調 MR 横断像，B：脂肪抑制 T2 強調 MR 横断像，C：脂肪抑制 T2 強調 MR 冠状断像，D：超音波矢状断像．
左側の顎下隙には，境界明瞭で辺縁に緩やかな凹凸を有する病変が認められる．舌下型ラヌーラと同様に，内部は MRI の T1 強調像で低信号，T2 強調像で高信号を呈し（矢印），超音波像では内部無エコーとして認められ（矢印），水と同等の内容物が示唆される．また T2 強調 MR 横断像では舌下腺との連続性が認められ（矢頭），超音波像では舌下腺（SLG）に接している．

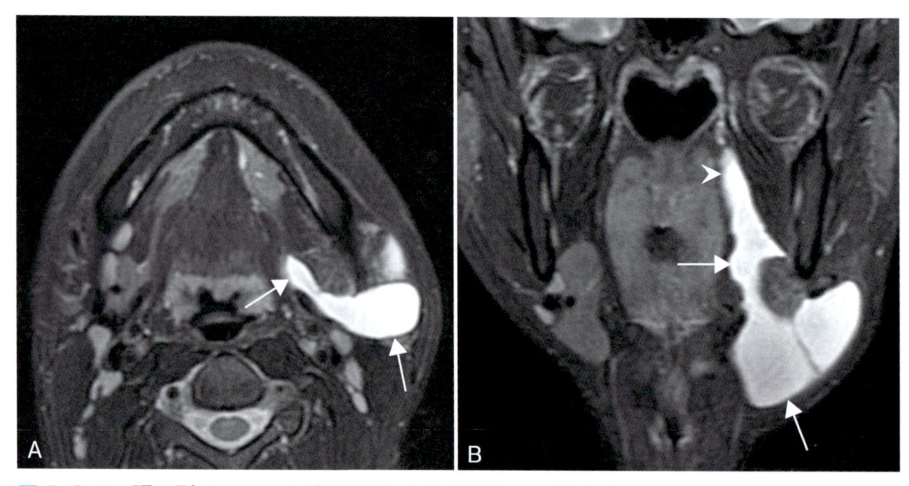

図 5-8-4　顎下型ラヌーラの傍咽頭隙（咽頭側隙）への進展
A：脂肪抑制 T2 強調 MR 横断像，B：脂肪抑制 T2 強調 MR 冠状断像．
左側の舌下隙から顎下隙にかけて連続する，T2 強調像で内部ほぼ均一な高信号を示す，多房様の病変が認められる（矢印）．病変は境界明瞭で辺縁に凹凸を有し，隔壁様構造を伴っている．病変は傍咽頭隙（咽頭側隙）に進展しており，上方は上咽頭レベル近くまで達している（矢頭）．

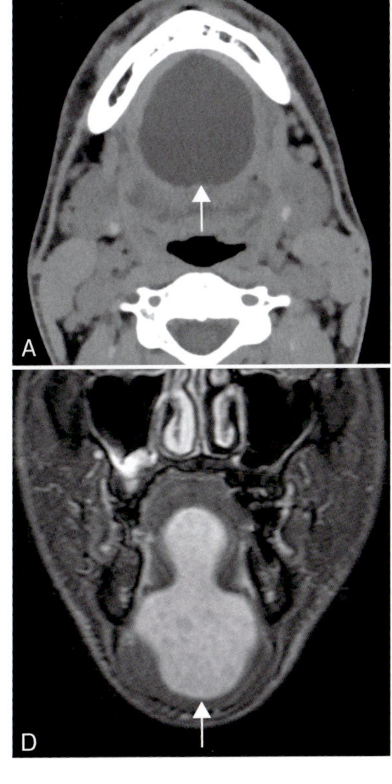

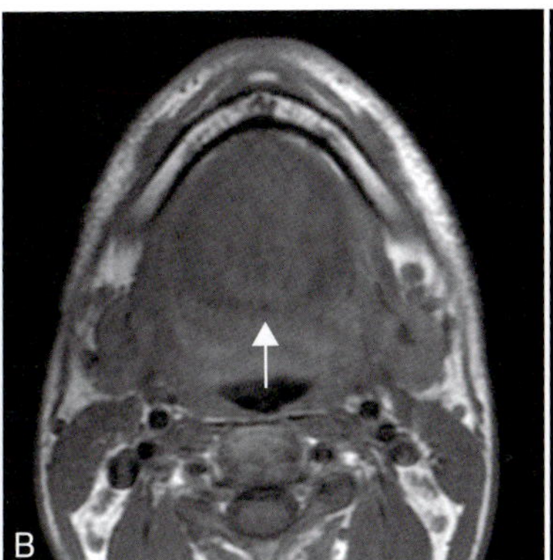

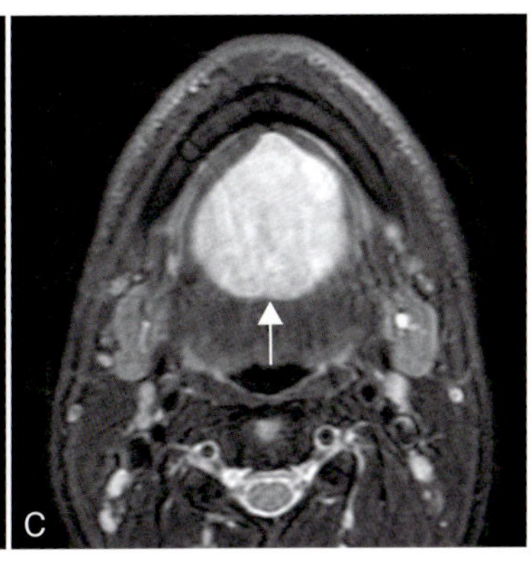

図 5-8-5　類皮嚢胞（口底部）

A：単純 CT 横断像，B：T1 強調 MR 横断像，C：脂肪抑制 T2 強調 MR 横断像，D：脂肪抑制 T2 強調 MR 冠状断像．

口底正中部では，左右オトガイ舌筋・オトガイ舌骨筋の間に，境界明瞭で辺縁に緩やかな凹凸を有する病変が認められ（矢印），舌を上方に挙上している．内部はCT では均一な筋より低信号を呈するが，MRI の T1 強調像ではやや不均一な中等度の信号強度，T2 強調像では不均一な比較的高信号を示している．

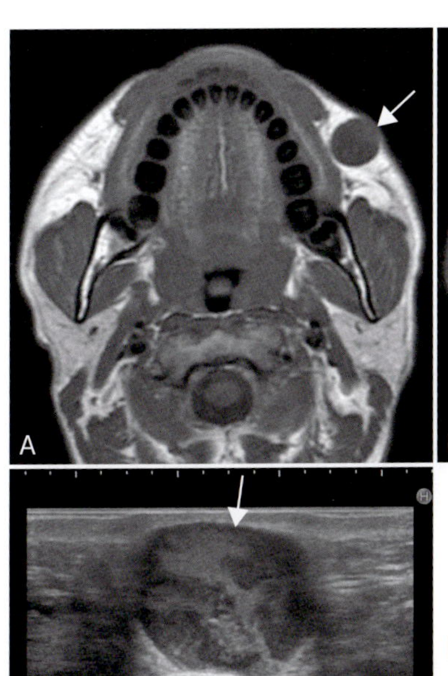

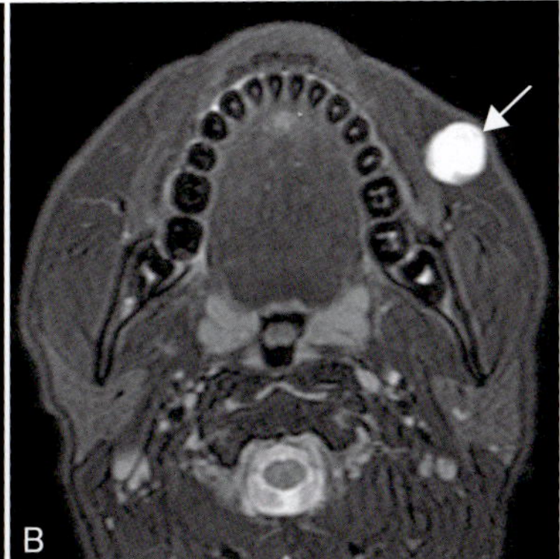

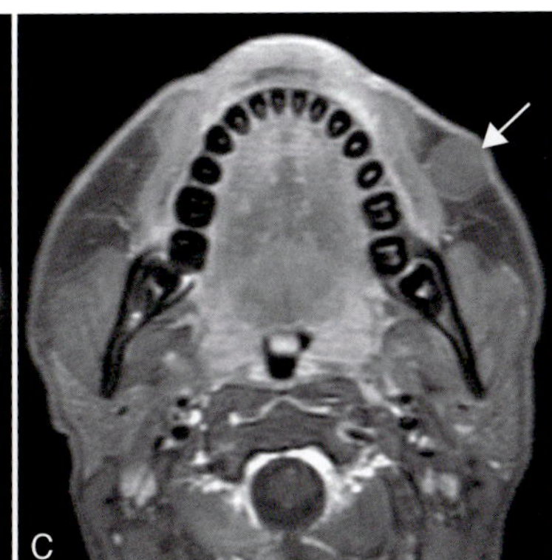

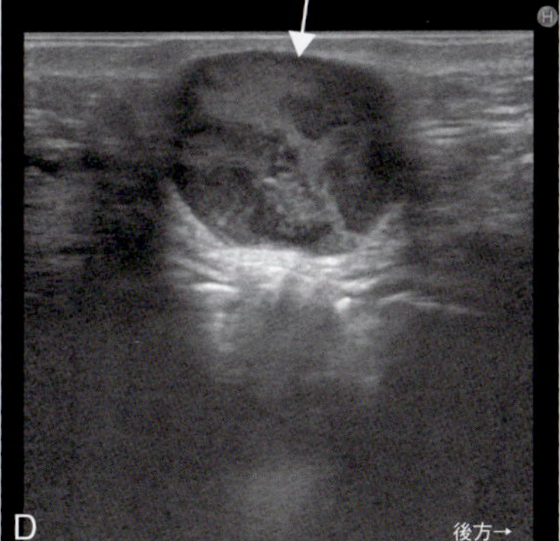

図 5-8-6　類表皮嚢胞（頬部）

A：T1 強調 MR 横断像，B：脂肪抑制 T2 強調 MR 横断像，C：脂肪抑制造影 T1 強調 MR 横断像，D：超音波横断像．

左側頬部では，頬筋外側の脂肪組織内に，境界明瞭で辺縁整の類球形の腫瘤が認められ（矢印），皮膚面が外側に軽度膨隆している．病変内部は比較的均一であり，MRI の T1 強調像では低信号，T2 強調像では高信号を示し，造影後に増強効果は認められない．超音波像では内部は不均一で不定形の高エコー域と低エコー域の混在が認められる．

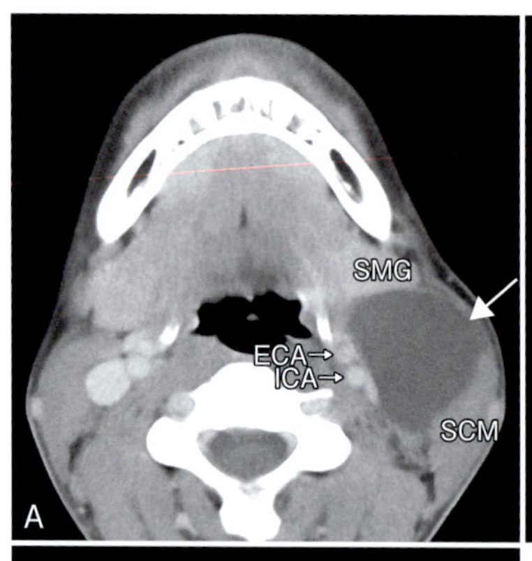

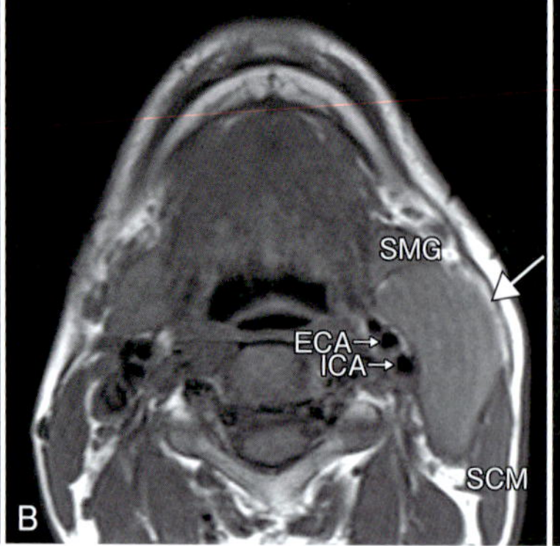

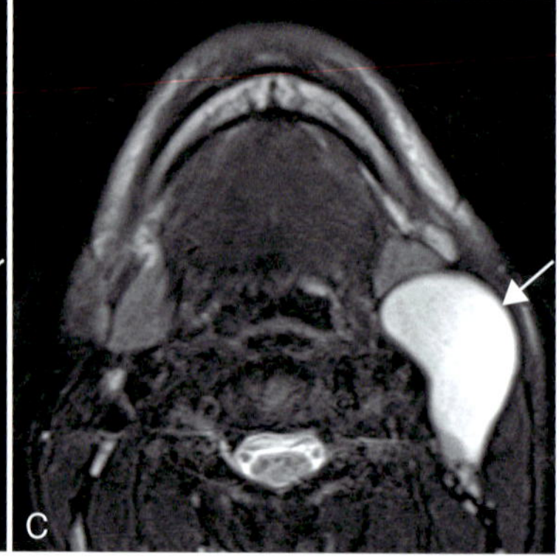

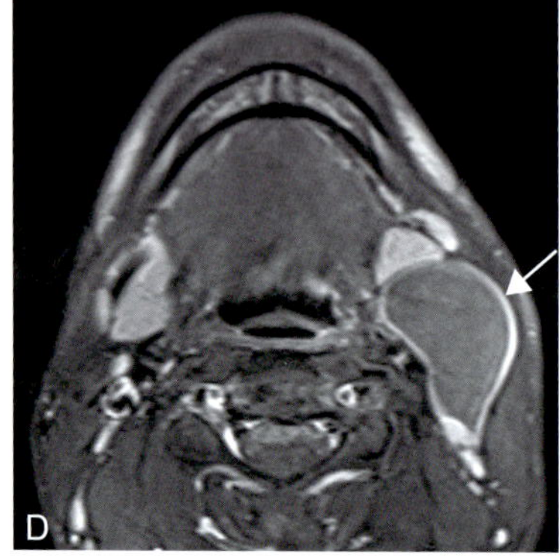

図 5-8-7　鰓裂嚢胞（上頸部）

A：造影 CT 横断像，B：T1 強調 MR 横断像，C：脂肪抑制 T2 強調 MR 横断像，D：脂肪抑制造影 T1 強調 MR 横断像．

ECA：外頸動脈，ICA：内頸動脈，SCM：胸鎖乳突筋，SMG：顎下腺．

左側上頸部に境界明瞭で辺縁整の病変が認められる（矢印）．内部は均一に描出され，CT では筋より低濃度，MRI の T1 強調像では中等度の信号強度，T2 強調像では均一な高信号として認められる．造影後には辺縁部が線状に造影される（MRI でより明瞭）が，内部に増強効果は認められない．病変は顎下腺体後方で胸鎖乳突筋の前内方，内頸動・静脈の外側に局在し，これらを圧排し偏位させている．

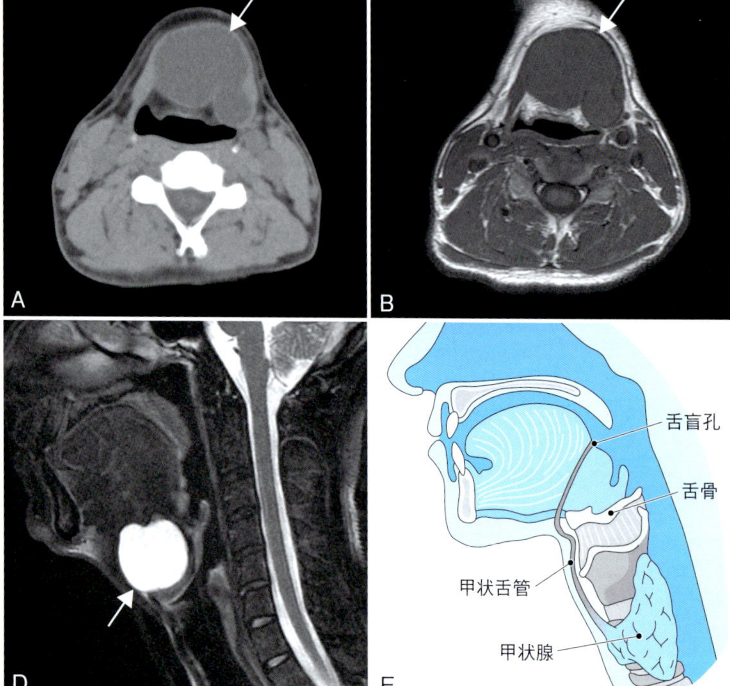

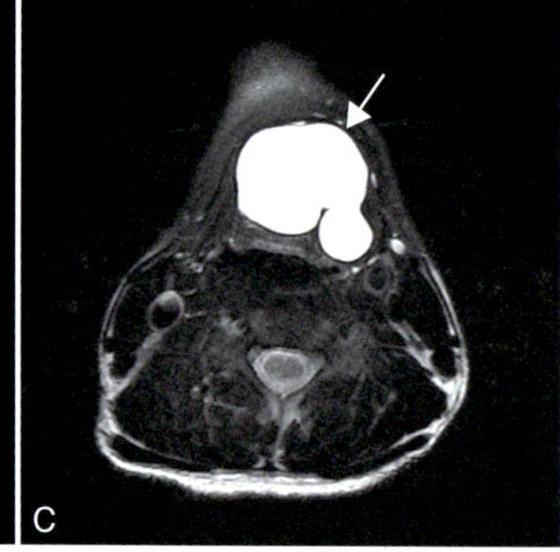

図 5-8-8　甲状舌管嚢胞（前頸部）

A：単純 CT 横断像，B：T1 強調 MR 横断像，C：脂肪抑制 T2 強調 MR 横断像，D：脂肪抑制 T2 強調 MR 矢状断像．

舌骨下方レベルの前頸部正中やや左側寄りに，境界明瞭で凹凸を有し，隔壁様構造を伴った病変が認められる．内部は CT では均一な筋より低信号を呈するが，MRI の T1 強調像では均一な中等度の信号強度，T2 強調像では均一な高信号を示している．E：甲状舌管の走行の模式図．

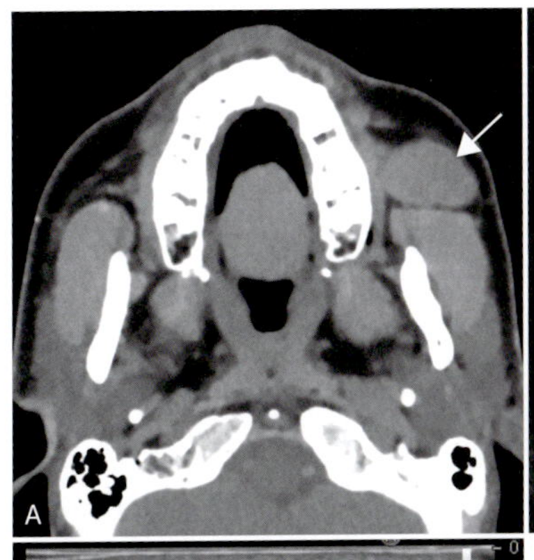

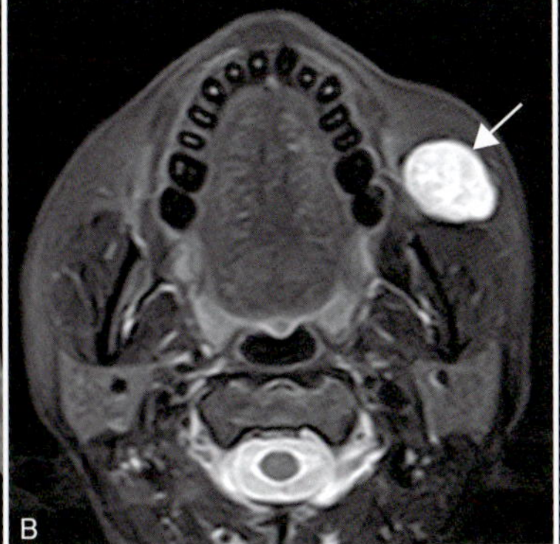

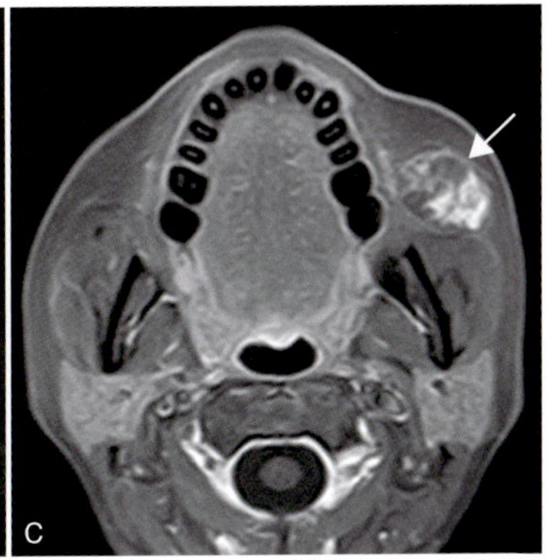

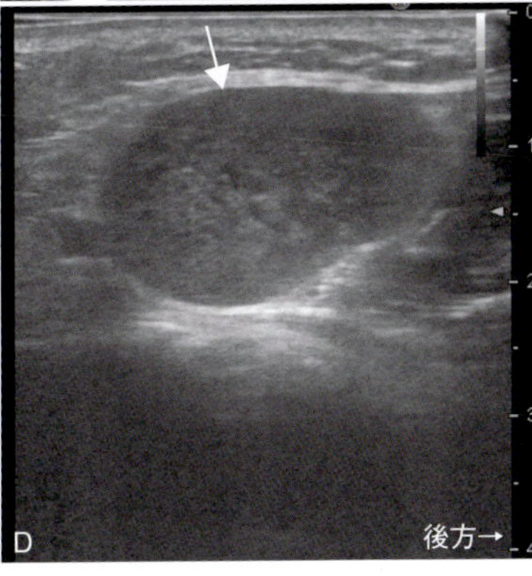

図 5-8-9　血管腫（頬部）

A：単純 CT 横断像，B：脂肪抑制 T2 強調 MR 横断像，C：脂肪抑制造影 T1 強調 MR 横断像，D：超音波横断像.

左側頬部では，頬筋外側で咬筋前方の脂肪組織内に，境界比較的明瞭で辺縁に緩やかな凹凸を有する類球形の病変が認められ（矢印），皮膚面が外側に軽度膨隆している．病変内部は単純 CT では均一な筋と同等の濃度であるが，MRI の T2 強調像では斑紋状に不均一な高信号を示し，造影後には網目状～地図状の不均一な増強効果を認める．超音波像では全体として低エコーを示し，不均一で微細な網目状を示す内部エコーが認められる.

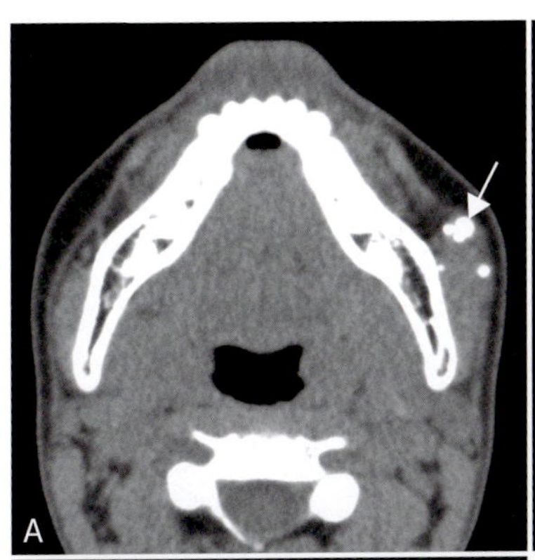

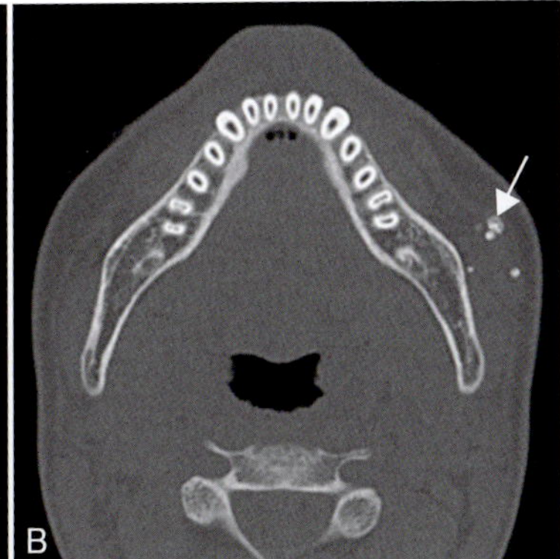

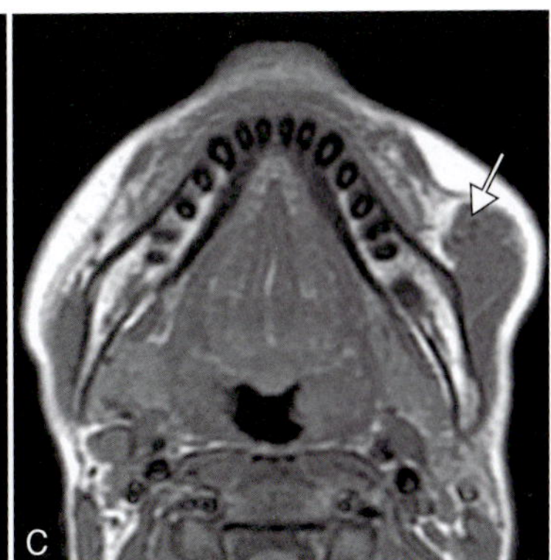

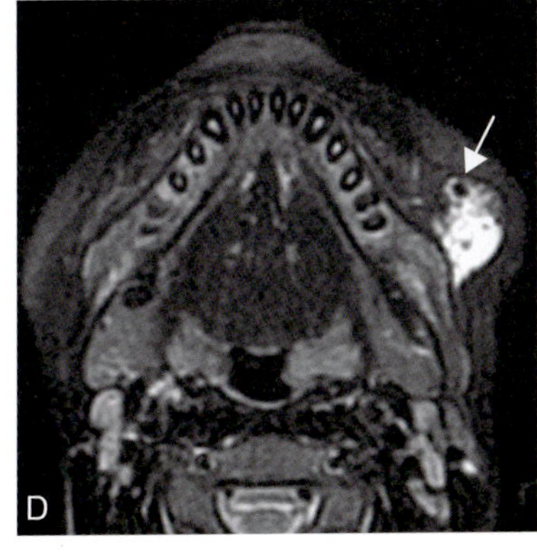

図 5-8-10　静脈石を伴う血管腫（頬部）

A：単純 CT 軟組織表示横断像，B：単純 CT 骨表示横断像，C：T1 強調 MR 横断像，D：脂肪抑制 T2 強調 MR 横断像.

左側頬部では咬筋前縁に，境界やや不明瞭で辺縁が微細に不整な病変が認められ，皮膚面が外側に軽度膨隆している．病変内部は単純 CT ではやや不均一な筋と同等の濃度，MRI の T1 強調像では筋と同等の低信号，T2 強調像では不均一な高信号を示す．病変内には静脈石と思われる複数の石灰化物の散在が認められる（最大のものを矢印で示す）.

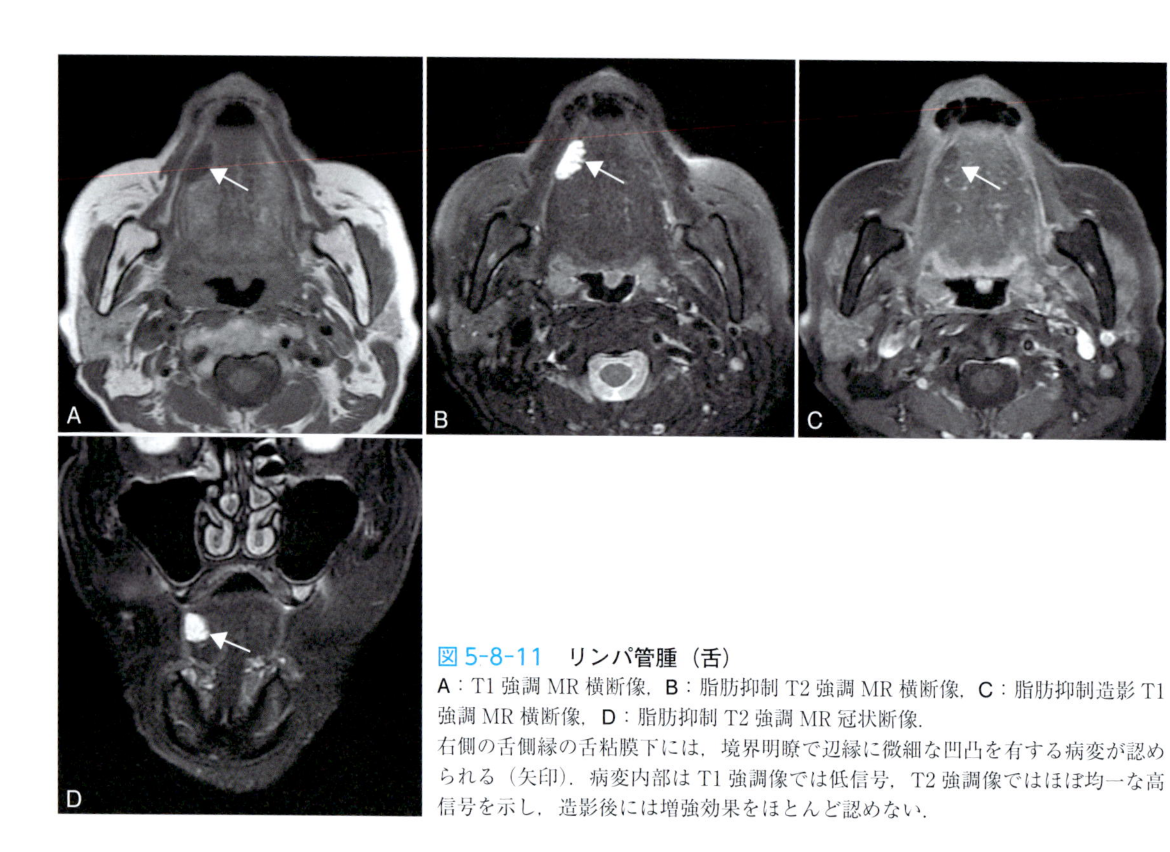

図 5-8-11　リンパ管腫（舌）

A：T1 強調 MR 横断像，B：脂肪抑制 T2 強調 MR 横断像，C：脂肪抑制造影 T1 強調 MR 横断像，D：脂肪抑制 T2 強調 MR 冠状断像.

右側の舌側縁の舌粘膜下には，境界明瞭で辺縁に微細な凹凸を有する病変が認められる（矢印）．病変内部は T1 強調像では低信号，T2 強調像ではほぼ均一な高信号を示し，造影後には増強効果をほとんど認めない．

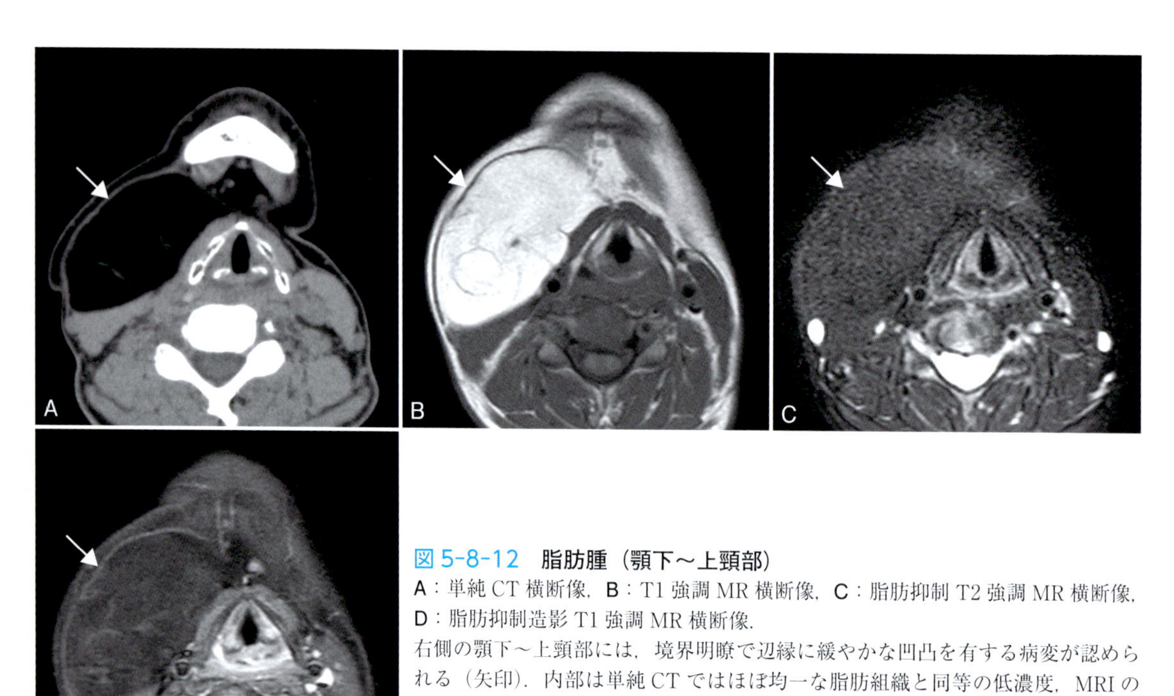

図 5-8-12　脂肪腫（顎下～上頸部）

A：単純 CT 横断像，B：T1 強調 MR 横断像，C：脂肪抑制 T2 強調 MR 横断像，D：脂肪抑制造影 T1 強調 MR 横断像.

右側の顎下～上頸部には，境界明瞭で辺縁に緩やかな凹凸を有する病変が認められる（矢印）．内部は単純 CT ではほぼ均一な脂肪組織と同等の低濃度，MRI の T1 強調像ではほぼ均一な脂肪組織と同等の高信号，脂肪抑制法を併用した T2 強調像や造影 T1 強調像では低信号を示す．病変辺縁部には，T1 強調像で低信号，造影後に増強効果を伴う線状の被膜様構造が認められ，病変内部には繊細な粗い網目状構造が認められる．

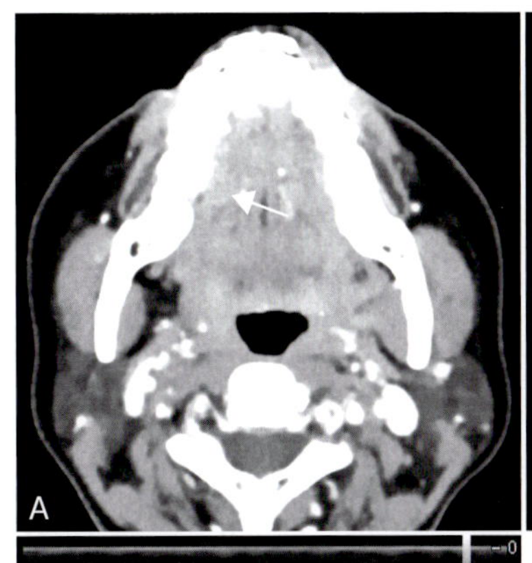

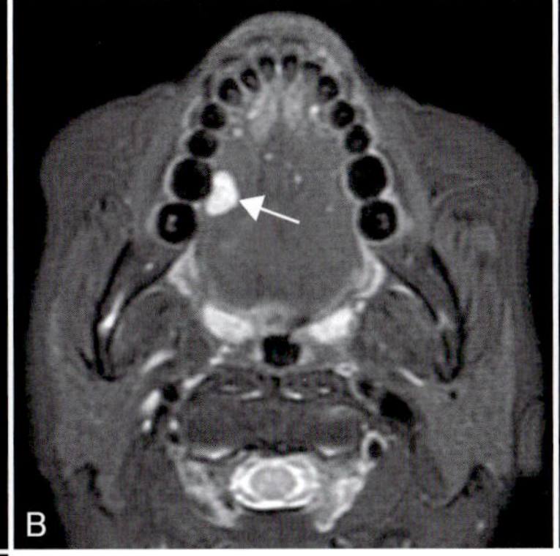

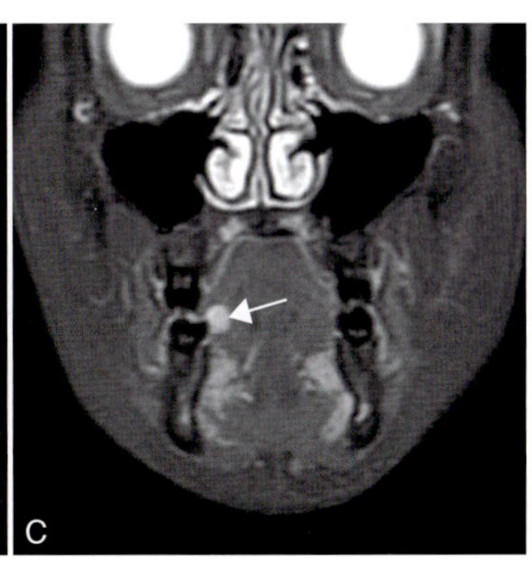

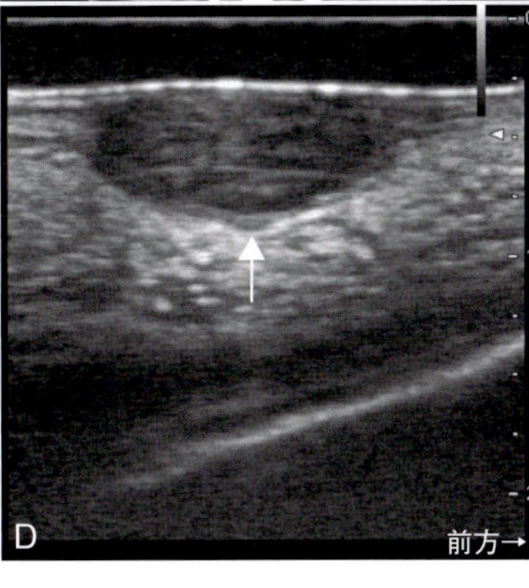

図 5-8-13　神経鞘腫（舌）
A：造影 CT 横断像，B：脂肪抑制 T2 強調 MR 横断像，C：脂肪抑制 T2 強調 MR 冠状断像，D：超音波横断像．
右側の舌側縁の粘膜下には，境界比較的明瞭な充実性の病変を認める（矢印）．内部は造影 CT では均一な軽度の増強効果がみられ，MRI の T2 強調像では均一な高信号を呈する．口腔内走査による超音波像では病変は粘膜上皮の下層に局在し，全体として低エコーを呈し粗い網目状を示す比較的均一な内部エコーが認められる．

合もあり，画像上では内部性状は病理組織像に反映して多様である（図 5-8-13）．舌下隙や顎下隙に生じた場合には，唾液腺腫瘍などとの鑑別が難しい場合がある．傍神経節腫（頸動脈小体腫瘍）は，胎生期の神経堤傍神経節細胞に由来する血管豊富な腫瘍であり，造影剤によって強い増強効果を示す．頸動脈分岐部に存在する頸動脈小体から発生する傍神経節腫は，頸動脈小体腫瘍（carotid body tumor）ともよばれ，内・外頸動脈を前後に開大させる特徴的な所見を示す（図 5-8-14）．

5）リンパ節の疾患

(1) リンパ節の構造

リンパ節は免疫反応の場として，また，生体内を循環するリンパ球の移動路として，生体防御に重要な役割を有している．リンパ節は通常，扁平な楕円体の形態であり，リンパ門（hilum）とよばれる陥凹を有する（図 5-8-15）．主に膠原線維からなる被膜に包まれ，内部は被膜に近い皮質と門に近い髄質とに大別される．さらに実質部分は，リンパ球が密集したリンパ髄と疎な網目状構造のリンパ洞に大別され，リンパ髄は皮質では小節を，髄質では髄索を構成している．数本から数十本の輸入リンパ管が被膜を貫き，リンパ洞へと合流する．リンパ洞には被膜直下の辺縁洞，髄索の間に広がる髄洞とその間の中間洞がある．リンパ液はこれらを灌流してリンパ門へと向かう．リンパ門からは 1 本から数本の輸出リンパ管が出ており，リンパ節に分布する血管や神経も主としてこの門を経由する．

(2) 頸部リンパ節の解剖（分類）

頸部リンパ節の分類は，わが国では**頭頸部癌取扱い規約**（2019 年 12 月），口腔癌取扱い規約

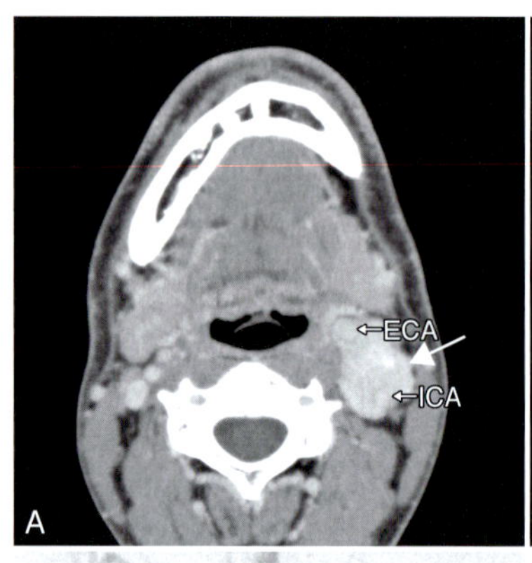

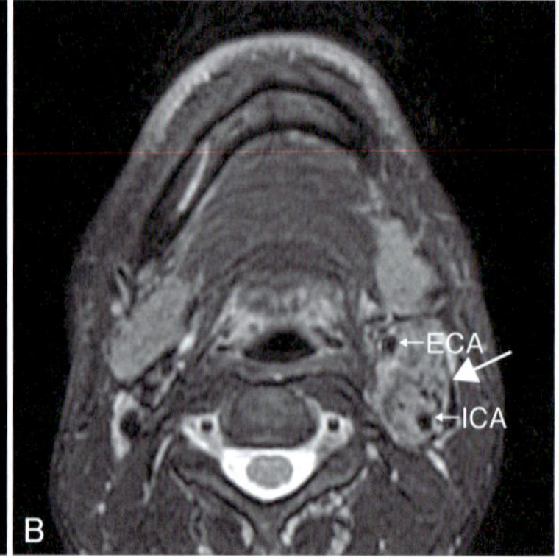

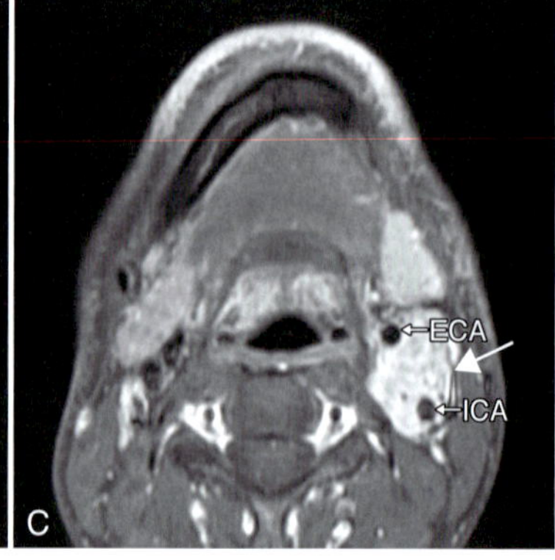

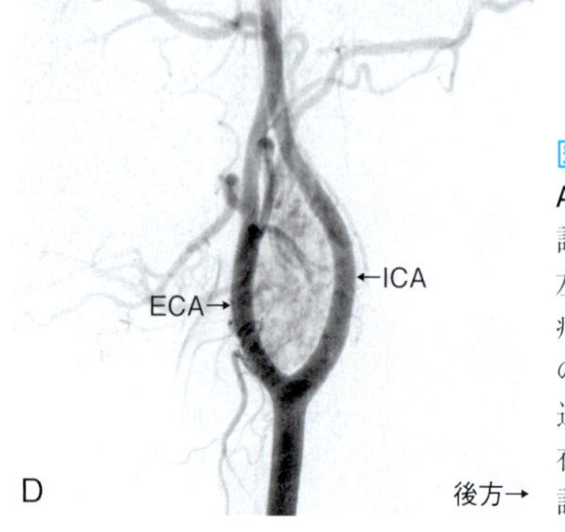

図 5-8-14　傍神経節腫（頸動脈小体腫瘍）（上頸部）

A：造影 CT 横断像，B：脂肪抑制 T2 強調 MR 横断像，C：脂肪抑制造影 T1 強調 MR 横断像，D：デジタルサブトラクション血管造影画像側面像．
左側の上頸部で頸動脈分岐部レベルには，境界比較的明瞭で辺縁に凹凸を有する病変が認められる．内部はやや不均一に血管と同程度の増強効果が認められ，MRI の T2 強調像では斑状の低～無信号域が散在する不均一な比較的高信号を呈し，造影 T1 強調像において不均一な強い増強効果を示す．病変は頸動脈分岐部に局在し，外頸・内頸動脈は前後に開大されており，血管造影画像において明瞭に確認できる．ECA：外頸動脈，ICA：内頸動脈．

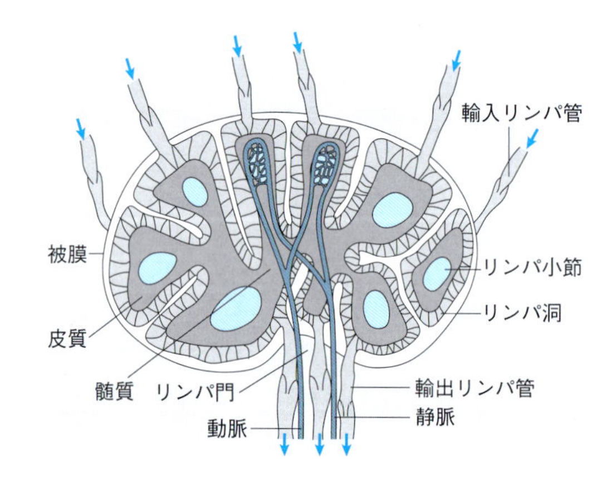

図 5-8-15　リンパ節の構造（模式図）

(2019 年 3 月）あるいは日本癌治療学会リンパ節規約（2002 年 10 月）が用いられることが多い（図 5-8-16）．また，頸部郭清範囲を基本としたレベル分類（AJCC Cancer Staging Manual 8th Ed., 2017）も用いられている（図 5-8-17）．

(3) 頸部リンパ節の疾患

臨床的に最も代表的な病的所見は，リンパ節腫脹である．リンパ節腫脹は，その発生機序から炎症性（感染性・反応性）と腫瘍性に大別できる（表 5-8-1）．画像診断のみでこれらを確実に鑑別することは困難だが，結核性リンパ節炎（図 5-8-18）や転移リンパ節では，内部に石灰化が生じる場合があり，画像診断上有益な情報となる．

(4) 頸部リンパ節の画像診断

頸部リンパ節の診断の手順を，造影 CT および MRI の画像を用いて，特に顎下および上内深頸リンパ節について解説する．造影 CT や MRI では，造影剤を経静脈的に投与して撮像を行う．リンパ節は一般に周囲の筋よりもやや強く造影される紡錘形ないし楕円形の構造として描出される．また，リンパ門が周囲脂肪組織と連続性

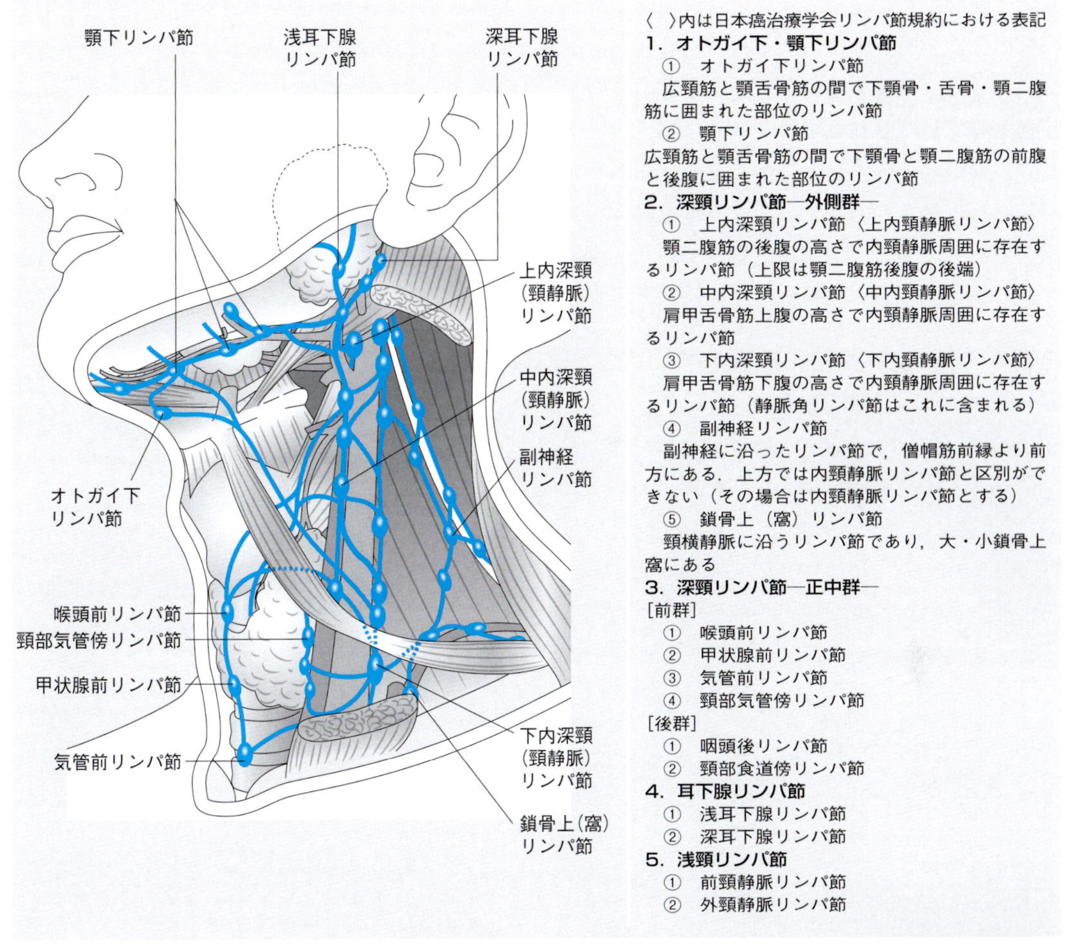

図 5-8-16　頸部リンパ節の分類（日本癌治療学会リンパ節規約ならびに頭頸部癌取扱い規約第6版に基づく）

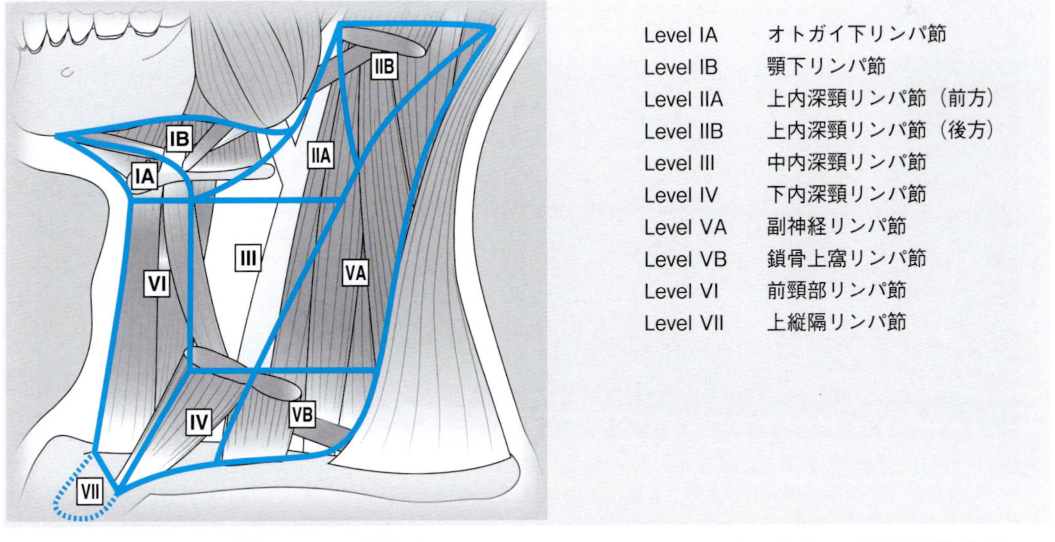

図 5-8-17　頸部リンパ節のレベル分類（AJCC Cancer Staging Manual 8th Edition, 2017 に基づく）

を示す陥凹として認められる場合が多い．リンパ節の3次元的な軸径（上下径・左右径・前後径）のうち，最長のものを長径，最短のものを短径として計測される場合が多く，特に短径はリンパ節の病的腫大をとらえやすい．顎下リンパ節の代表的なものは，下顎骨下縁内側，顎下腺の外側で広頸筋の内側に位置しており，前後に長い楕円体で周囲脂肪組織と連続性を示す門を有する（図5-8-19A〜D）．上内深頸（上内頸静脈）リンパ節の代表的なものは，下顎角の内側後方，顎下腺の後方で胸鎖乳突筋の前縁内側で内頸静脈前方，内頸動脈・外頸動脈外側に位置しており，上方では顎二腹筋後腹に近接する位置にある（図5-8-19E, F）．

一般に画像上，短径10mm以上のリンパ節は，病的腫大像と判断されている．炎症性腫脹では，リンパ門や楕円形の形態を残しつつ腫大する場合が多いのに対し（図5-8-20），腫瘍性腫脹では，リンパ門が消失し全体の形態が球体に近くなる場合が多い．特に内部が不均一化したり，周囲との境界が不明瞭となった場合には，悪性の可能性が高いとされている．ただし，壊死性リンパ節炎や結核性リンパ節炎では転移リンパ節類似の所見を呈する場合がある点には注意が必要である（図5-8-21）．また，悪性リンパ腫によるリンパ節腫脹では内部が均一な場合が多い（図5-8-22）．扁平上皮癌の頸部リンパ節転移については5章9「口腔領域の悪性腫瘍」で詳述する．

表5-8-1　リンパ節腫脹の原因

1. 炎症性（感染性・反応性）腫脹
   ①急性化膿性リンパ節炎
   ②亜急性壊死性リンパ節炎
   ③伝染性単核球症，その他のウイルス感染症
   ④猫引っかき病，トキソプラズマ症，梅毒性リンパ節炎
   ⑤結核性リンパ節炎
   ⑥薬剤性リンパ節炎
   ⑦自己免疫性（関節リウマチ，全身性エリテマトーデスなど）リンパ節炎
   ⑧サルコイドーシス
2. 腫瘍性腫脹
   ①悪性リンパ腫，白血病
   ②悪性腫瘍のリンパ節転移
3. その他
   ①内分泌疾患
   ②脂質代謝異常
   ③ IgG4関連疾患

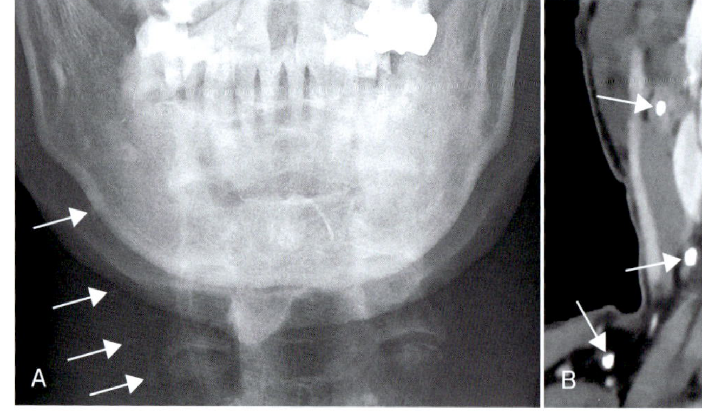

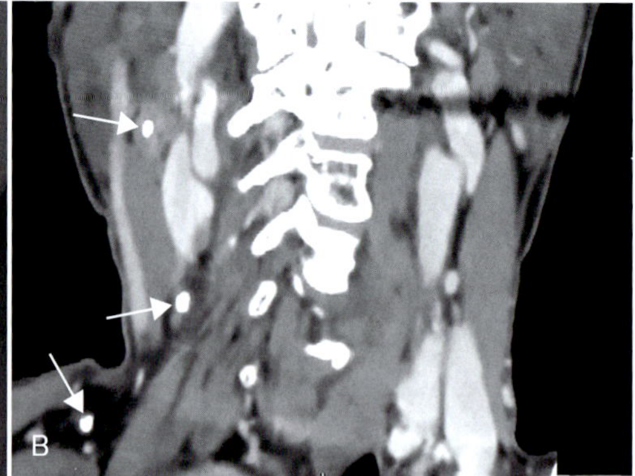

図5-8-18　石灰化を伴った結核性リンパ節炎（陳旧性結核）
A：頭部後前方向X線画像．B：造影CT冠状断像．頭部後前方向X線画像（A）では，右側頸部に多発性の大小不同の石灰化像を認める．造影CT冠状断像（B）では，多発性の石灰化物はリンパ節の分布に一致し，リンパ節の石灰化と判断できる．

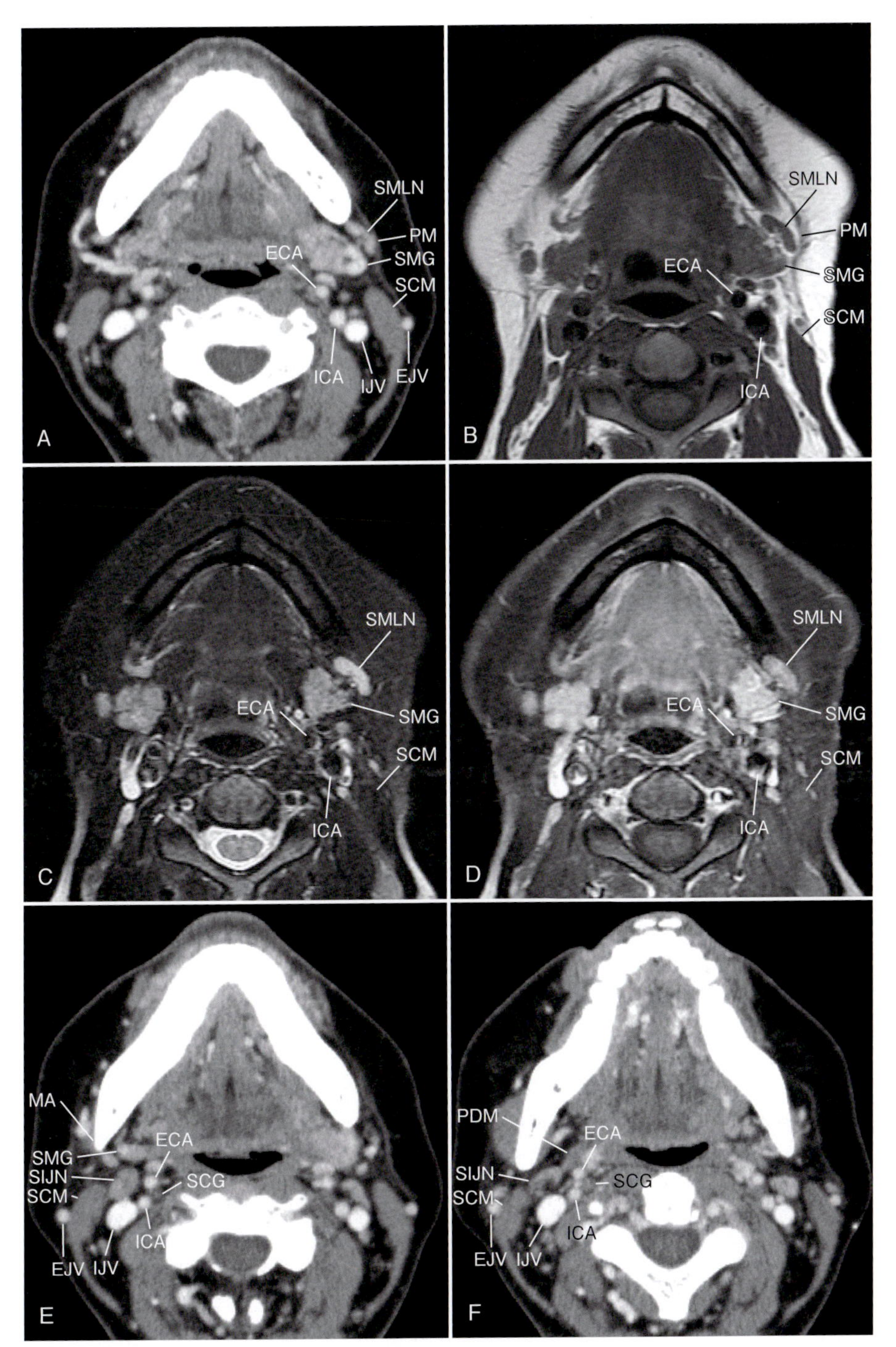

図 5-8-19　頸部リンパ節の左側顎下リンパ節レベルと右側上内深頸（上内頸静脈）リンパ節レベル
A〜D は左側顎下リンパ節レベルを示す．A：造影 CT 横断像．B：T1 強調 MR 横断像（A と同レベル）．C：脂肪抑制 T2 強調 MR 横断像（A と同レベル）．D：造影後脂肪抑制 T1 強調 MR 横断像（A と同レベル）．E, F は右側上内深頸（上内頸静脈）リンパ節レベルを示す．E：造影 CT 横断像．F：造影 CT 横断像（E よりもやや上方のレベル）．なお，ここに示したリンパ節は正常である．
ECA：外頸動脈，EJV：外頸静脈，ICA：内頸動脈，IJV：内頸静脈，MA：下顎角，PDM：顎二腹筋後腹，PM：広頸筋，SCG：上頸神経節，SCM：胸鎖乳突筋，SMG：顎下腺，SMLN：顎下リンパ節，SIJN：上内深頸（上内頸静脈）リンパ節．

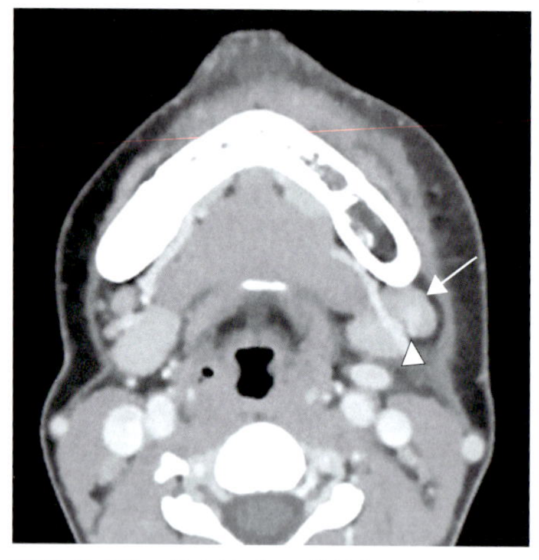

図 5-8-20　炎症性リンパ節腫脹

造影CT横断像（左側顎下リンパ節：矢印）．リンパ節は短径10mmに達する腫大像を呈しているが，比較的均一に造影され形態は楕円体で内側縁にリンパ門が認められる（矢頭）．

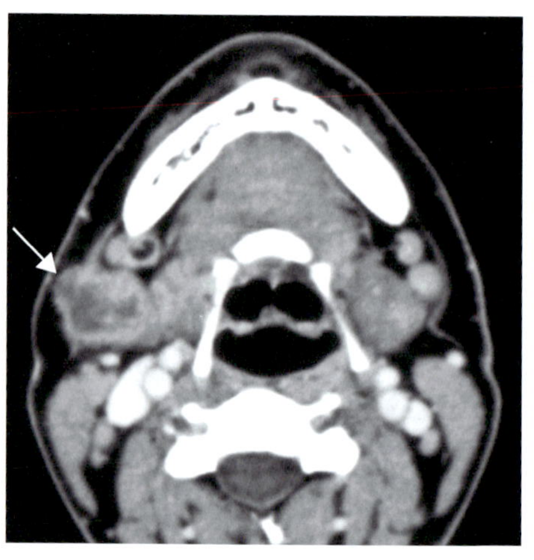

図 5-8-21　結核性リンパ節炎

造影CT横断像（右側顎下リンパ節：矢印）．リンパ節は辺縁部が強く造影され内部は低濃度を呈し，転移リンパ節類似の所見を呈する．

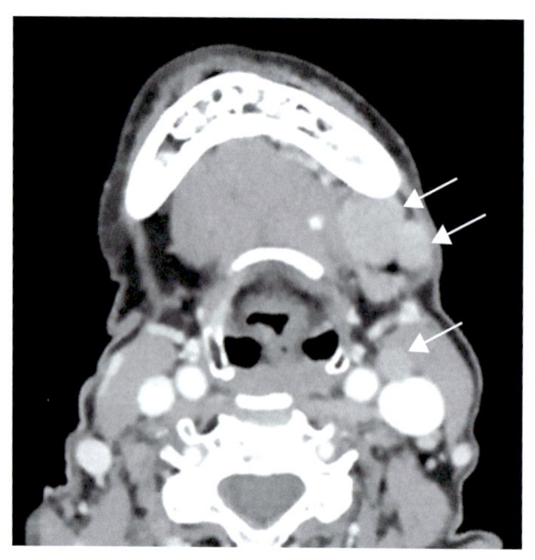

図 5-8-22　悪性リンパ腫（非ホジキンリンパ腫）

造影CT横断像（左側顎下リンパ節・左上内深頸（頸静脈）リンパ節：矢印）．複数の類球形に腫大したリンパ節は内部が均一に造影される．

9 口腔領域の悪性腫瘍

1）はじめに

(1) 疫 学

口腔領域に発生する悪性腫瘍の約90％以上は，病理組織学的には扁平上皮癌である．そのほかには，小唾液腺に由来する粘表皮癌や腺様嚢胞癌などの腺系癌，肉腫，悪性リンパ腫，悪性黒色腫，転移性癌などがある．

口腔扁平上皮癌は口腔粘膜を母地として，舌（前方2/3），頬粘膜，上下顎歯肉，硬口蓋，口底に発生したものであるが，口唇と中咽頭（口

表5-9-1 UICCによる口腔癌の分類（Brierley JD et al, 2017[1]）

T-原発腫瘍	TX 原発腫瘍の評価が不可能 T0 原発腫瘍を認めない Tis 上皮内癌 T1 最大径が2cm以下かつ深達度（depth of invasion*；DOI）が5mm以下の腫瘍 T2 最大径が2cm以下かつ深達度が5mmを超える腫瘍，または最大径が2cmを超えるが4cm以下でかつ深達度が10mm以下の腫瘍 T3 最大径が2cmを超えるが4cm以下でかつ深達度が10mmを超える腫瘍，または最大径が4cmを超え，かつ深達度が10mm以下の腫瘍 T4a 最大径が4cmを超え，かつ深達度が10mmを超える腫瘍，または下顎もしくは上顎の骨皮質を貫通するか上顎洞に浸潤する腫瘍，または顔面皮膚に浸潤する腫瘍** T4b 咀嚼筋隙，翼状突起，頭蓋底に浸潤する腫瘍，または内頸動脈を全周性に取り囲む腫瘍			
N-領域リンパ節（頸部リンパ節）	NX 領域リンパ節転移の評価が不可能 N0 領域リンパ節転移なし N1 同側の単発性リンパ節転移で最大径が3cm以下かつ節外浸潤なし N2a 同側の単発性リンパ節転移で最大径が3cmを超えるが6cm以下かつ節外浸潤なし N2b 同側の多発性リンパ節転移で最大径が6cm以下かつ節外浸潤なし N2c 両側または対側のリンパ節転移で最大径が6cm以下かつ節外浸潤なし N3a 最大径が6cmを超えるリンパ節転移で節外浸潤なし N3b 単発性または多発性リンパ節転移で臨床的節外浸潤***あり			
M-遠隔転移	M0 遠隔転移なし M1 遠隔転移あり			
病期（Stage）分類	Stage 0	Tis	N0	M0
	Stage I	T1	N0	M0
	Stage II	T2	N0	M0
	Stage III	T3	N0	M0
		T1, 2, 3	N1	M0
	Stage IVA	T4a	N0, 1	M0
		T1, 2, 3, 4a	N2	M0
	Stage IVB	すべてのT	N3	M0
		T4b	すべてのN	M0
	Stage IVC	すべてのT	すべてのN	M1

*腫瘍周辺の正常粘膜基底膜から癌浸潤最深部までの距離と定義され，腫瘍の厚さと区別することが重要である（Amin MB et al, 2017[2]）

**歯肉を原発巣とし，骨および歯槽のみに表在性びらんが認められる症例はT4aとしない

***皮膚浸潤か，下層の筋肉もしくは隣接構造に強い固着や結合を示す軟部組織の浸潤がある場合，または神経浸潤の臨床的症状がある場合は，臨床的節外進展として分類する．臨床的節外浸潤の診断は，触診などの臨床所見を必須とし，画像のみの診断では不十分である．

正中リンパ節は同側リンパ節である

峡咽頭）を含める場合もある．さらに，上下咽頭，上顎洞，鼻腔，喉頭，唾液腺などを含めた場合には，頭頸部扁平上皮癌と表現される．中咽頭には，舌根（舌後方 1/3），軟口蓋，扁桃，口蓋弓が含まれる．

口腔扁平上皮癌の罹患患者数は全癌の 1％程度を占めるとされ，最も多いのが舌癌で 60％程度，次に下顎歯肉癌，口底，頬粘膜でいずれも 10％前後，さらに上顎歯肉，硬口蓋が続く．

(2) 病期分類

悪性腫瘍は，その臨床所見から病期分類が行われる．その目的は，①情報共有のため施設間での統一性をはかる，②治療方針決定の材料とする，③予後予測を行う，④治療成績の比較を行う，ことにある．一般的には，**UICC**（Union Internationale Contre le Cancer［英語では International Union Against Cancer］：国際対がん連合）の **TNM 分類**に従って表現する．腫瘍の部位ごとに設定され，原発腫瘍の大きさ（T），領域リンパ節転移（N），遠隔転移（M）の三要素で病期を決定するものである（表 5-9-1）．判定にあたり，視診・触診に加えて画像診断の利用も記載されている．

2）上皮性悪性腫瘍

(1) 扁平上皮癌

A. 原発巣の診断

口腔扁平上皮癌は視診と触診で検出されやすく，生検も容易なため，早期に病理診断が得られる．しかし，初期の舌癌や口底癌であっても，正確な治療のための進展範囲の評価や予後の推定において，MRI や CT，超音波検査法（US）などの画像診断は有用であり（図 5-9-1），腫瘍進展が隣接組織に及んだ場合（図 5-9-2）には，画像診断は必須となる．口腔扁平上皮癌は，CT では筋と同等の濃度を示し，MRI では T1 強調像で低～中等度，T2 強調像で中等度～高信号強度を示す．CT・MRI ともに，造影後には新生血管と造影剤の血管外細胞外腔への移行などにより，周囲組織よりも濃度や信号強度が上昇しその範囲が明瞭化し，均一または不均一に増強される．軟組織中の腫瘍の進展範囲を評価するうえでは，一般に MRI が CT よりも優れているが，初期の下顎骨への腫瘍浸潤は CT によってよく描出される．上下顎歯肉癌や硬口蓋癌では，初期から顎骨に浸潤する傾向があり，骨の高精細な三次元的評価法が必要となる（図 5-9-3）．特に下顎歯肉癌における骨吸収型の評価は，病期決定や手術法の選択に関係し，虫食い型の骨吸収は予後が悪いとされている（図 5-9-4）．上顎歯肉癌や硬口蓋癌では，鼻腔や上顎洞，眼窩，

図 5-9-1　舌扁平上皮癌（T2N0）症例の原発巣（次頁）
A：造影 CT 横断像．**B**：FDG-PET/CT 横断像．**C**：造影後脂肪抑制 T1 強調 MR 横断像．**D**：脂肪抑制 T2 強調 MR 冠状断像．**E**：口腔内走査による超音波冠状断像（左：ドプラ像，中央：B モード像，右：エラストグラフィ）（向かって左側が上方（頭側））．**F**：舌癌の H-E 染色病理組織冠状断マクロ像（向かって左側が上方（頭側））．
造影 CT（**A**）では，舌左側縁に境界が滲むようにやや不明瞭な筋より強く造影される腫瘍が認められる（矢印）．FDG-PET/CT（**B**）では，腫瘍は高集積の病変として検出される（矢印）．造影後脂肪抑制 T1 強調像（**C**）では腫瘍は造影 CT 同様に造影され（矢印），脂肪抑制 T2 強調像（**D**）では不均一な比較的高信号に描出される．口腔内超音波走査（**E**）では，腫瘍は低エコーとして描出され（矢印），深部浸潤の程度の評価に有用である（深達度は 8 mm である）．ドプラでは，腫瘍の浸潤先端から内部にかけて血流が認められ，エラストグラフィでは腫瘍は周囲筋組織よりも硬い傾向を示す．超音波像は病理組織像（**F**）とよく対応している．

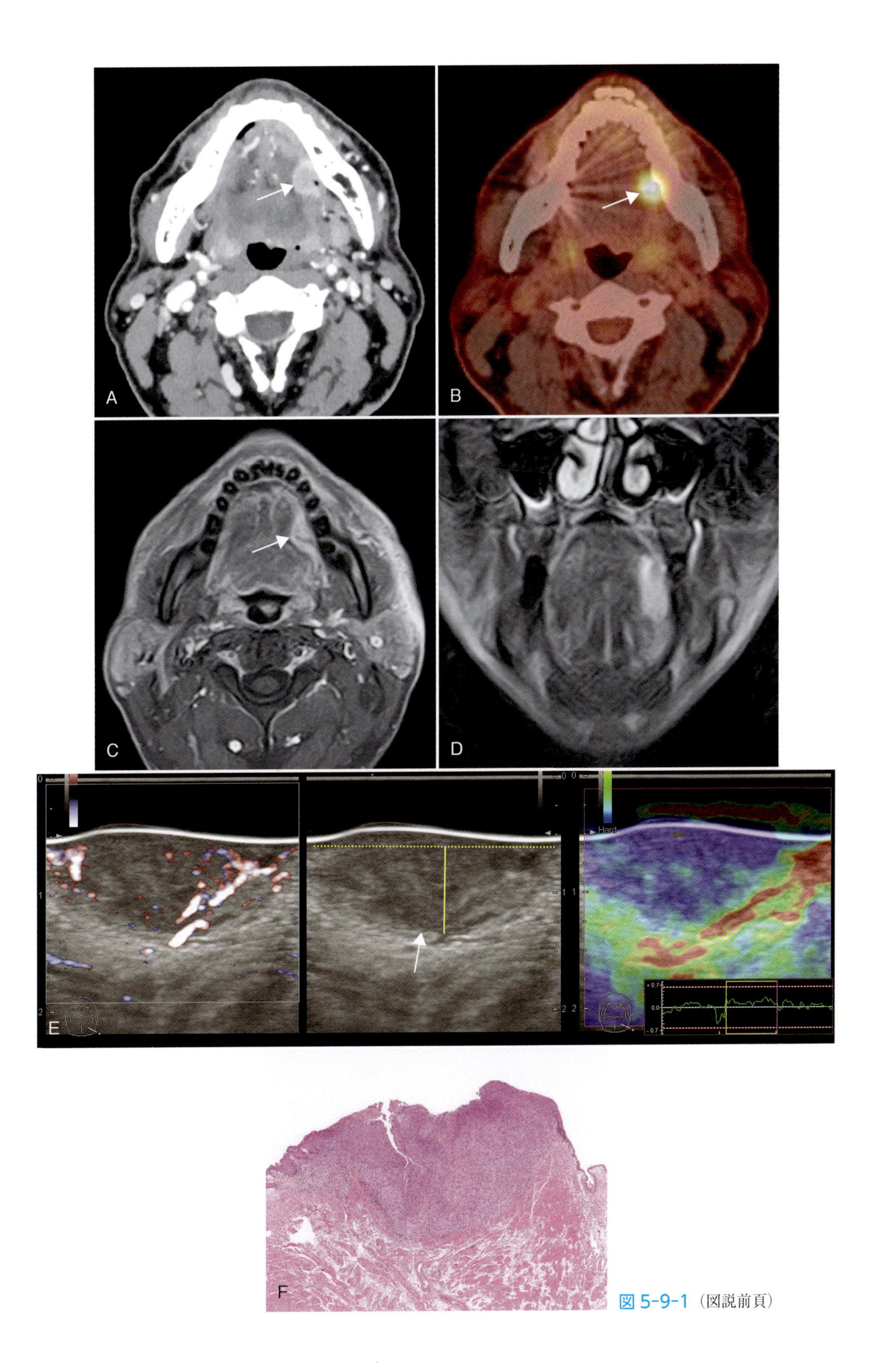

図 5-9-1（図説前頁）

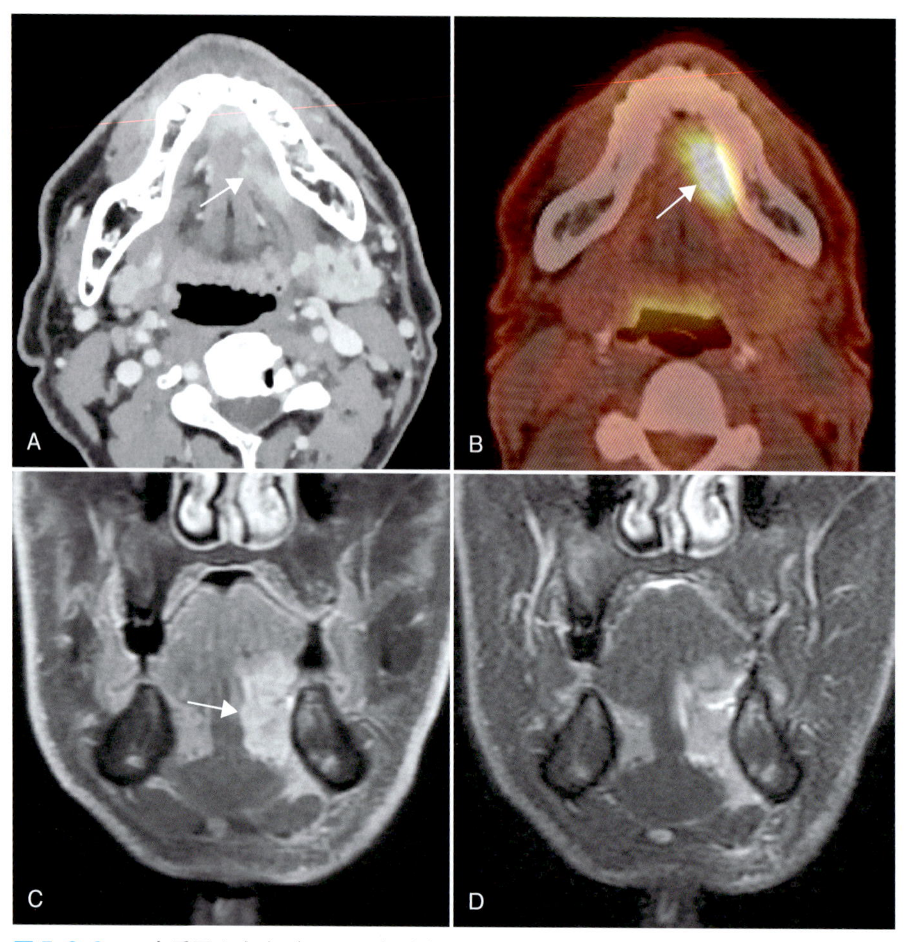

図 5-9-2　口底扁平上皮癌（T4aN2b）症例の原発巣

A：造影 CT 横断像．B：FDG-PET/CT 横断像．C：造影後脂肪抑制 T1 強調 MR 冠状断像．D：脂肪抑制 T2 強調 MR 冠状断像．

造影 CT（A）では，左側口底に境界不明瞭で不均一に筋よりやや強く造影される腫瘍が認められる（矢印）．FDG-PET/CT（B）では，腫瘍は高集積の病変として検出される（矢印）．造影後脂肪抑制 T1 強調像（C）では腫瘍は造影 CT 同様に造影され（矢印），脂肪抑制 T2 強調像（D）では不均一な比較的高信号に描出される．腫瘍は左側の舌下隙を中心に進展し，オトガイ舌筋・オトガイ舌骨筋・顎舌骨筋への腫瘍の浸潤が疑われる．冠状断像により下方（尾側）への進展が明瞭に把握できる．

側頭下窩や頭蓋底への進展の評価が必須である（図 5-9-5）．また，まれに顎骨中心性に扁平上皮癌が生じることもあり，画像診断で偶然発見される場合がある．近年，PET/CT が悪性腫瘍の診断に多用されるようになった．F-18 fluoro-deoxyglucose（^{18}F-FDG）が放射性医薬品として使われることが多く，腫瘍の亢進した糖代謝を反映して高集積となる．原発巣の治療効果判定や再発診断に加えて，遠隔転移検索や重複癌検出などに有用である．

B. リンパ節転移の診断

ここでは頻度の高い扁平上皮癌の頸部領域リンパ節転移について述べる．**リンパ行性転移**の場合，癌細胞は原発巣からリンパ流を介して，輸入リンパ管からリンパ節に流入する．初期段階では，リンパ節の被膜下や辺縁洞で腫瘍が増

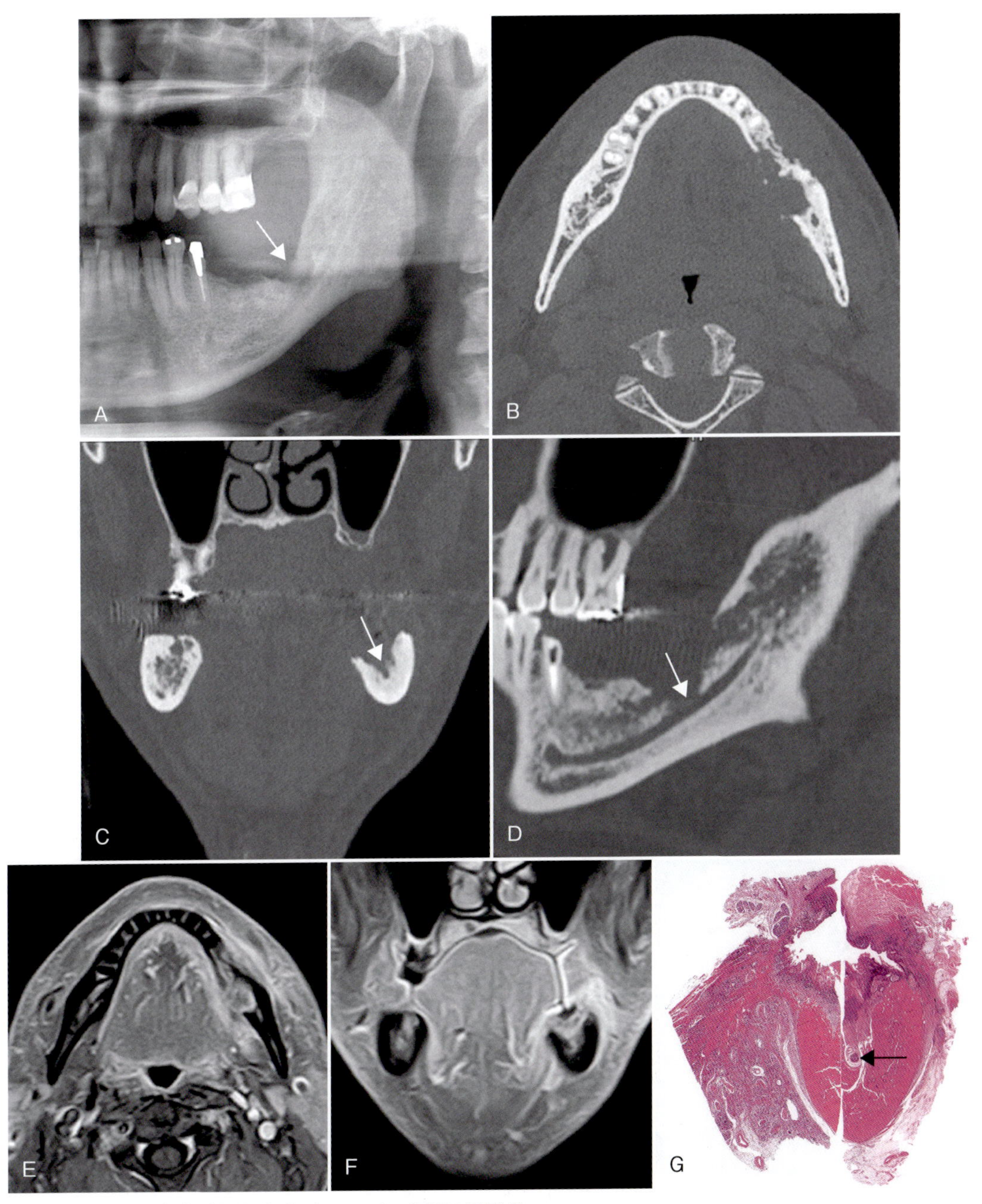

図 5-9-3　下顎歯肉扁平上皮癌（T4aN0）症例の原発巣

A：パノラマ X 線画像（部分）．B：単純 CT 横断像（骨表示）．C：単純 CT 冠状断像（骨表示）．D：単純 CT 矢状断像（下顎管に平行な断面・骨表示）．E：造影後脂肪抑制 T1 強調 MR 横断像．F：造影後脂肪抑制 T1 強調 MR 冠状断像．G：下顎歯肉癌の H-E 染色病理組織冠状断マクロ像．

パノラマ X 線画像（A）では，下顎左側大臼歯部に凹凸不整な骨吸収像が認められる（矢印）．骨表示の CT（B・C・D）では骨吸収の辺縁は微細で粗造であり，頬舌側皮質骨の断裂と周囲海綿骨の硬化像がみられる．骨吸収の深部は下顎管に達している（矢印）．造影後脂肪抑制 T1 強調像（E：横断像・F：冠状断像）では腫瘍は不均一に造影され，周囲組織へは頬舌側皮質骨の断裂を伴いつつ浸潤し，骨内では骨髄内に進展し下顎管周囲に及んでいる．病理組織像（G）では腫瘍による骨吸収が下顎管（矢印）に達しており，CT や MRI の冠状断像と一致している．

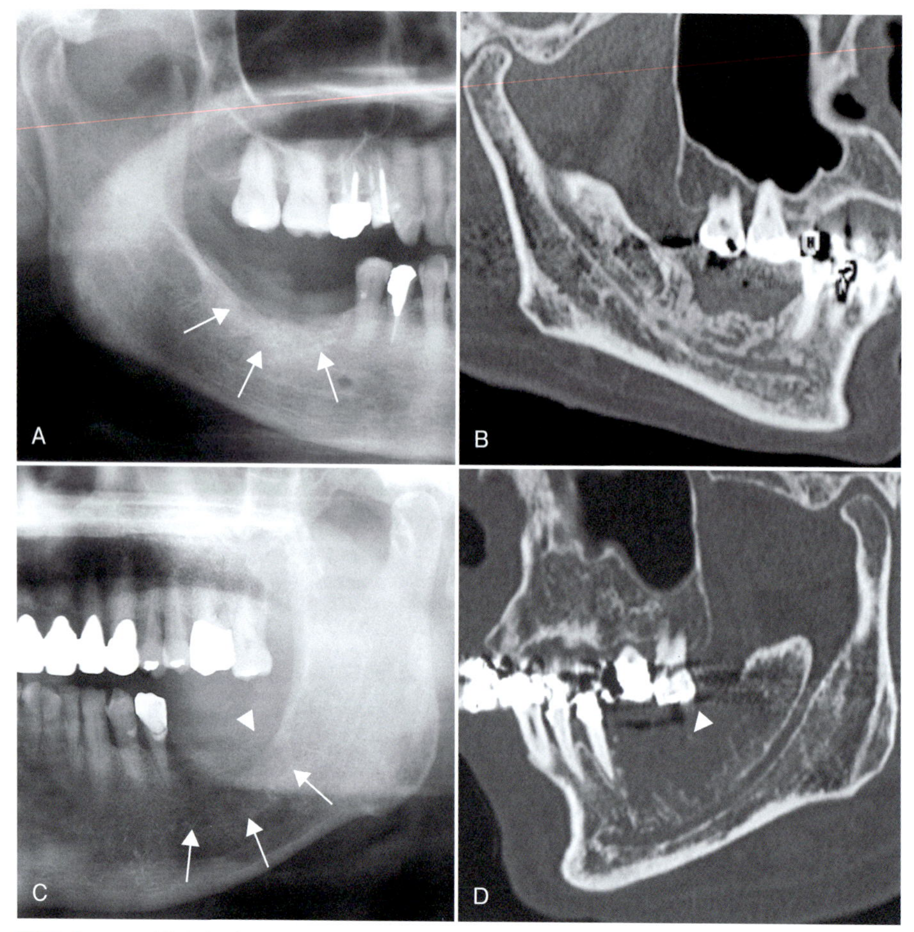

図 5-9-4　下顎歯肉扁平上皮癌症例の骨吸収型

A：平滑型（圧迫型）と判定される下顎歯肉癌（T2N0）症例のパノラマ X 線画像（部分）．B：A の CT 像．C：虫食い型と判定される下顎歯肉癌（T4aN1）症例のパノラマ X 線画像（部分）．D：C の CT 像

平滑型（圧迫型）では骨吸収像の辺縁がやや不整であるものの境界は比較的明瞭である（矢印）のに対し，虫食い型では骨吸収像の辺縁が不整で境界不明瞭であり（矢印），骨吸収領域の中に遊離骨片が認められる（矢頭）．

殖して徐々に大きくなり，最終的にはリンパ節全体が腫瘍で占拠され，転移リンパ節の形態は楕円体から球体に近づく．

画像分解能に満たない微小転移巣も考慮すると，画像診断ですべての転移リンパ節を検出することは不可能である．CT，MRI，US ともに，リンパ節内部に**中心壊死**が認められる場合には，大きさに関わらず転移をほぼ確定しうる．造影 CT や造影 MRI では，リンパ節辺縁部が線状に強く造影され，内部の壊死領域が低濃度もしくは低信号として描出されるため，rim-enhancement などと表現される（図 5-9-6）．また，造影されない壊死領域などは focal defect とよばれる．US では，リンパ節内部が不均一となり，不定形の無エコー域や高エコー域，あるいはこれらの混在が認められる場合がある（図 5-9-6）．超音波ドプラではリンパ節内部の血管走行の異常や血流信号の欠損，リンパ節辺縁部の血流信号の出現が認められる（図 5-9-6）．また，リンパ門の変形・消失が転移の判定に役立

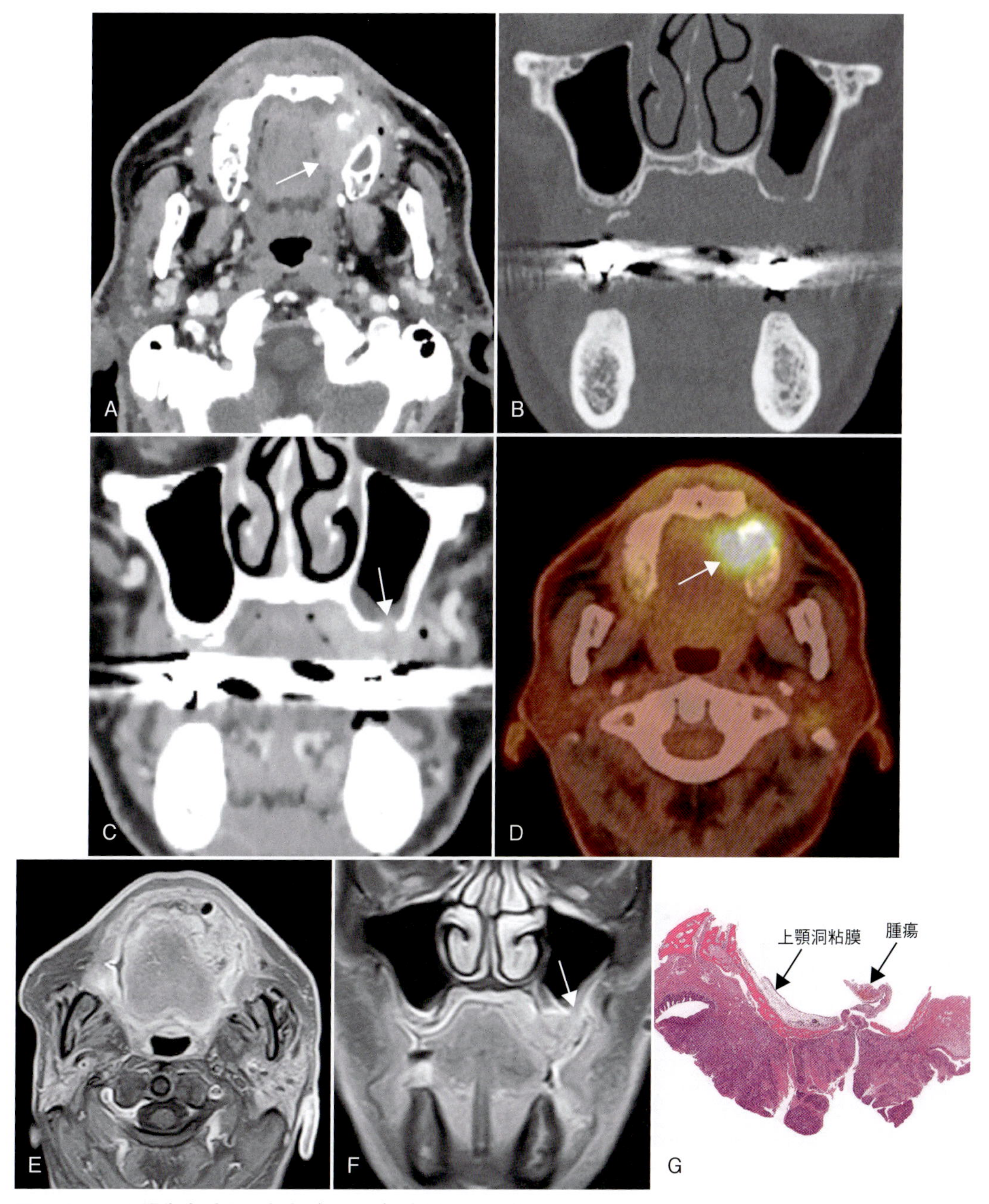

図 5-9-5　上顎歯肉扁平上皮癌（T4aN0）症例の原発巣

A：造影 CT 横断像．B：単純 CT 冠状断像（骨表示）．C：造影 CT 冠状断像．D：FDG-PET/CT 横断像．E：造影後脂肪抑制 MRI T1 強調像（横断像）．F：造影後脂肪抑制 MRI T1 強調像（冠状断像）．G：上顎歯肉癌の H-E 染色病理組織マクロ像．

造影 CT（A）では，左側上顎臼歯歯槽部に境界不明瞭で筋よりやや強く造影される腫瘍が認められる（矢印）．冠状断では，骨表示（B）で上顎洞底の骨吸収（断裂）が認められ，軟組織表示（C）では上顎洞内への進展がみられる（矢印）．FDG-PET/CT（D）では，腫瘍は高集積の病変として検出される（矢印）．造影 T1 強調像（E：横断像・F：冠状断像）では腫瘍は造影 CT 同様に造影され，上顎洞内への進展が認められる（矢印）．病理組織像（G）でも腫瘍は上顎洞内に及んでおり，CT や MR 像と一致している．腫瘍の周囲組織進展の評価において CT や MRI はきわめて有用である．

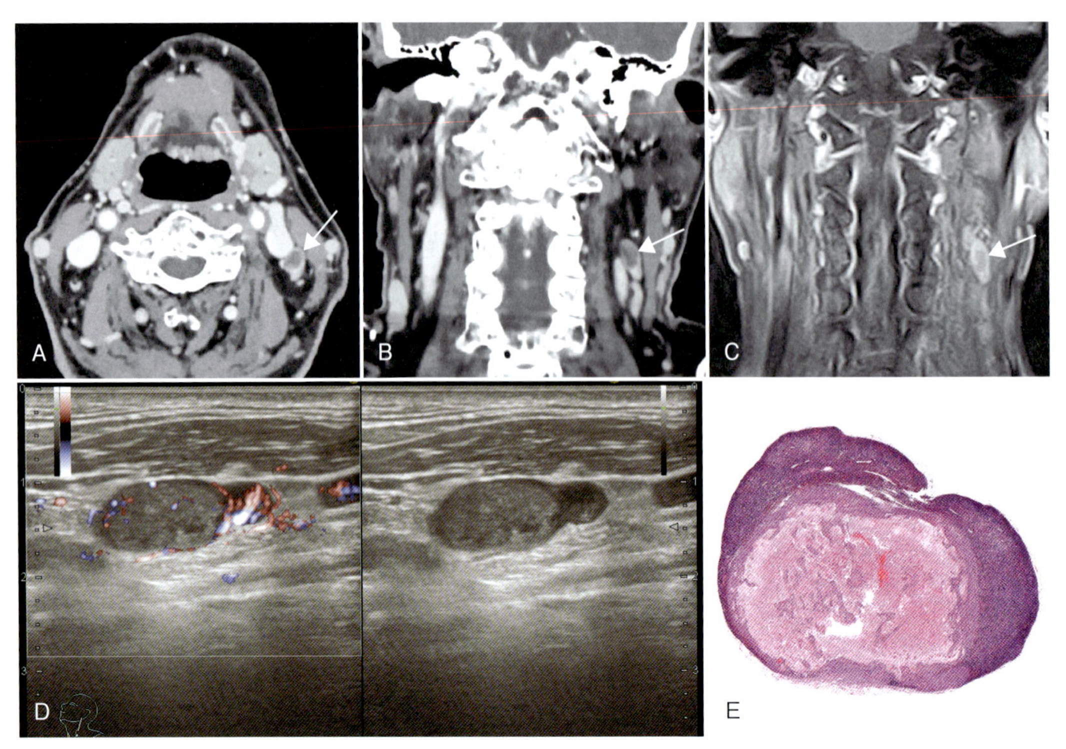

図 5-9-6　舌扁平上皮癌（T4aN1）症例の転移リンパ節
A：造影CT横断像．B：造影CT冠状断像．C：造影後脂肪抑制MRI T1強調像（冠状断像）．D：頸動脈に平行な超音波冠状断像（左：ドプラ像，右：Bモード像）．E：リンパ節のH-E染色病理組織マクロ像
造影CT（A・B），造影MRI画像（C）では，左側の上内深頸リンパ節は辺縁部が線状に造影されrim enhancementが認められる（矢印）．内部は造影性がみられず中心壊死が示唆される．同時期の超音波像（D）では，内部は辺縁不鮮明で不均一な高エコー域で占められ，リンパ門は下方に圧排されており，ドプラでは辺縁部を取り巻く血流が認められる．病理組織像（E）では，リンパ節内部に角化壊死を伴った転移腫瘍巣が認められる．

つ場合もある．超音波ドプラではリンパ門に血流信号が検出されるため，このような微細な変化がとらえやすい．一方，リンパ節内部にこのような所見が明瞭には認められない場合，リンパ節の短径について，CTやMRIでは10mm以上，USでは6〜8mm以上の場合に転移とする基準が多く受け入れられている．しかし，炎症性腫大を考慮すると，この基準ではかなりの偽陽性が避けられない．全体の形態が細長く，リンパ門が明瞭に認められる場合には，転移とは判定できない（図5-9-7）．PET/CTも高い診断精度を示すが，短径10mm未満のリンパ節に課題を残している．

原発巣の治療後にリンパ節転移が顕在化することを**後発リンパ節転移**とよぶ．画像で検出不能な微小転移巣が潜在的に存在していたものであり，舌癌では原発巣の外科的切除術後2〜4割程度の症例に出現するため，予防的郭清術を行わない場合には，術後の定期的な経過観察が重要となる．経過観察に適する画像診断法は，原発巣および頸部の再発に対しては造影CTによる6カ月に1回程度の実施が推奨されており，後発リンパ節転移についてはUSもしくはUSと造影CTの組み合わせが有用で，USに関しては原発巣術後1〜2年間は月1回（可能であれば月2回），それ以降は3〜6カ月に1回は実施することが推奨されている．

腫瘍からのリンパ流を最初に受けるリンパ節

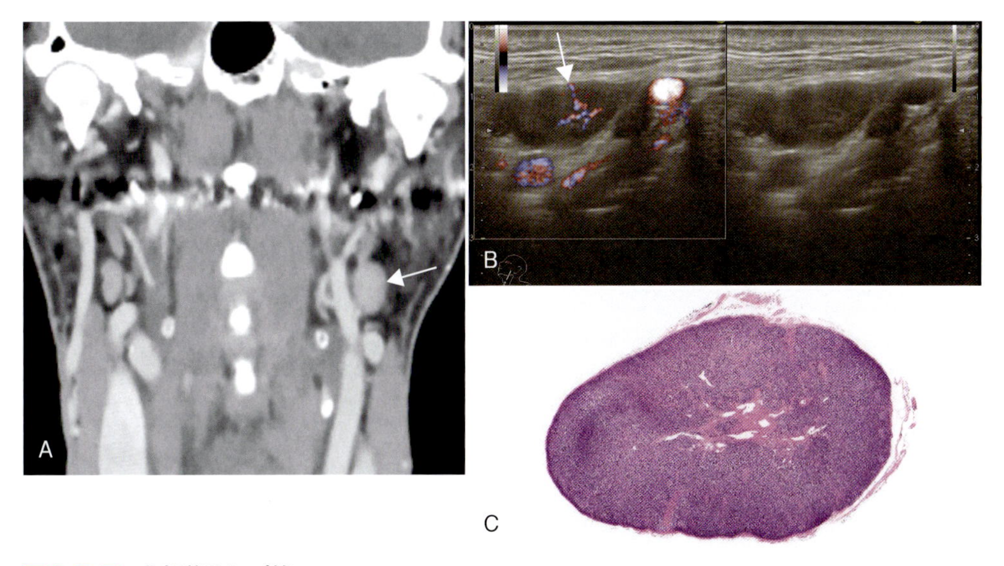

図 5-9-7　**非転移リンパ節**
A：造影CT冠状断像．B：頸動脈に平行な超音波冠状断像（左：ドプラ像，右：Bモード像）．C：リンパ節のH-E染色病理組織マクロ像．
造影CT像（A）では，内部が均一で上下に長い楕円形の左側上内深頸リンパ節が認められる（矢印）．右側と比較し軽度の腫大像を示している．超音波像（B）では実質部分が均一な低エコーに描出され，ドプラではリンパ門から内部にかけて樹枝状の血流が認められる（矢印）．この所見は病理組織像（C）によく対応している．微小転移の場合を除き，内部が均一でリンパ門が明瞭に認められ，リンパ門からの血流が明瞭にみられる場合には転移陽性の確率は低い．

を**センチネルリンパ節**（sentinel node）とよび，腫瘍がリンパ行性に転移する場合には，まずこのリンパ節から転移が生じるという概念が存在する．これによれば，センチネルリンパ節に転移のない症例はリンパ節転移を生じていないと判断され，不要な郭清術を避けることが可能となる．今後は画像診断法の進歩に伴い，さまざまなセンチネルリンパ節の検出法が展開されることが期待される．

(2) 腺系の癌

小唾液腺に発生した**粘表皮癌**は，口腔扁平上皮癌と類似の画像所見を呈することが多いが，顎骨中心性に発育する場合もあり，初期には嚢胞と誤診されることもある．**腺様嚢胞癌**は比較的緩慢な発育を示すものの，周囲組織への浸潤性が強い腫瘍とされ，神経に沿った浸潤を生じやすく，三叉神経などを介した頭蓋内進展を来たすことがある．そのため，画像診断では注意深い観察が必要となる（図 5-9-8）．特にMRIは，神経走行領域の異常や咀嚼筋の変化に敏感であり，有用性が高い．

(3) 遠隔転移の診断

口腔癌で最も高頻度にみられる遠隔転移は肺転移であり（図 5-9-9），胸部X線画像が最も頻繁に利用され，追加検査としてCTが用いられる．近年ではPET/CTの高い有用性が認められ，検査が一般的に行われるようになった．

3）非上皮性悪性腫瘍

非上皮性（間葉性）組織由来の悪性腫瘍を**肉腫**（sarcoma）という．頭頸部領域ではまれであるが，骨，軟骨，筋肉，血管，皮膚，皮下結合組織にさまざまな肉腫が発生する．これらの

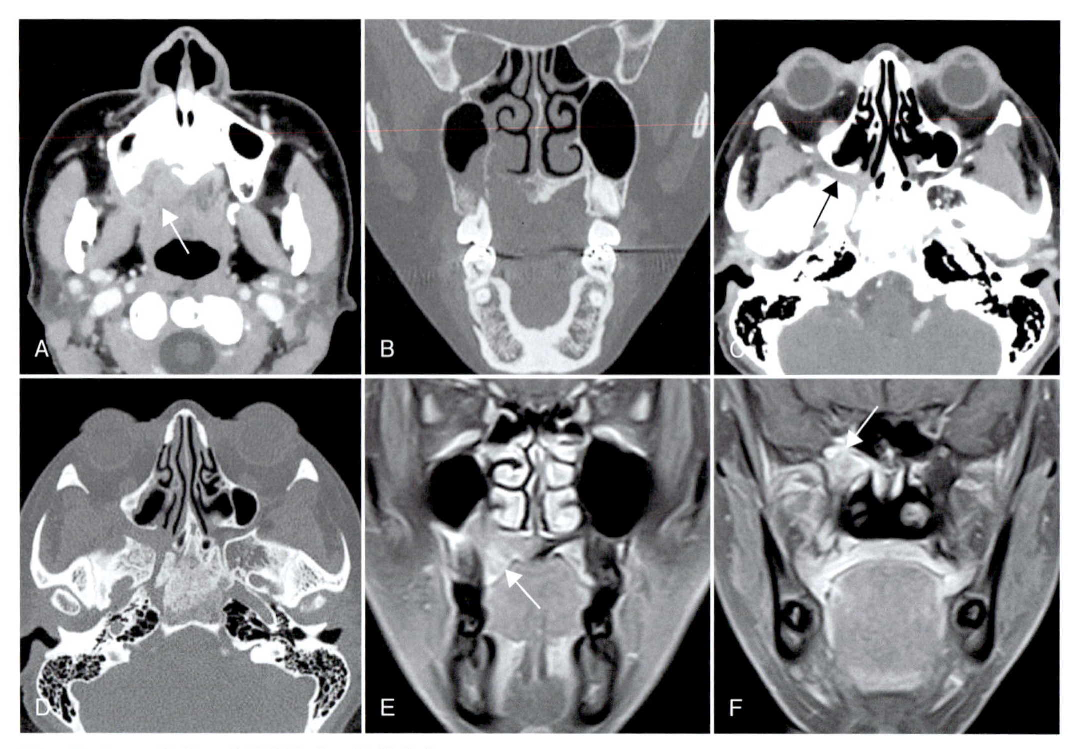

図 5-9-8　口蓋部の腺様囊胞癌の頭蓋底進展

A：造影 CT 横断像．B：単純 CT 冠状断像（骨表示）．C：造影 CT 横断像．D：単純 CT 横断像（骨表示）．E, F：造影後脂肪抑制 MRI T1 強調像（冠状断像）．
造影 CT（A）では，右側の口蓋部に，比較的造影性の弱い腫瘍が認められる（矢印）．骨表示の CT（B）では，上顎骨口蓋突起には正中を越える微細で不整な骨吸収像が認められ，鼻腔側壁や鼻腔底，上顎洞底にも広がっている．眼窩レベルの画像（C・D）では，右側の翼口蓋窩に腫瘍の進展が認められ（矢印），翼口蓋窩と翼突管は拡大し皮質骨が不明瞭化しており，周囲の海綿骨にびまん性の硬化像を伴っている．腫瘍の大口蓋神経に沿った浸潤に伴う上方進展と考えられる．左側の翼口蓋窩が脂肪濃度主体である点に注意．造影 MRI 画像（E）では，右側の口蓋部に歯槽突起から正中を越え，上方へは鼻腔や上顎洞に進展した造影される腫瘍が認められ（矢印），その後方の断面（F）では翼状突起基部から正円孔周囲にかけての頭蓋底進展（矢印）が確認できる．

肉腫は，一般に癌腫と比べて発生年齢が低く，予後が悪い傾向にある．一方リンパ球や単球，組織球が腫瘍化した**悪性リンパ腫**（malignant lymphoma）は，非上皮性悪性腫瘍に分類されるが，頭頸部領域は好発部位である．肉腫は上皮性悪性腫瘍とは異なり，腫瘍自体は口腔粘膜や皮膚表面に現れにくく，画像診断で腫瘍を検出することが多い．顎骨変化を伴う場合は，パノラマ X 線検査なども有効であるが，CT や MRI が必須となる．顔面頸部の浅在性病変には，超音波検査も有用である．さらに FDG-PET による全身検索も必要になることが多い．以下，口腔内や顎骨内に発生する代表的な肉腫について述べる．

(1) 未分化多形肉腫（undifferentiated pleomorphic sarcoma）

従来は悪性線維性組織球腫（malignant fibrous histiocytoma）とよばれていたが，2020 年の骨軟組織腫瘍の WHO 分類で名称が変更になった．これは明らかな分化傾向を特定できない肉腫群の亜型として分類される．腫瘍細胞は多形性を示し，巨細胞や線維芽細胞様紡錘形細胞，組織球様細胞が混在し，特定の分化を示さ

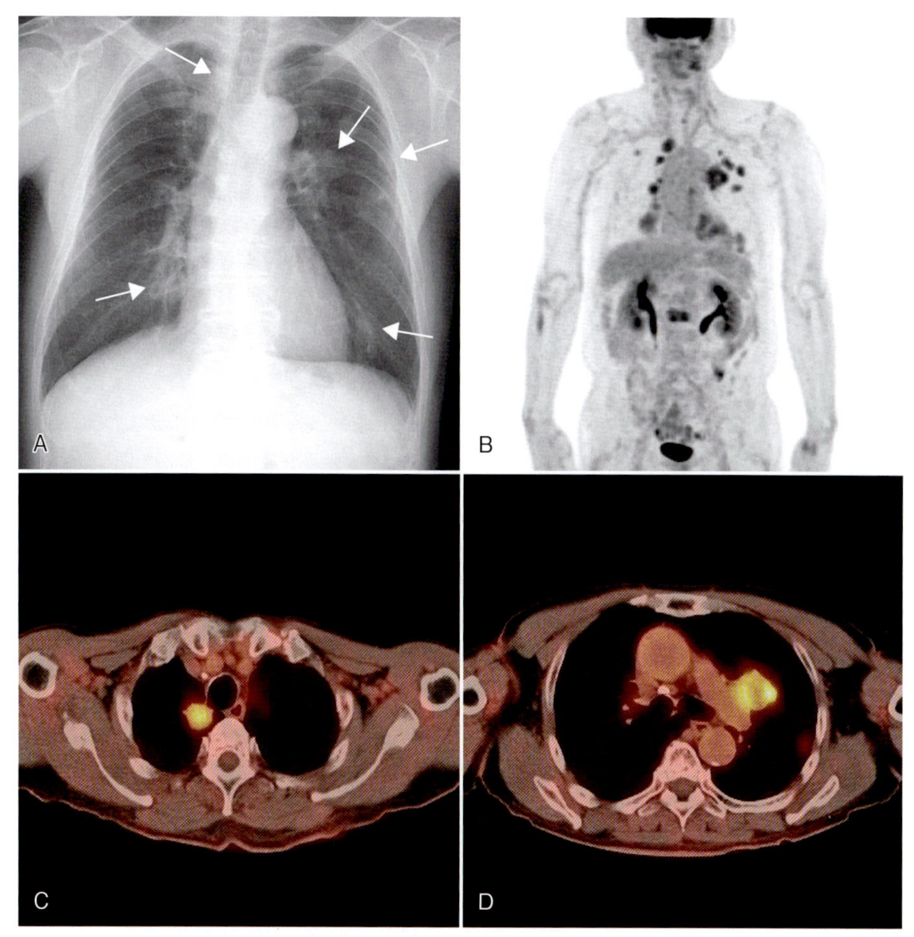

図 5-9-9　左側顎下腺の腺様囊胞癌症例の多発性肺転移（術後 6 年）
A：胸部 X 線画像．B：FDG-PET/CT MIP 像．C，D：FDG-PET/CT 横断像．
胸部 X 線画像（A）では両側の肺野に多発性の結節影が認められる（矢印）．FDG-PET/CT 像（B，C，D）では両側の多発性の集積像が確認できる．

ないとされる．頭頸部では鼻腔，副鼻腔，耳下腺部，頬部，口底，頸部などの軟組織のほか，骨にも発生する．顎骨に発生するのはまれである．放射線照射後の部位にも発生する．中高年の男性に多い．画像所見として，発生部位で軟組織腫瘤を形成する．顎骨に発生した場合はこの疾患に特徴的な所見はみられず，他の悪性腫瘍と同様に骨破壊性の X 線所見を示す（図 5-9-10）．悪性リンパ腫やその他の肉腫との鑑別は画像では困難である．再発や転移を起こしやすく予後は一般に不良である．

(2) 骨肉腫（osteosarcoma）

骨肉腫はまれな疾患であるものの，顎骨の非上皮性悪性腫瘍のなかでは頻度は高い．臨床所見としては，上下顎骨の膨隆を示し，炎症所見がないにも関わらず疼痛を自覚することが特徴である．ほかの長管骨の骨肉腫は若年者に多く予後は不良であるが，顎骨に発生する骨肉腫はやや高齢者に多く，予後も良好な場合がある．上顎骨にも下顎骨にも発生し，骨破壊性（X 線透過性）から造骨性で良性の線維骨性病変に類

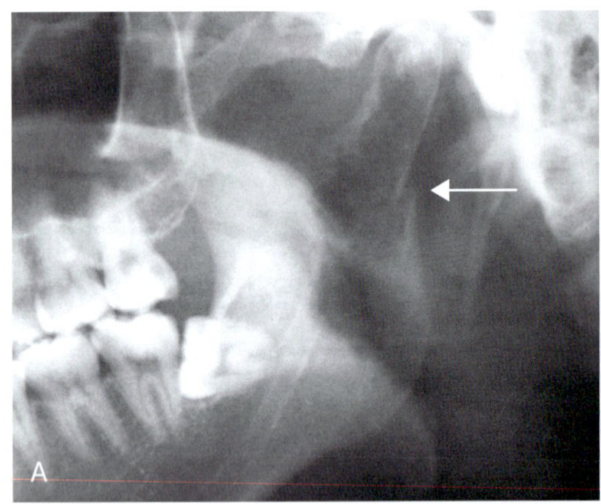

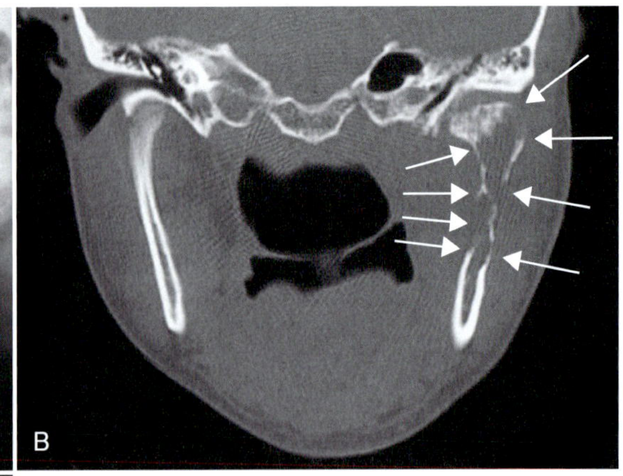

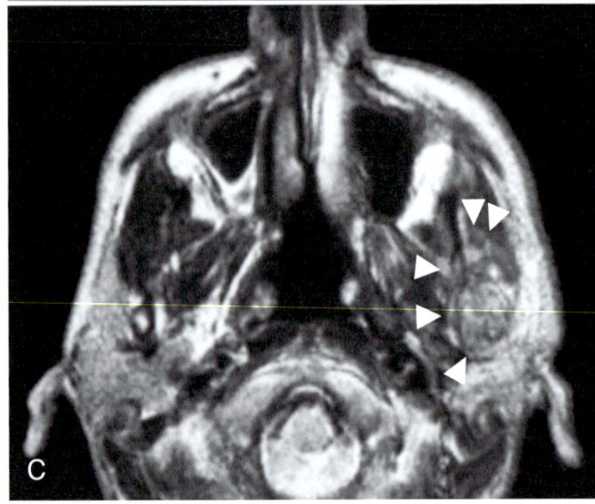

図 5-9-10　左側下顎枝の下顎骨内に発生した未分化多形肉腫

約 9 年前に中咽頭癌で 60 Gy の放射線照射を受けており，放射線誘発が考えられる．A：パノラマ X 線画像では左側下顎枝の不規則な X 線破壊像がみられ，病的骨折（矢印）がみられる．B：骨条件の CT 冠状断像．左側下顎枝の骨内を不規則に破壊する病変がみられる．下顎枝は，外形はあまり変化することなく，皮質骨が菲薄化または粗造化するような変化（矢印）を示し，皮質骨から滲み出るように周囲軟組織に進展している．画像だけでは急性骨髄炎との鑑別は難しい．C：MRI T2 強調像（横断像）．腫瘍（矢頭）は骨内から骨外の周囲軟組織に進展しており悪性腫瘍が示唆されるが，ほかの肉腫との鑑別は MRI 画像では困難である．

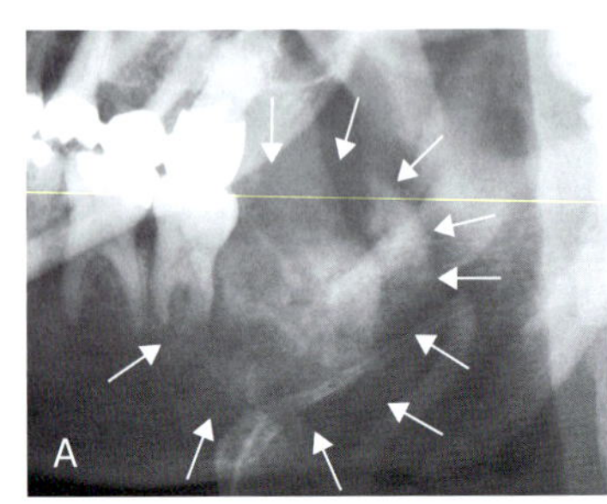

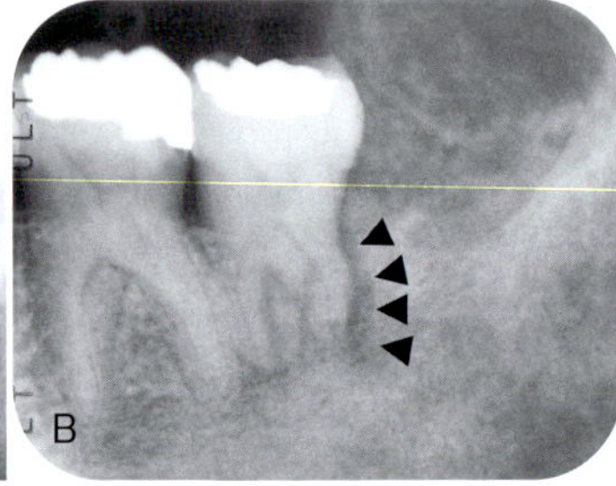

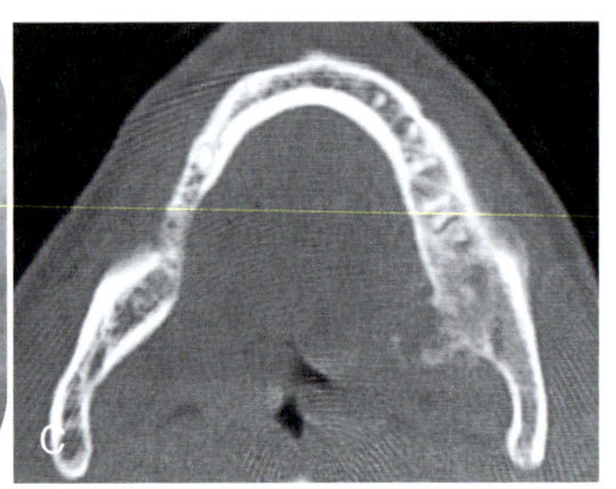

図 5-9-11　下顎骨の骨肉腫－①

A：下顎骨左側臼後部に破壊像（辺縁の不整な X 線透過像）と X 線不透過像の混在性病変（矢印）を認める．B：口内法 X 線画像では不自然な歯根膜腔の拡大（矢頭）を認める．C：CT 像では繊細な骨破壊と皮質骨の外側に進展する骨形成像を認める．

似したものまでさまざまな画像所見を呈する（図 5-9-11～13）．骨破壊性を示す顎骨骨肉腫は，ほかの長管骨と同様に**旭日像**（sunray appearance），**スピクラ**（spicula），**Codman 三角**（Codman triangle）などの所見を呈することがある（図 5-9-12C）．しかし，そのような所見を欠く顎骨骨肉腫のほうが多い．CT 像では，溶骨性の骨肉腫は皮質骨を破壊し，周囲軟組織に進展する（図 5-9-11C）．造骨性の骨肉腫は，比較的境界が明瞭な膨隆性の腫瘤を示す（図 5-9-13）．MRI ではほかの肉腫と同様，T1 強調像で筋肉と同程度，T2 強調像で高信号を呈する．顎

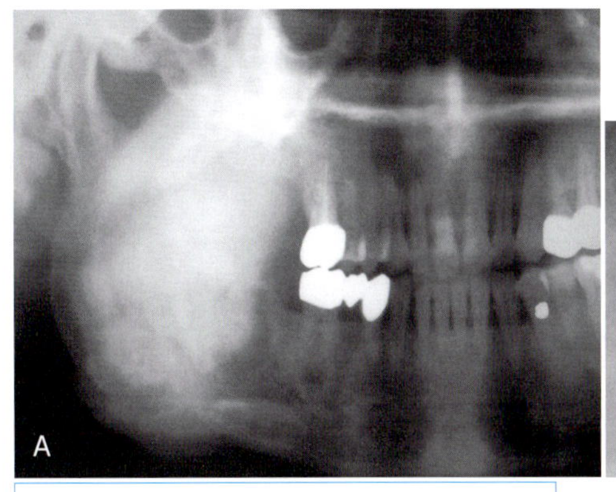

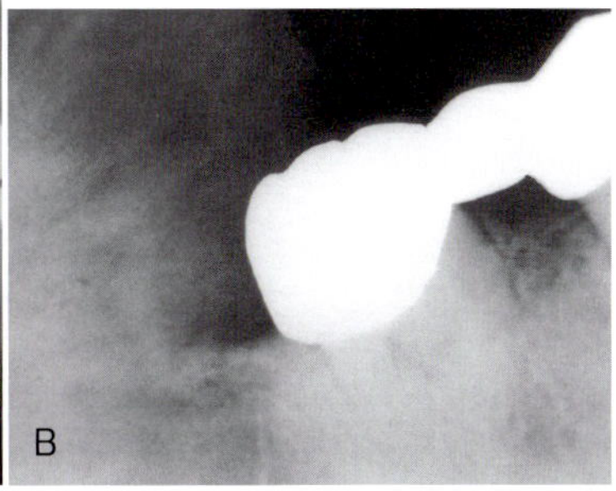

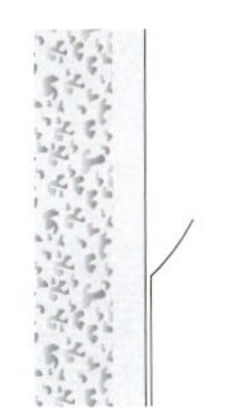

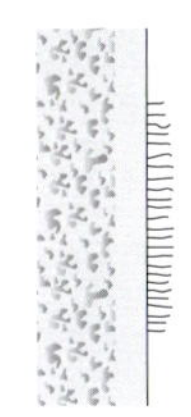

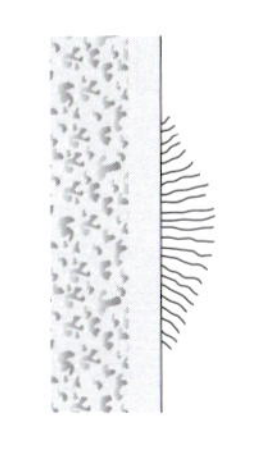

図 5-9-12　下顎骨の骨肉腫－②
A：下顎骨右側大臼歯部から下顎枝にかけて不透過性の強い病変を認める．B：腫瘍前縁部には明瞭な旭日像を認める（九州大学・吉浦一紀先生のご厚意による）．C：骨肉腫にみられる所見．Codman 三角は半円弧状の骨膜反応，皮質骨に直角方向にみられる多数の平行線がスピクラ（spicula），多数の放射状の線が旭日像とよばれる．

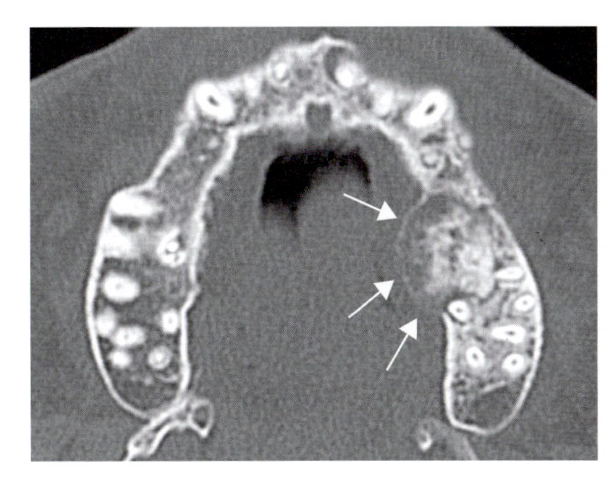

図 5-9-13　上顎骨の骨肉腫
CT 横断像．上顎骨左側臼歯部骨内に，破壊性変化は乏しい造骨性優位の病変（矢印）を認める．良性の線維骨性病変との鑑別が必要となる．

骨骨肉腫に接する歯の歯根膜腔の不自然な拡大がみられ，診断に有用である（図 5-9-11B）．ただし，歯根膜腔の拡大所見は，軟骨肉腫，悪性リンパ腫などにもみられ，非上皮性悪性腫瘍に共通の特徴的な所見といえる．なお，放射線照射後の部位や線維性異形成症に骨肉腫が発生することもある．

(3) 軟骨肉腫（chondrosarcoma）

顎骨の非上皮性悪性腫瘍としては，骨肉腫と並んで頻度が高い．骨中心性に発生するもの（中心性軟骨肉腫）と骨表面から発生し，周囲軟組織にも存在するもの（間葉性軟骨肉腫）とがある．顎骨では，上顎前歯部，下顎犬歯から後方骨体部，下顎角部，正中縫合部，顎関節に発生する．臨床上緩慢に発育し，病理組織学的にも

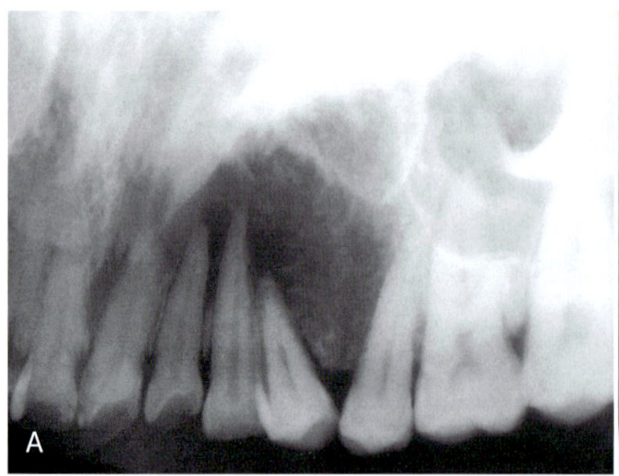
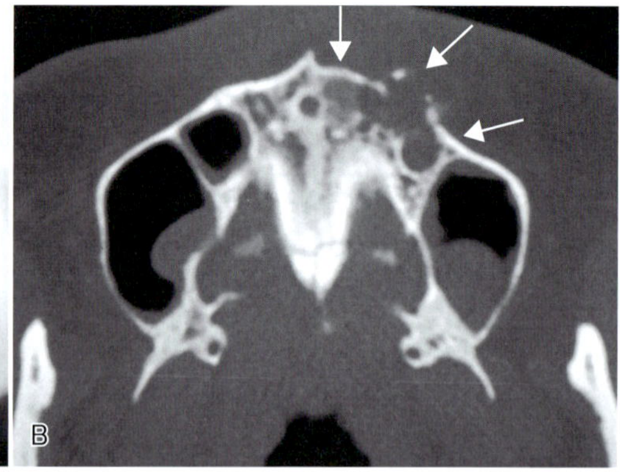

図 5-9-14　上顎骨の軟骨肉腫
A：上顎骨左側前歯から小臼歯部歯槽骨内に，X 線不透過像がわずかに混在する X 線透過性病変を認める．境界ははっきりとしない．B：CT 像．骨破壊の所見は弱く，良性腫瘍性病変との鑑別が必要となる（矢印）．

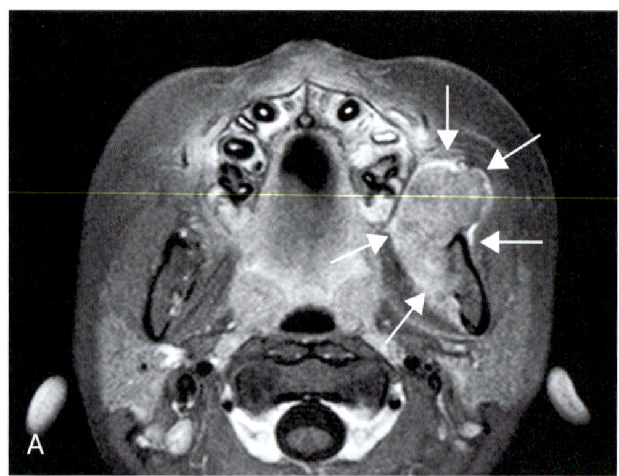
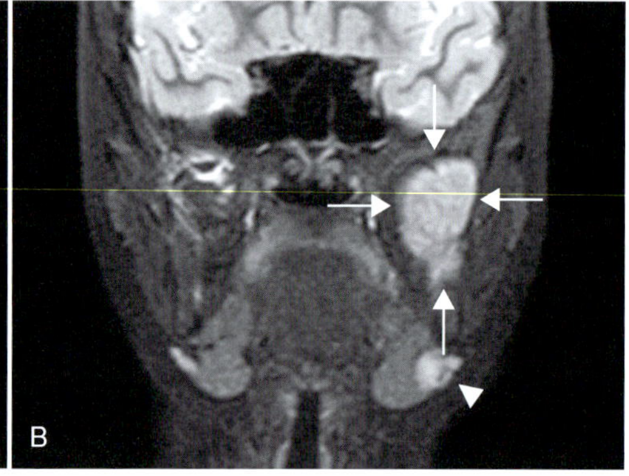

図 5-9-15　12 歳の女児に発生した横紋筋肉腫
A：脂肪抑制 MRI T2 強調像（横断像）．左側咀嚼筋隙に，境界は比較的明瞭でやや不均一な高信号を呈する軟組織腫瘤（矢印）を認める．下顎枝にも一部浸潤している．B：冠状断の脂肪抑制 MRI T2 強調像（冠状断像）．腫瘤（矢印）のほか，左側顎下リンパ節転移も認められる（矢頭）．肺野にも多発性の転移が認められた．

画像診断学的にも，良性の軟骨腫と鑑別が難しい場合がある．顎骨内に発生すると，X 線透過性か不透過性部分を含む混在像を示し，皮質骨を破壊して周囲軟組織に進展する．内部に石灰化物を認めることもある．CT では比較的均一な膨隆性腫瘤として描出され，顎骨内から発生すると染み出るように皮質骨を破壊し，周囲軟組織に進展する（図 5-9-14）．MRI ではほかの肉腫同様，T1 強調像で筋肉と同程度，T2 強調像で高信号を呈するが，内部は必ずしも均一でない．

(4) 横紋筋肉腫（rhabdomyosarcoma）

横紋筋由来の悪性腫瘍で，頻度は低いが頭頸部領域が好発部位である．眼窩，鼻咽頭，耳，副鼻腔，顔面，頸部，口腔では頬部，軟口蓋などに発生する．本来横紋筋が存在しない場所にも発生する．小児に発症し，男性に多い．遠隔リンパ節転移や骨転移を起こし，予後は不良である．骨が近接した場所では，骨を圧迫吸収し，膨隆性の軟組織腫瘤を形成する．CT では，粘液基質などの組織変化に対応した低 CT 値領域を含み，内部は均質ではないこともあるが，比較的境界明瞭な腫瘤を呈する．MRI では，T1 強調像で筋肉と同程度，T2 強調像で高信号領域と低信号領域を含む不均一な腫瘤を示す（図 5-9-15）．

(5) 形質細胞腫瘍（plasma cell tumour）

骨髄に腫瘍性の形質細胞の増殖が起きる疾患で，ほとんどは骨髄内に発生する．多発性と孤在性がある．

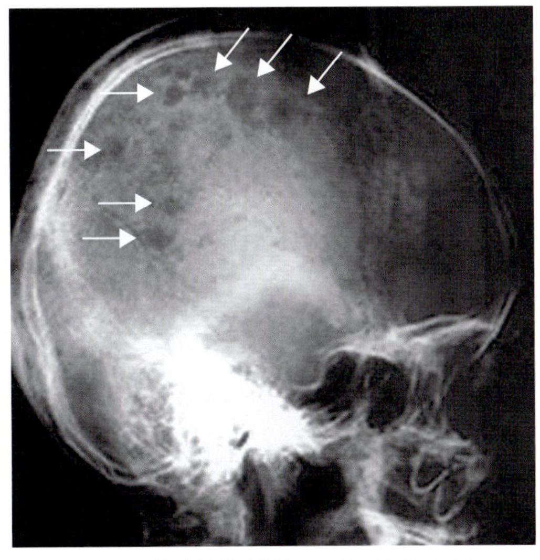

図 5-9-16 多発性骨髄腫による打ち抜き像
頭部側方向 X 線画像では多数の類円形の X 線透過像（矢印）が認められ，典型的な打ち抜き像を呈している（愛知学院大学歯学部・有地榮一郎先生のご厚意による）．

多発する場合は**多発性骨髄腫**（multiple myeloma）とよばれる．頭蓋骨などの皮質骨を局所的に類円形に破壊することが特徴で，X 線像で複数の比較的境界明瞭な類円形の透過像がみられ，**打ち抜き像**（punched out lesion）とよばれる（図 5-9-16）．骨髄外に発生することもあり，髄外性形質細胞腫（extramedullary plasmacytoma）とよばれる．単発性の場合は骨の孤在性形質細胞腫（solitary plasmacytoma of bone）とよばれる（図 5-9-17）．

(6) 悪性黒色腫（malignant melanoma）

明細胞肉腫（clear cell sarcoma）とよぶようになったが，メラニン色素細胞の癌化によって生じる悪性腫瘍で，多くは黒褐色調の病変として皮膚に生じる．頭頸部では眼の網膜，鼻腔，副鼻腔に，口腔内では硬口蓋，上顎歯肉に好発する．転移を生じやすく，予後は不良である．50 歳以降の成人に発生する．磁性体であるメラニン色素を多く含む腫瘍型では，MRI では T1 強調像でやや高信号，T2 強調像で低信号を呈し，通常の悪性腫瘍とは逆の信号強度の組み合わせになるのが特徴的である（図 5-9-18）．ただし，メラニン色素を含まない腫瘍型（無色素性黒色腫）では，T1 強調像で低信号，T2 強調像で高信号を呈し，ほかの腫瘍との鑑別は難しい．

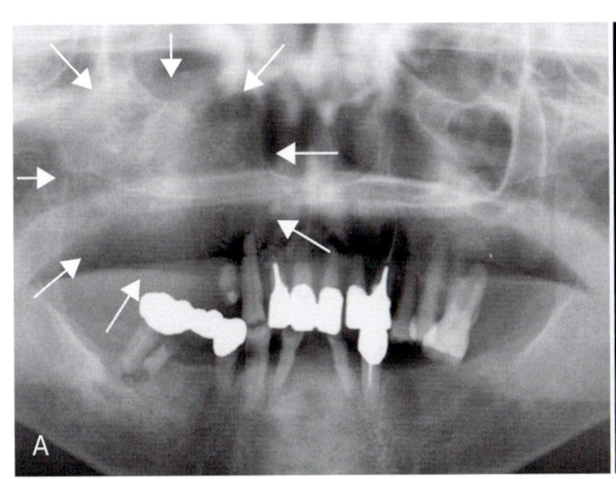

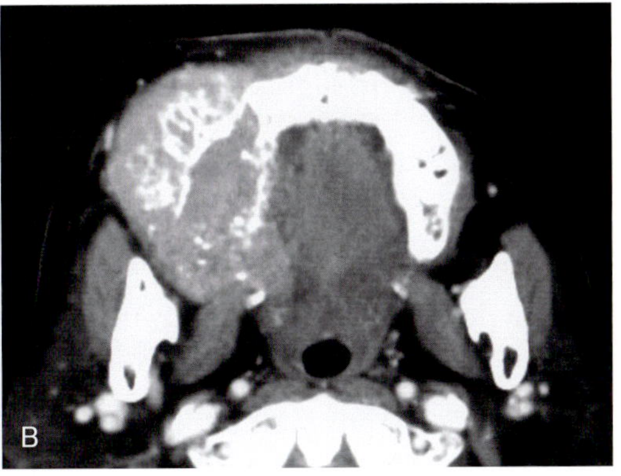

図 5-9-17 上顎右側に発生した骨の孤立性形質細胞腫
A：パノラマ X 線画像では右側上顎洞のほぼ全体に及ぶ骨破壊性の X 線透過性と不透過性の混在病変（矢印）を認める．B：CT 像では上顎骨を破壊する軟組織腫瘤が認められ，内部には骨組織が散在している．

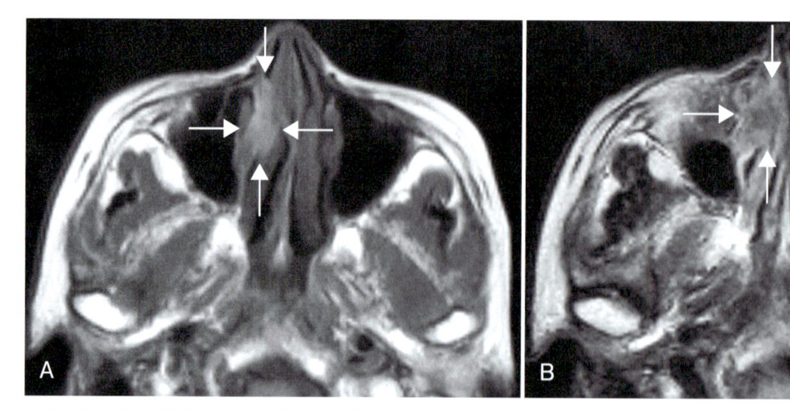

図 5-9-18　鼻腔原発の悪性黒色腫
A：MRI T1 強調像（横断像）では周囲より高い信号強度（矢印）を示す．B：MRI T2 強調像（横断像）では周囲とほぼ同程度の信号強度（矢印）を示し，内部は一部低い信号強度を示す部分が認められる（愛知学院大学歯学部・有地榮一郎先生のご厚意による）．

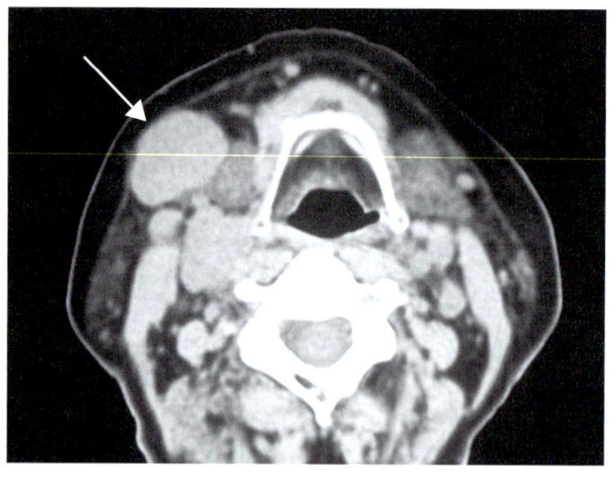

図 5-9-19　孤在性に腫大した顎下リンパ節の悪性リンパ腫
右側顎下腺に接した節性の悪性リンパ腫が認められる（矢印）．

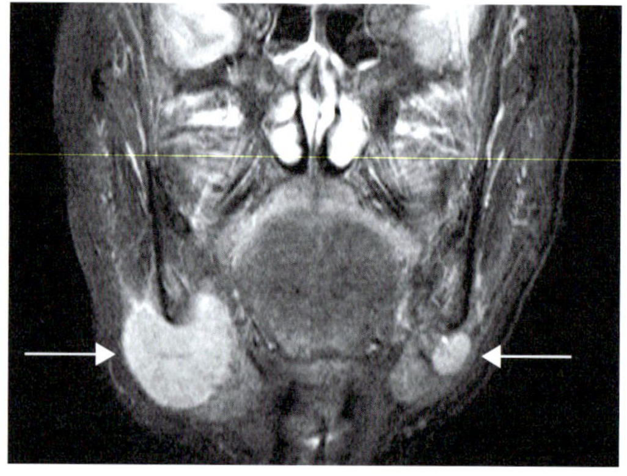

図 5-9-20　顎下リンパ節の多発性腫大を示す悪性リンパ腫（矢印）
脂肪抑制 MRI T2 強調像（冠状断像）では高い信号強度（矢印）を示している．本症例ではオトガイ下部や両側頸部リンパ節も多発性に腫大していた．

(7) 悪性リンパ腫 (malignant lymphoma)

リンパ組織に存在するリンパ球，単球，組織球などが悪性化する疾患であり，**ホジキンリンパ腫**（Hodgkin lymphoma）と**非ホジキンリンパ腫**（non-Hodgkin lymphoma）に大別される．頭頸部領域は，悪性リンパ腫の好発部位である．リンパ節に発生する節性リンパ腫（nodal lymphoma）とリンパ節外に発生する節外性リンパ腫（extranodal lymphoma）がある．顎顔面口腔領域でも両者が発生し，顎骨にも節外性リンパ腫が発生する．

A. 節性リンパ腫

頸部リンパ節は，悪性リンパ腫の好発部位である．しかし一方で，細菌性やウイルス性のリンパ節炎の頻度も多く，頸部のリンパ節腫大が出現したときに，画像所見から両者を鑑別することはしばしば困難である．そこで血液検査などの検査データを総合して判断するとともに，経過観察を十分に行い，両者の可能性を常に考慮することが重要である．節性リンパ腫は，孤在性に 1 個だけ腫大する場合（図 5-9-19）も多発性に腫大する場合（図 5-9-20）もある．一般的に短径が 2.5 cm 以上のリンパ節腫大は，悪性リンパ腫の可能性を考慮する．CT では，均一な軟組織腫瘤として描出され，造影検査で均一に造影されるか，rim enhancement を示す場合がある．超音波所見としては，内部が均一で血流は繊細な樹枝状を呈する傾向がある（図 5-9-21）．しかし，画像所見は多様である．

B．節外性リンパ腫

頭頸部には，Waldeyer 扁桃輪などのリンパ組織があり，節外性リンパ腫もよく発生する．口腔粘膜下の軟組織や顎骨内にも発生する．軟組織に発生する悪性リンパ腫は，CT や MRI で均一に造影される軟組織腫瘤として描出される．また，近接する骨を破壊する場合も，ほかの上皮性悪性腫瘍が骨を圧迫しながら破壊するのに対して，悪性リンパ腫は骨に染み込むように破壊するか，骨を通り抜けるように浸潤していく繊細な骨破壊を示す（図 5-9-22）．MRI では，ほかの肉腫同様，T1 強調像で筋肉と同程度，T2 強調像で高信号を呈するが，信号強度が均一な傾向を示す．一部の節外性リンパ腫は，EB ウイルス感染や炎症性変化との関連性が考えられており，発生部位には慢性炎症性変化が観察されることが多いため，注意が必要である．

顎骨に発生した悪性リンパ腫は，ほかの顎骨中心性非上皮性悪性腫瘍と同様に接する歯の歯根膜腔の不自然な拡大がみられることがある．

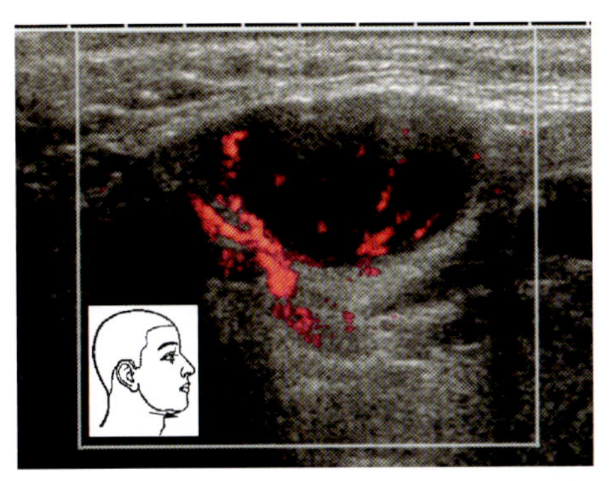

図 5-9-21　**顎下リンパ節に発生した悪性リンパ腫の超音波ドプラ像**
内部エコーは均一に低く，周辺部にはっきりとした血流を認め，内部は繊細な血流を散在性に認める．

4）転移性腫瘍

一般的に，上皮性悪性腫瘍（癌腫）はリンパ行性転移が多く，非上皮性悪性腫瘍（肉腫）は血行性転移が多いが，口腔領域では多くが癌腫の転移で，血行性に顎骨骨髄内に転移を形成しやすい．多くは下顎骨に発生する．原発巣は肺，消化管，肝，腎，子宮，乳房，前立腺，甲状腺などである．これらの臓器の原発巣が既知で，

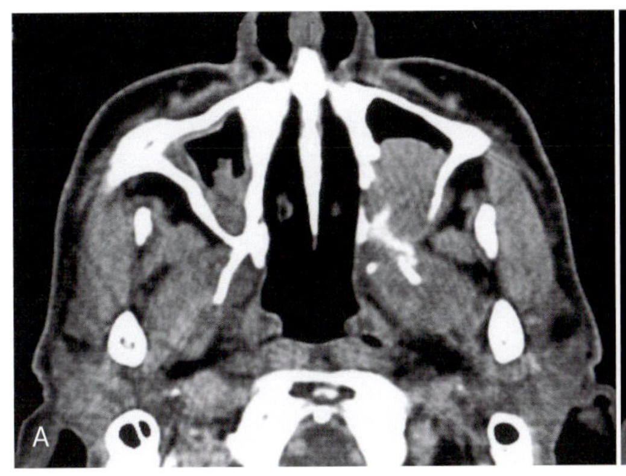

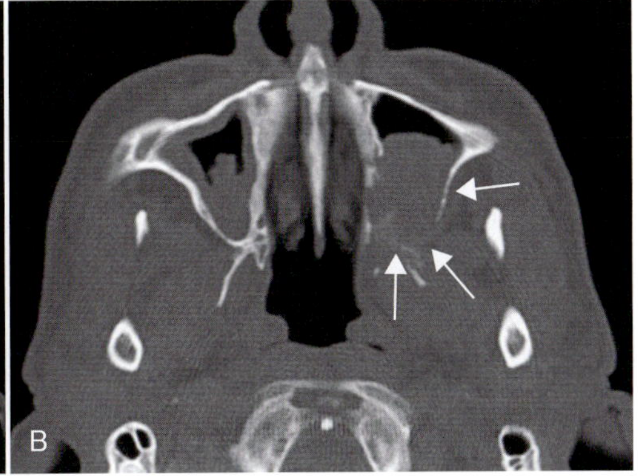

図 5-9-22　**左側上顎部に発生した節外性悪性リンパ腫**
A：CT 像（軟組織表示）では左側上顎洞に進展する比較的均一に造影される軟組織腫瘤を認める．B：骨表示では骨の破壊が繊細であるのが観察される（矢印）．

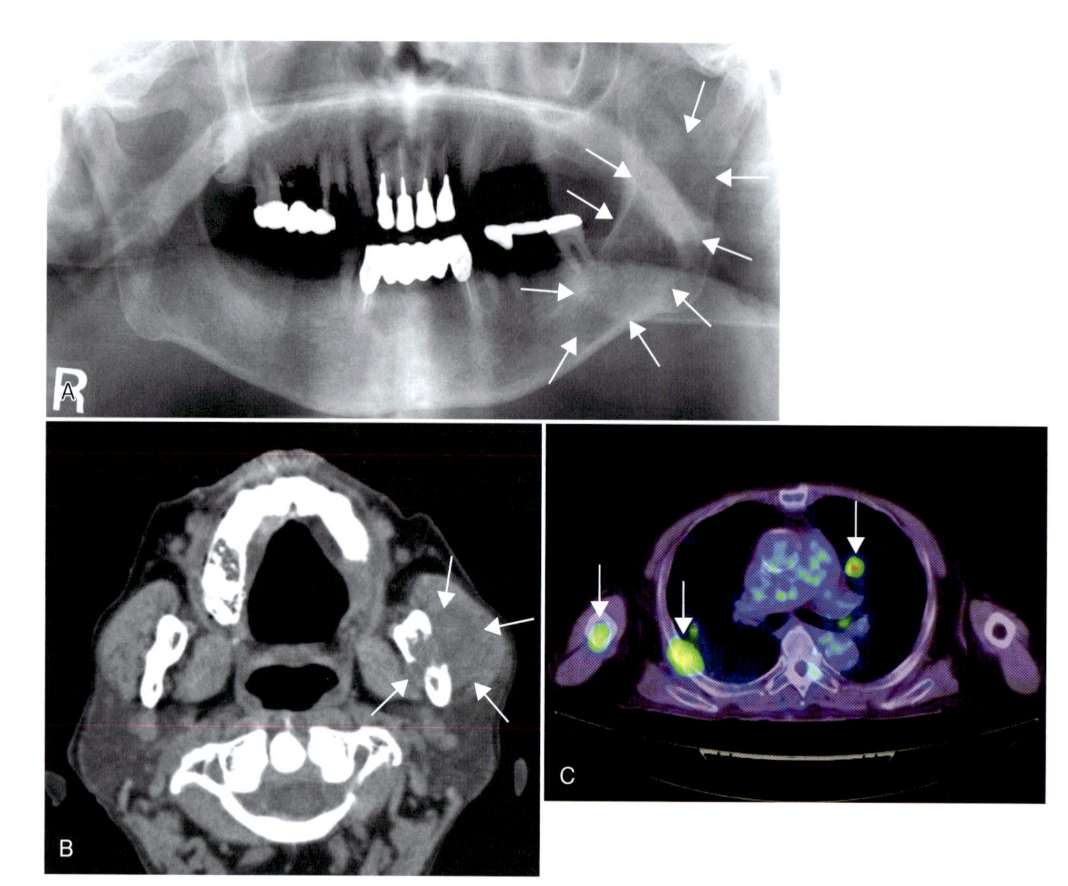

図 5-9-23　下顎骨の転移性腫瘍（肝細胞癌の転移）
A：パノラマＸ線画像．よく観察すると下顎左側臼歯部から下顎枝にかけてＸ線透過性がわずかに亢進している（矢印）が，骨破壊所見ははっきりしない．B：CT 像．左側下顎枝の骨内から骨破壊性に周囲軟組織に進展する腫瘍（矢印）がみられる．生検病理診断は肝細胞癌であった．C：全身検索のため FDG-PET/CT 検査を行ったところ，下顎骨病変以外に右側上腕骨，右側肋骨，左側肺野にも転移（矢印）がみられた．

顎骨に骨破壊性の悪性病変が認められた場合には，**転移性腫瘍**（metastatic tumor）の可能性を考慮する．顎骨の転移性腫瘍は，顎骨中心性の原発腫瘍と画像診断上は類似し，骨中心性に発生して海綿骨や皮質骨を破壊し，周囲に進展する軟組織腫瘤を呈する（図 5-9-23）．内部に石灰化を伴うことも多い．ただし，一部にはＸ線所見で単純性骨囊胞などの良性疾患と鑑別が困難な症例や，通常のＸ線画像では検出が困難なこともあり，その場合は疼痛や知覚鈍麻などの臨床所見から，転移性を含めた悪性腫瘍を疑う必要がある．確定診断は，病理組織学的診断が原発巣と一致することで行われる．原発巣が不明の場合は，顎骨病変が病理組織学的に転移巣と診断されたことによって，逆に原発巣が発見されることがある．全身の病巣検索が必要で，FDG-PET/CT が有用である（図 5-9-23C）．

10 唾液腺の病変

1）唾液腺の解剖

唾液腺は唾液を産生・分泌する外分泌腺で，大唾液腺と小唾液腺に分類される．

(1) 大唾液腺

A. 耳下腺

最大の唾液腺で純漿液腺である．下顎枝後縁を中心として前後に広がり上下の範囲は下顎枝後縁とほぼ同じである．深部は傍咽頭隙（咽頭側隙），頸動脈隙に接する．耳下腺前半部は咬筋上に薄く広がるのみだが，咬筋前縁付近から耳下腺の排泄管であるステノン管（ステンセン管，耳下腺管）が出る．ステノン管は，頬筋を穿通し，上顎大臼歯に対向する頬粘膜の耳下腺乳頭から口腔に開口する．

なお，顔面神経の主幹は茎乳突孔から頭蓋外へ出て，耳下腺後方深部から耳下腺内に入り，外頸動脈と下顎後静脈の外側，耳下腺腺内主管の内側を走行する．これより浅い部分を耳下腺浅葉，深い部分を深葉と区別する．深葉病変の摘出時は顔面神経損傷のリスクが高いため，術前に顔面神経主幹を同定し浅葉と深葉のどちらの病変か区別することが顔面神経損傷のリスク回避に重要である．高分解能撮像を用いて顔面神経を直接描出することも可能だが，実際の臨床では，下顎後静脈，または耳下腺内の主導管（主管）を指標にしたり，横断像における下顎後静脈外側縁と咬筋外側縁を結んだラインや，顎二腹筋後腹外側縁と下顎骨外側縁を結ぶラインを顔面神経の走行ラインと推定する方法などがある．このうち，腺内主管を指標とする方法では，浅葉と深葉の腫瘍が100％可能だったと報告されている．

B. 顎下腺

2番目に大きな唾液腺で，漿液腺がほとんどで粘液腺が少数の混合腺である．顎下腺の大部分は顎舌骨筋の外側下方の顎下隙に位置するが（浅部），上端は顎舌骨筋後縁から舌下隙内に進入して前方に伸展する（深部）．顎下腺の排泄管であるワルトン管（顎下腺管）は，腺の前縁上部から出て前上方に向い，舌下腺の内側に沿って前進し，舌下小丘から口腔に開口する．

C. 舌下腺

大唾液腺の中では最も小さい．粘液腺がほとんどで漿液腺が少数の混合腺である．舌下粘膜の直下の舌下隙に位置し，外側で下顎骨内側面，内側でオトガイ舌筋，下縁で顎舌骨筋とオトガイ舌骨筋に接し，舌下腺の後端は顎下腺深部と近接する．舌下腺からは多数の細い排泄管が，舌下ヒダへ開口している．なお，舌下腺の下角から後縁前部にかけて独立した腺葉群がみられることがあり（出現頻度は2/3ほど），これを大舌下腺，残りの舌下腺を小舌下腺として区別することがある．大舌下腺の排泄管は，通常1本の大舌下腺管（バルトリン管）として前縁より起こり，舌下小丘に開口，または，ワルトン管に合流して開口する．

(2) 小唾液腺

口腔内の小唾液腺は，口蓋腺，頬腺，口唇腺，臼歯腺，舌腺に分類される．

①**口蓋腺**：口蓋の後2/3（硬口蓋の左右第一大臼歯を結ぶ線～軟口蓋後縁）の粘膜下に広がる．②**頬腺**：頬筋外面で，頬筋を貫通するステノン管の前・後に帯状に広がる．③**臼歯腺**：最後臼歯のすぐ後方の臼後三角のやや高い粘膜隆起に存在し，頭側では口蓋腺に接する．④**口唇腺**（上唇腺・下唇腺）：上下口唇粘膜直下に帯状に広がる．⑤**舌腺**：舌背粘膜および舌下面に広がる．舌尖部下面粘膜下にある前舌腺（ブランディン・ヌーン腺），葉状乳頭・有郭乳頭の粘膜

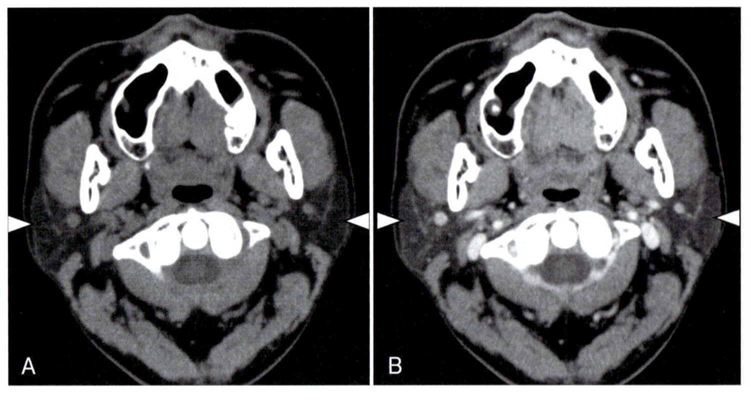

図 5-10-1　正常耳下腺の CT 像（矢頭）
A：単純 CT 横断像．B：造影 CT 横断像．

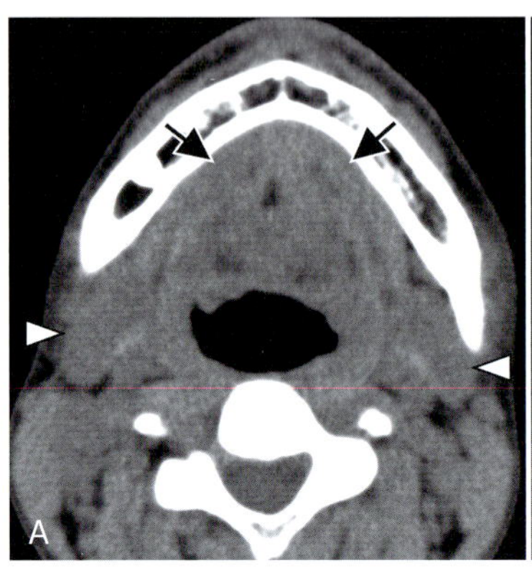

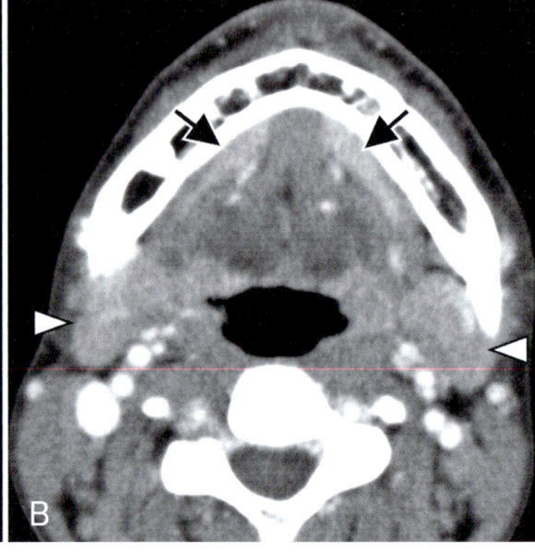

図 5-10-2　正常顎下腺（矢頭）と正常舌下腺（矢印）の CT 像
A：単純 CT 横断像．B：造影 CT 横断像．

直下にあるエブネル腺，舌根部～舌側縁後部の粘膜下に広がる後舌腺に分けられる．

2）正常唾液腺の CT および MR 像

(1) CT 像（図 5-10-1，2）

耳下腺は，他の唾液腺より多くの脂肪細胞を含むため，CT 値が低く，特に高齢者では，皮下脂肪に近い濃度を呈することもある．一方，顎下腺や舌下腺の CT 値は筋肉よりわずかに低い程度であるため，筋肉との分離が不良であることが多い．しかし，唾液腺はいずれも，筋肉に比べて造影効果が高いため，造影によって筋肉との分離が容易になる．正常な小唾液腺を CT で観察することは困難である．

(2) MR 像（図 5-10-3～5）

唾液腺はいずれも，T1 強調像で脂肪より低信号，筋肉より高信号を呈するが，脂肪組織が豊富な耳下腺は，他の唾液腺より高信号である．T2 強調像においても，唾液腺はいずれも筋肉より高信号，脂肪より低信号を呈する．脂肪抑制法を併用すると唾液腺の同定が容易で，小唾液腺のうち，口唇腺，口蓋腺，臼歯腺，前舌腺は観察可能な場合もあるが，他の小唾液腺は正常では同定困難である．

3）唾液腺腫瘍

(1) 唾液腺腫瘍の発生部位

唾液腺腫瘍の約 60～70％が耳下腺に発生し，

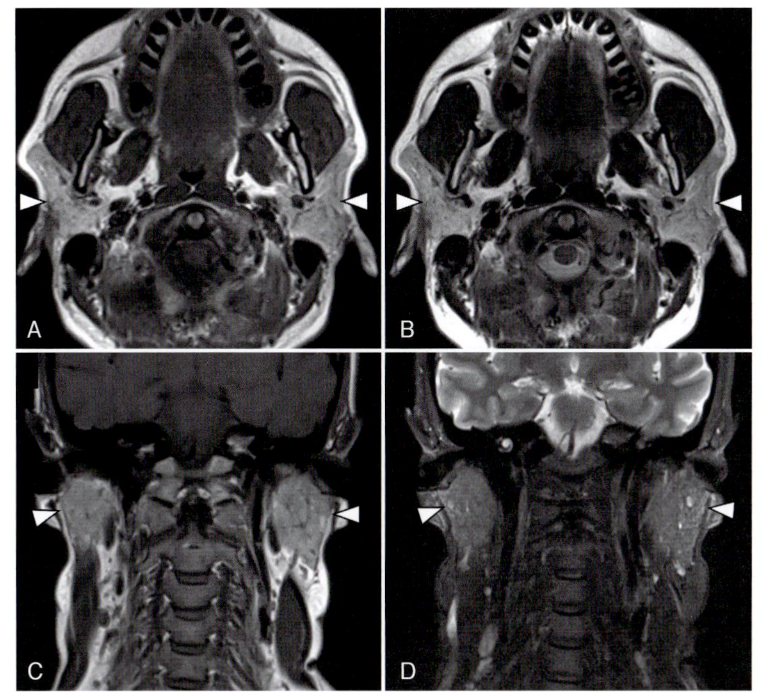

図 5-10-3　正常耳下腺（矢頭）の MR 像
A：T1 強調像（横断像），B：T2 強調像（横断像），C：T1 強調像（冠状断像），D：脂肪抑制 T2 強調像（冠状断像）．

顎下腺発生は 8～15％ほど，舌下腺発生は 1％以下である．小唾液腺腫瘍は全体の 15～30％ほどであるが，その半数ほどが口蓋腺に発生し，上唇腺と頬腺がこれに続く．

唾液腺腫瘍の約 65～80％が良性腫瘍であるが，発生部位により良・悪性の割合が異なる．悪性の占めるおよその割合は，耳下腺 15～25％，顎下腺 25～45％，舌下腺 75～90％，小唾液腺については，上唇腺 25％，口蓋腺・下唇腺・頬腺 50％，臼歯腺・舌腺 80％以上，と報告されている．

(2) 唾液腺腫瘍の組織型

唾液腺腫瘍は，組織型が非常に多彩であることが特徴で，最新の WHO 分類（第 5 版）では，上皮性の良性腫瘍は 15，悪性腫瘍は 21 の組織型に分類される（表 5-10-1）．しかし，全唾液腺腫瘍の約 50％が多形腺腫で，Warthin 腫瘍がこれに次ぐ．良性腫瘍に限ると，その約 90％を，多形腺腫（約 65％）と Warthin 腫瘍（約 25％）が占める．悪性腫瘍の割合は全唾液腺腫瘍の 20～35％で，粘表皮癌と腺様嚢胞癌の頻度が高いが，他にも多形腺腫由来癌や腺房細胞癌，唾液腺導管癌など，多様な組織型，悪性度の腫瘍が発生する．

(3) 唾液腺腫瘍の画像診断

唾液腺腫瘍の治療方針の決定において，画像診断の果たす役割は大きい．まず，正確な進展範囲の評価と良悪性の鑑別が求められる．これに最も適した検査法は，軟組織のコントラストに優れる MRI である．CT 検査は，唾液腺腫瘍内に時折みられる石灰化の検出に役立つが，軟組織のコントラスト分解能は造影剤を使用しても MRI には及ばず，また，金属アーチファクトにより口腔内の唾液腺が描出不良になる場合が MRI より多い．超音波検査は非侵襲的で簡便な検査法で，耳下腺腫瘍や顎下腺腫瘍など表在性の腫瘍の辺縁形態や血流の評価には有用であるが，深部の腫瘍の評価は困難である．

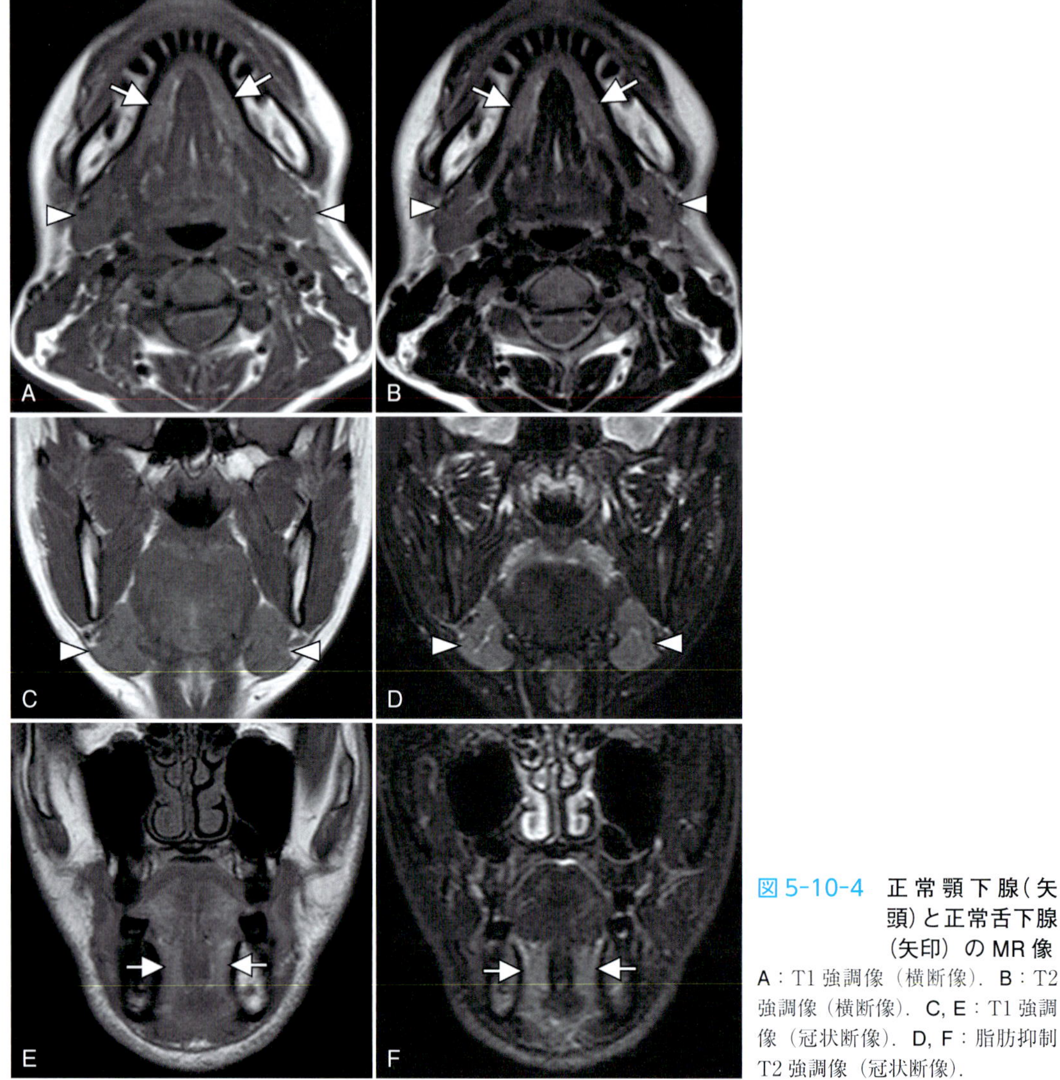

図 5-10-4 正常顎下腺(矢頭)と正常舌下腺(矢印)の MR 像

A：T1 強調像（横断像）．B：T2 強調像（横断像）．C, E：T1 強調像（冠状断像）．D, F：脂肪抑制 T2 強調像（冠状断像）．

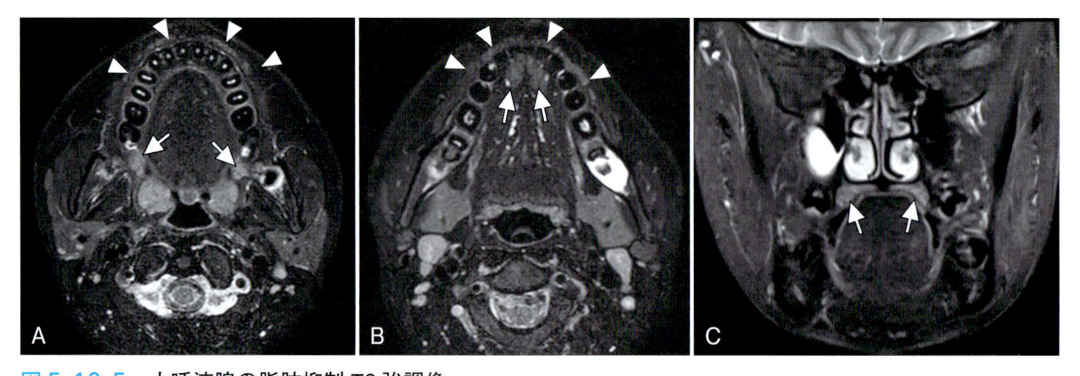

図 5-10-5 小唾液腺の脂肪抑制 T2 強調像

A：上唇腺（矢頭），臼歯腺（矢印）．B：下唇腺（矢頭），前舌腺（矢印）．C：口蓋腺（矢印）．

【腫瘍の鑑別診断】

唾液腺腫瘍は非常に多くの組織型に分類されるうえ（表 5-10-1），同一腫瘍の中に多様な組織が混在する．そのため，同じ組織型であっても画像所見が異なる場合や，異なる組織型であっても類似した所見をもつ場合があり，良悪性の鑑別を困難にしている．したがって，腫瘍の鑑別に際しては，発生頻度の高い多形腺腫とWarthin 腫瘍の可能性を念頭に置いたうえで，形態や内部性状などの画像所見，さらに，発生部位や年齢，性別など臨床所見を考慮して，総合的に診断することが重要である．唾液腺腫瘍の主要な鑑別点を表 5-10-2 に示す．

●辺縁形態とリンパ節転移の評価

強い浸潤傾向を示唆する所見，すなわち，①境界不明瞭で辺縁不整，②周囲組織（骨や筋肉，脂肪組織）への浸潤あり，③神経に沿った進展（神経周囲進展，perineural spread）あり，そして，④リンパ節転移ありは，悪性腫瘍を強く疑う所見である．反対に，周囲組織との境界が明瞭，辺縁円滑で，膨隆性に発育し，浸潤所見がみられないことは，多くの良性腫瘍に共通する

表 5-10-1　唾液腺腫瘍 WHO 分類第 5 版

良性上皮性腫瘍	悪性上皮性腫瘍
多形腺腫	粘表皮癌
基底細胞腺腫	腺様囊胞癌
Warthin 腫瘍	腺房細胞癌
オンコサイトーマ	分泌癌
唾液腺筋上皮腫	微小分泌腺癌
細管状腺腫	多型腺癌
唾液腺囊胞腺腫	硝子化明細胞癌
導管乳頭腫	基底細胞腺癌
乳頭状唾液腺腺腫	導管内癌
リンパ腺腫	唾液腺導管癌
脂腺腺腫	筋上皮癌
介在部導管腺腫/過形成	上皮筋上皮癌
線条部導管腺腫	粘液腺癌
硬化性多囊胞腺腫	硬化性微小囊胞癌
角化囊胞腫	多形腺腫由来癌
	唾液腺癌肉腫
	脂腺腺癌
	リンパ上皮癌
	扁平上皮癌
	唾液腺芽腫
	唾液腺癌 NOS

表 5-10-2　唾液腺腫瘍の特徴所見

良性唾液腺腫瘍	悪性唾液腺腫瘍
1. 境界明瞭，辺縁整	1. 境界不明瞭，辺縁不整 ※悪性度の低い悪性腫瘍では境界明瞭，辺縁整なこともあり
2. 周囲組織（筋肉，骨，脂肪組織）を圧排しながら膨隆性に発育（圧排による骨の菲薄化はあり）	2. 周囲組織（筋肉，骨，脂肪組織）へ浸潤性に発育
3. リンパ節転移，遠隔転移なし	3. リンパ節転移，遠隔転移あり
4. 代表的な腫瘍 1）多形腺腫 唾液腺腫瘍の中で最も頻度が高い 女性＞男性 ADC：高い，TIC：漸増タイプ 2）Warthin 腫瘍 唾液腺腫瘍の中では 2 番目に頻度が高い 耳下腺に発生 中年以降の男性に多い 耳下腺下極に多い 両側性，片側性に多発しやすい ADC：低い，TIC：急増急減タイプ	4. 代表的な腫瘍 1）粘表皮癌 悪性唾液腺腫瘍の中で最も頻度が高い 2）腺様囊胞癌 小唾液腺，舌下腺の悪性腫瘍の中で最も頻度が高い 女性＞男性 神経に沿って進展する傾向が強い (Perineural spread) 5. 臨床的には，急速な増大，顔面神経麻痺や自発痛，潰瘍などの所見があれば悪性を疑う

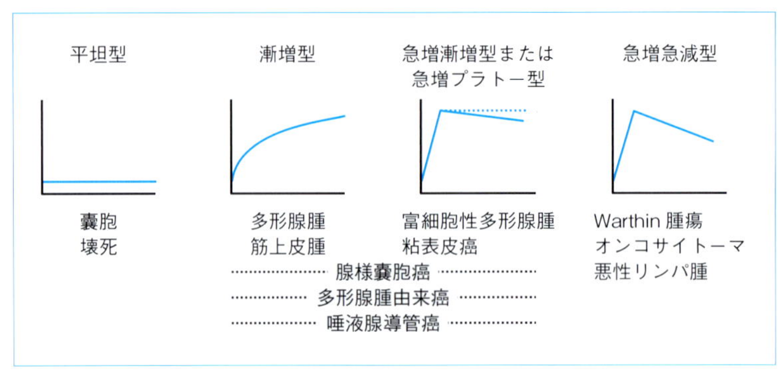

図 5-10-6　唾液腺腫瘍の典型的な時間-信号曲線
横軸：時間，縦軸：信号強度

特徴である．しかし，浸潤性に乏しい低悪性度腫瘍では，①〜④のいずれも認められず，良性腫瘍との鑑別が難しい場合も少なくない．

●**内部性状の評価**

T1 強調像や T2 強調像（脂肪抑制併用），造影 T1 強調像（脂肪抑制併用）における信号強度，さらに，①拡散強調 MRI や②ダイナミック造影 MRI から得られる所見は，腫瘍内部の充実性部分の割合や細胞密度，血管分布，液体成分の多寡やその性状など，病理組織の推測に役立ち，腫瘍の鑑別に有用である．

①拡散強調 MRI から得られるみかけの拡散係数（apparent diffusion coefficient，ADC）

細胞密度が高いほど，液体成分が少ないほど，液体が粘稠であるほど，ADC は低くなる．典型例では，多形腺腫は，細胞密度が比較的低く粘液腫様間質が豊富なため，ADC が高い．

一方，Warthin 腫瘍の充実性部分は，細胞密度が高いため ADC が低い．唾液腺の悪性腫瘍は組織型が多彩であるため ADC も多彩であるが，充実性部分の ADC は，多形腺腫より低くなることが多い．また，同一組織型では，悪性度が高いほど細胞密度が高い傾向にあり，ADC は低くなると考えられる．

②ダイナミック造影 MRI から得られる時間—信号強度曲線（time-signal intensity curve/ time- intensity curve，TIC）

微小血管密度が高く，細胞外血管外腔の割合が少ない方が，造影効果が急速に進み，急速に消失する傾向にある．典型例では，多形腺腫の充実性部分は漸増タイプ，Warthin 腫瘍の充実性部分は急増急減タイプである．唾液腺の悪性腫瘍は組織が多彩であるため，TIC のタイプもさまざまである（図 5-10-6）．

(4) 代表的な唾液腺腫瘍

A．多形腺腫（pleomorphic adenoma）

全唾液腺腫瘍の中で最も頻度が高く，10 歳未満から 80 歳以上まで幅広い年代の大唾液腺・小唾液腺に発生する．女性にやや多いが，40 歳代までに限定すると，性別に関係なく，多形腺腫が大半を占める．なお，多形腺腫は再発や悪性化のリスクが高く，悪性化のリスクは 5〜15 % と報告されている．線維性被膜を有することが多いが，被膜が明らかでない場合や，腫瘍が被膜外へ突出してみられることがあり，再発の原因の一因と考えられる．

画像上，境界明瞭な分葉状腫瘤として認められることが多い（図 5-10-7〜12）．内部は，上皮成分と間質成分が多様で複雑に混在するため不均一で，嚢胞形成や石灰化を伴うこともある．

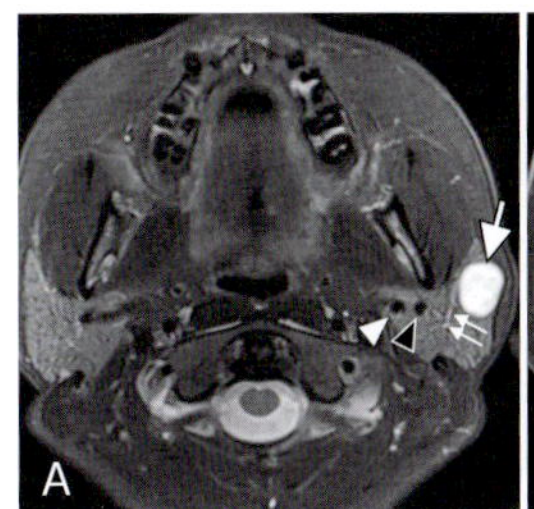

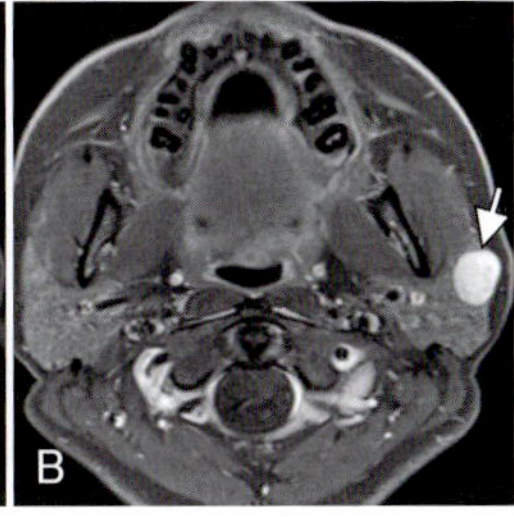

図 5-10-7　耳下腺浅葉の多形腺腫の MR 像
A：脂肪抑制 T2 強調像（横断像）．B：造影脂肪抑制 T1 強調像（横断像）．左側耳下腺の多形腺腫（矢印）は，境界明瞭，辺縁は整，造影でやや不均一に増強されている．腫瘍は腺内主管（2 重矢印）の外側に位置し，下顎後静脈（黒矢頭）や外頸動脈（白矢頭）とは離れている．耳下腺を浅葉と深葉に分ける顔面神経主幹は，耳下腺腺体内で腺内主管の内側を走行するため，浅葉の腫瘍と診断できる．

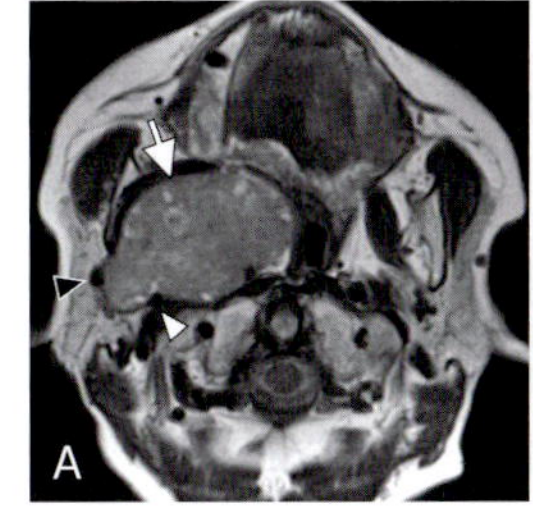

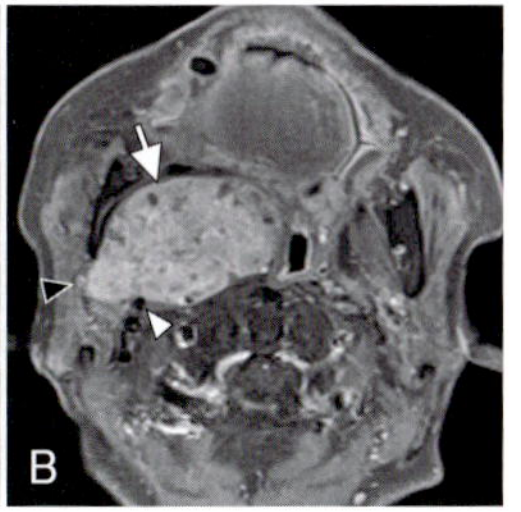

図 5-10-8　耳下腺深葉から傍咽頭隙（咽頭側隙）に進展する多形腺腫の MR 像
A：T2 強調像（横断像）．B：造影脂肪抑制 T1 強調像（横断像）．右側耳下腺の多形腺腫（矢印）は，辺縁は分葉状を呈し，内部は T2 強調像で高信号を呈し造影で増強されない領域が散在し不均一である．腫瘍は，茎状突起（白矢頭）と下顎骨の間の茎突下顎裂を通って傍咽頭隙（咽頭側隙）に進展し，咽頭壁を左方に，下顎後静脈（黒矢頭）を外側に，内側翼突筋を前方に圧排しているが，周囲組織との境界は明瞭である．顔面神経主幹は下顎後静脈の外側を走行するため，下顎後静脈が外側に圧排されていることから深葉病変と診断できる．深葉に発生した腫瘍は傍咽頭隙（咽頭側隙）に進展しやすい．

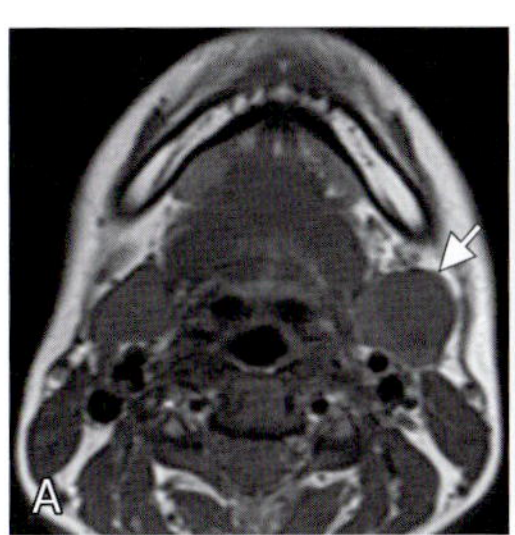

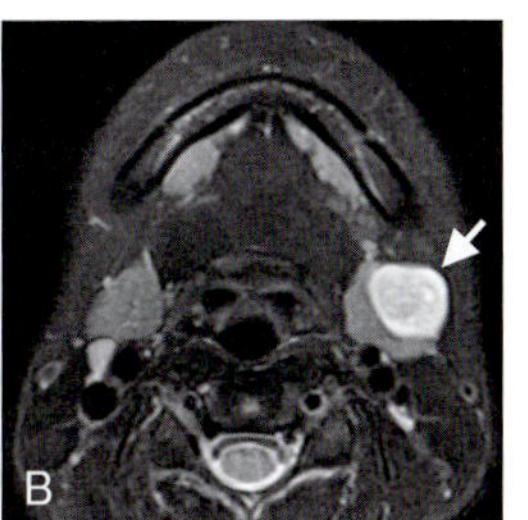

図 5-10-9　顎下腺多形腺腫の MR 像
A：T1 強調像（横断像）．B：脂肪抑制 T2 強調像（横断像）．左側顎下腺から外側に膨隆する多形腺腫（矢印）は境界明瞭，辺縁は整，T1 強調像では筋肉と同程度の低信号，脂肪抑制 T2 強調像では不均一な高信号を呈する．

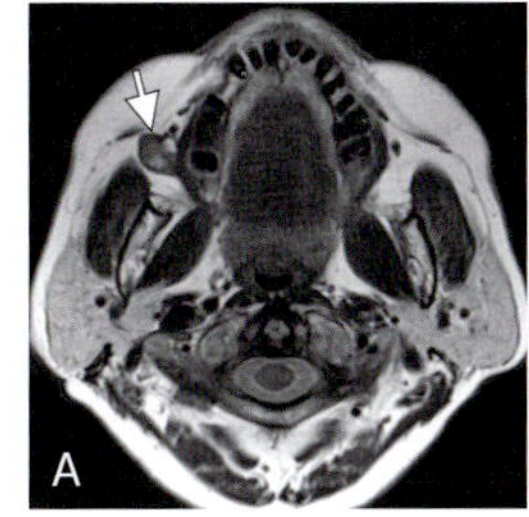

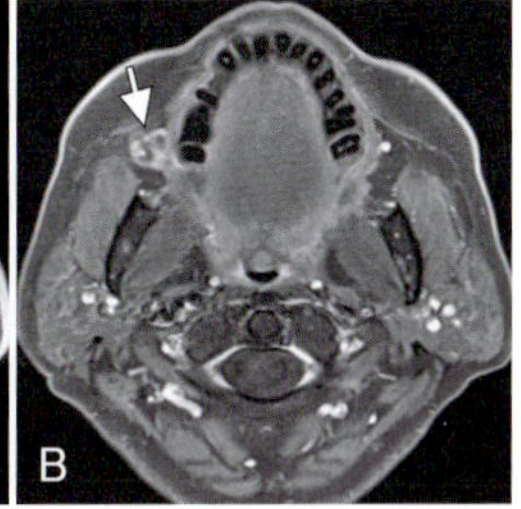

図 5-10-10　頬腺多形腺腫の MR 像
A：T2 強調像（横断像）．B：造影脂肪抑制 T1 強調像（横断像）．右側頬腺の多形腺腫（矢印）は，頬筋外側に接し境界明瞭，辺縁は整，内部は T2 強調像で高信号を呈し造影で増強されない領域を含み不均一である．

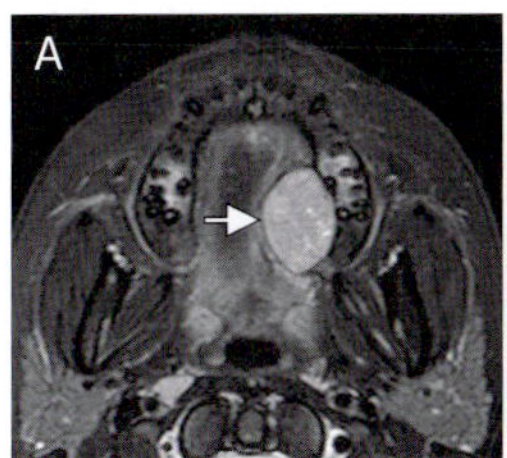

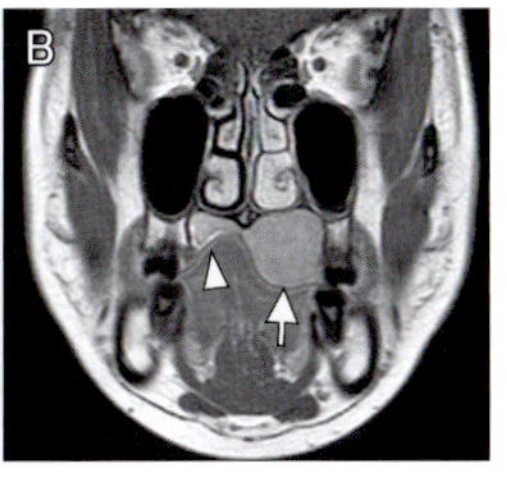

図 5-10-11　口蓋腺多形腺腫の MR 像
A：脂肪抑制 T2 強調像（横断像）．B：造影 T1 強調像（冠状断像）．左側口蓋腺の多形腺腫（矢印）は，下方に大きく膨隆，上方では鼻腔底の菲薄化を伴う．矢頭は健側の口蓋腺を示す．

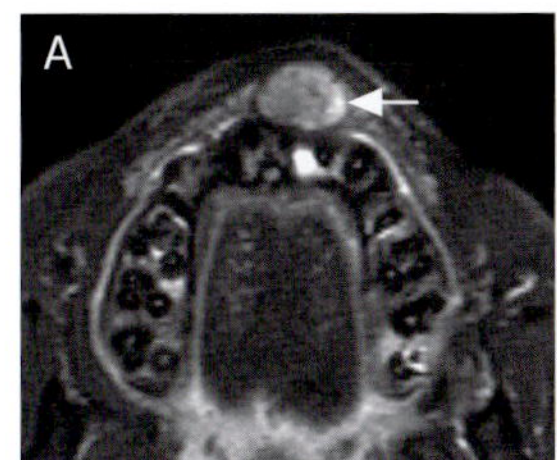

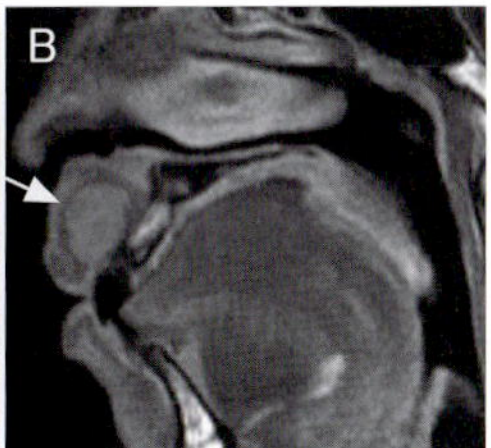

図 5-10-12　上唇腺多形腺腫の MR 像
A：脂肪抑制 T2 強調像（横断像）．B：造影 T1 強調像（矢状断像）．上唇腺の多形腺腫（矢印）は境界明瞭，辺縁整，造影で増強されている．

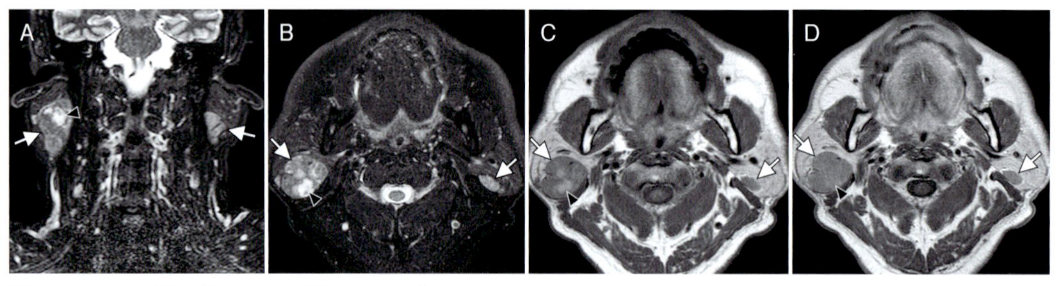

図 5-10-13　耳下腺 Warthin 腫瘍の MR 像

A：STIR 冠状断像．B：脂肪抑制 T2 強調像（横断像）．C：T1 強調像（横断像）．D：造影 T1 強調像（横断像）．両側耳下腺の Warthin 腫瘍（矢印）は，境界明瞭，辺縁は整，造影で増強されている．右の腫瘍は，T1 強調像・脂肪抑制 T2 強調像で高信号を呈し造影で増強されない領域（矢頭）を伴い，不均一である．

典型例では，粘液腫様あるいは軟骨様といった間質成分に富み，細胞密度が比較的低い．そのため，充実性部分が T2 強調像で高信号を呈し，ADC が高く，TIC は漸増タイプを示す．しかし，粘液腫様の間質成分が少なく，細胞成分に富む「富細胞性多形腺腫（cellular pleomorphic adenoma）」では，ADC が典型より低く，TIC は急増漸減タイプを示し，他の腫瘍との鑑別が困難になる．

B. Warthin 腫瘍（Warthin tumor）

Warthin 腫瘍（ワルチン腫瘍）は，唾液腺腫瘍の中で多形腺腫に次いで頻度が高いが，50 歳以上の男性に限ると，Warthin 腫瘍の頻度が最も高い．喫煙歴との関係も報告されている．Warthin 腫瘍は悪性化のリスクがほとんどないため，高齢の患者では外科的切除を行わず定期的な画像検査のみで経過観察されることが多い．一方，多形腺腫は悪性化のリスクがあるため，切除手術が基本である．したがって，良悪性の鑑別に加えて，Warthin 腫瘍と多形腺腫の鑑別も，治療方針の決定に際して重要である．

Warthin 腫瘍は耳下腺以外にはほとんど発生せず，両側性，多発性の傾向を示し，耳下腺下極に多い，という特徴がある．画像上，多発する境界明瞭，辺縁が整な腫瘤として認められることが多い（図 5-10-13）．充実性部分は，上皮細胞とリンパ球の密な増生からなるため，T2 強調像で多形腺腫ほど高信号を呈さず ADC は低い．TIC は急増急減タイプを示す．約 30％に嚢胞腔の形成が認められ，その内部は，高タンパクな液体成分や血液成分の混在により T1 強調像で高信号を示すことが多い．

なお，唾液腺シンチグラムにおける $^{99m}TcO_4^-$ の強い集積も，Warthin 腫瘍の特徴の 1 つである（他，良性の唾液腺腫瘍であるオンコサイトーマも高集積を示す）．

C. 粘表皮癌（mucoepidermoid carcinoma）

粘表皮癌は，唾液腺発生の悪性腫瘍の中で，成人・小児のいずれにおいても，最も頻度が高い．その 50％ほどが耳下腺に発生し，口蓋腺と顎下腺がこれに次ぐ．

組織学的には低悪性度，中悪性度，高悪性度に分類される．充実性組織の浸潤性増殖を特徴とする高悪性度粘表皮癌は，境界不明瞭で辺縁不整である（図 5-10-14）．一方，低悪性度粘表皮癌は，嚢胞形成が特徴で浸潤傾向が弱く，境界明瞭で辺縁整な腫瘤としてみられることもあるが，辺縁不整であることが多い．充実性部分は典型例では T2 強調像で多形腺腫ほど高信号を呈さず ADC も低め，細胞密度が高いほどその傾向が強くなる．TIC は急増漸減タイプが多い．

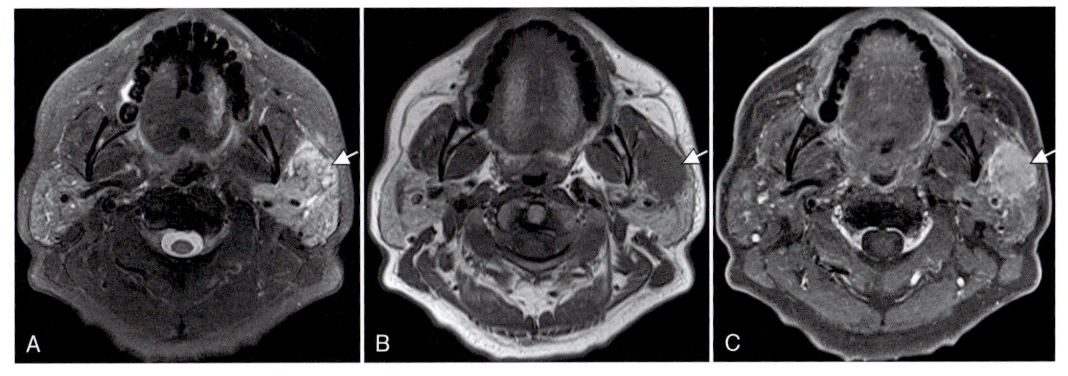

図 5-10-14　耳下腺粘表皮癌の MR 像
A：脂肪抑制 T2 強調像（横断像）．B：T1 強調像（横断像）．C：造影脂肪抑制 T1 強調像（横断像）．粘表皮癌（矢印）は境界不明瞭で辺縁不整，造影で増強されている．脂肪抑制 T2 強調像では腫瘍の信号が低いため，正常耳下腺組織とのコントラストが不良である．T1 強調像では腫瘍と正常耳下腺組織とのコントラストがよく，外形を判別しやすい．

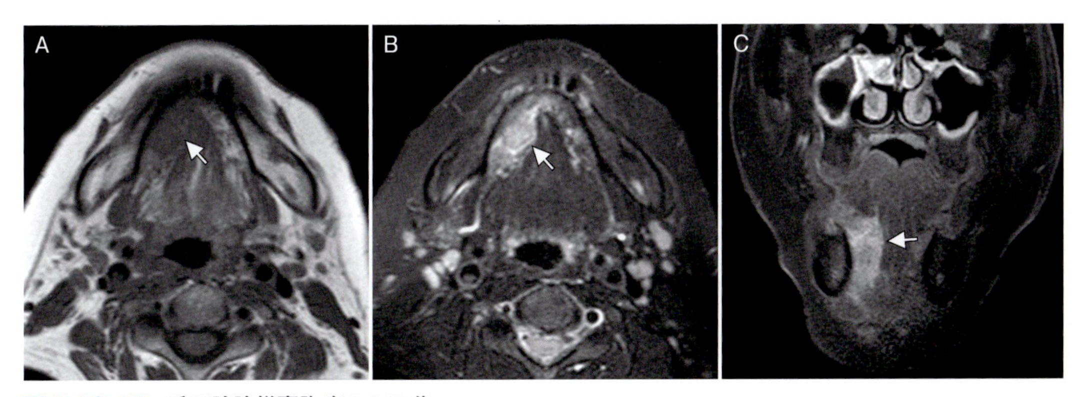

図 5-10-15　舌下腺腺様嚢胞癌の MR 像
A：T1 強調像（横断像）．B：脂肪抑制 T2 強調像（横断像）．D：造影脂肪抑制 T1 強調像（冠状断像）．腺様嚢胞癌（矢印）は，境界不明瞭で辺縁不整，造影で増強されている．

D. 腺様嚢胞癌（adenoid cystic carcinoma）

腺様嚢胞癌は，粘表皮癌に次いで 2 番目に多い悪性唾液腺腫瘍である．大唾液腺および小唾液腺に発症するが，舌下腺発生，また，小唾液腺発生の悪性腫瘍の中で，最も頻度が高い．やや女性に多い．一般に経過は長いが，再発や遠隔転移（主に肺）を起こしやすく長期予後は不良である．

腺様嚢胞癌は浸潤傾向が強いため，画像上，境界不明瞭で辺縁不整である（図 5-10-15, 16）．典型例では，T2 強調像で多形腺腫ほど高信号を呈さず，ADC は低め，細胞密度が高いほど，その傾向が強くなる．なお，TIC は漸増タイプが多いが，細胞密度が高いほど，急増タイプの割合が高くなる．

【神経周囲進展】

腺様嚢胞癌は，神経に沿って進展する（神経周囲進展，perineural spread）傾向が強いことが特徴で，高い再発率の原因である．ただし，神経周囲進展は腺様嚢胞癌にかぎらず，さまざまな悪性腫瘍で認められ，頭頸部領域では扁平上皮癌の頻度が高いため，扁平上皮癌で神経周囲進展を認めることが多い．唾液腺腫瘍の中では，腺様嚢胞癌の他，唾液腺導管癌でその傾向が強い．

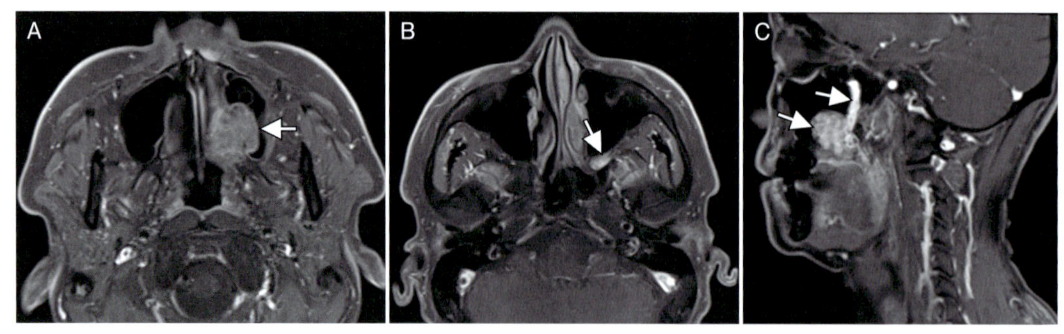

図 5-10-16　口蓋腺腺様嚢胞癌の MR 像

A, B：造影脂肪抑制 T1 強調像（横断像）. C：造影脂肪抑制 T1 強調像（矢状断像）. 腺様嚢胞癌（矢印）は左側の鼻腔・上顎洞に浸潤し，さらに翼口蓋窩に沿って頭側へ進展している．三叉神経第 2 枝に沿った進展が疑われるが，正円孔や下眼窩裂への浸潤は認めない．

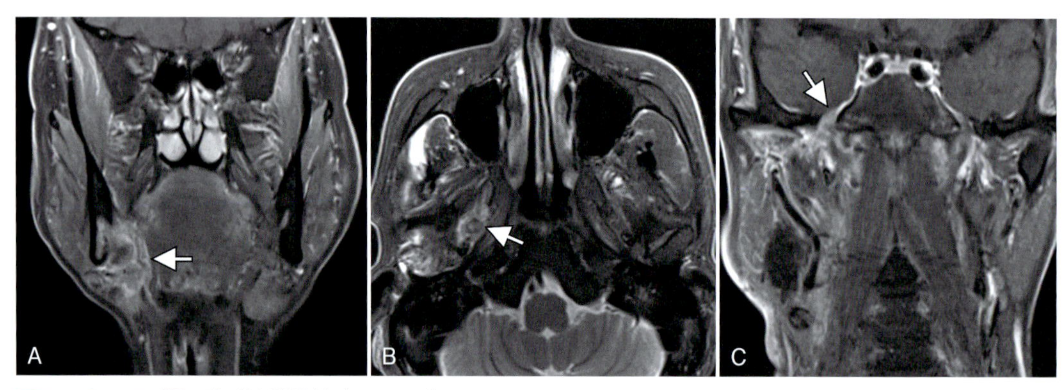

図 5-10-17　顎下腺唾液腺導管癌の MR 像

A：初診時の造影脂肪抑制 T1 強調像（冠状断像）. B：再発時の脂肪抑制 T2 強調像（横断像）. C：再発時の造影脂肪抑制 T1 強調像（冠状断像）. 初診時，唾液腺導管癌は右下顎骨舌側皮質骨を破壊し，骨髄内，さらに下顎管内へ浸潤している（A 矢印）．右下顎骨を含めた切除手術後，右外側翼突筋後面～卵円孔に再発した．三叉神経第 3 枝に沿った進展が疑われる（B, C 矢印）．

口蓋腺に発生した腫瘍は，三叉神経第 2 枝に沿って進展しやすい（大・小口蓋孔→翼口蓋窩→正円孔→頭蓋内）（図 5-10-16）．顎下腺や舌下腺に発生し下顎骨を破壊した腫瘍は，三叉神経第 3 枝に沿って進展（下顎神経→卵円孔→頭蓋内）（図 5-10-17），耳下腺に発生した腫瘍は，顔面神経に沿った進展（茎乳突孔→側頭骨→内耳道→頭蓋内）や，顔面神経と交通する耳介側頭神経に沿った進展（三叉神経第三枝の耳介側頭枝→卵円孔→頭蓋内）の有無を確認しなければならない．

E. 多形腺腫由来癌（carcinoma ex pleomorphic adenoma）

多形腺腫由来癌は，初発あるいは再発性の多形腺腫から発生した癌腫で，同一腫瘍内に多形腺腫と癌腫成分が混在する．癌腫成分としては，唾液腺導管癌の頻度が高い．耳下腺，顎下腺，口蓋腺が好発部位である．多形腺腫由来癌の発生率は多形腺腫の存在期間に比例して高くなり，5～15％と報告されている．浸潤の程度によって，非浸潤型（低悪性度），微小浸潤型（低悪性度），広範浸潤型（高悪性度）に分類される．非浸潤型は画像上も境界明瞭，辺縁整な腫瘤として認められ，辺縁形態のみでは多形腺腫との

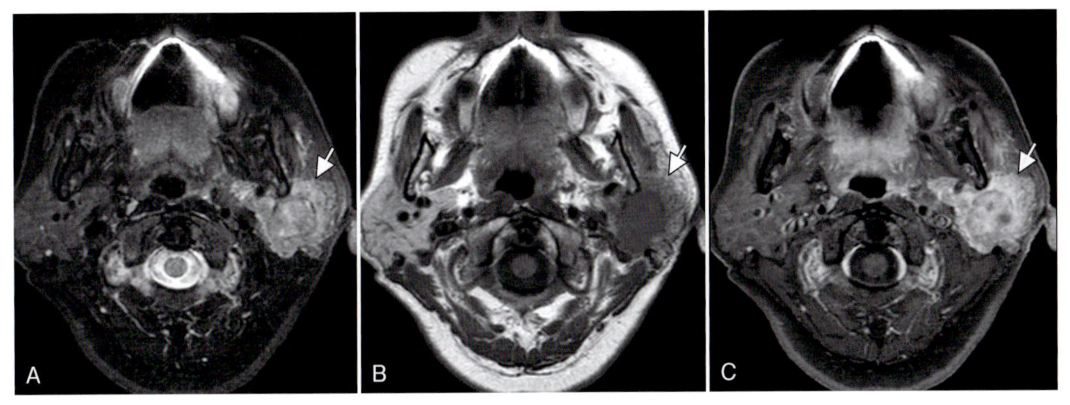

図 5-10-18　耳下腺多形腺腫由来癌の MR 像
A：脂肪抑制 T2 強調像（横断像）．B：T1 強調像（横断像）．C：造影脂肪抑制 T1 強調像（横断像）．高悪性度の多形腺腫由来癌（矢印）は，境界不明瞭，辺縁不整で，耳下腺全体に浸潤性発育をしている．内部はきわめて不均一である．

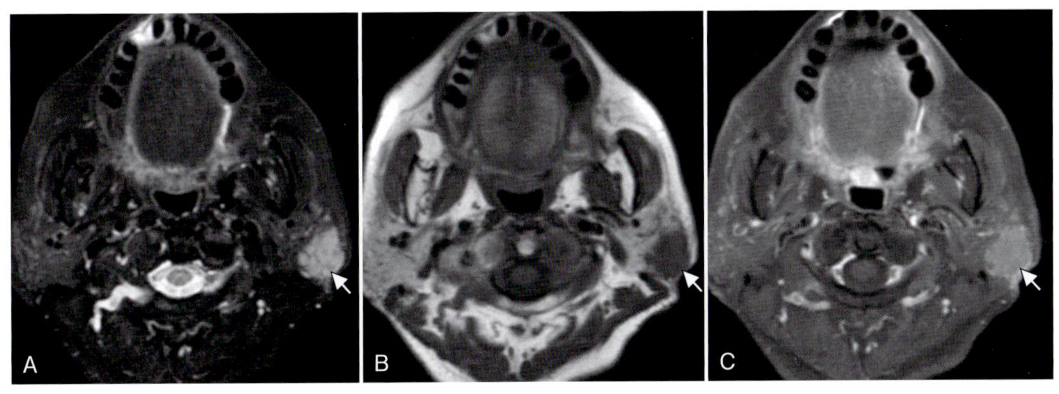

図 5-10-19　耳下腺悪性リンパ腫（MALT リンパ腫）の MR 像
A：脂肪抑制 T2 強調像（横断像）．B：T1 強調像（横断像）．C：造影脂肪抑制 T1 強調像（横断像）．左耳下腺に均一な信号強度を呈する領域を認める（矢印）．

鑑別が難しい場合が多い．一方，広範浸潤型は辺縁不整な浸潤性腫瘍として認められる（図 5-10-18）．リンパ節転移を伴うことも多く，予後が不良である．

多形腺腫由来癌の内部は，多形腺腫と癌腫成分の混在により不均一である．内部の ADC や TIC も多形腺腫と癌腫の割合，癌腫の組織型によって，多彩である．

F．悪性リンパ腫（malignant lymphoma）

唾液腺原発の悪性リンパ腫は，全唾液腺腫瘍のおよそ 1～4％を占める．耳下腺に最も多く，次いで顎下腺にみられる．大半は耳下腺実質に発生する MALT リンパ腫で Sjögren 症候群に合併する場合もある．その他，耳下腺リンパ節に，びまん性大細胞型 B 細胞リンパ腫の発生もみられる．いずれも，壊死を伴うことが少ないため内部が均一で，高い細胞密度を反映して ADC が著明な低値を示すことが特徴である．耳下腺に発生した悪性リンパ腫の TIC は急増急減タイプが多い（図 5-10-19）．

4）唾液腺の嚢胞

(1) ラヌーラ（ranula）

ラヌーラは，主に舌下腺に由来する粘液貯留

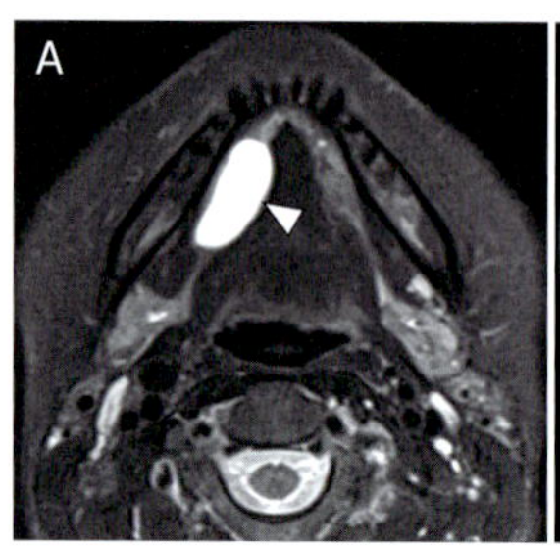

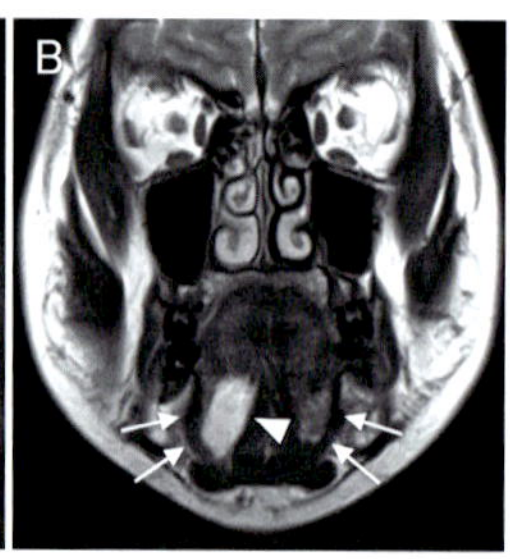

図 5-10-20　**単純性（舌下型）ラヌーラの MR 像**
A：脂肪抑制 T2 強調像（横断像）．B：T2 強調像（冠状断像）．右舌下隙に均一で著明な高信号を呈するラヌーラ（矢頭）を認める．右顎舌骨筋（矢印）はラヌーラにより外側に圧排されているが，これを越えた進展は認めない．

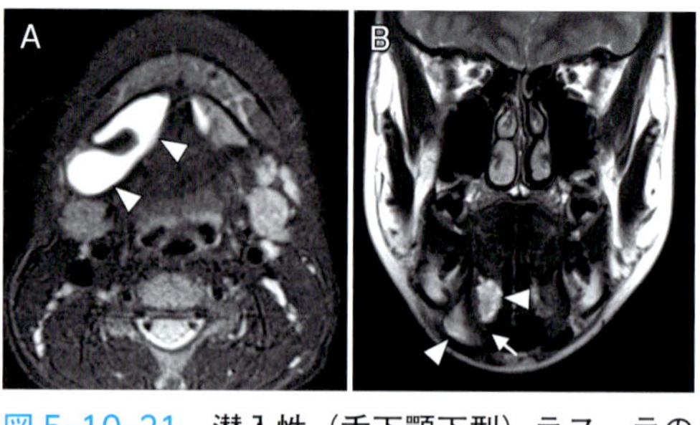

図 5-10-21　**潜入性（舌下顎下型）ラヌーラの MR 像**
A：脂肪抑制 T2 強調像（横断像）．B：T2 強調像（冠状断像）．
右舌下隙から顎舌骨筋（矢印）を越えて顎下隙まで連続する潜入性ラヌーラ（矢頭）を認める．

嚢胞で，唾液の流出障害によって生じる．舌下隙に限局する**単純性ラヌーラ**（simple ranula, **舌下型ラヌーラ**）（図 5-10-20）と，顎舌骨筋を越えて顎下隙まで進展した**潜入性ラヌーラ**（plunging ranula）（図 5-10-21）に分類される．潜入性ラヌーラでは，舌下隙と顎下隙に確認される舌下顎下型ラヌーラ，または，顎下隙にのみ確認される顎下型ラヌーラが多いが，まれに傍咽頭隙（咽頭側隙）まで進展する場合がある．ラヌーラは CT より MRI で明瞭で，T2 強調像で均一で著明な高信号を呈し，ADC も著明に高いことが特徴である．しばしば口底部に発生する類皮嚢胞は ADC が低いため，ラヌーラと類皮嚢胞との鑑別には ADC が有用である．

(2) リンパ上皮性嚢胞（lymphoepithelial cyst）

耳下腺に発生する嚢胞の多くがリンパ上皮性嚢胞である．ラヌーラ同様，T2 強調像で均一で著明な高信号を呈し，ADC も著しく高いことが特徴である．両側に多発するリンパ上皮性嚢胞は，リンパ上皮性病変の 1 種として，Sjögren 症候群や HIV 感染と関連して報告されている．

5）唾液腺の炎症

唾液腺炎が疑われる場合，CT や MRI によって，炎症の程度や範囲，膿瘍形成の有無を診断することが重要である．なお，唾液腺炎の原因は，細菌やウイルス感染，唾石，自己免疫疾患，アレルギー性疾患など多岐にわたるため，可能なかぎり原因の特定を行う．

(1) 感染性唾液腺炎

細菌や流行性耳下腺ウイルス（ムンプス，mumps）の感染による急性の唾液腺炎では，唾液腺全体が腫大し，しばしば周囲組織にも炎症所見を伴う．MRI では，炎症を伴う組織は脂肪抑制 T2 強調像や STIR で高信号を呈するため，造影剤を使用せずに炎症の範囲の同定が可能である（図 5-10-22，23）．しかし，小さな膿瘍の検出には，造影剤の使用が必要になることが多い．

唾液腺導管炎の典型例では，脂肪抑制 T2 強調像や MR シアログラフィにおいて，導管のソーセージ状の拡張が認められる（図 5-10-23）．

【MR シアログラフィ（MR sialography）】

通常の T2 強調像より，さらに高い TR,TE を使用する強い水強調像（Heavy T2 強調像）で，唾液が貯留した導管構造が描出される（図

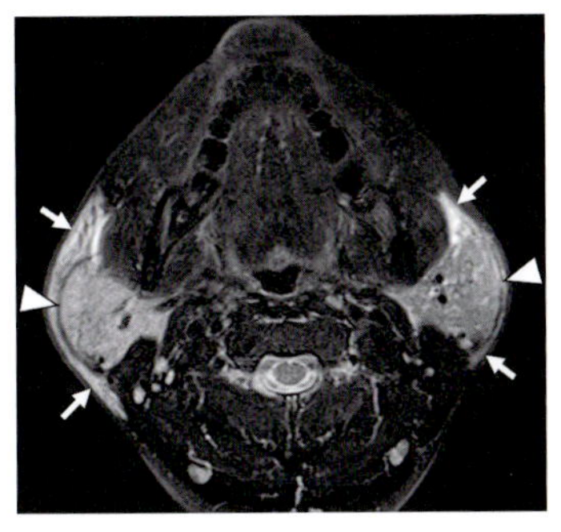

図 5-10-22　**流行性耳下腺炎の脂肪抑制T2強調像**

両側耳下腺と表層の脂肪組織が高信号を呈し，耳下腺から脂肪組織への炎症の波及が示唆される．

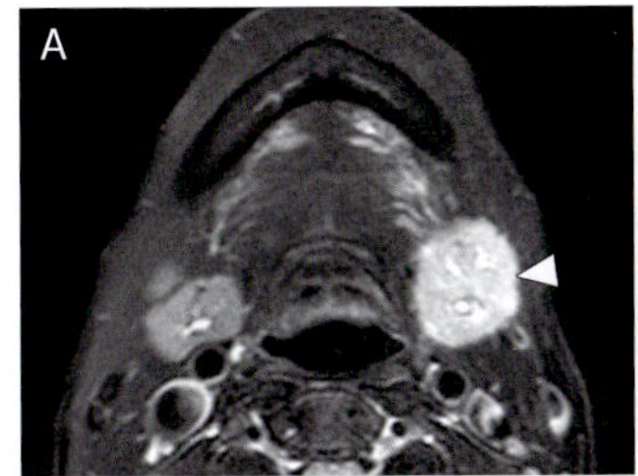

図 5-10-23　**顎下腺炎（導管炎）**

左顎下腺全体が腫大し，脂肪抑制 T2 強調像（A）で高信号を呈する．MR シアログラフィでは，導管のソーセージ状の拡張を認める（B）．

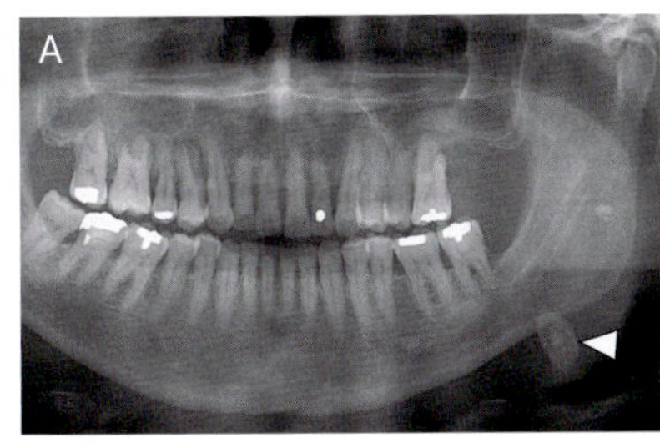

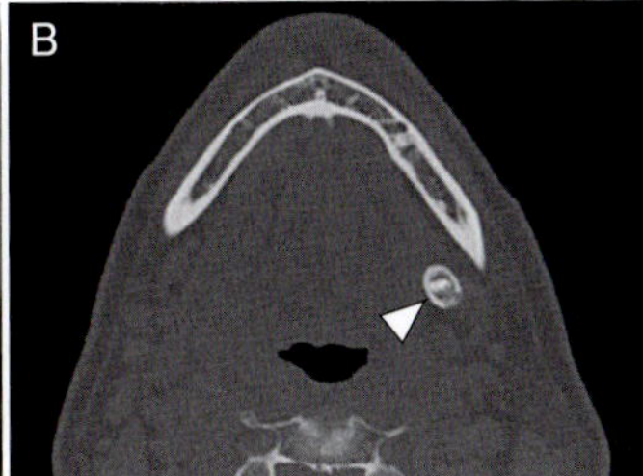

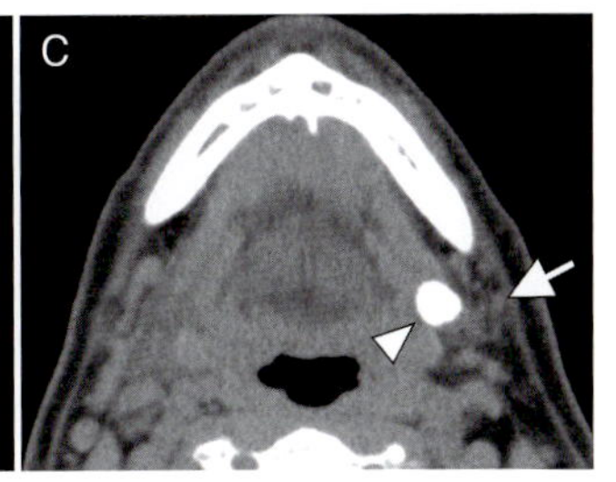

図 5-10-24　**唾石症**

A：パノラマ X 線画像．B：CT 像（骨表示）．C：CT 像（軟組織表示）．長期にわたる顎下腺の腺体導管移行部の唾石（矢頭）により，左顎下腺（矢印）は萎縮，脂肪変性（C）している．

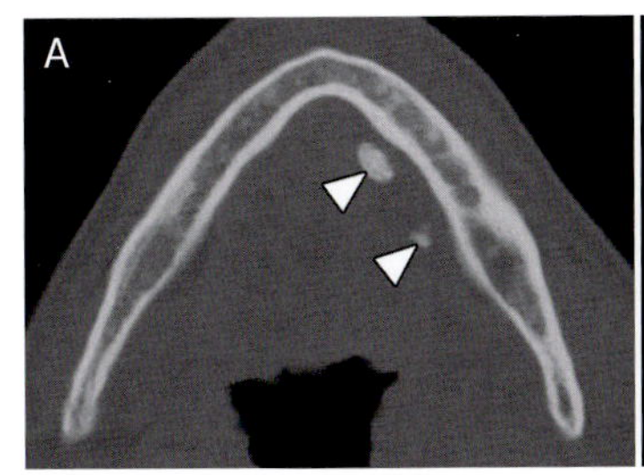

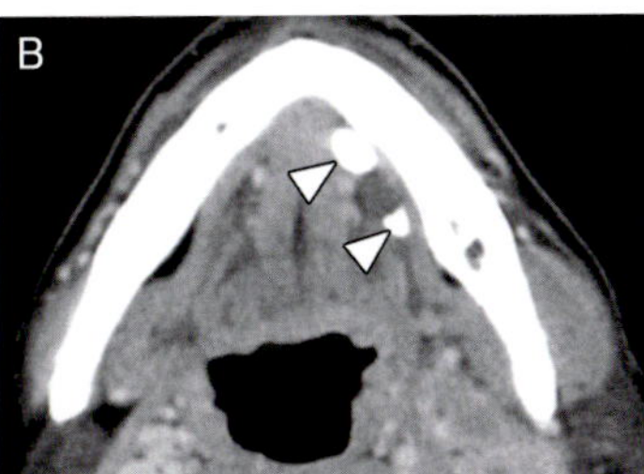

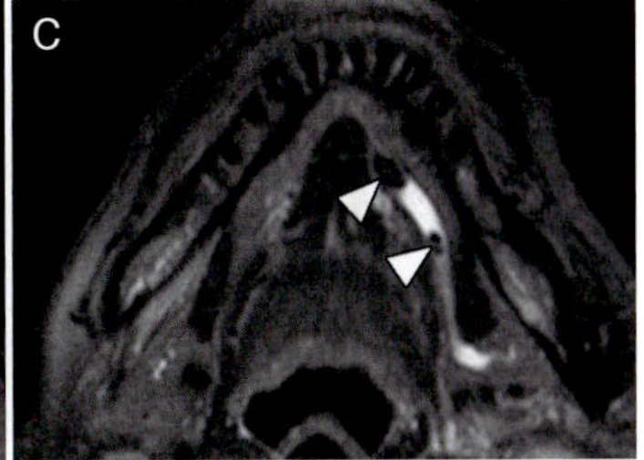

図 5-10-25　**唾石症**

A：単純 CT 像（骨モード）．B：造影 CT 像．C：脂肪抑制 T2 強調像（横断像）．左側ワルトン管内（前方のものは舌下小丘近く）に 2 つの唾石を認める（矢頭）．その間の導管の拡張と唾液の貯留を認める（B, C）．

5-10-23B，30）．

(2) 唾石症（sialolithiasis）

唾石は唾液腺導管を閉塞させ，急性あるいは慢性的な唾液腺腫脹や疼痛を引き起こす．顎下腺に多く，急性顎下腺炎の多くが唾石によって惹起された炎症である．唾石は顎下腺の腺体導管移行部に発生しやすいが（図 5-10-24），ワルトン管の中程や開口部付近（図 5-10-25），まれに腺体内にも生じる．長期経過した顎下腺唾石症では，腺体部が萎縮，脂肪変性し，炎症所見は認めないことも多い（図 5-10-24）．パノラマ X 線画像において，偶然，顎下腺の導管腺体移行部の唾石が見つかることもしばしばある

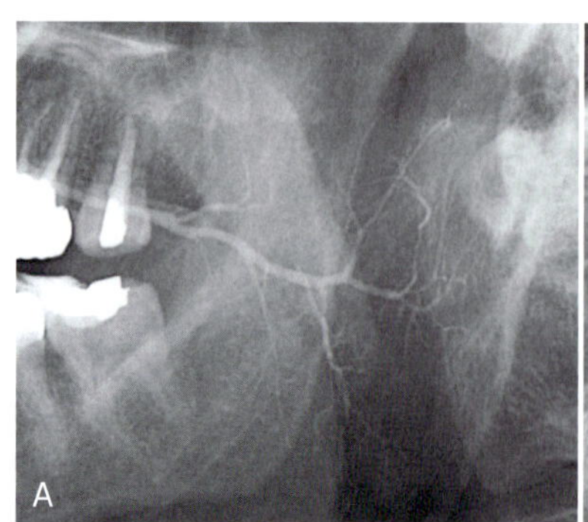

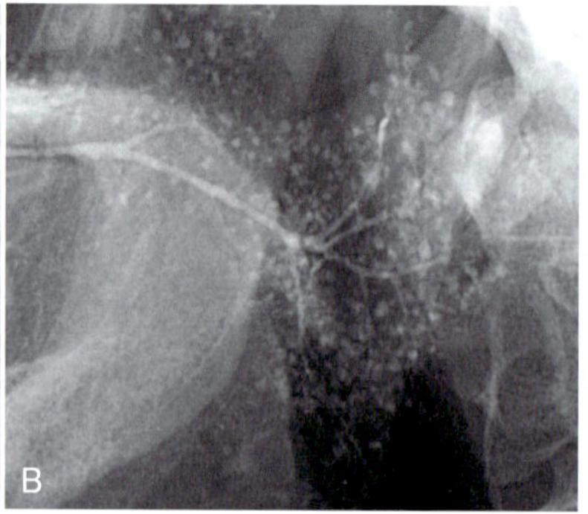

図 5-10-26　**耳下腺の唾液腺造影像**
A：健常者．B：Sjögren 症候群患者．

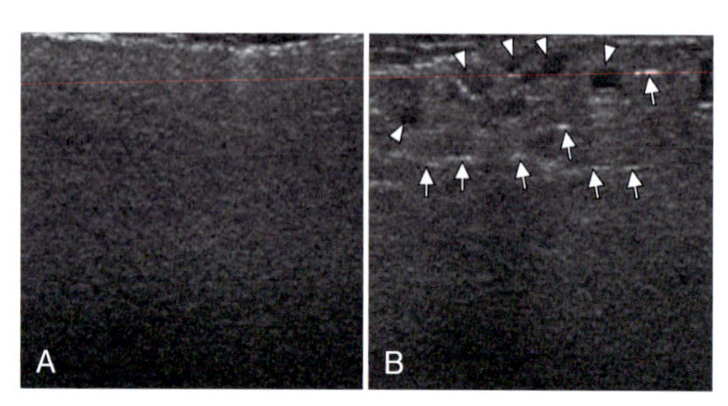

図 5-10-27　**耳下腺の超音波像**
健常者の耳下腺（A）の内部エコーはほぼ均一であるが，Sjögren 症候群患者の耳下腺（B）は，低エコー域（矢頭）と高エコーの線条（矢印）が散在し不均一である．

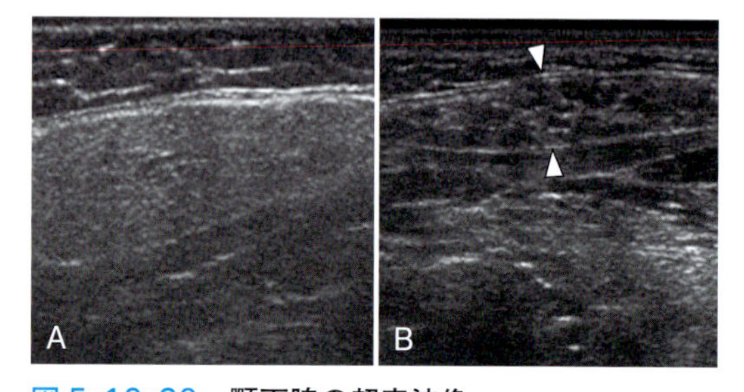

図 5-10-28　**顎下腺の超音波像**
健常者の顎下腺（A，矢頭）の内部エコーはほぼ均一であるが，Sjögren 症候群患者の顎下腺（B，矢頭）は低エコー域と高エコーの線条により不均一で，萎縮している．

が，ワルトン管内や開口部の唾石はパノラマ X 線画像では下顎骨と重なり指摘困難である．咬合法で確認できることもあるが，複数の小さな唾石が認められることもあるため，唾石の正確な数，位置の確認には CT が必要になる．なお，唾石による唾液の貯留や炎症の波及範囲の確認のためには，CT では造影が必要であるが，MRI では非造影の脂肪抑制 T2 強調像や STIR で明瞭である．

耳下腺や小唾液腺に唾石がみられることはまれだが，両側耳下腺腺体内の微細な複数の石灰化は，Sjögren 症候群や HIV に関連して報告されている．

(3) Sjögren 症候群 (Sjögren syndrome)

Sjögren 症候群は，中年以降の女性に多く認められる自己免疫疾患で，主に唾液腺や涙腺への炎症細胞浸潤による組織破壊によって口腔乾燥や乾燥性角結膜炎が引き起こされる．厚生労働省の診断基準（1999 年）には画像検査として，唾液腺造影や唾液腺シンチグラフィが含まれている．唾液腺造影は apple tree appearance と表現される点状陰影が疾患特異性の高い所見として知られており（図 5-10-26），その大きさをもとにした Rubin ＆ Holt らの病期分類は長年にわたって，広く用いられてきた．しかしながら，近年はその侵襲性などから世界的にもその使用頻度が激減している．また，機能検査の特徴をもつ唾液腺シンチグラフィは特異性が高いとはいえない．

その代わりに，まだ診断基準に導入はされてはいないが，超音波や MRI といった非侵襲的な画像検査法が広く使われるようになってきた．中でも超音波は汎用性の高さや，簡便で安価であることなどから，世界的にも使用頻度が急増している．超音波では典型的な場合，耳下腺や

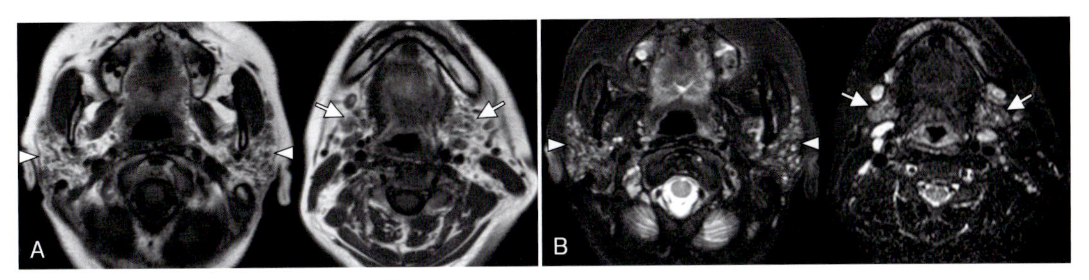

図 5-10-29　Sjögren 症候群の MR 像
A：T1 強調像（横断像）．B：脂肪抑制 T2 強調像（横断像）．両側の耳下腺（矢頭）は，不均一な脂肪変性により，いわゆる salt and pepper appearance を呈する（A）．また，脂肪抑制 T2 強調像では，両側耳下腺内に散在する点状の高信号 spot を認める（B）．両側顎下腺（矢印）は，不均一な脂肪変性により萎縮し，外形が不鮮明である．

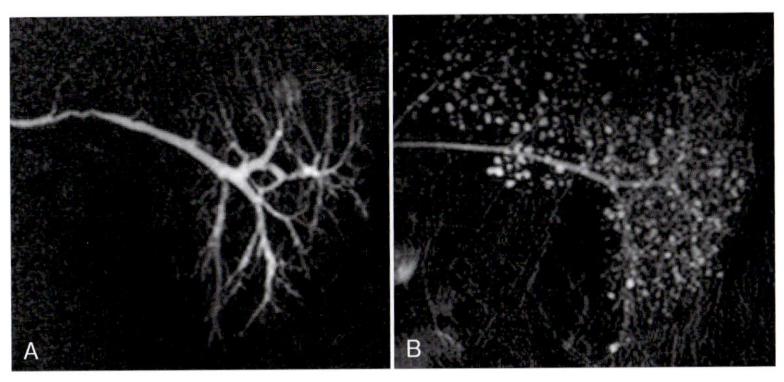

図 5-10-30　耳下腺の MR シアログラフィー
A：健常者．B：Sjögren 症候群患者．

顎下腺に円形あるいは類円形の低エコー域や高エコーの線条が散在性に認められ，腺実質の内部エコーが不均一となる（図 5-10-27, 28）．

超音波と並んで Sjögren 症候群の唾液腺診断に有用なのが，MRI である．高コストである点や検査の禁忌症例などの欠点はあるが，客観性が高く，T1 強調像，脂肪抑制 T2 強調像と MR シアログラフィを併用することで，腺実質と管系の両方を評価できることは他の検査法にはない大きな利点である．病期の進行に従って，T1 強調像では不均一な脂肪変性像を認め，高信号域と低信号域が混在した，いわゆる salt and pepper appearance を呈するようになる（図 5-10-29A）．脂肪抑制 T2 強調像では変性した領域の信号が抑制され，残存する腺葉構造が描出される（図 5-10-29B）．病期がより進行すると，唾液腺のほぼ全域が脂肪組織に置換される．MR シアログラフィでは造影剤を使用することなく，唾液腺造影に類似した点状像が描出される（図 5-10-30）．

(4) IgG4 関連涙腺・唾液腺炎（IgG4-related dacryoadenitis and sialadenitis：IgG4-DS）

IgG4 関連疾患（IgG4-related disease：IgG4-RD）は高 IgG4 血症や組織における IgG4 陽性形質細胞の浸潤などを特徴とし，全身のさまざまな臓器の腫脹や線維性の硬化を伴う原因不明の疾患で，わが国から世界に発信された疾患概念である．その中で，特に涙腺や唾液腺に病変を認めるものを **IgG4 関連涙腺・唾液腺炎**という．過去に Sjögren 症候群との異同が議論されてきた**ミクリッツ病**は現在は IgG4 関連涙腺・唾液腺炎として位置づけられている．涙腺，唾液腺の持続性（3 カ月以上）腫脹と高 IgG4 血症（135 mg/dL 以上）あるいは涙腺，唾液腺組織

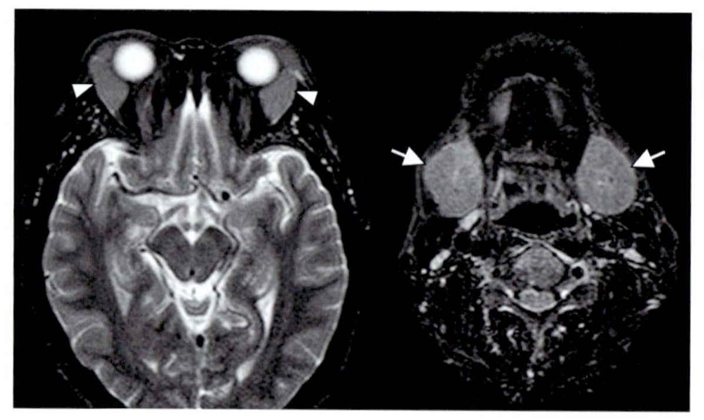

図 5-10-31　IgG4 関連涙腺・唾液腺炎の MR 像
A，B：脂肪抑制 T2 強調像（横断像）．両側涙腺（矢頭）と顎下腺（矢印）の腫大を認める．

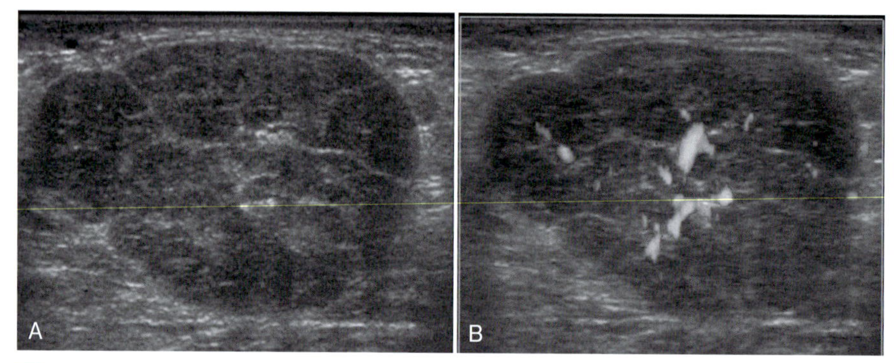

図 5-10-32　IgG4 関連涙腺・唾液腺炎の顎下腺超音波像
A：B モード．B：パワードップラーモード．顎下腺は顕著に腫大し，全域にわたって結節状の低エコー域を認める（A）．血流の増加を伴う（B）．

への著明な IgG4 陽性形質細胞浸潤などの所見を認めた場合に診断される．

CT や MRI では涙腺や唾液腺の腫脹を把握しやすいが（図 5-10-31），超音波では血流豊富な結節状あるいは，石垣状，網状などと表現される低エコー域がみられ，より詳細にその変化を捉えることができる（図 5-10-32）．ステロイドが奏功するが，再燃しやすい．**慢性硬化性顎下腺炎**（**Küttner 腫瘍**）も IgG4 関連疾患との関係が示唆されている．Sjögren 症候群，悪性リンパ腫，サルコイドーシスなどの疾患との鑑別が必要である．

11　顎関節の病変

1）顎関節の解剖

顎関節は，頭蓋骨の一つである側頭骨と下顎骨との間の関節である．左右で一対のため，複関節とよばれる．側頭骨の下顎窩とそれにはまりこんだ下顎骨関節突起上端の下顎頭とによって形成される．この2つの骨の間には，関節円板が介在している（図 5-11-1, 2）関節円板は，密な線維性結合組織で構成され，血管や神経は分布していない．関節円板の後方には，神経と血管に富む関節円板後部組織が付着している．また，関節円板は外側極付着帯，内側極付着帯を介して，下顎頭の内・外側極（図 5-11-3）に付着している．

側頭骨下顎窩と関節円板との間ならびに関節円板と下顎頭との間には，それぞれ上関節腔，下関節腔とよばれる腔が存在する．この関節腔の内面を形成する下顎窩と下顎窩前方の関節隆起（図 5-11-4）ならびに下顎頭の表面は，線維軟骨（線維性結合組織）に覆われ，関節面とよ

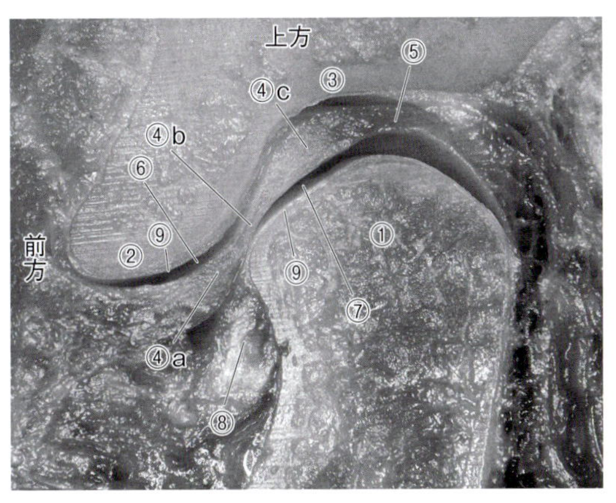

図 5-11-1　顎関節部の矢状断面
①：下顎頭，②：関節隆起，③：下顎窩，④：関節円板（a：前方肥厚部，b：中央狭窄部，c：後方肥厚部），⑤：関節円板後部組織，⑥：上関節腔，⑦：下関節腔，⑧：外側翼突筋，⑨：関節軟骨．

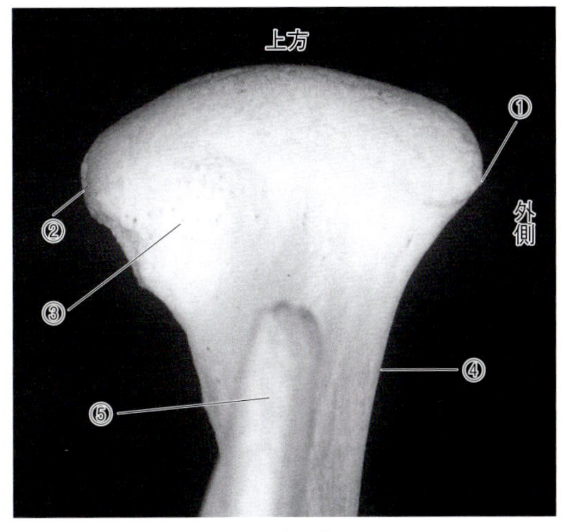

図 5-11-3　下顎頭の前方面観
①：外側極，②：内側極，③：翼突筋窩，④：下顎頸，⑤：筋突起．

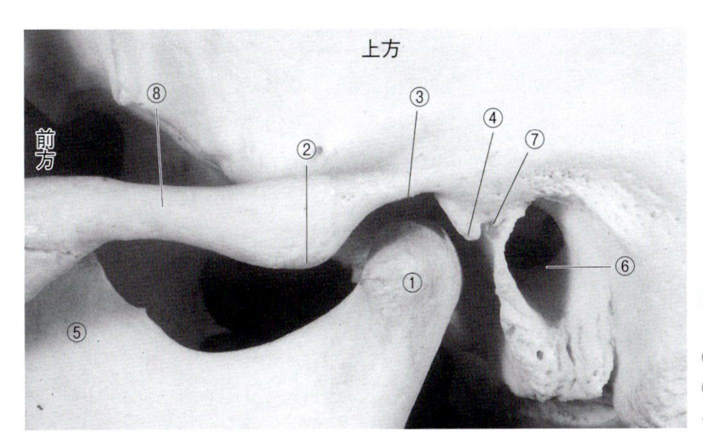

図 5-11-2　顎関節部の骨構造の側方面観
①：下顎頭，②：関節結節，③：下顎窩，④：関節後突起，⑤：筋突起，⑥：外耳孔，⑦：鼓室鱗裂，⑧：頬骨弓．

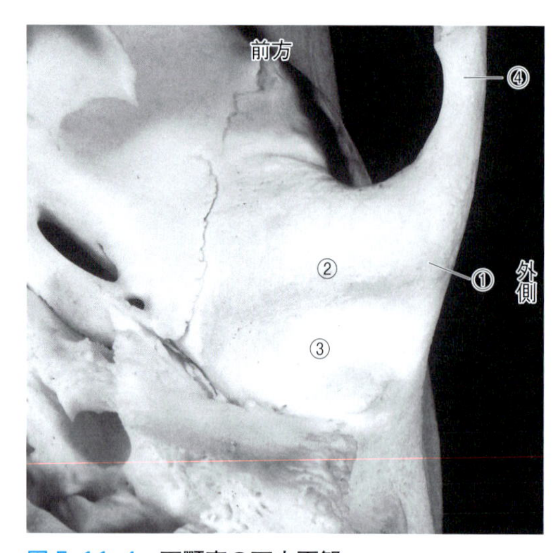

図 5-11-4　**下顎窩の下方面観**
①：関節結節，②：関節隆起，③：下顎窩，④：頬骨弓．

ばれる．**変形性顎関節症**とは，この線維軟骨被覆が欠損または消失した状態をいう．関節円板と関節軟骨以外の関節腔内面は，滑膜で被覆されている．滑膜は滑液を分泌し，この滑液は関節運動を潤滑するだけでなく，関節表面への栄養供給，産生物質の排泄を担う媒介としての役割も果たしている．滑膜は顎関節を取り巻く関節包の内面で，関節包は下顎窩周囲から下顎頭の周囲に付着する線維膜である．関節包の外面には，側頭骨・骨突起と関節結節から後下方に走行する外側靱帯がある．顎関節に直接付着する筋は外側翼突筋で，下顎頸部の翼突筋窩に多くが停止し，一部が関節円板に停止する．

関節円板を矢状断面でみると（図 5-11-1），前方と後方とが厚い形態を示し，それぞれを前方肥厚部，中央狭窄部，後方肥厚部とよぶ．後方肥厚部が下顎頭頂部上方に位置する状態が，関節円板の理想的な正常位置とされている．しかし，これより前方に後方肥厚部が位置していても，下顎頭前方部が中央狭窄部に相対している場合も正常位置とされている．この正常位置よりも関節円板が前方，外方，内方，後方にずれた状態を転位といい，関節円板転位の存在する病態が**顎関節円板障害（顎関節内障）**である．

顎関節は単純な蝶番関節ではなく，上下的な運動，前後運動，側方運動などが組み合わさった複雑な動きをする関節である．

2）顎関節の疾患

(1) 外　傷

外傷は，軟組織損傷，捻挫，脱臼，骨折に大別することができる．また，日本顎関節学会（2013 年）では，**顎関節脱臼**，**骨折（下顎骨関節突起，下顎窩，関節隆起）**に分類している．

A．軟組織損傷

顎関節に直接外力が作用した場合に，主に滑膜，関節円板，関節円板後部組織に損傷が生じるものである．関節円板の損傷としては，円板の穿孔が代表的なものであり，顎関節腔造影検査，症例によってはMRI で確認されるが，その他の検査法では確定することはできない．関節円板後部組織に損傷が生じると関節内出血が生じ，**外傷性関節炎**を引き起こすことになる．関節腔内の血液の貯留は，顎関節腔穿刺によって確認することができる．また，非侵襲的には，MRI によって推定可能と考えられる．

B．顎関節脱臼

下顎骨関節突起が下顎窩から前方，後方，上方へ著しく転位した状態で，患者自身が整復できない場合を**完全脱臼**，患者自身が整復できる場合を**不全脱臼**または亜脱臼という．

完全脱臼は単に脱臼ともいう．顎関節の場合，ほとんどは前方脱臼であり，閉口障害が生じる（図 5-11-5）．また，通常の開口運動中に容易に脱臼し，繰り返し生じるものを**習慣性脱臼**という．

これまで関節円板動態と顎関節脱臼との関連については，ほとんど記述されてこなかった．しかし，開口時に下顎頭が関節円板の前方に位置することで，閉口障害を生じることがある．

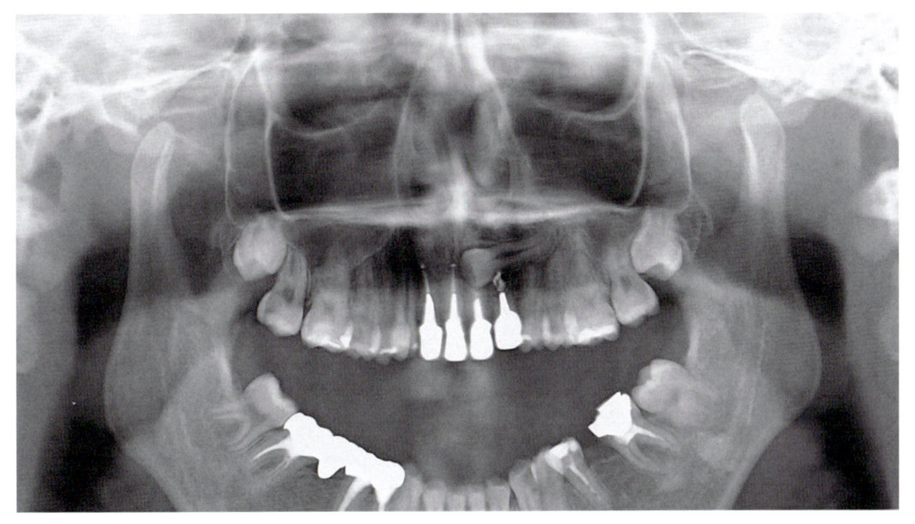

図 5-11-5　**顎関節脱臼（両側性）**
パノラマＸ線画像．下顎頭は関節隆起前上方に位置している．閉口障害のため，開口した状態でのパノラマＸ線撮影となっている．

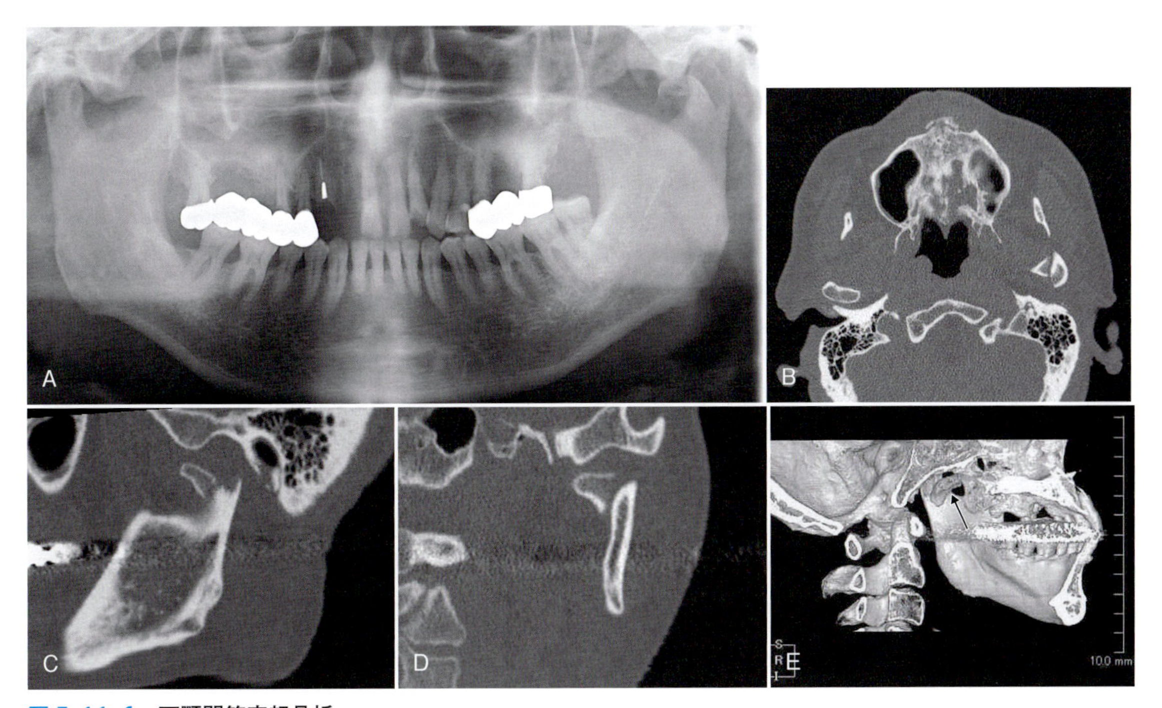

図 5-11-6　**下顎関節突起骨折**
A：パノラマＸ線画像．骨折した下顎頭の小骨片が前下方に偏位している．B：CT 横断像．骨折の部位，方向が明瞭である．C：CT 再構成矢状断像．小骨片の内側下方への偏位方向と偏位距離が明らかになる．D：CT 再構成冠状断像．小骨片の前下方への偏位方向と偏位距離が明らかになる．E：CT 再構成３次元像．左側下顎枝を内側から観察している．小骨片（矢印）の３次元的な位置を把握できる．

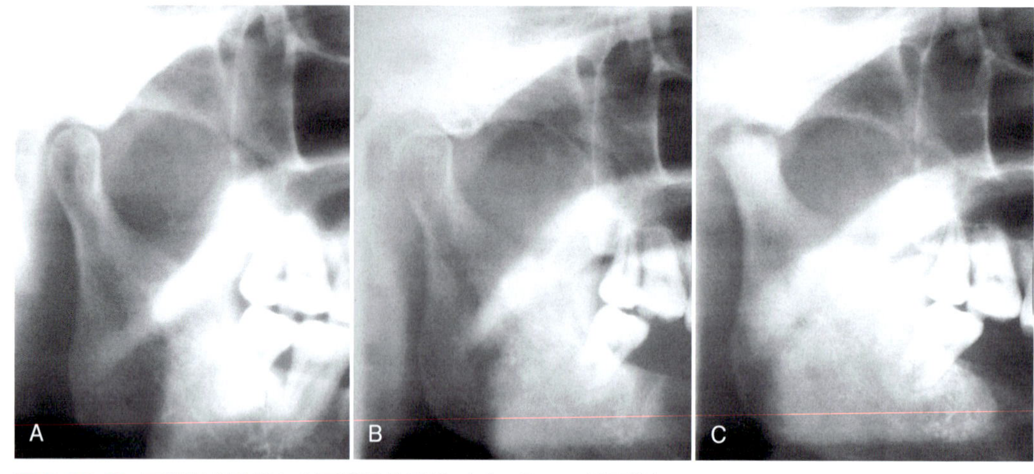

図 5-11-7　下顎頭を破壊した下顎骨骨髄炎（パノラマ X 線画像）
A：初診時．下顎頭後面皮質骨の不整を疑うが明らかではない．B：初診後 1 週．下顎頭後方からの骨破壊が著明．C：半年後．骨破壊，硬化，形態不整は下顎頭から下顎窩および関節結節にまで及んでいる．

C. 骨　折

関節突起，下顎窩のいずれにも生じるが，関節突起骨折の発現頻度が高い（図 5-11-6）．関節突起頸部に頻発し，下顎頭骨折は関節包内と包外とに分類されている．

X 線画像検査としては，パノラマ X 線撮影，顎関節前後方向投影（眼窩下顎頭方向）が有効である．さらに詳細な検査としては，CT，MRI が行われる．

オトガイ部などの下顎に強い外力を受けた場合は，関節突起の骨折がほかの部位の骨折に併発することも多い．そのような症例では，顎関節部の注意深い読影が必須である．

(2) 炎　症

感染性顎関節炎と非感染性顎関節炎に大別される．

感染性顎関節炎とは，血行性感染や顎関節隣接部からの感染，すなわち中耳炎，扁桃腺炎，智歯周囲炎，耳下腺炎，下顎骨骨髄炎からの波及によって起こる（図 5-11-7）．抗菌薬の普及によって現在では少ない．まれな疾患ではあるが，関節部に著しい破壊が生じるので，診断上十分に注意を要する．

関節リウマチは，自己免疫疾患に含まれる原因不明の系統疾患である．関節の慢性進行性炎症性病変を主症候とし，顎関節部に異常がみられる場合も多く，50～80％の患者に X 線画像上，異常所見が存在するという．X 線画像所見は多様であるが，破壊性骨変化を主体とした骨の消失がみられることが多く，下顎頭全体が破壊されることもある（図 5-11-8）．種々の X 線画像検査は，骨変化を検索するのに有効であるが，顎関節部軟組織を含めた検査として，MRI が有効である．

(3) 腫瘍および腫瘍類似疾患

顎関節に生じる腫瘍性病変は，ほかの顎関節疾患に比べて比較的少ない．この部位には側頭骨の関節隆起と下顎頭との表面に軟骨が存在しているため，軟骨に起因する腫瘍が発生することがある．

軟骨腫は，顎関節部の骨構造を破壊することは少ない．石灰化程度の低いものでは，パノラマ X 線撮影や顎関節単純 X 線撮影による検出が困難なことがあり，MRI や CT によって確認することになる．しかし，臨床症状としては，顎関節部の無痛性腫脹が認められれば，顎関節

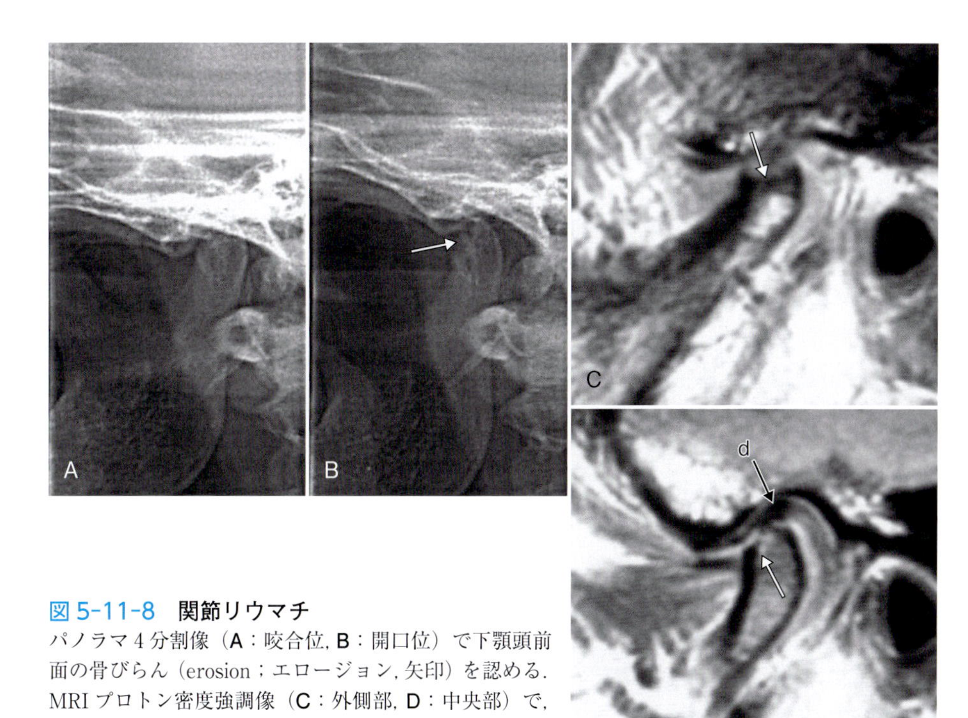

図 5-11-8　**関節リウマチ**
パノラマ 4 分割像（A：咬合位, B：開口位）で下顎頭前面の骨びらん（erosion；エロージョン, 矢印）を認める. MRI プロトン密度強調像（C：外側部, D：中央部）で, X 線画像と同様の皮質骨の破壊（白矢印）を認める. 関節円板（黒矢印）の位置は正常である.

部の腫瘍を疑うことは可能である.

軟骨腫は, **滑膜軟骨腫症**として発現することが多い. 滑膜軟骨腫症は, 石灰化が進めば顆粒状の不透過像が下顎頭周囲に認められるので, パノラマ X 線画像から容易に診断することができる（図 5-11-9）. その臨床症状は顎関節症に類似しており, 関節雑音, 開口障害や顎関節部痛を訴えることがある. 石灰化の低い場合でも, MRI では関節腔の著しい拡張と高信号像が T2 強調像でみられ, T1 強調像と T2 強調像のいずれでも低信号の小腫瘤を関節腔内に認めることから, 滑膜軟骨腫症を検出できる（図 5-11-10）. 顎関節腔造影検査では, 関節腔内の腫瘤を確認することができる. 非常にまれだが悪性化して軟骨肉腫となった報告もあるので, 根治的治療が必要となる.

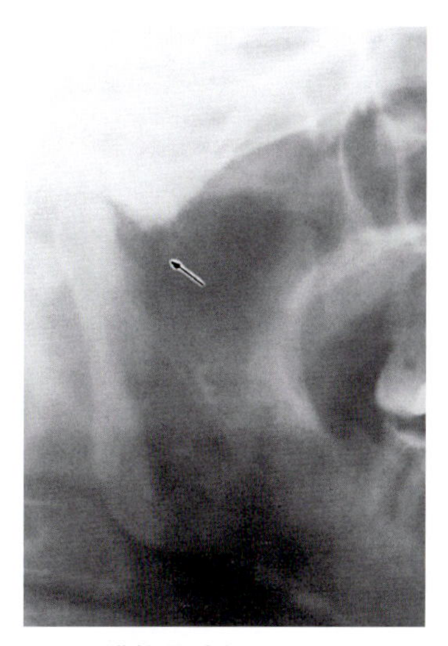

図 5-11-9　**滑膜軟骨腫症**
下顎頭, 関節隆起周囲に多数の顆粒状不透過像を認める.

悪性腫瘍としては, 軟骨肉腫, 骨肉腫, 多発性骨髄腫の発生が報告されている. 頻度は必ずしも高いものではないが, 下顎頭ならびに下顎切痕の骨破壊や不透過像の存在には, 注意を払うことが重要である.

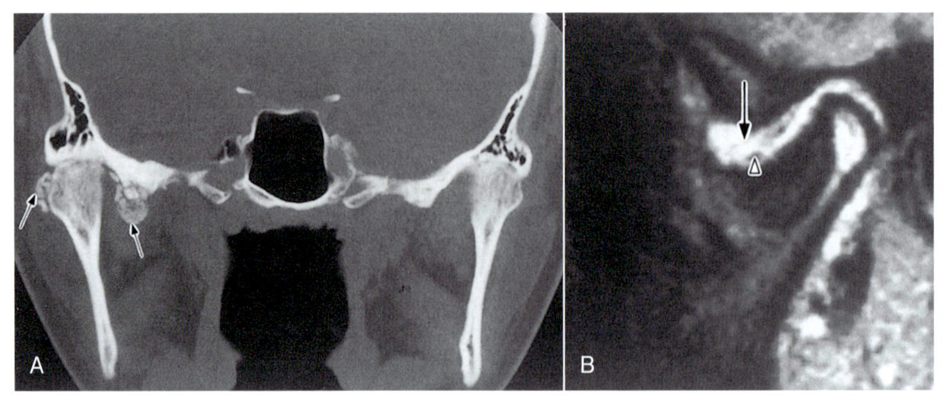

図 5-11-10　**滑膜軟骨腫症**
A：CT 冠状断像．石灰化物（矢印）がみられる．B：MRI T2 強調像（2,000/100，矢状断像）．上関節腔の拡張と高信号像（矢印）内石灰化物は点状の低信号像（△）としてその散在を認める．

(4) 先天異常・発育異常

下顎骨関節突起欠損，**下顎骨関節突起発育不全**，**下顎骨関節突起肥大**，**先天性二重下顎頭**などがある．開口制限，顎関節部疼痛，顎関節雑音は，認められることもないこともある．むしろ，関節突起欠損や発育不全では患側へのオトガイ部の偏位，関節突起肥大では，健側へのオトガイ部偏位を自覚することが多い．

X 線画像では，下顎頭の大きさと形態について診断することになるが，鑑別は必ずしも容易ではない．関節突起欠損については，X 線画像において下顎頭が消失し，全身疾患と外傷の既往とが否定できれば，ほぼ確定することができる．しかし，発育不全については，下顎頭が著しく小さい所見を呈するものの，変形性顎関節症との鑑別は困難である．また，関節突起肥大についても，下顎頭は明らかに大きいものの骨軟骨性外骨症（骨軟骨腫）との鑑別が困難である．先天性二重下顎頭は，眼窩下顎頭方向像や冠状断 CT 像，MR 画像で確認されるが，臨床的に問題のあることは少ない．

(5) 顎関節強直症

顎関節強直症は，関節を構成する組織の変化によって関節の可動性が持続的に障害され，著しい開口制限を示すものである．**関節内強直**と**関節外強直**があるが，強直とは一般に関節内強直を指す．また，関節外強直を拘縮として，強直と分けることもある．さらに組織の性状によって，線維性強直と骨性強直とに分類される．原因による分類としては，外傷性，炎症性，全身性および持続静止性に分類されている．

骨性強直の場合は，X 線画像検査において下顎頭と側頭骨とが一塊となったような所見を呈する．このため Schüller 変法などの顎関節単純 X 線撮影，パノラマ X 線撮影でも検出可能な場合が多い．CT 像では，さらに詳細に病態が把握できる（図 5-11-11）．

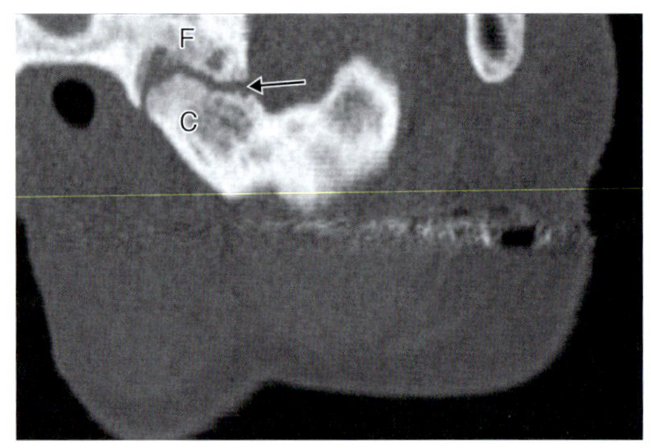

図 5-11-11　**顎関節強直症**
CT 再構成矢状断像．下顎頭側（C）は前方に増生し，下顎窩側（F）の最前方部まで及んでいる．関節隙（矢印）は狭窄し，辺縁不整なわずかな幅で後方まで続いている．この状態では下顎頭の滑走，回転はほとんど行えない．

表 5-11-1　顎関節症の病態分類（日本顎関節学会，2013）

- 咀嚼筋痛障害 myalgia of the masticatory muscle（Ⅰ型）
- 顎関節痛障害 arthralgia of the temporomandibular joint（Ⅱ型）
- 顎関節円板障害 temporomandibular joint disc derangement（Ⅲ型）
  - a. 復位性 with reduction
  - b. 非復位性 without reduction
- 変形性顎関節症 osteoarthrosis/osteoarthritis of the temporomandibular joint（Ⅳ型）

注 1：重複診断を承認する.
注 2：顎関節円板障害の大部分は，関節円板の前方転位，前内方転位あるいは前外方転位であるが，内方転位，外方転位，後方転位，開口時の関節円板後方転位などを含む.
注 3：間欠ロックは，復位性顎関節円板障害に含める.

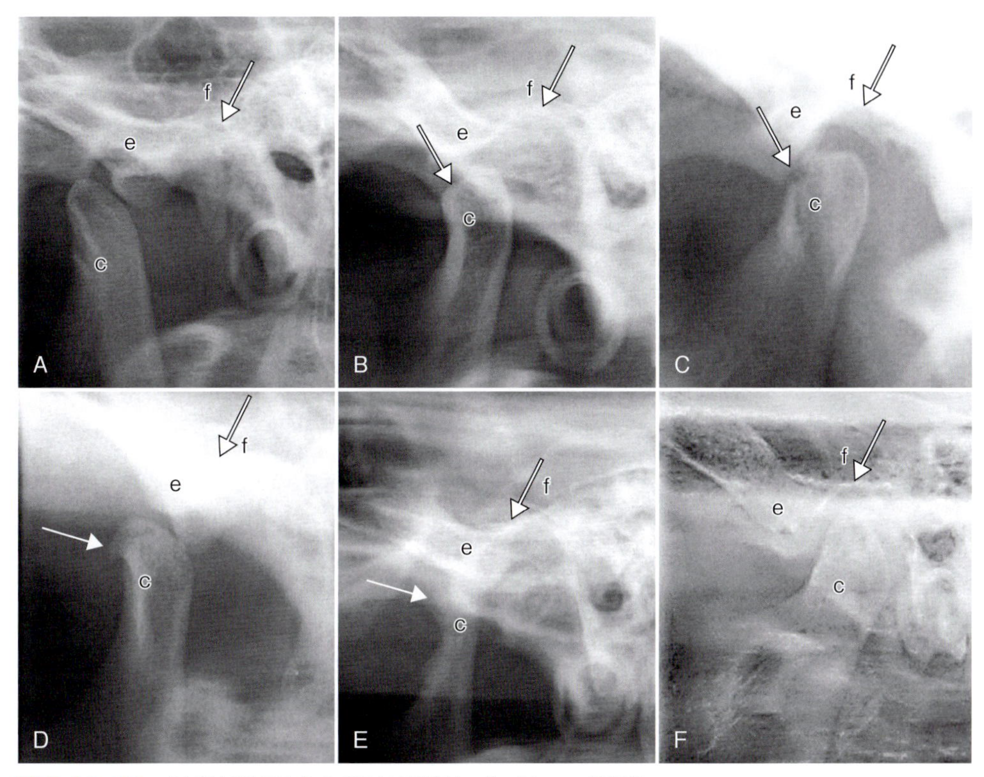

図 5-11-12　変形性顎関節症と鑑別が必要なパノラマ X 線画像
A, B は変形性顎関節症と判断しない. A：下顎頭の骨変化なし. B：平坦化（矢印：flattening），皮質が連続しており，変形性顎関節症とは判断しない. C〜F の所見を変形性顎関節症とする. C：骨びらん，下顎頭皮質の断裂（矢印：erosion），D：骨棘形成（矢印：osteophyte），E：下顎頭の萎縮（矢印：atrophy），F：下顎頭（c）全体の骨硬化（generalized sclerosis）（c：下顎頭，e：関節隆起，f：下顎窩）.
（五十嵐千浪，2017[1] より改変）

線維性強直は，顎関節腔造影検査によってのみ画像診断が可能である．顎関節腔内の線維性癒着が広範になれば，MR 画像上でも診断可能かと思われるが，これまでのところ明らかではない．顎関節腔造影所見としては，関節腔の消失，関節腔狭窄，関節腔内線維性癒着が認められる．また，臨床的にある程度可動性があり，強直とはよべないものの顎関節腔内の線維性癒着が存在する強直症の前駆病変ともいうべき状態も存在する．

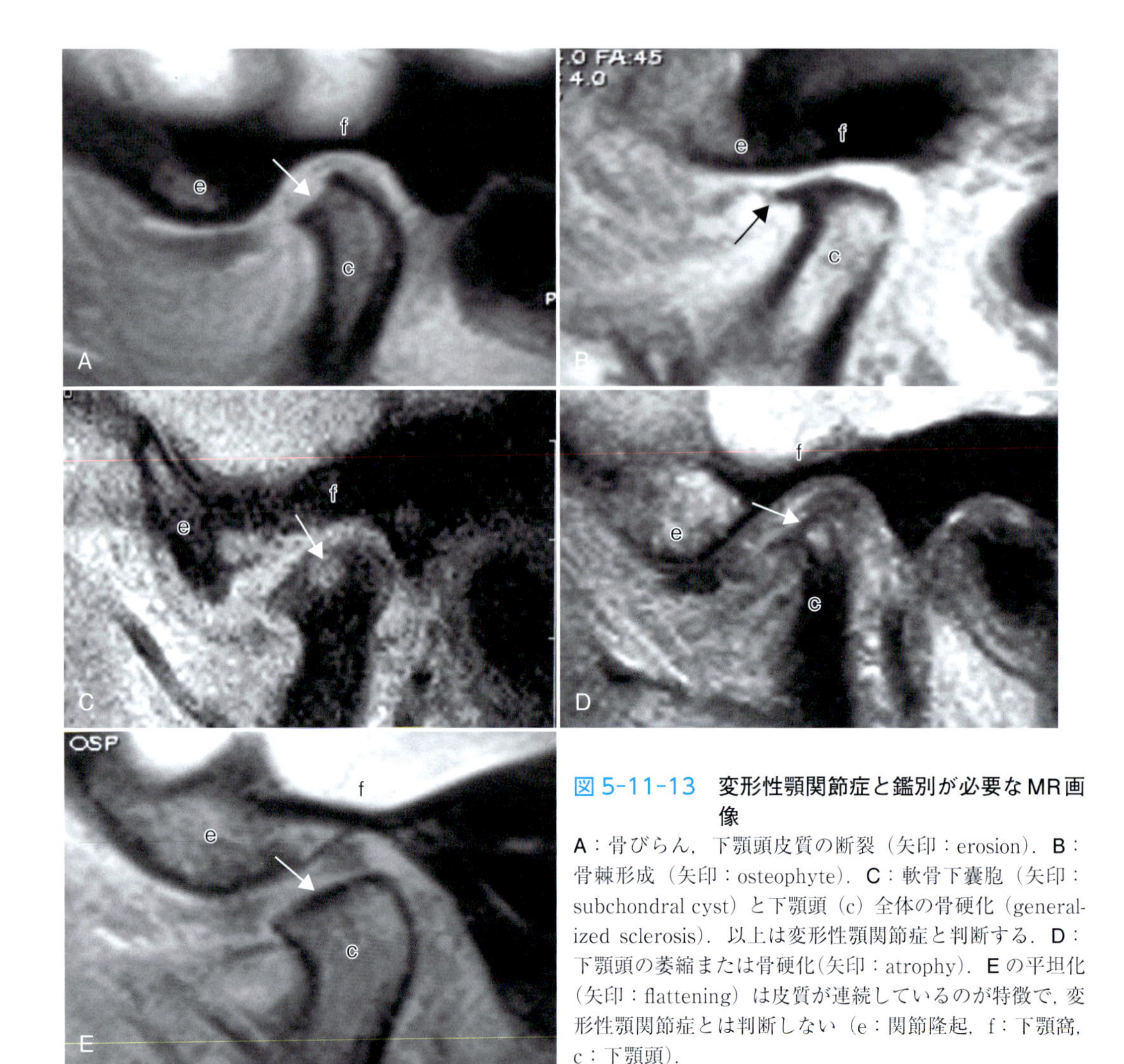

図 5-11-13　変形性顎関節症と鑑別が必要なMR画像

A：骨びらん，下顎頭皮質の断裂（矢印：erosion）．B：骨棘形成（矢印：osteophyte）．C：軟骨下嚢胞（矢印：subchondral cyst）と下顎頭（c）全体の骨硬化（generalized sclerosis）．以上は変形性顎関節症と判断する．D：下顎頭の萎縮または骨硬化（矢印：atrophy）．Eの平坦化（矢印：flattening）は皮質が連続しているのが特徴で，変形性顎関節症とは判断しない（e：関節隆起，f：下顎窩，c：下顎頭）．

(6) 顎関節症

顎関節症は「顎関節や咀嚼筋の疼痛，関節（雑）音，開口障害あるいは顎運動異常を主要症候とする障害の包括的診断名である．その病態は咀嚼筋痛障害，顎関節痛障害，顎関節円板障害および変形性顎関節症である」と定義されている．表 5-11-1 に示す病態分類がなされている（日本顎関節学会，2013年）．画像検査によって検出可能な病態は，顎関節円板障害と変形性顎関節症であり，咀嚼筋痛障害と顎関節痛障害については，画像診断において特徴的な所見はない．

本項では，画像所見で骨の退行性病変が存在するものはすべて変形性顎関節症として取り扱い，顎関節円板障害は骨の退行性病変を伴わないものとした．

A. 変形性顎関節症

退行性骨病変を示し，骨関節症ともよばれる．顎関節単純X線撮影や，パノラマX線撮影，CT，MRIによって異常が検出された場合には，本症例に分類する（図 5-11-12〜14）．X線検査によって描出されるのは骨組織であるが，顎関節軟組織には著しい損傷が及んでいることが

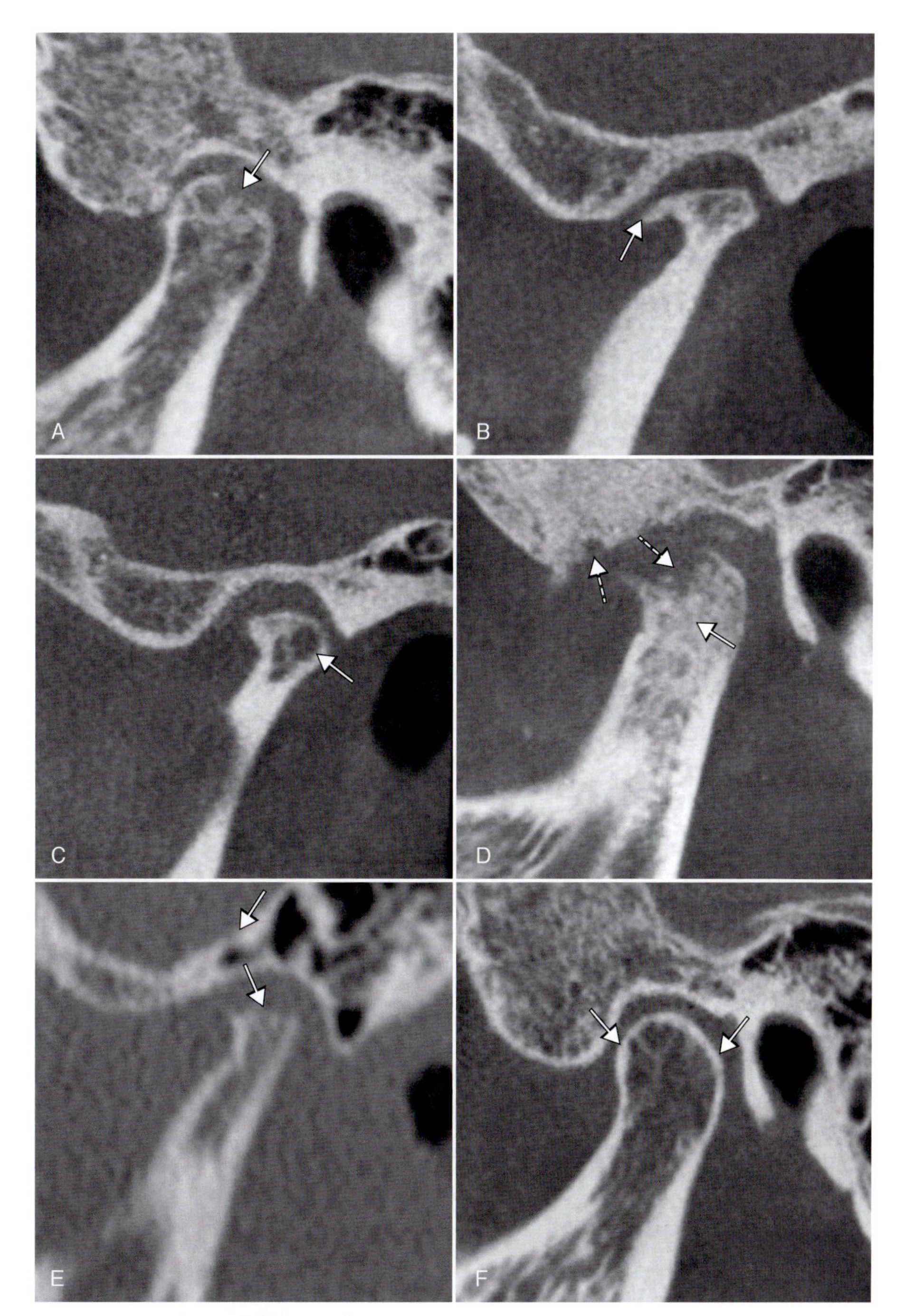

図 5-11-14　変形性顎関節症と変形のない顎関節の CT 像
A：骨びらん．下顎頭皮質の断裂と消失（矢印：erosion）．B：骨棘形成（矢印：osteophyte）．C：軟骨下嚢胞．境界明瞭な低密度の領域（矢印：subchondral cyst）．D：骨硬化．骨髄が全体に高密度化（矢印：generalized sclerosis）．骨びらん（破線矢印）が合併している．B，C には下顎頭の萎縮（atrophy）が合併している．E：下顎頭の萎縮（atrophy）．下顎頭が縮小している．骨びらん（矢印）が合併している．F：骨変化のない下顎頭．下顎頭関節面（矢印の範囲）の皮質が連続している．

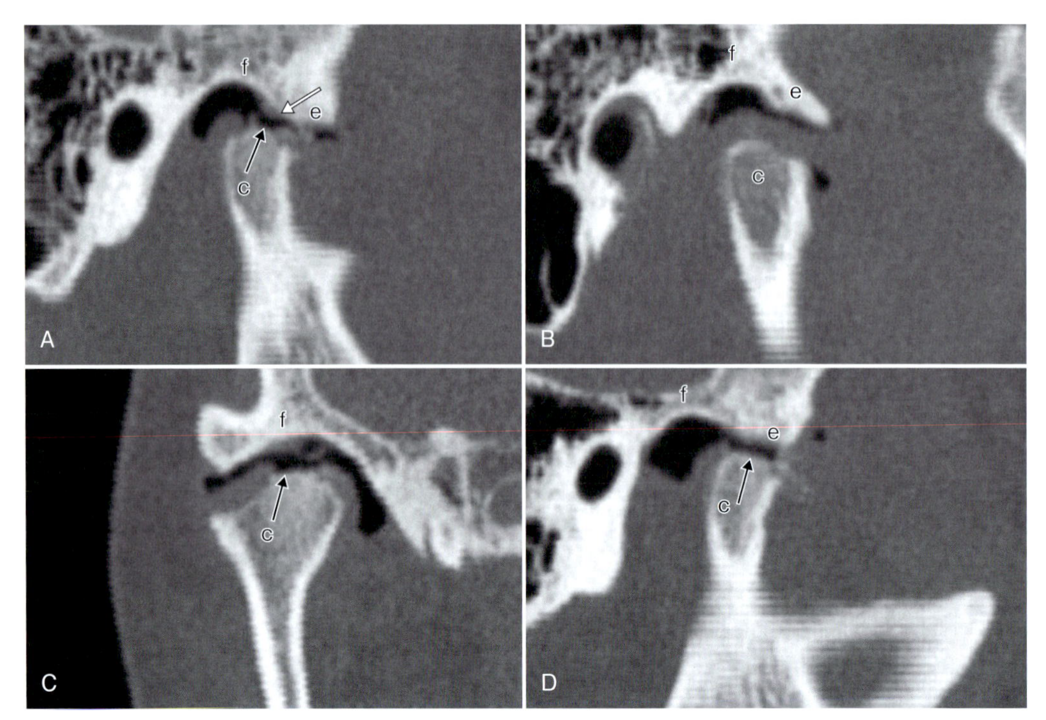

図 5-11-15　関節円板および関節円板後部組織穿孔
関節腔造影再構成 CT 像．A：閉口位矢状断像（内外側的に中央部）．下顎頭上方の軟組織が欠損し（黒矢印），関節隆起の軟組織の増生を認める（白矢印）．B：閉口位矢状断像（内外側的に外側部）．この部では穿孔はない．C：冠状断像．下顎窩と下顎頭の間の軟組織が消失している．穿孔の位置は内外側的にほぼ中央部にある（矢印）．D：開口位矢状断像．穿孔部は下顎頭上方に位置したままで下顎頭が前方に移動している（c：下顎頭，e：関節隆起，f：下顎窩）．

多く，関節円板および後部組織が穿孔した顎関節の 90％に，重度な骨変化がみられたとする報告もある（図 5-11-15）．このため，X 線画像上で下顎頭の高度の骨変化を認めた場合，軟組織の詳細な病態確定のために，顎関節腔造影検査が必要となる．

このほかにも，MRI では骨髄信号の異常が認められることがある．T1 強調像またはプロトン密度強調像で，成人では高信号の下顎頭骨髄が低信号を呈するもので（図 5-11-16），**下顎頭の阻血性（乏血性）骨壊死**（avascular necrosis）とよばれているが，病態についての解明は不十分である．

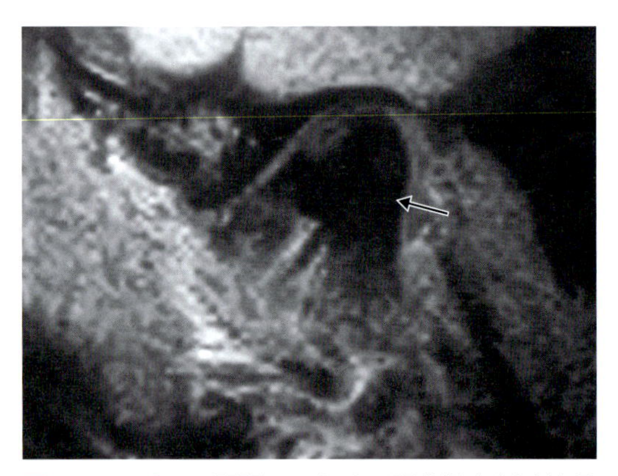

図 5-11-16　下顎頭のいわゆる阻血性（乏血性）骨壊死の MR 画像
下顎頭が著しい低信号を示している（矢印）．

B．顎関節円板障害

関節円板の位置異常による運動障害，または顎関節雑音を呈するものである．MRI，または顎関節腔造影検査によって確定できる．本病態は，顎関節内障（internal derangement of the TMJ）とよばれ，臨床所見や通常の X 線検査のみによる診断では，正しく診断できない場合がある．

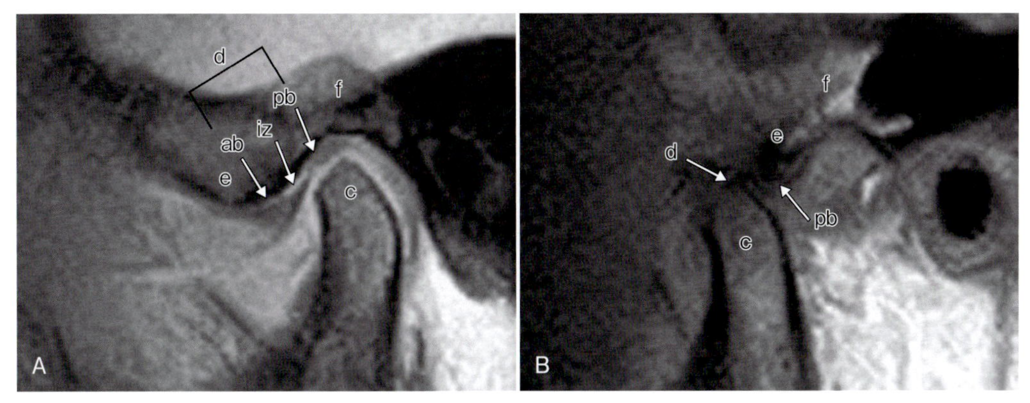

図 5-11-17　**関節円板転位のない正常例**
14 歳，女子．MR 画像（矢状断）．咬合位（A）では関節円板後方肥厚部（pb）が下顎頭（c）の上方に，開口位（B）では関節円板中央狭窄部（iz）が下顎頭関節面に接している．A：咬合位（MRI T2 強調像），B：開口位（MRI T1 強調像）．
c：下顎頭，e：関節隆起，f：下顎窩，d：関節円板（ab：前方肥厚部，iz：中央狭窄部，pb：後方肥厚部）．

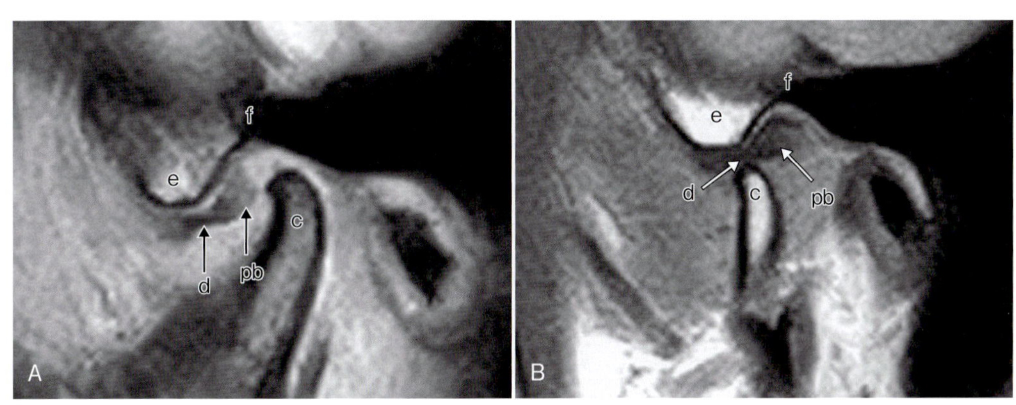

図 5-11-18　**復位性関節円板前方転位（復位性関節円板障害）の例**
35 歳，男性．MR 画像（矢状断）．咬合位（A）では，関節円板（d）は下顎頭（c）の前方に転位しているが，開口位（B）では，関節円板は正常な下顎頭上方に位置している．

関節円板が位置的に正常と判断する場合の画像所見は，咬合時には関節円板後方肥厚部は下顎頭上方に位置し，中央狭窄部は下顎頭関節面に接している．開口時には，中央狭窄部下方に下顎頭が位置する（図 5-11-17）．

一方，前方転位の場合は，咬合時に後方肥厚部が下顎頭の前方に位置している状態である．開口時には下顎頭が中央狭窄部に位置し，正常な状態となる**復位性関節円板前方転位**（図 5-11-18）と開口時には前方転位が持続する**非復位性関節円板前方転位**（図 5-11-19）とがある．特徴的な臨床所見としては，復位性関節円板前方転位ではクリック音の発生，非復位性前方転位では開口障害と開口時疼痛とである．関節円板転位は前方転位の頻度が最も高いが，内外側，後方にも生じる（図 5-11-20, 表 5-11-2）．

MRI で関節円板転位以外に現れる異常所見として，joint effusion（関節液貯留，滲出液貯留）とよばれるものがある．これは，関節腔が拡張して MRI T2 強調像で高信号を示すもので（図 5-11-21），関節痛と関連のある所見との報告がある．

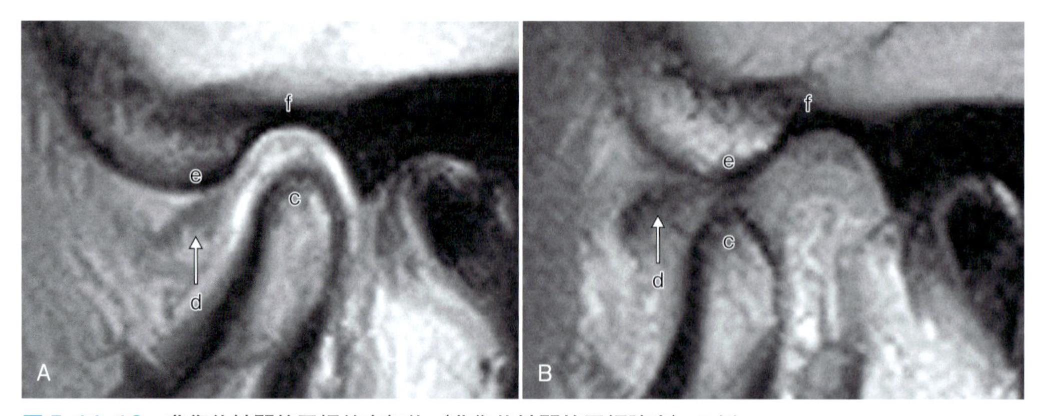

図 5-11-19　非復位性関節円板前方転位（非復位性関節円板障害）の例

40 歳，女性．MR 画像（矢状断）．咬合位（A），開口位（B）ともに関節円板（d）は下顎頭（c）の前方に転位している．関節円板は変形して一塊になり，前方肥厚部，中央狭窄部，後方肥厚部は区別できない．

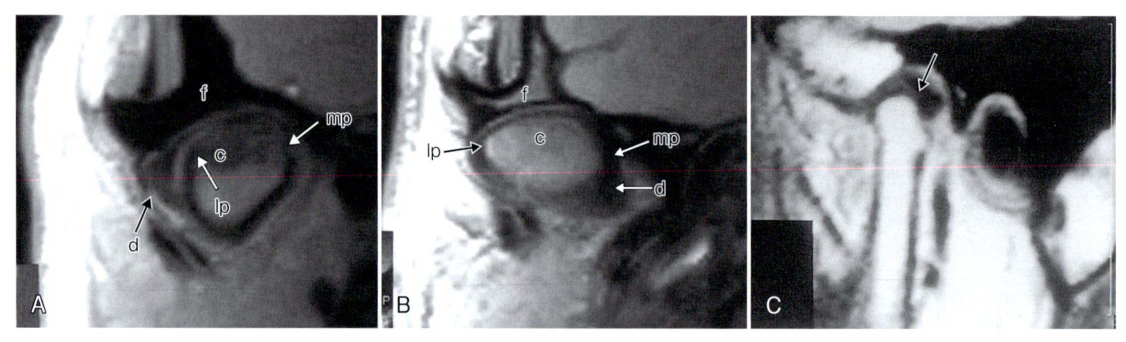

図 5-11-20　関節円板側方転位と後方転位の例

MR 画像．A：関節円板外方転位（冠状断像）．下顎頭外側極を越えて外側下方に関節円板が転位している．B：関節円板内方転位（冠状断像）．下顎頭内側極を越えて内側下方に関節円板が転位している．f：下顎窩，c：下顎頭，lp：下顎頭外側極，mp：下顎頭内側極，d：関節円板．C：関節円板後方転位（矢状断像）．円板（矢印）は下顎頭後方に位置している（別症例）．

表 5-11-2　関節円板転位の分類

1. 関節円板前方転位（anterior disk displacement）
2. 関節円板捻転（rotational disk displacement）
   前方転位と側方転位との併発
   1）前外方捻転または転位（anterolateral displacement）
   2）前内方捻転または転位（anteromedial displacement）
3. 関節円板側方転位（sideways disk displacement）
   1）外方転位（lateral displacement）
   2）内方転位（medial displacement）
4. 関節円板後方転位（posterior disk displacement）

注）捻転は，rotational displacement の仮称である．前方転位と側方転位とが併発した状態である．

（Tasaki MM et al, 1996[2] より改変）

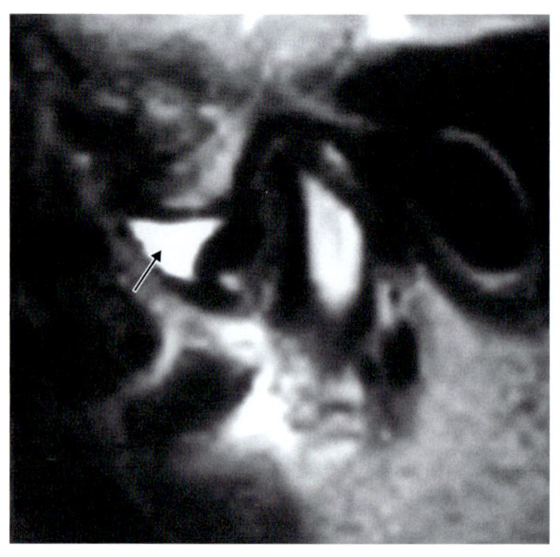

図 5-11-21　joint effusion の MRI T2 強調像（3330/105）

関節腔形態に一致した高信号像（矢印）を呈する．

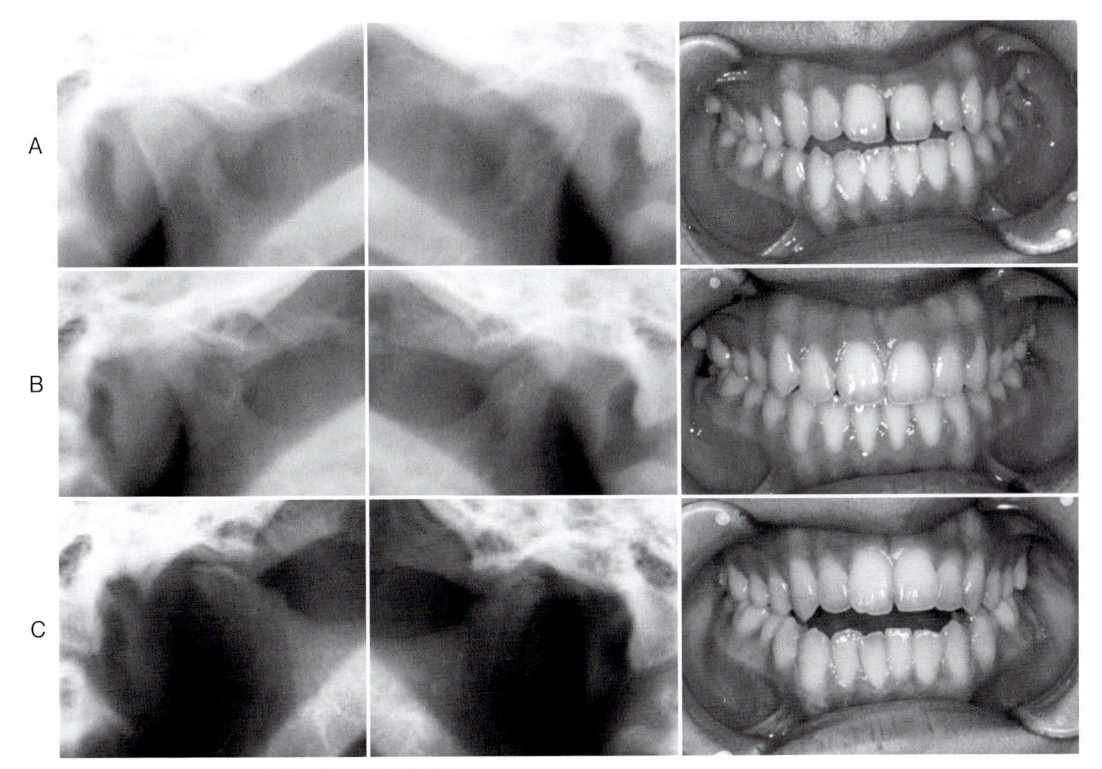

図 5-11-22　進行性（特発性）下顎頭吸収
パノラマX線画像の顎関節部（左段，中段）と咬合状態（右段）．A：12歳10か月．歯列矯正開始時，前歯部が開咬している（右段）．パノラマX線画像では右側に比べ左側下顎頭の萎縮が始まっている．B：14歳6か月．動的歯列矯正終了時(右段)．パノラマX線画像で両側下顎頭が萎縮している．C：20歳10か月．パノラマX線画像で両側下顎頭の萎縮が進行し（左段，中段），開咬が生じている．

C．顎関節痛障害

内在性外傷（硬固物の無理な咀嚼，大あくび，ブラキシズム，咬合異常など）によって，顎関節部の疼痛が引き起こされた病態である．関節包，関節靱帯，関節円板の伸展および捻挫によって生じるとされている．本病態のみの症例ではX線撮影，MRI，顎関節腔造影X線検査では異常を認めず，関節鏡では滑膜のびらんや関節円板の微細損傷を一部に認めるという．このため，本病態に特徴的な画像所見はない．

D．咀嚼筋痛障害

咀嚼筋の疼痛を示す病態であり，本病態のみの症例では画像上では関節円板の転位，関節円板および後部結合組織穿孔，関節腔内病変，骨変化はいずれも認められない陰性所見となる．このため，本病態に特徴的な画像所見はない（表5-11-1）．

(7) 進行性（特発性）下顎頭吸収

下顎頭が長期にわたって吸収が継続し萎縮していく病態（図5-11-22）．原因は明らかではない．非復位性関節円板前方転位が併発している症例がほとんどである．下顎後退症の顎変形症手術後に生じることがある．

(8) 開口制限を生じるその他の疾患

開口制限・障害を生じる疾患は顎関節および咀嚼筋ならびに隣接部の炎症，悪性腫瘍や頭蓋内疾患など数多くの疾患があるが，ここでは口腔顎顔面領域で他の章に含まれない疾患を記載した．

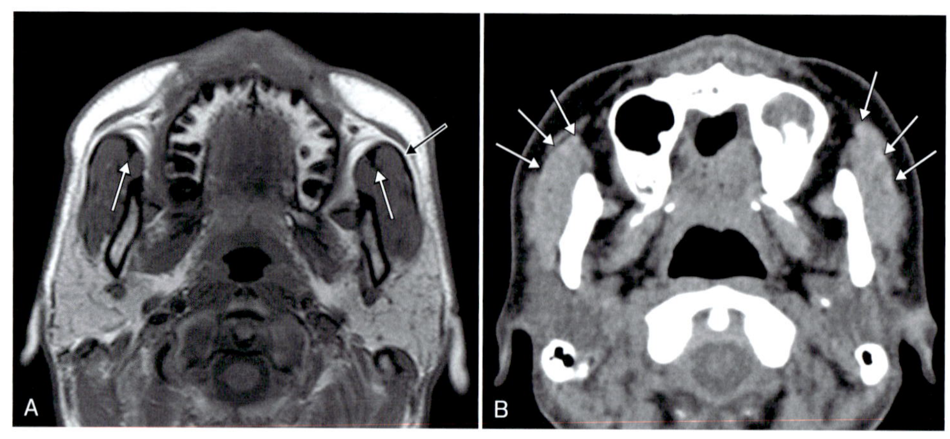

図 5-11-23　咀嚼筋腱・腱膜過形成症
A：MRI T1 強調像．55 歳，男性．開口距離 18 mm．低信号の咀嚼筋腱・腱膜が咬筋内に木の根状に嵌入し（白矢印），咬筋表面で肥厚し，筋の外形は弧状状態（黒矢印）になっている．
B：咀嚼筋腱・腱膜過形成症の CT 像．51 歳，女性．開口距離 21 mm．軟組織表示において咬筋の前方や咬筋表面に高密度の部分（白矢印）があり，筋の外形は弧状状態になっている[6]．

A．咀嚼筋腱・腱膜過形成症

咀嚼筋腱・腱膜過形成症は咀嚼筋（咬筋，側頭筋など）の腱および腱膜が過形成することにより筋の伸展を制限し，開口障害（開口距離 30 mm 未満）をきたす疾患である．その特徴として 1）緩徐に進行する硬性の開口障害，2）若年時の発症が多い，3）咬筋前縁の硬い突っ張りの触知，4）いわゆる square mandible（下顎角が鋭角で下顎骨全体が四角にみえる）を呈する[3,4]，といった事柄があげられている．

画像診断については，MR 画像で腱は無信号領域として描出され，咬筋前縁の木の根状陥入像，咬筋外側部の弧状状態（図 5-11-23）が特徴的な画像所見であることが示されている[5]．しかし，この所見による感度，特異度は明らかではない．典型例では顎関節には異常所見がみられない．

B．筋突起過長症

過剰に形成された筋突起が頬骨後面や頬骨弓内面と干渉し無痛性の開口制限を起こす．無痛性で硬性の開口制限（開口距離 30 mm 未満）が特徴である．

画像所見はパノラマ X 線画像で筋突起が上方に進展しているのが確認できる（図 5-11-24）．CT 画像では筋突起と頬骨・頬骨弓の位置関係の把握が容易になり，外科治療に有効である．

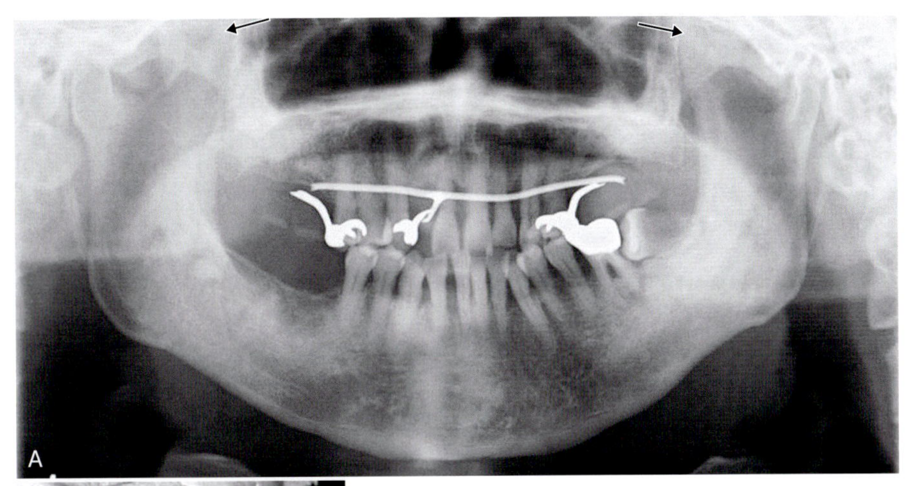

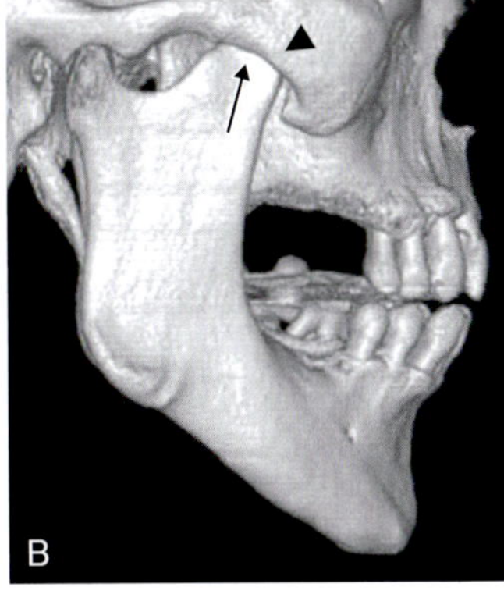

図 5-11-24　筋突起過長症

パノラマ X 線画像（A）において，下顎頭に比べかなり高位に筋突起が進展している（矢印）．三次元 CT 画像（B）で筋突起（矢印）と頬骨・頬骨弓（矢頭）の位置関係が明瞭に描出されている．

12 上顎洞の病変

上顎洞は最大の副鼻腔であり，同部の病変は上顎洞由来や歯原性疾患の上顎洞進展など，病理組織学的に多彩である．従来からこれらの病変の画像検査は口内法，口外法を代表とする単純X線検査やパノラマX線検査が臨床で広く利用されてきた．近年ではCTやMRIおよびPET検査などの核医学検査が用いられるようになり，鑑別診断や進展範囲および治療効果判定に不可欠な画像検査となった．本項では，隣接医学である耳鼻科領域の歯科医師が知っておくべき関連事項も述べ，最後に病変ではないが，近年の歯科インプラント治療の普及による上顎洞底への骨造成サイナスリフトの画像診断についての事項も述べる．

1）上顎洞の解剖

副鼻腔の中で最大となる上顎洞は，中顔面に位置するピラミッド型をした大きな空洞であり，上壁は眼窩底，後壁は側頭下窩，内側壁は鼻腔外側壁の一部，前壁（顔面）および歯槽堤に近い洞底部からなる含気腔である．単純X線画像ではこれらに接する眼窩，側頭下窩，翼口蓋窩，鼻道，篩骨洞，頰部などとともに描出される．洞底部の最下部は上顎第一または第二大臼歯周囲となる．鼻腔への排泄経路となる上顎洞自然孔（口）は洞内側壁の上方に位置し，分泌物は篩骨漏斗の後方から出て，中鼻道の半月裂孔後半部へと排泄される（表5-12-1）．眼窩下神経は上顎洞の上壁を骨壁に囲まれて走行するが，骨壁欠損があるともされている．上顎洞粘膜上皮は多列線毛上皮であり，上顎洞を含む，副鼻腔の機能的意義は，吸気の保湿や保温，空気清浄，発声の共鳴および脳の冷却などとされている．

表5-12-1　副鼻腔の排泄経路

前頭洞	鼻前頭管で中鼻道に開口
上顎洞	自然孔（口）を介し中鼻道に開口
篩骨洞	前篩骨洞は中鼻道に，後篩骨洞は上鼻道または最上鼻道に開口
蝶形骨洞	鼻腔の後上縁にある蝶形陥凹に開口

2）上顎洞の各画像検査法のポイント

各種検査法の選択について，画像検査選択のディシジョンツリーを図5-12-1に示す．

パノラマX線検査やWaters撮影法は上顎洞病変のはじめの画像診断法として用いられる．これら検査は上顎洞内部の病変による軟組織陰影による不透過性亢進や周囲骨壁や近傍における骨破壊の有無に注目して読影する．また骨破壊を伴うものは悪性腫瘍を疑う必要があり，CT，MRI，PETなどで追加精査することが必須である．よって，上顎洞の詳細な炎症の範囲，自然孔（口）の閉塞，大きな囊胞の進展範囲，上顎洞周囲組織に進展する腫瘍，鑑別診断および治療効果判定などの診断では必ずCTやMRIを行う必要がある（表5-12-2）．加えて，悪性腫瘍のステージ判定はCT，MRI，および転移の有無などのPET検査による核医学検査などが必須となる（図5-12-1）．

(1) 口内法およびパノラマX線検査のポイント

口内法は上顎洞病変と歯の関係を観察するのに有効な検査であり，上顎骨から上顎洞に進展した病変や歯性上顎洞炎の検査に用いられる．パノラマX線検査は上顎洞病変と歯の関係を総覧像として得られる．有効な検査法であり，歯科で頻用される検査法の1つである．しかし，

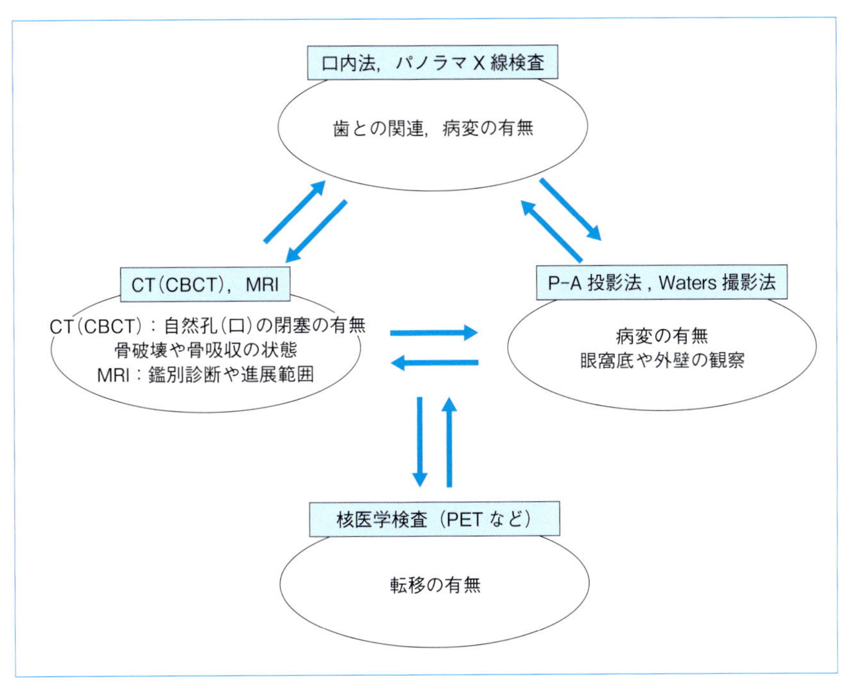

図 5-12-1　上顎洞病変の画像検査法選択

表 5-12-2　上顎洞病変の CT，MRI の適応

CT	自然孔（口）閉塞の有無や副鼻腔の排出経路評価 腫瘤性病変の内部の石灰化や骨変化 篩板，眼窩壁，翼口蓋窩への進展評価
MRI	腫瘍と嚢胞の鑑別 咀嚼筋隙や眼窩および頭蓋内への腫瘍進展 腫瘍と二次的な粘膜肥厚や粘液との鑑別診断 腫瘍の治療効果や再発判定

口内法は観察範囲が限定されること，パノラマX線検査は①断層撮影であり種々の障害陰影が生じること，②拡大像であり拡大率も部位により一定しないこと，③病変の膨隆や破壊の診断に十分な検査法ではないなどの点を踏まえて読影し，適宜 CT，MRI 検査を追加する必要がある．

(2) 上顎洞の単純 X 線検査

単純 X 線検査は頭部後前方向撮影（posterior-anterior projection：P-A 投影法）およびWaters撮影法が用いられる．側面像は左右の上顎洞が重複するため用いられることが少ないが，異物の位置や病変の近遠心的な広がりをみることには適している．Waters撮影法では上顎洞外側壁（頬骨下稜）や上壁（眼窩底）の消失や破壊を観察する必要がある．洞内の異常な軟組織陰影は上顎洞に発生するほとんどの疾患の共通する所見である．しかし，周囲骨の吸収や病巣の正確な進展範囲の確認にはCTやMRI検査を追加で行う必要がある．

(3) 上顎洞の CT 検査（CBCT 検査も含む）のポイントと正常像

上顎洞の骨吸収，骨硬化，病変の進展範囲などにおいて有効な検査法である．上顎洞病変のCT 検査は，できるだけ高分解能に撮像する必要がある．歯性上顎洞炎や歯原性腫瘍などの上顎洞進展などの上顎洞病変は，歯との関連性が重要なため，高分解能で撮像し，軟組織表示と

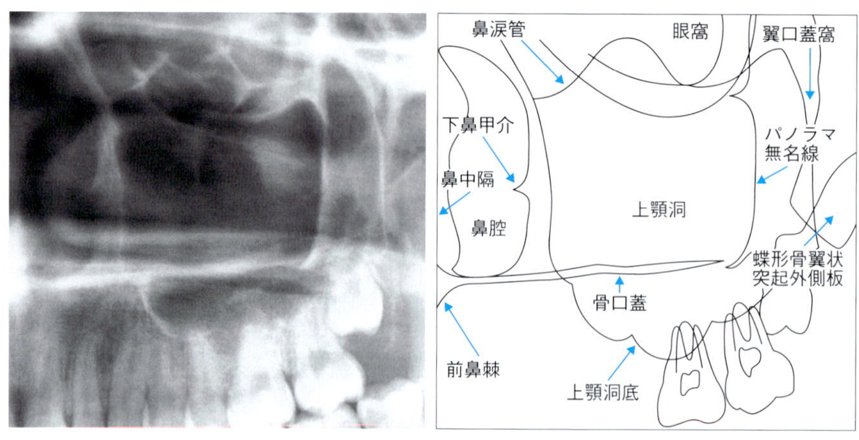

図 5-12-2　パノラマ X 線画像の上顎洞正常像

骨組織表示の 2 条件で立体的に観察することが望ましい．撮像時は，金属修復物による障害陰影を極力避ける必要がある．マルチスライス CT 検査は，撮像時には咬合面に沿い撮像し，歯の金属修復物の障害陰影が極力少なくなる方向で撮像することが推奨される．自然孔（口）を介する洞口鼻道系（osteomeatal unit：OMU）（p.399，図 5-12-18 参照）を観察することが必要であるため，冠状断による自然孔周囲の観察が必須であるが，後壁や眼窩進展の評価などは多断面からの観察が必須である．

CBCT 検査は腫瘍などの軟組織の描出は困難であるため，必要であれば，全身用 CT による軟組織表示や MRI などの追加検査が必要である．

(4) 上顎洞の MRI 検査のポイントと正常像

MRI 検査は，上顎洞の嚢胞や腫瘍などの鑑別診断，病変進展範囲および治療効果判定に優れた検査法である．上顎洞の腫瘍進展範囲や嚢胞と腫瘍の鑑別診断は造影 MRI が推奨される．近年では，MRI 拡散強調像を用いた定量評価も鑑別や治療効果判定に有用とされている．一方，同検査は，石灰化物や皮質骨の描出が劣るため，これらの描出には CT 検査を併用すべきである．

【MRI 撮像上の注意】

含気があり，小さな歯との関係も観察するため，できるだけ効果的な受信コイル（多チャネルのフェイズドアレイコイルや頭頸部用コイルなど）を用い，高分解能の画質を引き出す必要がある．MRI の信号雑音比（Signal / Noise：S/N）の低下を招かないスライス厚にとどめることが望ましい．また，従来の Spin Echo 法に加え，造影検査や脂肪抑制や拡散強調像も併用し，鑑別診断，進展範囲および治療効果判定などに用いる MRI 撮像プロトコールの検査が推奨される．

3) 上顎洞の正常画像解剖

(1) パノラマ X 線検査（図 5-12-2）

正常な上顎洞は眼窩の下方で鼻腔の左右にほぼ対称にみられる．パノラマ X 線検査による正常像は含気があるため X 線透過像を呈するが，周囲の洞壁を構成する骨に病的吸収はみられない．同検査は上顎洞底部また後壁の骨変化の観察に比較的優れる．しかし，硬口蓋，下鼻甲介および頬骨突起などの重複が避けられないため，X 線透過性の診断は注意を要する．

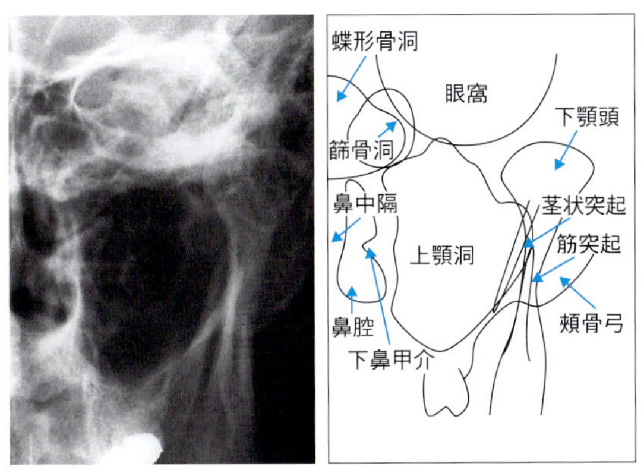

図5-12-3　頭部後前方向撮影X線画像の上顎洞正常像

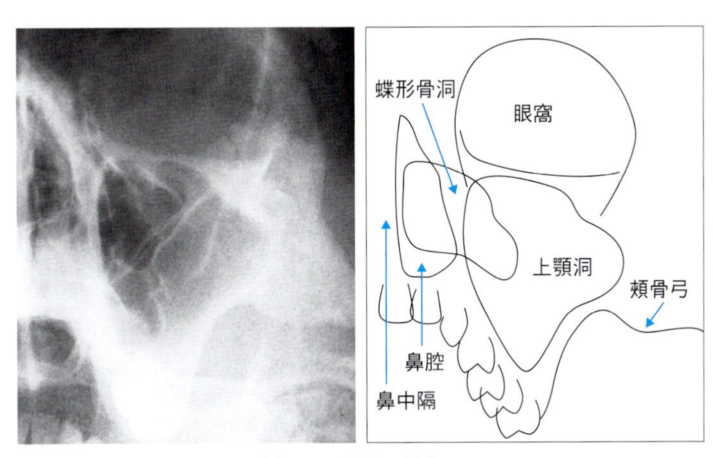

図 5-12-4　Waters 撮影法の上顎洞正常像

(2) P-A 投影法および Waters 撮影法（図 5-12-3，4）

正常な上顎洞は X 線透過像を呈するが，周囲の洞壁を構成する骨に病的吸収はみられない．上顎洞の眼窩底や外壁の観察に優れる．

(3) 上顎洞の正常 CT および MRI

正常上顎洞の CT を図 5-12-5～7 に示す．歯および皮質骨は高濃度域を呈し，上顎骨内部の骨梁は網状にみられ，正常上顎洞は含気により黒く低濃度域を呈する．

正常上顎洞の MR 像を図 5-12-8，9 に示す．正常上顎洞の MR 像にて歯および皮質骨は T1，T2 強調像ともに無信号を呈する．上顎骨骨髄は T1，T2 強調像ともに高信号を呈する．上顎洞は正常では含気により T1，T2 強調像ともに無信号を呈する．

4）代表的な上顎洞疾患の画像所見

上顎洞の病変は，炎症性疾患以外は，上顎洞原発か，または洞内に進展した嚢胞や腫瘍などに大別される（表 5-12-3）．代表的な炎症性疾患は上顎洞炎（**歯性上顎洞炎**および鼻性の上顎洞炎）である．歯原性嚢胞の上顎洞進展は上顎洞底の挙上を伴うことが特徴である．上顎洞の悪性腫瘍は洞原発や歯肉癌から進展したものも含め，80％以上が扁平上皮癌である．他は小唾液腺由来の悪性腫瘍であり，小唾液腺由来は腺

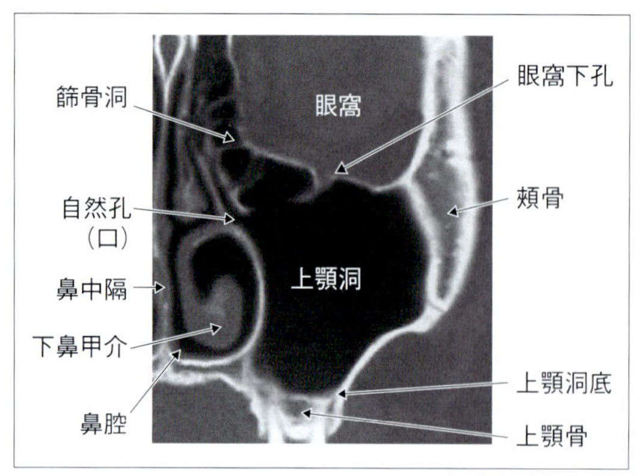

図 5-12-5　CT 冠状断像の上顎洞正常像

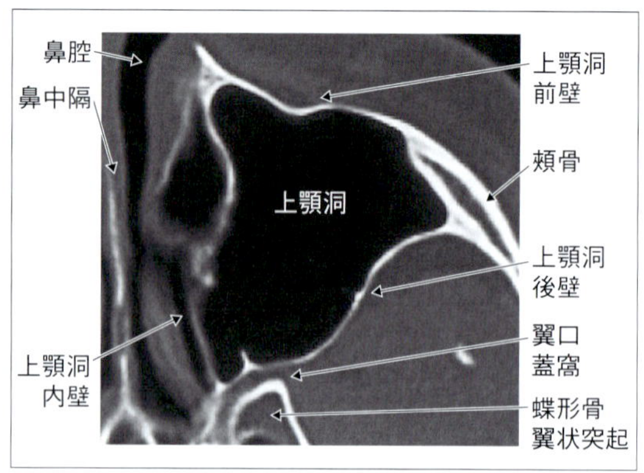

図 5-12-6　CT 横断像の上顎洞正常像

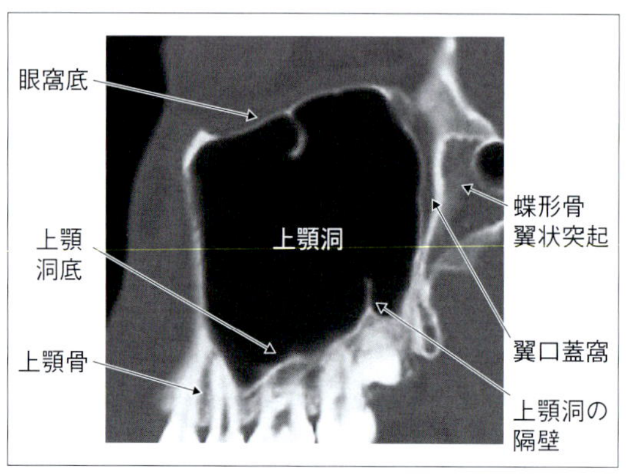

図 5-12-7　CT 矢状断像の上顎洞正常像

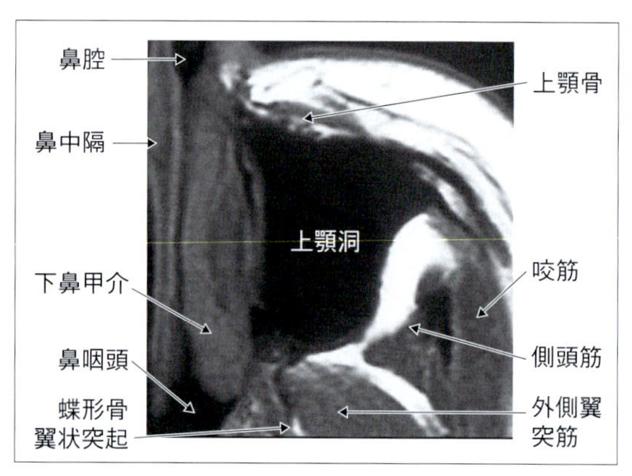

図 5-12-8　T1 強調像（横断像）の上顎洞正常像

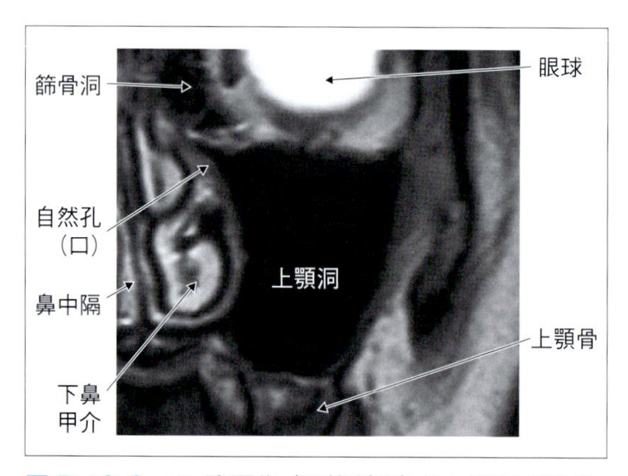

図 5-12-9　T2 強調像（冠状断像）の上顎洞正常像

表 5-12-3　上顎洞疾患

炎症性疾患	上顎洞炎（歯性上顎洞炎および鼻性の上顎洞炎） 上顎洞の真菌症
嚢胞	貯留嚢胞 術後性上顎嚢胞 歯原性嚢胞の上顎洞進展
腫瘍	良性腫瘍（骨腫，線維性骨疾患，歯原性腫瘍の上顎洞進展） 悪性腫瘍（扁平上皮癌，小唾液腺腫瘍の上顎洞進展，節外性の悪性リンパ腫，悪性歯原性腫瘍の上顎洞進展，上顎骨原発の骨肉腫）

様嚢胞癌が比較的多く，また悪性リンパ腫もみられる．

(1) 上顎洞炎（図 5-12-10）

副鼻腔炎の１つである上顎洞炎は鼻疾患に由来する，いわゆる鼻性の上顎洞炎と，歯性感染に由来する歯性上顎洞炎に大別される．歯性上顎洞炎の原因は上顎洞底部に近接する①臼歯部の根尖性歯周炎や高度歯周炎による骨吸収や炎症の波及，②抜歯時の上顎洞穿孔，③異物の迷入などがある．上顎洞炎は 20〜40 歳代に多く，鼻漏や片側性の頬部痛および鼻閉症状を呈する．

上顎洞炎の急性・慢性の分類は１カ月以内に症状が消失するものを急性とし，感染が主体で，頬部痛や発熱といった急性症状を伴う．慢性は 3 カ月以上の鼻閉，鼻漏，後鼻漏，咳嗽といった呼吸器症状が持続するものをいう．罹病期間が 1〜3 カ月の症例は，急性炎症症状やその反復回数，および鼻内所見によって急性または慢性に分類する．自然孔（口）の長期閉塞により，篩骨洞や前頭洞および蝶形骨洞に粘膜肥厚が波及することが多く，また，副鼻腔炎の眼窩への合併症は 3%程度であり，頭蓋内合併症は上顎洞よりも前頭洞に由来することが多い．

【画像所見】

単純 X 線画像（Waters 撮影法や頭部後前方向撮影など）やパノラマ X 線画像にて骨吸収を伴わない片側性の上顎洞の X 線不透過性の亢進像を呈する．これは上顎洞内に分泌物や膿汁の貯留，洞粘膜の肥厚などが生じるためである．歯性の場合は口内法にて隣接する臼歯の根尖性歯周炎や高度歯周炎が観察される．

CT では，上顎洞内に骨吸収を伴わない，粘膜肥厚による層状の低濃度域がみられる．急性期には分泌物や膿汁の貯留にて洞内に液面形成（air-fluid level）や泡沫を伴う液体貯留が観察される．洞口鼻洞系（p.399，図 5-12-18 参照）や冠状断 CT 像による自然孔（口）の閉塞状態の把握が必須である．

MRI では，上顎洞内に T1 強調像で低信号，T2 強調像で中〜高信号を呈する内溶液の貯留や洞粘膜肥厚が観察される．T2 強調像で中〜低信号を呈することが多く，腫瘍性疾患との鑑別に有用である．

慢性上顎洞炎の CT 所見は上顎洞周囲の骨壁に沿った粘膜肥厚と慢性化した骨新生による骨硬化がみられる．長期経過は上顎洞の縮小が起きるときもある．

慢性上顎洞炎は洞口鼻洞系の閉塞が長期でみられるため，急性期同様に，冠状断 CT 像による自然孔（口）の閉塞状態の把握は必須である．

(2) 上顎洞の真菌症（図 5-12-11）

上顎洞の真菌症は上顎洞炎の 13.5〜28.5%を占めるといわれ，副鼻腔のうち上顎洞，篩骨洞に多く，蝶形骨洞および前頭洞ではまれであり，片側性が一般的である．

真菌性上顎洞炎は浸潤性（破壊型）と非浸潤性（寄生型）に大別される．わが国ではほとん

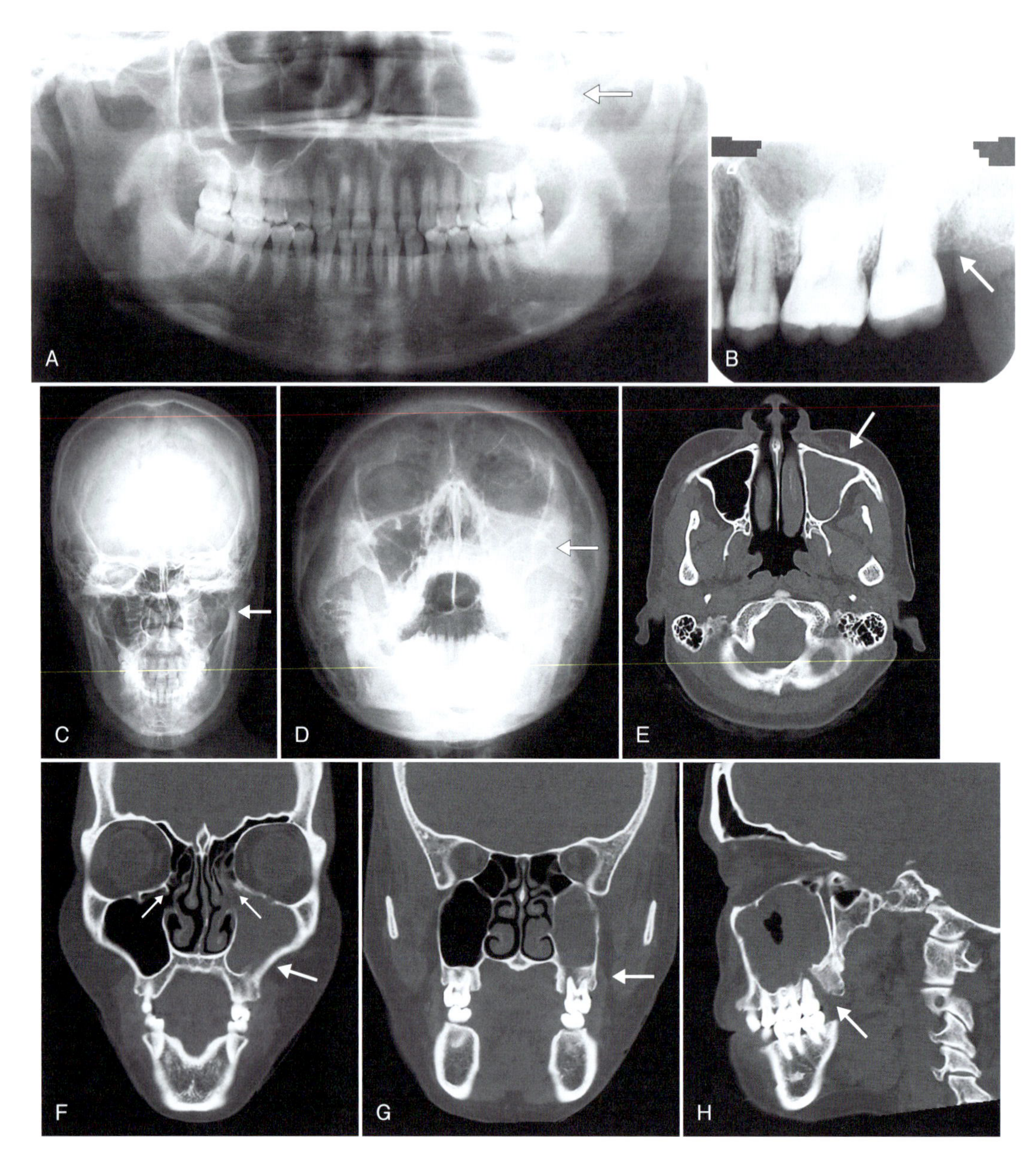

図 5-12-10　歯性上顎洞炎

40 歳代，男性．左側頬部の違和感のため来院した．A：パノラマ X 線画像．左側上顎洞は右側上顎洞に比べて X 線不透過性の亢進を認める（矢印）．B：口内法 X 線画像．左側上顎臼歯の歯槽骨の吸収を認める（矢印）．C：頭部後前方向 X 線画像，D：Waters 撮影法 X 線画像．左側上顎洞は右側上顎洞に比べて X 線不透過性の亢進を認めるが上顎洞周囲骨壁の吸収は認められない（矢印）．E～H：CT 像．左側上顎洞は低濃度を呈する軟組織濃度で充満しており，左側自然孔（口）の閉塞もみられる．上顎左側臼歯部の歯槽骨吸収は洞底部まで達しているが，上顎洞の形態は保たれており，洞周囲の骨吸収はみられない．

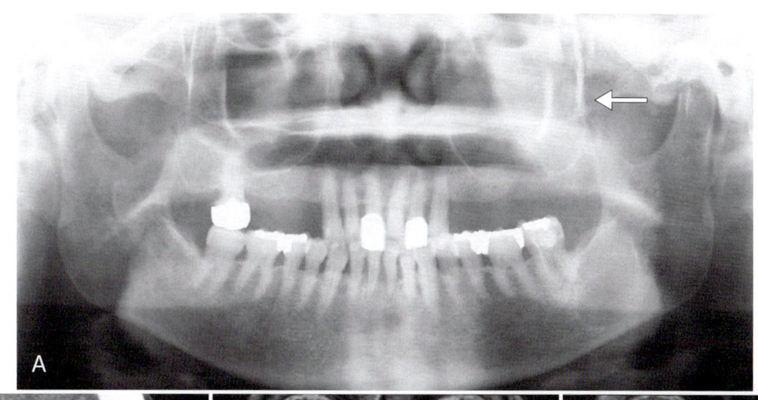

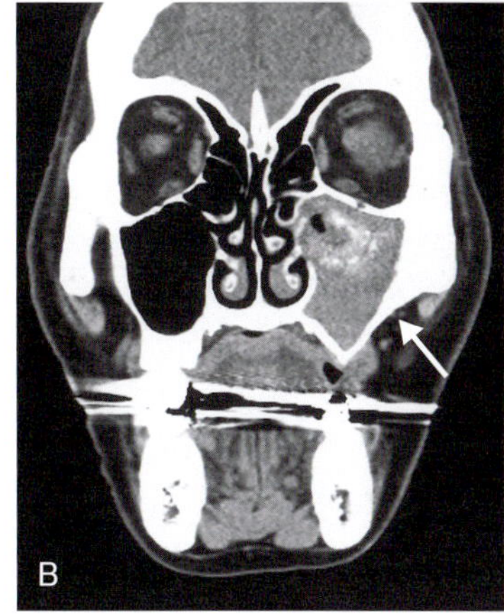

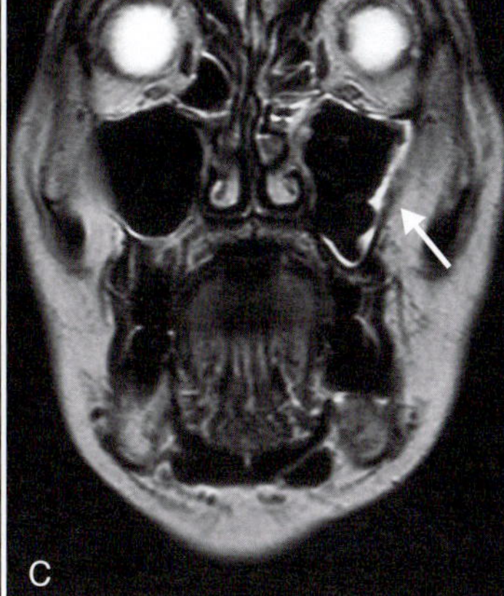

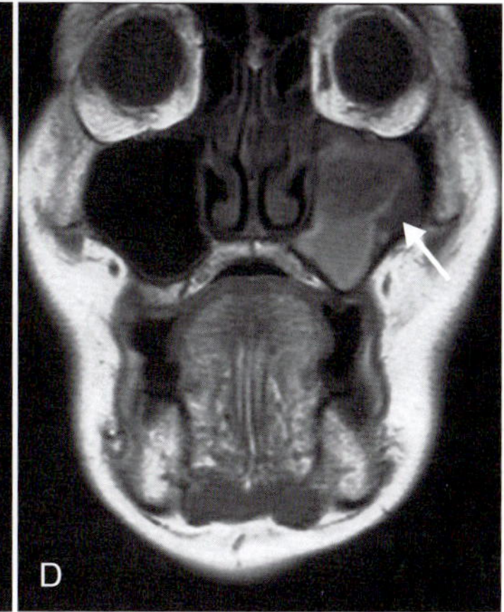

図 5-12-11　真菌症

60 歳代，男性．左側頬部の疼痛のため来院した．A：パノラマ X 線画像．左側上顎洞は右側上顎洞に比べて X 線不透過性の亢進を認める（矢印）．左側上顎洞周囲の異常な骨吸収は観察されない．B：CT 冠状断像．左側上顎洞は低濃度を呈する軟組織で充満しており，左側自然孔（口）の閉塞もみられる．また内部には塊状の高濃度域を自然孔（口）周囲に認める．C：T2 強調像（冠状断）．左側上顎洞は周囲に一層の高信号域を残し，洞全体は無信号域を呈している．無信号域は含気と間違える可能性があるため，読像時には注意する必要がある．D：T1 強調像（冠状断）．左側上顎洞は洞全体に不均一な中～高信号域を呈している．

どが非浸潤性であり，粘膜や骨壁に真菌の浸潤を認めない．病原菌は半数以上がアスペルギルスである．浸潤性真菌症は予後不良であり，眼窩，中頭蓋窩などに波及して死の転帰をとることもある．

【画像所見】

CT では，上顎洞に粘膜肥厚による不均一な軟部陰影による低濃度域を認める．骨壁の肥厚を伴い，**菌球**（fungus ball）**形成**による内部の塊状石灰化物が特徴的所見である．非浸潤性の上顎洞真菌症はこれら菌球形成がみられ，菌球はカルシウム塩に近いため石灰化物様の高濃度域を呈し，自然孔（口）周囲にみられ，塊状の石灰化物は真菌塊の中心壊死部に多い．

MRI では，真菌の代謝によって生じたマンガン，鉄イオンによって菌球の部分が T2 強調像で無信号に描出され，通常の含気のようにみえることがある．

(3) 貯留嚢胞（図 5-12-12）

洞粘膜の粘液腺の開口が閉塞することで生じ，いわゆるドーム状，類円形の嚢胞である．内溶液はほとんどが粘液である．出現頻度は比較的高く，偶然みつかり，洞底部に多く，重力

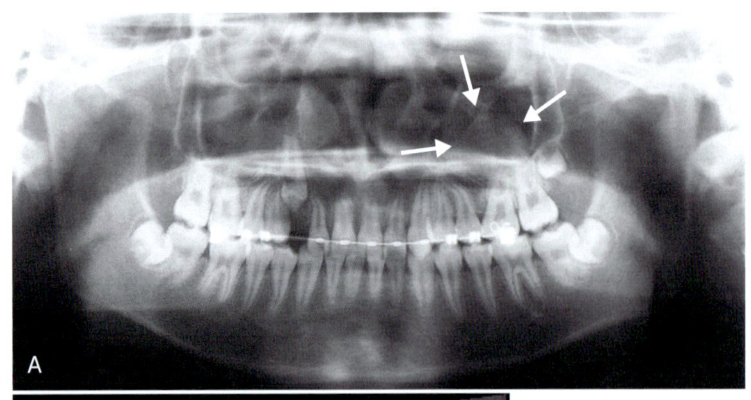

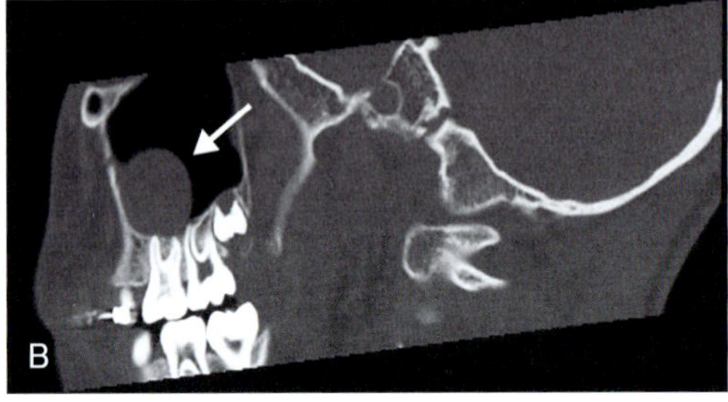

図 5-12-12　**貯留嚢胞**
10 歳代，女児．左側上顎洞の精査のため来院した．A：パノラマ X 線画像．左側上顎洞底部に類円形，境界明瞭なドーム状の X 線不透過像を認める（矢印）．B：CT 再構成矢状断像．同部は境界明瞭なドーム状の低濃度域を呈している（矢印）．

方向に移動する．経過観察であり，摘出などの積極的な処置は通常行わない．

【画像所見】

単純 X 線画像（Waters 撮影法や頭部後前方向撮影など）やパノラマ X 線画像にて上顎洞内にドーム状，類円形の X 線不透過像を呈する．CT にて内容は均一な低濃度であり，造影 CT にて内部は造影効果がみられず，壁も非薄で造影されない．

MRI では水分が多く，タンパク量が少ないことを反映し，T1 強調像で類円形の低信号，T2 強調像で類円形の高信号を呈する．

(4) 術後性上顎嚢胞（図 5-12-13）

上顎洞炎の根治手術の 1 つである，犬歯窩から外科的にアプローチする Caldwell-Luc 手術後に起こる医原性合併症の嚢胞である．近年は内視鏡手術の普及により，激減している嚢胞の 1 つである．同嚢胞は上顎洞炎根治手術後に上顎洞前壁の骨欠損辺縁から後壁にかけて癒着が起こり，線維性の壁を形成し，このときに病的粘膜の不完全除去によって洞内に残存し，肉芽に囲まれて嚢胞形成される場合や，排泄孔が閉塞したため，孤立した腔から数年～数十年して発現する場合がある．頬部の腫脹，圧痛，眼球突出，複視，歯痛などの臨床症状がみられる．

【画像所見】

単純 X 線画像（Waters 撮影法や頭部後前方向撮影など）やパノラマ X 線画像にて上顎洞内に術後の変形がみられ，同部に類円形の嚢胞による X 線透過像または不透過像を呈する．

CT では，上顎洞の前壁は欠損し，術後変形がみられ，同部に膨隆する類円形の嚢胞を認める．内部は不均一な低濃度域を呈し，造影にて内部は造影効果がみられないが，周囲の嚢胞壁は造影効果がみられる．

MRI では，嚢胞は内容液の性状で信号強度が変化し，類円形の T1 強調像で低～高信号，T2 強調像で低～高信号を呈する．内容液の粘調度や内容物により信号は変化する．

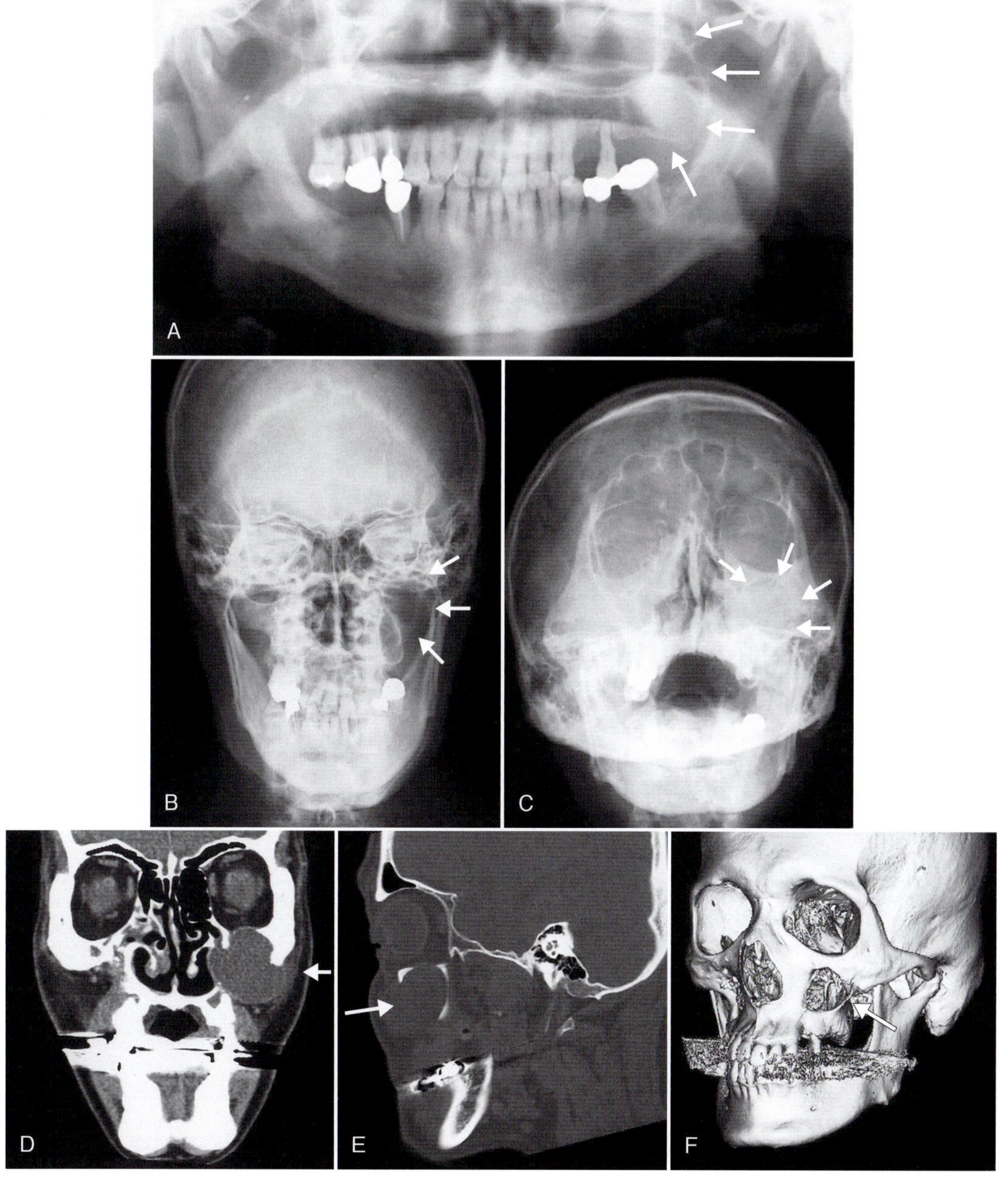

図 5-12-13　術後性上顎嚢胞

60 歳代，男性．左側頰部の膨隆および疼痛のため来院した．30 年ほど前に副鼻腔炎にて両側の上顎洞を手術したという．**A**：パノラマ X 線画像．左側上顎洞に比較的境界明瞭な膨隆する一部多房性の X 線不透過像を認める（矢印）．**B**：頭部後前方向 X 線画像．**C**：Waters 撮影法 X 線画像．左側上顎洞は右側上顎洞に比べて X 線不透過性の亢進を認め，類円形の X 線不透過像を呈する嚢胞様病変を眼窩に近接して認める（矢印）．頰骨弓下稜の消失もみられる．**D**：CT 冠状断像（軟組織表示）．左側上顎洞に境界明瞭な膨隆する低濃度の軟組織構造を認める（矢印）．**E**：CT 矢状断像．前壁の消失と膨隆する嚢胞性病変を眼窩に近接して認める．**F**：3D 画像．大きな左側頰部の骨欠損が認められる．

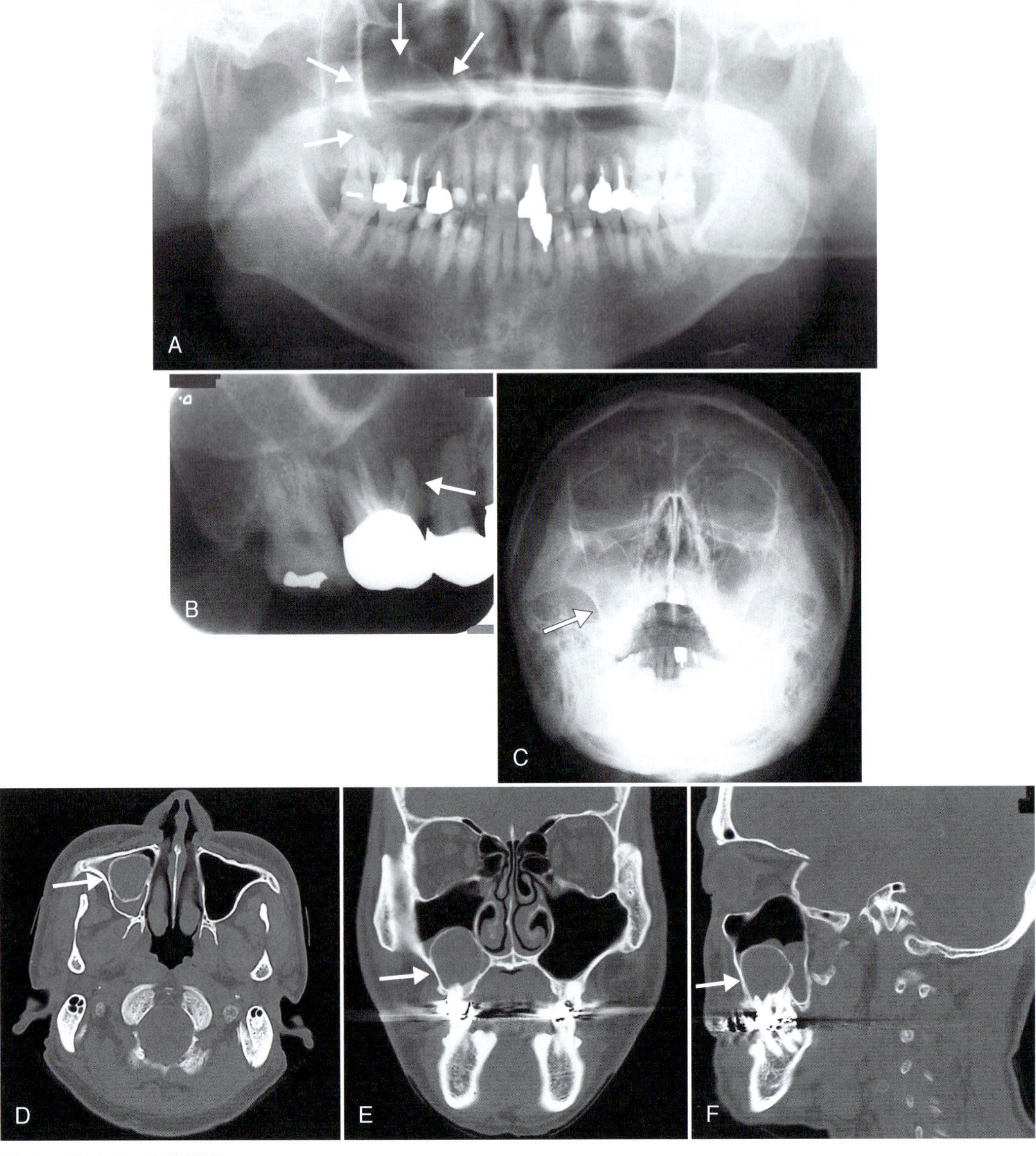

図 5-12-14　歯根嚢胞
30 歳代, 男性. 右側頬部の繰り返す腫脹と疼痛のため来院した. A：パノラマ X 線画像. 右側上顎洞に類円形の X 線不透過像を認める (矢印). B：口内法 X 線画像. 右側上顎第一大臼歯根尖部の歯槽硬線は消失している (矢印). C：Waters 撮影法 X 線画像. 右側上顎洞は左側上顎洞に比べて X 線不透過性の亢進を認め, 嚢胞性不透過像を洞底部に認める (矢印). D～F：CT 像. 右側上顎洞に境界明瞭な低濃度構造を認める. 同部上方には含気がみられる (矢印).

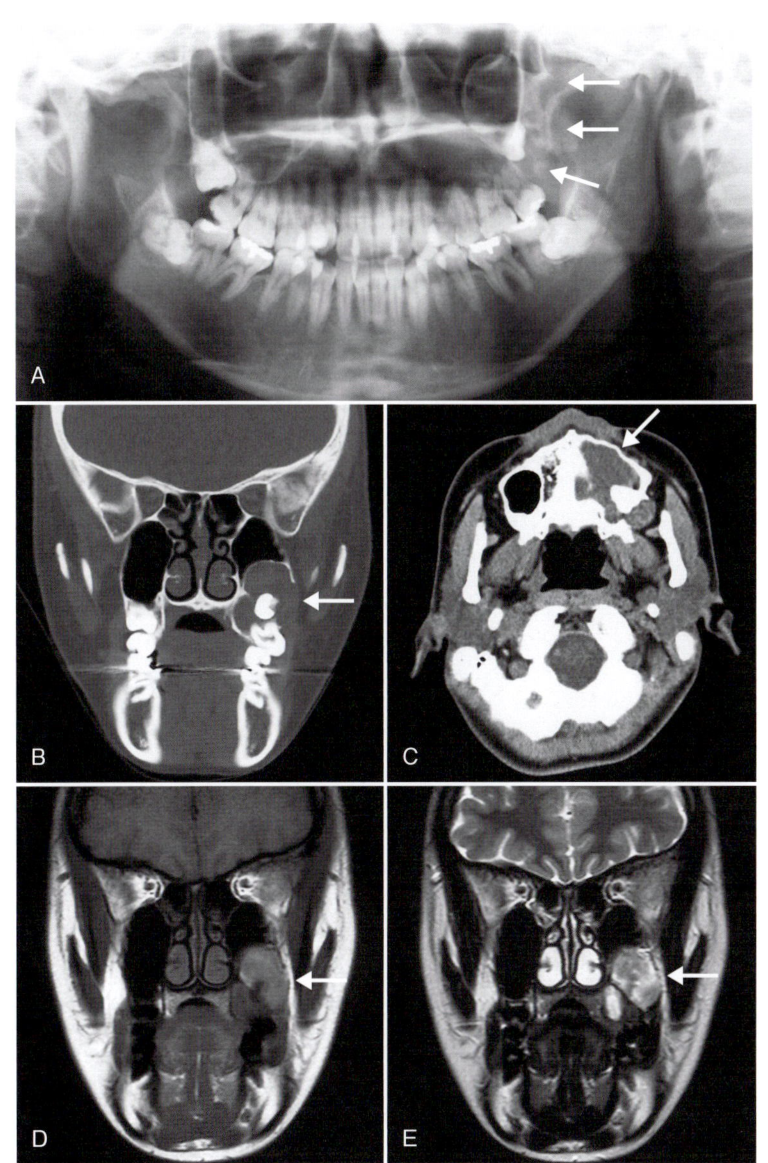

図 5-12-15　歯原性角化嚢胞
20 歳代, 女性. 左側頬部の違和感のため来院した. A：パノラマ X 線画像. 左側上顎洞に埋伏歯を含む境界明瞭な膨隆を伴う多房性の嚢胞性病変による X 線不透過像を認める（矢印）. B, C：CT 像. 左側上顎洞に洞底部から後壁にかけて低濃度を呈する軟組織陰影で占められている. 同部は T1 強調像（D）で不均一な低～高信号, T2 強調像（E）でも低～高信号を呈している. 内溶液の角化物量によって MRI の信号が変化している.

(5) 上顎洞に進展した歯原性嚢胞

A. 歯根嚢胞および残留嚢胞（図 5-12-14）

歯根嚢胞は日常歯科臨床で最も頻度の高い嚢胞であり, 上顎歯に発症し上顎洞に進展した場合は失活歯根尖を含む単房性の膨隆する X 線不透過性病変を呈する. MR 像は失活歯の根尖などに内部に T1 強調像で低信号, T2 強調像で高信号を呈する内容液をもち, 造影で均一な比較的厚い嚢胞壁を有する. また抜歯時に, 嚢胞を残存させ, その後に嚢胞が増大した残存性嚢胞も同様の所見を呈する.

B. 歯原性角化嚢胞（図 5-12-15）

上皮突起を欠く, 角化重層扁平上皮の裏装によって特徴づけられる歯原性嚢胞であり, 内腔におから状の角化物を含有することが多い. X 線像は単房および多房性の境界明瞭な X 線不透過像を呈する. 同嚢胞の病変周囲は MRI で薄

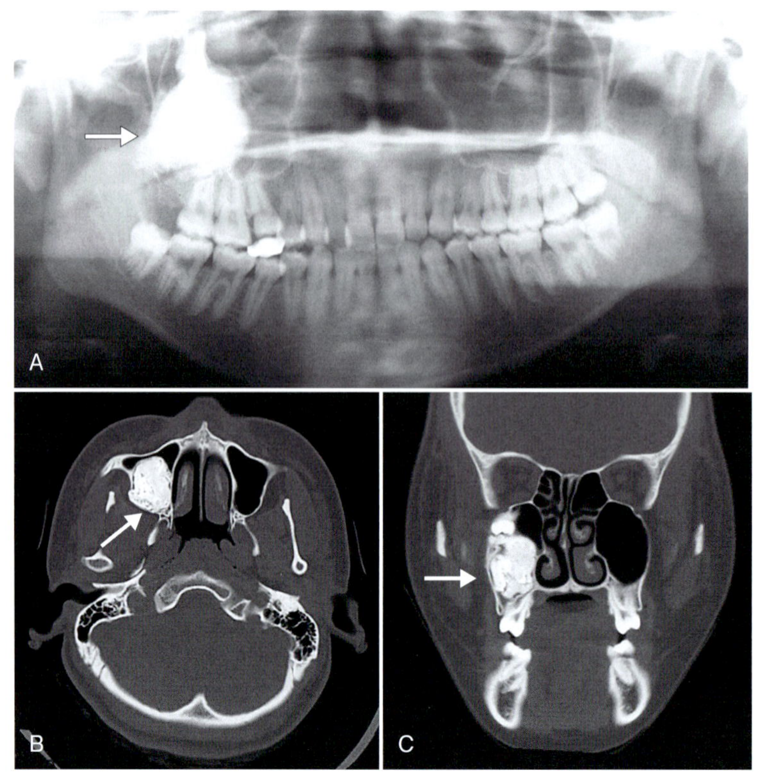

図 5-12-16　**複雑性歯牙腫**
20 歳代，女性．右側頬部の違和感のため来院した．A：パノラマ X 線画像．右側上顎洞に埋伏歯を含む，境界明瞭な膨隆を伴う境界明瞭な塊状の X 線不透過像を認める（矢印）．B，C：CT 像（骨表示）．右側上顎洞に洞底部から後壁にかけて高濃度を呈する塊状の高濃度域を認める．同部は横断像（B）では上顎洞後壁を膨隆させていることがわかる（矢印）．

く均一な厚みを有し，造影でも病変周囲部の増強がみられる．病変の内容液は角化物を有するため，T1 強調像で低～高信号，T2 強調像で中～高信号を呈し，内部の角化物の含有量により信号強度が異なる．

(6) 上顎洞の良性腫瘍等

上顎洞の良性腫瘍は，顎骨に関連した骨腫や線維性骨疾患などまたは洞原発の良性腫瘍や歯原性腫瘍の上顎洞進展病変がみられる．

A. 歯牙腫（図 5-12-16）

歯の硬組織，すなわちエナメル質および象牙質の増生を主体とする腫瘍状病変である．複雑型と集合型に分かれる．上顎洞に進展した複雑型歯牙腫の画像所見は埋伏歯の周囲に境界明瞭な塊状の X 線不透過像を呈する．集合型歯牙腫の画像所見は多数の歯牙様構造物を含む，境界明瞭な X 線不透過像を呈する．

B. 線維性異形成症

幼若な骨梁形成を伴う線維性結合組織の増生によって正常骨組織が置換される病変で，骨の発育異常の一種と考えられている．上顎洞に進展した同病変は洞の含気を減量し，膨隆を伴う境界不明瞭な X 線不透過性を呈し，特徴像はいわゆる，すりガラス状を呈する．MRI は T1，T2 強調像ともに低信号を呈し，まれにその内部に T1 強調像で低信号，T2 強調像で高信号を呈する嚢胞病変を伴うことがある．

表 5-12-4　上顎洞がんのステージ分類

T0	原発腫瘍を認めない．
Tis	上皮内癌
T1	上顎洞粘膜に限局する腫瘍，骨吸収または骨破壊を認めない．
T2	骨吸収または骨破壊のある腫瘍，硬口蓋および/または中鼻洞に進展する腫瘍を含むが，上顎洞後壁および翼状突起に進展する腫瘍を除く．
T3	次のいずれかに浸潤する腫瘍：上顎洞後壁の骨，皮下組織，眼窩底または眼窩内側壁，翼突窩，篩骨洞
T4a	次のいずれかに浸潤する腫瘍：眼窩内容前部，頬部皮膚，翼状突起，側頭下窩，篩板，蝶形骨洞，前頭洞
T4b	次のいずれかに浸潤する腫瘍：眼窩尖端，硬膜，脳，中頭蓋窩，三叉神経第2枝（V2）以外の脳神経，上咽頭，斜台

（頭頸部癌取扱い規約　改訂第6版：日本頭頸部癌学会編より）

(7) 悪性腫瘍（表 5-12-4）

上顎洞へは上顎歯肉や硬口蓋に発生した口腔癌や周囲に発生した悪性腫瘍も進展するが（第5章9「口腔領域の悪性腫瘍」参照），ここでは上顎洞粘膜および洞を構成する骨に原発する悪性腫瘍について述べる．

A. 扁平上皮癌（図 5-12-17）

副鼻腔癌のうち80%は上顎洞に発現し，そのうち約80%が扁平上皮癌である．上顎洞癌は進展方向により臨床症状は異なり，鼻閉，鼻出血，頬部腫脹，眼球突出などがある．40～60歳代に好発し，男性に多い．初発部位は洞の下方に多いとされている．

【画像所見】

パノラマX線画像では上顎洞の骨吸収を伴う，腫瘤によるX線不透過性の亢進像がみられる．初期では骨吸収を伴わない，腫瘤によるX線不透過性の亢進像がみられる．進行すると上顎洞底線や後壁の骨破壊がみられる．Waters法では腫瘤によるX線不透過性の亢進像がみられ，頬骨下稜が高頻度で消失する．

CTでは，不規則な骨吸収を伴う低濃度を呈する軟部組織腫瘤を呈する．造影にて低濃度を呈する軟部組織腫瘤は造影効果がみられる．

MRIでは，悪性腫瘍の細胞密度が高いという特徴により，T1強調像で低信号，T2強調像で中信号を呈し，造影にて腫瘍の増強効果がみられる．

悪性腫瘍の副鼻腔外への進展様式として直接浸潤と神経浸潤が主にみられる．直接浸潤評価は上方の頭側（眼窩および篩骨洞，篩骨篩板）後方の背側（翼突板および翼口蓋窩）への進展の有無が予後に重要である．

B. 骨肉腫（osteosarcoma）

骨形成性間葉組織から発生し，腫瘍細胞が類骨組織および骨組織を直接形成する非上皮性悪性腫瘍である．X線所見は不規則な骨破壊像や骨増生を伴うX線透過性-不透過性病変を呈することが多く，旭日状所見の骨膜反応像（sun-ray appearance）がみられることがある．MRIでは骨形成の著明なものはT1，T2強調像で無信号を呈し，幼若な造骨部分はT1強調像で低信号，T2強調像で高信号を呈する．Gd-DTPA造影にて増強効果がみられる．

5）歯科医師として知っておくべき耳鼻科領域の内視鏡手術

近年，上顎洞前壁から外科的にアプローチするCalldwell-Luk法による上顎洞根治手術が激減し，同手術を耳鼻科医が施行しなくなった．この理由は鼻副鼻腔の**機能的鼻内視鏡手術**（functional endoscopic sinus surgery：**FESS**）の普及にほかならない．同法は1965年にNaumannにより用いられ，副鼻腔の病変（特に前

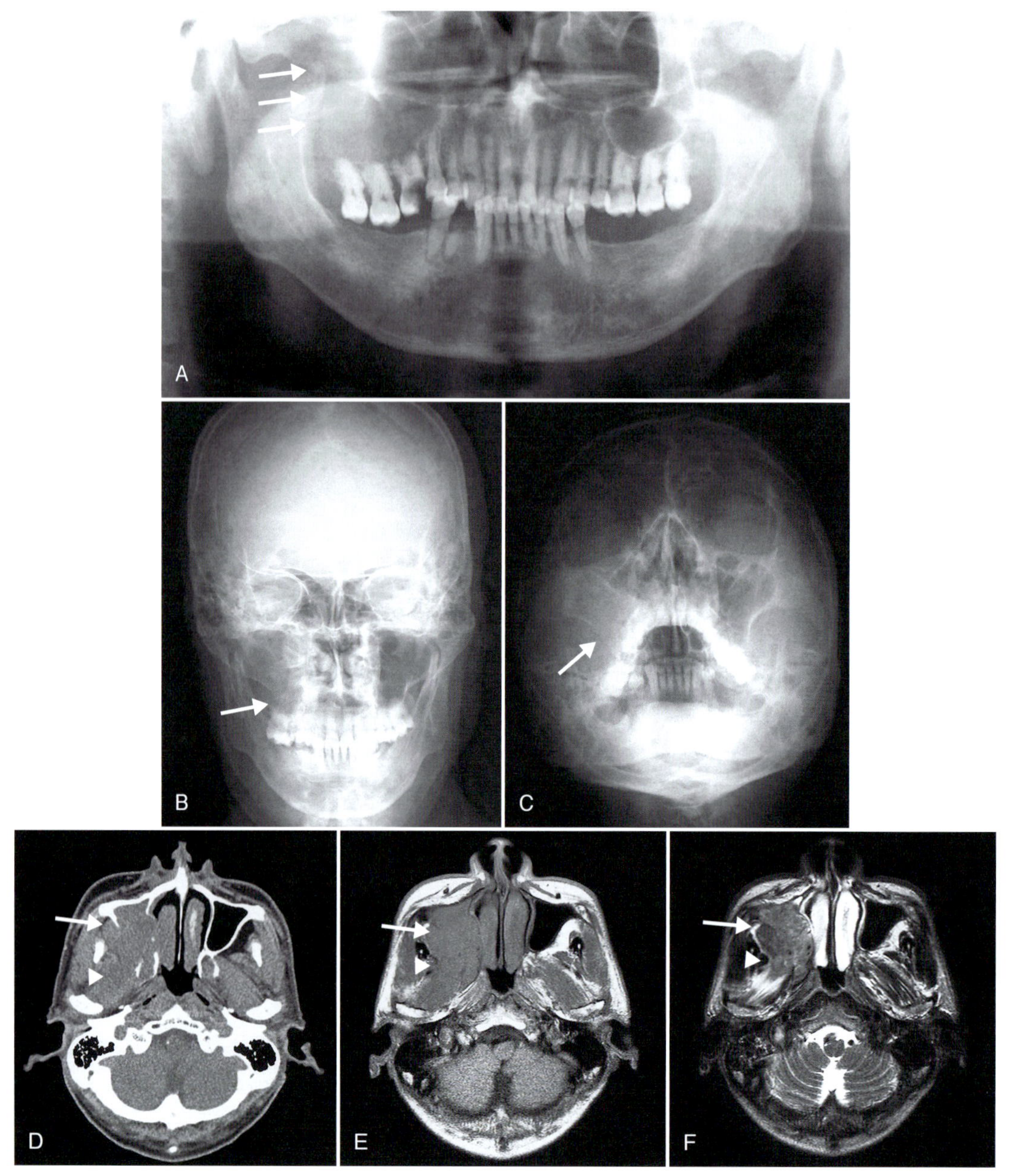

図 5-12-17　上顎洞癌

60 歳代，男性．右側頬部の疼痛と開口障害のため来院した．A：パノラマ X 線画像．右側上顎洞は左側上顎洞に比べて X 線不透過性の亢進を認め，後壁の消失がみられる（矢印）．B：頭部後前方向撮影 X 線画像．C：Waters 撮影法 X 線画像．右側上顎洞は左側上顎洞に比べて X 線不透過性の亢進を認め，頬骨弓下稜の消失を認める（矢印）．D：CT 横断像．右側上顎洞は低濃度を呈する軟組織陰影で充満しており，鼻腔側壁の吸収および翼口蓋窩や頬部への腫瘍進展がみられる．E：T1 強調像．F：T2 強調像．右側上顎洞は T1 強調像で筋肉に近い低信号，T2 強調像で低〜中信号を呈する腫瘤で充満し，同部は CT でみられた鼻腔側壁の吸収および翼口蓋窩や頬部への腫瘍進展以外に右側外側翼突筋に進展し，信号異常を呈している．右側外側翼突筋に腫瘍進展がみられたため，開口障害が生じたことがわかる．

頭洞，篩骨洞，上顎洞などの炎症性病変）はそれら副鼻腔の換気，排泄のポイントである洞口鼻道系の閉塞を原因とし，内視鏡で閉塞を除去すれば病変は改善に向かうという考え方に基づいている．内視鏡下で鼻内からアプローチして鼻内に十分な副鼻腔の排泄口を開口し，洞粘膜は温存する方法で，上顎洞および頬部瘢痕化や術後性上顎嚢胞などの後遺症を残さない．しかし，安全な内視鏡手術を行うためには，中鼻甲介，篩骨胞，鉤状突起，上顎洞自然孔（口）でつくられる上顎洞の排泄経路情報を術前にCT冠状断で熟知することが必須である．特に**洞口鼻道系**の概念は重要である（図5-12-18）．粘膜の繊毛運動は上顎洞自然孔（口）から篩骨漏斗を経て中鼻道の半月裂孔に向かう．この中鼻甲介，篩骨胞，鉤状突起，上顎洞自然孔（口）でつくられる上顎洞の排泄経路である機能解剖学的単位を**OMU**という．FESSの普及により，上顎洞根治手術を現在の耳鼻科医が行うことが激減したため，1990年以降，術後性上顎嚢胞は激減した．また，術後性上顎嚢胞の治療は嚢胞摘出を推奨する歯科口腔外科に対し，内視鏡手術により嚢胞開放，副腔として温存する耳鼻科では治療アプローチがまったく異なっていることも歯科医師は理解しておくべきであろう．

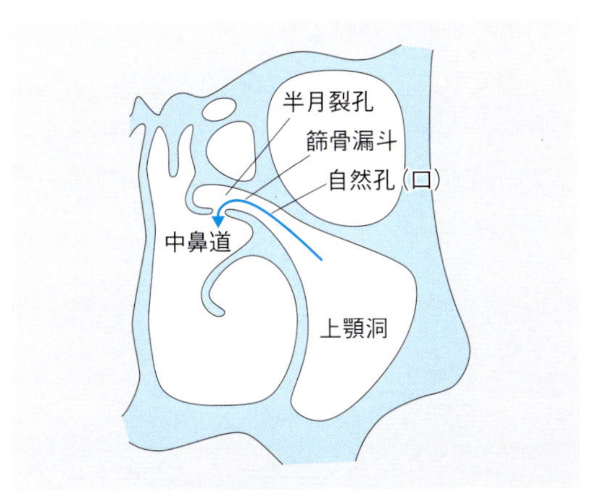

図5-12-18　洞口鼻道系（ostiomeatal unit：OMU）のシェーマ

粘膜の繊毛運動は上顎洞自然孔（口）から篩骨漏斗を経て中鼻道の半月裂孔に向かう．この中鼻甲介，篩骨胞，鉤状突起，上顎洞自然孔（口）でつくられる上顎洞の排泄経路を洞口鼻道系（OMU）という．

6）歯科インプラント時のサイナスリフト

病変ではないが，近年の歯科インプラント普及による上顎洞底部へのサイナスリフトの術式図と術後CT像を図5-12-19に示す．今後はサイナスリフト後の骨造成の上顎洞CT像が増加していく可能性が高い．今後は同術式も熟知し，画像診断に臨むことが肝要となる．これら歯科インプラント普及による状況も踏まえ，近年の上顎洞への最新情報を得ていくことを理解して画像診断に臨むべきであろう．

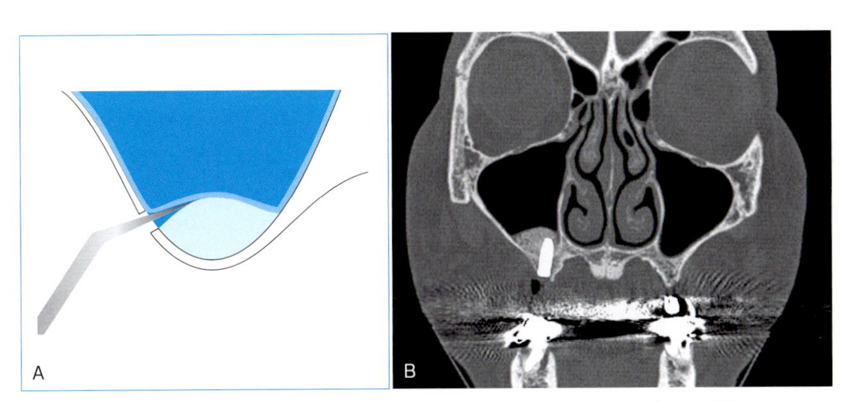

図5-12-19　サイナスリフト（上顎洞底部挙上による骨造成術）の手術シェーマ（A）と右上顎洞底部へのサイナスリフト（術後）併用による歯科インプラント埋入後のCT前額断像（B）

13 歯と顎骨の外傷

1）画像検査の選択と適応

歯と顎顔面の外傷は，多彩な臨床所見を示す．歯科を訪れる外傷の患者のうち，損傷が軟組織に限局する例は少なく，ほとんどが歯や顎骨の硬組織に損傷を示す．そのため，硬組織の描出に優れるX線検査が，診断の主役となる．

検査と診断を進めるにあたり，まず大切なのは診察による情報の収集である，受傷の状況，出血の有無，意識・視覚・聴覚の異常の有無などを確認した後，パノラマX線撮影から画像検査を開始することが多い．パノラマX線画像を精査して，全顎にわたり骨折や歯の損傷の有無を確認した後，損傷の部位や程度に応じて，精査のための画像検査法を選択する．歯の損傷や厚い皮質骨をもたない**歯槽骨骨折**の診断には高い解像力が要求されるため，口内法X線撮影が重要となる．また，微細な骨片を生じることも多く，3次元的な位置の把握には，歯科用コーンビームCTも用いられる（図5-13-1）．

顎骨の骨折が疑われるような症例では，受傷の状況，痛みや腫れの症状を訴える部位によって，画像検査が使い分けられる．たとえば，頬骨弓の骨折が疑われるケースでは，体軸方向撮影（第4章4「顔面頭蓋部撮影」参照）やCTが骨折の有無と程度を診断するために用いられるが，施設によってはWaters撮影法を用いる場合もある（表5-13-1）．

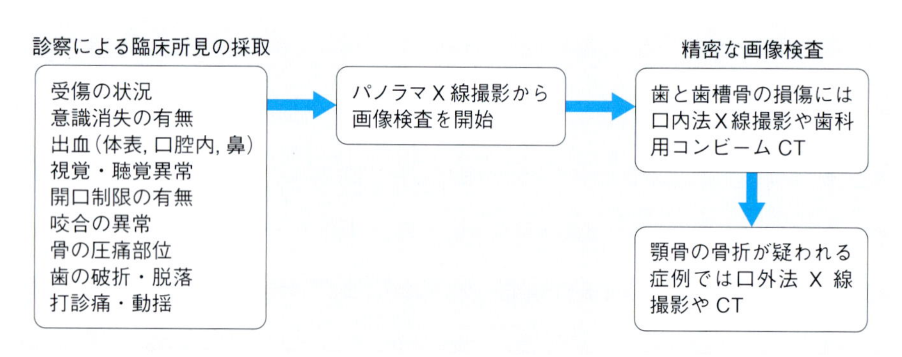

図5-13-1　歯・顎顔面の外傷に対する画像検査の進め方

表5-13-1　顎顔面の外傷による臨床症状と用いられる画像検査法

受傷の状況（症状）	よく用いられる			用いられる	備考
下顎（頬部）を打撲して開口不能	パノラマX線撮影	（顎骨）側斜位方向撮影法	CT	頭部後前方向撮影（P-A法）	口内法が撮影不能
頬骨弓骨折の疑い	軸方向撮影	CT		Waters撮影法	軸位像が有利
上顎の打撲で物が二重に見える	パノラマX線撮影	Waters撮影法	CT	Caldwell撮影法	眼窩底blowout骨折に注意
上顎の打撲で鼻出血	パノラマX線撮影	Waters撮影法	CT	頭部側面（側方向）撮影	鼻骨骨折の場合など側面撮影も使われる
前歯部の打撲で臼歯部の咬合が変わった	パノラマX線撮影	側斜位経頭蓋投影法	眼窩下顎枝方向投影法	CT	介達骨折（下顎頭，下顎角）を疑う

2）歯と歯槽骨の外傷

口腔内から肉眼で診断可能な歯冠の亀裂や破折で，疼痛などの症状がない場合は，X 線検査の適応にならないこともある．また，歯冠に異常がなくても，咬合痛，動揺，あるいは歯肉溝から出血が認められる歯では，**歯根破折**，**亜脱臼**，**歯槽骨骨折**を疑い，口内法 X 線撮影を主とした画像検査が行われる．

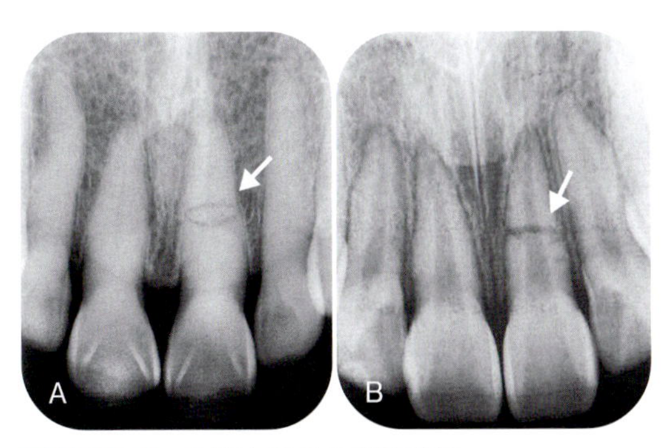

図 5-13-2　**上顎中切歯の歯根破折**
口内法 X 線画像．同じような位置の破折線でも，破折面の傾きと X 線投影方向との関係によって見え方が変わってくる．

歯の破折片または骨折で生じた骨片が，元の位置から離れている場合は，X 線画像による観察が比較的容易である．これに対して，硬組織の亀裂は，X 線画像で描出されないことも多い．また撮影時の X 線入射方向と平行な破折線は見えにくい．同じような位置の歯根の破折でも，破折線の向きと X 線投影方向の関係によって，見え方が変わってくる（図 5-13-2）．また CT や歯科用コーンビーム CT でも，歯の破折線あるいは骨折線が画像の断面と平行に走る場合は，診断が難しくなる（図 5-13-3）．

3）顎・顔面の外傷

(1) 下顎骨の骨折

下顎骨の骨折が疑われる症例では，パノラマ X 線撮影が用いられる．パノラマ X 線画像では，皮質骨の連続性を確認することで骨折部を確認するとよい．しかし，一方向の画像では，骨折線が不鮮明な場合や，骨折部の骨片の偏位に関

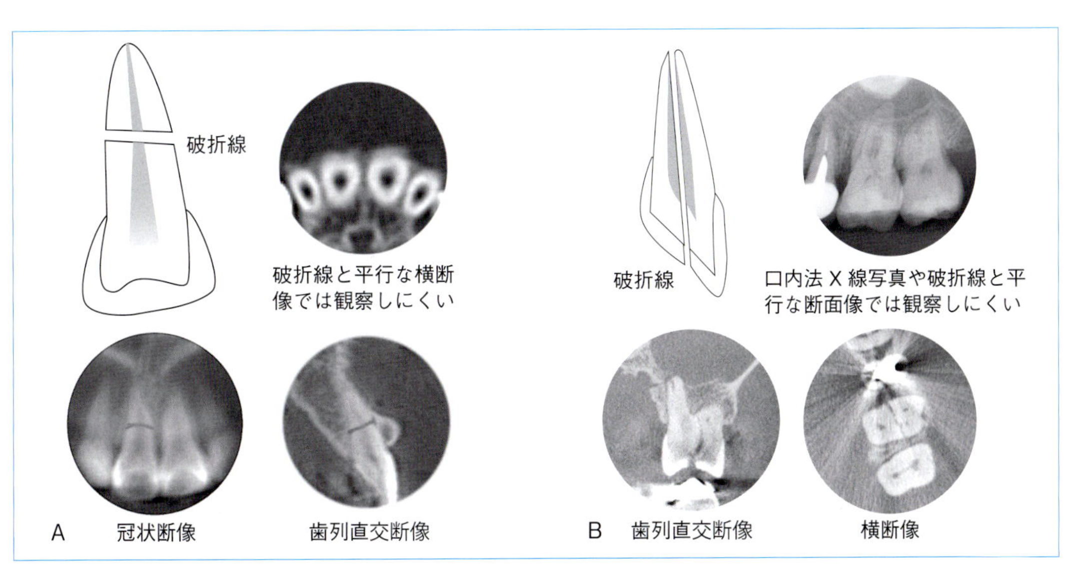

図 5-13-3　**歯根破折**
歯科用コーンビーム CT の多断面画像再構成（MPR）画像での観察．A：上顎前歯の破折の例（模式図）．歯根破折の方向が CT で観察する断面と平行になるときは，破折線が見えにくくなる．B：上顎第一大臼歯の破折の例．口内法 X 線写真からは歯の破折はみられないが，歯科用コーンビーム CT によれば，歯冠から歯根分岐部方向に向かって，近遠心方向に破折線が観察される．

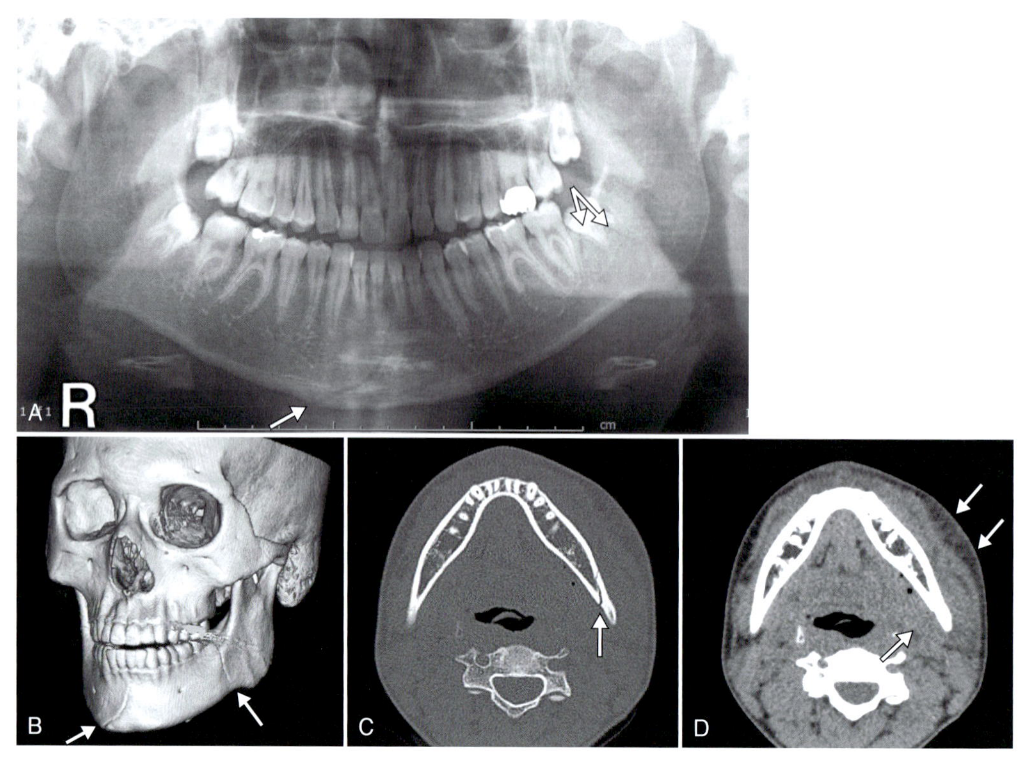

図 5-13-4　下顎骨骨折
パノラマ X 線画像（A）でオトガイ部と左側下顎角部に骨折線が確認できる．3DCT 画像（B）でおおまかな骨折線の位置，骨条件の CT 横断像（C）では微細な骨折線や骨片の偏位が確認できる．C と同じ位置での軟組織条件の CT 横断像（D）では，骨折部周囲の炎症性変化（組織の腫脹，不明瞭化，脂肪混濁など）が確認できる．

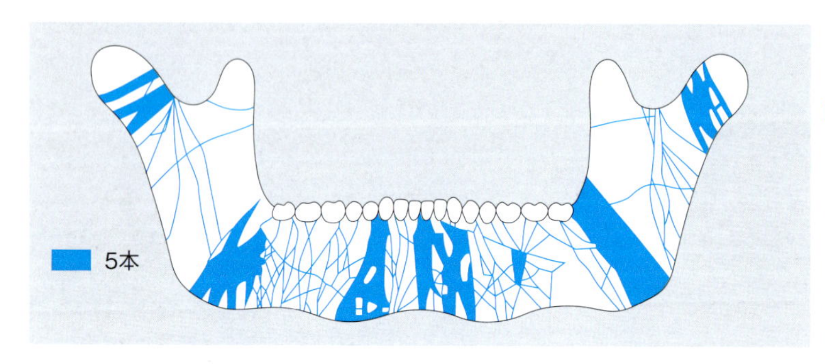

図 5-13-5　下顎骨骨折線の部位および走行
下顎骨体骨折 157 症例を主な骨折線で表した．大臼歯および顎角部がもっとも多く，次いで前歯部，顎関節突起などである
（歯科医学大事典編集委員会，1989[1]）

する情報が得られない場合があるので，頭部後前方向撮影，咬合法，CT などでの確認も必要である．CT では，任意の断面の画像を再構成して観察する多断面画像再構成（MPR）画像が有効である（図 5-13-4）．臼歯部では，顎骨に平行な矢状断面の有用性が高く，**骨折線**の走行，骨片偏位，下顎管の断裂や骨折線，埋伏歯との関係などについて精査可能である．骨折の分類には，単純骨折/複雑骨折，不完全骨折/完全骨折，直達骨折/介達骨折などがあるが，これらの特徴を知っておく必要がある．また，下顎骨の骨折の好発部位（図 5-13-5）を知っておくことで，骨折線の見落としを防ぐことにもつながる．

(2) 顔面・上顎骨の骨折

顔面・上顎骨の骨折が疑われる症例では，パ

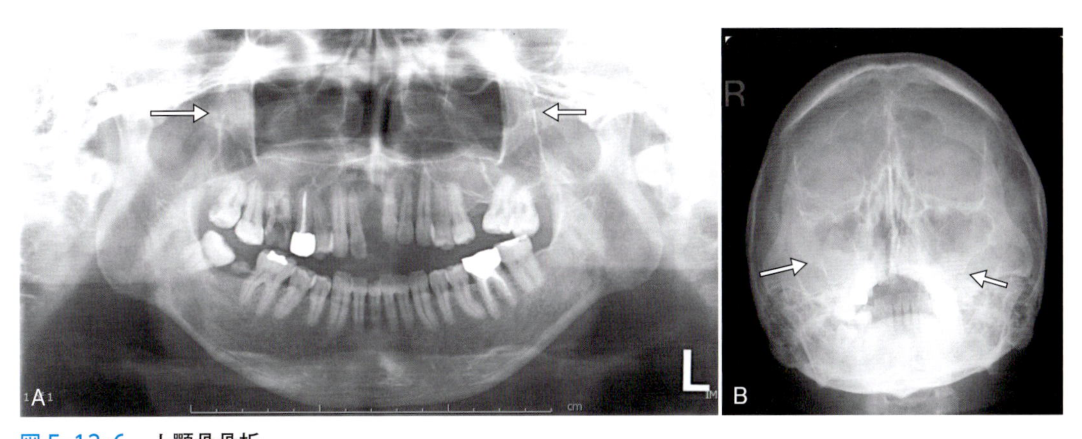

図 5-13-6　上顎骨骨折
パノラマ X 線画像（**A**），Waters 法画像（**B**）では，上顎洞壁の線の断裂像やその周囲の X 線不透過性の亢進より骨折が推定できる．

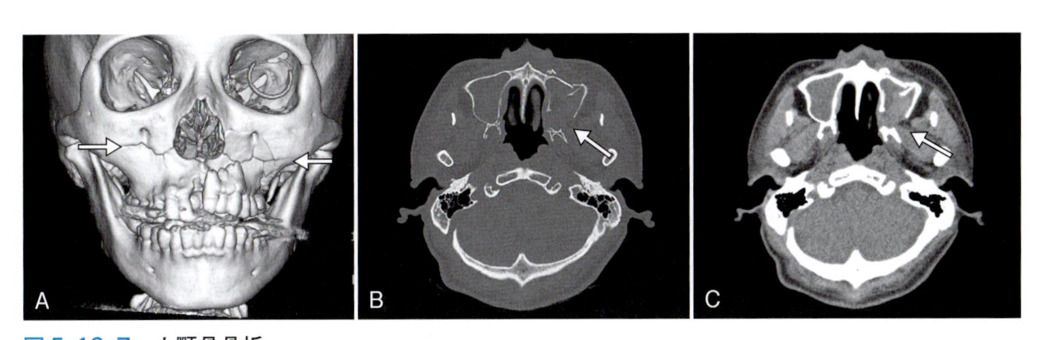

図 5-13-7　上顎骨骨折
3DCT 画像（**A**）でおおまかな骨折線の位置，骨片の偏位および骨折の全体像が確認でき，Le Fort I 型骨折であることがわかる．軸位断像の骨条件 CT（**B**），軟組織条件 CT（**C**）で微細な骨折線や骨片の偏位，骨折部周囲の炎症性変化などを確認する．

ノラマ X 線撮影，Waters 法撮影，頭部後前方向撮影，頭部軸方向撮影，CT などが用いられるが，この領域は形態が複雑で菲薄な骨も多く存在するため，CT が有用である．パノラマ X 線画像，Waters 法画像などでは，上顎洞壁，パノラマ無名線，眼窩下縁，頬骨弓などの解剖学的な構造物の連続性が保たれているかを確認する（図 5-13-6）．CT では，3DCT 画像で大まかな骨折線の位置や小骨片の偏位を把握しやすい．微細な骨折線については，薄いスライスの横断像，冠状断像，矢状断像により確認する．また，受傷部や骨折部周囲の軟組織の状態，出血などについても確認する必要がある（図 5-13-7）．

顔面部，上顎骨の骨折では，複数の領域におよぶ骨折もみられ，骨折部位により Le Fort（ルフォー）I 型，II 型，III 型に分類される（図 5-13-8）．**Le Fort I 型骨折**は，上顎骨のほぼ下半分の領域の骨折で，骨折線が梨状孔，犬歯窩，上顎洞前壁を通り，蝶形骨翼状突起下部にいたるような上顎骨の横断的な骨折である．**Le Fort II 型骨折**は，上顎から眼窩にかけての骨折で，骨折線が鼻骨，上顎骨前頭突起，涙骨，篩骨，眼窩底および眼窩底から蝶形骨翼状突起にいたる骨折である．**Le Fort III 型骨折**は，骨折線が鼻骨を横断し，眼窩後壁を経て，下眼窩裂，頬骨の前頭突起を通り，蝶形骨にいたることで顔面骨と頭蓋骨が離断される骨折である．

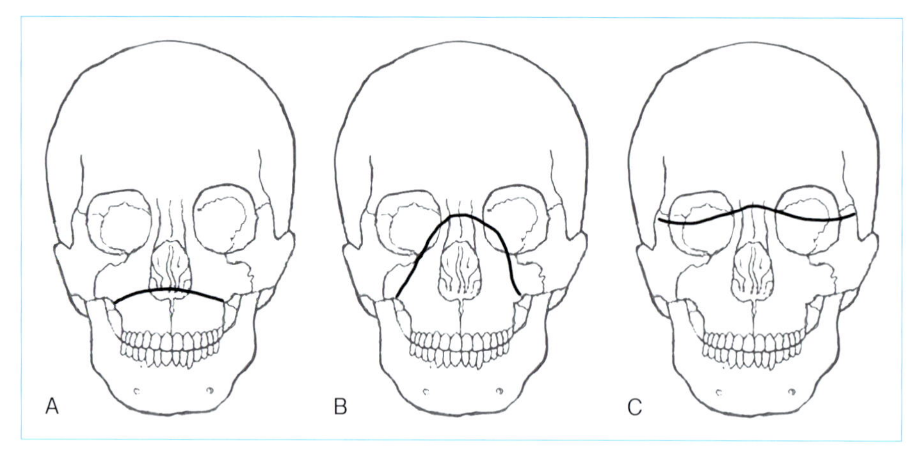

図 5-13-8　Le Fort 骨折の分類
A：Le Fort I 型骨折，B：Le Fort II 型骨折，C：Le Fort III 型骨折．

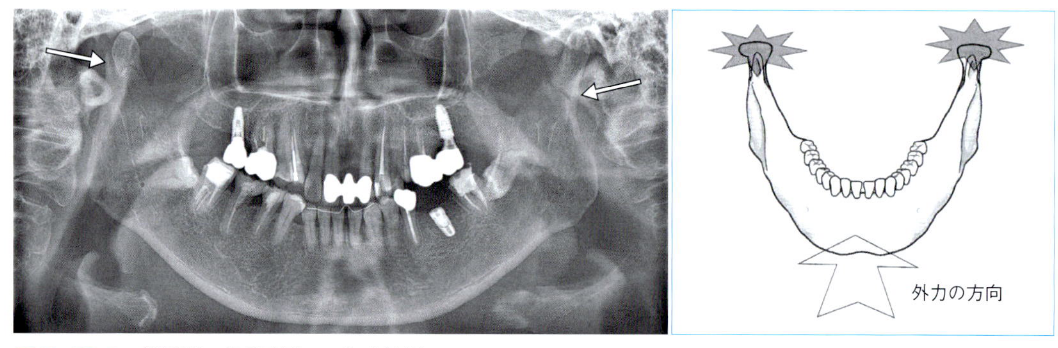

図 5-13-9　顎関節（下顎頭）の介達骨折
正面から外力を受けて左右の下顎頭に骨折を生じた例．パノラマ X 線画像では，外力を受けた位置から離れた場所に生じる介達骨折に注意する．

(3) 顎関節の骨折

顎関節部の骨折が疑われる症例では，パノラマ X 線撮影，顎関節 X 線撮影，CT などが用いられる．顎関節部の骨折は，開口時の疼痛や開口制限が著明なことや咬合状態の変化などより発見されることも多い．また，顎関節には，外力の加わった場所から離れた部位に骨折が生じる介達骨折の頻度も高い（図 5-13-9）．下顎頭骨折では，小骨片が外側翼突筋に牽引されて前下内方に偏位することが多い．顎関節部での骨折の好発部位は，細くて応力の集中しやすい下顎頭頸部であるが，下顎頭が砕けたような像を呈する関節包内骨折を示す例もある（図 5-13-10）．パノラマ X 線画像では，関節突起頸部の骨折線や骨片の偏位が不鮮明な場合（小児の若木骨折など）もある．

(4) 外傷の経過と予後

受傷時の診断に加えて，骨折の整復固定の状態を確認したり，治癒の経過を追跡したりすることも，画像検査の大切な役割である．多くの場合，経過観察にはパノラマ X 線撮影が用いられる．整復固定が適切な場合，骨折線は一時的に太くはっきりと見える時期を経て，徐々に不明瞭となり，やがて消失する．骨折線の消失に要する期間は，患者の年齢や受傷の状況によって差があるが，概ね 1 年程度である（図 5-13-11）．関節突起頸部の骨折では，骨片が偏位したまま化骨することによる変形や偽関節の形成

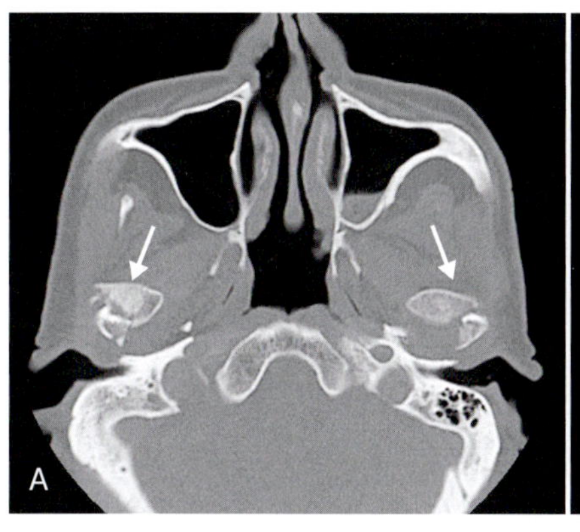

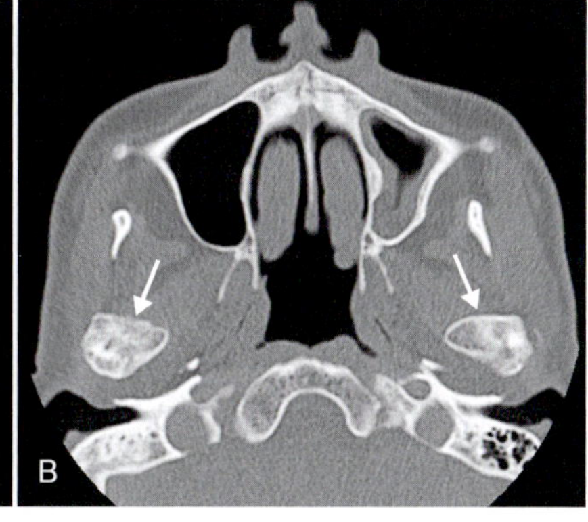

図 5-13-10　両側下顎頭の骨折
A：受傷直後．B：受傷1年後．左右の下顎頭が粉砕され（矢印），骨片が外側翼突筋に牽引されて内側に偏位している．受傷1年後には，偏位した骨片がそのまま化骨して下顎頭の変形を示す．

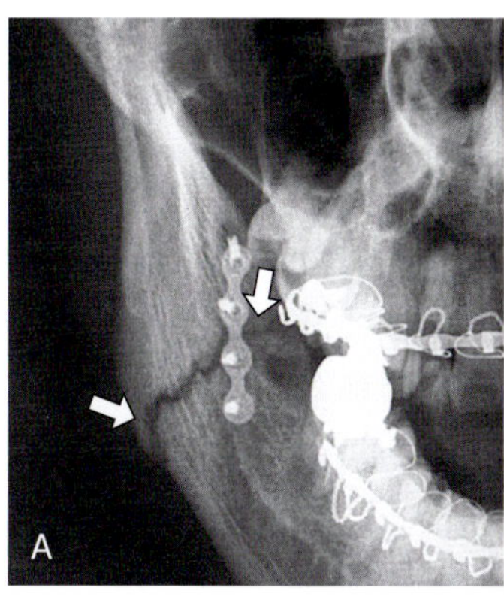

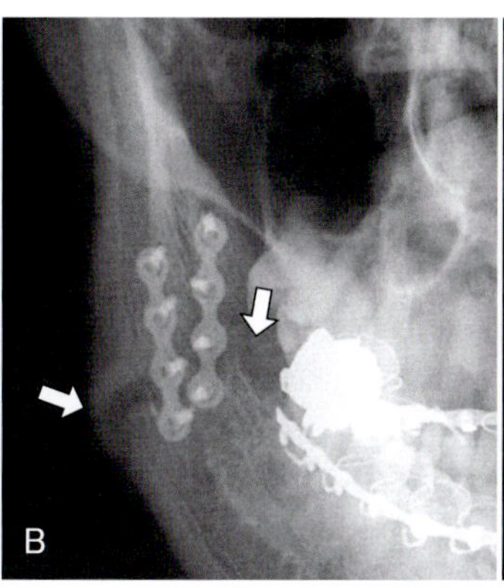

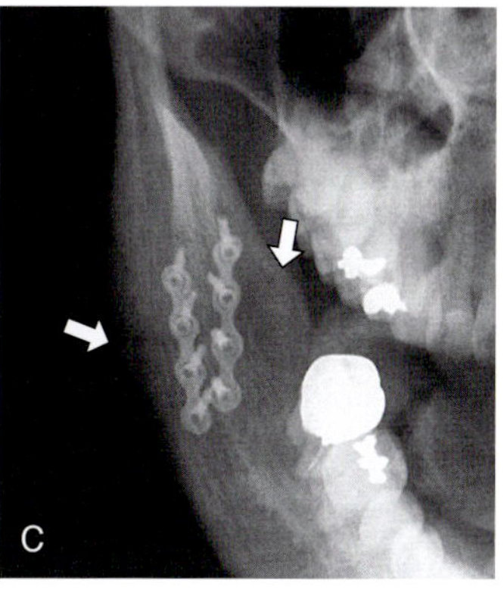

図 5-13-11　骨折線の経時的変化
A：骨折直後（プレート固定術中）．B：受傷3カ月後．C：受傷1年後．受傷直後には鋭縁を示す骨折線も，化骨の進行とともに徐々に不明瞭になる．経過観察のX線像から，骨折線がほぼ消失するには約1年を要することがわかる．

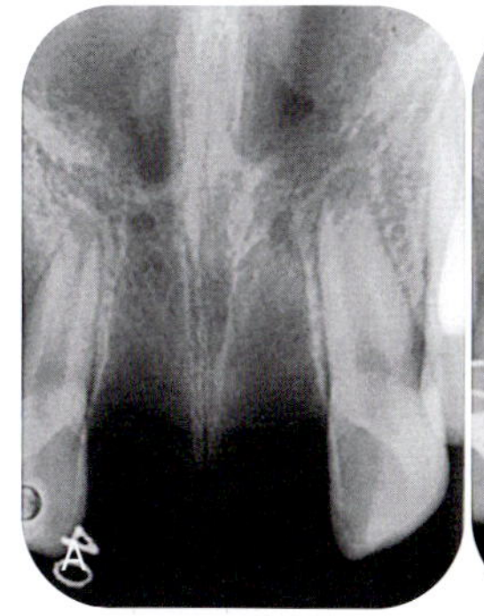

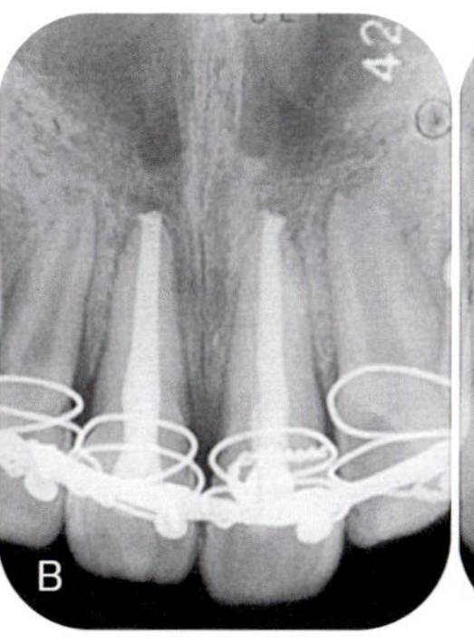

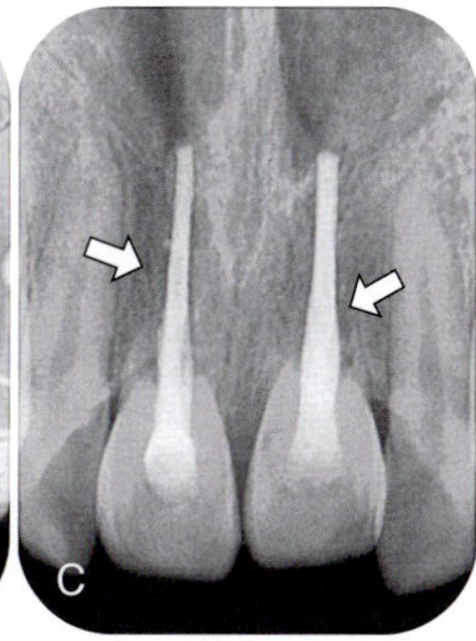

図 5-13-12　外傷による脱臼後に再植固定された歯に生じた歯根吸収
A：歯の脱臼直後．B：再植1カ月後．C：受傷5年後．再植後しばらくは症状なく経過したが，5年後に前歯の動揺を覚えて来院した．上顎左右側中切歯の根はほとんど吸収され，根管充塡材が吸収されずに残存している．

に，特に注意が必要である．抜釘（プレート除去）時期の判断基準は，施設によって異なるが，X線検査による骨折の経過観察の間隔は，6カ月～1年程度が適切である．外傷を受けた歯，あるいは骨折線上に位置した歯では，受傷後の失活と根尖病変の形成に注意が必要である．

外傷を受けた歯で特に注意が必要なのは，受傷後数カ月から数年の後に生じてくる歯根の吸収である．**歯根の（外部）吸収**は，脱臼して整復固定された歯，および歯根が破折した歯に生じやすい（図 5-13-12）．有髄歯では，まれに歯髄側からの**歯質の（内部）吸収**を生じることがある．

14 顎骨に異常をきたす主として全身に関連する疾患

内分泌系の疾患や**系統疾患**（systemic diseases）は，骨に変化をもたらすことが多い．したがって，顎骨になんらかの変化を引き起こす．こうした疾患を有する患者の歯科治療に携わる歯科医師は，これらの疾患についての十分な知識をもって治療にあたるべきである．

これらの疾患が示す口腔所見とX線所見には，①歯の形成・発育の促進や遅延，②歯の萌出促進や遅延，③歯質や歯髄の欠如や形態の変化，④歯の欠如や過剰歯の発現，⑤歯根膜腔，歯槽硬線（白線）および歯槽骨の骨梁の変化，⑥骨密度の変化，⑦骨形態の変化，⑧骨疾患の発現などがある．

1）内分泌障害・代謝障害

(1) 副甲状腺機能異常

副甲状腺ホルモン（PTH）の過剰分泌に基づく機能亢進症と，分泌低下に基づく機能低下症が主たるものである．

A. 副甲状腺機能亢進症

副甲状腺機能亢進症（hyperparathyroidism）は，副甲状腺腫瘍によるPTH分泌過剰症のために起きることが多い．PTHが過剰に産生されると骨吸収が亢進し，骨からのカルシウムの溶出が増加する．このため骨は脆弱化し，顎骨にもその変化が現れる．X線画像所見として，歯槽硬線の消失，下顎管壁と上顎洞底線の消失，骨梁のレース様変化などがあげられる．

一方，慢性腎不全や人工透析では，血中カルシウム濃度の低下に対する反応として，PTHの分泌が亢進する場合がある．これを二次性副甲状腺機能亢進症といい，前者の原発性の場合と区別する．また，骨軟化症，くる病などでも二次性に副甲状腺機能亢進を生じる（p.417，3)「くる病と骨軟化症」参照）．臨床所見やX線画像所見は，原発性のそれに準じる（図5-14-1）．

B. 副甲状腺機能低下症

副甲状腺機能低下症（hypoparathyroidism）では，PTHの作用低下のため，低カルシウム血症および高リン血症を生じる．まれな疾患で，原因はさまざまである．特徴的な臨床所見はテタニーである．X線画像所見の特徴は，脳基底核の石灰沈着で，頭部後前方向撮影で確認できる．歯の所見として，エナメル質の減形成，歯根の外部吸収，萌出遅延などがあげられる．

(2) 甲状腺機能異常

甲状腺の機能が亢進あるいは低下した場合，

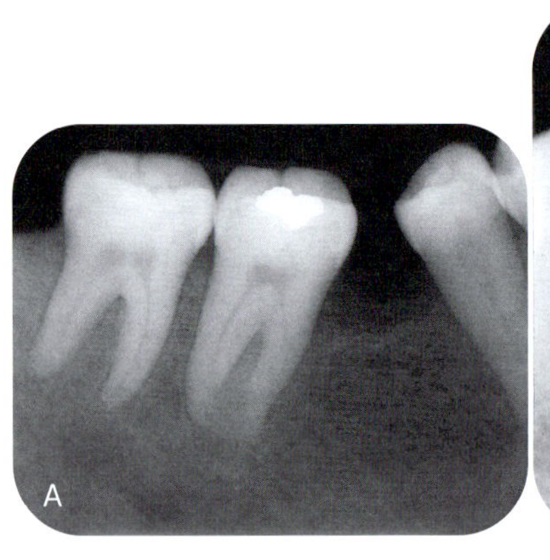

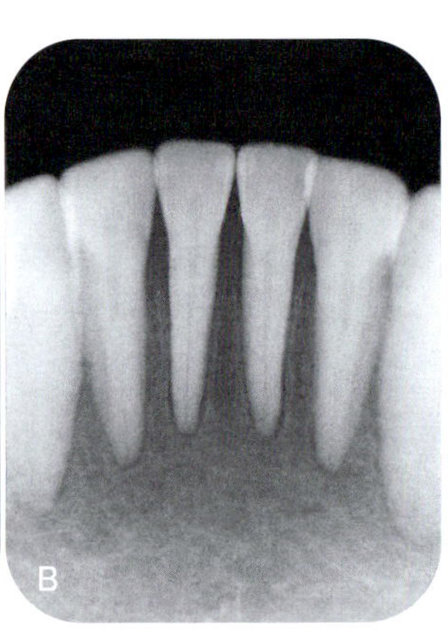

図5-14-1　**副甲状腺機能亢進症**
顎骨全体にわたる骨塩量の低下，歯槽硬線（白線）の菲薄化あるいは消失，骨梁の消失がみられる（A，B）．

特有な臨床所見を呈する．

A．甲状腺機能亢進症

甲状腺の機能が亢進し，サイロキシンが過剰に分泌された結果，代謝亢進症状がある場合を**甲状腺機能亢進症**（hyperthyroidism）という．代表的な病型である**バセドウ病**では，自己免疫異常によって甲状腺細胞の甲状腺刺激ホルモン（TSH）受容体に対する抗体が，甲状腺細胞を刺激することで，機能亢進症状を呈する．びまん性甲状腺腫，頻脈，眼球突出が代表的な臨床所見である．歯の発育促進と早期萌出，骨塩量の低下などがみられることもある．

B．甲状腺機能低下症

甲状腺機能低下症（hypothyroidism）は，TSHがあるにも関わらず，サイロキシンの分泌が不十分なために生じる．発現形態として，先天型の**クレチン病**，若年型の粘液水腫，成人型の粘液水腫の3型に分類される．乳幼児期あるいは小児期の本症のみに歯や骨の異常が生じる．一般的に歯の発育と萌出の遅延がみられ，顎の発育不良が生じ，歯槽骨と歯の萌出のアンバランスによって歯の過萌出と前突を生じ，口に比べて歯が大きくみえる．しかしながら，本症の影響は歯に対するものよりも，骨の成熟に対するもののほうが強い．青年期以降の本症は，顎骨や歯に変化を生じない．

（3）副腎機能異常

副腎皮質ホルモンのなかには，アルドステロンのように，分泌過剰でも分泌減少でも，すべての髄質ホルモンと同様に歯や顎骨に変化を生じないものもある．また，アジソン病にみられるように，口腔粘膜の褐色色素沈着があっても，X線画像所見を伴わないものもある．顎骨にX線的な所見を呈する疾患としては，クッシング症候群（Cushing syndrome）があげられる．

A．クッシング症候群

副腎皮質の機能亢進は，下垂体の好塩基性細胞の分泌亢進によるものや，副腎皮質自体の分泌亢進，過剰なステロイドの投与によっても生じる．X線画像所見のうち，最も特徴のある所見は，骨粗鬆症である．本症では，ほかの骨と同様に顎骨でも骨のX線画像の黒化度が向上する．顎骨の皮質骨は菲薄となり，海綿骨では骨梁が不規則な網目状の骨梁に置き換わり，正常像とは異なってくる．骨梁の厚さが減少するのが一般的である．

（4）下垂体機能異常

下垂体は，その前葉は各種のホルモンを分泌する細胞からなり，その分泌は視床下部からの信号によって制御されている．そのホルモンの過剰分泌から機能亢進症，その低下から機能低下症が起きる．

A．下垂体機能亢進症

下垂体機能亢進症（hyperpituitarism）は，下垂体の腫瘍あるいは過形成により，各種の下垂体ホルモンが過剰に分泌され，その結果，標的器官の機能が亢進した病態である．成長ホルモンの産生過剰によって巨人症，副腎皮質刺激ホルモン（ACTH）の産生過剰によってクッシング症候群（前述）が起きる．

巨人症（gigantism）は，成長ホルモンの過剰な分泌が骨端線閉鎖前に起きた場合にみられ，著しい成長を示す．顎骨は肥大化するが歯は正常であるため，歯間離開がみられる．下垂体の機能が亢進する前に形成された歯冠の形態は正常であるが，遅れて発育する歯根の発育は過剰になることがある．早期萌出がみられることがある．

一方，**先端肥大症**（acromegaly）は，成長ホルモンの過剰が思春期以降に起きた場合にみられ，四肢末端，舌などが肥大する．顎骨では下顎骨体の水平方向への過成長，下顎枝の高さの過成長，歯間離開と開咬，下顎角の開大，下顎管の拡大などがみられる（図5-14-2）．また，巨人症と異なり，歯のセメント質への影響はないので，発症期の決定に役立つ場合がある．

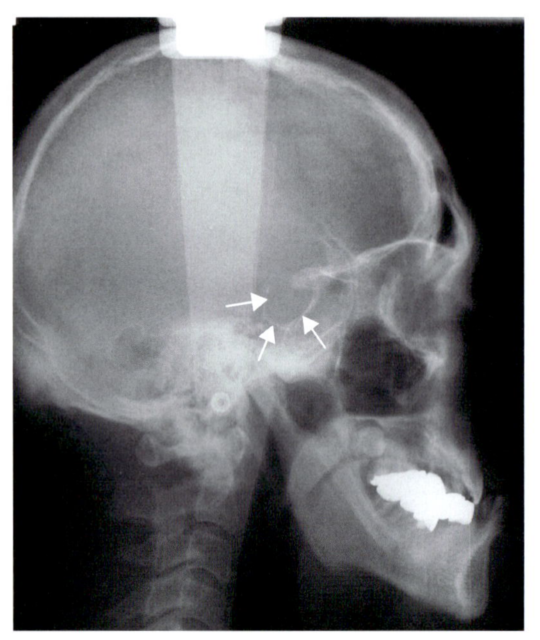

図 5-14-2　下垂体機能亢進症（先端巨大症）
下垂体が収まるトルコ鞍が拡大している（矢印）．下顎骨の前下方への過成長による反対咬合を呈している．下顎角は開大し，直線化している．

B. 下垂体機能低下症

下垂体機能低下症（hypopituitarism）は，さまざまな原因によって下垂体前葉が障害され，その結果，前葉からのホルモンのうち，1つあるいは複数が分泌低下をきたした病態である．乳幼児期からの成長ホルモンの欠損に基づく発育障害を成長ホルモン分泌不全性低身長症（下垂体性小人症）という．身長は正常者の2標準偏差以下，骨年齢は暦年齢の75%以下であるが均整がとれており，知能は正常である．顎骨は小さいが歯の大きさは正常で，萌出と完成が遅延する．

2）骨系統疾患・症候群

(1) 鎖骨頭蓋骨異形成症（鎖骨頭蓋異骨症）

鎖骨頭蓋骨異形成症（cleidocranial dysostosis）は，常染色体顕性（優性）遺伝で家族性に発生するが，病因はわかっていない．鎖骨が部分的あるいは全部欠損し，骨格に異常がみられるが，重篤度はまちまちである．臨床的特徴として，両肩を前方で重ねることが可能なことがあげられる．比較的重症の場合には，脊椎，骨盤，長管骨に異常が生じ，手が特異な形態を呈し，顔面も不正咬合（咬合異常）をきたすような上顎の劣形成や，頰の扁平化がみられる．乳歯および永久歯の萌出遅延，乳歯の吸収遅延がみられる．過剰歯も多い．頭蓋では成人になっても泉門が開存する．上顎の発育不良によって高口蓋となる．X線画像所見としては，泉門開存や鎖骨欠損のほかに，乳歯の晩期残存，埋伏歯と過剰埋伏歯の混在などが特徴である（図5-14-3）．

(2) 大理石骨病

大理石骨病（osteopetrosis）は，常染色体潜性（劣性）遺伝あるいは顕性（優性）遺伝で発現する．病因は不明であり，どのような年齢でも発症し，胎児でも認められる．通常，受診する動機は，骨髄炎，特発性骨折，貧血などの合併症である．X線画像所見は多様で，重症度に依存する．進行したものでは，特に強いX線不透過性を呈する．通常，X線画像では，皮質骨と髄質の区別がつかず，骨梁構造を認めにくい．

顎骨では，歯槽硬線と下顎管壁を示す白線の肥厚という所見が特徴である．骨と同時に歯槽硬線も硬化する疾患はほかにはなく，進行した症例では，歯槽硬線は硬化した骨と区別がつかなくなる．歯の処置に付随する敗血症や顎骨骨髄炎が認められることも多い．成人の患者では異常は少ないが，生下時にすでに本症を発症した小児ではエナメル質形成不全を有し，歯の発育遅延や変形もみられる（図5-14-4）．

(3) McCune-Albright 症候群（多骨性線維性異形成症）

顎骨のほかに全身骨の線維性異形成症，皮膚

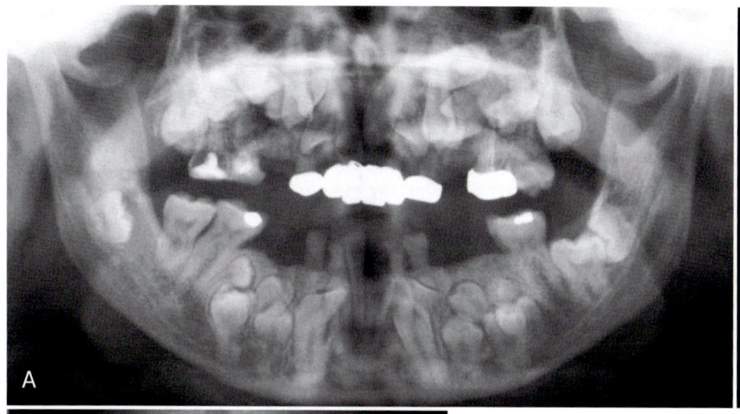

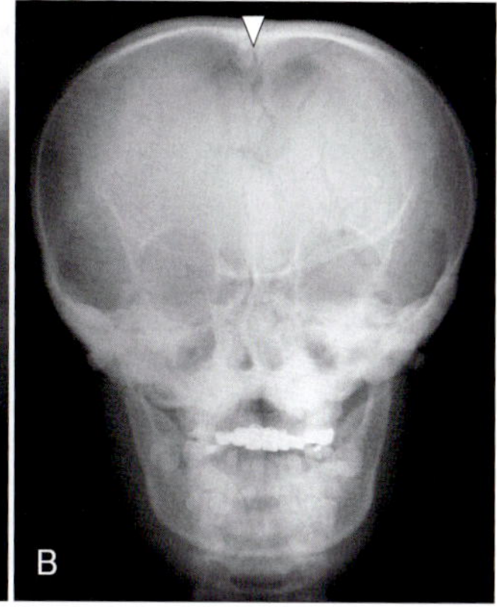

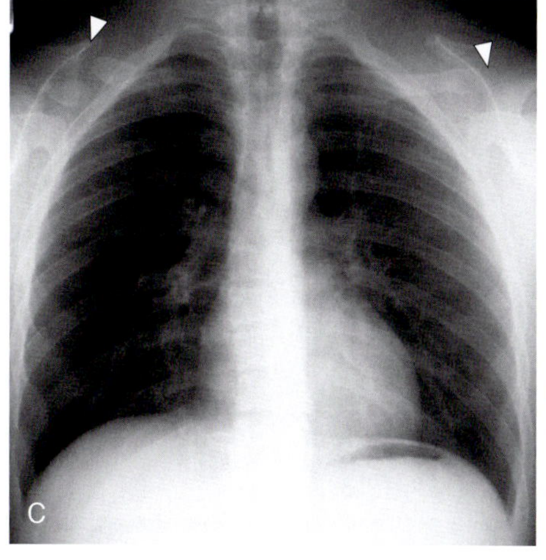

図 5-14-3　**鎖骨頭蓋骨異形成症**
A：パノラマＸ線画像では，多数の埋伏歯と頬骨弓の不連続性がみられる．
B：頭部後前方向Ｘ線画像では，大泉門部癒合不全がみられる(矢頭)．
C：胸部Ｘ線画像では，鎖骨の不連続性がみられる（矢頭）．

の褐色の色素沈着（カフェオレ斑）と思春期早発症を三主徴とする疾患群である(図 5-14-5)．

(4) 骨形成不全症

骨形成不全症（osteogenosis imperfecta）は，骨や歯，眼などの発育障害を伴う全身性結合組織疾患で，常染色体顕性（優性）遺伝で発現する．骨は菲薄化し，眼は強膜が青くみえる．どの年代でも発症しうるが，発症年齢が若いほど重篤な傾向があり，乳幼児では予後は悪い．

骨における特徴的なＸ線画像所見は，皮質骨の菲薄化とその結果生じる骨陰影の減弱である．偽骨折や変形も生じることがある．歯のＸ線画像で乳歯および永久歯に生じる変化は，象牙質の形成障害である．象牙質の形成が正常の場合より長く続く象牙質形成不全を生じるので，髄室や根管が閉塞する．歯や歯根が短小になることもある．

(5) 第一第二鰓弓症候群

第一第二鰓弓症候群は，第一鰓弓および第二鰓弓の形成障害であり，片側の発育異常が主体で**片側顔面矮小症**（hemifacial microsomia）などともよばれている．顔面の先天異常では唇顎口蓋裂に次いで多くみられる．骨における特徴的なＸ線画像所見は，頬骨，下顎骨，顎関節の片側性形成不全により顔面非対称を呈する．片側性の**小耳症**も特徴的である（図 5-14-6)．特に，眼球類上皮腫に脊椎異常を伴うものを **Goldenhar 症候群**とよぶ．

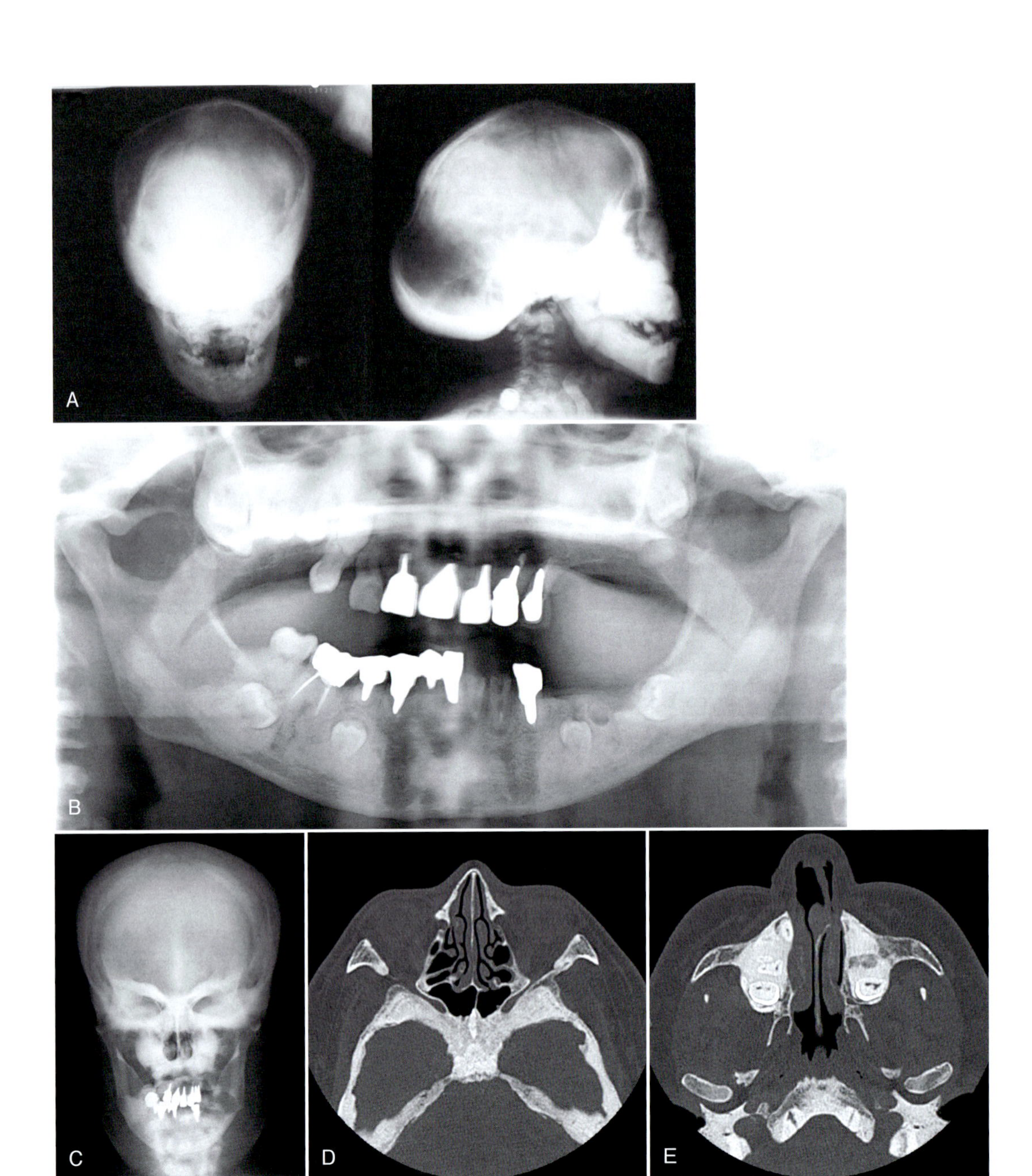

図 5-14-4　**大理石骨病**
A：早発型，2 歳，男児．頭部後前方向 X 線画像（**左**），頭部側方向 X 線画像（**右**）では，頭蓋骨および上下顎骨の広範な骨硬化像が認められる．
B〜E：遅発型，45 歳，男性．パノラマ X 線画像（**B**），頭部後前方向 X 線画像（**C**）では，頭蓋骨および上下顎骨の広範な骨硬化像と多数の埋伏歯が認められる．CT 横断像（**D，E**）では，頭蓋骨の肥厚と上顎骨の硬化像が認められる．
（特定非営利活動法人日本歯科放射線学会編，2020[1]．日本歯科大学・河合泰輔先生，岩田　洋先生のご厚意による）

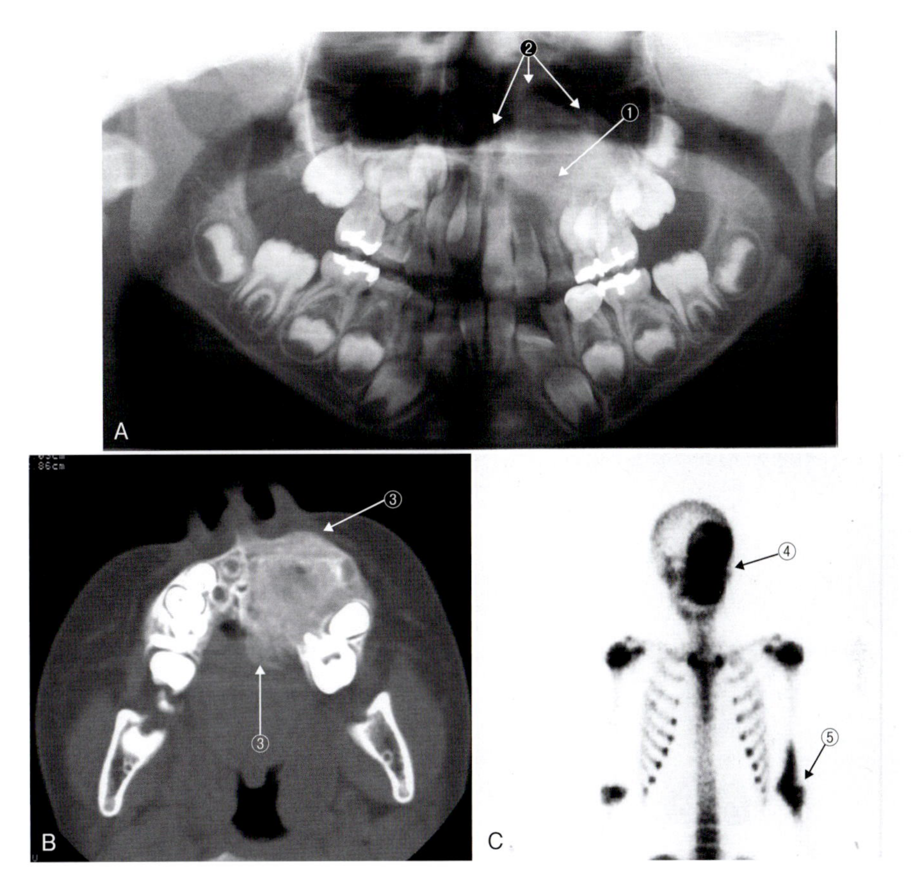

図 5-14-5　McCune-Albright 症候群

7 歳，女児．|3 部の膨隆を主訴として来院した．問診により，幼児期に性的早熟があり卵巣の摘出を受けたことが明らかになったため，McCune-Albright 症候群を疑い，小児科に対診した結果，確定診断が得られた．パノラマ X 線画像（A）では，左側上顎骨にすりガラス様の X 線不透過性病変がみられ（①），上顎洞底は上方に押し上げられている（②）．病変は|3 4 5 の歯胚を偏位させている．CT 横断像（B）では，左側上顎骨にび漫性ですりガラス様の X 線不透過性病変が認められ，上顎骨は頰側および口蓋側に膨隆している（③）．骨シンチグラム（^{99m}Tc-MDP，頭・胸部スポット像，C）では，上顎から頭蓋左側部に及ぶ範囲に強い集積がみられる（④）．また，左側上腕骨遠位端にも強い集積がみられ（⑤），McCune-Albright 症候群と考えられる．
（特定非営利活動法人日本歯科放射線学会編，2020[1]）

(6) 下顎顔面異骨症（Treacher-Collins 症候群）

下顎顔面異骨症（mandiburofacial dysostosis）は，第一鰓弓および第二鰓弓由来の先天的形態異常を特徴とする．X 線画像所見としては，下顎頭や下顎骨下縁の異常所見が認められるほか，上顎では高口蓋や口蓋裂なども多く認められる．特に両側性に認められるものを **Treacher-Collins 症候群**という（図 5-14-7）．

(7) 頭蓋顔面異骨症

頭蓋顔面異骨症として **Crouzon 病**（craniofacial dysostosis，Crouzon's disease），**ファイファー症候群**（Pfeiffer syndrome），**Apert 症候群**（Apert's syndrome）があげられる．いずれも，頭蓋縫合の早期骨化の結果，頭蓋の X 線撮影で指状圧痕を認めるようになる．歯科的所見とし

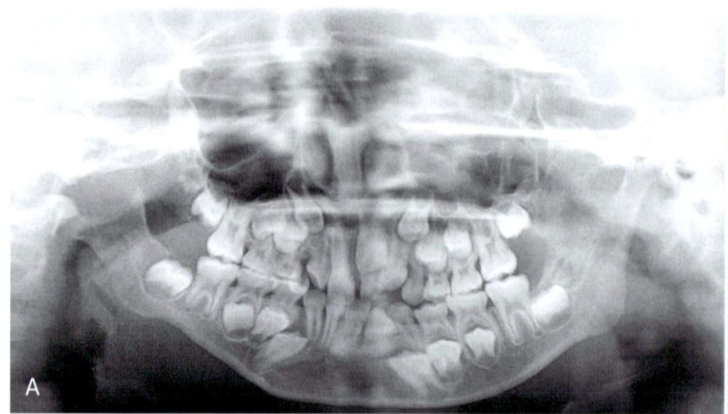

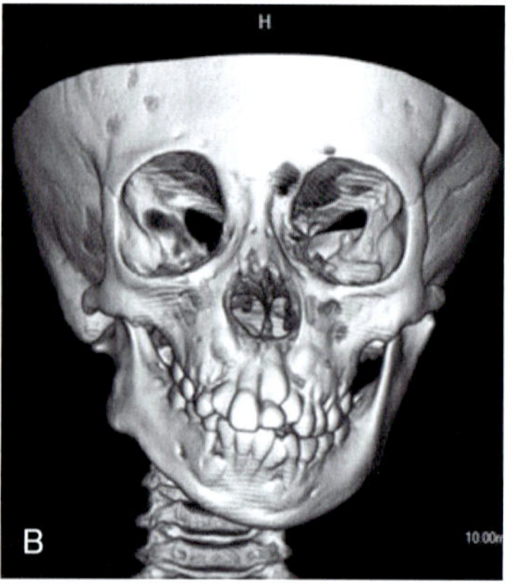

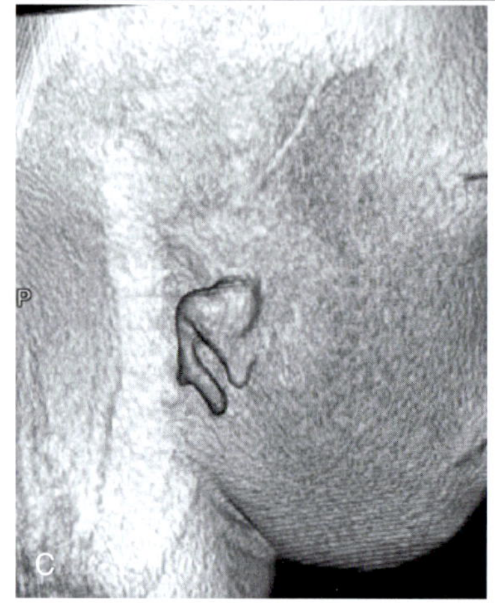

図 5-14-6　**第一第二鰓弓症候群**
A：パノラマ X 線画像にて，下顎骨右側の形成障害により下顎枝に著明な変形がみられ，小さくなっている．B：3D-CT 像（CT のサーフェスレンダリング画像）にて，下顎骨の非対称な形態により，咬合平面が傾き，オトガイは偏位している．C：3D-CT にて，右耳介の変形が認められる．

ては，上顎骨形成不全から下顎前突様の咬合を呈するほか，無歯症やエナメル質の異常，歯根の異常もみられることがある（図 5-14-8）．

(8) 口腔・顔面・指趾症候群（OFD 症候群）

頭蓋顔面部は鼻翼の平坦化と頬骨弓の形成不全，口腔所見は口蓋裂と小帯の肥厚，舌の形態異常，過剰歯と歯の先天欠如，指は手足に合指症と，口，顔面，指のほか，身体各部に異常を示す症候群が**口腔・顔面・指趾症候群**（oral-facial-digital syndrome；OFD syndrome）である．伴性顕性（優性）遺伝の形質をとる．患者は圧倒的に女性が多い．

(9) 基底細胞母斑症候群

基底細胞母斑症候群（**母斑性基底細胞癌症候群**）〔basal cell nevus syndrome（**Gorlin 症候群**）〕は，上下顎における多発性の顎嚢胞（歯原性角化嚢胞），皮膚の母斑性基底細胞上皮腫（思春期以降），肋骨の異常（二分岐など）を主徴とする顕性（優性）遺伝性症候群である．口腔領域の X 線画像としては，原始性嚢胞，または含歯性嚢胞に類似した多発性（顎骨を上下左右に 4 分割すると，概ね 2 つの領域以上にまたがる）の所見を示す（図 5-14-9）．

(10) 家族性大腸ポリープ症

家族性大腸ポリープ症（**Gardner 症候群**；Gardner syndrome）は，結腸および直腸のポリープ，多発性骨腫，皮膚あるいは皮下の結節または嚢胞が共存する臨床的症候群であり，顕性（優性）遺伝性疾患である．多発性骨腫は青春期

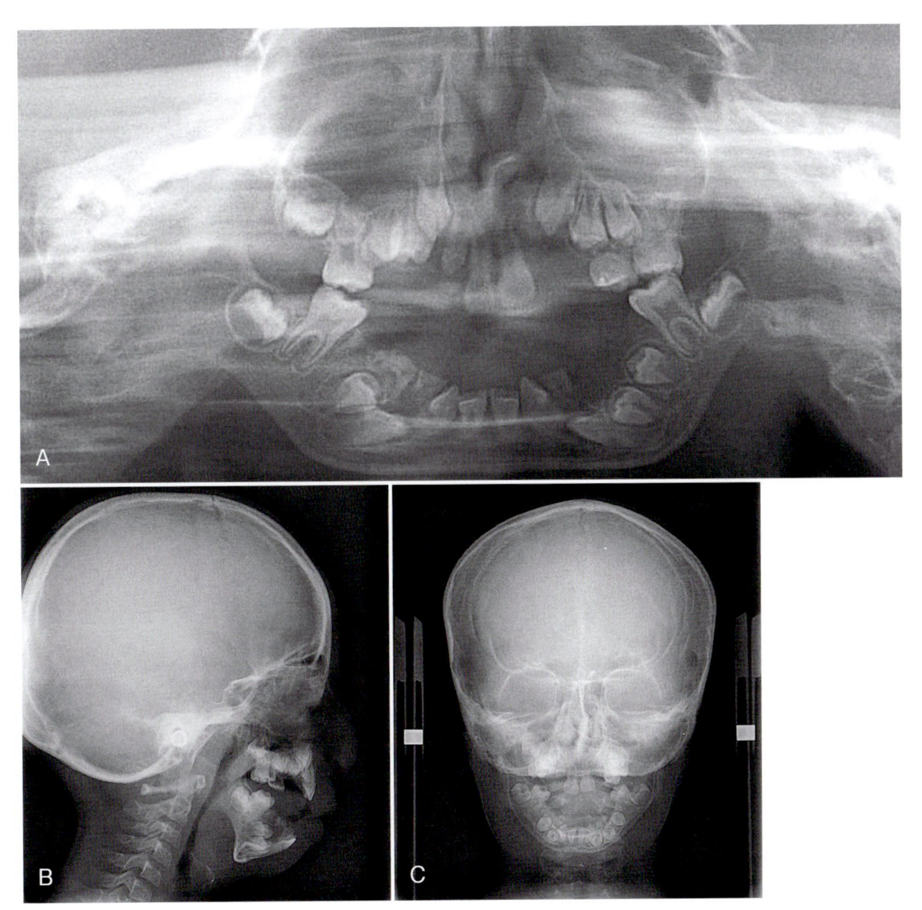

図 5-14-7　Treacher-Collins 症候群
上下顎の形成不全と形態異常がみられ，開咬を呈する．

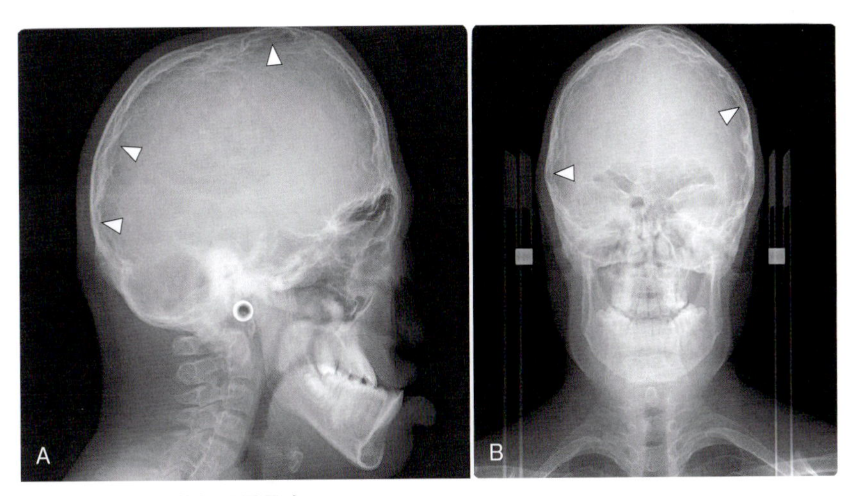

図 5-14-8　頭蓋顔面異骨症
頭部側方向 X 線画像（A）および頭部後前方向 X 線画像（B）にて，頭蓋冠に頭蓋内圧亢進による指圧痕様の像（矢頭）と顔面骨の低形成がみられる．

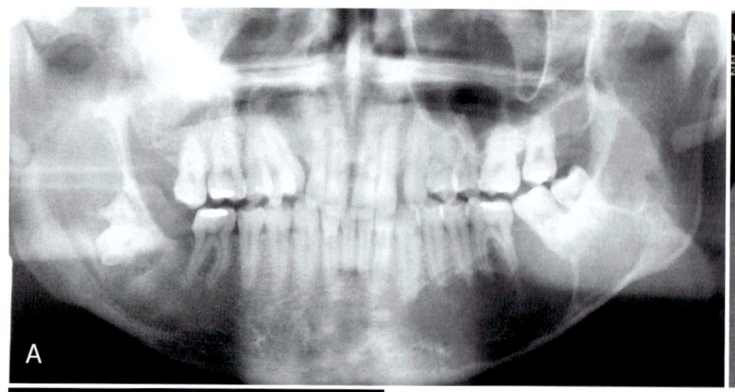

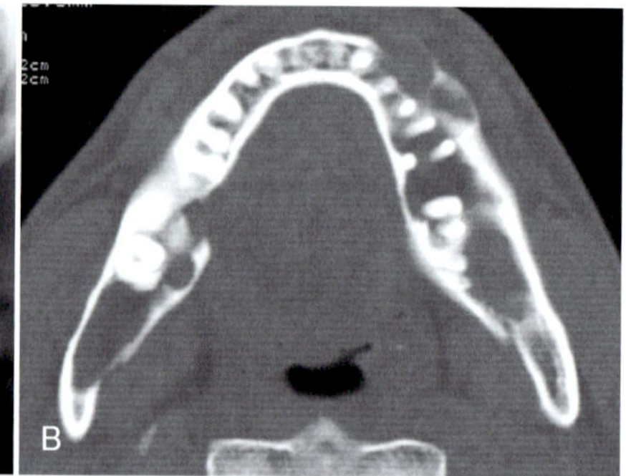

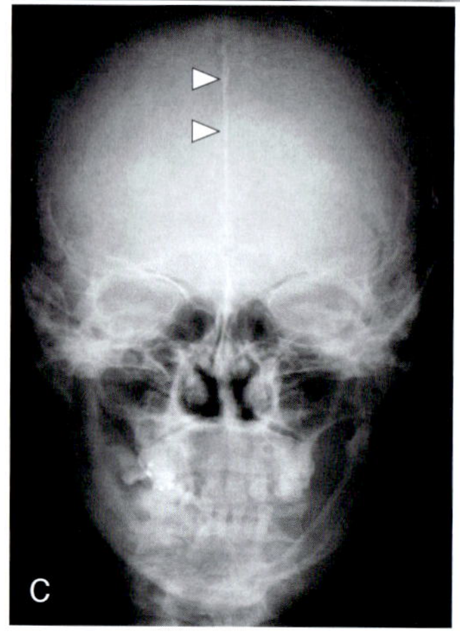

図 5-14-9　基底細胞母斑症候群（母斑性基底細胞癌症候群）
A：パノラマ X 線画像，B：CT 像．多数の嚢胞様像が観察される．
C：頭部後前方向 X 線画像．大脳鎌の石灰化が観察される（矢頭）．

に起こるが，骨格系の成長の停止と同時に骨腫の発育が停止する．頭蓋と顎骨に生じることが非常に多い．前頭骨，下顎骨，上顎骨に好発する．一般的に皮質骨の外面に付着するので，顔面の変形が生じることが多い．大腸のポリープは一般に 20～30 歳代にみられ，無症状のことが多いが，悪性化する傾向が強い．

X 線画像では，骨腫と周囲との境界は明瞭であるが，形状は不規則にみられる（図 5-14-10）．下顎角部と上顎に好発するが，前頭洞部や下顎骨骨体部にもみられることがある．歯の異常としては，多発性の歯牙腫，集合型と多発性埋伏過剰歯と永久歯埋伏が起こる．臨床上または X 線画像上，骨腫に類似した所見がみられたら，大腸内視鏡検査を行うことが望ましい．

(11) Robin シークエンス（Pierre Robin 症候群）

Robin シークエンス（Robin sequence）は，先天性に小下顎症とそれに伴う舌の下方への後退と気道閉塞，口蓋裂を認める．X 線画像所見としては，側面セファログラムにおいて顕著なオトガイの後退がみられる（図 5-14-11）．

(12) Papillon-Lefèvre 症候群

Papillon-Lefèvre 症候群（Papillon-Lefèvre syndrome）は，手掌と足裏の角化症，歯の支持組織の破壊が特徴の常染色体潜性（劣性）遺伝性疾患である．口腔および X 線画像所見としては，高度の歯周炎によって歯槽骨に著明な破壊が生じ，歯が早期に脱落する傾向を示す．この歯槽骨の破壊は，中切歯部と第一大臼歯部において顕著に認められる．歯の脱落後は，炎症所

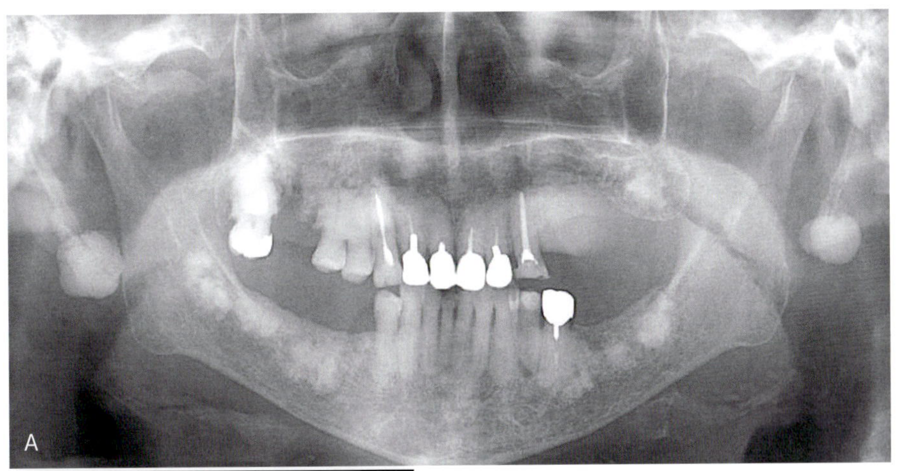

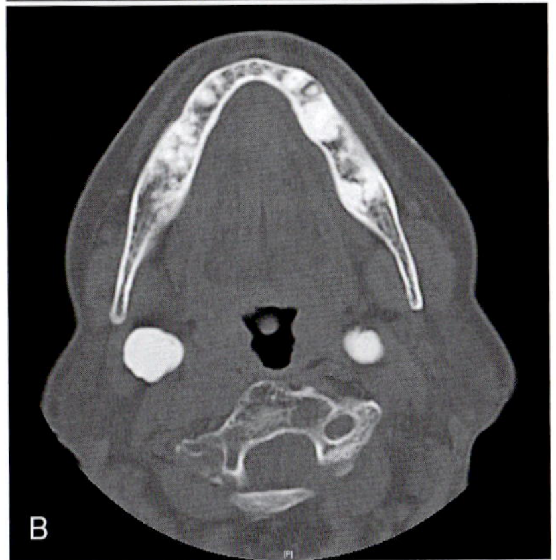

図 5-14-10　家族性大腸ポリープ症
顎骨内や周囲に多数の骨腫様不透過像がみられる．

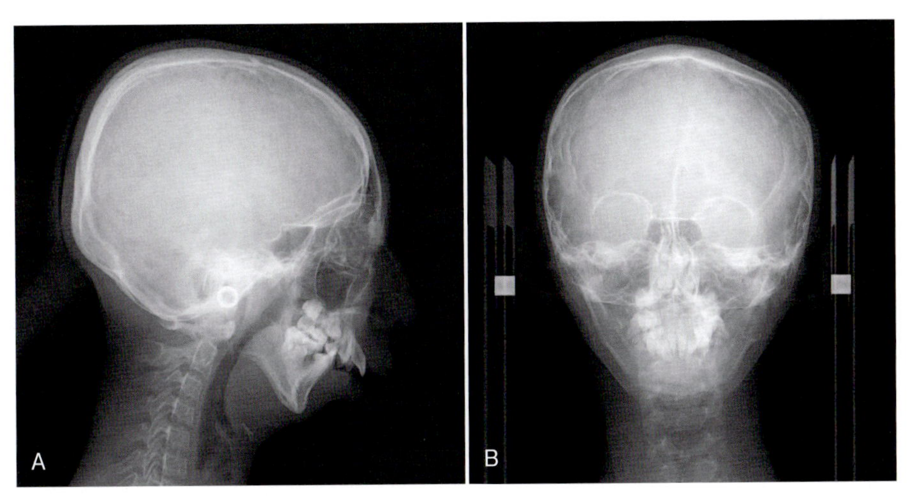

図 5-14-11　Robin シークエンス
頭部側方向 X 線画像（A），頭部後前方向 X 線画像（B）ともに，小下顎骨を呈している．

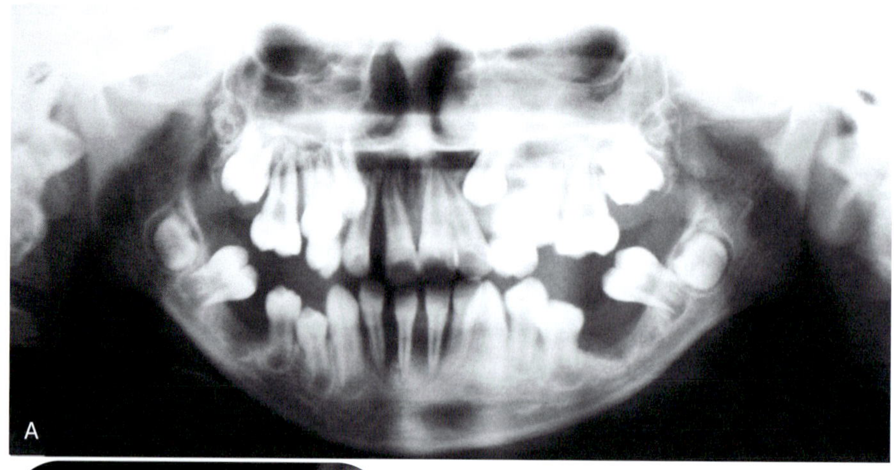

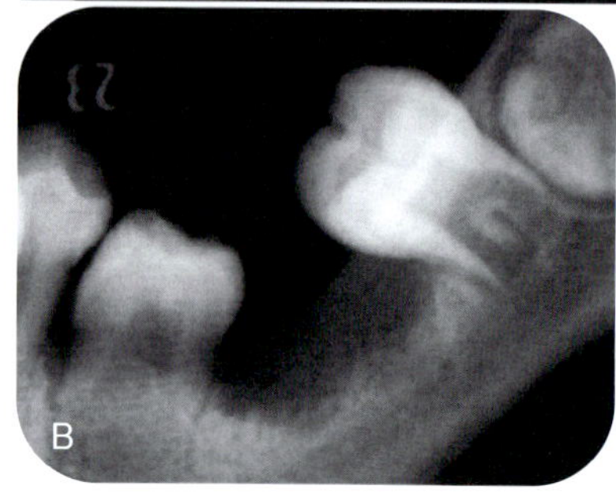

図 5-14-12　Papillon-Lefèvre 症候群
上下顎中切歯部と第一大臼歯部の歯槽骨の吸収が著明である．

見は消失するが，歯槽骨の量は非常に少ないままとなる（図 5-14-12）．

(13) von Recklinghausen 病

von Recklinghausen 病（**神経線維腫症**；neurofibromatosis）は，皮膚のカフェオレ斑と多発性末梢神経腫瘍を特徴とする．神経線維腫は下顎管内に生じ，周囲骨や萌出前の大臼歯に影響する場合もある（図 5-14-13）．

(14) 外胚葉異形成症

外胚葉異形成症（ectodermal dysplasia）は，胎生期の外胚葉由来の組織異常を特徴とする先天性疾患である．爪，皮膚，毛髪，歯に異常がみられる．歯科的所見として，部分的無歯症または完全無歯症が認められる．前歯は尖頭状あるいは円錐状を呈する．歯の欠損により顎間距離が短小化するため，また，上下顎ともに発育が悪いことによって老人様顔貌となる．

(15) 軟骨形成不全

軟骨形成不全（軟骨異栄養症；achondroplasia）は，致死率の高い先天性疾患であり，長管骨の骨端における軟骨性骨化の遅延を示す．頭部，体幹に比べて四肢が短小となる．頭蓋は比較的大きく，前額部は突出し，顔面中央（鼻根部）は陥凹する．口腔および X 線画像所見としては，歯の萌出遅延，埋伏歯，歯の形態異常などがみられ，下顎骨も発育不全を呈し，不正咬合（咬合異常）を認める．

(16) ガーゴイリズム，Hurler 症候群

ガーゴイリズム（gargoylism），**Hurler 症候群**（Hurler syndrome）の障害の程度は，個々の症例によってさまざまである．多糖類の細胞内蓄積によって低身長症となり，角膜（失明），腹部

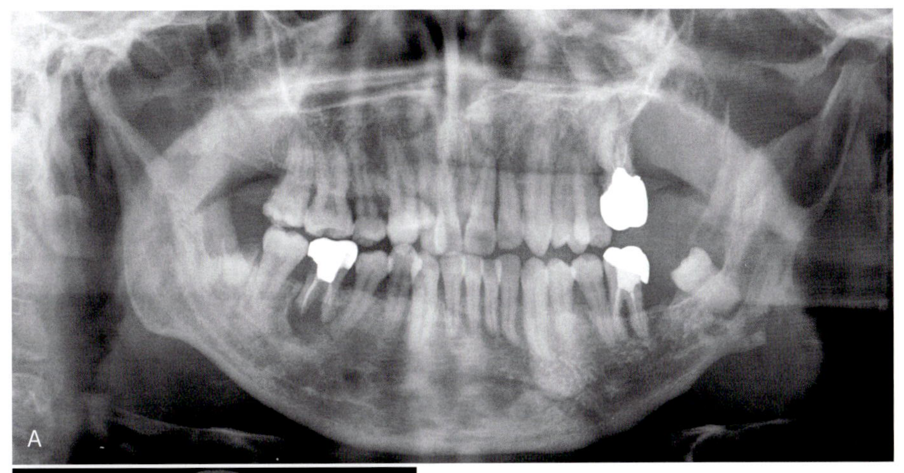

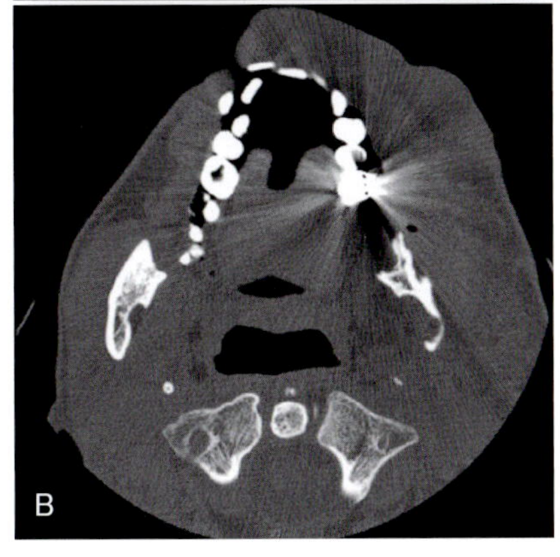

図 5-14-13　von Recklinghausen 病
A：パノラマ X 線画像では左側下顎枝の変形が著明である．下顎管の拡大もみられ，上方の透過像に連続している．B：CT では下顎孔を含む領域に骨欠損がみられ，同部に腫瘍の存在が疑われる．
（大阪歯科大学・四井資隆先生のご厚意による）

（膨満），脊柱（後彎），皮膚（粘液水腫様），舌（腫大），脾（腫大）に影響を認める．重要な X 線画像所見は骨に現れ，前頭骨には大きな血管溝がみられることが多い．歯と顎骨の変化は，下顎骨にひずみが原因となって歯の転位，歯間離開，萌出位置および萌出方向の異常が起こる．

(17) Down 症候群

Down 症候群（Down syndrome）は，知的障害，短軀，隆起腹，斜眼裂を伴った離眼および変質徴候（高口蓋）の典型的な主徴をもった，新生児 650 人に 1 人の頻度の先天異常（常染色体 21 番のトリソミー）である．口腔および X 線画像所見としては，開咬と大きな舌，上顎切歯の形成不全（円錐歯など）や欠如，前歯部の辺縁性歯周炎，壊死性歯肉炎などがみられる．

(18) ピクノディスオストーシス

ピクノディスオストーシス（pyknodysostosis）は，背丈が低く，泉門の閉鎖遅延，末端指節骨形成不全を特徴とする，常染色体潜性（劣性）性遺伝である．X 線画像所見としては，このほかに骨の硬化や下顎角の扁平化もみられる（図 5-14-14）．

3）その他の疾患

(1) くる病と骨軟化症

くる病は，ビタミン D 欠乏性くる病，低リン酸血症，骨軟化症，腎性くる病，低リン酸酵素症の総称である．骨形成に必要な無機塩類，特

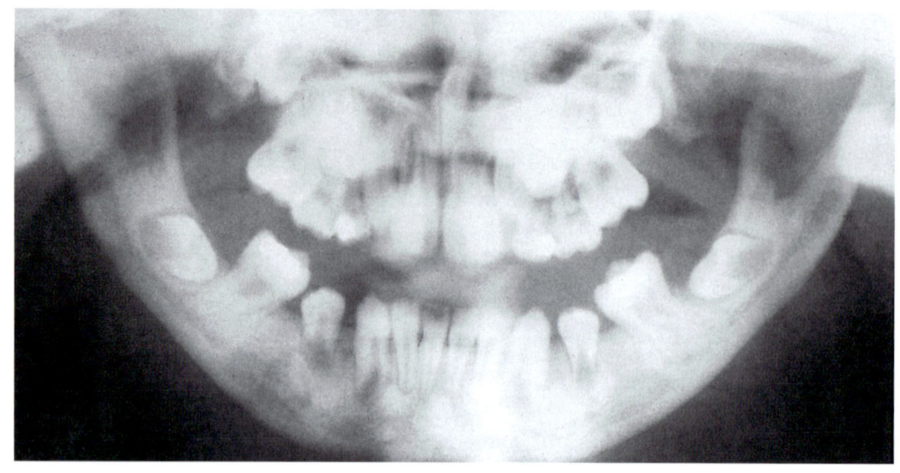

図 5-14-14　ピクノディスオストーシス
下顎角が大きくなり，下顎切痕の切れ込みが顕著である．

にカルシウムの不足でこれらの疾患を生じる．本質的には，小児に生じた場合をくる病（rickets），成人に生じた場合を骨軟化症（osteomalacia）と称する．骨の X 線透過性は亢進する．

骨形成に必要なカルシウムの欠乏をきたす要因は，①食事性ビタミン D 欠乏，あるいはカルシウム欠乏，②小腸からのビタミン A，カルシウムの吸収障害，③尿中へのカルシウムの過剰排泄，の 3 つとされている．

X 線画像所見は，小児の時期で骨端に著しい．新たに形成される骨の石灰化が不十分なために，骨幹端の骨端面の外形が不鮮明となり，骨端軟骨板が肥厚するようにみえる．病態が進むと，骨端の開大がみられる．あらゆる年齢でみられる重要な所見は偽骨折で，肋骨，肩甲骨などに好発する．治療は著効する．

口腔症状は，発症年齢と治療を受けるまでの期間に影響される．3 歳以下の乳幼児では，歯の形成障害（特にエナメル質）を生じ，エナメル質形成不全が萌出歯，未萌出歯ともにみられる．先天性低リン酸血症（ビタミン D 欠乏性くる病）では，歯の発育，特に象牙質の発育が遅延し，セメント質の形成も不足する．象牙質の発育が不十分であるために，歯髄腔と根管が広くなる．成人の場合には，歯の影響はないが，顎骨の透過度が亢進する．歯槽硬線や骨梁は，菲薄化するか消失する．

A. 腎性骨異栄養症（腎性くる病）

尿中のリンの喪失が認められ，骨軟化症の徴候が認められる．しかし，リン酸の喪失がより広範囲の場合で，しかも尿素の血中濃度も上昇する場合には，2 次的な**副甲状腺機能亢進症**が続発し，副甲状腺機能亢進症と同一の X 線画像所見を呈する（p.406,「副甲状腺機能亢進症」参照）．原発性と 2 次性の副甲状腺機能亢進症における差異は認められない．

B. 低リン酸酵素症

血清ならびに組織アルカリホスファターゼ濃度の減少，骨の無機塩の不足，尿中ホスホリルエタノールアミンの増加を特徴とする先天性代謝異常である．発症する年齢が高いほど，症状は軽い．低身長症，頭蓋閉鎖症，整形外科的変形が認められ，小児期の後半では歯の早期喪失，成人の場合には骨が脆くなる．幼児では，すべての骨の X 線透過性は亢進する．小児の中等度の症例では，くる病に似た骨変化が認められる．X 線画像所見では，乳歯の早期脱落は際立った特徴である．

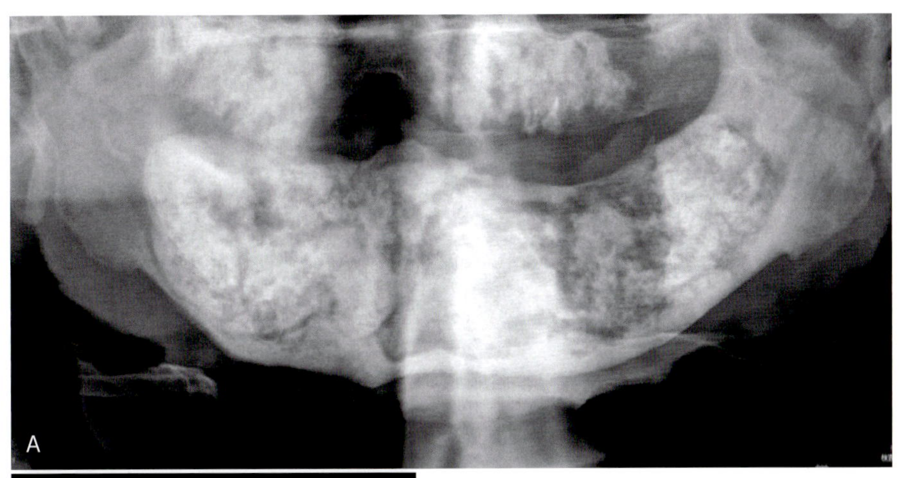

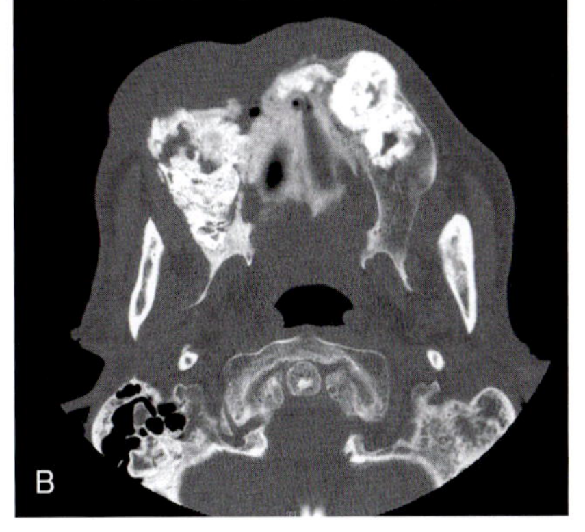

図 5-14-15　**骨ページェット病**
A：パノラマ X 線画像では上下顎広範に不透過性の亢進した領域を認め，変形が著明である．B：上顎部の CT では骨内の硬化変形が確認できる．
（大阪歯科大学・四井資隆先生のご厚意による）

(2) 骨ページェット病

骨ページェット病は，多骨性に骨の吸収と添加が起こり骨の変形をきたす病変であり，変形性骨炎ともよばれる．原因は遺伝性やウイルス感染などが考えられているが特定されていない．仙骨，脊椎骨，大腿骨などに好発し，顎骨では上顎に多いとされる．血清アルカリホスファターゼが高値を示す．初期には透過像として現れるが，次第に透過像と不透過像の混在した所見を呈するようになり，後期には不透過性の亢進が著しい所見を示す（図 5-14-15）．

(3) SAPHO 症候群

SAPHO 症候群（SAPHO syndrome）は，痛みを伴う骨髄炎の多発や寛解と増悪を繰り返す自己免疫疾患の 1 つである．遺伝や自己免疫などの関連があるとされるが，原因は不明である．掌蹠膿疱症などの皮膚症状を合併しやすく Synovitis（滑膜炎），Acne（ざ瘡），Pustulosis（膿疱症），Hyperostosis（骨化過剰症），Osteitis（骨炎）の頭文字をから名前が付けられた．70〜90％に胸鎖関節の炎症および異常骨化がみられ，骨シンチグラフィでの特徴的な異常集積像として Bull's head pattern は本疾患に特徴的な所見である．（図 5-14-16）．

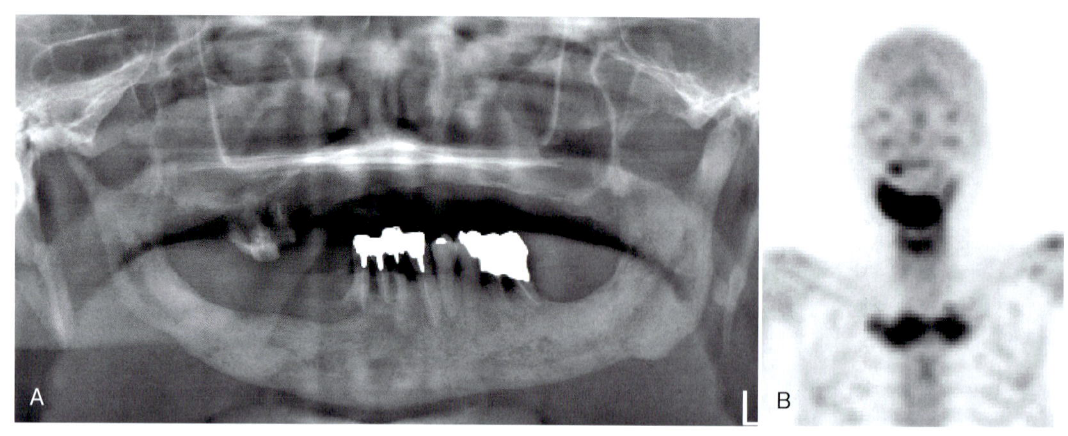

図 5-14-16　SAPHO 症候群

A：パノラマ X 線画像にて下顎骨の骨硬化がみられ，右側では皮質骨・海綿骨の境界不明瞭と関節突起にかけて骨形態の萎縮が認められる．B：骨シンチグラム（前面像）にて，下顎骨正中～右側の異常集積亢進と両側の胸鎖関節および第 1 胸肋関節部への異常集積亢進を認める．

15 歯と顎の成長とその障害

歯と顎の成長は，個人の発育過程において重要な役割を果たす．適切な成長と発達があれば，健康的な咬合や顔貌が保たれ，さまざまな歯科疾患のリスクが低減される．一方，歯や顎の成長に障害があると，顔貌や機能に悪影響を及ぼすことがある．そのため，歯科医療従事者は，歯と顎の成長と障害を適切に評価し，早期に対処することが求められる．

画像診断は，歯科医療において不可欠なツールとなっており，歯と顎の成長や障害の診断においても重要な役割を果たしている．従来の単純X線画像やパノラマX線画像に加えて，近年ではCTやMRIなどの高度な画像診断技術が普及しており，これらの技術を活用することで，歯や顎の成長の過程や障害の状況をより正確に評価することが可能になっている（p.428）．

1）歯の発育年齢

歯の発育を評価するための重要な指標として**歯年齢**（dental age）がある．歯年齢とは歯胚形成時期，石灰化開始時期，歯冠の完成時期，萌出，脱落など年齢に応じて歯の発育に関するおおまかな時期を示すものである（表5-15-1，図5-15-1）．歯年齢を参考にして，X線画像から歯の発育に関する異常を検出する．通常はパノラマX線画像が使用される（図5-15-2～4）．

2）骨の発育年齢

成長や発育の進行度を示す骨年齢を用いて評価を行う．骨年齢の評価には手骨の骨形成の程度を評価するTanner-Whitehouse 2法（TW2

表5-15-1　ヒトの歯の発育年齢（Schour I，Massler M，1940[1]より改変）

乳歯								
歯種	歯胚形成	石灰化開始	出生時の歯冠形成量	歯冠完成	萌出	歯根完成	根吸収開始	脱落
A	胎生7週	胎生4～4 ½カ月	⅚／⅗	1 ½～2 ½カ月	7 ½カ月／6カ月	1 ½年	4年	6～7年
B	胎生7週	胎生4 ½カ月	⅔／⅗	2 ½～3カ月	9カ月／7カ月	1 ½～2年	5年	7～8年
C	胎生7 ½週	胎生5カ月	⅓	9カ月	18カ月／16 ½カ月	3 ¼年	7年	9～12年
D	胎生8週	胎生5カ月	咬頭融合	5 ½～6カ月	14カ月／12カ月	2 ½年	8年	9～11年
E	胎生10週	胎生6カ月	咬頭頂孤立	10～11カ月	24カ月／20カ月	3年	8年	10～12年

永久歯						
歯種	歯胚形成	石灰化開始	出生時の歯冠形成量	歯冠完成	萌出	歯根完成
6	胎生3 ½～4カ月	出生時	痕跡	2 ½年	6～7年／6～7年	9～10年
1	胎生5～5 ¼カ月	3～4カ月	0	4～5年	7～8年／6～7年	9～10年
2	胎生5～5 ½カ月	10～12カ月／3～4カ月	0	4～5年	8～9年／7～8年	10～11年
3	胎生5 ½～6カ月	4～5カ月	0	6～7年	11～12年／9～10年	12～15年
4	出生時	1 ½～2年	0	5～6年	10～11年／10～12年	12～13年
5	7 ½～8カ月	2～2 ½年	0	6～7年	10～12年／11～12年	12～14年
7	8 ½～9カ月	2 ½～3年	0	7～8年	12～13年／11～13年	14～16年
8	3 ½～4年	7～10年	0	12～16年	17～21年	18～25年

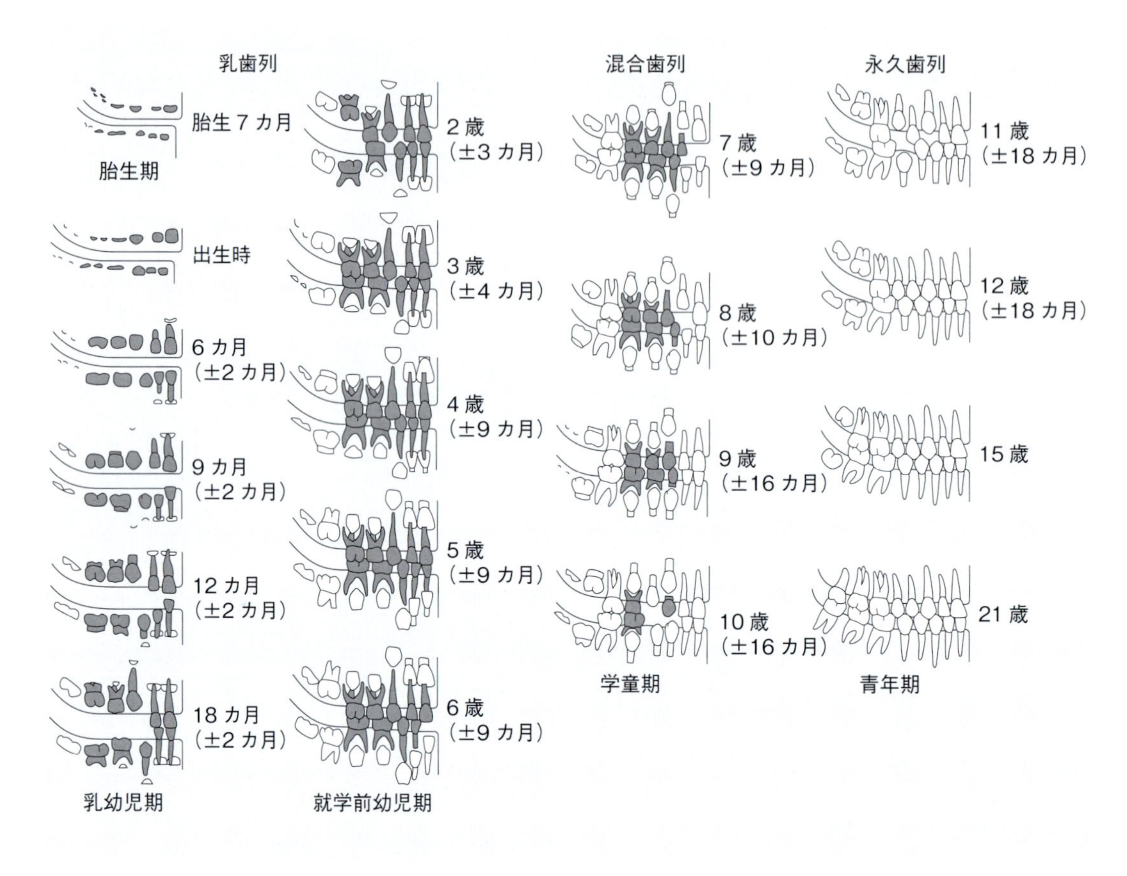

図 5-15-1　**日本人小児の歯の発育年齢**（日本小児歯科学会，1988[2]）

法）が一般的に用いられる．TW2 法では 20 個の特定の骨（中手骨，指骨，手首の骨）の成熟度を評価する．それぞれの骨は，未熟から完全に成熟までのスケールを点数化して評価される．そして，それぞれの骨のスコアを合計（1,000 点満点）して，全体としての骨年齢を推定する．このスコアは，同じ年齢・性別の子どもたちの平均スコアと比較され，成長の進行状況を評価することが可能である．本評価の詳細は歯科矯正学もしくは小児歯科学の成書を参考にされたい．図 5-15-5 に手骨の正常像を示す．また，図 5-15-6 に年齢差による手骨の形成を示す．

3）頭部 X 線規格撮影法による計測

頭部 X 線規格撮影法（セファログラフィ，cephalography）は，頭部の固定位置，焦点-被写体-検出器間の距離，主線の方向を規格化することにより，高い再現性をもつ撮影法である（図 5-15-7）．その結果，顔面部の成長発育，成長予測，不正咬合の診断，および治療前後の比較などが可能となる．

評価は，頭部 X 線規格画像（セファログラフム，cephalogram）のトレースを行い，事前に定められた計測点や基準線をプロットすることによって実施される．主要な計測点と基準線を図 5-15-8, 9 に示す．また，主な計測点の定義を表 5-15-2 に示す．プロット後に計測を行い，

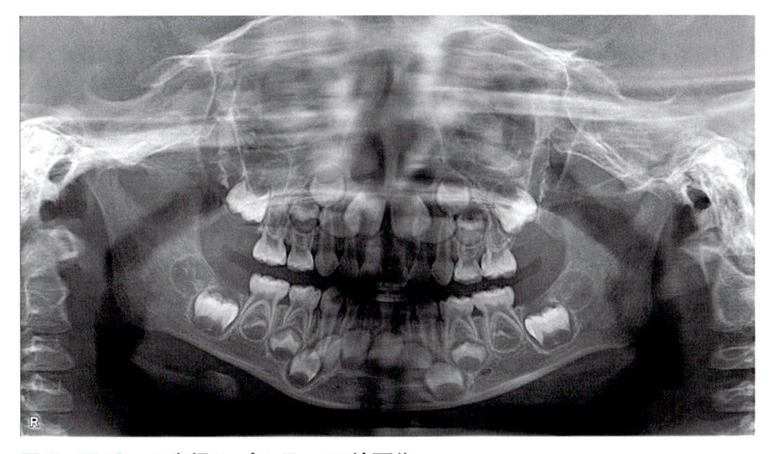

図 5-15-2　3 歳児のパノラマ X 線画像
すべて乳歯が正常に萌出している．永久歯の歯胚形成は発育年齢に適した状態である．

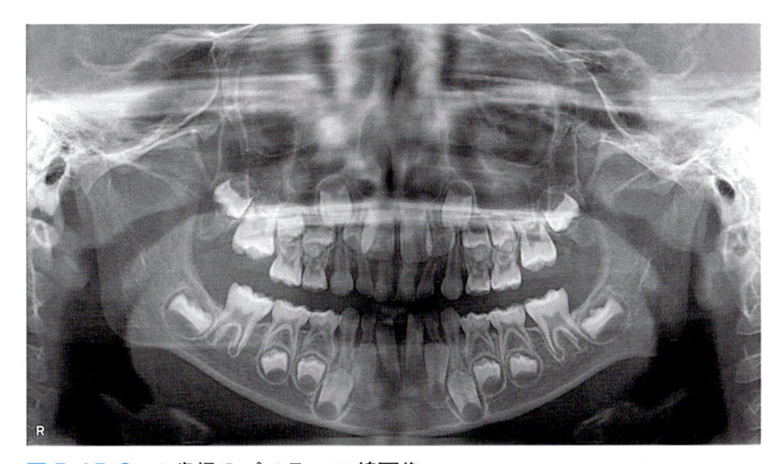

図 5-15-3　6 歳児のパノラマ X 線画像
上下顎の第一大臼歯および下顎中切歯が萌出している．

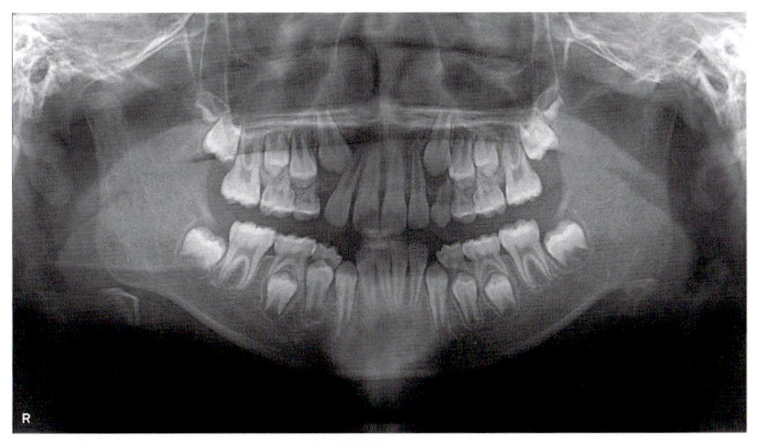

図 5-15-4　11 歳のパノラマ X 線画像
上下顎の切歯が萌出しており，側方歯群の交換が進行しつつある．

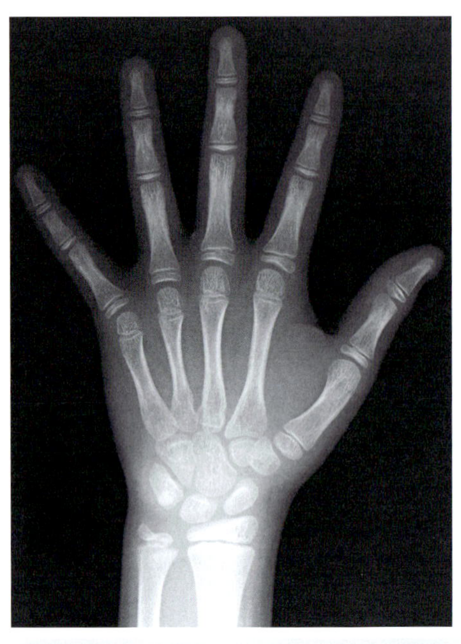

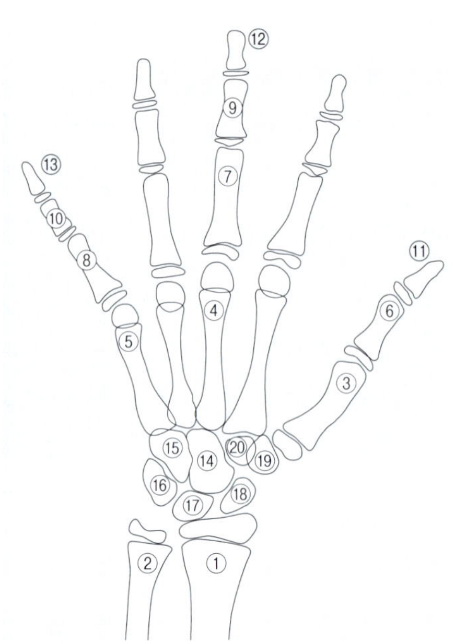

①橈骨　Radius
②尺骨　Ulha

指　骨
③第 1 中手骨　Metacarpal Ⅰ
④第 3 中手骨　Metacarpal Ⅲ
⑤第 5 中手骨　Metacarpal Ⅴ

⑥第 1 基節骨　Proximal Phalanx Ⅰ
⑦第 3 基節骨　Proximal Phalanx Ⅲ
⑧第 5 基節骨　Proximal Phalanx Ⅴ

⑨第 3 中節骨　Middle Phalanx Ⅲ
⑩第 5 中節骨　Middle Phalanx Ⅴ

⑪第 1 末節骨　Distal Phalanx Ⅰ
⑫第 3 末節骨　Distal Phalanx Ⅲ
⑬第 5 末節骨　Distal Phalanx Ⅴ

手根骨
⑭有頭骨　Capitate
⑮有鉤骨　Hamate
⑯三角骨　Triquetral
⑰月状骨　Lunate
⑱舟状骨　Scaphoid
⑲大菱形骨　Trapezium
⑳小菱形骨　Trapezoid

図 5-15-5　TW2 法による評価法の一例
9 歳 6 カ月女児の手の X 線画像とトレース像およびそれぞれの名称.
（小豆嶋正典，2018[3]）

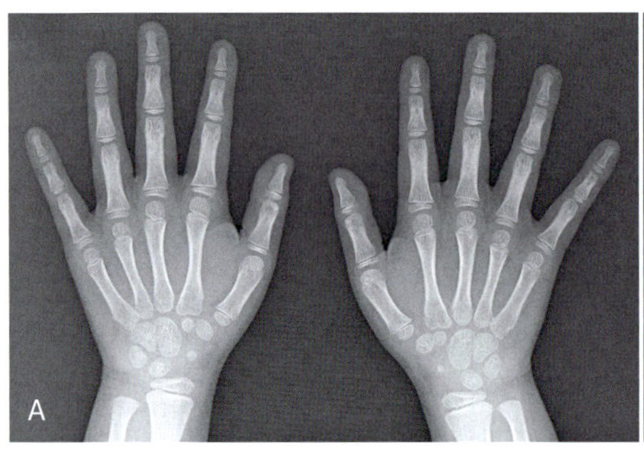

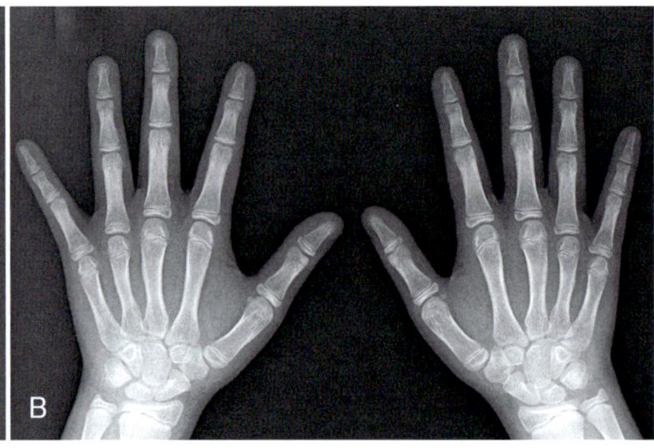

図 5-15-6　年齢差による手骨の形成
A：6 歳児の手骨 X 線画像．舟状骨，大菱形骨，小菱形骨の骨化を認める．B：12 歳児の手骨 X 線画像．舟状骨，大菱形骨，小菱形骨の成熟を認めるとともに，豆状骨の骨化を認める．

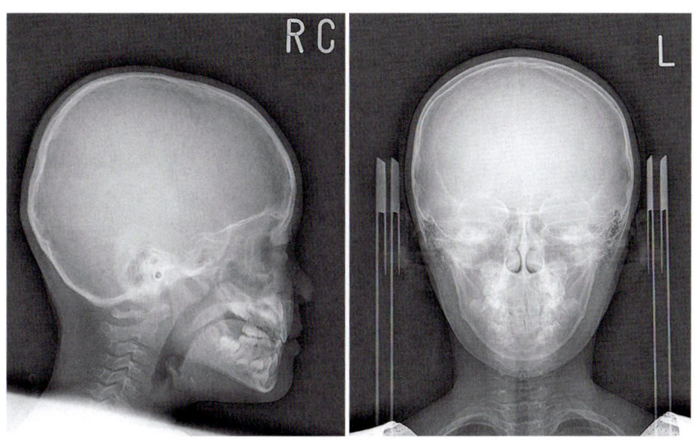

図 5-15-7　頭部 X 線規格画像

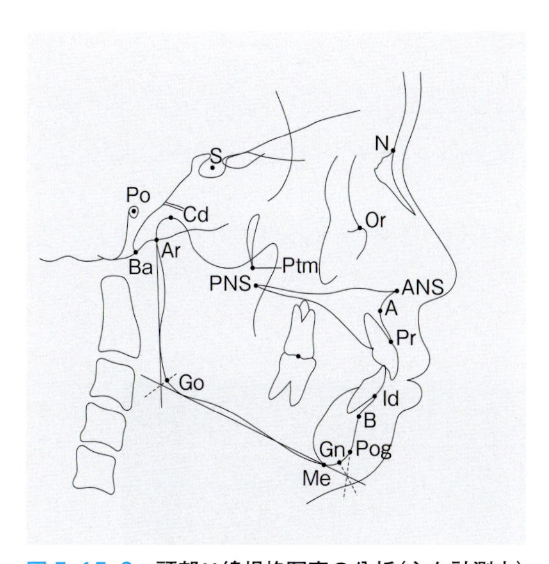

図 5-15-8　頭部 X 線規格写真の分析（主な計測点）

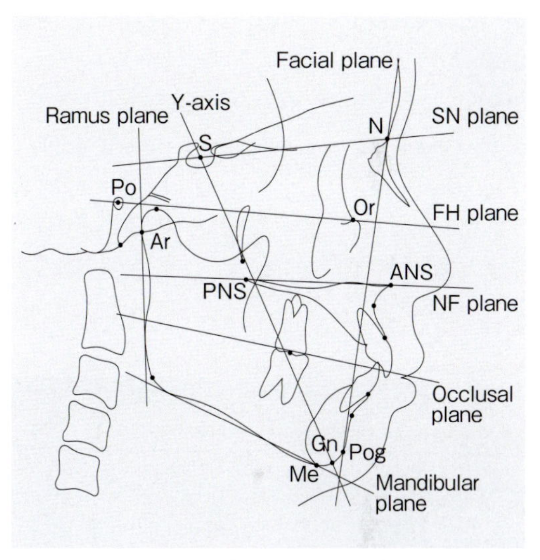

図 5-15-9　頭部 X 線規格写真の分析（主な計測基準平面）

平均値からのずれを求める．この方法により，成長発達の異常を検出することが可能となる．

また，計測点を順に線で結んだ多角形（**プロフィログラム**，Profilogram）を作成し，人種・性別・年齢に応じた標準的なプロフィログラムを重ね合わせることで，骨格系や咬合系の異常を検出することができる．さらに，術前術後の重ね合わせを行うことで，治療前後の比較も行うことができる（図 5-15-10）．

4）顎骨の成長障害

顎骨の成長障害とは，顎の骨が正常に成長，発達しない状態を指し，**顎変形症**とよばれる．顎変形症は先天性のものであることも多く，遺伝的な要素や母体の健康状態，出生前の外傷などが原因となることがある．また，成長期における感染症や栄養失調，特定の疾患によっても顎変形症が発生することがある．

顎変形症は，顎の形状，大きさ，位置の異常を引き起こし，それにより噛み合わせの異常，

表 5-15-2 計測点の定義

計測点	定 義
N (Nasion)	鼻前頭縫合部の最前点
S (Sella turcica)	トルコ鞍の中心点
Or (Orbitale)	眼窩骨縁の最下点
Po (Porion)	骨外耳道の上縁
Ar (Articulare)	下顎枝後縁と頭蓋底の交点
Ptm (Pterygomaxillary fissure)	翼口蓋窩の最下点
Ba (Basion)	大後頭孔の前下縁点
ANS (Anterior nasal spine)	前鼻棘の最前方点
PNS (Posterior nasal spine)	後鼻棘の最後方点
Pr (Prosthion)	上顎中切歯の唇側歯槽骨頂点
Id (Infradentale)	下顎中切歯の唇側歯槽骨頂点
Point A	ANS から Pr にいたる湾曲の最深点
Point B	Pog から Id にいたる湾曲の最深点
Go (Gonion)	下顎枝後縁平面と下顎下縁平面による角の二等分線と下顎骨縁との交点
Pog (Pogonion)	オトガイ隆起の最突出点
Gn (Gnathion)	顔面平面と下顎下縁平面による角の二等分線と下顎骨縁の交点
Me (Menton)	オトガイ部の最下縁点

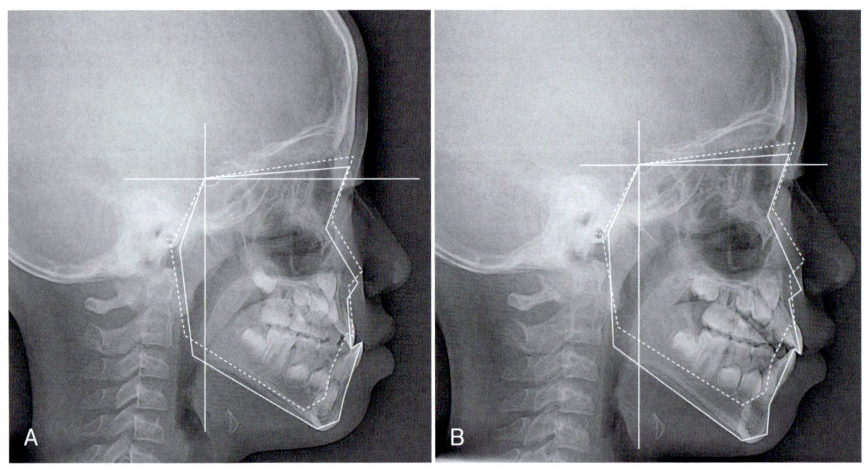

図 5-15-10 下顎前突の矯正歯科治療前後の頭部 X 線規格画像とプロフィログラム

A：初診時．B：被蓋改善時．頭部 X 線規格画像にプロフィログラムを重ね合わせた．点線は標準値で，実線は実測値である．初診時は反対咬合を呈しているが，矯正歯科治療 1 年後では被蓋が改善している．

（福岡歯科大学・梶原弘一郎先生のご厚意による）

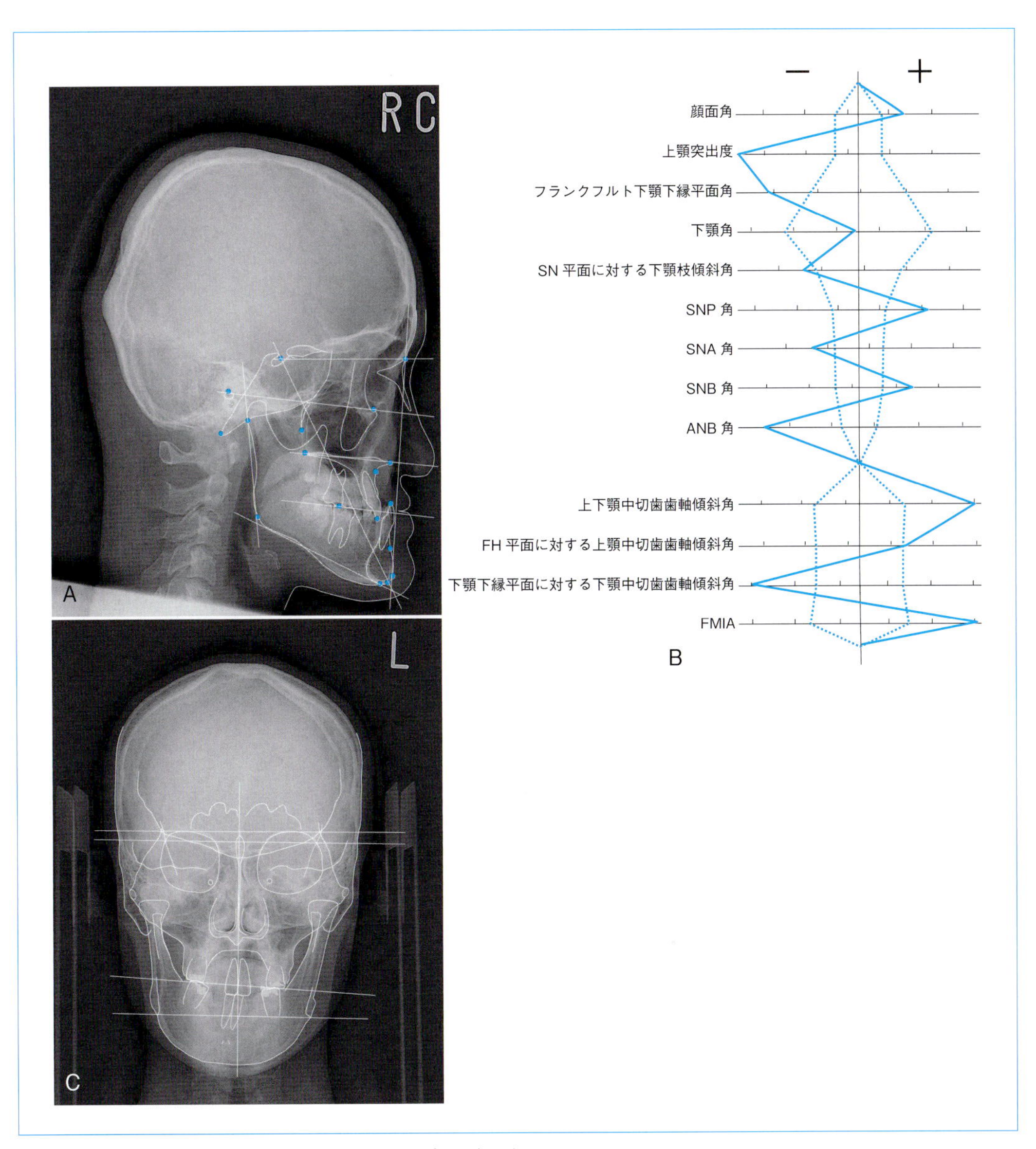

図 5-15-11　セファロのトレース結果とポリゴン表

セファロのトレース結果（A）から顎顔面部のさまざまな角度を計測し，ポリゴン表（B）を作成する．ポリゴン表の点線は同年代における標準値を表す．この標準値からどの程度，逸脱しているかによって顎変形症の術式を決定していくことになる．また，正面像においてはトレースすることにより左右変位の有無とその程度が把握できる（C）．

（福岡歯科大学・梶原弘一郎先生のご厚意による）

構音障害，外観の問題などを惹起させる．また，これらの問題は口腔の健康にも影響を及ぼす可能性がある．

顎変形症の診断には頭部 X 線規格画像や CT が用いられることが多い．頭部 X 線規格画像では，各計測点をプロットした後，側面像で顎の形状と大きさ，顎関節の位置，上下の顎の比率，顎の適切な位置などを同年齢の標準値と比較して評価を行う（図 5-15-11）．また，正面像で左右のバランスを評価する．評価方法には

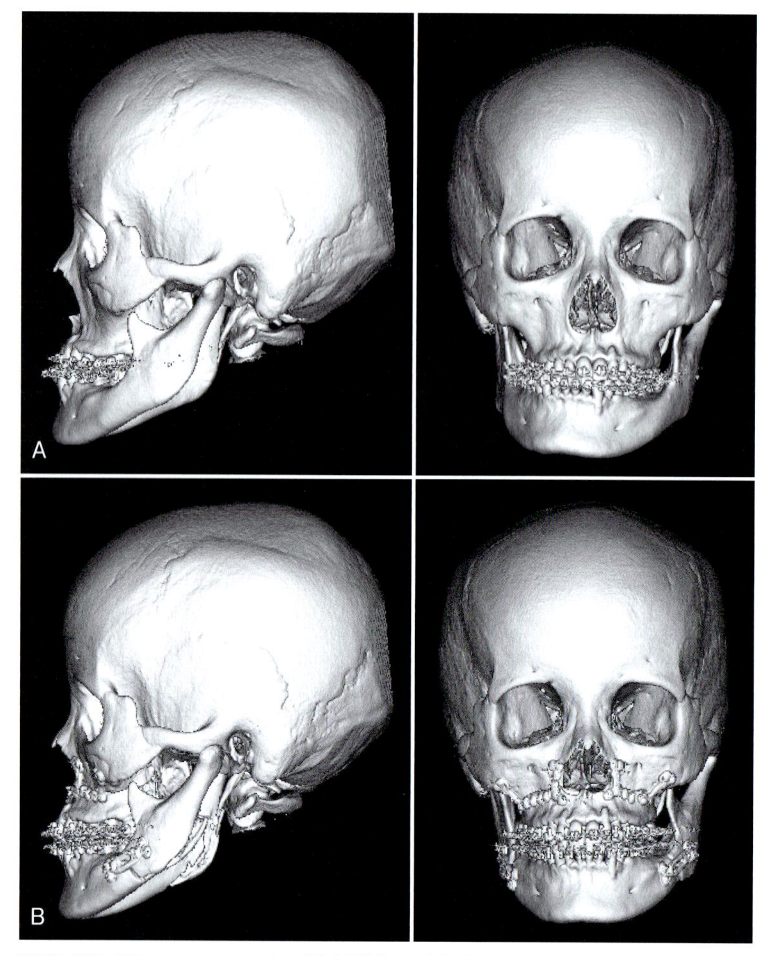

図 5-15-12　3D-CT による顎変形症の手術症例
術前（A）では下顎の前方変位と右側変位が三次元的に評価可能である．また，術後（B）においても下顎の変位が解消されているのが確認できる．

Downs 法，Northwestern 法，Wits 法などがある．CT では骨の厚さ，顎関節の状態，顎の位置と形状，そして他の顔面骨格との関係を評価する（図 5-15-12）．また，外科的手術を行う際に必要な血管や神経の走行をあらかじめ把握することにより，不慮の事故を予防することもできる．CT は三次元的に評価ができるため，非常に有効である．近年ではコンピュータによる自動解析ソフトや術前後の顎骨をシミュレーションできるソフトも開発されている．

16 加齢に伴う変化

1）骨と血管の変化

(1) 骨の変化と骨粗鬆症

加齢に伴って骨量は低下し，**骨粗鬆症**のリスクが高まる．閉経後女性では，エストロゲンの減少によって破骨細胞の骨吸収制御の抑制が低下し，骨吸収量が骨形成量を上回り，急速な全身の骨量の低下をきたす（図 5-16-1）．最近は男性においても，男性ホルモンのテストステロンから変換されるエストロゲンの減少によって，骨量が低下すると考えられている．

骨代謝回転は，皮質骨より海綿骨が速いため，椎体や長管骨の場合には，加齢などによって海綿骨の骨梁に変化が著明に表れる．椎体では，非荷重方向の横の骨梁が先に消失し，最後に荷重方向の縦の骨梁が消失する．大腿骨頸部でも，非荷重の骨梁から消失する．皮質骨では，骨内膜面および骨内部を栄養するハバース管やフォルクマン管を中心とする骨吸収が進むため，皮質骨内面が不整になり，皮質骨は粗鬆化して薄くなる．その際に長管骨では，外骨膜が骨形成を行うため，骨周囲は大きくなる．女性では男性より骨形成が少ないため，皮質骨量の低下は大きい．骨粗鬆症患者では，荷重を支える骨梁が減少して皮質骨も薄くなるため，骨折のリスクが高くなる．

顎骨では，歯を有する点でほかの骨とは状況が異なる．海綿骨は，歯からの炎症で融解または硬化する（図 5-16-2）．また，歯から骨への刺激は人によってさまざまであり，顎骨の海綿骨が加齢に伴ってどのように変化するのか，明確な答えはない．

下顎骨の基底部皮質骨では，歯による影響を比較的受けにくく，加齢あるいは閉経時に，ほかの骨と類似した変化を呈する．皮質骨内側面の骨吸収による不整化と，皮質骨内部の栄養管の吸収拡大による皮質骨の粗鬆化が特徴となる．これに伴い，皮質骨の厚みは薄くなる．

加齢による歯槽硬線の変化は，一様ではない．歯の喪失後には顎堤部の吸収が起こるが（図 5-16-3），全身の骨代謝より局所的因子の影響が強いことから，骨粗鬆症患者で顎堤吸収が大きいとは限らない．

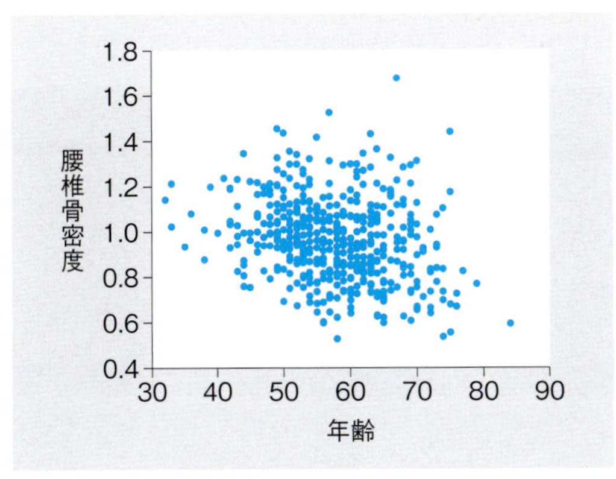

図 5-16-1 497名の日本人女性における年齢と腰椎骨密度（g/cm²）との関係
(Taguchi A，2010[1])
骨密度は二重エネルギー X 線吸収測定法による．

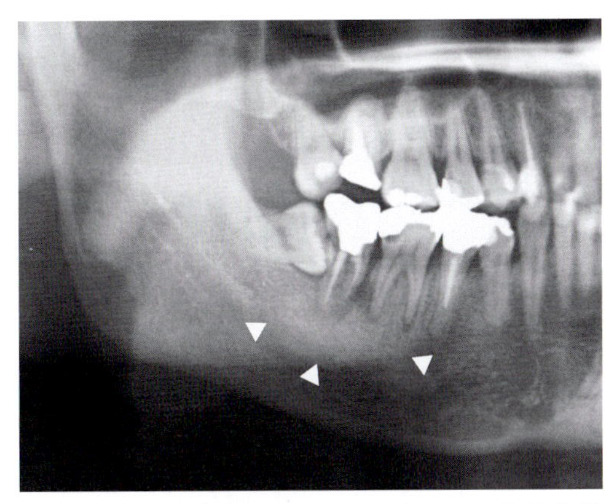

図 5-16-2 根尖病変による海綿骨の硬化性変化（硬化性骨炎）

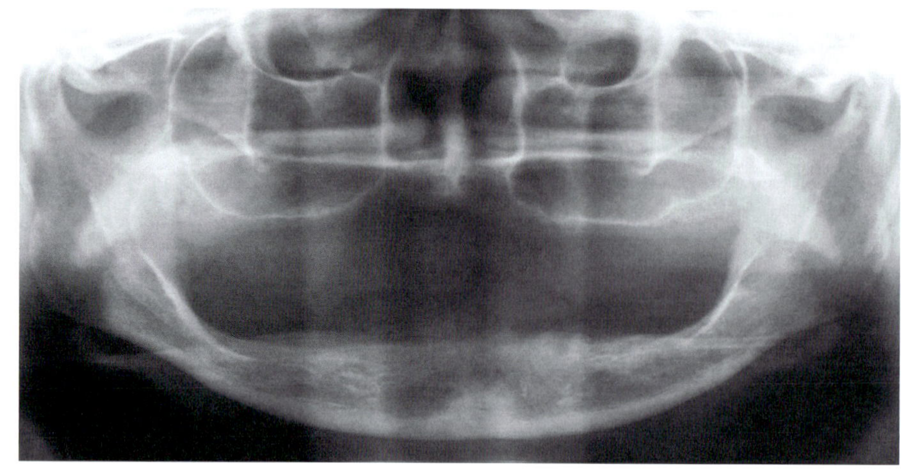

図 5-16-3　顎堤吸収患者のパノラマ X 線画像
全身の骨密度は正常である.

(2) 血管の変化と動脈硬化

動脈は，血管内皮（内膜），中膜平滑筋層および外膜からなるが，10 歳頃にこの 3 層構造は完成する．加齢による変化は，40 歳頃から始まり，主には内膜下層の肥厚に伴う内膜肥厚が著しくなる．この変化は，動脈硬化と類似しているが，動脈硬化のように局所的ではなく，びまん性に起こる．また，加齢に伴って動脈の伸展性は低下する．

動脈硬化では，動脈の血管内膜下にリポタンパクが蓄積して粥状（アテローム性）の隆起（プラーク）が発生し，プラークの増大によって血管は閉塞し，血液の流れが悪くなり，臓器の障害が起きる（図 5-16-4）．プラークが破れて血栓を形成し，末梢血管を完全に閉塞させた場合，心筋梗塞や脳梗塞が起こる．プラークには，浮遊性や潰瘍性などのさまざまな形態が存在するが，石灰化も起こす（図 5-16-5）．プラークは血流の遅い動脈に起こるが，頸動脈では内頸動脈と外頸動脈の分岐部に起こりやすい．

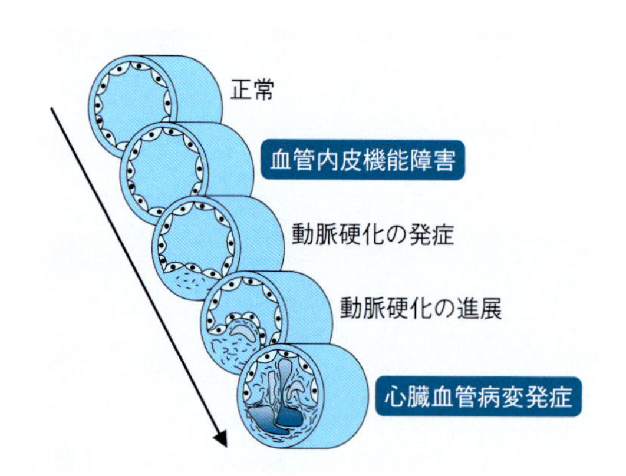

図 5-16-4　動脈硬化の進展過程
（広島大学・東　幸仁先生のご厚意による）

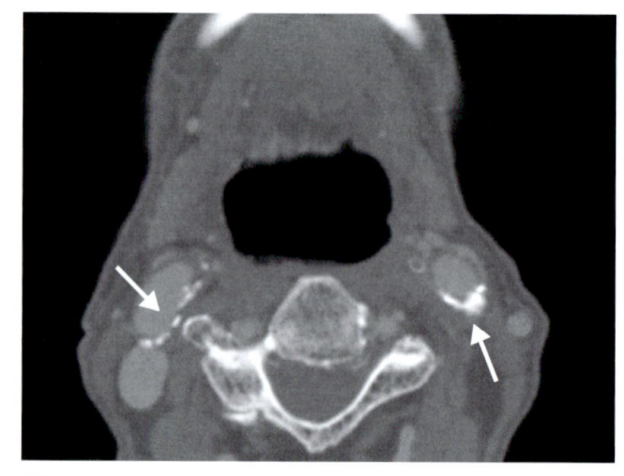

図 5-16-5　頸動脈の石灰化像
CT 横断像.

2）パノラマＸ線画像による骨粗鬆症および動脈硬化の評価法

(1) 骨粗鬆症の評価法

A. 骨粗鬆症とは

骨粗鬆症は「骨強度の低下を特徴とし，骨折のリスクが増大しやすくなる骨格疾患」と定義されている．国内での骨粗鬆症の患者数は，現在1,500万人に達する．骨折はさまざまな部位に起こるが，椎体や大腿骨頸部の頻度が高い（図5-16-6）．日本の大腿骨頸部骨折患者数は，1987年に約5万人であったが，2017年に19万人を突破した．

骨折患者では，二次骨折のリスクと死亡率が増加する．骨粗鬆症患者の8割は女性であり，男性の骨粗鬆症患者は少ないが，骨折発生後の死亡率は女性よりも高い．椎体骨折患者では，2/3に腰痛などの症状がない．しかし，無症状の患者でも，二次骨折のリスクおよび死亡率は，症状のある患者と同様である．

米国では，大腿骨骨折患者数が減少している．これには骨密度測定装置の普及とともに，**ビスホスホネート（BP）製剤**が多大に寄与している．ビタミンＤ製剤やエストロゲン製剤，カルシトニン製剤，ビタミンＫ製剤や選択的エストロゲン受容体モジュレーター（SERM）などの薬剤があるが，それらに比べてBP製剤の骨折抑制効果は，きわめて高い．副甲状腺ホルモン（PTH）製剤や抗RANKL抗体（デノスマブ：Dmab），新規ビタミンＤ製剤および抗スクレロスチン抗体（ロモソズマブ）の登場で選択肢が広がっている．顎骨壊死の問題も存在するが，有効性を考慮した場合，現在はBP製剤およびDmab製剤が治療の中心となる．また，骨アナボリック薬であるPTH製剤やロモソズマブからBP製剤，Dmab製剤に切り替える逐次療法も最近は広がっている．顎骨壊死患者には，骨代謝促進薬のPTH製剤が有効との報告があるが，使用適応は「骨折の危険性の高い骨粗鬆症」であり，また，使用期限は2年と限られている．

骨の強度は骨密度に7割，骨質に3割依存するといわれる．骨密度は二重エネルギーＸ線吸収測定法（DXA，図5-16-7）などで測定可能である．骨質は骨構造や骨代謝回転，マイクロクラックの集積などによる．国内の骨粗鬆症の診断基準では，骨密度測定値が20～44歳の成人骨密度平均値の70%未満の場合は骨粗鬆症，70～80%は骨量減少となる．診断基準では，20歳代の成人骨密度の平均値を用いることが検討さ

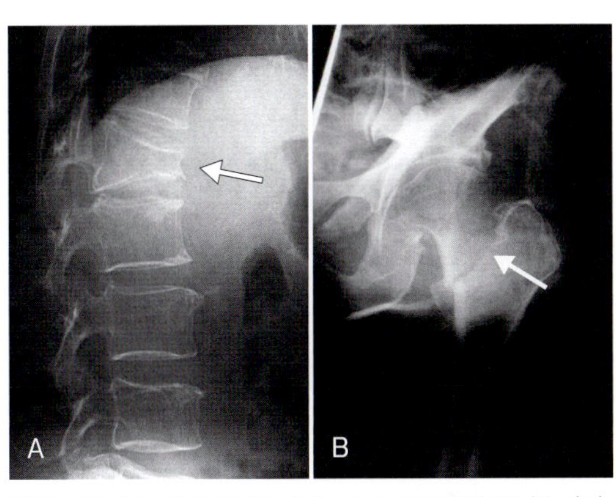

図5-16-6　椎体骨折（A）と大腿骨頸部骨折（B）
（成人病診療研究所・白木正孝先生のご厚意による）
A：矢印の椎体に圧迫骨折（矢印）がみられる．B：大腿骨頭の頸部に骨折線（矢印）がみられる．

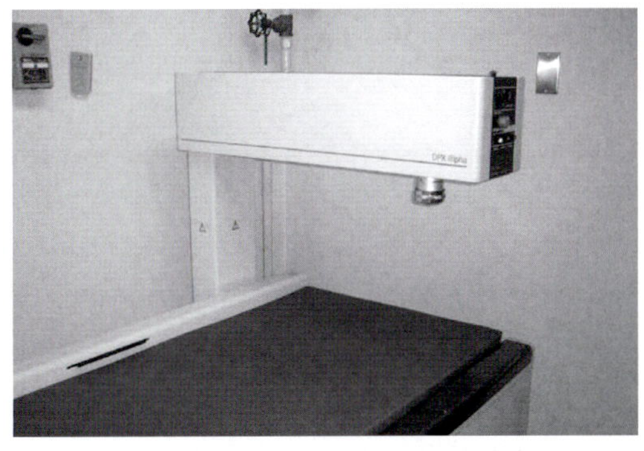

図5-16-7　二重エネルギーＸ線吸収測定法の装置

れている．骨密度以外に，骨質である骨代謝マーカー（骨代謝回転の程度）の基準も設けられている．骨密度が低く，骨代謝マーカーが高い患者では，骨折リスクは高い．

B. パノラマX線画像による骨粗鬆症の評価法

骨粗鬆症患者の下顎骨皮質骨では，内側面の骨吸収による不整化と皮質骨内部のハバース管やフォルクマン管の吸収拡大が特徴となるが，パノラマX線画像では，ハバース管の吸収拡大が，皮質骨に平行に走行する線として現れる（図5-16-8）．吸収に伴って皮質骨の厚みは薄くなるため，皮質骨の厚みと皮質骨内部線状吸収の程度が，パノラマX線画像での骨粗鬆症患者の有用な指標となる．

評価法として，パノラマX線画像上の下顎角部皮質骨の厚みを計測する方法もあるが，この部位は咬合に関与する咬筋と内側翼突筋が付着し，厚みは元から薄く，X線画像の不規則な横方向の拡大率の影響を受ける．そのため，下顎骨のオトガイ孔下の皮質骨の厚みを指標とすることが一般的になりつつある（図5-16-9）．両側のオトガイ孔下の皮質骨の厚みを測定して平均するが，片側のみでもよい．装置によって縦方向の拡大率は若干変わるが，拡大補正は必要ない．

日本人閉経後女性では，下顎骨皮質骨の厚みとDXAによる腰椎・大腿骨骨密度との単相関が0.42～0.47，欧州の閉経後女性では0.55と報

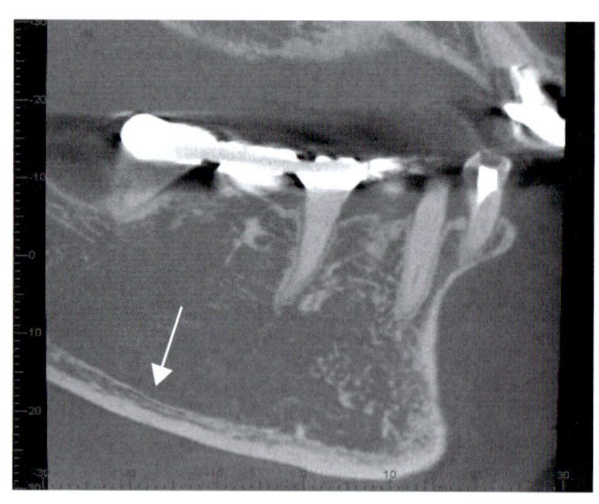

図5-16-8　CBCT画像におけるハバース管の拡大像

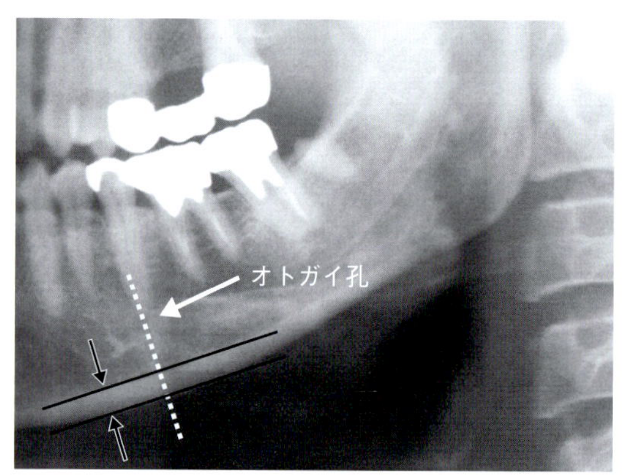

図5-16-9　下顎骨のオトガイ孔下の皮質骨の厚み（黒矢印間）を指標とする

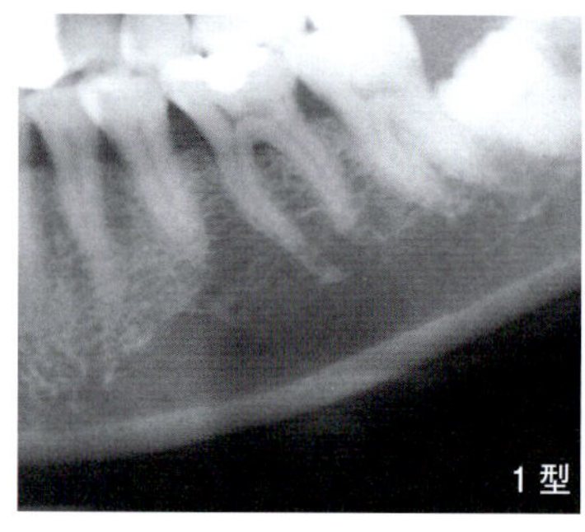

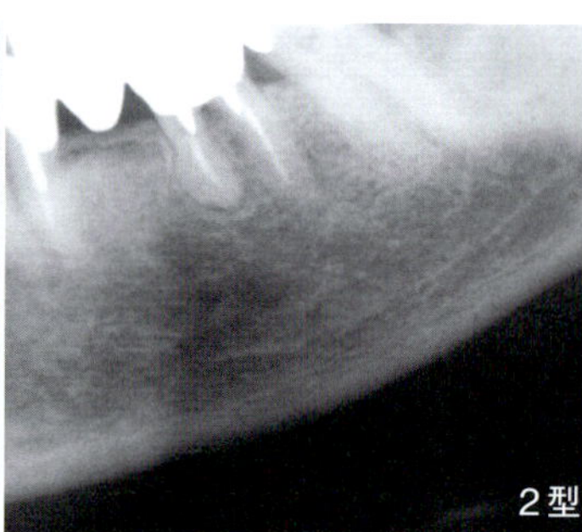

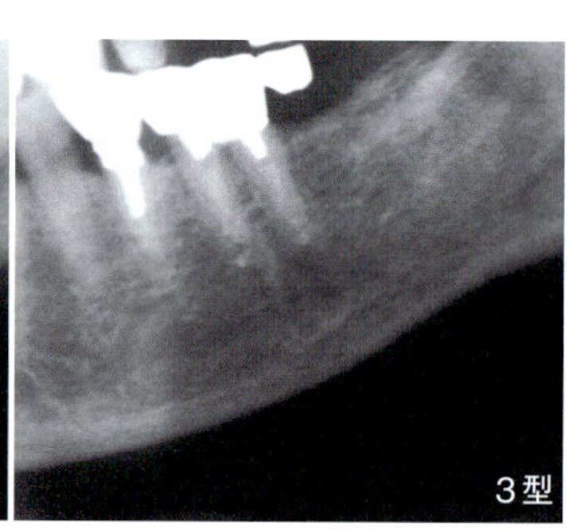

図5-16-10　下顎骨下縁皮質骨の形態分類

1型：両側皮質骨の内側表面がスムーズである．

2型：皮質骨の内側表面は不規則となり，内側近傍の皮質骨内部に線状の吸収を認める．

3型：皮質骨全体にわたり，高度な線状の吸収と皮質骨の断裂を認める．

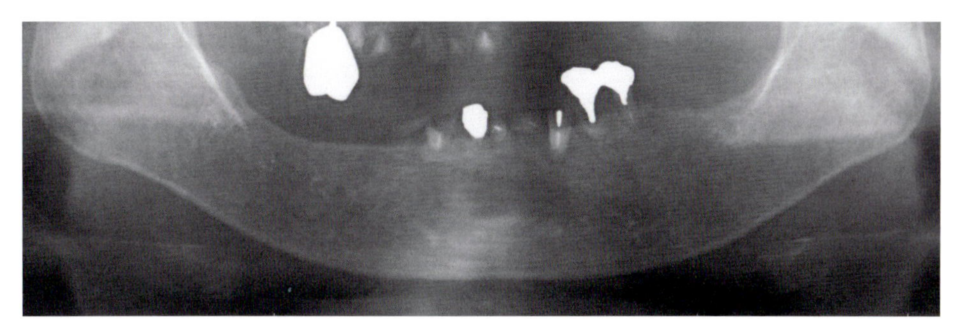

図 5-16-11　薄い平滑な皮質骨を有する 3 型の症例

告されている．厚みが日本人では 2.8 mm 以下，欧州白人では 3.0 mm 以下で，骨粗鬆症のリスクは高いと診断される．閉経後女性では，皮質骨の厚みは骨粗鬆症患者の評価の有用な指標であるが，閉経前女性では指標に使えない．

皮質骨の粗鬆化は 3 つに形態分類できる（図 5-16-10）．オトガイ孔より遠心で下顎角から前方の左右皮質骨の形態分類で悪いほうを指標とする．進行した 3 型では薄い平滑な皮質骨となって 1 型と誤診されやすいが，このような症例では厚みはきわめて薄い（図 5-16-11）．

皮質骨の形態分類は，腰椎・大腿骨骨密度と関連が強く，日本人閉経後女性では，1 型に比べて 3 型の女性では，骨粗鬆症と診断されるリスクが 20 倍となる．1 型と比べて 3 型では，骨代謝マーカーが上昇し，骨代謝回転が速い．米国人では，1 型に比べて 3 型の女性で 8 倍のリスクで骨折を有していた．これは 3 型の女性で骨密度が低く，骨代謝回転が速いためである．皮質骨形態指標は，視覚的指標のため再現性が問題となるが，16 カ国の検討では，再現性は良好であった．

歯科医院を受診した患者のパノラマ X 線画像で歯科医師が評価を行って 3 型とされた場合，紹介した医科で骨量減少あるいは骨粗鬆症と診断される割合は，95％前後とする報告もある．

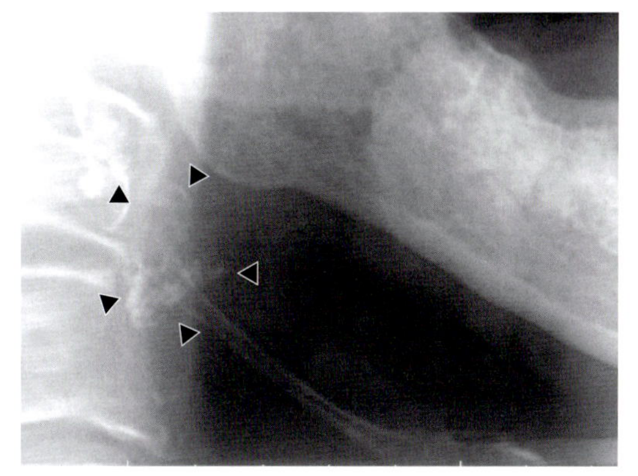

図 5-16-12　パノラマ X 線画像で観察される頸動脈の石灰化

右側頸椎前方で舌骨に重なる境界明瞭な不整形の X 線不透過像．

(2) 動脈硬化の評価法

パノラマ X 線画像上で観察される第 3，4 頸椎間前方の X 線不透過な結節状塊（nodular mass）が，頸動脈分岐部の石灰化であるとされるが，詳細に検討すると，種々の形態や大きさの X 線不透過物がみられるため，表現としては X 線不透過な不規則塊（irregular mass）が適切と考えられる（図 5-16-12）．

位置的に唾石と間違えることはないが，舌骨陰影や頸部血管腫，咽頭部やリンパ節の石灰化などとの鑑別が必要である．また，パノラマ X 線撮影装置の違いや患者の位置づけによって第 3，4 頸椎部分が描出されない場合もあり，すべてが X 線画像で観察可能ではない．

通常の歯科診療のパノラマＸ線画像で石灰化がみつかる頻度は，3〜5%である．一方，50歳以降の喫煙者集団では10%以上と頻度が高く，さらに頭頸部放射線治療を行った集団では，約50%の高頻度である．

パノラマＸ線画像で石灰化のあった患者のうち23%で，内頸動脈が50%以上の狭窄を示し，追跡調査で，34%の患者が心筋梗塞や脳卒中，あるいは死亡という転帰をたどったという報告がある．

一方で80歳の日本人男女で行われた検証では，石灰化所見を有する患者を5年間追跡しても，心臓血管病変とは関連がみられていない．オーストリアの疫学調査では，心臓血管病変の既往のある患者で石灰化所見を認めても，その後の重大な転帰との関係はみられないとされ，パノラマＸ線画像の有用性の評価は定まっていない．

米国の疫学調査では，超音波検査で頸動脈石灰化を有する対象者のほうが，正常者よりも2.5倍も脳梗塞などの重大な転帰を有すると報告されている．しかし，超音波検査で確認できる石灰化のどこまでがパノラマＸ線画像でとらえられるのかは不明である．

17　摂食嚥下機能の評価と診断

1）嚥下機能の評価法

嚥下運動は口腔，咽頭，食道で行われるため，四肢の運動と異なり，直接目で見て異常を診断することができない．ましてや口腔に取り込んだ食べ物が，どのような経路を辿って飲み込まれているか外観からはわからない．直接観察することができない嚥下運動を，X 線検査で映像化するのが**ビデオ嚥下造影検査**（video-fluoroscopic swallowing study；**VF**）である．嚥下運動を映像化する方法は，VF と嚥下内視鏡（video-endoscopic swallowing study；VE）の 2 つが広く知られている．特に VF は誤嚥（気管内流入）を起こす瞬間を映像化できる唯一の方法である．

VF で嚥下障害を検査する目的は以下の 2 つである．

①病態を診断する：形態的異常，機能的異常，誤嚥，残留などを明らかにすることで，嚥下障害のメカニズムを把握する．嚥下障害のリハビリテーション途中での機能回復評価もこれに含まれる．

②治療方法を探る：食物や体位，摂食方法などを調整すること（代償法）で誤嚥や咽頭残留を防止あるいは最小限にする方法を探る．実際の訓練や日常の摂食で用いる方法を探る．

2）ビデオ嚥下造影検査（VF）の方法

姿勢，飲食物の物性，緊張度などにより嚥下運動は影響を受ける．そのため，検査者は嚥下障害患者の日常の摂食状態を再現できるようにする．X 線造影剤を含んだ模擬食品を，嚥下障害患者が摂取する様相を，X 線透視装置を用いてリアルタイムで観察する．動画を記録媒体に保存することで，検査時にリアルタイムでは捉えきれなかった嚥下運動の詳細を観察することができる．通常，何人かの医療従事者や嚥下障害患者の介護者が検査に立ち会う（図 5-17-1A）．必要に応じて正面像の撮影を行う（図 5-17-1B）．X 線被曝が不可避であるため，防護手段を併用する必要がある．

A．X 線撮影装置

嚥下運動を X 線動画として映像化するのに専用の装置はなく，消化管造影などで一般的に使用される X 線透視装置を用いる（図 5-17-2）．X 線透視装置は X 線動画，X 線静止画像の撮影が可能である．VF で使用する際は，X 線検出

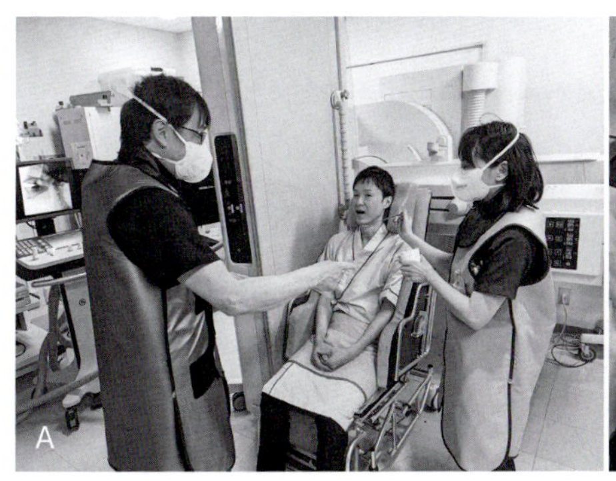

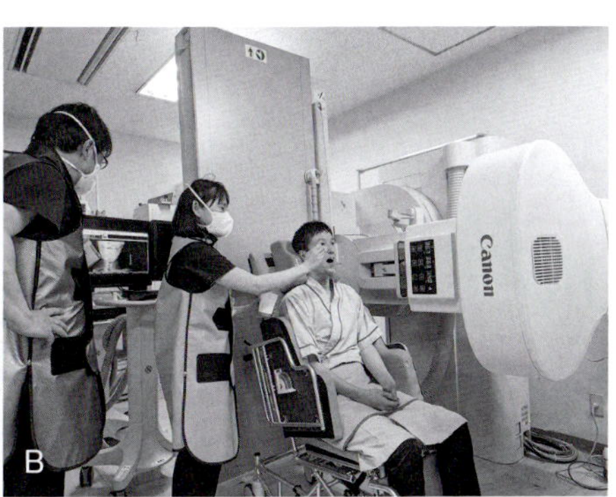

図 5-17-1　VF 時の嚥下障害患者と検査者の関係
側面像撮影を基本とする（**A**）．正面像の撮影時，介護者は X 線照射野から外れるように，横から模擬食品摂取を手伝う（**B**）．

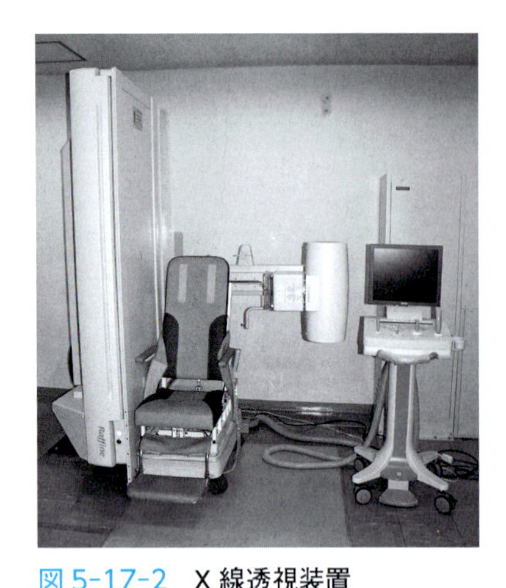

図 5-17-2　X 線透視装置
モニターが付属しており，リアルタイムでX線動画を観察しつつ検査を進める．嚥下障害患者は車椅子，あるいはVF専用椅子に座った状態で検査を行う．

器を内蔵する透視台を立てた状態で使用する．X線検出器としてイメージ倍増管(image intensifier；I.I.) を用いていたが，現在ではフラットパネルディテクター(flat panel detector；FPD)が主流になっている．患者の不随意な体動などにより観察が必要な解剖構造が外れることがある．広い範囲にX線照射できると，動きをカバーできる．可変式の絞りがあれば，照射野を絞りつつ，必要な撮影範囲を確保できる．

X線被曝線量は照射野の大きさ，患者の体格とX線管球との距離，撮影電圧，撮影時間などにより異なる．嚥下障害が重症である場合，一口の模擬食品摂取に長い時間がかかることも少なくない．これらの要因により，パノラマX線撮影法，胸部X線画像検査などと異なり，撮影時間は一定ではない．1回の嚥下あたりの透視（X線照射）時間は10秒～1分程度，1回の検査あたりの合計透視時間はおおよそ3～10分，全体の所要時間は約20～30分程度である．1回の検査あたりの被検者のX線被曝線量は皮膚表面で約10 mGy／検査（透視時間を約3分とする）である．

B. X線造影剤

通常の飲食物はX線を吸収することが少ないため，VF画像上では観察できない．そのため，消化管の造影検査で用いられる硫酸バリウム造影剤（バリウム）を飲食物に混和して模擬食品(検査食)とする．造影剤濃度であるが，日本では40 w/v%（重量%），欧米では60 w/v%程度のバリウム溶液が推奨されている．バリウム濃度が低いと飲食物の物性に与える影響が少なくなるが，X線動画上の観察が難しくなる．逆に濃度が高いと粘度が高く，誤嚥した場合の肺のダメージが大きい．40 w/v%バリウム溶液は誤嚥しても排出されやすく，X線画像上の観察もできる濃度である．

バリウムは大量に誤嚥した場合，肺へのダメージが大きいとされている．そのため，気管内流入した際に肺へのダメージが低い非イオン性ヨード系造影剤を用いることがある．この場合，ヨードアレルギーのある患者には使用できない．一部のヨード系造影剤は肺毒性があること，保険適応されていないことにも注意が必要である．原液を用いても40 w/v%バリウムと同程度か少々劣る造影性しかもたない．また，粘性のついた液体であるため，模擬食品の調整がバリウムと異なる場合がある．

C. 模擬食品

水，お茶などの液体は，ペースト，ゼリーなどより誤嚥しやすい．液体検査食に“とろみ”を付ける増粘剤を加えた粘性流動体の検査食を調合する場合もある．嚥下障害患者によって嚥下困難な食品が異なるので，患者が持参した飲食物に造影性をもたせてもよい．

D. 動画記録媒体

健常人の嚥下運動であれば，飲食物の口腔から食道への移動は1秒前後で終了する．そのため，VF検査を行いながら，リアルタイムで嚥下運動に関わる器官の動き，飲食物の動きをすべて詳細に把握するのは不可能である．そこで，検査後に繰り返し，スロー再生，静止画像で詳細を観察するため，X 線動画を録画する必要がある．データは，電子記憶媒体に保存，あるいは PACS（picture archiving and communication system）で管理を行うこともある．

E．その他

口腔・咽頭に残留した模擬食品や唾液，気管内流入後に喀出された模擬食品を除去するため吸引装置が必要である．

3）VF 動画の解釈

VF 検査の側面像について解剖構造を図 5-17-3 に示す．撮影範囲に，上方は鼻腔，前方は口唇，後方は頸椎椎体，下方は声門・気管

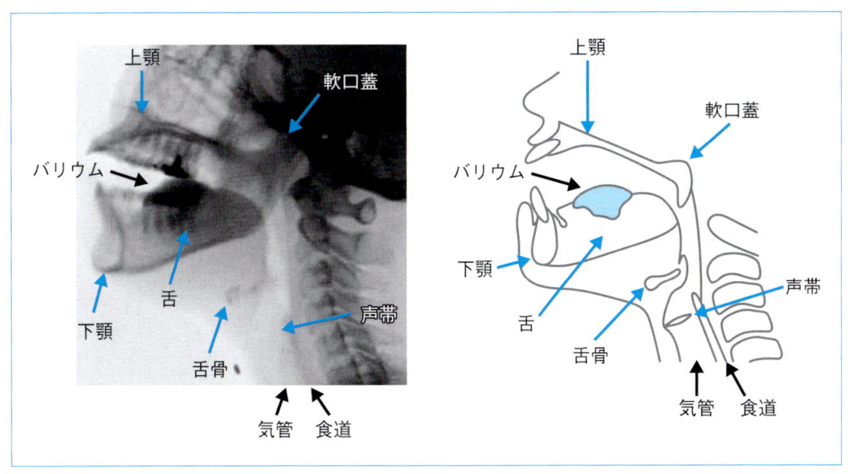

図 5-17-3　健常成人の側面 VF 像
通常の X 線画像とは異なり，X 線の透過性が低い硬組織を黒く，X 線の透過性が高い部分を白く表示する．VF で用いられるバリウム造影剤（バリウム），ヨード系造影剤は陽性造影剤であるため，画像上は黒く観察される．模擬食品も同様に，造影剤の濃度に応じて動画上で黒く描出される．

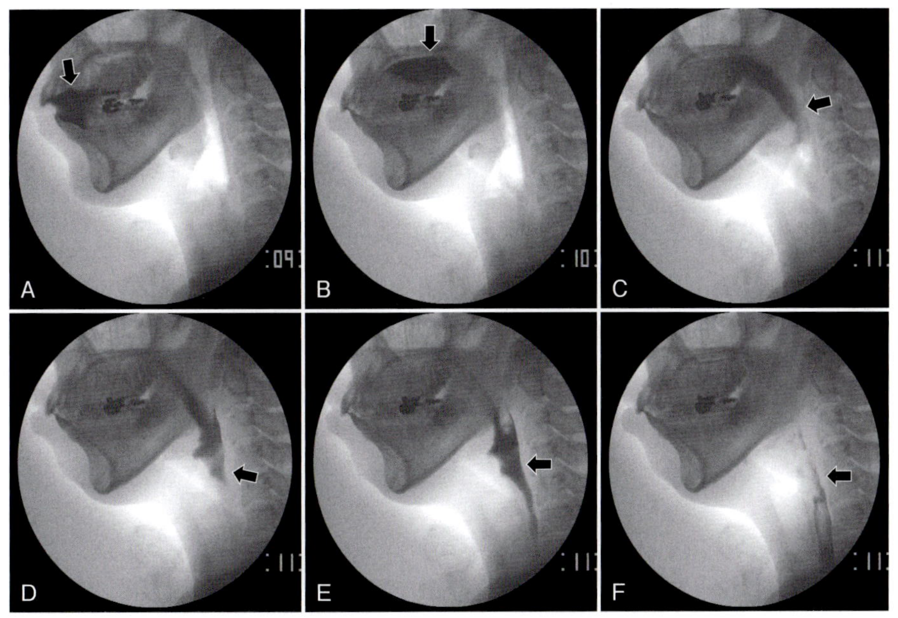

図 5-17-4　健常成人がバリウムを嚥下する VF 画像（咀嚼なし）
A：口腔前方にバリウムがまとめられている（➡）．B：舌によるバリウムの口腔内移動（➡）．C：バリウム先端が下顎骨下縁を越えて咽頭に移動している（➡）．D：バリウム先端が食道入口部へ移動している．E：バリウムが気管には侵入せずに食道へ移動している（➡）．F：バリウム後端が食道入口部（➡）を通過した．

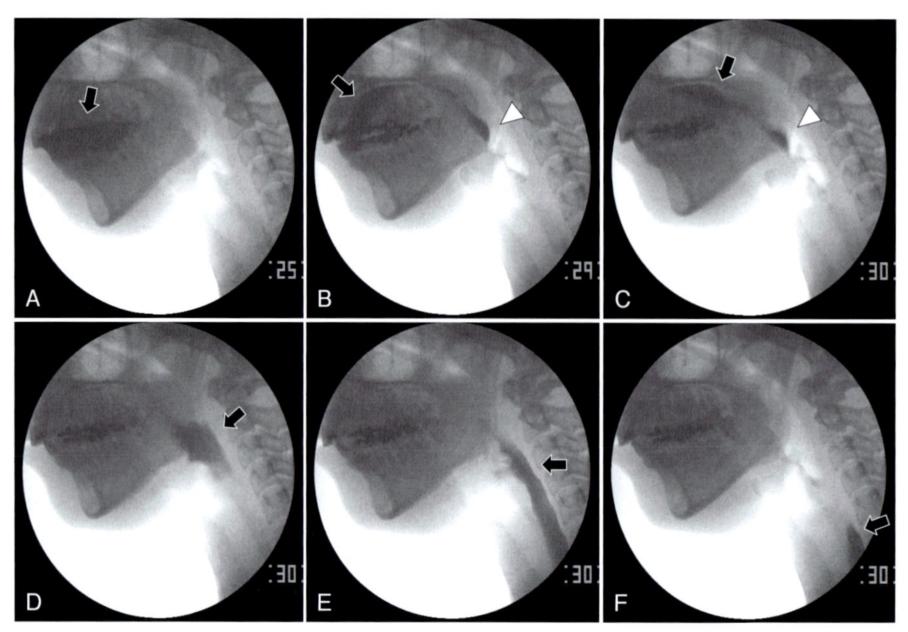

図 5-17-5　健常成人がバリウムを混ぜたゼラチンゼリー（ゼリー）を咀嚼嚥下する VF 画像

咀嚼を伴う嚥下動態モデルはプロセスモデルとよばれる．A：口腔内のゼリーを咀嚼開始（➡）．B：咀嚼運動と並行してゼリーの一部が咽頭へ移動（△）．C：バリウムの大部分が口腔から咽頭へ移動（➡）．D：一塊となったバリウム全体が咽頭から食道へ移動．E：バリウムが気管には侵入せずに食道へ移動している．F：バリウム後端（➡）が食道へ移動した．

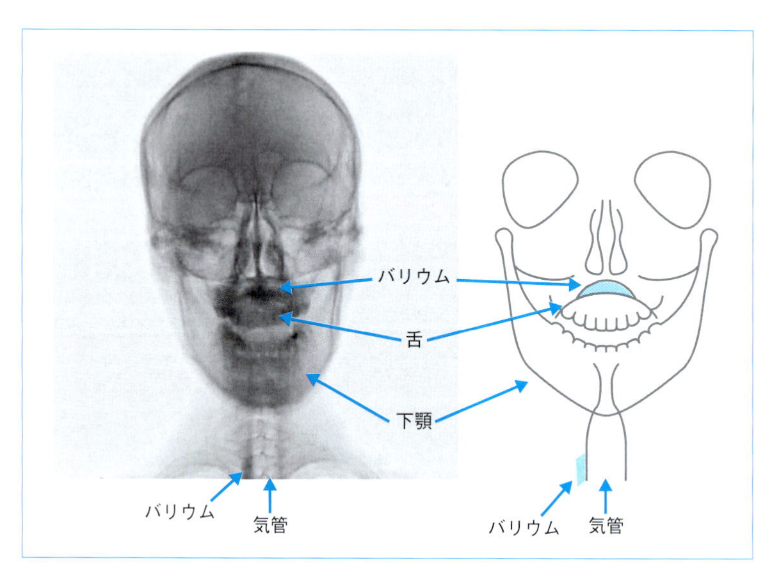

図 5-17-6　健常成人の正面 VF 画像

正面像の観察により，咀嚼の偏在，咽頭，食道の通過の左右差などを観察する．

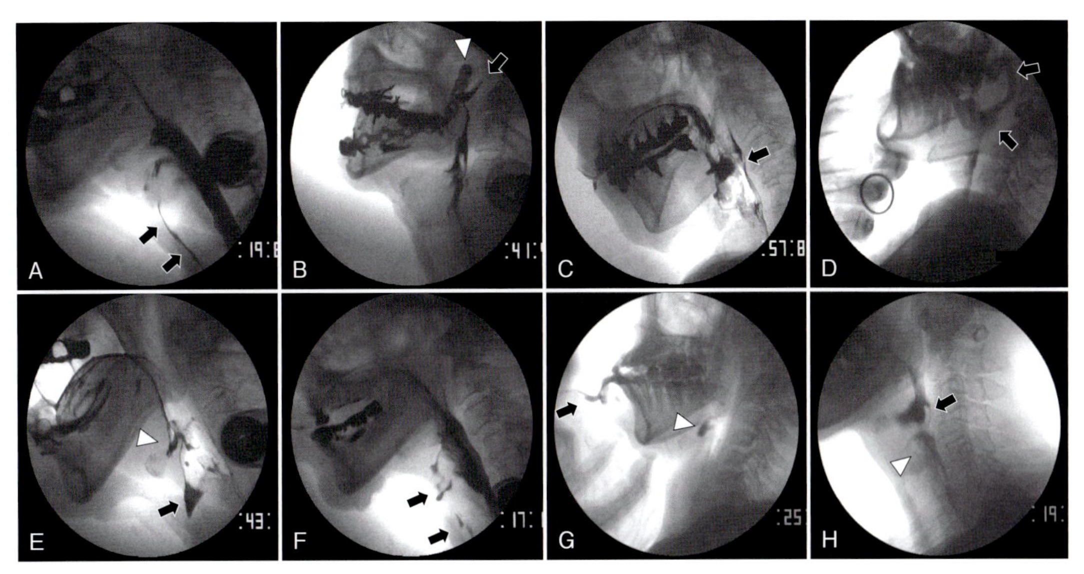

図 5-17-7　嚥下障害患者の VF 画像

A：嚥下反射運動中の気管内流入（➡）．B：悪性腫瘍治療後の再建プレート（△）．鼻咽腔逆流（➡）．C：嚥下反射運動後の咽頭残留（➡）．D：多量の鼻咽腔逆流（➡）．E：嚥下反射運動後の咽頭残留（△）．吸気による気管内流入（➡）．F：気管内流入（➡）．G：口腔外流出（➡）．喉頭蓋谷残留（△）．H：咽頭収縮不全（➡）．喉頭侵入（△）．

を含める．健常人が模擬食品を咀嚼しないで嚥下する VF 画像（図 5-17-4）および咀嚼して嚥下する VF 画像を図 5-17-5 に示す．嚥下された食塊の流れや，喉頭蓋谷あるいは梨状陥凹（窩）への食塊残留を観察するため，必要に応じて正面像を撮影する（図 5-17-6）．食道の中・下部の通過状態を確認することもある．

VF で観察される異常嚥下動態を図 5-17-7 に示す．患者個々の状態により，症状は多様であるのが嚥下障害の特徴である．そのため，患者の状態を考慮し，嚥下機能のどの部分が障害を受けているのかを評価しつつ診断する必要がある．主な観察ポイントは，嚥下関連器官の動き，模擬食品の動き，運動の強弱，速度，タイミングなどである．

4）誤嚥性肺炎

嚥下障害の重要な合併症の 1 つが気管内流入による誤嚥性肺炎である．日本における死因の第 5 位は肺炎である．高齢者の肺炎のうち 7 割以上が誤嚥性肺炎であるとされている．

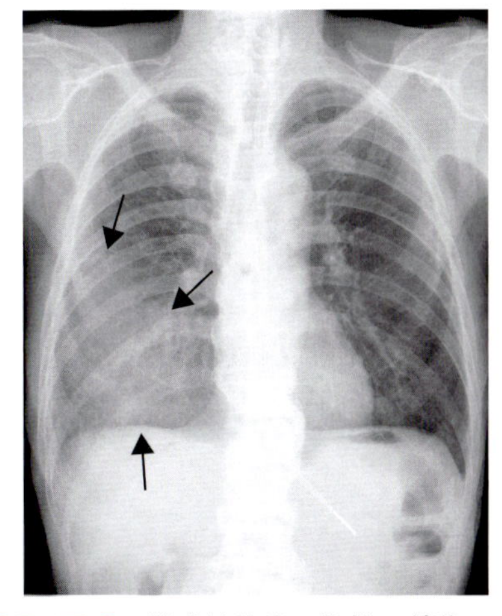

図 5-17-8　誤嚥性肺炎の胸部 X 線像

右肺下葉の X 線透過性が低下している（矢印）．

誤嚥性肺炎の X 線画像検査法としては胸部 X 線検査，X 線 CT 検査が用いられる．誤嚥性肺炎の典型像としては右下肺野，背側肺の異常影とされている（図 5-17-8）．しかし，嚥下障害の重症度によって，上肺・中肺野異常像を示すこともある．

18 歯科インプラントの検査

歯科インプラント治療における画像診断は，検査時期に応じた目的によって，適切なX線撮影法が選択されなければならない．歯科インプラント術前診断においては，骨吸収状態や周囲の解剖学的構造を把握することが目的となる．治療計画の立案に対するX線検査の果たす役割は大きいといえる．

1）歯科インプラントとその適応

歯科（口腔）インプラント治療とは，齲蝕，歯周病，外傷，腫瘍，先天性欠如などによって失われた歯，顎骨または顎顔面の欠損に対して，本来あった歯やその他の組織の代わりとして，人工歯根（**歯科インプラント**；Dental implant）を顎骨や顔面の骨に埋入し，これを支台として義歯やエピテーゼを固定して，顎顔面口腔領域の構造的・機能的ならびに審美的回復をはかる治療法である．現在の歯科インプラント治療は，1960年代にスウェーデンのBrånemarkによって明らかにされたチタンと骨とによる**オッセオインテグレーション**の概念による骨内インプラントが行われ（図5-18-1），欠損補綴の一治療法として確立しており，その果たす役割は大きい．

歯科インプラント体には，主としてチタン系材料が用いられている．その表面の粗糙化や薄層のハイドロキシアパタイトコーティングなどの表面処理技術が進み，さらには，材料としてジルコニアも応用されている．その埋入術式は，通常は2回法が用いられている（図5-18-2）．2回法では，1次手術にて歯科インプラント体を骨内に埋入し，3～6カ月の免荷期間を空けて2次手術が行われる．また，治療期間の短縮を目的に，さまざまな歯科インプラント体埋入術式も考案されている．さらには，重度の顎堤の萎縮に伴う骨量不足や機能的・審美的な歯科インプラント配置のために，歯科インプラント治療に付随して，骨造成が必要となる場合も多く，その術式も多様化している．歯槽骨部に対して

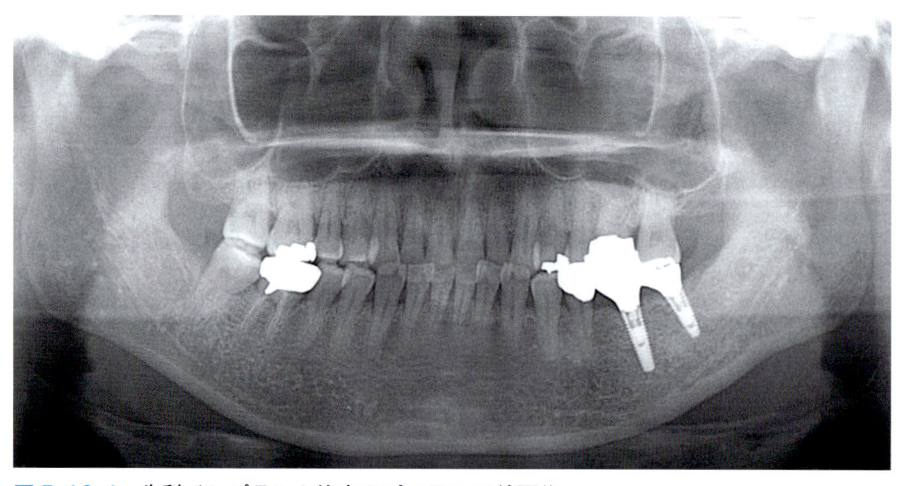

図5-18-1　歯科インプラント治療のパノラマX線画像
下顎左側第一・第二大臼歯部に2本の骨内インプラントを認める．その周囲にはX線透過帯を認めず，また，その先端と下顎管とは一定幅離れている．

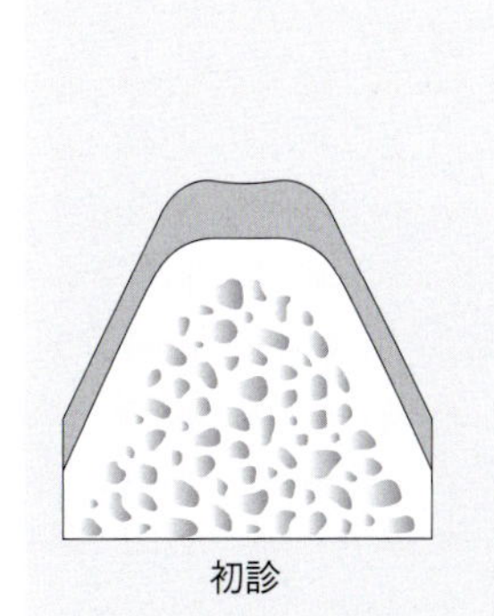

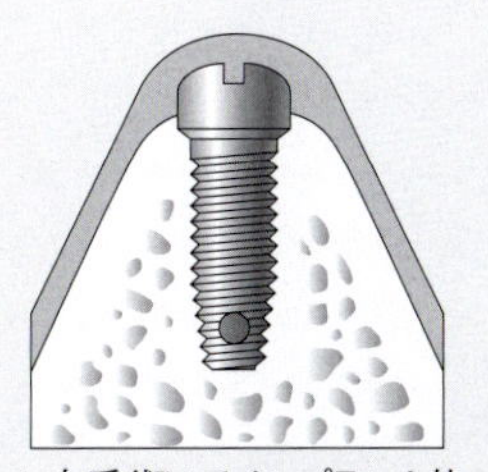

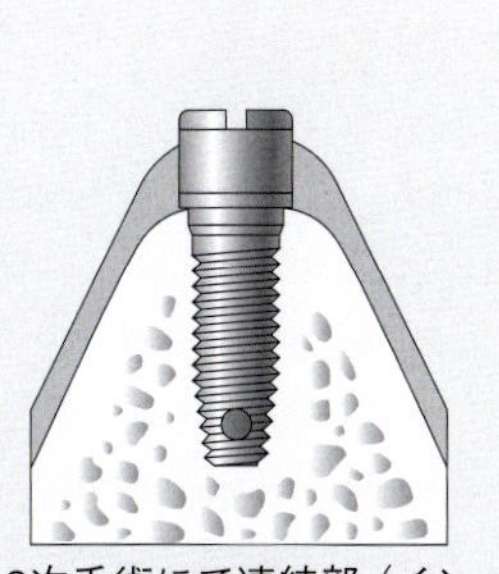

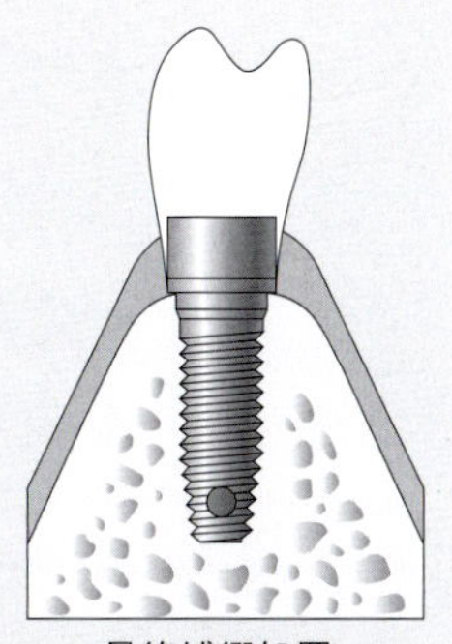

図 5-18-2　2回法による歯科インプラント治療の経過
（Worthington, P. et al.：Osseointegration in dentistry. Quintessence Publ., 1994, 49. 改変）

はベニアグラフトや仮骨延長術などが，また，上顎洞に対しては歯槽頂アプローチや側方アプローチによる上顎洞底挙上術が行われている．それらの治療計画の立案において，欠損部の骨形態や骨量，周囲の解剖学的構造を把握することが必要であり，X 線検査は重要な役割を果たしている．

歯科インプラントの残存率は，10 年で 92～95 %と報告されている．しかしながら，歯科インプラント治療の予後は，それぞれの患者の局所状態，全身状態，または口腔衛生管理状態などによって左右されるため，歯科インプラント治療終了後には，メインテナンスを行うことが非常に重要であり，経過観察時においても，X 線検査は重要である．

表 5-18-1　検査時期と撮影法

検査時期	検査法
初診時	口内法 X 線撮影，パノラマ X 線撮影，その他
術前画像検査	ステントを用いた口内法 X 線撮影，パノラマ X 線撮影，歯科用コーンビーム CT，CT
1 次手術終了時から 2 次手術直前	原則として撮影は行わない
2 次手術直前	パノラマ X 線撮影
2 次手術終了時	口内法 X 線撮影（平行法）
経過観察時	口内法 X 線撮影（平行法），パノラマ X 線撮影
緊急時・事故時	必要に応じた適切な撮影法を選択

（公益社団法人日本口腔インプラント学会 HP　学術コンテンツ　インプラント画像診断（http://shika-implant.org/contents/old_0608.html）一部改変）

2）歯科インプラントにおける X 線検査法

歯科インプラント治療における画像検査は，米国口腔顎顔面放射線学会や欧州オッセオインテグレーション学会においてそのガイドラインが示され（後述，図 5-18-5 参照），わが国でも NPO 法人日本歯科放射線学会が「**インプラント画像診断ガイドライン**（第 2 版，2008 年）」を発表し，医療情報サービス「Minds（マインズ）」にも掲載されている．現在の一般的な歯科インプラント治療の術式である 2 回法に基づいた検査時期と X 線撮影法を表 5-18-1 に示し，それに沿って解説する．

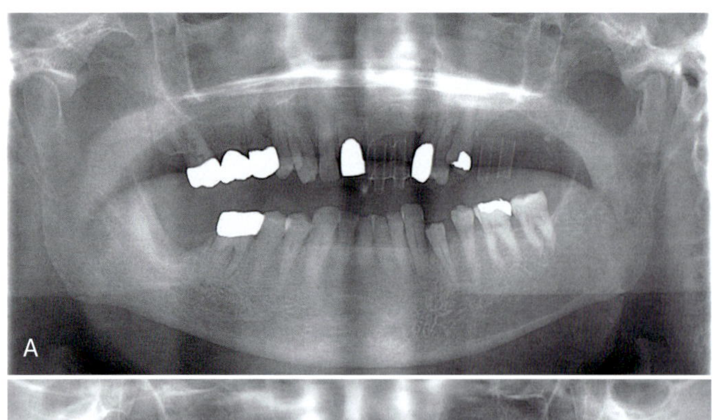

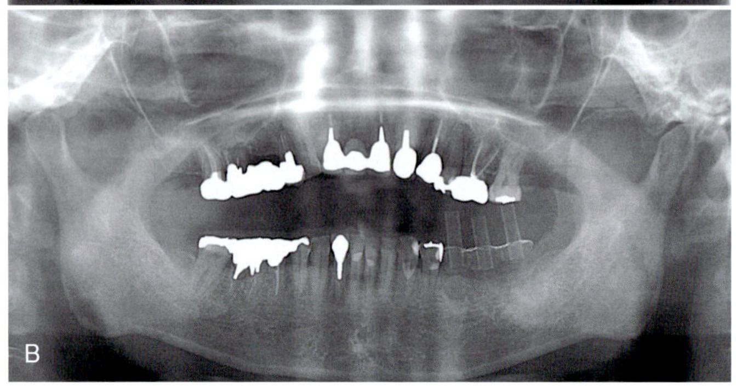

図 5-18-3　インプラント治療初診時におけるパノラマ X 線画像
A：上顎の場合は歯槽骨頂，鼻腔底や上顎洞底の位置が重要である．B：下顎の場合は歯槽骨頂，オトガイ孔や下顎管の位置が重要となる（理解しやすいように診断用テンプレートを用いた画像を提示した）．

(1) 初診時の X 線撮影

初診時において，口内法 X 線撮影やパノラマ X 線撮影が適応される．その X 線画像から，欠損部歯槽骨の状態のみならず，残存歯の状態や上下顎骨，上顎洞や顎関節の異常像の有無などが診断される．さらには，欠損部に近接する解剖学的構造，上顎では正中口蓋縫合，切歯管，鼻腔底の位置，上顎洞底の位置や形態，隔壁の有無のほか，犬歯窩，上顎結節などを観察する．一方下顎では，下顎管，アンテリアループ，そしてオトガイ孔を観察する（図 5-18-3）．ほかの疾患が疑われる場合には，必要に応じて適切な撮影法が適応される．

(2) 歯科インプラント術前画像検査法

A. 診断用テンプレート

術前検査においては，欠損部の骨形態を診断するとともに，歯科インプラント埋入計画を立案する必要が生じる．その目的のために診断用テンプレートが製作される（図 5-18-4）．前述した歯科インプラント治療における画像検査のガイドラインでは，テンプレートの利用が勧められている．テンプレートには，アルミニウムあるいはチタン管，ガッタパーチャ，仮封材などの X 線不透過性物質を使用して，計画した歯科インプラントの埋入位置と方向を示す指標を取り付ける．また，最終補綴装置の形態をイメージしやすくするために，歯冠部に X 線不透過性レジンを使用する場合もある．X 線撮影は，テンプレートを口腔内の所定の位置に装着した状態で行い，口内法 X 線撮影（二等分法）やパノラマ X 線撮影が適応され，さらには，欠損部の頬（唇）舌的な骨形態や骨量などを診断することも重要であり，歯科用コーンビーム CT や CT が用いられる．

B. 歯科用コーンビーム CT，CT

歯科インプラント術前画像検査では，特に欠損部の頬（唇）舌的な骨形態や骨量などを診断することが重要となり，そのような断面画像を得る方法には，歯科用コーンビーム CT と CT がある．前述した歯科インプラント治療におけ

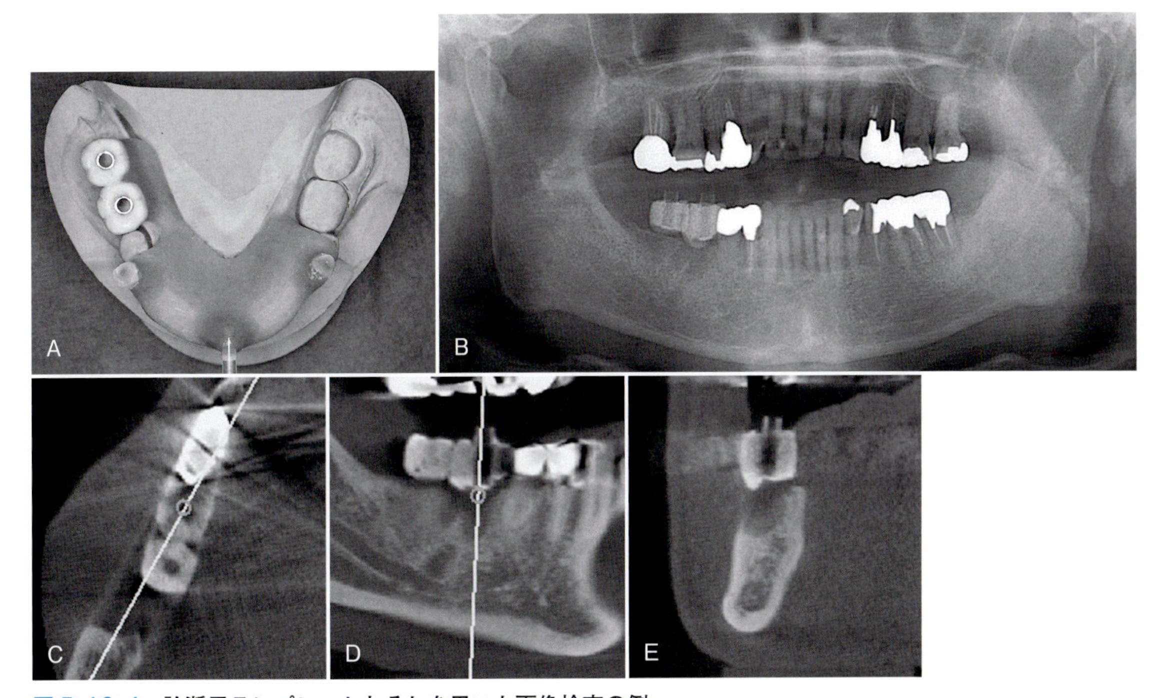

図 5-18-4　**診断用テンプレートとそれを用いた画像検査の例**
A：診断用テンプレート，B：パノラマX線画像，C～E：歯科用コーンビームCT像．
診断用テンプレートを術前の検査に用いる．指標にはアルミニウム管を用いている．このテンプレートは，画像検査の結果をもとに修正し，外科手術用のガイドとしても用いられる（サージカルガイドプレート）．

る画像検査のガイドラインでは，歯科用コーンビームCTやCTの利用が推奨され，それらから得られる顎骨横断像の寸法精度は，歯科インプラント治療に応用するために十分高い．

歯科用コーンビームCTでは，CTと比較して，画像ボクセルサイズが小さいという利点がある．この撮影にあたっては，画像解像度や患者の被曝線量と直接関係する撮影領域（FOV）の大きさを適切に設定することが重要となる．なお，歯科インプラントの術前検査のため，歯科用コーンビームCTを適用するときに考慮すべき点について，欧州EAOのガイドラインを図 5-18-5 に示す．たとえば，問題となる歯科的な制約がなく，取得したデータをそのまま解析に利用する場合には低線量撮影条件を選ぶ，ということになる．この画像を用いて，計画した歯科インプラントの埋入位置や方向が適切であるか否かを診断し，また，周囲の解剖学的構造を観察し（図 5-18-6），歯科インプラント体の埋入が可能な正確な深さを計測する．

CTでは細かなスライス幅やスライスピッチを選択する．また，適切な撮影範囲と管電流値などを選択することで，患者被曝線量を低減できる．得られる画像は連続した横断像であるため，さまざまなソフトウェアを用いて歯列に直交する断面や歯列に平行な断面を再構成する必要がある（図 5-18-7）．その画像から，骨形態，骨量や歯科インプラントの埋入位置，方向が診断できる．さらには，歯科インプラント埋入予定部位の海綿骨のCT値を計測することによって骨密度を推定することが可能であり，このCT値は，歯科インプラント埋入時のトルク値と相関するという報告がみられる．

C．画像の取り扱いとコンピュータシミュレーション

歯科用コーンビームCTやCTの撮影データ

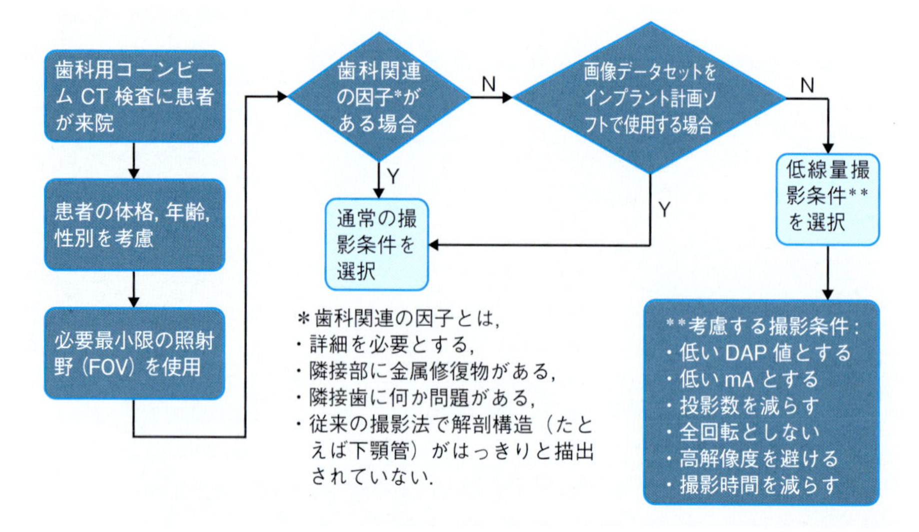

図 5-18-5　歯科インプラント治療の術前検査のために歯科用コーンビーム CT を適用するときに考慮すべき点

（Harris D, et al：EAO guidelines for the use of diagnostic imaging in implant dentistry 2011. *Clinical Oral Implants Research*, **23**：1244〜1253, 2012.）

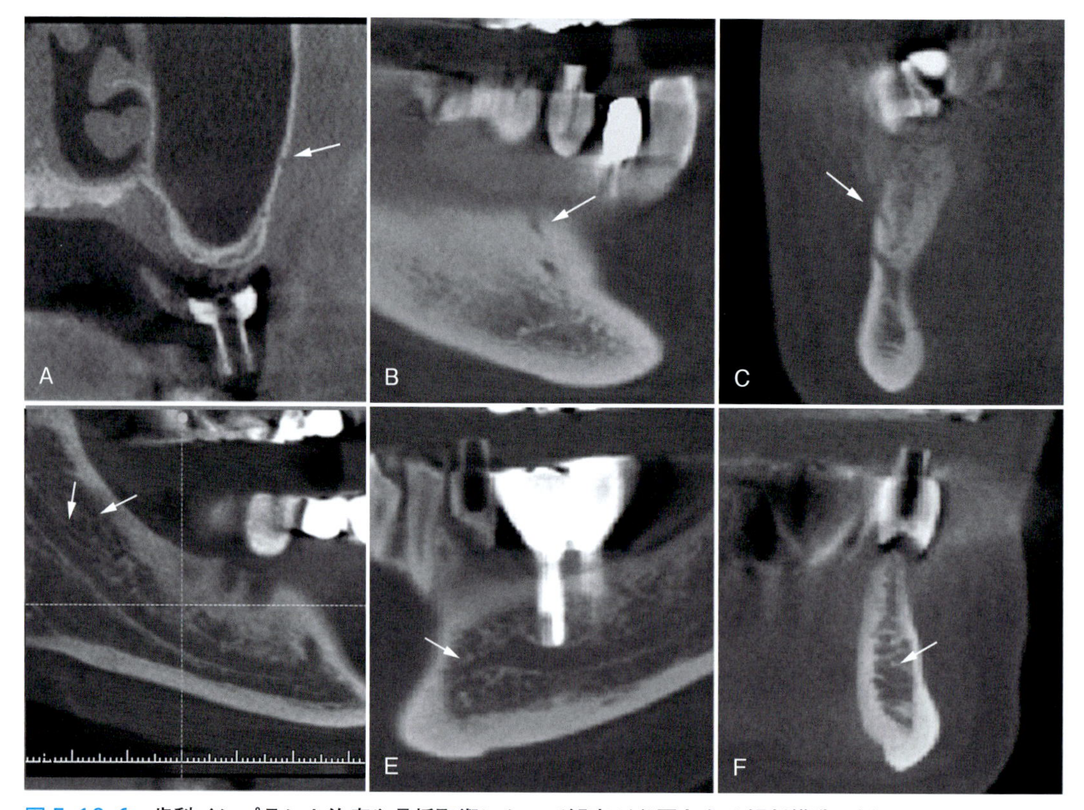

図 5-18-6　歯科インプラント治療や骨採取術において観察が必要となる解剖構造の例

A：後上歯槽管，B，C：副オトガイ孔，D：臼後部にみられる下顎管からの分枝，E，F：小臼歯部で下顎管から連続する前方への分枝.

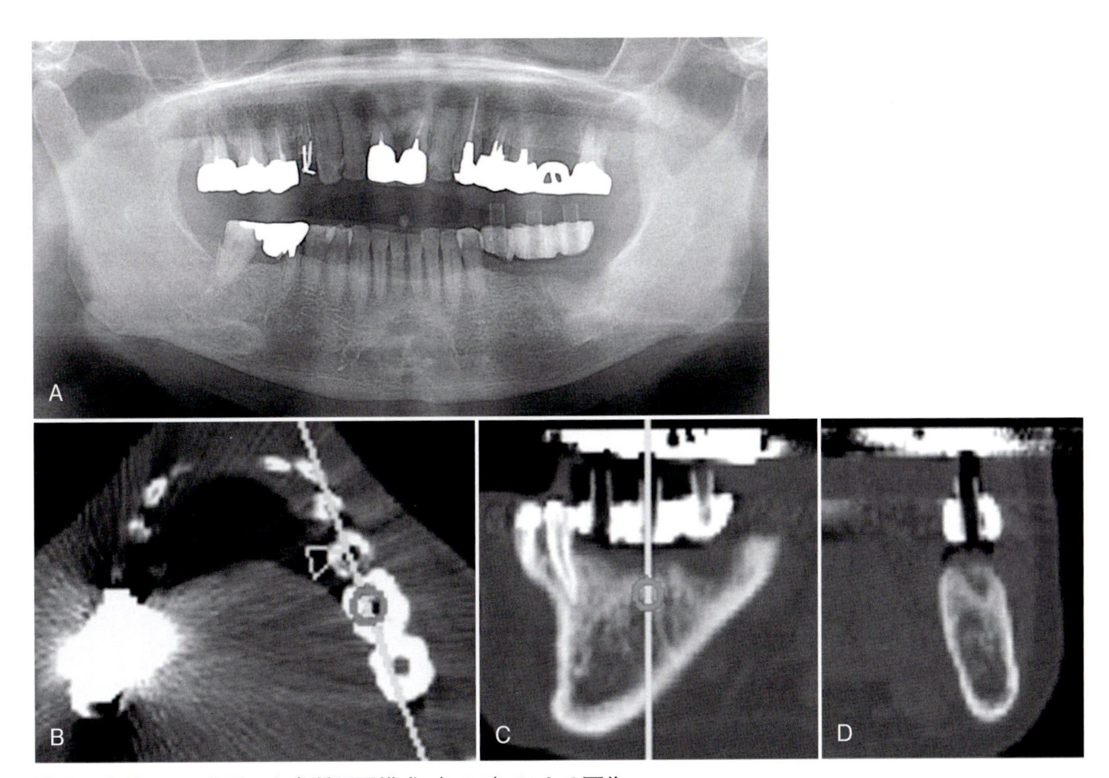

図 5-18-7　CT を用いた多断面再構成（MRP）による画像
A：パノラマ X 線画像，B～D：マルチスライス CT 画像．B：横断像，C：歯列平行断像，D：歯列直交断像．

を用いて，コンピュータ上で埋入のシミュレーションを行い，さらには，そこから歯科インプラントの埋入手術に用いるサージカルガイドプレートを製作することが可能なソフトウェアなどさまざまなものが市販されている（図 5-18-8，9）．また，手術用ガイドを用いず 2 台のカメラを用いたリアルタイムにナビゲーションを行うシステムも臨床に応用されている．ここで重要なのは，歯科インプラント埋入シミュレーションに伴う局所の診断のみならず，撮影領域全体にわたり丁寧に観察することであり，撮影領域内の病変を見落としてはならない．

D．造形モデル

歯科用コーンビーム CT や CT データからさまざまな断面画像や 3 次元画像を構築することはもとより，歯科インプラント治療の種々な場面での活用が進んでいて，その一つに造形モデルの製作があげられる．造形モデルは，食塩，石膏，光重合レジンなどの素材を利用して製作され，インプラント埋入部位の決定や手術シミュレーションなどに応用できる（図 5-18-10）．この造形モデルでは，CT データを 2 値化するときのしきい値設定が，精度に影響を与えることを知っておく必要がある．

(3) 歯科インプラント埋入後の検査

歯科インプラント埋入後，2 次手術までは原則として X 線撮影を行わない．2 次手術直前にはパノラマ X 線撮影を行い，インプラント体と骨との界面の状態などを診断する．

2 次手術において，インプラント体に連結部（アバットメント）が連結される．このときの画像検査では，インプラント体と連結部との間隙の状態を診断する必要があり，歯科インプラント体に対する平行法が適応される（図 5-18-11）．

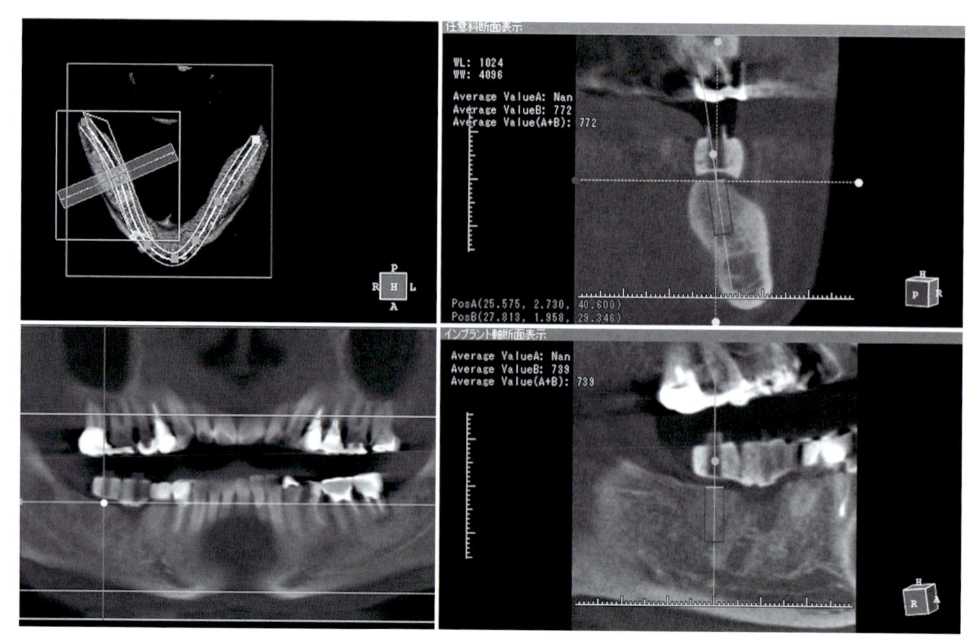

図 5-18-8　歯科インプラントシミュレーションソフトウェアによる埋入シミュレーションの例
歯科インプラントシミュレーションソフトウェアとして DentistvisionProfessional を用いた例を示す.

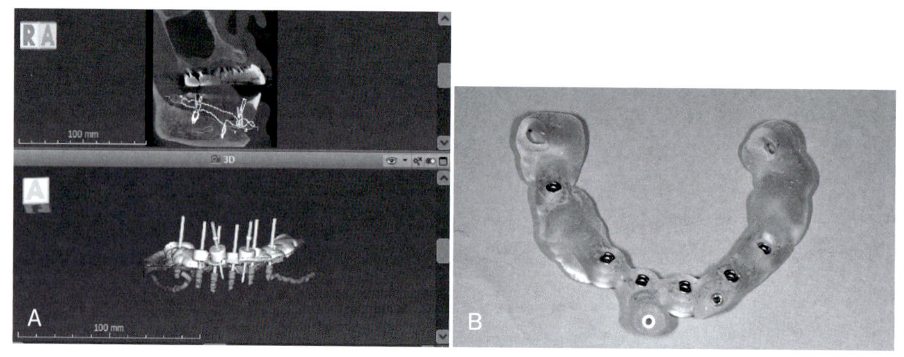

図 5-18-9　歯科インプラントシミュレーションソフトウェアによる埋入シミュレーションとサージカルガイドプレートの例
A：歯科インプラントシミュレーションソフトウェアによる埋入シミュレーション．B：それをもとに製作されたサージカルガイドプレート．

(4) 経過観察

歯科インプラント治療においては，補綴処置終了後も継続したメインテナンスを行うことが重要である．歯科インプラントの予後判定の国際基準（コンセンサス会議，トロント，1998 年，Consensus report. Int. J. Prosthod., 1998, 11：389）の一つに，X 線画像を用いたインプラント体頸部の骨吸収の計測項目があげられている．良好な予後経過が得られている場合には，歯槽頂部の垂直的な骨吸収の平均は機能 1 年後から年間で 0.2 mm より少ないとされている．メインテナンス時の観察には，歯科インプラント体に対して平行となる口内法 X 線撮影が用いられる（図 5-18-12）．

歯科インプラント治療において，予後経過が

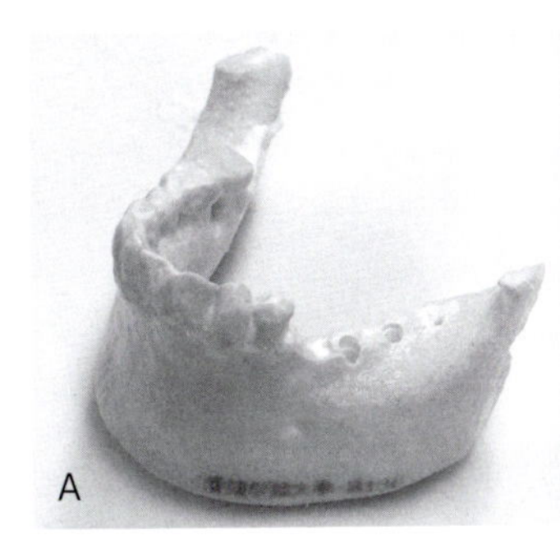

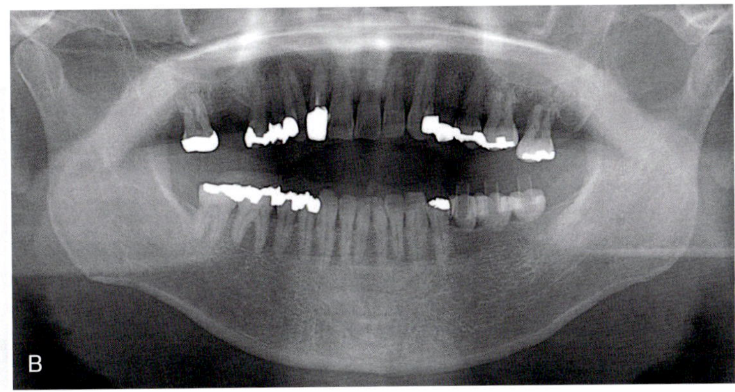

図 5-18-10　造形モデルの例
DICOM ファイルに保存された歯科用コーンビーム CT データから食塩粉末を用いて製作され，インプラント窩形成の手術シミュレーションに利用された．

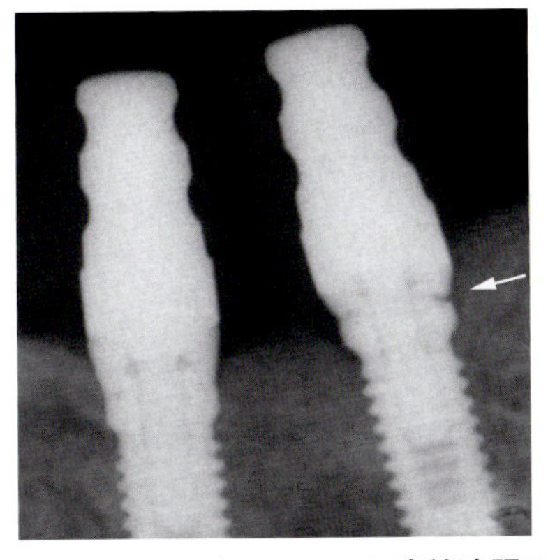

図 5-18-11　アバットメント連結確認のための口内法 X 線画像
右側の歯科インプラント体とアバットメントとの間に間隙（矢印）を認める．
（野口俊英編：知っておきたい知識・術式　インプラント治療編．第一歯科出版，東京，54.）

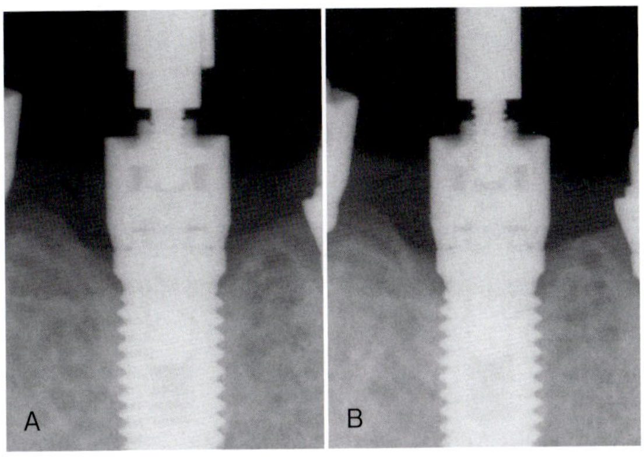

図 5-18-12　歯科インプラントの経過 X 線画像
A：アバットメント装着時の口内法 X 線画像．B：アバットメント装着後 1 年の口内法 X 線画像．

不良な場合には，歯科インプラント体の周囲骨が吸収する歯科インプラント周囲炎を惹起することがある．以前行われていた歯科インプラント治療には，骨内インプラント治療のほかに，歯内骨内インプラント治療や骨膜下インプラント治療などあり，さらに骨内インプラントの形状では，円筒型やブレード型のものもある．このように歯科インプラント治療の術式は複雑であるので，歯科インプラント周囲炎の診断にあたっては，個々の状態に応じた適切な X 線撮影法が選択され，歯科インプラント周囲の骨吸収の状態や範囲，近接する解剖学的構造との位置関係などが診断されなければならない．インプラント予後不良例を図 5-18-13，14 に示す．

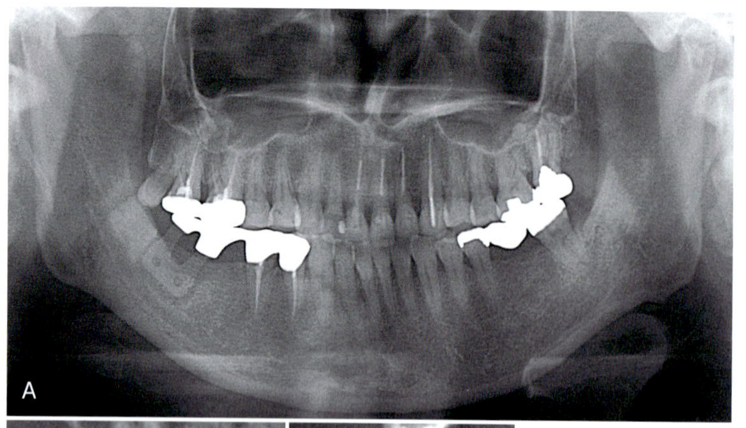

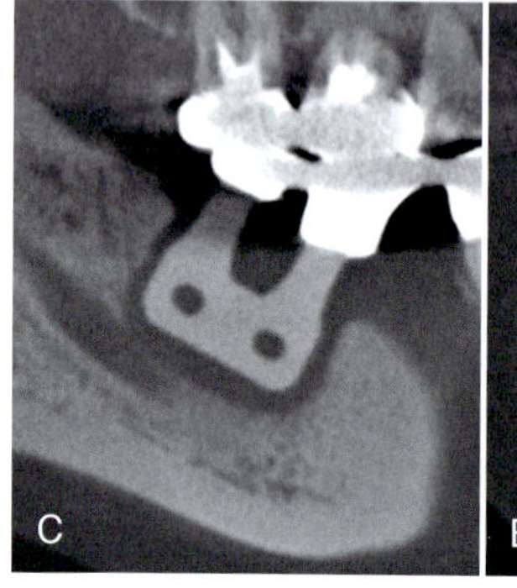

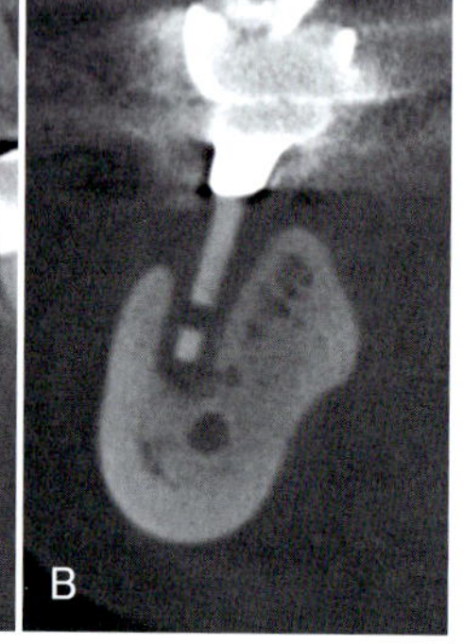

図 5-18-13　インプラント周囲炎の例

A：パノラマX線画像．B, C：歯科用コーンビームCT像．下顎右側第一・第二大臼歯部にブレード型のインプラント体を認め，その周囲に一層の骨吸収領域を認める．下顎管に近接している．さらに，その周囲海綿骨に硬化性の骨変化を認める．

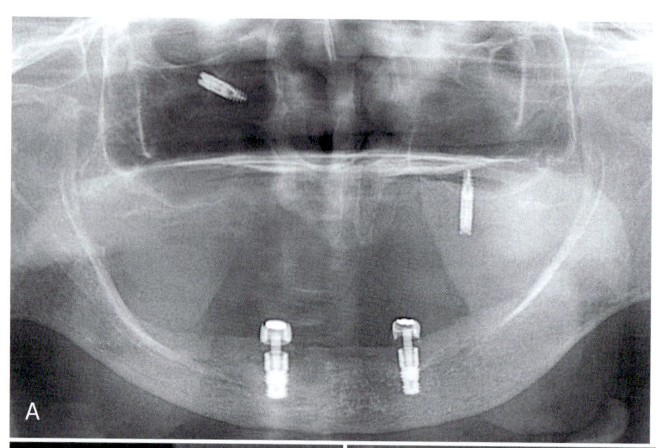

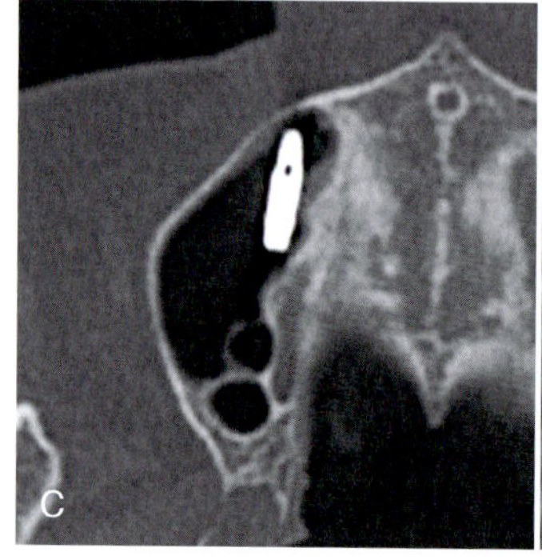

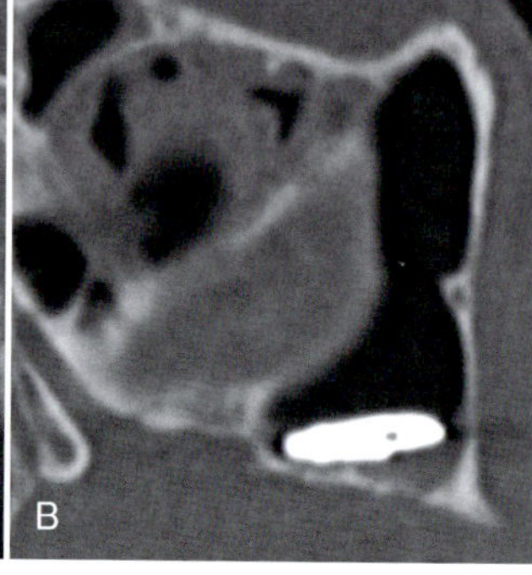

図 5-18-14　インプラント体の上顎洞迷入の例

A：パノラマX線画像．右側上顎洞の下鼻道レベルにインプラント体の迷入を認める．B，C：CT像．右側上顎洞の下底部にインプラント体を認める．上顎洞粘膜の肥厚はほとんどみられない．インプラント体の位置は，パノラマX線画像とCT像で異なっていることに注目されたい．

19 胸部 X 線画像：全身疾患との関わり

胸部単純 X 線検査は胸部疾患のスクリーニングあるいは経過観察を目的として実施される．口内法撮影や頭部規格撮影などと同様に組織による X 線吸収のコントラストが画像になるが，胸部単純 X 線検査ではさまざまな臓器の重なりが多く，正常構造による画像の成り立ちと生理的変化について理解する必要がある．なお，バリウムなどの造影剤を嚥下する食道造影を併用する撮影法もあるが，ここでは造影剤を使用しない単純 X 線検査について述べる．

1）胸部正常画像

立位，正面，深吸気位での撮影が基本である．立位が困難な場合は坐位や仰臥位での撮影も考慮される．仰臥位の場合は重力の影響により立位と正常所見が異なるので注意が必要である．立位では重力に従い液体が足側に，空気などのガスは頭側に移動しやすくなる．肺血流は重力に引かれ肺底部側で増える結果，肺血管影は頭側と比較して足側で太くなる．また，胃泡など

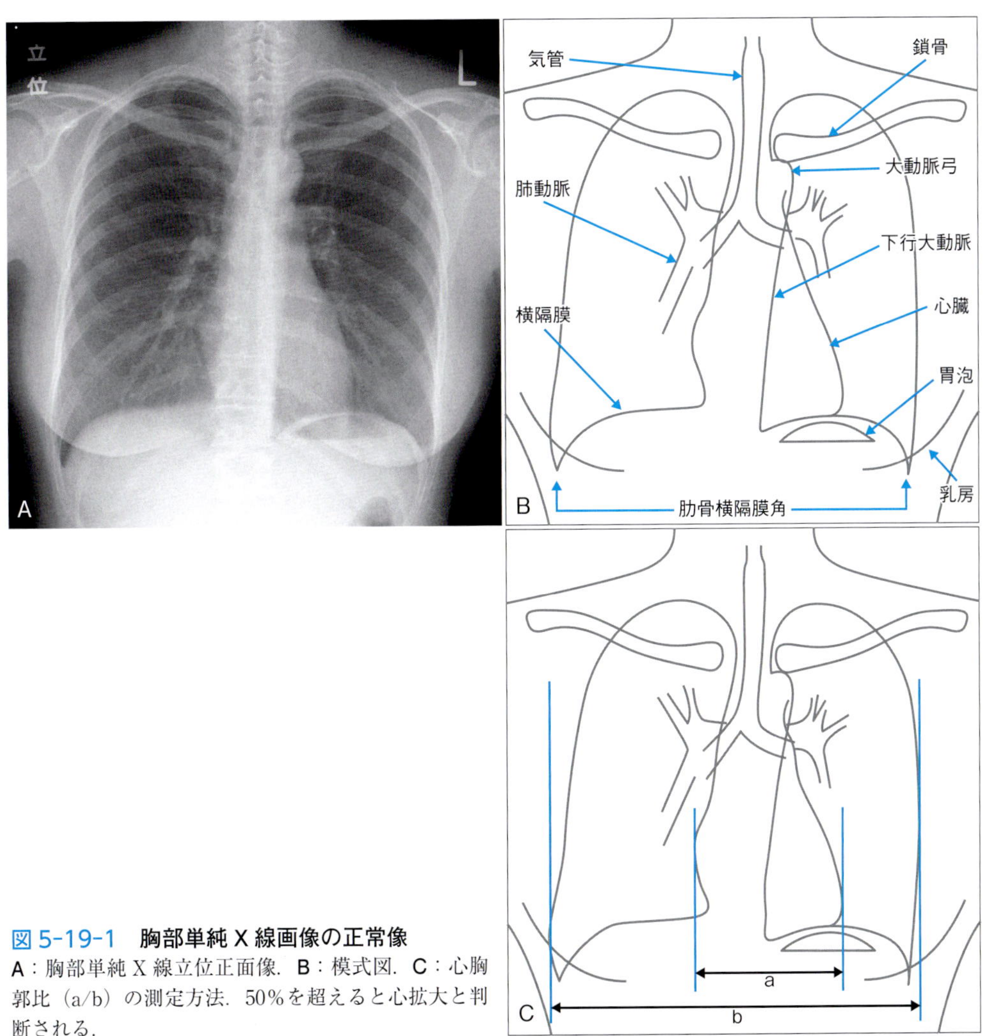

図 5-19-1　胸部単純 X 線画像の正常像
A：胸部単純 X 線立位正面像．B：模式図．C：心胸郭比（a/b）の測定方法．50％を超えると心拡大と判断される．

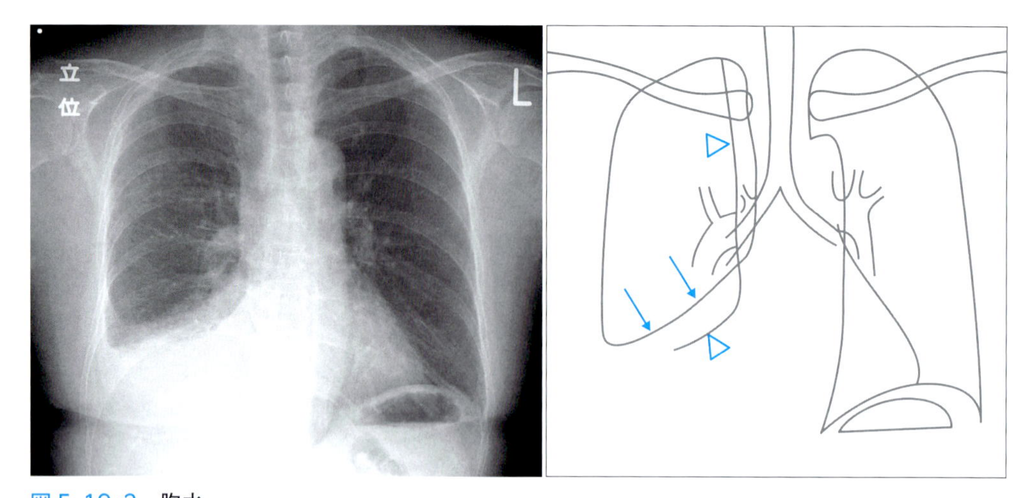

図 5-19-2　**胸水**
胸部単純 X 線立位正面像．右胸腔に胸水がみられる（矢印，矢頭）．葉間あるいは縦郭に沿って胸水が存在する場合（矢頭）には二重の陰影が生じることがある．

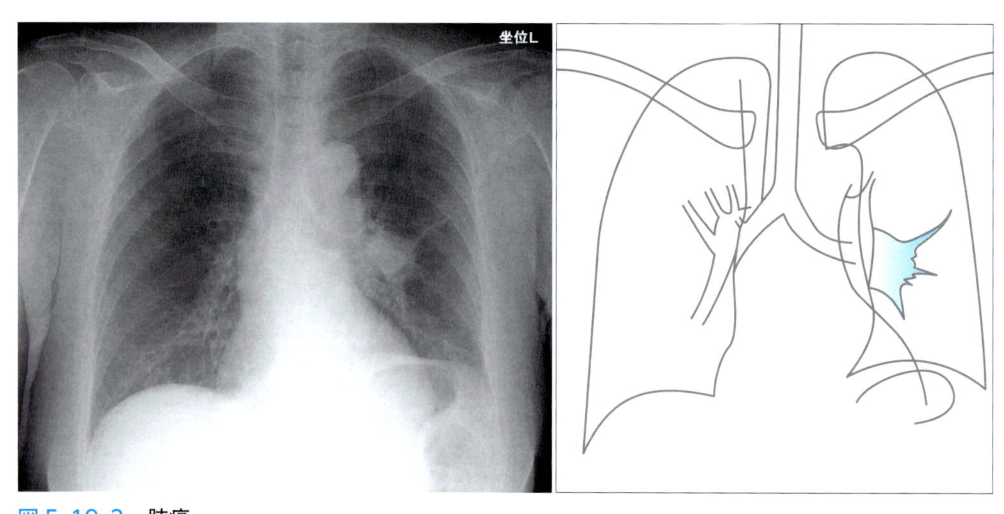

図 5-19-3　**肺癌**
胸部単純 X 線立位正面像．網掛けに相当する部分に spiculation を伴う腫瘤を認める．本例は原発性肺腺癌である．

消化管ガスは頭側に移動する．特に胃では胃液が足側に移動し液面を形成し，ドーム型の透亮像として観察される．裏を返せば胃泡の形をみることで撮影体位が判断できる．

正常像とその模式図を図 5-19-1 に示す．読影では特に骨性胸郭，**心胸郭比**，肋骨横隔膜角に注意する．肺は上下で濃度を比較すると，乳房など軟部組織陰影の重なりによる影響を受けるため，両側同じ高さで比較するのが基本である．縦郭には気管，気管支，大動脈をはじめとする大血管，心臓が重なっている．肺門部は主気管支のほか，肺動脈が重なり腫瘍性病変と間違えやすい部分だが，肺門リンパ節腫大など病変が存在しやすい部分でもあるため，正常像の成り立ちを十分に理解したうえで慎重な読影が望まれる部位である．

2）胸部異常像の診断

歯科医として胸部単純 X 線画像を観察する

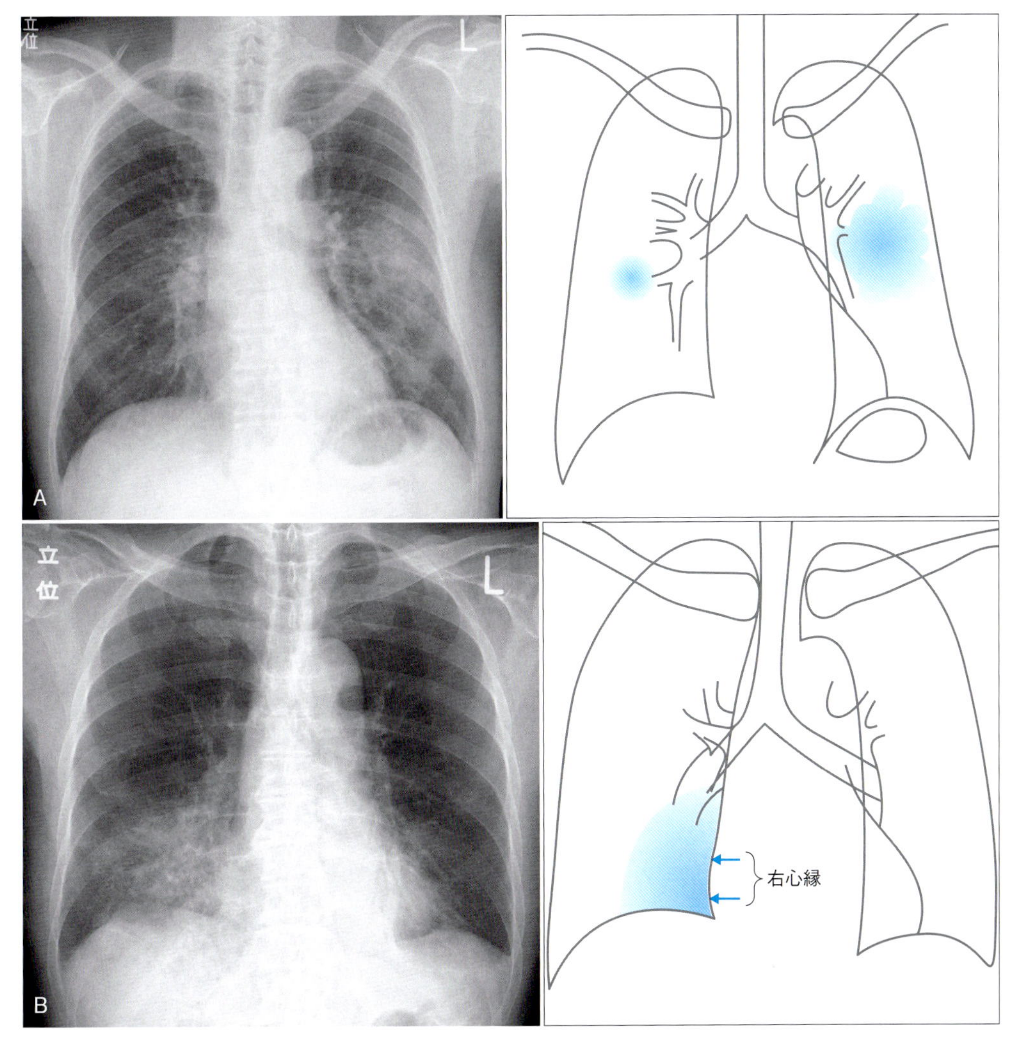

図 5-19-4　肺炎
A：気管支肺炎．B：誤嚥性肺炎．A：両側中肺野に境界不明瞭な濃度上昇がある．B：右肺下葉に浸潤影がある．右心縁（矢印）が確認でき心臓に隣接する肺に病変がないといえることから病変は背側にあると判断できる．

際，全身状態を反映しやすい心拡大や肺血管陰影の増強，肋骨横隔膜角の鈍化として現れる胸水に注意をする（図 5-19-2）．また，原発性肺がんや転移性肺がんなどの腫瘍性病変は境界明瞭な腫瘤として描出される（図 5-19-3）が，肺炎は境界不明瞭な濃度上昇（浸潤影）（図 5-19-4）として描出される．病変が肺内に存在するか否かは肺血管や気管支との関係を観察することで判断でき，肺内病変であれば肺血管影の連続が不明瞭になり，気管支内腔が透過像として浮き出る気管支透亮像とよばれる所見が確認できる．**誤嚥性肺炎**は右肺下葉背側に生じやすい．同部に浸潤影をみたときは誤嚥性肺炎の可能性を考慮する必要がある（図 5-19-4C，D）．また，**胃泡**が心陰影に重なる位置に移動している場合，食道裂孔ヘルニアが疑われる（図 5-19-5）．逆流性食道炎を起こしやすく，胃内容物の逆流を契機とする誤嚥にも注意が必要である．

高齢者では加齢性変化で肋軟骨の石灰化や椎体の骨棘形成が生じる．また，肺炎などの既往による瘢痕も所見として生じうるため，病歴や既往歴の確認を行うとともに，経時的な変化を

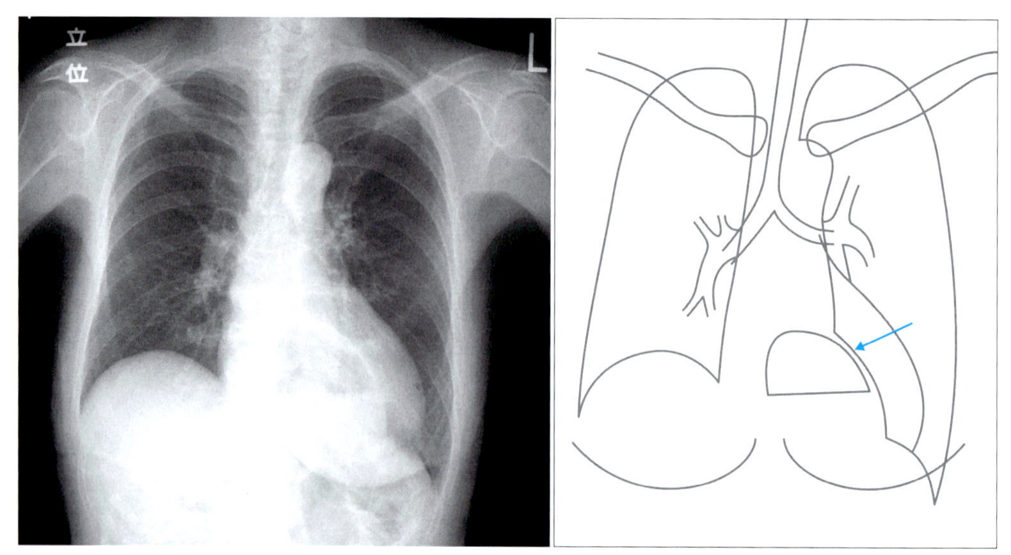

図 5-19-5　**食道裂孔ヘルニア**
胸部単純 X 線立位正面像．心陰影に重なって胃泡を含む陰影（矢印）がみられる．

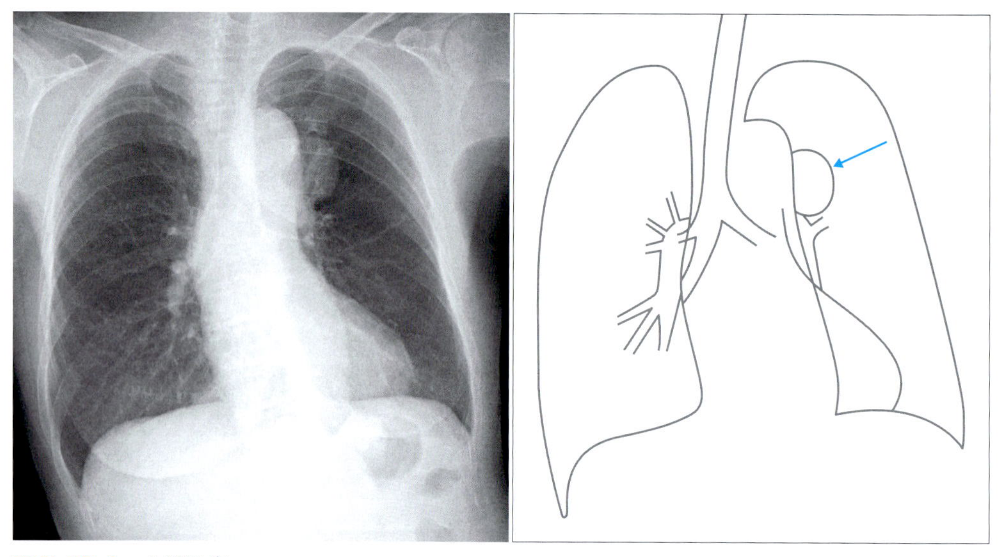

図 5-19-6　**大動脈瘤**
胸部単純 X 線立位正面像．大動脈弓部に嚢状瘤がみられる（矢印）．肺腫瘍との鑑別は必要だが，特に嗄声を伴う症例の場合，大動脈瘤を強く疑って対応する必要がある．

観察するのも重要である．

また，大動脈弓部に大動脈瘤がある場合，左反回神経麻痺による嗄声が出現しうる．加えて，大動脈弓部に発生する動脈瘤（図 5-19-6）には嚢状瘤が比較的多く，破裂リスクが高いため注意が必要である．

歯科でしばしばみられる異物誤嚥・誤飲では歯科材料による高吸収体が確認できる．正面像で縦郭に重なり正中下部にあれば誤嚥による食道内異物が考えられるが，側面像なども参考に食道の位置と一致するかどうかを確認する必要がある．気管支内であれば誤飲である．小さな異物が消化管内に確認される場合は腹部単純 X 線画像で排泄までの経過を観察する．

6章 がんの放射線治療

1 腫瘍に対する放射線の作用

1）固形腫瘍の組織構造と癌幹細胞の特性

(1) 固形腫瘍の組織構造

固形腫瘍を構成する腫瘍細胞への酸素や栄養分の運搬は，腫瘍血管からの拡散によって規定されている．そのため，腫瘍血管から離れるにつれて供給量が減じ，**酸素分圧**や栄養分の濃度勾配が生じる．血管に近接した腫瘍細胞ほど活発な増殖能を示すが，血管から離れるにつれてその活性を減じ，70～100 μm 程度の距離になると，増殖能は低いがかろうじて生存している細胞分画が生まれる．この部分は慢性低酸素分画とよばれ，正常組織には存在しない，腫瘍組織特異的な細胞集団である．さらに血管から離れると，細胞は生存を維持できなくなって細胞死に至り，壊死領域が生じる（図 6-1-1）．また，腫瘍血管は，定期的に開閉を繰り返すことがわかっており，血管近傍の細胞でも灌流が突然途絶えて低酸素状態になり，その後開通して酸素化することが繰り返されている．このようにして引き起こされる低酸素状態は，急性低酸素状態とよばれる．

以上のことから，固形腫瘍組織は，血管を中心に，そこからの距離に応じてさまざまな酸素分圧と増殖活性を有する腫瘍細胞から構成される索状の組織構造（**腫瘍コード構造**）を単位とする集合体とみなすことができる（図 6-1-1）．さらに，急性低酸素の要素が加わり，きわめて動的で複雑な酸素濃度分布を呈している．

(2) 血管新生

血管近傍の腫瘍細胞は，増殖してその数を増すが，しだいに血管から離れることによって低酸素状態に陥り，増殖を停止する．さらに外に押しやられると，ついには壊死を引き起こす．しかし，固形腫瘍は無制限に増大することができる．それを可能にしているのが血管新生である．酸素分圧が低下してくると，低酸素状態を検知して hypoxia inducible factor-1α（HIF-1α）とよばれる転写因子が蓄積し，vascular endothelial growth factor（VEGF）が発現して，血管新生を誘導する合理的なシステムが機能する．低酸素状態が血管新生を引き起こし，腫瘍細胞の増殖活性が生まれ，再び低酸素状態になれば血管新生を促して，増殖が継続する．このような低酸素を含む腫瘍微小環境が，腫瘍細胞の変異頻度を上昇させ，転移や浸潤能を高めて，

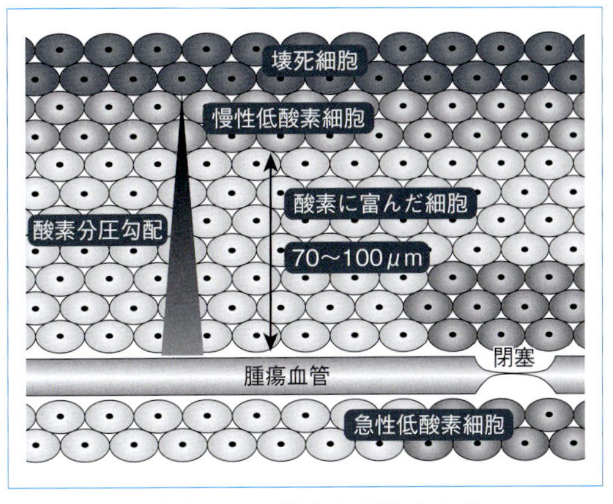

図 6-1-1 腫瘍コード構造と低酸素細胞

悪性度が増していくことが知られている．

(3) 癌幹細胞モデル

古くから放射線生物学では，放射線治療の標的は**癌幹細胞**である，との概念を受け入れてきた．固形腫瘍を構成する腫瘍細胞のうち，ごく一部の細胞のみが未分化で自己複製能と多分化能を有しており，この癌幹細胞が，分化のヒエラルキーにおける最上層に位置するとする考え方である（図6-1-2）．腫瘍組織を構成する大多数の腫瘍細胞は，癌幹細胞から供給されることになる．

最近，種々の腫瘍組織において，この癌幹細胞モデルを支持する報告が相次いでいる．この細胞さえ根絶できれば，腫瘍を治癒に至らしめることが可能であり，逆にどんなに非癌幹細胞を殺すことができたとしても，癌幹細胞がわずかでも残存すれば再発することになる（図6-1-3）．しかしながら，そのマーカーが不明であったため，癌幹細胞を分離することができず，その実態は長らく不明であった．CD133，CD44，ALDH1などの癌幹細胞マーカーが明らかになると，ようやく癌幹細胞の性質，すなわち，癌幹細胞はDNA修復能やグルタチオン合成能が高く，放射線抵抗性を示すことが明らかになっ

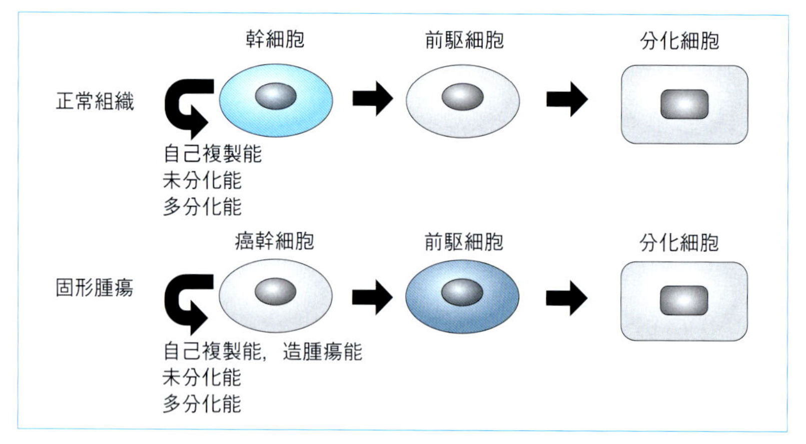

図6-1-2 正常組織と腫瘍組織における分化の階層構造
正常組織，腫瘍組織いずれにおいても幹細胞は自己複製能，未分化能，多分化能を有し，分化の階層における頂点に存在しており，前駆細胞や分化細胞の供給源となっている．

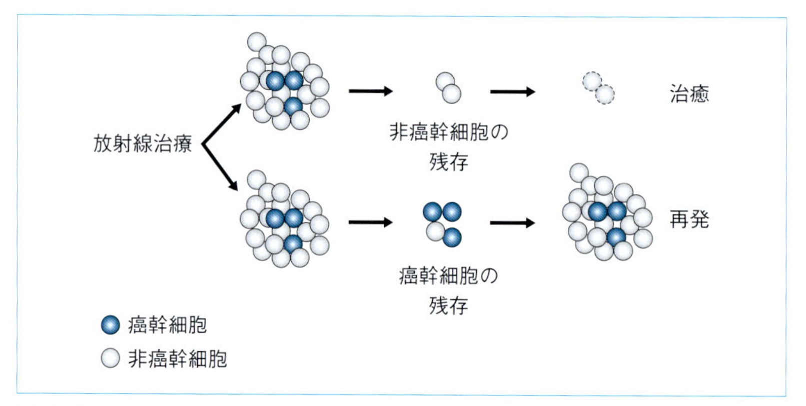

図6-1-3 癌幹細胞残存の有無による腫瘍治癒への影響
癌幹細胞モデルでは，放射線治療によって非癌幹細胞が残存しても再発しないが，癌幹細胞がわずかでも残存すれば，再発につながると考える．

た．しかも，癌幹細胞形質を維持するためにはニッチとよばれる構造が必要であり，それが血管内皮細胞との接触と低酸素状態であることもわかってきた．つまり，放射線治療の標的細胞である癌幹細胞は，腫瘍血管周囲の増殖能の高い領域と，血管から離れた位置にある低酸素分画に存在していると考えられる．

2）固形腫瘍の放射線感受性

(1) 固形腫瘍の治癒率

前述したように，固形腫瘍はきわめて不均一な腫瘍細胞から構成されており，固形腫瘍の放射線感受性を正確に表現することは容易ではない．固形腫瘍に放射線が照射されると，腫瘍体積が縮小する（一定時間後，どれだけ腫瘍が縮小したかを反映する縮小率が大きいほど，放射線感受性が高いといわれることがあるが，これは厳密には反応性と定義される）．腫瘍の放射線感受性は，時間に関係なくどれほど治癒が期待できるかを表す．前者の標的細胞は，腫瘍を構成する大部分の細胞（非癌幹細胞）であるが，後者は自己増殖能を保持する再発可能な腫瘍細胞（癌幹細胞）と考えられ，その数は全腫瘍細胞の1％以下であるとされる．放射線治療によって，ごく少数の癌幹細胞が残存する場合，実際の残存数はポアソン分布に従うと考えられ，1個も癌幹細胞が残存しない場合に治癒が成立すると考えると，**腫瘍制御確率**（Tumor control probability：TCP＝治癒率）は，以下のように表せる．

$$TCP = \exp\{-N_0 \cdot SF(D)\}$$

N_0：初期癌幹細胞数

$SF(D)$：総線量Dにおける癌幹細胞の生存率

すなわち，治癒率は，最初に存在していた癌幹細胞の数（腫瘍の大きさを反映する）と，その

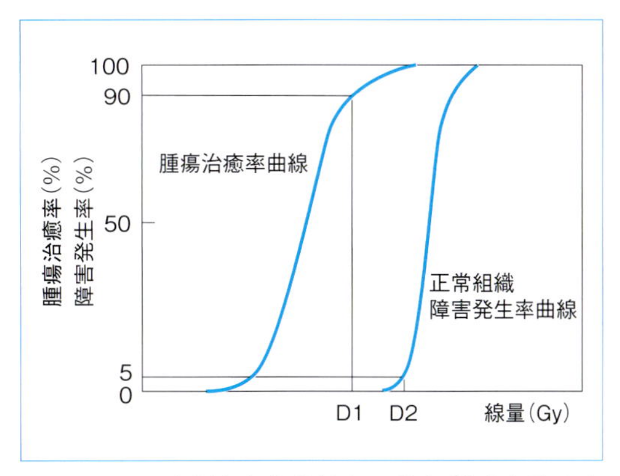

図6-1-4　腫瘍治癒率曲線と正常組織障害発生率曲線

腫瘍治癒率曲線で90％の治癒を与える線量をD1（Gy），正常組織障害発生率曲線で5％の障害を引き起こす線量をD2（Gy）とすると，D1に対するD2の比率を治療可能比という．

放射線感受性の2つの因子によって規定されることがわかる．治癒率は，一般に腫瘍治癒率曲線としてシグモイドを示し，一方，正常組織，ここでは特に晩期障害組織を指すが，その障害発生率曲線もシグモイドを示す（図6-1-4）．90％の腫瘍治癒率を示す線量をD1（Gy），5％の障害発生率を示す線量をD2（Gy）とした時，D1に対するD2の比率を**治療可能比**という．

腫瘍治癒率や正常組織障害発生率に影響を与える因子について，内因性と外因性に分けて述べる．

(2) 腫瘍の放射線感受性に影響を与える因子

A．内因性因子

a．ラジカルスカベンジャー

X線やγ線などの低LET放射線では，間接作用の割合が直接作用を凌駕するため，水を分解して生成されるOHラジカルなどのフリーラジカルが，二次的にDNA損傷を与えると考えられる（p.33, 34参照）．したがって，細胞中に存在するグルタチオンなどのSH物質が，ラジカルスカベンジャーとなって**フリーラジカル**を消去しうるため，その多寡がDNA損傷量に影響を与えることになる．

b. DNA 修復能

DNA 修復能，特に**DNA 二重鎖切断**（DSB）修復能が高い腫瘍細胞はそうではない細胞に比べ，同じ DSB 量が生じても放射線抵抗性になることは容易に理解できる．実際，非相同末端再結合に関わる因子のタンパク発現量の違いが，放射線治療における臨床成績と相関する報告がなされている．

c. 細胞周期チェックポイント

細胞周期の各相によって，放射線感受性が大きく異なることも重要な因子であり，一般に，S 期後期が最も放射線抵抗性で，G2，M 期が最も放射線感受性を示す．このことは，口腔扁平上皮癌細胞のように，多くが *p53* 遺伝子に変異を有する場合，最初の照射によって，G1/S チェックポイントは機能しないが，G2/M チェックポイントは機能し，放射線感受性の高い G2 期に細胞が集積することで，次の照射が有利になる（後述）．

d. 増殖因子受容体

多くの腫瘍細胞では，上皮細胞増殖因子受容体（EGFR）の過剰発現が認められ，頭頸部癌ではほとんどの細胞に過剰発現が起こっている．EGFR は本来，そのリガンドが結合することによって 2 量体を形成し，細胞内ドメインに存在するチロシンキナーゼが自己リン酸化する．しかしながら，放射線が照射されると，リガンド非依存的に自己リン酸化が起こり，リガンドが結合したときと同様な下流のシグナル伝達経路が活性化される．

主な経路としては，ホスファチジルイノシトール 3 リン酸キナーゼ（PI3K）/AKT と MAP キナーゼ経路の一つである MEK/ERK である．これらのシグナル伝達経路は，細胞増殖や生存シグナルとして知られている．放射線照射後に DSB が生じて，その修復がうまくいかなければ細胞死シグナルが発せられるが，同時に細胞膜の EGFR からは，これらの生存シグナルも発せられる．細胞内では両シグナルのバランスがとられ，どちらに傾くかによって細胞の生死の運命が決定されると考えられている．

e. 低線量超放射線感受性

線量－細胞生存率曲線（p.35，36 参照）の形は，Puck と Markus によって初めて報告されて以来，多標的モデルや LQ モデルなどの数学モデルを生み出し，長い間使われてきたなじみ深いものである．ところが，0.5 Gy 以下の領域を精度高く求めると，多くの細胞において下方に凸の領域が存在することが明らかになってきた．この部分を低線量超放射線感受性領域とよぶ（図 6-1-5）．0.5 Gy 以下の線量では，ATM の活性化が引き起こされないために G2 ブロックが起きず，G2 期後期の細胞が DSB を有したまま M 期に入ることによって引き起こされる現象であると考えられている．0.5 Gy 以上になると ATM が活性化され，放射線抵抗性が誘導され，通常の生存曲線の形になるとされる．

B. 外因性因子

固形腫瘍が生み出す腫瘍微小環境や放射線の照射法，放射線の種類など，種々の外因性因子がどのように影響を与えるかについて述べる．

a. 酸素効果

前述のように，固形腫瘍中の腫瘍細胞は，血管からの距離によって異なる酸素分圧を示す．古くから，酸素分圧は，放射線感受性に大きな影響を与えることが知られている．酸素下において一定の効果を与えるのに必要な線量に対し，無酸素下において同じ効果を得るのに必要な線量の比のことを**酸素増感比**（**OER**）という．この値は約 3 を示す．酸素分圧が 20 mmHg を超えると，感受性はほぼ一定になる．逆に考えれば，20 mmHg 以下にならないと，有意に放射線抵抗性にはならない（p.37 参照）．

b. 4 つの R

放射線治療では，一般的に分割照射が行われるが，このことによって，腫瘍内ではさまざまな細胞動態の変動が引き起こされる．そのなかで，放射線治療を効率よく遂行するために考慮

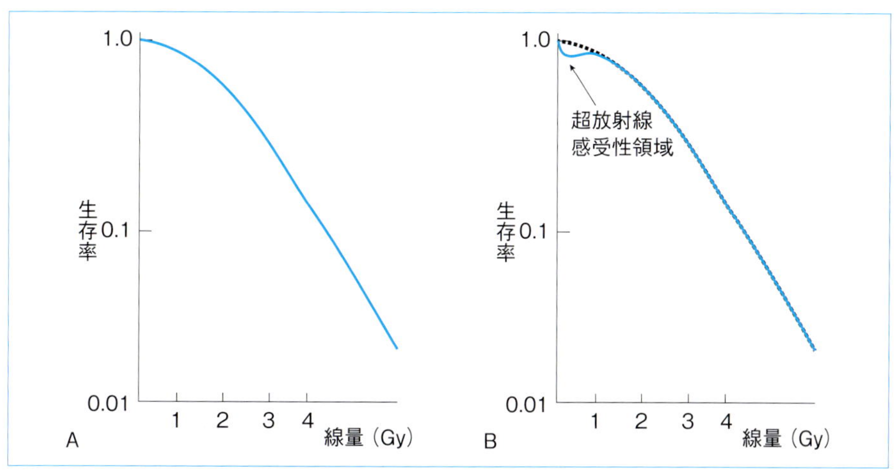

図 6-1-5　低線量超放射線感受性を示す線量－細胞生存率曲線
A：従来の線量－細胞生存率曲線
B：0.5 Gy 以下で超放射線感受性領域を含んだ生存率曲線．0.5 Gy 以下で下方に凸の曲線を示す．

すべき因子が，その頭文字をとって「**4 つの R**」によって説明されてきた．

① **Recovery（回復）/Repair（修復）**：数時間程度時間をおきながら分割照射を繰り返すと，生存曲線の肩の部分が再現され，1 回照射時に比べて生存率が上昇する．片対数グラフ上の線量－生存率曲線は，直線状になる．これを亜致死損傷からの回復（Recovery），または発見者の名前をとってエルカインド回復という．回復は，生存率が上昇する現象論からきているが，この現象は，分子レベルでは DNA 修復に起因することから，最近は，修復（Repair）とよぶことが多い．腫瘍のことのみを考えると，分割照射は不利ということになるが，晩期反応組織では，腫瘍細胞より生存曲線の屈曲が大きく，分割照射した際の亜致死損傷からの回復が大きいことが知られている．したがって，分割照射のほうが治療可能比が大きくなることがわかる．

② **Redistribution（再分布）**：多くの腫瘍細胞では *p53* 遺伝子変異を有しているため，照射後 G2 期停止は顕著に起こり，これを再分布（Redistribution）とよぶ．この細胞周期相は，前述したように放射線感受性であるので，このタイミングで次の照射をすると効果が高まる．G2 アレストが解除され，細胞周期がもとの状態に戻ることを再分布とよぶこともあるので，注意が必要である．

③ **Reoxygenation（再酸素化）**：固形腫瘍が放射線照射されると，血管透過性の変化，腫瘍細胞の酸素消費量の変化，酸素に富んだ細胞が優位に死ぬなどの理由によって，これまで血流が行き届かなかった低酸素分画に酸素が到達するようになる．これを再酸素化（Reoxygenation）とよび，次の照射において増感効果が期待される．分割照射では，これが繰り返されることで，放射線抵抗性である**低酸素細胞**も効率よく致死させることが可能になると考えられる（図 6-1-6）．

④ **Repopulation（再増殖）**：分割照射による放射線治療中にも，腫瘍細胞の増殖が起こることが知られており，これを再増殖（Repopulation）という．そのために，治療期間が長引くにつれ，治癒に必要な線量が増加することになる．頭頸部扁平上皮癌では，治療 4 週後あたりから癌幹細胞の加速再増殖が起こるとの報告がある．分割照射による放射線治療が中断されると，同様の現象が起こることが知られ，ゴールデンウイークや年末に長い中断が入らないよう

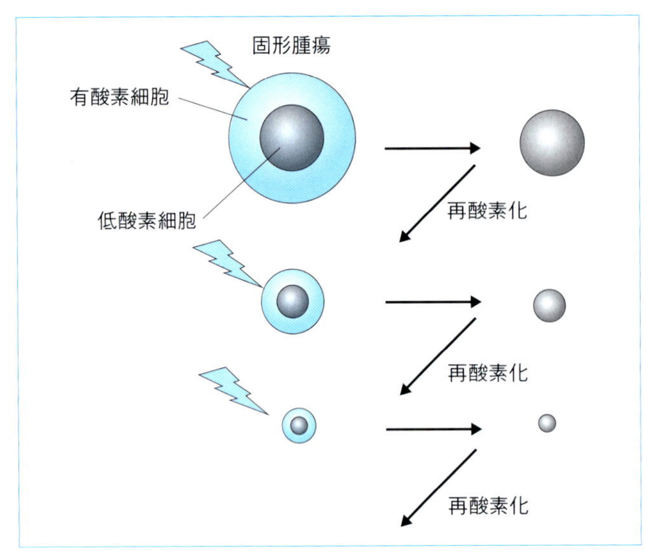

図 6-1-6 再酸素化の概念図
固形腫瘍に放射線が照射されると，感受性の高い有酸素細胞が多く致死し，低酸素細胞が生存するが，再酸素化が起こって次の照射で増感される．分割照射では，これが繰り返し起こることで効果的に細胞死が引き起こされると考えられている．

にするのは，これを防ぐためである．この現象は，照射によって癌幹細胞の分裂様式が，1つの癌幹細胞が癌幹細胞と非癌幹細胞に分裂する非対称分裂から2つの癌幹細胞に分裂する対称分裂にシフトすることや癌幹細胞増殖の加速によって生じるためであると考えられている．

c. 線量率

総吸収線量が同じであっても，線量率が異なると生物学的効果も大きな影響を受ける．一般的に線量率が小さいほど，生物学的効果は小さくなる．したがって，生存曲線は，線量率が小さくなるにつれて，次第に右上方にシフトしていく．このシフトの大きさは，曲線の肩の大きさ，すなわち亜致死損傷からの回復量に依存する．ところが，0.5 Gy/h 前後の線量率では，逆に感受性側にシフトする現象が知られ，逆線量率効果とよばれる．線量率が低下していくと，照射中に細胞周期が進行し，G2 ブロックが引き起こされ，放射線感受性の時期に細胞が蓄積しながら照射されることになるため，この現象が起こると考えられてきた．口腔癌に対して行われる**低線量率小線源治療**で用いられる線量率が，これに相当する．ところが，G2 ブロックが起こらなくても逆線量率効果が認められる場合があり，前述した低線量超放射線感受性が，この現象に関与している可能性が論じられている．さらに低線量率になると，照射中に細胞が増殖し，再度放射線抵抗性を示すようになる．

d. 定位照射

ピンポイント照射技術が進歩することにより，I 期非小細胞肺癌に対して1回>10 Gy という以前には考えられなかった照射が可能になった．定位放射線治療（サイバーナイフ，p.461 参照）では，分割回数は4回程度で1週間以内に治療が終了する．その成績は顕著で，従来の1回 2 Gy，30 回程度分割照射する方法では治癒は望めなかったが，この照射法による成績は，手術と同等であることが証明されている．現在では，頭頸部癌を含め他の腫瘍にも適応が拡大しつつある．しかし，その有効性について，生物学的に明確な説明はついていない．4つのRのうち，再増殖の観点から，1週間以内に治療が終了することが有利に働くことは明白である．また，1回線量を 10 Gy 程度まで増加させると，その生物効果は著明に増大するが，LQ モデルを適用して治癒率曲線を推定すると，臨床データとほぼ一致することから，4つのR以外に特別な生物現象を考慮する必要はないとする主張がある．一方で，4つのRでは説明がつかず，腫瘍血管の損傷による腫瘍の2次的影響と免疫の賦活化を考慮する必要があるとする主張があり，依然論争が続いている．

e. 免　疫

放射線の免疫に対する影響は，古くから知られていたが，免疫チェックポイント阻害薬による治療が実施されるようになり，近年大きく注目されている．がん細胞が照射されると微小核が形成され，cGAS-STING シグナルが出てインターフェロンの放出や細胞傷害性 T 細胞の腫瘍内浸潤が知られる一方で，免疫を抑制する方向に働く PD-L1 の発現が亢進することも知られている．PD-L1 の抗体であるペンブロリズマブなどの免疫チェックポイント阻害薬と放射線との併用に関して，種々の臨床試験が実施されているが，併用タイミングなどについて明確な結論はまだ出ていない．また，1 回線量を高くすることでネクロトーシスが起こり，細胞膜が破裂することでがん細胞の内容物が溢出し，免疫原性を高めるという報告もある．今後の研究が期待される．

f. 線　質

主に X 線や γ 線のような低 LET 放射線による作用を述べてきたが，放射線の種類によって生物学的効果も大きく異なる．近年日本では，陽子線，重粒子線による放射線治療施設が相次いで建設されており，これら粒子線の特徴についての理解も必要である．深部線量率曲線は，電磁放射線と粒子線で大きく異なる．電磁放射線では，エネルギーの違いによるビルドアップの影響はあるものの，基本的に入射表面近傍で吸収線量は最大となり，深部にいくにつれて次第に減少する曲線を示す．それに対し，**陽子線**や**重粒子線**は，入射部で低く，深部で最大となる**ブラッグピーク**を示した後，粒子が停止する特徴的な曲線を示す．このピークを腫瘍の位置に一致させれば，正常組織への線量を大きく減らすことができる．また，単位長さあたりの電離を示す LET の違いは，電離の空間分布にも大きな影響を与え，直接効果による DNA 傷害の生成効率に影響を与えることとなる．DSB を含む大きな損傷であるクラスター損傷の生成効率は，低 LET 放射線では低く，重粒子線などの高 LET 放射線では高いと考えられており，この違いが細胞致死効果の違いとなって現れると考えられている（p.33 参照）．基準になる X 線によって一定の効果を与える線量を，それと同じ効果を与えるのに必要な試験放射線の線量で除した値を**生物学的効果比**（**RBE**）とよぶ．ただし，LET が大きくなりすぎると無駄撃ちが多くなって効率が低下する現象（オーバーキル）が起こる．また，LET が大きくなると酸素効果も認められなくなり，OER は 1 に近づく．したがって，LET に対する RBE と OER の関係は，鏡像関係を示す（図 6-1-7）．

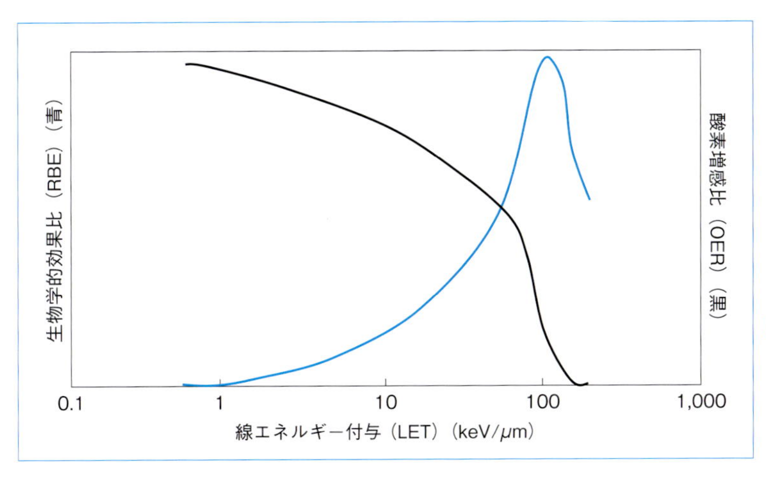

図 6-1-7　線エネルギー付与（LET）と生物学的効果比（RBE），酸素増感比（OERE）との関係

2 放射線治療の概念と治療機器

1）放射線治療とは

放射線治療とは，病巣に対して放射線を照射することによって病巣を消去し治療するもので，多くはがん病巣が対象となる．

大きなエネルギーともいえる放射線のもつ電離作用によってがん細胞内のDNAにダメージを与え，細胞死を引き起こすことが放射線治療の基本的なメカニズムである．どのようながん細胞であっても，放射線の線量を増せば細胞死する．しかし，がん細胞周囲の正常細胞に放射線が照射されると，有害事象（副作用）が発生する．したがって，いかにがん病巣に放射線を集中させ，いかに正常組織に放射線を照射しないかが，放射線治療の成否のポイントとなる．

一般的にがん細胞と正常細胞では，放射線による傷害の程度にほとんど差はない．しかし，がん細胞では正常細胞に比べて放射線による傷害からの回復に時間がかかる．そこで，がん細胞が回復しないうちに放射線を繰り返し照射することで，正常細胞を回復させながら，がん細胞に大きなダメージを与えることができる．これを**分割照射法**とよぶ．

放射線治療の第一の特長は，がん病巣を切除せずに治療できることである．これによって，臓器・組織の機能や形態を温存できる．また，放射線治療は局所療法なので，全身への大きな影響はない．さらに外部照射法や一部の小線源治療では外来通院も可能である．

2）放射線治療の目的

放射線治療ではがん病巣を完全に消去し根治することを目指すが，根治できないまでも症状を軽減するなど姑息的に行う場合もある．

（1）根治的放射線治療

がん病巣を完全に消去し，根治することを目的に行う放射線治療のことを，根治的放射線治療とよぶ．

（2）緩和的放射線治療

放射線治療は局所療法であり，局所（照射部位）以外には有害事象は少なく，全身状態に与える影響は少ない．そこで，完治は目指せないものの，症状を緩和することによって患者のQOLを高めようとするのが緩和的放射線治療である．がん病巣による出血や，骨転移による疼痛の改善を目的とすることが多い．

3）放射線治療の方法

病巣に対して放射線を体外から照射する方法（外部照射法）と，体内から照射する方法（小線源治療）に大別される．また放射性物質（Radioisotope；RI）を注射する放射線内用療法も臨床応用されはじめた．外部照射法に粒子線治療法を含めることがある．

（1）外部照射法

A．直線加速器による治療

主として**直線加速器**（Linear accelerator：**リニアック**）を用いて，身体外部からがん病巣に対して放射線照射を行う．放射線治療のための手術や麻酔の必要はなく，外来通院も可能である．

一般的には，大型の直線加速器を用いて，高エネルギーのX線や電子線をがん病巣に照射する（図6-2-1）．電子銃から放たれた電子を4〜20 MVの超高電圧で加速し，その加速された電子をがん病巣に直接照射したり（**電子線治療**），

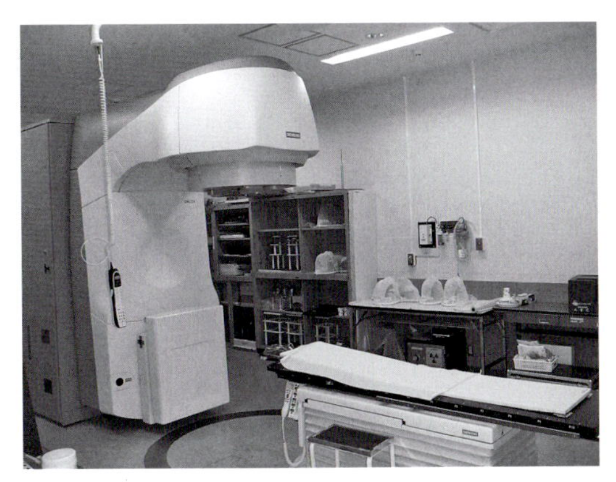

図 6-2-1　IMRT 機能を備えたリニアック

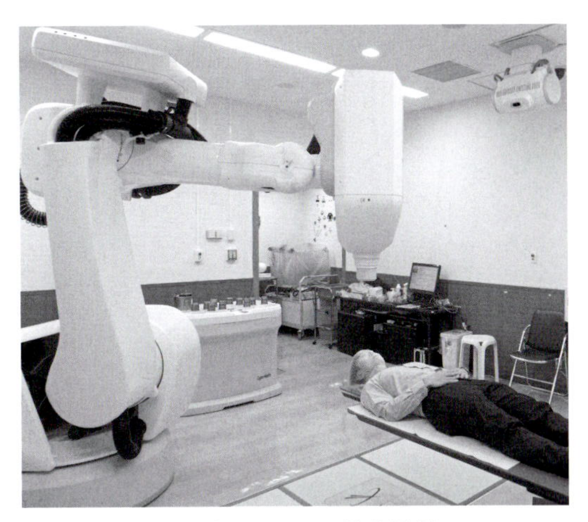

図 6-2-2　サイバーナイフの治療風景
ロボットアームの先端にある小型の放射線治療装置から細いX線が射出される．患者の周囲の数百ヶ所から対象をピンポイントで狙い打ちする．

加速電子をターゲットに衝突させ，生じたX線をがん病巣に照射したりする（**X 線治療**）．電子は深部へ届きにくい（電子の深部線量率は低い）ため，電子線治療は表在性のがん病巣に適用される．

がん細胞の放射線による傷害からの回復時間が正常細胞より長いことを利用するため，少線量（1.2～3 Gy 程度）を 1 日に 1～2 回，20～30 日間かけて繰り返し照射する．線量率を毎分 2.0 Gy（毎時 120 Gy）とすると，1 回の照射時間は約 1 分となる．

また，小型化した直線加速器をロボットアームに取り付け，非常に多くの方向から細いビームの放射線照射を行う方法もあり，**サイバーナイフ**（Cyberknife®）とよばれる（図 6-2-2）．

B. 粒子線による治療

陽子や原子核を用いて行う放射線治療を粒子線治療とよぶ．大型機器を用いて，プラスの電荷を有する陽子や炭素の原子核などを加速し，粒子に大きな運動エネルギーを与え，病巣に照射する放射線治療を陽子線治療や重粒子線治療とよぶ．

a. 陽子線治療・重粒子線治療

シンクロトロンやサイクロトロンなどの加速器で加速された荷電粒子は，体内に入ると，運動エネルギーを失っていく（速度が減少する）．移動中の荷電粒子は，速度の 2 乗に反比例した抵抗力を受けるため，速度が 0 に近づくと非常に大きな抵抗力を受け急停止する．この停止点の付近では，粒子によって非常に大きな電離を受け，大線量を発生する（**ブラッグピーク**；Bragg peak，図 6-2-3）．しかしながら，この停止点以外では大きな電離は起きず，さらに，停止点の位置は加速の程度によって可変であるため，病巣に大きな線量を集中させられることが利点である．

b. ホウ素中性子捕獲療法（Boron Neutron Capture Therapy；BNCT）

病巣に特異的に取り込まれる特殊なホウ素化合物をあらかじめ投与し，病巣付近に中性子を照射すると，ホウ素と中性子の核反応によって α 線と ^{7}Li 反跳核が生じる．この α 線の飛程は 10 μm 程度で，^{7}Li 反跳核の飛程も 7 μm 程度であるため，それぞれの飛程の距離は細胞の大きさに類似している．したがって，α 線と ^{7}Li 反跳核のもっていた大きな運動エネルギーはホウ素の存在する細胞にのみ与えられ，腫瘍細胞のみが選択的にダメージを受ける．

(2) 小線源治療

放射性同位元素を，病巣内に刺入・留置した

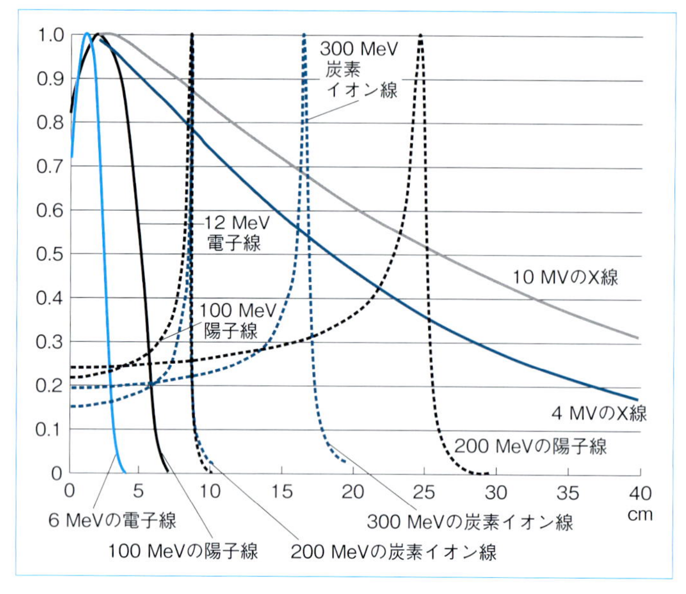

図 6-2-3　各種放射線の深部線量率
電子線やX線では体表近くで線量が最大となり深部に行くに従って低下する．これに対して，陽子線や炭素イオン線では停止する直前で最大（Bragg peak）となる．

り（**組織内照射法**），病巣の存在する腔内に挿入したり（**腔内照射法**），病巣に近接して設置したりして（**モールド照射法**），RIから放出される放射線（主にガンマ線）によって病巣を消去するのが小線源治療である．

小線源治療の最大の利点は，病巣へは高い線量を集中し，周囲正常組織の線量を低く抑えられることである．また，外部照射法と比べて治療期間が短い．

RIの線源は，そのまま利用する非密封線源と，金属などに密封して用いる密封線源に分類されるが，小線源治療ではサイズの小さな密封線源（**密封小線源**）を用いる．

密封小線源の核種は，以前は半減期が1600年程度の^{226}Raが用いられていたが，現在では半減期の短い^{192}Irや^{198}Auなどが用いられている．放射線治療で用いられる主な核種と，その半減期とエネルギーを表 6-2-1に示した．

使用する小線源の線量率によって，毎時0.4 Gy～2.0 Gyの線量率のRIを使用する低線量率小線源治療と，毎時12.0 Gy以上の線量率のRIを使用する**高線量率小線源治療**とに分類される．

施設によって，使用できる核種や装置が限られているので，それぞれの特徴を考慮しながら施行しているのが現状である．小線源治療と外部照射法の比較を表 6-2-2にまとめた．以下に主な小線源治療について記す．

表 6-2-1　放射線治療で用いられる主な核種の半減期とエネルギー（Haynes WM, 2012[2]）

主な核種	半減期	ガンマ線のエネルギー（MeV）
^{60}Co	5.271年	1.173，1.332
^{125}I	59.4日	0.036
^{137}Cs	30.2年	0.662
^{192}Ir	73.83日	0.316，0.468
^{198}Au	2.695日	0.412
^{226}Ra	1599年	0.053-2.448

A．低線量率小線源による組織内照射

低線量率の小線源を組織（がん病巣）内に直接刺入して，小線源から放出されるガンマ線によってがん病巣を消去する．

局所麻酔後，ヘアピン型のステンレス製ガイドをがん病巣に刺入し，ガイドの位置をX線画像にて確認した後，ヘアピン型ワイヤ状の小線源（^{192}Ir）と置き換える．小線源を留置したまま，RI病棟の遮蔽病室で4～7日間にわたって

表 6-2-2　外部照射法と小線源治療の比較

	外部照射法	低線量率小線源治療	高線量率小線源治療
放射線治療前の処置	不要	必要	必要
処置の時間	—	短い	長い
麻酔量	—	少ない	多い
入院	不要	必要	必須
遮蔽病室	—	必要	不要
対象病巣の大きさや形状	任意	制限あり	任意
線量分布の正確性	正確	やや不正確	正確
1回の照射時間	短い（数分程度）	非常に長い（1週間程度）	短い（数分程度）
全照射期間	長い（1カ月程度）	短い（1週間程度）	短い（1週間程度）
有害事象（副作用）の範囲	広い	狭い	狭い
術者の被曝	ない	ある	ない

放射線照射を行う．目標線量に達したら，小線源を抜去する（図 6-3-5 参照）．

刺入のために局所麻酔は必要であるが，麻酔量は少なく，侵襲性は低い．少ないながらも術者の被曝があり，遮蔽病室の設置が必要となる．

粒状の小線源（^{198}Au）を専用の刺入器を用いて病巣内に直接刺入する方法もある．^{198}Auの半減期は短いので，抜去せず，永久的に留置する．

B. 高線量率小線源による遠隔後装塡型の組織内照射

放射線治療前に小手術を行い，がん病巣内に中空のチューブを設置する．その後，遠隔操作によって高線量率の小線源を病巣内に設置されたチューブに移送し，放射線照射を行う（図 6-2-4，図 6-3-6 参照）．

設置したチューブの位置を CT で確認し，造影 CT や MRI での腫瘍の位置と照合し，小線源の停留点とその点における滞留時間を決定する．そして，一般的には 1 回 6 Gy の照射を 9～10 回，5 日間で行い，一連の照射後にチューブを抜去する．

小線源の停留点とその点における滞留時間を自由に変更できるので，任意形状の線量分布の作成が可能である．

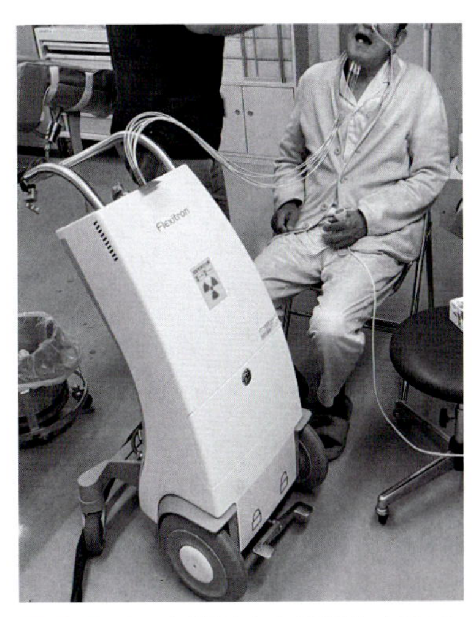

図 6-2-4　高線量率小線源治療装置

C. 高線量率小線源によるモールド照射法

モールド照射法は，表在性のがんが対象となる．がん病巣に接する装置をレジンなどで作製し，その装置内にチューブを設置し，遠隔操作によって高線量率の小線源をチューブに移送し，放射線照射を行う．表層のみに高線量を与えることが可能で，深層は低線量となる．

(3) RI を用いた内用療法

RI を血管内や腫瘍内に注射し，RI から発せられる放射線によってがん病巣を消去しようと

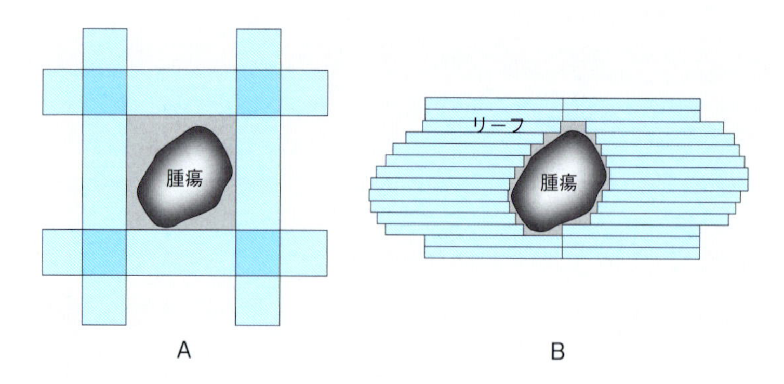

図 6-2-5　**照射野の比較**
A：従来の外部照射法の絞り．B：MLC を用いた外部照射法の絞り．IMRT では，リーフを動かす．

するもので，主に β 線を放出する核種が用いられているが，より高い治療効果を期待して，α 線を放出する核種を用いた内用療法も臨床応用されはじめた．

高 LET 放射線である α 線は，飛程が短く（β 線の 1/10 から 1/100 程度）エネルギーが大きいので，大きな腫瘍制御効果と周囲正常組織への非照射の可能性がある．α 線を放出し半減期が適切な長さである ^{223}Ra や ^{211}At などが用いられている．Ra は Ca と同族元素であるため骨に集積しやすく，骨転移症例に適用がある．At は I と同族元素であるため甲状腺に集積しやすく，甲状腺がんへの応用が期待されている．

4）有害事象の軽減と照射の精度を高める技術

(1) 多分割コリメータ（Multi-leaf collimator；MLC）

以前の外部照射法では，2 対の鉛ブロックを用いて，病巣を含むように長方形の照射野で照射していた．長方形の照射野では対象部位以外に放射線が照射される部分が大きく，正常組織の照射体積が大きかった．

多分割コリメータは，10 mm 以下の幅の薄い鉛製の複数のコリメータ（リーフ）によって，病巣の形状に合わせた照射野を作成する（図 6-2-5）．

なおサイバーナイフの場合は，虹彩型コリメータ（Iris collimator）を採用している．アナログカメラの絞りに似た構造で，任意の直径の円形照射野を作成する．

(2) 強度変調放射線治療（Intensity Modulated Radiation Therapy；IMRT）

1 つの照射野内の放射線の強度に偏りのあるビームを作成して放射線照射するものである．

上述の MLC の開口部の形状を時間的に変化させ，同じ照射部位であっても照射野内の線量に強弱をつけられるようになった．これまでは，病巣に取り囲まれていた正常組織には周囲の病巣と同じ線量が照射されていたが，IMRT を使用することによって，病巣の線量を維持しながら正常組織への線量を可及的に低くし，有害事象を防止したり軽減したりすることが可能となっている（図 6-2-6）．

通常の IMRT では，照射装置のガントリーを複数の位置に静止させ，その位置で強弱をつけたビームを用いて照射を行うが，照射時間が長いのが欠点である．**強度変調回転放射線治療**（Volumetric-modulated arc therapy；VMAT,

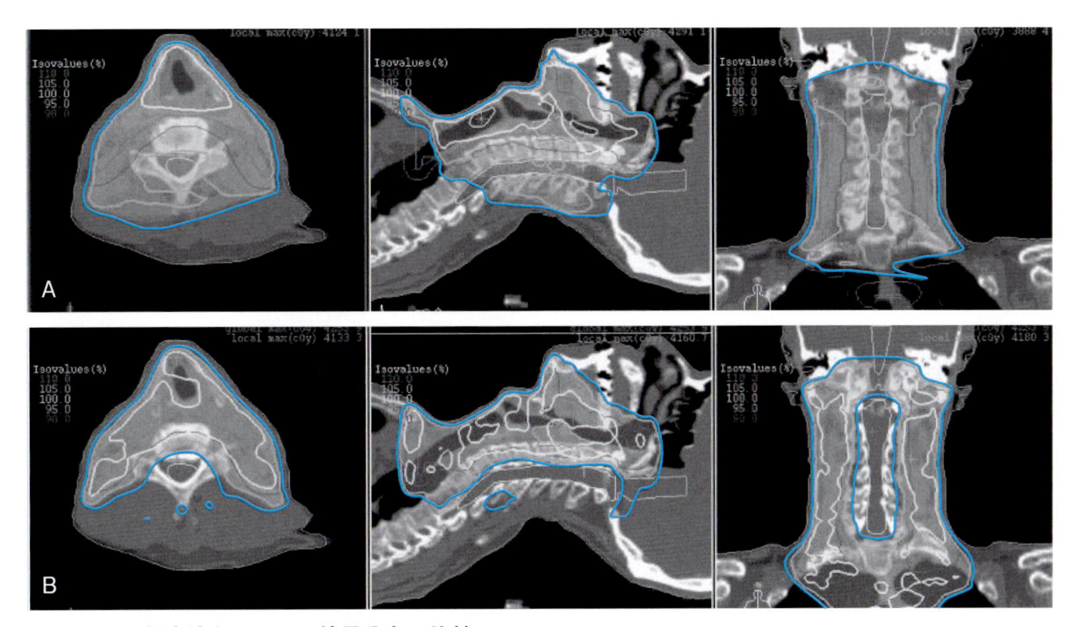

図 6-2-6　従来法と IMRT の線量分布の比較
A：従来法の線量分布．B：IMRT の線量分布．
従来法ではリスク臓器の一つである脊髄に周囲の対象領域と同じだけ照射されていたが，IMRT では脊髄への照射はほとんどされていない．

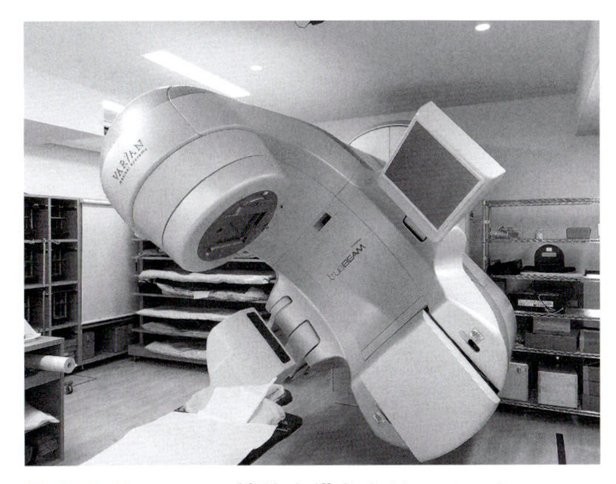

図 6-2-7　VMAT 機能を備えたリニアック

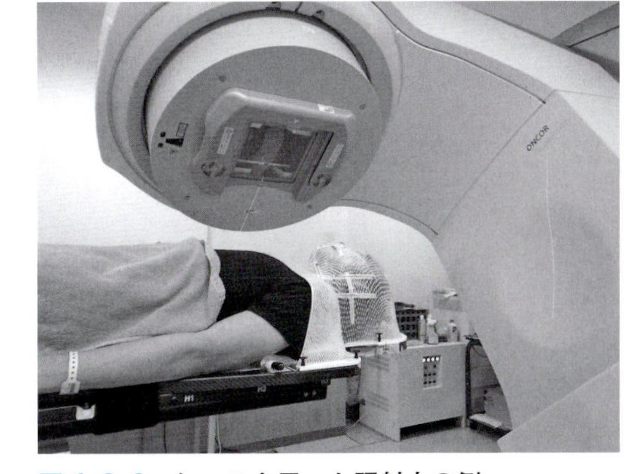

図 6-2-8　シェルを用いた照射中の例

図 6-2-7）では，ガントリーを回転させ，MLC を動かしながら IMRT を行うが，同時にガントリーの回転速度と線量率も変化させながら放射線照射を行う．これによって，短時間でより精度の高い外部照射を行うことが可能となった．

さらには，患者が仰臥位となり，CT のように放射線治療用の管球が身体周囲を回転しながら高エネルギーの放射線を照射する Tomotherapy も臨床で使われている．

(3) 画像誘導放射線治療（Image Guided Radiation Therapy；IGRT）

近年の放射線治療では，放射線治療計画に CT や MRI の画像を用いて，詳細に治療計画を立案する．そして，プラスチック製のシェルやポリエチレンビーズのクッションなどの固定具を用いて患者を固定する（図 6-2-8）．IGRT では，照射時の患者の位置を，X 線，赤外線，超音波などを用いて把握し，計画時との差異を認識し，患者を正しい位置に誘導したり，直線加速器を移動したりしながら，精度の高い放射線治療を行う．

5）放射線併用療法

放射線治療には，単独で行う場合と，抗癌剤や手術と併用する場合がある．転移の可能性，患者の全身状態，および患者の希望などにより，併用の有無や方法が選択されることが多い．

(1) 抗癌剤などとの併用療法

A．個体レベルでの併用療法

局所療法である放射線治療に，抗癌剤などを静脈注射する化学療法による全身療法を併用し，放射線治療では原発巣を，化学療法では転移病巣を制御しようとする．

B．細胞レベルでの併用療法

原発巣の制御において，局所療法である放射線治療に加えて，動脈注射で抗癌剤を投与することによって，がん細胞への傷害を増強させる．

また最近では，抗癌剤の欠点である非特異性を克服するため，がん細胞のもつ分子標的に対して特異的に作用する分子標的剤を静脈注射する併用療法も行われ始めた．

(2) 手術との併用療法

放射線治療を手術と併用する場合，手術の前後のいずれに行うかによって分類される．

A．術前照射

手術に先立って放射線治療を原発巣に行うことによって，原発巣のサイズの縮小を目的に行う．

B．術後照射

原発巣や転移病巣の切除の後，微視的ながん細胞の残存に対して放射線治療を行うもの．原発巣の断端陽性，転移リンパ節の被膜外浸潤が病理組織学的に確認された場合は適用となる．

3 頭頸部放射線治療の実際

1）頭頸部癌

頭頸部癌には，口唇・口腔癌をはじめ，咽頭癌，喉頭癌，鼻腔・副鼻腔癌，唾液腺癌，甲状腺癌が含まれる．わが国の悪性新生物による死亡中に占める頭頸部癌の割合はおおよそ2〜3%となる．

頭頸部癌の主たる治療法としては，外科的手術，放射線治療，化学療法があげられるが，実際にはこの三者あるいはいずれか二者を組み合わせて治療を行うことが多く，それぞれの専門診療科の間で連携を保つことが重要である．そのうえで，頸部リンパ節転移や遠隔転移のない舌癌や頬粘膜癌に対しては，機能温存の観点から放射線治療単独で根治治療を行うことも可能である．頭頸部癌の放射線治療としては，部位により照射方法が異なり，特に外部照射を主体とする咽頭癌などと，口腔癌のように外部照射や組織内照射が併用されるものとがある．

2）口腔癌

口腔癌には，頬粘膜癌，上顎歯肉癌，下顎歯肉癌，硬口蓋癌，舌癌，口底癌が含まれる．口唇癌は厳密には口腔に含まれないが，口腔癌と同等に取り扱われることが多い．『科学的根拠に基づく口腔癌ガイドライン』によると，口腔癌に関する正確な全国調査は実施されていないが，わが国における口腔癌罹患者は約7,800人と推定されている．これは，全癌の1〜2%，全頭頸部癌の約40%を占める．発生部位としては舌60.0%，歯肉17.7%，口底9.7%，頬粘膜9.3

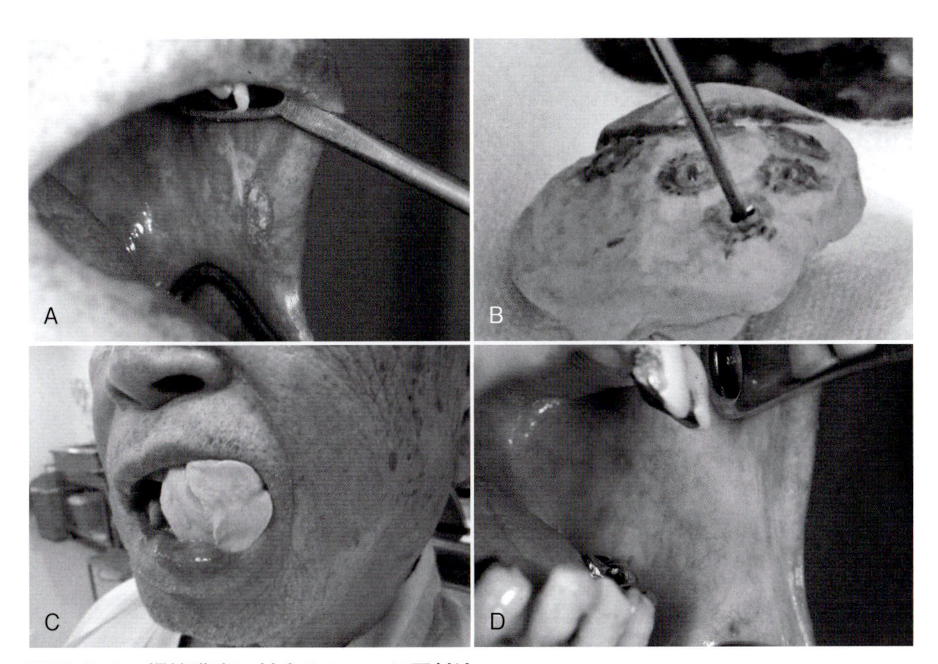

図6-3-1 頬粘膜癌に対するモールド照射法
A：初診時口腔内．左側頬粘膜から下口唇にかけて20×11 mm大の表在性病変が認められる．B：病変部に接するようにシリコーン印象材を加工し，病巣範囲に一致させて ^{198}Au の粒状線源を埋入．C：モールド装置を口腔内に装着．D：放射線治療後の頬粘膜部．

%で，これらで95%以上を占めている．組織学的には，口腔悪性腫瘍の90%は扁平上皮癌であり，放射線感受性は中等度である．

口腔癌に対する放射線治療としては，原発腫瘍の発生部位や進展度，組織型などによりそれぞれ異なってくる．また，組織の**放射線耐容線量**も異なる．しかしながら，口腔は視診，触診により直接腫瘍範囲を診察することが可能な領域であり，手術操作も可能なことから，外部照射と併せて**組織内照射**および**モールド照射**が適用される．モールド照射とは，義歯や義歯に類似した線源保持装置に ^{198}Au の粒状線源などを埋入し，これを患部に装着して照射を行う方法であり，歯科的技術が応用される（図 6-3-1）．また，**遠隔操作式後装塡システム**による ^{192}Ir 線源を用いたモールド照射も行われている．口腔癌に対する放射線治療の位置づけや実際の照射方法は，その施設の診療体制を反映しており，施設間で相違がみられる．さまざまな照射方法が考えられるがゆえに，治療開始前に部位，腫瘍の大きさ，病理組織学的所見，領域リンパ節や遠隔臓器への転移の有無などを十分考慮して，病状の経過に即応できる一貫した治療方針と計画が検討されなければならない．

近年，放射線治療機器の進歩により，口腔癌に対しても**三次元原体照射**（3D-CRT：three-dimensional conformal radiation therapy）のみならず，**強度変調放射線治療**（IMRT：intensity modulated radiation therapy，p.464）を施行可能な施設が増加している．IMRT によって腫瘍線量を増加させることも可能であるとともに，大唾液腺や脊髄への線量低減が可能となり，より有害事象の少ない根治照射が可能となる（図 6-3-2）．さらには，IMRT の進化形である**強度変調回転照射**（VMAT：volumetric modulated arc therapy，p.464）も用いられるようになり，より短時間で照射でき，高精度化が進んでいる．

(1) 口唇癌

口唇癌に対し外科的手術を施行した場合，機能欠損によって患者の QOL は著しく低下する．放射線治療としては外部照射あるいは組織内照射を行う．小さな腫瘍であれば X 線や電子線による外部照射で根治が可能であるが，30〜40 Gy の外部照射で腫瘍が残存する場合には残存する腫瘍に対して組織内照射が有効である．また，小さな腫瘍に対し組織内照射単独で治療することも可能である．

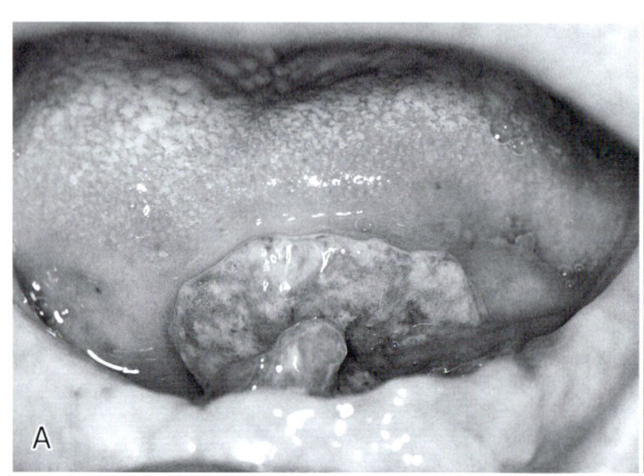

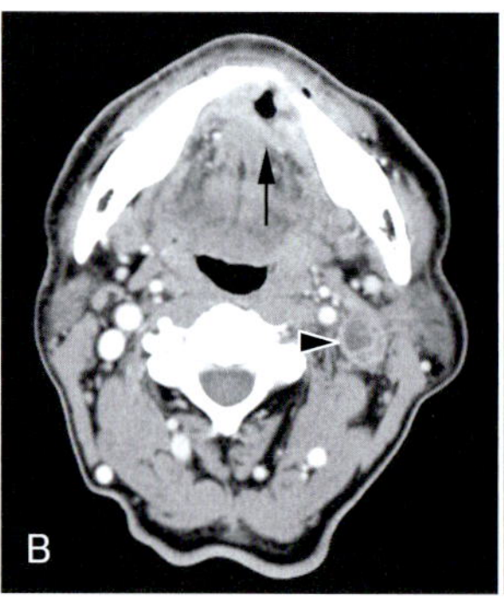

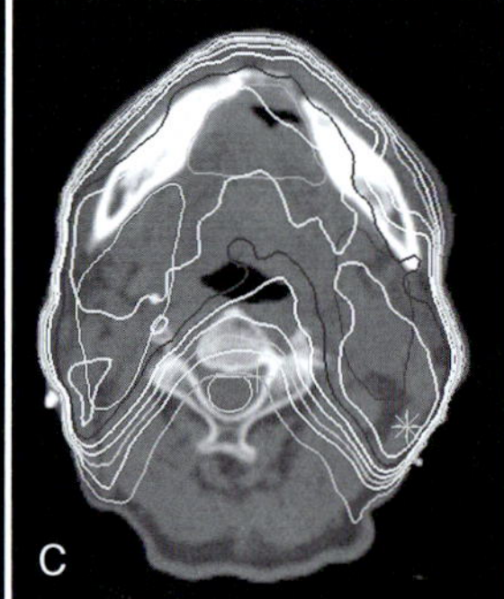

図 6-3-2　口底癌両側リンパ節転移例に対する強度変調放射線治療
手術不可能症例のため根治的化学放射線療法にて治療施行．A：初診時口腔内．口底正中部に 30×25 mm 大の外方性の腫瘤が認められる．B：初診時造影 CT 像．口底部に 30×16 mm 大の造影性を有する領域が認められ（矢印），17×14 mm 大の左側上内深頸リンパ節転移像が認められる（矢頭）．C：化学放射線療法時の口底レベルの放射線治療線量分布図．原発部および頸部リンパ節領域を線量処方領域として十分な線量を投与し，脊髄への線量は低下させている．

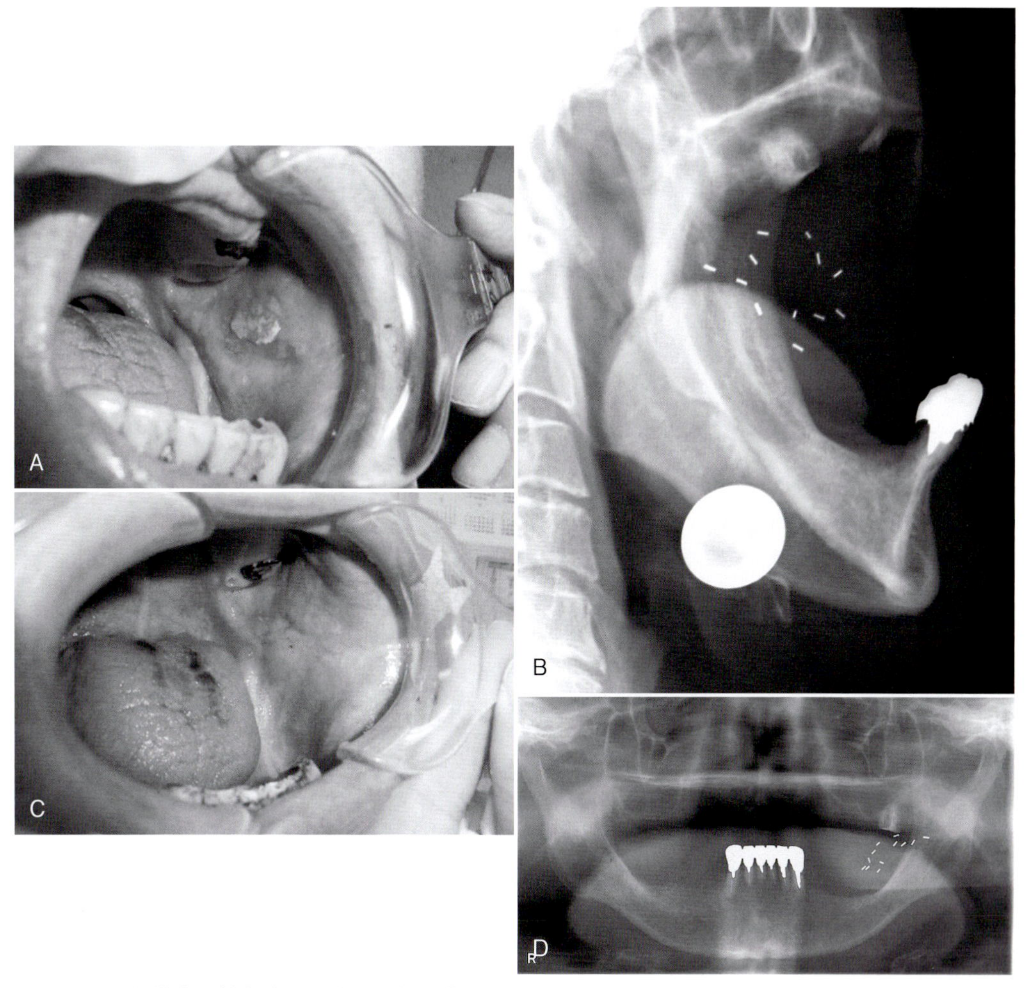

図 6-3-3　**組織内照射単独で治癒した頬粘膜癌**
A：初診時口腔内．左側頬粘膜部に 23×14×4 mm 大の腫瘤が認められる．B：^{198}Au 線源刺入後の X 線画像．12 個の線源が確認できる．顎下部皮膚表面に 10 円硬貨（直径 23.5 mm）を添付して撮影し，距離計測の参照として利用．C：放射線治療後の口腔内写真．腫瘍は認められない．D：経過観察時のパノラマ X 線画像．^{198}Au 線源は永久刺入されるため X 線画像で描出される．

(2) 頬粘膜癌

頬粘膜癌の放射線治療は，腫瘍が固有の頬粘膜に限局している場合と，臼後結節や歯肉頬移行部に発生し，歯肉や顎骨に浸潤の認められる場合では，異なる方法が用いられる．

頬粘膜に限局したもので T1～T2 の早期癌では，組織内照射やモールド照射で治療を行う．表在性の限局したものに関しては ^{198}Au の粒状線源を用いる場合もある（図 6-3-3）．厚みのある浸潤性の腫瘍では，30～40 Gy の外部照射を先行し，腫瘍が縮小してから組織内照射やモールド照射を行う．また，健側である反対側の唾液腺など，局所以外への照射線量を可及的に減少させるため，X 線による外部照射に電子線を追加する場合もある．特に早期の場合は，電子線併用の外部照射や，それらに化学療法を加えることによって根治が可能である．

顎骨浸潤を伴うような進展例では原則手術を行うため，外部照射による術後照射が適応になる．

(3) 歯肉癌

歯肉癌に対しては顎骨離断手術を施行するのが一般的で，特に顎骨への浸潤が明らかに認められる場合は，放射線単独での治癒は困難である．手術後の断端陽性例では60 Gy 程度の外部照射による追加治療が行われる．比較的骨浸潤の少ない表在性の癌であれば，外部照射と化学療法の併用で根治が可能である．この場合，導入治療として外部照射 30 Gy に化学療法を併用し，導入治療終了時点での効果判定で完全寛解が得られた場合に，追加照射として 30 Gy 程度の照射を行う．導入治療にて完全寛解が得られない場合には，粘膜炎消退後に手術を施行する．

近年はシスプラチンを主体とした化学療法併用で上記の治療が行われている．

(4) 硬口蓋癌

硬口蓋癌については，頻度も少ないため，発生部位や進展範囲により症例ごとに個別化した治療法が適用されることが多い．放射線治療としては外部照射が主体である．硬口蓋癌は小唾液腺から発生する腺癌や腺様嚢胞癌の頻度が高い．扁平上皮癌であれば上顎洞癌の浸潤でないことを確認する必要がある．早期の扁平上皮癌であれば外部照射で治療を行う．骨浸潤が著明でない場合は，モールド照射も適応となる．骨浸潤が著明な場合は，手術を予定した術前照射を行うこともある．あるいは手術後の断端陽性例に対しての術後照射を行うこともある．腺癌や腺様嚢胞癌であれば手術と術後照射が選択される．

(5) 舌　癌

舌癌原発巣に対する治療法としては，放射線治療が選択されることも多い．その理由としては，治療成績がよいことに加えて，手術による組織欠損を回避して，機能を温存できることがあげられる（図 6-3-4）．早期舌癌に関しては，手術と組織内照射を主体とする放射線治療の治療成績はほぼ同等である．頸部リンパ節転移に関しては，手術を主体に考える．ごく初期の舌癌で機能障害を伴わない場合や，進展例の舌癌で一塊として摘出し再建手術を適応する場合など，手術を主体に治療することもある．

舌癌に対する放射線治療の術式は，原発巣に対しては，組織内照射が主体になることが多い．組織内照射単独治療の場合，**^{192}Ir ヘアピン**による低線量率組織内照射（図 6-3-5）では 70 Gy，^{192}Ir 線源を用いた遠隔操作式後装塡法による**高線量率組織内照射**（図 6-3-6）では 60 Gy の線量を照射する．表在性の限局したものに関して

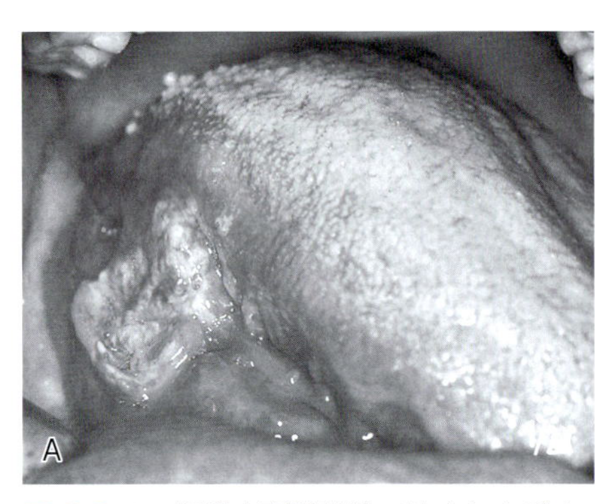

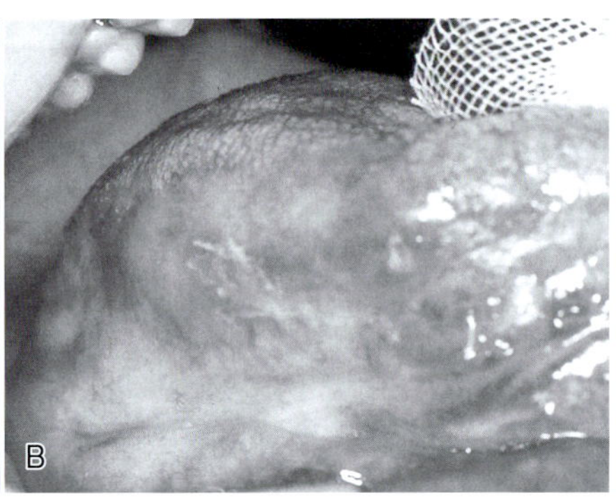

図 6-3-4　組織内照射単独で治癒した舌癌
A：初診時口腔内．右側舌縁部に大きさ 23×20 mm 大の外方性の腫瘤が認められる．B：高線量率組織内照射後の口腔内写真．

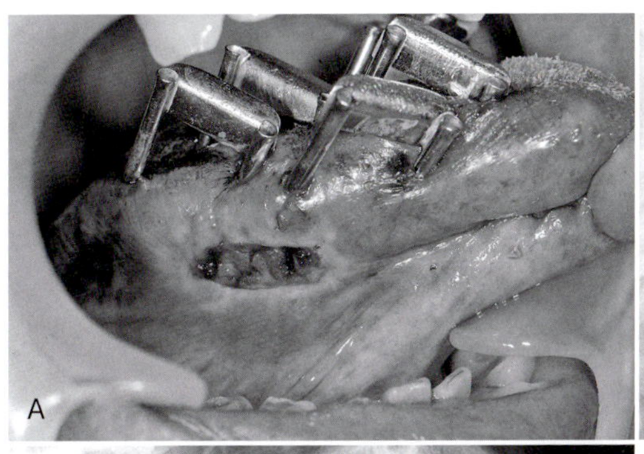

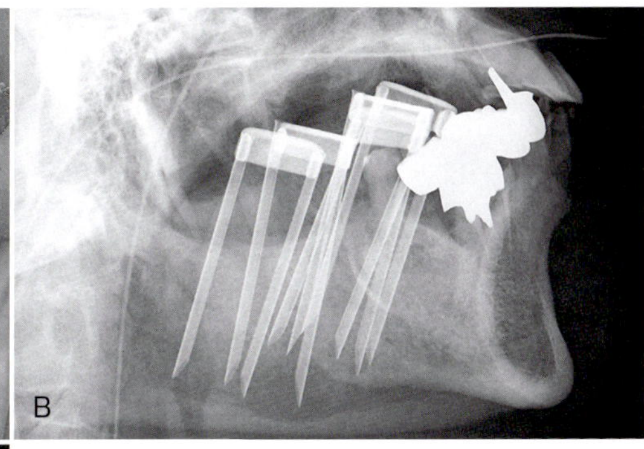

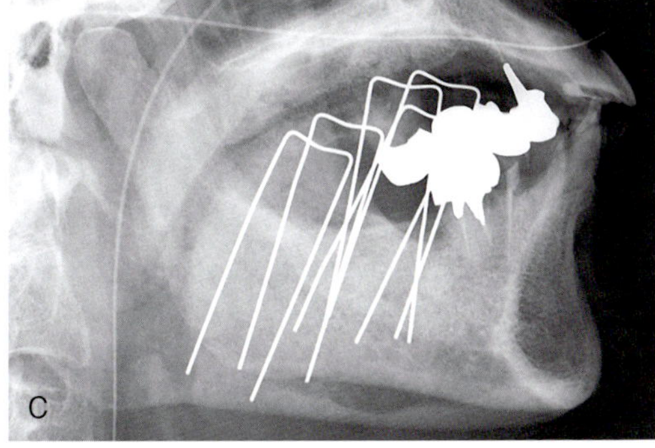

図 6-3-5　舌癌に対する低線量率組織内照射

A：ガイド針刺入時の口腔内．B：X 線画像によるガイド針の確認．C：X 線画像によるイリジウムヘアピン線源の確認．

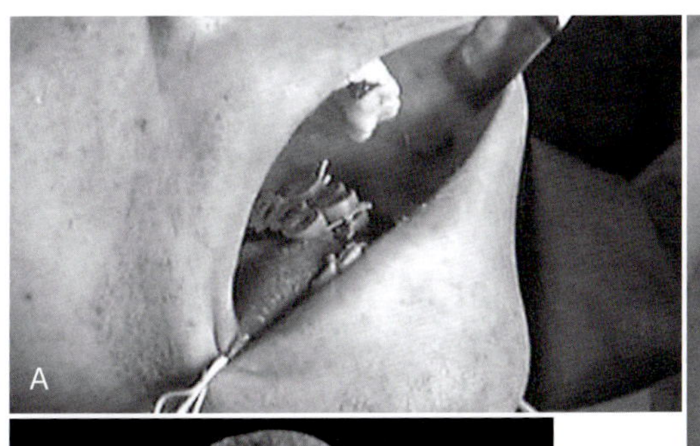

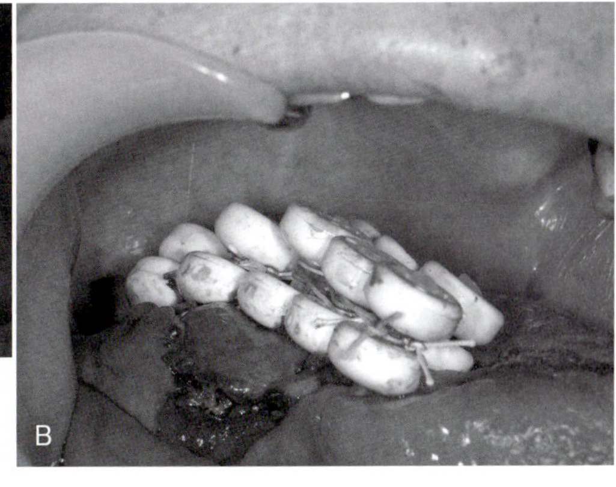

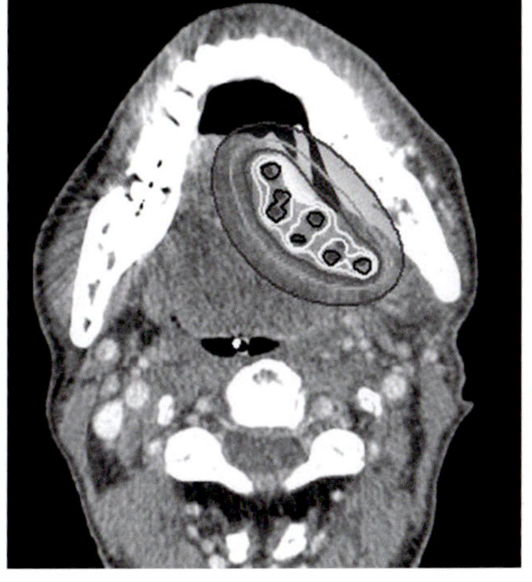

図 6-3-6　舌癌に対する高線量率組織内照射

A：顎下部からの金属針刺入およびフレキシブルチューブ置換施行時の口腔内写真．B：フレキシブルチューブ留置後の口腔内写真（A とは別症例）．C：CT 画像を用いた画像誘導小線源治療の線量分布図（B とは同一症例）

は ^{198}Au の粒状線源を用いる場合もある．腫瘍の厚みがある比較的進展した症例では，外部照射を 30〜50 Gy 行い，組織内照射を追加する．その際の照射線量は，低線量率組織内照射では 60 Gy，高線量率組織内照射では 48 Gy 程度である．舌癌に対して外部照射を併用する意味としては，外部照射による腫瘍の縮小を期待し，その後の組織内照射を施行しやすくすること，また，均質な線量を投与することであるが，一方で唾液腺への照射線量増加による口腔乾燥症や，下顎骨への線量増加による下顎骨骨髄炎の発症など，有害事象への考慮も必要となる．

比較的舌の前方部に位置し，厚みの薄い腫瘍では，照射筒を用いて直接局所に**電子線**を照射する場合もある．この場合，舌自体がほぼ筋肉で構成されており放射線に対する耐容線量が比較的高い臓器であるため，1 回線量を増加し，照射回数を減少させることも可能である．この方法では，高齢者や合併症のある症例で安全に治療ができるという利点があるが，照射野の再現性が問題となる．

その他の方法として，舌動脈に**超選択的動注カテーテル**を留置し，動注化学療法併用の外部照射が行われることもある．

(6) 口底癌

口底癌の放射線治療は組織内照射を主体として行われることが多い．腫瘍の厚さが大きなものでは 30〜40 Gy の外部照射後に組織内照射を行う．しかし，口腔底は舌に比べて放射線耐容線量が低く，根治的放射線治療後にしばしば軟組織の壊死，欠損をきたし，微細な創傷がきっかけとなって難治性の潰瘍や重篤な顎骨骨髄炎を併発することもある．そのため，歯肉への浸潤がある症例や腫瘍容積の大きな進展例では，外科的手術が選択される．

3) 口腔隣在組織癌

口腔癌には含まれないものの，口腔隣在組織として上顎洞癌と唾液腺癌がある．

上顎洞癌は一般に扁平上皮癌が多く，その放射線感受性は中等度である．扁平上皮癌以外は，腺癌，腺様囊胞癌，悪性リンパ腫などであるが，腺系腫瘍の場合には，扁平上皮癌よりも放射線感受性が低いため，処方線量の増加が必要となる．

唾液腺癌には大唾液腺原発と小唾液腺原発の2つのタイプが存在する．いずれにせよ腺癌，腺様囊胞癌が多数を占め，放射線感受性が低いため，手術を第一選択とし，放射線療法としては術後照射が適応となる．

(1) 上顎洞癌

上顎洞は，周囲に眼球，視神経，脳などの重要臓器が隣接しているため，隣接臓器に浸潤が認められる場合には完全切除が困難であり，また，拡大手術による形態および機能欠損が患者の QOL を低下させるため，化学放射線療法が主として行われる．化学療法としては，動注化学療法や静注化学療法が選択される．放射線としては 60〜70 Gy の線量処方が行われる．以前は，手術，放射線療法，動注化学療法を併用する**三者併用療法**が行われてきた（図 6-3-7）．しかし，手術の程度，放射線線量，使用薬剤などは施設間のばらつきが大きい．手術としては，化学放射線治療期間中旬に行われる開洞および掻爬術，化学放射線治療終了後に行われる掻爬術を用い，放射線線量としては扁平上皮癌の場合は 50〜60 Gy，化学療法としては動注化学療法を行い，使用薬剤としてはシスプラチンおよび 5-Fluorouracil を用いることが多い．

(2) 唾液腺癌

通常は外科的手術が第一選択であり，放射線療法は術後照射として用いられることが多い．

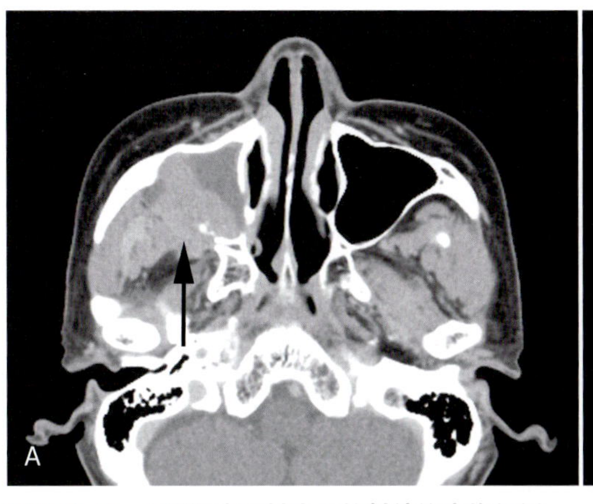

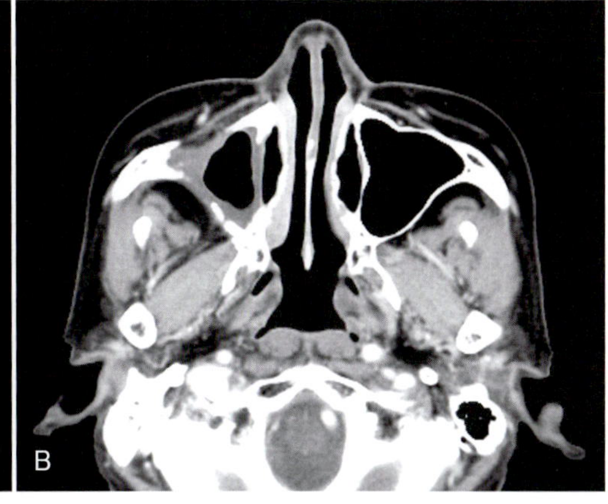

図 6-3-7　上顎洞癌に対する放射線治療施行例
A：初診時造影 CT 像．右側上顎洞後壁を中心にわずかに造影性を有する腫瘤性病変が認められる（矢印）．B：三者併用療法後の造影 CT 像．右側上顎洞前壁および後壁の不連続性，右側上顎洞内の粘膜肥厚像はみられるものの，明らかな腫瘍像は認められない．

唾液腺癌は一般的には放射線抵抗性と考えられているが，術後照射を主体としているため，治療効果が高い場合が多い．

低悪性型の粘表皮癌などは手術で十分であり，通常，術後照射の必要はない．しかし，手術断端が陽性である場合や，耳下腺内の顔面神経に腫瘍が近接して手術による損傷が避けられない場合などには，放射線治療をうまく組み合わせる必要がある．

高悪性型の粘表皮癌，腺癌，腺様嚢胞癌，多形腺腫由来の癌，扁平上皮癌などに対しての術後の放射線治療は，微視的あるいは肉眼的な腫瘍残存例，周囲の筋肉や神経などへの浸潤の著明な例，リンパ節転移例あるいは再発例などに適応される．耳下腺の場合には，傍咽頭隙（咽頭側隙）への進展が多いため，深さ方向についても照射領域に含める．腺様嚢胞癌では，神経に沿って進展するので，可能であればこれらを十分に照射領域に含めたやや広い照射野が必要である．

術後照射としては 60 Gy 程度を照射し，必要であれば腫瘍床あるいは残存腫瘍に追加照射する．反対側の唾液腺機能を温存できるような照射方法が望ましい．

4）頸部リンパ節転移

口腔癌からの頸部リンパ節への転移は，原発巣部位により出現部位や頻度が異なるが，舌癌の場合では全体の 30〜40％の頻度でみられる．頸部リンパ節転移は，通常，外科的手術を主体に治療されることが多く，放射線治療単独療法や化学放射線治療が適応されることは手術不可能症例などに限定される．

放射線治療の適応としては，予防照射，術前照射，術後照射，手術不可能例や術後再発に対する治療などが考えられるが，予防照射に関しては，現時点で積極的に支持する根拠が得られていない．いずれの場合においても，放射線治療の方法としては外部照射が用いられる．

術前照射としては，放射線単独の場合 30〜50 Gy 照射され，終了後 3〜4 週間後に手術が施行されることが多いが，近年は術後照射が主体となっている．術後照射については，切除断端陽性例，リンパ節の被膜外浸潤例，あるいは多発性の頸部リンパ節転移例といった，術後再発の可能性が高い場合に行われる．細胞レベルでの残存が考えられる場合には 60 Gy 程度の照射が必要であり，確実に固形腫瘍が残存している腫

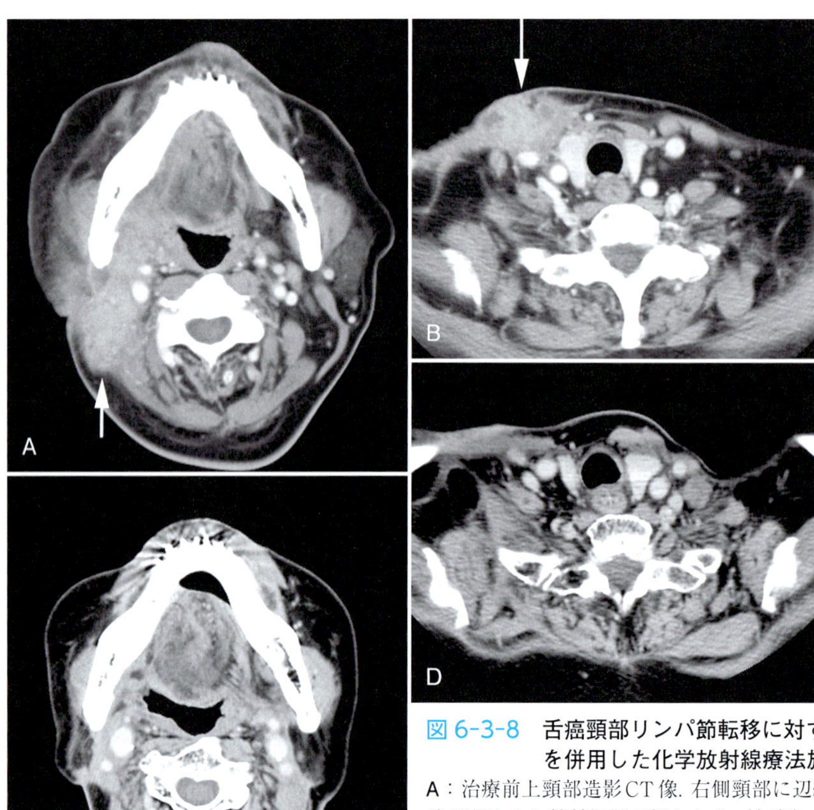

図 6-3-8　舌癌頸部リンパ節転移に対する経口抗腫瘍薬（TS-1）を併用した化学放射線療法施行例

A：治療前上頸部造影CT像. 右側頸部に辺縁不整な造影性を有する領域が認められ節外浸潤が疑われる（矢印）. B：治療前下頸部造影CT像. 右側頸部に辺縁不整で不均一な造影性を有する領域が認められる（矢印）. C：治療後上頸部造影CT像. 瘢痕組織は認められるものの明らかな腫瘤性病変は認められない. D：治療後下頸部造影CT像. 瘢痕組織は認められるものの明らかな腫瘤性病変は認められない.

瘍床には追加照射が必要である.

手術不可能例や術後再発例の頸部リンパ節に対しては，放射線治療単独での根治は困難であり，化学療法の併用，もしくは1回線量の増加による照射線量の増加などを検討しなければならない．しかしながら，これらに関するエビデンスは現状では存在しない．個々の症例に合わせた放射線治療計画が必要となる（図 6-3-8）.

4　放射線治療に伴う有害事象と患者の管理

1）放射線治療に伴う副作用

(1) 有害事象と組織の放射線感受性

A. 有害事象の発生

放射線治療に伴う副作用には，治療中およびその直後から発生し，数カ月以内に改善する**急性有害事象**と，治療後，数カ月から数年を経過して発生する**晩期有害事象**がある．急性有害事象は，組織を構成する実質細胞の減少による組織の脆弱化によって起こる．口腔粘膜のような細胞分裂のさかんな組織ほど起こりやすく，幹細胞が残存していれば治療後に細胞増殖の速度に応じて回復する．一方，晩期有害事象は脈管障害や組織の機能に関わる実質細胞の障害と間質の線維化によって起こる．1回線量が増えるほど起こりやすくなる不可逆性の変化であり，難治性となるものが多い．急性および晩期有害事象はともに細菌感染や外傷によって重篤化する．また，放射線治療後に発生する二次がんも晩期有害事象の1つとされる．

B. 正常組織の放射線感受性

有害事象の発生には組織（臓器）としての放射線感受性が関連する．細胞の放射線感受性には細胞分裂周期や細胞微小環境因子など多くの因子が関連するが，組織（臓器）ではこれに細胞動態の影響が加わり複雑となる（第2章3「放射線の生物学的影響」参照）．口腔粘膜のような細胞分裂速度が速く再生を常に行っている組織は**細胞再生系組織**とよばれ，高感受性である．唾液腺や甲状腺などの細胞分裂速度が遅く組織が障害されたときに再生を行う組織は**条件付き細胞再生系組織**とよばれ，放射線感受性は中程度である．また，下顎骨や関節円板などの分裂が停止しており組織障害による再生がない組織は，**非細胞再生系組織**とよばれ，低感受性である．高感受性の組織は急性有害事象と，中感受性および低感受性の組織では晩期有害事象の発生との関連が重要となる．

C. 組織（臓器）の耐容線量と線量体積ヒストグラム

耐容線量は，一般的には5年間である臓器の5%に有害事象を引き起こす線量と5年間で50%に有害事象を引き起こす線量で表される．臨床において有害事象の発生を予測する場合には，臓器を**直列臓器**と**並列臓器**に分けて考える必要がある．直列臓器は，その一部でも不可逆的な障害を受けると機能を失う臓器と定義され，脊髄，視神経，下顎骨などがこれに相当する．並列臓器は一部に不可逆的な障害を受けても他の部位が機能を補う臓器と定義され，肺，口腔粘膜，唾液腺などがある．

有害事象の発生を予測する際には，並列臓器では照射される組織の体積と線量の把握が重要となるため，CTを用いた三次元的な治療計画に基づく線量体積ヒストグラム（dose volume histogram；DVH）を参考にして，有害事象の発生やその程度を予測する．DVHは治療計画用のCT画像でボクセルごとに吸収線量を求めて体積との関係を示したものである．一方で，直列臓器では一部分の障害も許容できないため従来から用いられてきた耐容線量を参考にする．

(2) 口腔領域の有害事象

顎口腔領域のがん患者は，口腔衛生環境が悪く，齲蝕や歯周病に罹患していることが多い．治療中は口腔粘膜炎や唾液腺障害による口腔乾燥は必発であり，口腔カンジダ症などの口腔感染症や味覚障害を発症する患者も少なくない．治療後は，唾液腺障害からの回復が不十分な場合は，口腔乾燥だけでなく，齲蝕や歯周病の発症リスクの高い状態が続き，ときには顎骨壊死

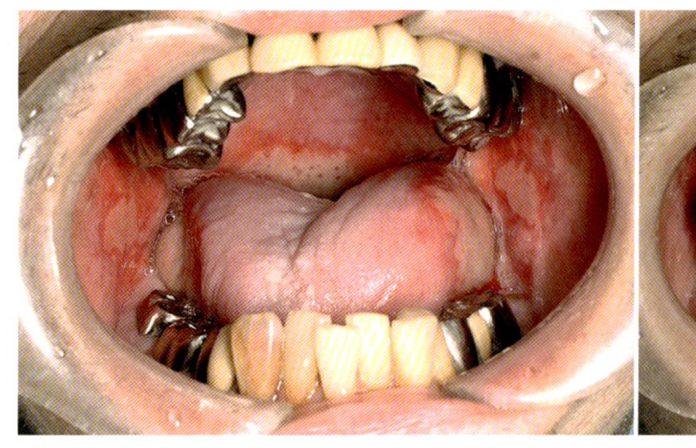

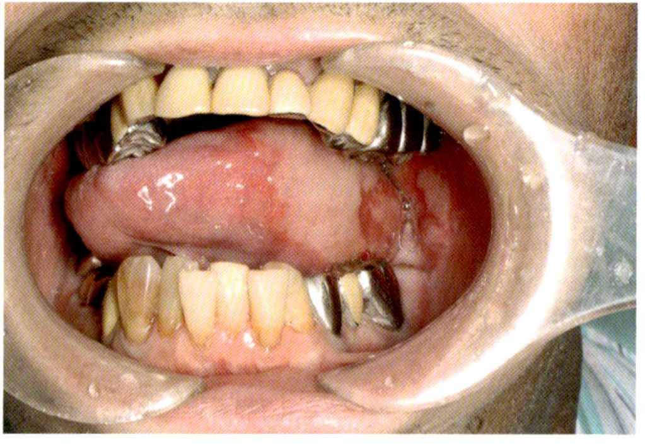

図 6-4-1　**放射線治療中の口腔粘膜炎**
右中咽頭癌（T3N1）に対し，放射線治療（3D-CRT）が行われた患者の70 Gy時点の口腔内写真．両側舌縁から軟口蓋にかけて偽膜を伴う口腔粘膜炎が認められる．

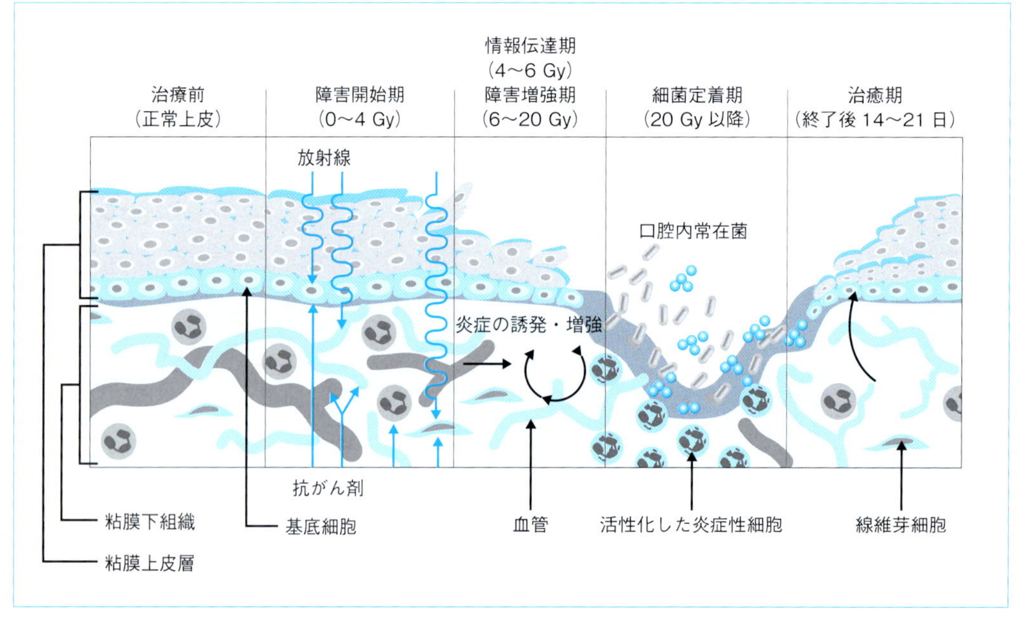

図 6-4-2　**口腔粘膜炎の発生機序**（Sonis ST, 2004[1]）

を発症する．

A. 口腔粘膜炎（図 6-4-1）

急性有害事象であり，発生率は口腔がんの組織内照射では100%，照射野に口腔が含まれる口腔・頭頸部領域の外部照射で80%以上である．

口腔粘膜炎は治療中の患者が最も苦痛に感じる有害事象であり，重篤な場合は疼痛による摂食・嚥下障害を引き起こすことで栄養状態を悪化させたり，粘膜感染から全身感染症を生じたりする．治療中の生活の質（QOL；quality of life）や治療意欲も低下し，治療の中断や中止を引き起こす．治療の中断では治療期間が延長し，残存している腫瘍の急速な再増殖（加速再増殖）をきたす．また治療の中止では腫瘍への線量が不足し，結果として治療成績が低下する．

a. 発生機序（図 6-4-2）

放射線が粘膜に照射されると，主に放射線の間接作用によって，活性酸素であるスーパーオキサイドやヒドロキシラジカルなどのフリーラジカルが発生し，基底細胞の障害に起因する代謝回転の低下と血管透過性の亢進が起こる．その後，TNF-α やインターロイキンなどの炎症性サイトカインの発現による炎症の誘発と増強，代謝回転の低下による粘膜構成細胞の減少から，炎症を伴った粘膜潰瘍が発生する．これらの過程は治療開始日から 20 Gy の間に起こる．その後，炎症を伴った粘膜潰瘍に細菌が定着することで炎症がさらに増強され，強い痛みを伴うようになる．また，粘膜への過度の刺激も炎症性サイトカイン発現の増幅につながる．

b. リスク因子（表 6-4-1）

口腔粘膜炎発現のリスク因子は年齢や性別，喫煙等の生活習慣および口腔清掃や義歯の状態などの患者に関連する因子（患者関連因子）と照射野，線量などの治療に関連する因子（治療関連因子）に分けられる．治療中の口腔粘膜炎発生のリスクはこれらの指標に着目して評価する．患者関連因子のうち口腔特有のものとして，照射野内の金属製のクラウンやブリッジの存在があげられる．これらの金属補綴装置に接した局所的な口腔粘膜炎は「Hot spot mucositis」と呼ばれ，歯科用合金からの後方散乱線が原因とされる．物質に放射線が照射されると後方散乱線が発生するが，金合金や金銀パラジウム合金のような実効（平均）原子番号が高い物質ほど多く発生し，チタン合金のような原子番号が低いものからの発生は少ない．また，基礎研究において，金銀パラジウム合金表面の線量は後方散乱線により線量が 50% 以上増加すること，後方散乱線の飛程は 10 mm 未満であることが示されている．

表 6-4-1　口腔粘膜炎のリスク因子

患者関連因子	治療関連因子
女性	口腔を広く含む照射野
若年者	化学療法の併用
低栄養	加速多分割照射
好中球減少	線量
喫煙	
飲酒	
口腔衛生不良	
口腔乾燥	
金属補綴装置	
不適合義歯	
矯正装置	
歯の鋭縁	

c. 対　応

予防的な対応が重要である．治療関連因子の変更は困難であることが多いが，患者関連因子のうち，口腔に関連するものの多くは改善可能であり，口腔のリスク因子は治療前に極力除去する．歯科用合金が照射野に含まれることが予測される場合には散乱線による粘膜線量の増加を予防するため，歯科用合金の除去や歯科用合

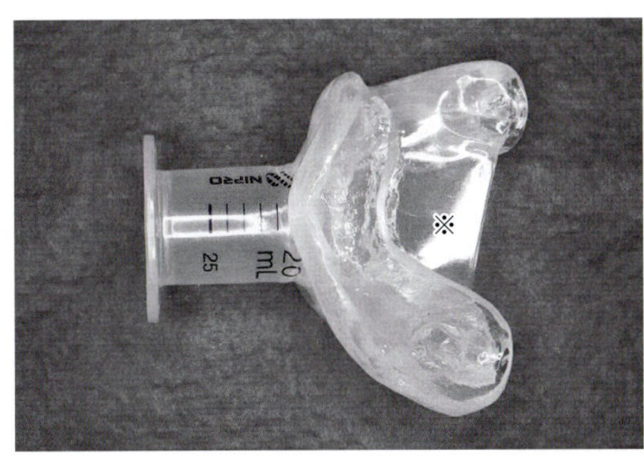

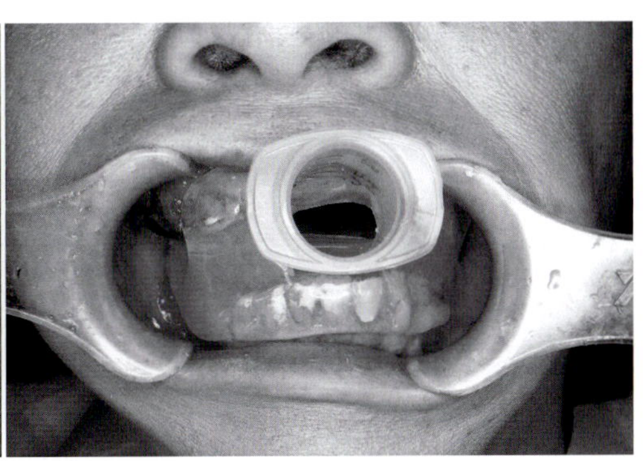

図 6-4-3　外部放射線治療用の口腔内装置
右上顎歯肉癌（T4aN0）に対し製作された口腔内装置．口腔を開口させるよう製作され，舌を照射野から外すために舌下方圧排板（※）が付与されている．口腔粘膜の低線量領域への移動や散乱線による粘膜線量の増加予防のため頬舌的に厚みをもたせている．この口腔内装置を装着し，放射線治療が行われる．

金と口腔粘膜の間に距離を取るためのスペーサー型の口腔内装置の製作を考慮する(図6-4-3).また，口腔粘膜やその他の正常組織を低線量領域や照射野外へ移動することおよび舌の動きを抑制することを目的にマウスピース型の口腔内装置やバイトブロックを製作することもある.

治療中は口腔粘膜炎を増悪させないために，口腔衛生状態を良好に保つとともに保湿剤による粘膜の保護を行う．口腔粘膜炎が発症したときは，疼痛の程度に合わせて鎮痛剤の処方を行い，局所管理ハイドロゲル創傷被覆・保護材の塗布を行う.

B. 唾液腺障害（図6-4-4）

唾液腺障害は，照射野に唾液腺が含まれる口腔・頭頸部領域の外部照射で発生する急性および晩期有害事象である．放射線発生装置を固定した固定照射や三次元原体照射（3D-CRT）で唾液腺の線量を抑えることが難しい場合は，放射線治療中に安静時・刺激時唾液ともに分泌量は1/10程度まで低下し，治療後の回復は困難となる．一方で唾液腺の線量を抑えることが可能な強度変調放射線治療（IMRT）（p.464参照）では，唾液分泌量は3D-CRTほど低下せず，治療後に徐々に回復するが，唾液分泌量の低下や回復の状態は唾液腺の線量に依存する.

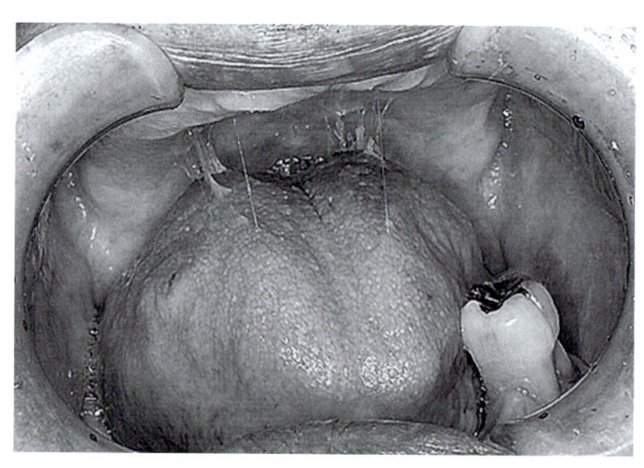

図6-4-4 放射線治療後の唾液腺障害
右下咽頭癌（T2N1）に対し，化学放射線治療（IMRT 70 Gy）が行われた患者の治療後6カ月の時点の口腔内写真．唾液腺の回復が不十分で，唾液は粘性の高い状態である.
（公益財団法人がん研究振興財団，2019[2]）

唾液分泌量の回復が不十分な時期は，唾液の生理作用である自浄作用，抗菌作用，粘膜保護作用などが低下し，口腔乾燥感だけでなく，多発性齲蝕，進行性歯周病，口腔カンジダ症，味覚障害，摂食・嚥下障害や睡眠障害などさまざまな問題を引き起こす.

a. 発生機序

唾液腺が照射されると，唾液腺細胞の減少と血管内皮障害による血流量の低下による唾液分泌量の低下が起こる．治療後徐々に細胞数は増加するが，残った唾液腺細胞数と血管障害や間質の線維化の程度によって機能回復の程度が異なる.

唾液腺細胞の放射線感受性は，粘液細胞より漿液細胞のほうが高く，はじめに漿液細胞の減少により水や消化酵素の分泌が低下し唾液が粘稠になり，その後，粘液細胞の減少によりムチンを主体とした粘稠な唾液も減少し口腔乾燥感が強くなる．これらの変化は6 Gyから10 Gyの間に始まる.

b. 対 応

予防的な対応として，放射線治療はIMRTを選択し，腫瘍へは十分な治療線量を維持しつつ両側の耳下腺の平均線量を26 Gy以下にするよう努力する．腫瘍との位置関係などから26 Gy以下にできない場合は片側の耳下腺の平均線量を20 Gy以下にすることを目標にする（日本放射線腫瘍学会の放射線治療計画ガイドラインによる）．治療的な対応として，アセチルコリン受容体を刺激し唾液分泌促進させるムスカリンアゴニストのピロカルピン塩酸塩の処方を考慮する．また，人工唾液や保湿剤なども症状緩和に効果的である.

C. 放射線治療後の齲蝕（図4-6-5）

代表的な晩期有害事象であり，歯頸部と咬合面に好発し，多発性で急速進行性である．3D-CRTで多く，唾液腺への線量を抑えたIMRTでは少なくなる傾向がある．進行すると歯頸部から破折することが多く，根尖病変から感染が顎

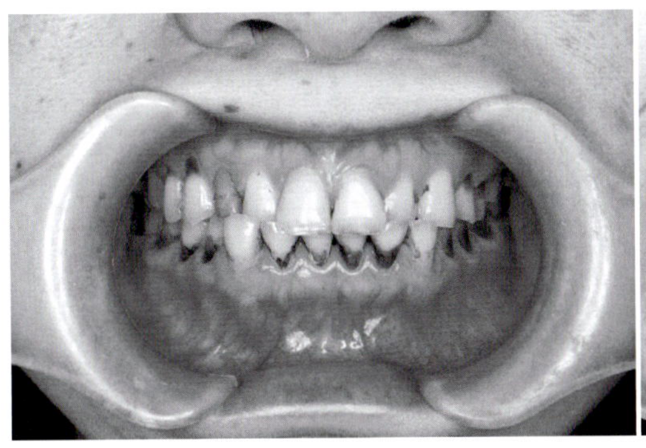
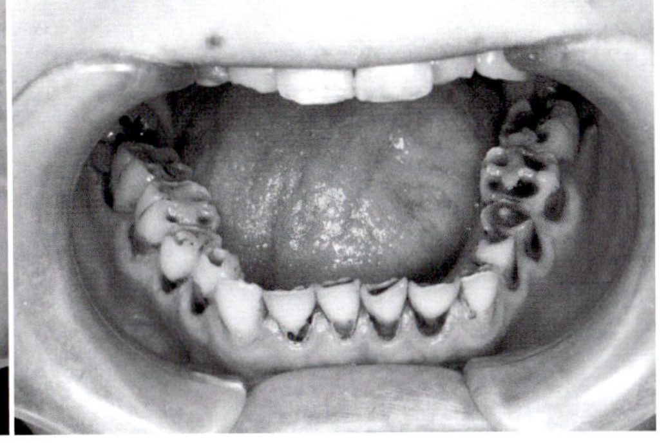

図 6-4-5　放射線治療後の多発性齲蝕
右下咽頭癌（T4N2b）に対し，化学放射線治療（3D-CRT 70 Gy）が行われた患者の治療後 5 年の時点の口腔内．口腔衛生状態は比較的良好だが，歯頸部や咬合面に限局する多発性齲蝕が認められる．

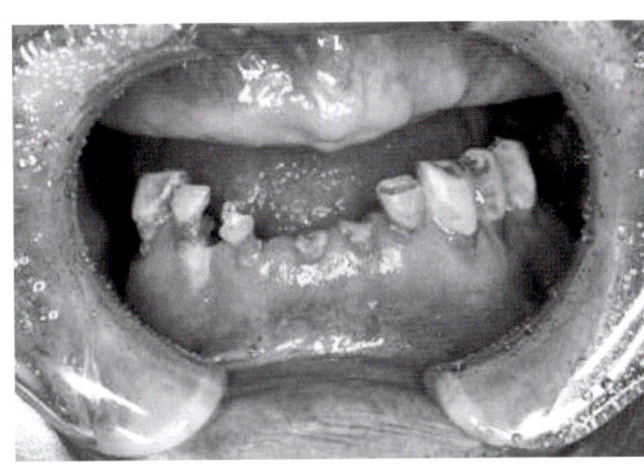
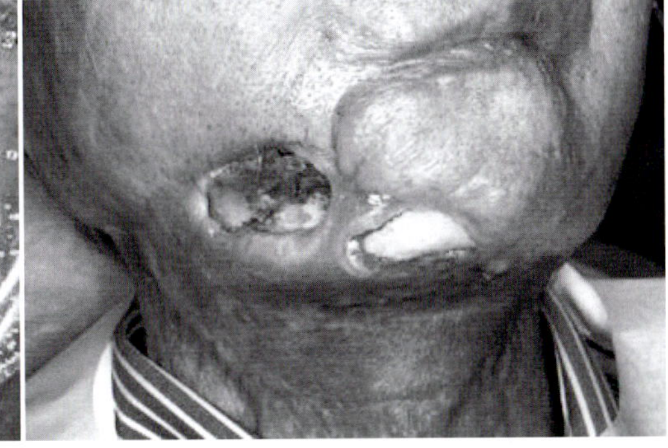

図 6-4-6　放射線治療後の顎骨壊死
右下唇癌（T1N3）に対し，術後照射（3D-CRT，60 Gy）が行われた患者の治療後 2 年の時点の口腔内と口腔外の写真．皮膚の欠損を伴う顎骨壊死を生じており，口腔内の状況から，齲蝕からの顎骨感染により発症したと考えられる．

骨に波及し顎骨壊死を引き起こすことがある．

a．発生機序

放射線の直接的な影響による歯の変化と唾液腺障害による唾液の生理作用（自浄作用，抗菌作用など）の低下によって複合的に発生すると考えられている．放射線によってエナメル象牙境の脆弱化したコラーゲン線維の断裂，象牙細管の閉塞および歯髄の血流低下が起こる．この歯の変化は 30 Gy 程度から起こりはじめ，60 Gy 以上で顕著になる．これに加え，唾液の生理作用の低下によって，歯頸部や咬合面に限局する齲蝕が発生する．

b．対　応

フッ化物応用を含めた綿密な口腔衛生管理を行う．リコールの間隔は，患者の理解度や唾液分泌量を含めた齲蝕リスクの程度で決める．ホームケアにおいてもフッ化物応用は必須である．また，口腔乾燥感の改善を自覚していても唾液量の十分な改善が認められないことが多く，唾液量を計測し，齲蝕リスク評価を行う．齲蝕は放置せず可能なかぎり治療を行い，根尖病変から顎骨壊死に至らないようにする．

D．顎骨壊死（図 4-6-6）

顎骨壊死は頭頸部領域の放射線治療を受けた患者において歯科医師が最も注意しなければならない晩期有害事象である．口腔や頭頸部領域の放射線治療患者における発生頻度は 10％以下と低いが難治性であり，一度発症すると患者

表 6-4-2　顎骨壊死のリスク因子

患者関連因子	治療関連因子
放射線治療後の抜歯等の外科処置	顎骨を広く含む照射野
歯髄に達する齲蝕	高線量の下顎臼歯部
進行した歯周病	化学療法の併用
口腔衛生不良	
不適合義歯	
喫煙	
飲酒	

のQOLを大きく低下させる．下顎骨に好発し，上顎骨はまれである．骨露出と骨の不規則な硬化や融解を伴いながら腐骨を形成する．さらに進行すると口腔皮膚瘻や病的骨折を引き起こす．

a．発生機序

1983年にMarxは放射線によって顎骨の骨細胞の減少（hypocellular），血管の減少（hypovascular）および低酸素（hypoxic）状態が起こり顎骨壊死が発症するとした．現在はこれに加え，骨と周囲組織の線維化によって組織が脆弱化すると考えられている．顎骨壊死の多くはこのように脆弱化した組織に外傷や感染が加わることで発症する．抜歯による創傷治癒不全，不適合義歯による義歯性潰瘍，根尖病変や歯周病からの顎骨感染が契機となることが多い．

b．リスク因子（表 4-6-6）

患者関連因子と治療関連因子があるが，口腔粘膜炎と同様に患者関連因子の多くは口腔管理によって改善が可能である．治療関連因子は顎骨壊死のリスク評価のための重要な指標になり，照射された骨の範囲が広いほど，照射された骨の線量が高いほど，発症リスクが上昇する．

c．対　応

予防的な対応が重要である．患者関連因子は治療前に極力除去することが望ましい．組織内照射では腫瘍と顎骨の間の距離を保つことで顎骨線量を低下させることが可能であり，スペーサーの装着を考慮する．外部照射ではIMRTを利用することで顎骨線量を低下させることが可能である．また，放射線治療後は綿密な口腔管理を行い患者関連因子のうち口腔に関連するリスクの発生を予防する．根管治療の必要があるときは，リーマー破折に注意し，根管貼薬剤は根尖孔から漏洩させないように注意して使用する．残根歯等の補綴不可能な歯は必ずしも抜歯の対象にはならず，抜歯の適応には注意を要する．50 Gy 以上の高線量域の抜歯は顎骨壊死を引き起こす可能性が高く，抜歯の可否や抜歯部位の線量について放射線治療科医師に照会する必要がある．一般的に観血的な処置は極力避けるようにする．

発症した顎骨壊死に対しては，進行度によって保存療法あるいは外科療法が選択される．初期の病変や安定した病変に対しては，保存療法が選択されることが多い．抗菌薬の投与を併用した露出骨面の洗浄や壊死組織の除去を頻繁に行うことで感染による顎骨壊死の拡大を予防し，腐骨の分離を待つ．腐骨が分離したら除去（腐骨除去）する．保存療法で制御困難な進行性の病変に対しては，下顎辺縁切除や顎骨区域切除を併用した広範な腐骨除去術などの外科療法が行われる．これらの補助療法として，骨や周囲組織の血流改善のために**高圧酸素療法**が併用されることがある．保存療法および保存療法で制御困難であった症例に対する外科療法の治癒率は，それぞれ50％，40％程度と報告されている．

2）頭頸部放射線治療患者の歯科治療・口腔管理

(1) 口腔管理の目的

頭頸部放射線治療における口腔管理の目的は，①急性有害事象を予防・緩和し，円滑な治療を支援すること，②晩期有害事象を予防・緩和し，健康で質の高い治療後の生活が送れるよう支援することである．**口腔管理計画**の立案には，治療前は該当領域の予定線量，治療後は照射線量の把握が重要である．さらに口腔内装置の製作等に関しても放射線治療科と緊密に連携する必要がある．

(2) 頭頸部放射線治療患者における口腔管理の実際

治療前，治療中，治療後の管理を継ぎ目なく行うことが重要である．

A．放射線治療前

前述の目的に応じた口腔管理計画を立案し，その内容と予定終了日を放射線治療科医師に報告する．具体的には，①リスク評価，②患者教育，③リスク因子の除去，④必要に応じてスペーサー等の口腔内装置の製作を行う．患者教育は，口腔管理の必要性の理解を深めるために，治療開始後の口腔内の変化，口腔粘膜炎による弊害，口腔衛生管理の有効性について教育（説明）を行い，その後，口腔衛生指導を行う．病気や治療の受け入れや口腔清掃の必要性の理解に一定の期間が必要であるため，複数回行う．

口腔衛生指導の基本は，歯面清掃および粘膜清掃（舌，頬粘膜，口底，口蓋，顎堤），含嗽，保湿であり，歯面清掃と粘膜清掃は1日2～4回，含嗽と保湿は1日4回以上を行うことが推奨されている．含嗽薬は水や生理食塩水などアルコールを含まないものを選択し，クロルヘキシジングルコン酸塩の使用は避ける．保湿剤は，患者の好みに合わせて継続可能なものを選択する．リスク因子の除去としての抜歯は治療開始の14～21日前までに行う．放射線治療の開始を遅らせないために55 Gyを超える高線量領域に含まれる歯の抜歯以外の歯科治療は応急処置にとどめることもある．

B．放射線治療中

口腔粘膜炎，唾液腺障害による口腔乾燥，味覚障害などの急性有害事象によって，治療が中断や中止とならないように口腔管理を行う．

治療中の管理は，感染管理，疼痛管理，栄養管理からなる．これらの管理は包括的に行われるが，口腔管理は感染管理の中心的な役割を担う．したがって，治療中の管理には，医師，歯科医師，歯科衛生士，看護師，栄養士，言語聴覚士，薬剤師で構成される多職種連携によるチーム医療が必須になる．

C．放射線治療後

治療後の患者の口腔機能を良好に維持するために晩期有害事象の予防や症状緩和を目的にした口腔管理を行う．治療後の口腔管理で最も重要なのは，顎骨壊死の患者関連因子の発生を予防することである．また，顎顔面領域に放射線治療が行われた小児がん患者は，歯や顎骨の成長障害が起こる可能性があり，成長を見守りつつ口腔管理を行う．

具体的には，X線画像による歯や顎骨の評価，歯周検査による歯周組織の評価，スケーリング，PMTC（歯面清掃），フッ化物の局所応用を行う．プロフェッショナルケアでのフッ化物塗布は唾液分泌低下に配慮し，リン酸酸性2%フッ化ナトリウム（酸性）を避け2%フッ化ナトリウム（中性）を用いる．プロフェッショナルケアの頻度は，歯や顎骨への放射線量，唾液量，口腔衛生状態などを考慮して，定期的に1～3カ月に1回程度行う必要がある．また，フッ素含有の歯磨剤の使用などの口腔衛生指導，糖質のコントロールや間食を避けるなどの食習慣改善のための生活指導や禁煙指導も重要である．

(3) 放射線治療後の歯科治療での注意点

放射線治療後の歯科治療では晩期有害事象が問題となる．晩期有害事象は徐々に進行することが多く，顕在性の有害事象が明らかでない患者においても，照射野内の口腔粘膜や歯および顎骨は脆弱化しており注意が必要である．齲蝕とそれに続発する根尖病変の治療においては前述のように顎骨壊死の発生を避ける治療法が重要となる．顎骨壊死は最も注意すべき有害事象で，不用意な抜歯を避けるなどの配慮を必要とする．また照射野内に咀嚼筋や顎関節が含まれる場合は開口障害に，咽頭が含まれている場合には咽頭機能障害からの誤嚥に常に注意を払う必要がある．

脆弱化し傷つきやすい口腔粘膜への対策として，歯科治療時に口角や口腔内に保湿剤やワセリンを用いて粘膜保護を行うとよい場合がある．開口障害のある患者には開口器の使用や適宜休憩を入れての治療を考慮する．咽頭機能障害のある患者では誤嚥に配慮して座位で治療を行ったり，水平位での診療では舌根部に大きなガーゼを置いたりするなどの配慮が必要である．

7章 法歯学と歯科X線画像

1）法歯学におけるX線画像の役割

法歯学は，法律上の問題となる歯学的事項を研究し，社会治安の維持や安全・安心な社会の確立に寄与することを目的とした歯学の一分野であり，活動範囲としては，主として歯科的な証拠を用いた身元不明人や身元不明死体の個人識別，咬傷の検査，そして口腔領域の損傷の検査などがあげられる．なかでも最も重要なものは，歯科的証拠による個人識別である．

身元不明死体の個人識別において利用される歯科的証拠には，歯科診療記録やX線画像，スナップ写真，模型，技工指示書などがある．このうち，最も一般的には歯科診療記録とそこに添付されているX線画像が利用される．

X線画像は，「歯科診療録に記載されている多くの言葉よりも一枚のX線画像」といわれるように，個人識別にはきわめて有効な証拠の一つである．利用されるX線画像は，頭部X線規格写真やパノラマX線画像，口内法X線画像はもちろん，手や足，関節部などを撮影したものまでさまざまである．特に，パノラマX線画像からは，顎関節や上下顎の状態，歯の状態などの多くの情報が得られるために，死後のX線画像との比較に有効である（図7-1）．

身元不明死体の個人識別には，その死体の該当者が判明していない場合と該当者がわかっている場合の2つがあげられる．前者の場合，身元不明死体を検査し，人種や性別，年齢，損傷の有無などの個人識別に役立つ情報を収集することになる（歯科的検査）．一方，後者の場合には身元不明死体と該当者の歯科的情報の比較照合により異同を判定するということになる（歯科的個人識別）．したがって，いずれの場合においてもX線画像の果たす役割はきわめて大きい．

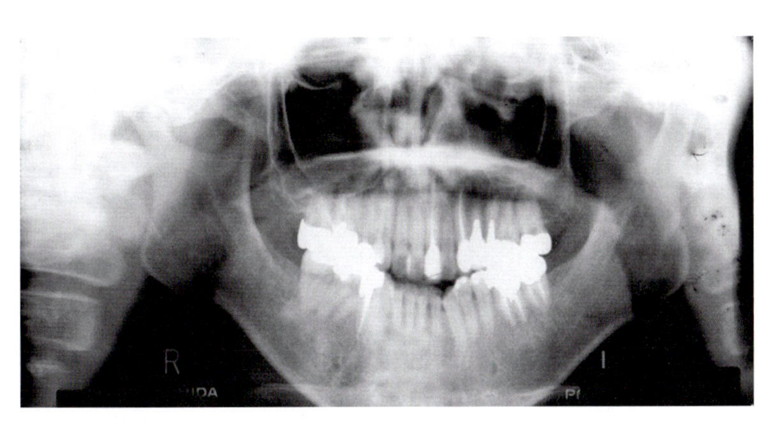

図7-1　遺体のパノラマX線画像
この画像から個人識別に非常に特徴的な所見をみることができる．

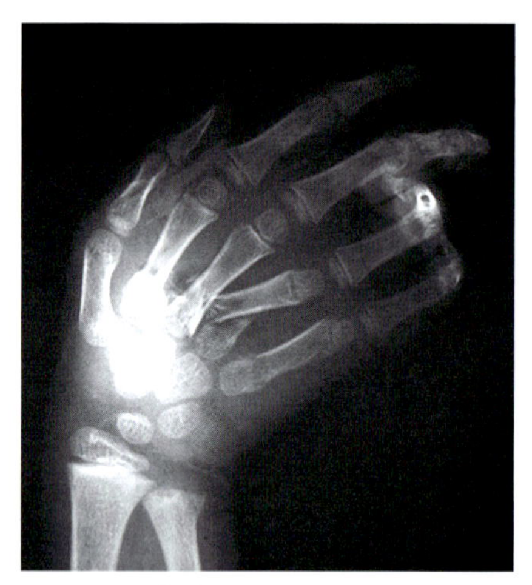

図 7-2　日航機墜落事故の犠牲者の手のX線画像
遺体の身元確認ではこの画像から年齢推定ができた.

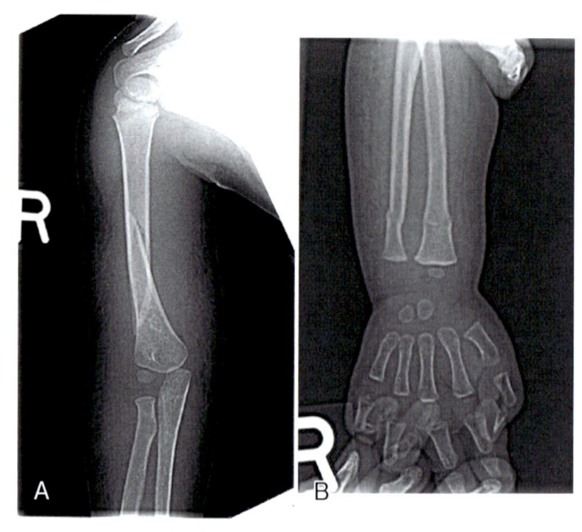

図 7-3　幼児虐待による遺体の骨折のX線画像
上腕骨のらせん骨折（A）と前腕骨の竹節骨折（B）を確認できた．また，手根骨の画像から被害者の年齢を推定できた.

2）個人識別とX線画像

(1) 歯科的検査

歯科的検査により得られる個人識別情報には，X線画像から得られるものが少なくない．そのため，海外での大規模災害犠牲者の身元確認作業の検査項目のなかには，X線撮影が必ず入っている．わが国でも，1985（昭和60）年に発生した犠牲者520名を出した日本航空機墜落事故で撮影されたX線画像は，歯に関するものが283体分662枚，歯以外のものが554体分1,047枚であった．そして，この事故では，医師や歯科医師から提供されたX線画像は，歯に関するもの143人分325枚，歯以外のものは75人分480枚であった（飯塚訓著「墜落遺体」より）.

X線画像は，外観では観察することができない歯根の形態や歯髄腔の狭窄状態，混合歯列期の顎骨内部の歯の状態などを可視化することができ，その状態から年齢や損傷の有無などが推定できる．日航機墜落事故の犠牲者には，10歳未満が48人，10歳以上20歳未満が42人の計90名（男性35名，女性55名）が含まれていた．これらの犠牲者の身元確認ではX線画像による年齢推定がおおいに役立ち，遺体を早く遺族に引き渡すことができた（図 7-2）．この事故発生時は身元確認法としてDNAがまだ利用されていない頃であり，指紋や歯科的特徴が主体であったが，歯科的情報が関係して確認された犠牲者数は全体のおよそ45%の233人であった.

また，幼児虐待などの事件においては，どの部位に，どのような骨折があり，それがどのような機序で生じたのかを明らかにするために，X線画像は必要不可欠である（図 7-3）.

(2) 歯科的個人識別

身元不明死体の該当者が判明した場合，その該当者が生前かかっていた歯科医から歯科診療記録やX線画像の提供を受けることになる．これらの歯科的証拠，特にX線画像からは，非常に多くの本人固有の特徴を観察することができる．たとえば，口内法X線画像からは，各歯の解剖学的特徴や治療歯の充塡物・補綴装置の形態，根管充塡の状態などの特徴を詳細に観察することが可能である（図 7-4A）．また，パノラマX線画像からは口腔周囲の構造物を総覧で

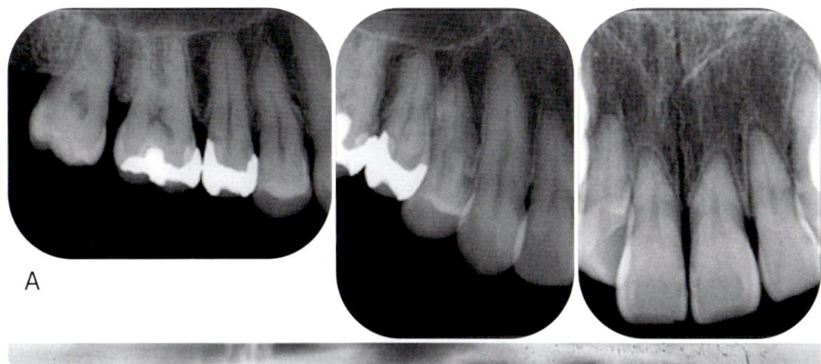

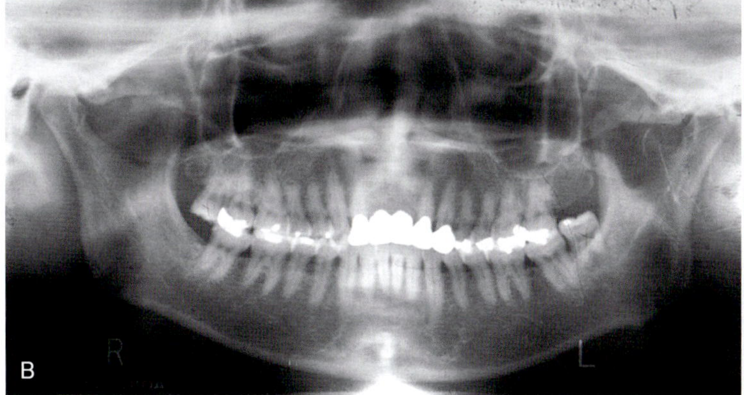

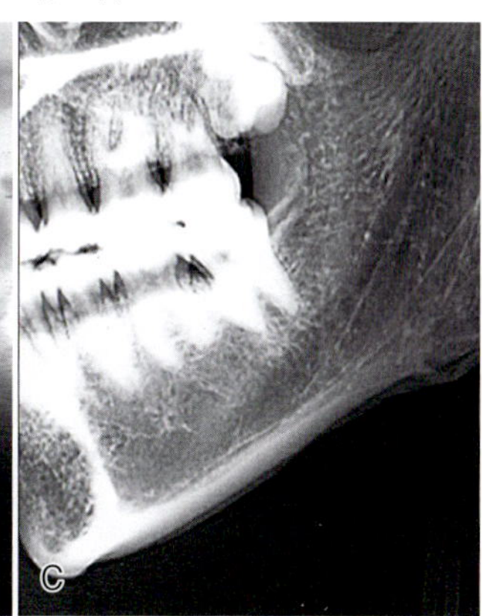

図 7-4　個人識別に用いられるさまざまな X 線画像
A：遺体の口内法 X 線画像．B：パノラマ X 線画像．C：顎骨側面像．いずれも個人識別に有用な情報を含んでいる．

きるため，得られる個人識別情報は非常に多くなる．歯については，歯根の形態，根管充塡の有無，歯冠部の治療痕，第三大臼歯の埋伏状態などのさまざまな特徴が，さらには下顎骨の内部構造，つまり下顎管や下顎骨の骨梁構造も観察可能である（図 7-4B）．下顎側方観の X 線画像からも歯の植立状況や本人固有性の高い海綿骨の骨梁模様も観察することができる（図 7-4C）．そして，これらの特徴の組み合わせは，万人不同であると考えられる．

一方，頭部 X 線規格写真からは歯に関する部位だけではなく，明らかに本人固有の特徴をもつと考えられる骨の部位についても観察できる（図 7-5）．

したがって，歯科医師から提供されるこれらの X 線画像とほぼ同じ条件で死体を X 線撮影し，得られた両者の画像を比較照合すれば，確実な個人識別（Positive Identification）ができるということになる．

さらに，X 線画像から骨折や骨折の治癒痕な

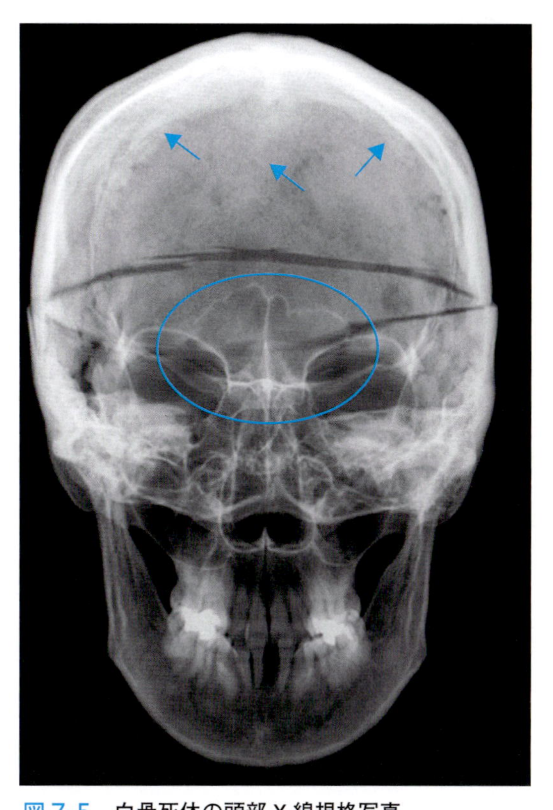

図 7-5　白骨死体の頭部 X 線規格写真
前頭洞の形態（丸囲い）や頭蓋縫合の形状（矢印），下顎角周囲や乳様突起の一部などは本人固有の特徴である．

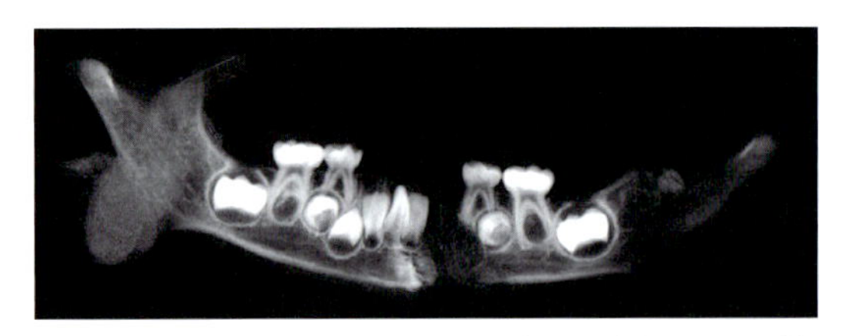

図 7-6　白骨死体の顎骨で骨体部に骨折のあるX線画像

骨体部の完全骨折とともに，骨年齢を推定できた．

ども観察可能であり，法歯学的には口腔領域の骨折の部位や程度，骨折の治癒状態，受傷後の期間や受傷機序などの推定に役立つことになる．混合歯列期の下顎骨のX線画像からは，介達骨折の有無や不完全骨折，あるいは完全骨折の有無とその状態を観察することができる（図7-6）．また，骨年齢のほぼ正確な推定もできることから，それが暦年齢と矛盾するか否かがわかる．そして，これらの所見をあわせて考えることで，虐待の可能性やその状況についても推察できる．

3）X線画像を用いた個人識別事例

X線画像を用いた個人識別事例は枚挙にいとまがないほどあるが，そのいくつかを紹介する．

【事例 1】大地震被害者の個人識別（図 7-7）

海外で発生した大地震の犠牲者の身元確認例である．犠牲者を診療した歯科医師からは，歯科診療録とパノラマX線画像が提供された．歯科診療録に記載されていた治療内容はほぼ一致していると考えられたが，遺体の治療材料や治療形態が明確でないということで現地警察は家族への引渡しを許可しなかった．しかしながら，生前のパノラマX線画像からは治療方法に加え，解剖学的な特徴も多く観察することができた．そこで，遺体の上下左右の大臼歯部のX線撮影を現地歯科医に求めた．それが，上下左右に配した口内法X線画像である．そして，これらの画像を用い，埋伏や萌出の状態がそれぞれ異なる4本の第三大臼歯の特徴や下顎右側の第一，第二大臼歯の歯冠部の形状と根管治療の状態などが全く矛盾なく一致していることを説明した．その結果，遺体はすぐに遺族に引き渡されることになったが，歯科診療録の記載内容よりも，いかにX線画像が相手に対し説得力をもつかを証明した事例である．

【事例 2】事件被害者の個人識別（図 7-8）

身元不明死体が発見され，その検査から黄色人女性であることが判明した．しかし，年齢については下顎前歯部の咬耗が強いのに対し，上顎は弱いという特徴がみられ，推定が困難であった．そこで，全身骨の検査，特に椎骨の形状や恥骨結合面の状態を調べ，その状態から40歳代と判断した．また，歯列については上顎左側の第二小臼歯とすべての第三大臼歯が欠損していることがわかった．

捜査により該当者が判明し，生前のパノラマX線画像が搬入されたので，死体を撮影したものとの比較照合を行った．その結果，青丸で囲っているすべての治療痕の形状とともに，青矢印で示した歯根尖端の向きの特徴も一致していた．また，青四角で囲っている下顎枝の輪郭形状も同じであると判断した．

被害者が特定されたことから容疑者が判明し，その取り調べのなかで腕を被害者の後方から下顎部分に巻いて力を加えたところ，折れるような音がしたという供述があったという．それが，死後のパノラマX線画像の関節突起部にみられる介達骨折であると推察され，加害者のみが知る事実と合致していた．死亡機序がX線画像から推察された事例である．

【事例 3】白骨死体の歯科的特徴の比較による個人識別（図 7-9）

海外において行方不明になったと思われる人物の白骨死体が発見され，その口腔内X線画像が送られてきた．この人物については，行方不

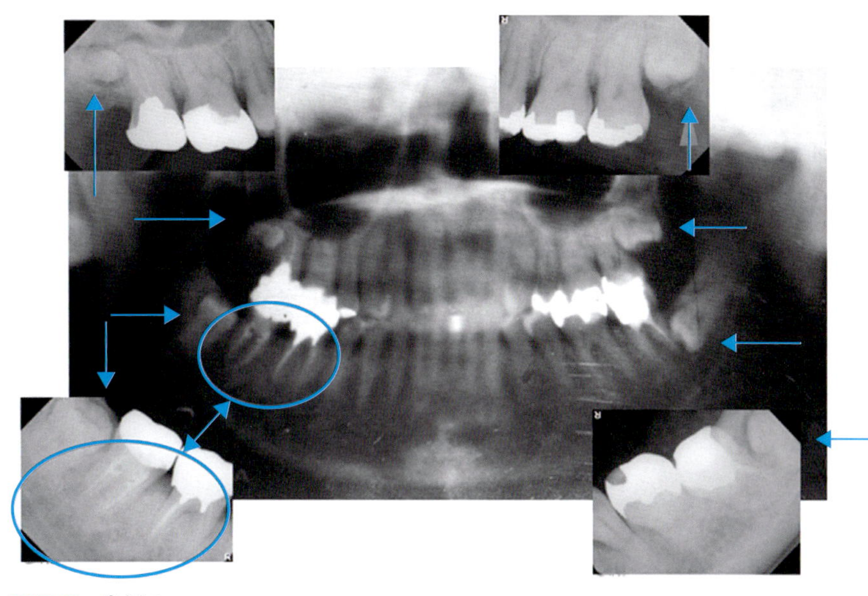

図 7-7　**事例 1**
遺体の口内法 X 線画像を得た．これを生前のパノラマ X 線画像と照合した．

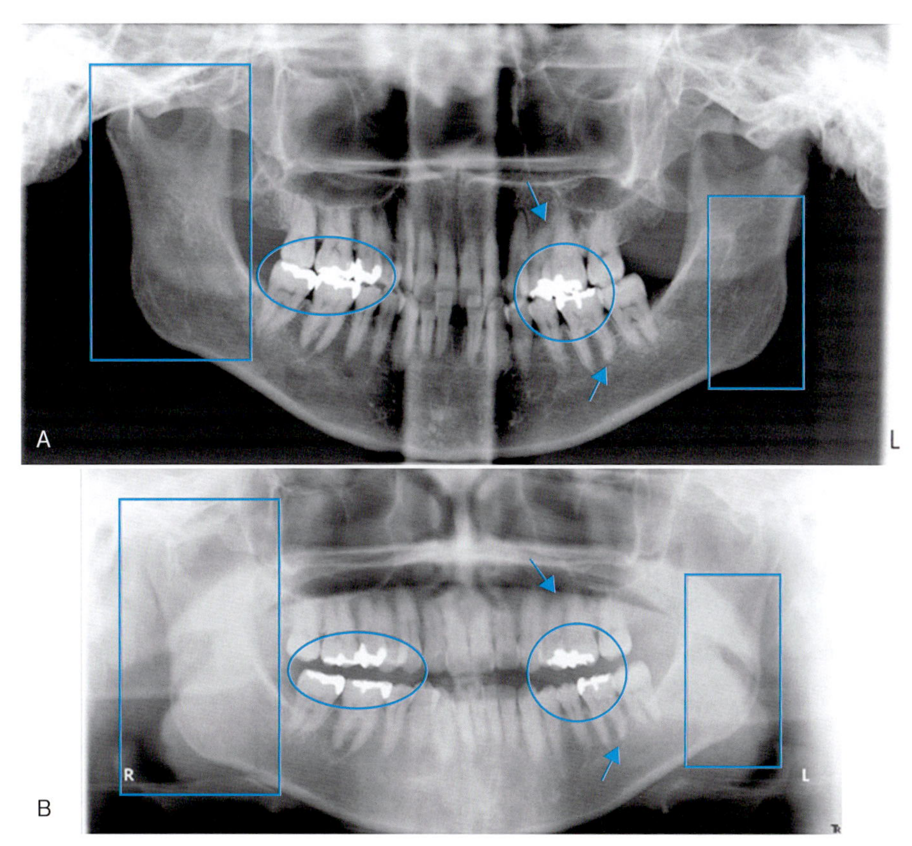

図 7-8　**事例 2**
遺体のパノラマ X 線画像を得た（A）．これを生前のパノラマ X 線画像と照合した（B）．

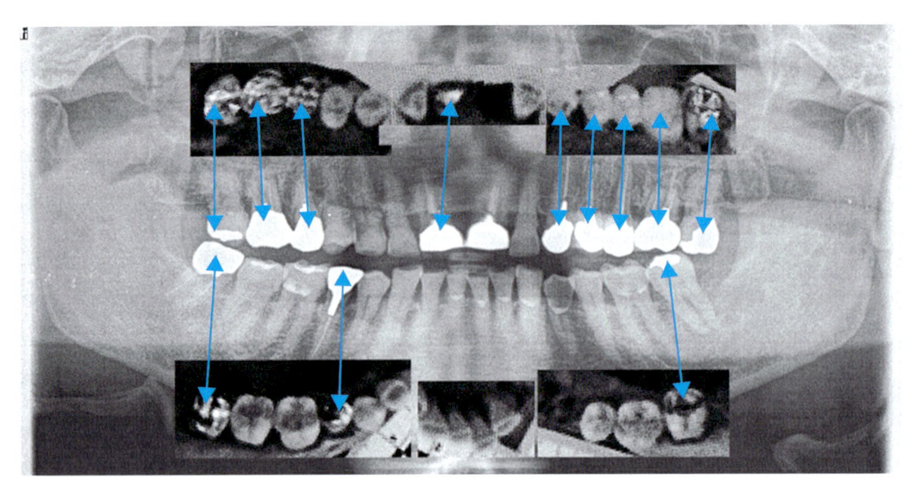

図 7-9　事例 3
遺体の口腔内写真所見を得た．これを生前のパノラマ X 線画像と照合した．

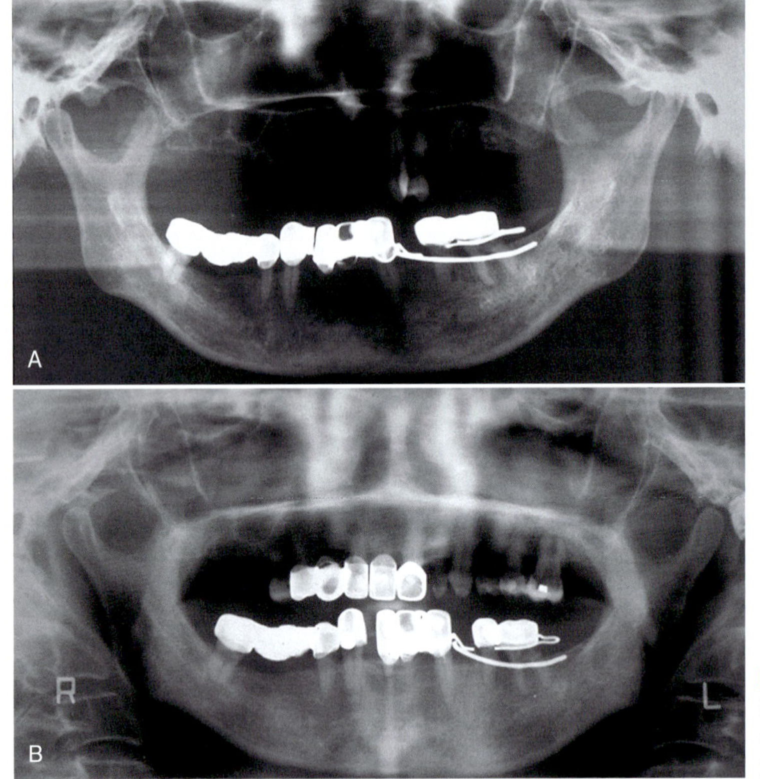

図 7-10　事例 4
遺体のパノラマ X 線画像を得た（A）．これを生前のパノラマ X 線画像（B）と照合した．

明になった直後に入手していたパノラマ X 線画像があり，これら 2 枚の画像の照合による異同識別を行った結果である．パノラマ X 線画像に撮影されている歯に相当する，白骨死体の口腔内の歯の治療状態は，すべて矛盾なく一致しているのがわかる．白骨死体の前歯部の象牙質が広く面をもって露出している状態から推定される年齢も，行方不明人の年齢と矛盾なかった

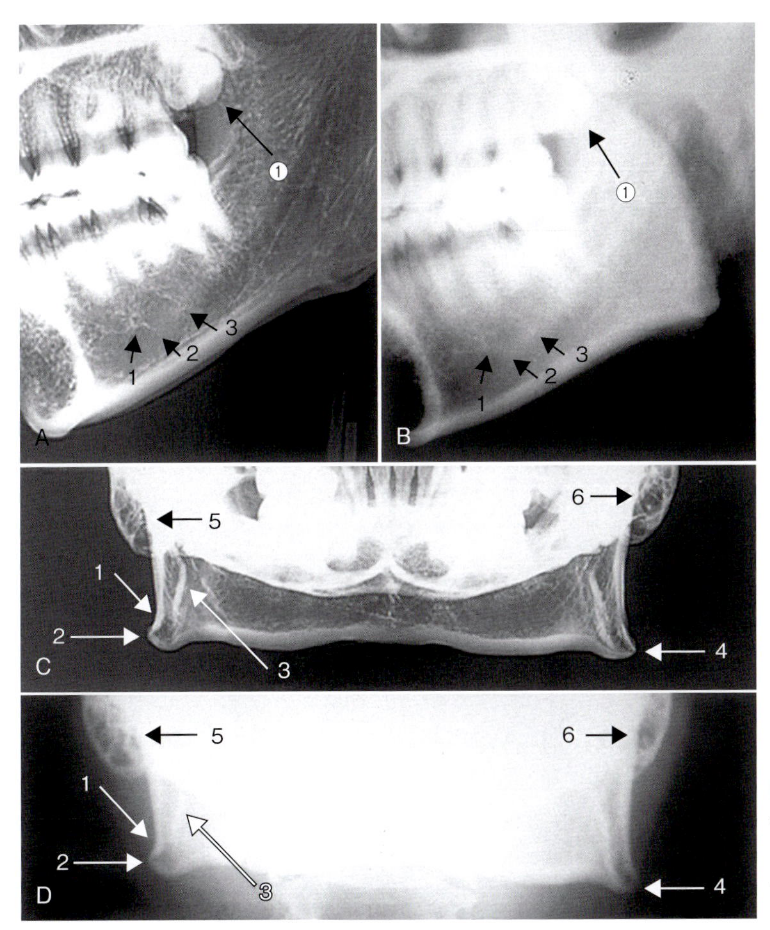

図 7-11　**事例 5**
遺体のＸ線画像を得た（A，C）．これを生前のＸ線画像（B, D）と照合した．本例は生前の画像に合わせて遺体を撮影した．

ことから，同一人であると判断された．

【事例 4】白骨死体の特徴的な補綴装置による個人識別（図 7-10）

白骨化した身元不明死体が発見され，警察は骨盤の形状から女性，そして当初は口腔内に治療された歯の数が多いということなどから 50 歳以上と推定したが，届け出のあった行方不明人リストに該当する者はいなかったという．そこで，依頼に基づいて検査を行ったところ，治療歯は多いものの，残存している歯の咬耗をみれば 40 代の可能性もあるということがわかった．そこで，再度行方不明人リストを照合したところ，40 代前半で該当する可能性のある人物が判明した．この人物については捜索願が出されていたため，治療した歯科医から生前に撮影したパノラマＸ線画像を入手することができた．その画像と死体を撮影した画像を照合したところ，両者の特徴ある補綴装置の形状が全く矛盾なく一致することが判明し，同一人物であると判断された．

【事例 5】身元不明死体の解剖学的な特徴による個人識別（図 7-11）

身元不明死体が発見され，該当者と思われる人物が通っていた病院から身体の多くの部位が撮影されたＸ線画像が提供された．そこで，それらの生前のＸ線画像と同じ部位を，同じような条件で撮影し，両者の比較を行ったものである．顎骨については，上顎の第三大臼歯の埋伏状態（①）や下顎骨体部の骨梁の模様（小数字1から3）などの特徴が両者に観察される．また，下顎骨の輪郭形状や骨内部の形状（大数字1から6），さらには乳様突起の蜂巣模様も矛盾はなく認められる．この結果，両者はX線画像に観察される多くの解剖学的特徴の一致から同一人であると判断された．なお，提供されたX線画像には頸部を撮影したものも含まれており，身元不明死体からも同じような条件で同部位を撮影したところ，各頸椎の形状が一致していることが確認された．

4）骨のX線撮影方法

さまざまな状況の死体からのX線撮影法の一例を示す（図7-12）．白骨死体から口内法X線画像を撮影する際には，生前の画像が平行法か，二等分法かを確認してから，その方法に合わせて撮影する必要がある．一方，頭蓋骨のパノラマX線撮影では，頭蓋骨を固定する台を作製し，撮影することが可能である．しかし，その際には正中部が不鮮明になる場合があるので，照射線量を調節しながら撮影する工夫が必要になる．正貌や側貌のX線規格撮影においても，頭蓋骨を固定する台を作製すれば可能である．

一方，死後硬直が進んだ新鮮遺体や焼死体では，口腔内にCCDセンサーやフィルムを入れるのが困難になる．また，口腔内での固定も難しい．このような場合，工夫としてバルーンカテーテルを活用して検出器を口腔内にセットすることが勧められる．さらに，極度に焼けた死体では，口外法で撮影するのも一考である．その際には，左右の上下顎が重積しないように，角度を変えて投影するなどの工夫が必要である．

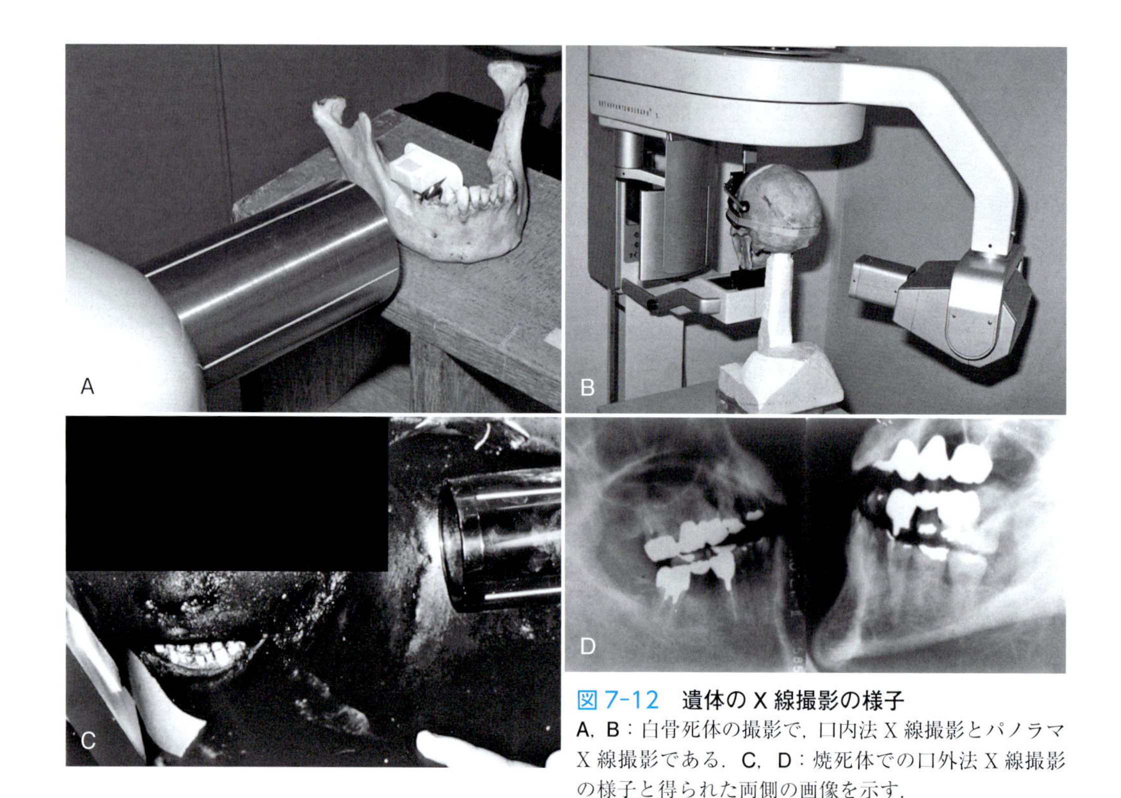

図7-12　遺体のX線撮影の様子
A，B：白骨死体の撮影で，口内法X線撮影とパノラマX線撮影である．C，D：焼死体での口外法X線撮影の様子と得られた両側の画像を示す．

歯原性癌腫　Odontogenic carcinomas	ICD-O コード
エナメル上皮癌　Ameloblastic carcinoma	9270/3
原発性骨内癌，NOS　Primary intraosseous carcinoma, NOS	9270/3
硬化性歯原性癌　Sclerosing odontogenic carcinoma	9270/3
明細胞性歯原性癌　Clear cell odontogenic carcinoma	9341/3
幻影細胞性歯原性癌　Ghost cell odontogenic carcinoma	9302/3
歯原性癌肉腫　Odontogenic carcinosarcoma	8980/3
歯原性肉腫　Odontogenic sarcomas	9330/3
良性上皮性歯原性腫瘍　Benign epithelial odontogenic tumours	
エナメル上皮腫　Ameloblastoma	9310/0
エナメル上皮腫，単嚢胞型　Ameloblastoma, unicystic type	9310/0
エナメル上皮腫，骨外型 / 周辺型　Ameloblastoma, extraosseous/peripheral type	9310/0
転移性エナメル上皮腫　Metastasizing ameloblastoma	9310/3
扁平歯原性腫瘍　Squamous odontogenic tumour	9312/0
石灰化上皮性歯原性腫瘍　Calcifying epithelial odontogenic tumour	9340/0
腺腫様歯原性腫瘍　Adenomatoid odontogenic tumour	9300/0
良性上皮間葉混合性歯原性腫瘍　Benign mixed epithelial and mesenchymal odontogenic tumours	
エナメル上皮線維腫　Ameloblastic fibroma	9330/0
原始性歯原性腫瘍　Primordial odontogenic tumour	
歯牙腫　Odontoma	9280/0
歯牙腫，集合型　Odontoma, compound type	9281/0
歯牙腫，複雑型　Odontoma, complex type	9282/0
象牙質形成性幻影細胞腫　Dentinogenic ghost cell tumour	9302/0
良性間葉性歯原性腫瘍　Benign mesenchymal odontogenic tumours	
歯原性線維腫　Odontogenic fibroma	9321/0
歯原性粘液腫 / 歯原性粘液線維腫　Odontogenic myxoma/myxofibroma	9320/0
セメント芽細胞腫　Cementoblastoma	9273/0
セメント質骨形成線維腫　Cemento-ossifying fibroma	9274/0
炎症性歯原性嚢胞　Odontogenic cysts of inflammatory origin	
歯根嚢胞　Radicular cyst	
炎症性傍側性嚢胞　Inflammatory collateral cysts	
歯原性ならびに非歯原性発育性嚢胞　Odontogenic and non-odontogenic developmental cysts	
含歯性嚢胞　Dentigerous cyst	
歯原性角化嚢胞　Odontogenic keratocyst	
側方性歯周嚢胞とブドウ状歯原性嚢胞　Lateral periodontal cyst and botryoid odontogenic cyst	
歯肉嚢胞　Gingival cyst	

腫瘍のWHO分類（2017）

腺性歯原性囊胞　Glandular odontogenic cyst	
石灰化歯原性囊胞　Calcifying odontogenic cyst	9301/0
正角化性歯原性囊胞　Orthokeratinized odontogenic cyst	
鼻口蓋管囊胞　Nasopalatine duct cyst	
悪性顎顔面骨ならびに軟骨腫瘍　Malignant maxillofacial bone and cartilage tumours	
軟骨肉腫　Chondrosarcoma	9220/3
軟骨肉腫，グレード1　Chondrosarcoma, grade 1	9222/1
軟骨肉腫，グレード2/3　Chondrosarcoma, grade 2/3	9220/3
間葉性軟骨肉腫　Mesenchymal chondrosarcoma	9240/3
骨肉腫，NOS　Osteosarcoma, NOS	9180/3
低悪性中心性骨肉腫　Low-grade central osteosarcoma	9187/3
軟骨芽細胞型骨肉腫　Chondroblastic osteosarcoma	9181/3
傍骨性骨肉腫　Parosteal osteosarcoma	9192/3
骨膜性骨肉腫　Periosteal osteosarcoma	9193/3
良性顎顔面骨ならびに軟骨腫瘍　Benign maxillofacial bone and cartilage tumours	
軟骨腫　Chondroma	9220/0
骨腫　Osteoma	9180/0
乳児のメラニン（黒色）性神経外胚葉性腫瘍　Melanotic neuroectodermal tumour of infancy	9363/0
軟骨芽細胞腫　Chondroblastoma	9230/1
軟骨粘液様線維腫　Chondromyxoid fibroma	9241/0
類骨骨腫　Osteoid osteoma	9191/0
骨芽細胞腫　Osteoblastoma	9200/0
類腱線維腫　Desmoplastic fibroma	8823/1
線維骨性ならびに骨軟骨腫様病変　Fibro-osseous and osteochondromatous lesions	
骨形成線維腫　Ossifying fibroma	9262/0
家族性巨大型セメント質腫　Familial gigantiform cementoma	
線維性異形成症　Fibrous dysplasia	
セメント質骨性異形成症　Cemento-osseous dysplasia	
骨軟骨腫　Osteochondroma	9210/0
巨細胞性病変と骨囊胞　Giant cell lesions and bone cysts	
中心性巨細胞肉芽腫　Central giant cell granuloma	
周辺性巨細胞肉芽腫　Peripheral giant cell granuloma	
ケルビズム　Cherubism	
動脈瘤様骨囊胞　Aneurysmal bone cyst	9260/0
単純性骨囊胞　Simple bone cyst	
血液リンパ性腫瘍　Haematolymphoid tumours	
骨の孤立性形質細胞腫　Solitary plasmacytoma of bone	9731/3

NOS（not otherwise specified）：たとえば，原発性骨内癌NOSでは他の歯原性癌腫に分類されない腫瘍がここに分類される．

ICD-O（International Classification of Diseases for Oncology）：国際疾病分類腫瘍学．

線維性ならびに骨軟骨腫様病変に分類されている骨形成線維腫には3つの亜形があり，歯槽部に発生して歯原性と考えられるものはセメント質骨形成線維腫として良性間葉性歯原性腫瘍にも分類されている．その他は若年性梁状骨形成線維腫（juvenile trabecular ossifying fibroma）と若年性砂粒腫様骨形成線維腫（juvenile pasmmomatoid ossifying fibroma）である．

参考文献

■第1章　放射線と歯科医療

1　放射線と医療

1）Squire LF. Fundamentals of Radiology, revised ed. 3rd printing. Harvard University Press, 1979.
2）山田達哉・他. 画期的なX線写真システム. 別冊サイエンス70（サイエンス編集部編）. 日経サイエンス社；1984. p45.
3）Hallikainen D et al. Optimized sequential dento-maxillofacial radiography：The SCANORA Concept. Yliopistopaino 1992：15-30.
4）Hendee WR. Cross sectional medical imaging：a history. Radiographics 1989；9(6)：1155-80.
5）Crooks L et al. Nuclear magnetic resonance whole-body imager operating at 3.5 KGauss. Radiology 1982；143(1)：169-74.
6）Bottomley PA et al. Anatomy and metabolism of the normal human brain studied by magnetic resonance at 1.5 Tesla. Radiology 1984；150(2)：441-6.
7）Mancuso A, Hanafee W. Computed tomography and magnetic resonance imaging of the head and neck. 2nd ed. Williams & Wilkins；1985.
8）花澤　鼎. ワルクホッフ氏肖像及小傳. 歯科学報 1912；17(7)：1.
9）Thoma KH et al. Oral Roentgenology. Lea and Febiger 1922；50：163-217.
10）Tammisalo E. Panoramaradiografi. Tandlakartidningen 1995；7：1231-9.
11）Mallya SM, Lam EWN ed. Oral Radiology：Principles and Interpretation. 8th ed. Elsevier；2019.
12）Whaites E, Drage N. Essentials of Dental Radiography and Radiology. 6th ed. Elsevier；2021.
13）Langland OE et al. Panoramic radiology. 2nd ed. Lea & Febiger；1989.
14）岡野友宏・他編. 歯科放射線学. 第6版. 医歯薬出版；2018.
15）慶応義塾大学医学部放射線科学教室. 放射線医学の歴史.
https://radiology-history.online/index-about.html（2023年7月1日アクセス）
16）公益社団法人日本医学放射線学会編. 画像診断ガイドライ. 2021年版. 金原出版；2021.
17）Ter-Pogossian MM（宮川　正監訳）. 放射線診断の物理. 朝倉書店；1970.
18）舘野之男. 放射線医学史. 岩波書店；1973.
19）舘野之男. 画像診断―病気を目で見る. 中央公論新社；1976.
20）舘野之男. 放射線と健康. 岩波書店；2001.

2　歯科放射線学の教育ガイドライン

1）歯学教育モデル・コア・カリキュラム. 平成28年度改訂版.
https://www.mext.go.jp/content/20230601-mxt_igaku-000029086_4.pdf（2023年9月3日アクセス）
2）公益社団法人医療系大学間共用試験実施評価機構. 歯学生診療参加型臨床実習に必要とされる技能と態度についての学修・評価項目（第1版）.
https://www.cato.or.jp/pdf/dentistry-osce_53.pdf（2023年9月3日）
3）歯学教育モデル・コア・カリキュラム. 令和4年度改訂版.
https://www.mext.go.jp/content/20230428-mxt_igaku-000029086_1.pdf（2023年9月3日アクセス）
4）歯科医師国家試験出題基準　令和5年版.
https://www.mhlw.go.jp/content/10803000/000920679.pdf（2023年9月3日アクセス）
5）Commission on Dental Accreditation. Accreditation Standards for Advanced Dental Education Programs in Oral and Maxillofacial Radiology.
https://coda.ada.org/-/media/project/ada-organization/ada/coda/files/omr.pdf?rev=42ec4b7857dd408a927ec44ea55d07d9&hash=44F3FB00BDE0247527F9D3D1F63ED6F3（2023年11月1日アクセス）
6）General Dental Council. The first five years：A framework for undergraduate dental education. General Dental Council；2002.
7）IADMFR Education Standards Committee. Undergraduate dental education in dental and maxillofacial radiology. Dentomaxillofacial Radiology 2007：36(8)：443-50.

■第2章　放射線とその性質

1　放射線の物理，2　放射線の量・単位とその測定

1）日本アイソトープ協会編. アイソトープ手帳. 12版. 丸善出版；2020.
2）日本アイソトープ協会. 9版　放射線取扱の基礎. 丸善出版；2021.

3　放射線の生物学的影響

1）Goodhead DT. Initial events in the cellular effects of ionizing radiations：clustered damage in DNA. Int J Radiat Biol 1994；65：7-17.
2）Autophagy - an Intracellular Recycling System by Yoshinori Ohsumi Tokyo Institute of Technology, Tokyo, Japan. Nobel Lecture on 7 December

2016 at Aula Medica, Karolinska Institutet in Stockholm.
3) Gray LH. Oxygenation in radiotherapy. I. Radiobiological considerations. Br J Radiol 1957；30：403.
4) ICRP Publication 103. Recommendations of the International Commission on Radiological Protection. Ann. ICRP 37(2-4)；2008.
5) Hall EJ, Giaccia AJ. Radiobiology for the Radiologist. 8th ed. Wolters Kluwer；2019.
6) Joiner MC, van der Kogel AJ(安藤興一・他監訳). 臨床放射線生物学の基礎，エムプラン；2022.
7) Galluzzi L et al. Molecular mechanisms of cell death：recommendation of the Nomenclature Committee on Cell Death 2018. Cell Death Differ 2018；25：486-541.

4　人体に対する放射線影響

1) ICRP Publication 41. Nonstochastic effects of ionizing radiation. Ann. ICRP 14(3)；1984.
2) ICRP Publication 103. Recommendations of the International Commission on Radiological Protection. Ann. ICRP 37(2～4)；2008.
3) ICRP publication 118. ICRP statement on tissue reactions and early and late effects of radiation in normal tissues and organs-threshold doses for tissue reactions in a radiation protection context. Ann. ICRP 41；2012.
4) Barcellos-Hoff MH, Ravani SA. Irradiated mammary gland stroma promotes the expression of tumorigenic potential by unirradiated epithelial cells. Cancer Res 2000；60(5)：1254-60.
5) Sado T. Biology of bone marrow transplantation —from radiation protection to life sciences—. Radioisotopes 1990；39(3). 114-23.
6) Alexandrov LB et al. Mutational signatures associated with tobacco smoking in human cancer. Science 2016；354(6312)：618-22.
7) Behjati S et al. Mutational signatures of ionizing radiation in second malignancies. Nat Commun 2016；7：12605.
8) Tsuruoka C et al. Sensitive Detection of Radiation-Induced Medulloblastomas after Acute or Protracted Gamma-Ray Exposures in Ptch1 Heterozygous Mice Using a Radiation-Specific Molecular Signature. Radiat Res 2016；186：407-14.
9) Tachibana H et al. Genomic profile of radiation-induced early-onset mouse B-cell lymphoma recapitulates features of Philadelphia chromosome-like acute lymphoblastic leukemia in humans. Carcinogenesis 2022；43：693-703.
10) Russel WL et al. Radiation dose rate and mutation frequency. Science 1958；128(3338)：1546-50.
11) 瀬川至朗．米国エネルギー省とヒトゲノム計画．冷戦後の科学技術政策の変容（科学技術に関する調査プロジェクト 2016)．2017．p.21-38
12) Yeager M et al. Lack of transgenerational effects of ionizing radiation exposure from the Chernobyl accident. Science 2021；372(6543)：p.725-9.
13) Hsu WL et al. The incidence of leukemia, lymphoma and multiple myeloma among atomic bomb survivors：1950-2001. Radiat Res 2013；179(3)：361-82.
14) Preston et al. Solid cancer incidence in atomic bomb survivors：1958-1998. Radiat Res 2007；168(1)：1-64.
15) Ozasa K et alStudies of the Mortality of Atomic Bomb Survivors, Report 14, 1950–2003：An Overview of Cancer and Noncancer Diseases. Radiate Res 2012；177：229-43.
16) Brenner AV. Comparison of All Solid Cancer Mortality and Incidence Dose-Response in the Life Span Study of Atomic Bomb Survivors, 1958-2009. Radiat Res 2022；197：491-508.
17) UNSCEAR 2008 REPORT.
18) Pearce MS et al. Radiation exposure from CT scans in childhood and subsequent risk of leukaemia and brain tumours：a retrospective cohort study. Lancet 2012；380(9840)：499-505.
19) Hauptmann M et al. Brain cancer after radiation exposure from CT examinations of children and young adults：results from the EPI-CT cohort study. Lancet Oncol 2023；24(1)：45-53.
20) Basea Gomez de MB et al. Risk of hematological malignancies from CT radiation exposure in children, adolescents and young adults. Nat Med 2023；29(11)：3111-9.
21) Johnson KJ et al. Childhood cancer in the offspring born in 1921-1984 to US radiologic technologists. British J Cancer 2008；99：545-50.
22) Roman E et al. Health of children born to medical radiographers. Occup Environ Med 1996；53：73-9.
23) Ohtaki K et al. Human fetuses do not register chromosome damage inflicted by radiation exposure in lymphoid precursor cells except for a small but significant effect at low doses. Radiat Res 2004；161：373-9.
24) Claus EB et al. Dental x-rays and risk of meningioma. Cancer 2012；118(18)：4530-7.
25) Brenner AV et al. Radiation risk of central nervous system tumors in the Life Span Study of atomic bomb survivors, 1958-2009. Eur J Epidemiol 2020；35(6)：591-600.
26) UNSCEAR 2001 REPORT.
27) ICRP Publication 84. Pregnancy and Medical Radiation. Ann. ICRP 30(1) . 2000.

5 医療における放射線防護

1）ICRP Publication 105. Radiological Protection in Medicine. Ann. ICRP 37(6)；2007.
2）European guidelines on radiation protection in dental radiology：The safe use of radiographs in dental practice. European Communities；2004.
3）Directorate-General for Energy（European Commission）. Cone Beam CT for dental and maxillofacial radiology. Evidence-Based Guidelines. 2012.
4）National Council on Radiation Protection and Measurements（NCRP）report No. 145. Radiation protection in dentistry. 2003.
5）Dental radiographic examinations：Recommendations for patient selection and limiting radiation exposure. American Dental Association and Food and Drug Administration. DHHS. Revised 2012.
6）生活環境放射線編集員会．新版　生活環境放射線（国民線量の算定）．原子力安全研究協会；2011.
7）日本学術会議臨床医学委員会　放射線・臨床検査分科会．CT 検査による医療被曝の低減に関する提言．2017.
8）国際連合原子放射線の影響に関する科学委員会（UNSCEAR）2008 年報告.
9）Royal College of Radiologists and the National Radiological Protection Board. Guidelines on radiology standards for primary dental care. Documents of the NRPB 15(3). 1994.
10）Pauwels R et al. Effective dose range for dental cone beam computed tomography scanners. Eur J Radiol 2012；81：267-71.
11）Theodorakou C et al. Estimation of paediatric organ and effective doses from dental cone beam CT using anthropomorphic phantoms. Br J Radiol 2012；85：153-60.
12）Bonn Call for Action. IAEA-organized 2012 international conference held in Bonn, Germany. https://www.iaea.org/resources/rpop/resources/bonn-call-for-action-platform（2024 年 1 月 19 日アクセス）
13）Lurie AG. Dose, benefits, safety, and risks in oral and maxillofacial diagnostic imaging. Health Physics 2019；116：163-9.
14）NCRP Report No. 177. Radiation protection in dentistry and oral maxillofacial imaging. Recommendations of the National Council on Radiation Protection and Measurements. 2019.
15）ICRP Publication 60：Recommendations of the International Commission on Radiological Protection. Ann. ICRP 21(1-3). 1991.
16）ICRP Publication 118. ICRP Statement on Tissue Reactions and Early and Late Effects of Radiation in Normal Tissues and Organs — Threshold Does for Tissue Reactions in a Radiation Protection Context. Ann. ICRP 41(1-2)；2012.
17）Gluson AD et al. Dose to Patients arising from Dental X-ray Examinations in the UK, 2002-2004. HPA-RPD-022, 2007.
18）White SC, Pharoah MJ. Oral Radiology：Principle and interpretation. 5th ed. Mosby；2004.
19）HERCA WG Medical Applications. POSITION STATEMENT on use of handheld portable dental x-ray equipment. 2014 https://www.herca.org/wp-content/uploads/uploaditems/documents/HERCA%20position%20statement%20on%20use%20of%20handheld%20portable%20dental%20x-ray%20equipment.pdf（2024 年 2 月 1 日アクセス）
20）HERCA WG Medical Applications. Position statement on use of handheld portable dental x-ray equipment. 2014.
21）ICRP Publication 103. Recommendations of the International Commission on Radiological Protection. Ann. ICRP 37(2〜4)；2008.

■3 章　X 線投影画像の形成

1　X 線撮影装置と X 線像の形成

1）Lamel D et al. The Correlated Lecture Laboratory Series in Diagnostic Radiological Physics. DHHS Publ. FDA 1981；81(8150).
2）久保亮五・他編．理化学辞典．第 4 版．岩波書店；1987.
3）Ter-Pogossian MM（宮川　正監訳）．放射線診断の物理．朝倉書店；1970．p.251.
4）Pizzutiello RJ, Cullinan JE. Introduction to medical radiographic imaging. Eastman Kodak；1993.

2　デジタル撮影

1）有地榮一郎・他編．デジタルデンティストリー 医療情報とデジタル画像 超入門．永末書店；2015.
2）石川隆行・他監．医用画像ハンドブック．オーム社；2010.
3）吉浦一紀．初学者のための診断学的画質についての知識．歯科放射線 2016；56(1)：1-7.
4）Workman A, Brettle DS. Physical performance measures of radiographic imaging systems. Dentomaxillofac Radiol 1997；26：139-46.
5）White SC, Yoon DC. Comparative performance of digital and conventional images for detecting proximal surface caries. Dentomaxillofac Radiol 1997；26：32-8.
6）Furkart AJ et al. Direct digital radiography for the detection of periodontal bone lesions. Oral Surg Oral Med Oral Pathol 1992；74：652-60.
7）Yoshiura K. Image quality assessment of digital intraoral radiography-perception to caries diagnosis. Jpn Dent Sci Rev 2012；48：42-7.
8）Li G. et al. Detection of approximal caries in digi-

tal radiographs before and after correction for attenuation and visual response. An in vitro study. Dentomaxillofac Radiol 2002；31：113-6.

3　フィルムによる撮影

1）The Correlated Lecture Laboratory Series in Diagnostic Radiological Physics. DHHS Publ. FDA 1981；81(8150).
2）Eastman Kodak. The fundamentals of radiography. 1980.
3）一般社団法人全国歯科衛生士教育協議会監．歯科衛生学シリーズ　歯科放射線学．第2版．医歯薬出版；2024.

■4章　X線撮影法と画像検査

1　口内法X線撮影

1）特定非営利活動法人日本歯科放射線学会．日本歯科放射線学会ガイドライン．携帯型口内法X線装置による手持ち撮影のためのガイドライン．2023年改訂版．
https://jsomfr.sakura.ne.jp/wp-content/uploads/2023/04/portable_guideline2023.pdf(2024年1月19日アクセス)
2）欧州委員会（特定非営利活動法人日本歯科放射線学会訳）．歯科X線検査の放射線防護に関するヨーロッパのガイドライン．歯科診療における安全なX線の利用のために．2005.
https://jsomfr.sakura.ne.jp/wp-content/uploads/2017/12/European_guidelines.pdf（2024年1月19日アクセス）
3）日本歯科放射線学会防護委員会．歯科エックス線撮影における防護エプロン使用についての指針．2015年月9月．
https://jsomfr.sakura.ne.jp/wp-content/uploads/2019/09/apron_guideline.pdf（2024年1月19日アクセス）
4）Taguchi M et al. Applying the paralleling technique in intraoral periapical radiographs for Japanese patients　by analyzing CT images. Oral Radiology 2021；37：311-20.

2　パノラマX線撮影

1）Hallikainen D. History of panoramic radiography. Acta Radiol 1996；37：441-5.
2）McDavid WD et al. Imaging characteristics of seven panoramic x-ray units. Dentomaxillofac Radiol 1985；Supplementum 8：1-68.
3）McDavid WD et al.　Real, double, and ghost images in rotational panoramic radiography.　Dentomaxillofac Radiol 1983：12(2)：122-8.
4）Ogawa K et al. Development of a new dental panoramic radiographic system based on a tomosynthesis method. Dentomaxillofac Radiol 2010；39：47-53.
5）Tokuoka O. The Principles of Panoramic Tomography. Oral Radiol 1989；5：31-8.
6）Langland OE et al. Panoramic radiology. Williams & Wilkins；1988.
7）Schiff T et al. Common positioning and technical errors in panoramic radiography.　J Am Dent Assoc 1986；113(3)：422-6.
8）勝又明敏．パノラマX線撮影のルネサンスをめざして．岐阜歯科学会雑誌 2012；38：117-28.
9）武藤晋也監．Q&A　若い歯科医師の疑問に答えます1．医歯薬出版；2019.

3　歯科用コーンビームCT

1）Mozzo P et al. A new volumetric CT machine for dental imaging based on the cone-beam technique：preliminary results. Eur Radiol 1998；8：1558-64.
2）Arai Y et al. Development of a compact computed tomographic apparatus for dental use. Dentomaxillofac. Radiol 1999；28：245-8.
3）岡野友宏・他，歯科診療における歯科用コーンビームCTの基礎的・臨床的評価．日歯会誌 2012；31：64-8.
4）Directorate-General for Energy（European Commission）. Cone Beam CT for dental and maxillofacial radiology. Evidence-Based Guidelines. 2012.
5）Miles DA. Atlas of cone beam imaging for dental application. 2nd ed. Quintessence；2012.
6）White SC, Pharoah MJ. Oral Radiology 7th ed. Elsevier；2013.
7）Pauwels R et al. Technical aspects of dental CBCT：state of the art. Dentomaxillofac Radiol 2015；44：20140224.
8）甲田英一，伊藤勝陽編．3Dボリュームデータ―やさしく臨床に直結―．金原出版；2008.

4　顔面頭蓋部撮影

1）金田　隆，櫻井　孝，土持　眞編．新歯科放射線学．第2版．医学情報社；2017.
2）Whaites E, Drage N. Essentials of dental radiography and radiology. 5th edition. Elsevier；2013.
3）Thomson E, Johnson O. Essentials of dental radiography for dental assistants and hygienists. 10th ed. Pearson；2017.

6　造影検査

1）廣瀬正典・他．造影MRI．知っておきたいMRI画像診断のコツ（後閑武彦編）．臨床画像 2018；34(13)：26-9.

7　CT

1）市川勝弘．CT super basic．オーム社；2015.
2）森　一生・他編著．CTとMRI―その原理と装置技術．コロナ社；2010.
3）田中敏幸．X線CTの撮影原理．計測と制御 2019；58(7)：509-13.
4）村田勝俊．Multi-Detector Row CTの基礎とアプリケーション．MED IMAG TECH 2001；19(1)：17-20.
5）Hsieh J et al. Recent Advances in CT Image Re-

construction. Curr Radiol Rep 2013；1(1)：39-51.
6) Gupta H et al. CNN-Based Projected Gradient Descent for Consistent CT Image Reconstruction. IEEE Trans Med Imaging 2018；37(6)：1440-53.
7) Jackowski C et al. Ultra-high-resolution dual-source CT for forensic dental visualization—discrimination of ceramic and composite fillings. Int J Legal Med 2008；122(4)：301-7.
8) Sakuma A et al. Three-dimensional visualization of composite fillings for dental identification using CT images. Dentomaxillofac Radiol 2012；41(6)：515-9.
9) Kutschy JM et al. The applicability of using different energy levels in CT imaging for differentiation or identification of dental restorative materials. Forensic Sci Med Pathol 2014；10(4)：543-9.
10) Pop M, Mărușteri M. Fat Hounsfield Unit Reference Interval Derived through an Indirect Method. Diagnostics 2023；13(11)：1913.
11) Lamba R et al. CT Hounsfield Numbers of Soft Tissues on Unenhanced Abdominal CT Scans：Variability Between Two Different Manufacturers' MDCT Scanners：AJR Am J Roentgenol 2014；203(5)：1013-20.
12) 鈴木陽典・他. 歯のX線不透過性に関する定量診断法の確立：CTによる象牙質ミネラル量の計測. 奥羽大歯誌 2004；31(2)：129-34.
13) 鈴木信一郎・他. CTの顎・顔面領域での基礎的研究（第1報）. 日口腔科会誌 1982；31(1)：65-9.
14) Huang JY et al. An evaluation of three commercially available metal artifact reduction methods for CT imaging. Phys Med Biol 2015；60(3)：1047.
15) Long Z et al. Evaluation of projection- and dual-energy-based methods for metal artifact reduction in CT using a phantom study. J Appl Clin Med Phys 2018；19(4)：252-60.
16) 鳴海善文, 中村仁信. 非イオン性ヨード造影剤およびガドリニウム造影剤の重症副作用および死亡例の頻度調査. 日本医放会誌 2005；65：300-1.

8 MRI

1) Suen JLK et al. Effective Connectivity in the Human Brain for Sour Taste, Retronasal Smell, and Combined Flavour. Foods 2021；10(9)：2034.

9 CT，MRIの顔面・頸部の正常画像解剖〔(間）隙を含む〕

1) Harnsberger HR（多田信平監訳）. 頭頸部画像診断ハンドブック—断層解剖から学ぶ鑑別診断. メディカル・サイエンス・インターナショナル；1999.
2) 尾尻博也, 酒井　修編. 頭頸部のCT・MRI. 第3版. メディカル・サイエンス・インターナショナル；2019.

10 超音波検査法（US）

1) 林　孝文. 歯科医院のための実践！超音波診断 歯科臨床で超音波診断装置を有効活用するために. 第1回　超音波診断法の原理. 補綴臨床 2021；54(5)：510-522.

11 核医学検査

1) Ogawa R, Ogura I. Analysis of medication-related osteonecrosis of the jaw with bone SPECT/CT：relationship between patient characteristics and maximum standardized uptake value. Dentomaxillofac Radiol 2021；50：20200516.
2) Ogawa R, Ogura I. A computer program to assess the bone scan index for Tc-99m hydroxymethylene diphosphonate：evaluation of jaw pathologies of patients with bone metastases using SPECT/CT. Diagn Interv Radiol 2023；29：190-4.
3) Tezuka Y, Ogura I. Maximum and mean standardized uptake values of medication-related osteonecrosis of the jaw with bone SPECT/CT：comparison of mandibular pathologies, control and temporomandibular joints. Dentomaxillofac Radiol 2023；52：20230119.

12 interventional radiologyと内視鏡

1) Murakami K et al. Recapturing the persistent anteriorly displaced disk by mandibular manipulation after pumping and hydraulic pressure to the upper joint cavity of the temporomandibular joint. J Craniomand Parct 1987；5：18-24.
2) Nitzan DW et al. Temporomandibular joint arthrocentesis：a simplified treatment for severe, limited mouth opening. J oral Maxillofac Surg 1991；49：1163-7.
3) 大西正俊. 顎関節鏡視法の開発とその臨床応用. 口科誌 1982；31：487-512.

13 画像検査における医療安全

1) 岡野友宏・他. 歯科X線撮影装置の安全確保のための基準と点検項目. 歯放 2012；52(4)：66-74.
2) American Academy of Oral and Maxillofacial Radiology. American Academy of Oral and Maxillofacial Radiology infection control guidelines for dental radiographic procedures. Oral Surg Oral Med Oral Pathol 1992；73：248-9.
3) Puttaiah R et al. Infection control in dental radiology. CDA Journal 1995；23(5)：21-8.
4) MacDonald DS, Waterfield JD. Infection control in digital intraoral radiography：evaluation of microbiological contamination of photostimulable phosphor plates in barrier envelopes. J Can Dent Assoc 2011；77：b93.
5) Haring JI, Jansen L. Infection control and the dental radiographer. In：Dental radiography：principles and techniques (Haring JI, Jansen L eds).

WB Saunders；2000：194-204.

6）Kohn WG et al. Centers for Disease Control and Prevention（CDC）. Guidelines for infection control in dental health-care settings—2003. MMWR Recomm Rep；52（RR-17）：1-61.

14　医療情報とデジタル画像の統合

1）平成11年4月22日付け　健政発第517号，医薬発第587号，保発第82号．診療録等の電子媒体による保存について．
https://www.mhlw.go.jp/www1/houdou/1104/h0423-1_10.html（2023年5月9日 access）

2）平成15年9月12日付け 医政発第0912001号，厚生労働省医政局長通知．診療情報の提供等に関する指針の策定について．
https://www.mhlw.go.jp/web/t_doc?dataId=00tb3403&dataType=1&page%20No=1（2023年5月9日アクセス）

3）医師法．昭和二十三年法律第二百一号．
https://elaws.e-gov.go.jp/document?lawid=323AC0000000201（2023年5月9日アクセス）

4）歯科医師法．昭和二十三年法律第二百一号．
https://elaws.e-gov.go.jp/document?lawid=323AC0000000202（2023年5月9日アクセス）

5）厚生労働省．医療分野の情報化の推進について．
https://www.mhlw.go.jp/stf/seisakunitsuite/bunya/kenkou_iryou/iryou/johoka/index.html（2023年5月9日アクセス）

6）DICOM. https://www.dicomstandard.org/（2023年5月9日アクセス）

7）HL7とは　制定済標準規格．
http://www.hl7.jp/whatis/standard.html（2023年5月9日アクセス）

8）SS-MIX普及推進コンソーシアム．
http://www.ss-mix.org/cons/（2023年5月9日アクセス）

9）HL7 FHIR. https://www.hl7.org/fhir/（2023年5月9日アクセス）

10）HL7 FHIR JP Core実装ガイド．
https://jpfhir.jp/fhir/core/1.1.1/index.html（2023年5月9日アクセス）

11）令和四年三月四日付け　厚生労働省告示 第56号．特掲診療料の施設基準等の一部を改正する件．
https://www.mhlw.go.jp/content/12404000/000908781.pdf（2023年5月9日アクセス）

12）令和4年3月4日付け　保医発0304第3号．特掲診療料の施設基準等及びその届出に関する手続きの取扱いについて
https://www.mhlw.go.jp/content/12404000/001080631.pdf（2023年5月9日アクセス）

13）医療情報システムの安全管理に関するガイドライン．第5.2版（令和4年3月）．
https://www.mhlw.go.jp/stf/shingi/0000516275_00002.html（2023年5月9日アクセス）

■第5章　画像診断

1　診断入門

1）Wulff HR. Rational Diagnosis and Treatment. Blackwell；1981.

2）Swets J. Evaluation of Diagnostic Systems. Methods from Signal Detection Theory. Academic Press；1982.

3）European guidelines on radiation protection in dental radiology：The safe use of radiographs in dental practice. European Communities；2004.

4）Dental radiographic examinations：Recommendations for patient selection and limiting radiation exposure. American Dental Association and Food and Drug Administration, DHHS. Revised 2012.

5）久道　茂．医学判断学入門．南江堂；1990.

6）Lusted LB（野村　裕，中村正彦訳）．臨床診断への新しい道—意思決定の理論と実際．コロナ社；1976.

7）Worth HM. Principles and practice of oral radiologic interpretation. Yearbook Medical Publishers；1975.

8）Wood NK, Goaz PW. Differential diagnosis of oral and maxillofacial lesions. 5th ed. Mosby；1997.

9）Pitts NB, Stamm JW eds. Proceedings from the International Consensus Workshop on Caries Clinical Trials, Glasgow, Scotland, Jan 7-10, 2002. J Dent Res 2004；83(Spec Issue C)：C1-128.

10）Thylstrup A, Fejerskov O eds. Textbook of Clinical Cariology. Munksgaard；1999.

11）Bender IB, Selzer S. Roentgenographic and direct observation of experimental lesion in bone. JADA 1961；62：152-60.

12）山崎宗与・他．骨の欠損形態がX線写真上の画像形成に及ぼす影響（1）人工的根尖周囲欠損および人工的歯周欠損について．日歯保誌 1975；18：141-9.

13）Cavalcanti MG et al. Radiologic interpretation of bone striae：an experimental study in vitro. Oral Surg Oral Med Oral Pathol Oral Radiol Endod 1999；88(3)：353-7.

14）秋吉正豊．X線像の落とし穴，X線像と病態．歯界展望別冊／歯科X線の臨床．医歯薬出版；1982. p.155-60.

15）藤田広志編．医療AIとディープラーニングシリーズ 1. 医用画像ディープラーニング入門. オーム社；2019.

2　齲　蝕

1）Darling A. The pathology and prevention of caries. Brit Dent J 1959；107：287-96.

2）下野正基・他編．新口腔病理学．第3版．医歯薬出版；2021.

3）河合泰輔・他．歯科用コーンビームCTの特徴と臨床応用．日歯先技研会誌 2007；13：69-76.

3　歯髄・根尖病変と歯内療法

1）飯久保正弘，笹野高嗣．加齢変化．歯科臨床における画像診断アトラス．第2版（特定非営利活動法人日本歯科放射線学会編）．医歯薬出版；2020．p.56.
2）Bender IB, Selzer S. Roentgenographic and direct observation of experimental lesion in bone. JADA 1961；62：152-60.
3）山崎宗与・他．骨の欠損形態がX線写真上の画像形成に及ぼす影響（1）人工的根尖周囲欠損および人工的歯周欠損について．日歯保誌 1975；18：141-9.
4）Cavalcanti MG et al. Radiologic interpretation of bone striae：an experimental study in vitro. Oral Surg Oral Med Oral Pathol Oral Radiol Endod 1999；88(3)：353-7.
5）秋吉正豊．X線像の落とし穴，X線像と病態．歯界展望／別冊　歯科X線の臨床（山本　昭・他編）．医歯薬出版；1982．p.155-60.
6）佐々木喬，三條大助．根尖部X線不透過像に関する診断学的研究　第二報．根管処置による変化．日歯保誌 1982；25：105-9.
7）Trope M. Relationship of intracranial medication to endodontic flare-ups. Endod Dent Traumatol 1990；6：226-9.

4　歯周疾患

1）村上伸也・他編．臨床歯周病学．第3版．医歯薬出版；2020.
2）勝又明敏・他編．解説と例題でわかる　歯科放射線テキスト．永末書店；2021.
3）特定非営利活動法人日本歯科放射線学会編．歯科臨床における画像診断アトラス．第2版．医歯薬出版；2020.
4）Kito S et al. Reflection of ^{18}F-FDG accumulation in the evaluation of the extent of periapical or periodontal inflammation. Oral Surg Oral Med Oral Pathol Oral Radiol 2012；114(6)：e62-9.
5）Kito S et al. Variety and complexity of fluorine-18-labelled fluoro-2-deoxy-D-glucose accumulations in the oral cavity of patients with oral cancers. Dentomaxillofac Radiol 2013；42(7)：20130014.

5　歯の異常

1）White SC, Pharoah MJ. Principles and Interpretation. 7th ed. Elsevier；2013. p.582-611.
2）白川哲夫・他編．小児歯科学．第6版．医歯薬出版；2023.
3）Ata-Ali F et al. Prevalence, etiology, diagnosis, treatment and complications of supernumerary teeth. J Clin Exp Dent 2014；6：414-8.
4）下野正基・他編．新口腔病理学．第3版．医歯薬出版；2021．p.2-22.
5）新谷誠康編著．小児歯科学ベーシックテキスト．第2版．永末書店；2019．p.77-101.
6）Rakhshan V. Congenitally missing teeth (hypodontia)：A review of the literature concerning the etiology, prevalence, risk factors, patterns and treatment. Dent Res J (Isfahan) 2015；12：1-13.
7）Regezi JA, Sciubba JJ, Jordan RCK. Oral Pathology Sixth ed. W.B. Saunders；2012. p.373-89.
8）Teena W et al. Impacted teeth a review on genetic background. Saudi J Oral Dent Res 2020；5：142-6.
9）新谷誠康．歯科医師の身近な先天異常―エナメル質の形成障害．日ヘルスケア歯会誌 2011；12：18-24.
10）西連寺永康監．標準歯科放射線学．第2版．医学書院；2019．p.115-35.
11）Su T et al. Hereditary dentin defects with systemic diseases. Oral Dis 2023；29(6)：2376-93.
12）一般社団法人日本小児口腔外科学会編著．子どもの口と顎の異常・病変．歯と顎骨 編．クインテッセンス出版；2019．p.15-9.

6　顎骨とその周囲の炎症

1）Yoshikawa H et al. Oral symptoms including dental erosion in gastroesophageal reflux disease are associated with decreased salivary flow volume and swallowing function. J Gastroenterol 2012；47(4)：412-20.
2）Som PM, Curtin HD. Head and Neck Imaging. 5th ed. Elsevier Mosby；2011.
3）Harnsberger HR. Handbook of Head and Neck Imaging. 2nd ed. Mosby；1995.
4）Ariji Y et al. Odontogenic infection pathway to the submandibular space：imaging assessment. Int J Oral Maxillofac Surg 2002；31：165-9.
5）Ariji Y et al. MRI features of mandibular osteomyelitis：practical criteria based on an association with conventional radiography features and clinical classification. Oral Surg Oral Med Oral Pathol Oral Radiol Endod 2008；105：503-11.
6）Yoshiura K et al. Radiographic patterns of osteomyelitis in the mandible. Plain film/CT correlation. Oral Surg Oral Med Oral Pathol 1994；78：116-24.
7）Marx RE（公益社団法人日本口腔外科学会翻訳監修）．顎骨壊死を誘発するビスフォスフォネート経口薬あるいは静注薬―歴史，病因，予防，治療―．クインテッセンス出版；2009.
8）吉田和史・他．外歯瘻の画像診断．歯放 2003；43：7-16.
9）Hermans R. Imaging of mandibular osteoradionecrosis. Neuroimaging Clin N Am 2003；13：597-604.

7　顎骨の嚢胞・腫瘍

1）Kramer IRH et al（日本口腔病理学会訳）．WHO歯原性腫瘍の組織学的分類．医歯薬出版；1996.
2）Barnes L et al eds. World Health Organization Classification of Tumours：Pathology and Genet-

ics of Head and Neck Tumor. IARC Press；2005.
3) Delbalso AM ed. Maxillofacial imaging. Sunders；1990.
4) Wood NK, Goaz PW（増田　屯・他訳）．改訂口腔病変の鑑別診断．書林；1983.
5) 山本浩嗣，小林　馨編．改訂版・歯科放射線の臨床診断．画像診断と病理概説．永末書店；1997.
6) 谷本啓二・他．下顎枝に発生したOdontogenic keratocystのX線像の特徴―Ameloblastomaとの鑑別を主として―．歯科放射線 1982；21：237-45.
7) Langland OE et al. Principles and Practice of Panoramic Radiology. Sunders；1982.
8) Fantasia JE. Lateral periodontal cyst. Oral Surg Oral Pathol Oral Radiol Endod 1979；48：237-43.
9) 岩崎裕一，上村修三郎，渕端　猛．いわゆる単純性骨嚢胞のX線所見について．歯科放射線 1979；19：93-101.
10) 佐藤　眞・他．いわゆる単純性骨嚢胞の臨床的X線学的検討．歯科放射線 1986；26：16-22.
11) 池島　厚，尾澤光久，山本浩嗣．単純性骨嚢胞のX線所見について．歯科放射線 1988；28：409-16.
12) 富田真一・他．単純性骨嚢胞のX線学的検討．歯科放射線 1989；29：51-62.
13) Yoshiura K et al. Computed tomographic features of calcifying odontogenic cysts. Dentomaxillofac Radiol 1998；27：12-6.
14) Okura S et al. Differential diagnosis between calcifying odontogenic cyst and adenomatoid odontogenic tumor by computed tomography images. Oral Radiol 2022；38(1)：99-104.

8　口腔・顎部の軟組織疾患

1) 日本癌治療学会．日本癌治療学会リンパ節規約．金原出版；2002.
2) 一般社団法人日本頭頚部癌学会編．頭頚部癌取扱い規約．第6版．金原出版；2019.
3) Amin MB et al eds. AJCC Cancer Staging Manual. 8th ed. Springer；2017.

9　口腔・顎部の悪性腫瘍

1) Brierley JD et al eds. TNM Classification of Malignant Tumours. 8th ed. Wiley；2017.
2) Amin MB et al eds. AJCC Cancer Staging Manual. 8th ed. Springer；2017.
3) Hayashi T. Imaging and Classification of Staging. In：Oral Cancer-Diagnosis and Therapy（Kirita T, Omura K eds）. Springer；2015. p.99-155.
4) 日本口腔腫瘍学会口腔癌診療ガイドライン改訂委員会・日本口腔外科学会口腔癌診療ガイドライン策定委員会・口腔癌診療ガイドライン改訂合同委員会編．口腔癌診療ガイドライン．2023年版．金原出版；2023.
5) 日本口腔腫瘍学会編．口腔癌取扱い規約．第2版．金原出版；2019.
6) Kyzas PA et al. 18F-fluorodeoxyglucose positron emission tomography to evaluate cervical node metastases in patients with head and neck squamous cell carcinoma：a meta-analysis. J Natl Cancer Inst 2008；100(10)：712-20.
7) Liao LJ et al. Detection of cervical lymph node metastasis in head and neck cancer patients with clinically N0 neck-a meta-analysis comparing different imaging modalities. BMC Cancer 2012；12：236.
8) Xu G et al. Comparison of whole body positron emission tomography（PET）/PETcomputed tomography and conventional anatomic imaging for detecting distant malignancies in patients with head and neck cancer：a meta-analysis. Laryngoscope 2012；122(9)：1974-8.
9) Hennekam R, Allanson J, Krantz I. Gorlin's Syndromes of the head and neck. 5 ed. Oxford University Press；2010.
10) 白砂兼光，古郷幹彦編．口腔外科学．第4版．医歯薬出版；2020．p.270-5，289-304.
11) WHO Classification of Tumours Editorial Board. Soft tissue and bone tumours. 5th ed. IARC；2020.

10　唾液腺の病変

1) 上條雍彦．口腔解剖学．第5巻内臓学（基礎編）．第3版．アナトーム社；2001.
2) 酒井　修，金田　隆編．顎・口腔のCT・MRI．メディカルサイエンスインターナショナル；2016. p.249-95.
3) Hiyama T et al. Imaging of malignant minor salivary gland tumors of the head and neck. Radiographics 2021；41：175-91.
4) Alsanie I et al. Distribution and frequency of salivary gland tumours：an international multicenter study. Head and Neck Pathology 2022；16：1043-54.
5) Sentani K et al. Characteristics of 5015 salivary gland neoplasms registered in the Hiroshima tumor tissue registry over a period of 39 years. J Clin Med 2019；8：566.
6) Skálová A, Hyrcza MD, Leivo I. Update from the 5th edition of the world health organization classification of head and neck tumors：salivary glands. Head Neck Pathol 2022；16：40-53.
7) Yabuuchi H et al. Salivary gland tumors：diagnostic value of gadolinium-enhanced dynamic MR imaging with histopathologic correlation. Radiology 2003；226：345-54.
8) Sumi M, Nakamura T. Head and neck tumours：Combined MRI assessment based on IVIM and TIC analyses for the differentiation of tumors of different histological types. Eur Radiol 2014；24：223-31.

9) Yabuuchi H et al. Characterization of parotid gland tumors：added value of permeability MR imaging to DWI and DCE-MRI. Eur Radiol 2020；30：6402-12.
10) Hellquist H et al. Analysis of the clinical relevance of histological classification of benign epithelial salivary gland tumours. Adv Ther 2019；36：1950-74.
11) 日本唾液線学会編．唾液腺腫瘍アトラス．金原出版；2011.
12) Faquin WC, Rossi ED（樋口佳代子，浦野　誠監訳）．唾液線細胞診ミラノシステム．金芳堂；2019.
13) Takagi Y, Sumi M, Sumi T et al. MR microscopy of the parotid glands in patients with Sjögren's syndrome：quantitative MR diagnostic criteria. Am J Neuroradiol 2005；26：1207-14.
14) Takagi Y, Sasaki M, Eida S et al. Comparison of salivary gland MRI and ultrasonography findings among patients with Sjögren's syndrome over a wide age range. Rheumatology（Oxford）2022；61(5)：1986-96.
15) 岡崎和一・他編．臨床医必読　最新IgG4関連疾患．改訂第2版．診断と治療社；2019.
16) Imaizumi A, Kurabayashi A, Okochi K et al. Differentiation between superficial and deep lobe parotid tumors by magnetic resonance imaging：usefulness of the parotid duct criterion. Acta Radiol 2009；50：806-11.
17) Kim JY, Yang HC, Lee S et al. Effectiveness of anatomic criteria for predicting parotid tumour location. Clin Otolaryngol 2016；41：154-9.
18) WHO Classification of Tumours Editorial Board. 4 Salivary gland tumours. In: WHO classification of tumours. 5th ed. Head and neck tumours. Part A. International Agency for Research on Cancer：2024. p.159-251.

11　顎関節の病変

1) 五十嵐千浪．パノラマ4分割像での変形性顎関節症の画像診断．日顎関節会誌 2017；29：85-91.
2) Tasaki MM et al. Classification and prevalence of temporomandibular joint disk displacement in patients and symptom-free volunteers. Am J Orthod Dentofacial Orthop 1996；109：249-69.
3) 井上農夫男．咀嚼筋腱・腱膜過形成症の治療．日顎誌 2009；21：46-50.
4) 有家　巧，覚道健治．咀嚼筋腱・腱膜過形成症の臨床所見．日顎誌 2009；21：31-4.
5) 小林　馨・他．咀嚼筋腱・腱膜過形成症のMR画像診断の現状．日顎誌 2009；21：35-9.
6) 伊東宏和・他．3DCTを用いた咀嚼筋腱・腱膜過形成症の評価に関する検討．日顎誌 2021；33：81-8.
7) 一般社団法人日本顎関節学会編．新編　顎関節症．永末書店；2013.
8) Okeson J ed（藤井弘之，杉崎正志監訳）．口腔顔面痛の最新ガイドライン．クインテッセンス出版；1997.
9) Katzberg RW, Westesson P.-L.：Diagnosis of the Temporomandibular Joint. W.B. Saunders Co., Philadelphia, 1993.

12　上顎洞の病変

1) 金田　隆編著．基本から学ぶインプラントの画像診断．砂書房；2008.
2) Kaneda T et al. Cysts, Tumors, and Nontumorous Lesions of the Jaw. In：Head and Neck Imaging. 5th ed（Som PM, Curtin HD ed）. Mosby；2011.
3) 金田　隆編著．顎口腔領域画像解剖アトラス．砂書房；2011.
4) 酒井　修，金田　隆編．顎口腔のCT・MRI．メディカルサイエンスインターナショナル；2016.
5) 山下康行監．知っておきたい顎・歯・口腔の画像診断．秀潤社；2017.
6) 金田　隆編著．基本から学ぶ歯科用コーンビームCT．ヒョーロン・パブリッシャーズ；2018.
7) 一般社団法人日本頭頸部癌学会編．頭頸部癌取扱い規約．第6版補訂版．金原出版；2019.
8) 金田　隆，久山佳代編著．Case based Review　顎口腔領域の疾患．第2版．永末書店；2022.
9) 口腔インプラント学会編．口腔インプラントの画像診断．口腔インプラント治療指針2020．医歯薬出版；2020. p.38-42.

13　歯と顎骨の外傷

1) 歯科医学大事典編集委員会．歯科医学大事典．医歯薬出版；1989. p.950.

14　顎骨に異常をきたす主として全身に関連する疾患

1) 特定非営利活動法人日本歯科放射線学会編．歯科臨床における画像診断アトラス．第2版．医歯薬出版；2020.

15　歯と顎の成長とその障害

1) Schour I, Massler M. Studies in the tooth development：the growth pattern of human teeth. part Ⅱ. J Am Dent Assoc 1940；27：1920.
2) 公益社団法人日本小児歯科学会．日本人小児における乳歯・永久歯の萌出時期に関する調査研究．小児歯誌 1988；26：15-6.
3) 小豆嶋正典．歯と顎の成長とその障害．歯科放射線学．第6版（岡野友宏・他編）．医歯薬出版；2018. p414.

16　加齢に伴う変化

1) Taguchi A. Triage screening for osteoporosis in dental clinics using panoramic radiographs. Oral Dis 2010；16(4)：316-27.
2) Tanaka T et al. Can the presence of carotid artery calcification on panoramic radiographs predict the risk of vascular diseases among 80-year-olds? Oral Surg Oral Med Oral Pathol Oral Radiol Endod 2006；101(6)：777-83.

17　摂食嚥下機能の評価と診断

1）二藤隆春・他．嚥下造影の検査法（詳細版）．日本摂食嚥下リハビリテーション学会医療検討委員会 2014 年度版．日摂食嚥下リハ会誌 2014；18：167-86.
2）Belafsky PC, Kuhn MA. The Clinician's Guide to Swallowing Fluoroscopy. Springer；2014.

■第 6 章　がんの放射線治療

1　腫瘍に対する放射線の作用

1）Hall EJ, Giaccia AJ. Radiobiology for the Radiologist. 8th ed. Wolters Kluwer；2019.
2）安藤興一・他監訳．臨床放射線生物学の基礎．エムプラン株式会社；2022.
3）Brown JM, Carlson DJ, Brenner DJ. The tumor radiobiology of SRS and SBRT：are more than the 5 Rs involved? Int J Radiat Oncol Biol Phys 2014；88：254-62.
4）Shevtsov M et al. Novel approaches to improve the efficacy of immuno-radiotherapy. Front Oncol 2019；9：156.

2　放射線治療の概念と治療機器

1）井上俊彦・他編．放射線治療学．改訂 6 版．南山堂；2017.
2）Haynes WM ed. Handbook of chemistry and physics. 93rd ed. CRC press；2012.

3　頭頸部放射線治療の実際

1）日本口腔腫瘍学会学術委員会口腔癌治療ガイドライン改訂委員会・日本口腔外科学会学術委員会口腔癌診療ガイドライン策定委員会・合同委員会編．第 2 章 疫学．科学的根拠に基づく口腔癌診療ガイドライン．2013 年版．金原出版；2013．p.11-22.
2）Fuchihata H et al. Results of combined external irradiation and chemotherapy of bleomycin or peplomycin for squamous cell carcinomas of the lower gingiva. Int J Radiat Oncol Biol Phys 1994；29(4)：705-9.
3）Inoue T et al. Phase III trial of high- vs. low-dose-rate interstitial radiotherapy for early mobile tongue cancer. Int J Radiat Oncol Biol Phys 2001；51(1)：171-5.
4）Kakimoto N et al. Results of low- and high-dose-rate interstitial brachytherapy for T3 mobile tongue cancer. Radiother Oncol 2003；68(2)：123-8.
5）Kakimoto N et al. Electron beam radiotherapy for tongue cancer using an intra-oral cone. Oral Oncol 2012；48(5)：463-8.
6）Inoue T et al. High dose rate versus low dose rate interstitial radiotherapy for carcinoma of the floor of mouth. Int J Radiat Oncol Biol Phys 1998；41(1)：53-8.
7）Murakami S et al. Preventing Complications from High-Dose Rate Brachytherapy when Treating Mobile Tongue Cancer via the Application of a Modular Lead-Lined Spacer. PLoS One 2016；11(4)：e0154226.

4　放射線治療に伴う有害事象と患者の管理

1）Sonis ST. A biological approach to mucositis. J Support Oncol 2004；2：21-32.
2）公益財団法人がん研究振興財団．がん治療における口腔支持療法のための口腔乾燥症対応マニュアル．2019.

索　引

き

く

け

こ

さ

し

す

せ

そ

た

ち

つ

て

と

な

に

ね

の

は

ひ

ふ

へ

ほ

ま

み

む

め

も

や

ゆ

よ

ら

り

る

れ

ろ

数字

A

B

C

D

E

F

G

H

I

J

K

L

M

【編者略歴】

岡野友宏
1973年　東京医科歯科大学（現 東京科学大学）歯学部卒業
1987年　昭和大学教授（歯学部口腔病態診断科学講座歯科放射線医学部門）
2013年　昭和大学名誉教授
2016年　東京歯科大学客員教授

小林　馨
1980年　鶴見大学歯学部卒業
2004年　鶴見大学教授（歯学部口腔顎顔面放射線・画像診断学講座）
2022年　鶴見大学名誉教授

有地榮一郎
1981年　九州大学歯学部卒業
1995年　愛知学院大学教授（歯学部歯科放射線学講座）

勝又明敏
1987年　朝日大学歯学部卒業
2011年　朝日大学教授（歯学部口腔病態医療学講座歯科放射線学）

林　孝文
1987年　新潟大学歯学部卒業
2002年　新潟大学教授（大学院医歯学総合研究科顎顔面放射線学分野）

本書の内容に訂正等があった場合には，弊社ホームページに掲載いたします．
下記URL，または二次元コードをご利用ください．
https://www.ishiyaku.co.jp/corrigenda/details.aspx?bookcode=456810

歯科放射線学 第7版　　ISBN978-4-263-45681-1

1982年1月20日　第1版第1刷発行
1995年5月10日　第2版第1刷発行
2000年7月20日　第3版第1刷発行
2006年5月25日　第4版第1刷発行
2013年9月25日　第5版第1刷発行
2018年2月10日　第6版第1刷発行
2024年3月25日　第7版第1刷発行
2025年2月20日　第7版第2刷発行

編　集　岡野友宏ほか
発行者　白　石　泰　夫
発行所　医歯薬出版株式会社
〒113-8612 東京都文京区本駒込1-7-10
TEL.（03）5395-7638（編集）・7630（販売）
FAX.（03）5395-7639（編集）・7633（販売）
https://www.ishiyaku.co.jp/
郵便振替番号　00190-5-13816

乱丁，落丁の際はお取り替えいたします　　印刷・教文堂／製本・明光社